le Guide du routard

Directeur de collection et auteur
Philippe GLOAGUEN

Cofondateurs
Philippe GLOAGUEN et Michel DUVAL

Rédacteur en chef
Pierre JOSSE

Rédacteurs en chef adjoints
Amanda KERAVEL et Ben[illegible]

Dir[illegible]
Flo[illegible]

Olivier PAG[illegible]
Isabelle AL SU[illegible]oline DUMAS,
Carole BOR[illegible], André PONCELET,
Marie BURIN des ROZIERS, Thierry BROUARD,
Géraldine LEMAUF-BEAUVOIS,
Anne POINSOT, Mathilde de BOISGROLLIER,
Alain PALLIER, Gavin's CLEMENTE-RUÏZ
et Fiona DEBRABANDER

DANEMARK, SUÈDE

2008/2009

Hachette

Avis aux hôteliers et aux restaurateurs

Les enquêteurs du *Guide du routard* travaillent dans le plus strict anonymat. Aucune réduction, aucun avantage quelconque, aucune rétribution n'est jamais demandé en contrepartie. Face aux aigrefins, la loi autorise les hôteliers et restaurateurs à porter plainte.

Hors-d'œuvre

Le *Guide du routard,* ce n'est pas comme le bon vin, il vieillit mal. On ne veut pas pousser à la consommation, mais évitez de partir avec une édition ancienne. Les modifications sont souvent importantes.

ON EN EST FIERS : www.routard.com

• ***www.routard.com*** • Tout pour préparer votre périple. Des fiches sur plus de 180 destinations, de nombreuses informations et des services pratiques : photos, cartes, météo, dossiers, agenda, itinéraires, billets d'avion, réservation d'hôtels, location de voitures, visas... Mais aussi un espace communautaire pour échanger ses bons plans et partager ses photos. Sans oublier *routard mag,* ses reportages, ses carnets de route et ses infos pour bien voyager. La boîte à outils indispensable du routard.

Petits restos des grands chefs

Ce qui est bon n'est pas forcément cher ! Partout en France, nous avons dégoté de bonnes petites tables de grands chefs aux prix aussi raisonnables que la cuisine est fameuse. Évidemment, tous les grands chefs n'ont pas été retenus : certains font payer cher leur nom pour une petite table qu'ils ne fréquentent guère. Au total, plus de 700 adresses réactualisées, retenues pour le plaisir des papilles sans pour autant ruiner votre portefeuille. À proximité des restaurants sélectionnés, 280 hôtels de charme pour prolonger la fête.

Nos meilleurs campings en France

Se réveiller au milieu des prés, dormir au bord de l'eau ou dans une hutte, voici nos 1 700 meilleures adresses en pleine nature. Du camping à la ferme aux équipements les plus sophistiqués, nous avons sélectionné les plus beaux emplacements : mer, montagne, campagne ou lac. Sans oublier les balades à proximité, les jeux pour enfants... Des centaines de réductions pour nos lecteurs.

Avis aux lecteurs

Les réductions accordées à nos lecteurs ne sont jamais demandées par nos rédacteurs afin de préserver leur indépendance. Les hôteliers et restaurateurs sont sollicités par une société de mailing, totalement indépendante de la rédaction, qui reste donc libre de ses choix. De même pour les autocollants et plaques émaillées.

Le contenu des annonces publicitaires insérées dans ce guide n'engage en rien la responsabilité de l'éditeur.

Mille excuses, on ne peut plus répondre individuellement aux centaines de CV reçus chaque année.

TABLE DES MATIÈRES

COMMENT ALLER AU DANEMARK ET EN SUÈDE ?

DANEMARK UTILE

DANEMARK : HOMMES, CULTURE ET ENVIRONNEMENT

LE DANEMARK

COPENHAGUE ET LA CAMPAGNE ENVIRONNANTE

LA SEALAND

La Sealand du Nord

La Sealand du Sud et les îles méridionales

LES ÎLES FIONIENNES

Fyn

LE JUTLAND

La route vers le nord du Jutland

EN ROUTE VERS LE NORD

LES QUESTIONS QU'ON SE POSE LE PLUS SOUVENT SUR LA SUÈDE 222

LES COUPS DE CŒUR DU ROUTARD EN SUÈDE 223

SUÈDE UTILE

SUÈDE : HOMMES, CULTURE ET ENVIRONNEMENT

LA SUÈDE

LA CÔTE DU SUD-OUEST

LA SCANIE DE MALMÖ À KALMAR

L'ÖSTERLEN

LA CÔTE DU BLEKINGELÄN

LA CÔTE DU KALMARLÄN

DE KALMAR À JÖNKÖPING : LA ROUTE DES VERRERIES

DE JÖNKÖPING À STOCKHOLM

VERS LE NORD

LES GUIDES DU ROUTARD 2008-2009

(dates de parution sur **www.routard.com**)

France

Nationaux

- Nos meilleures chambres d'hôtes en France
- Nos meilleurs campings en France
- Nos meilleurs hôtels et restos en France
- Petits restos des grands chefs
- Tables à la ferme et boutiques du terroir

Régions françaises

- Alpes
- Alsace
- Aquitaine
- Ardèche, Drôme
- Auvergne, Limousin
- Bourgogne
- Bretagne Nord
- Bretagne Sud
- Châteaux de la Loire
- Corse
- Côte d'Azur
- Environs de Paris
- Franche-Comté
- Languedoc-Roussillon
- Lorraine
- Lot, Aveyron, Tarn
- Nord-Pas-de-Calais
- Normandie
- Pays basque (France, Espagne), Béarn
- Pays de la Loire
- Poitou-Charentes
- Provence
- Pyrénées, Gascogne

Villes françaises

- Bordeaux
- Lille
- Lyon
- Marseille
- Montpellier
- Nice
- Strasbourg
- Toulouse

Paris

- Environs de Paris
- Junior à Paris et ses environs
- Paris
- Paris balades
- Paris exotique
- Paris la nuit
- **Paris, ouvert le dimanche (mai 2008)**
- Paris sportif
- **Paris à vélo (nouvelle éd. ; mai 2008)**
- Paris zen
- Restos et bistrots de Paris
- Le Routard des amoureux à Paris
- Week-ends autour de Paris

Europe

Pays européens

- Allemagne
- Andalousie
- Angleterre, pays de Galles
- Autriche
- Baléares
- Belgique
- Castille, Madrid (Aragon et Estrémadure)
- Catalogne, Andorre
- Crète
- Croatie
- **Danemark, Suède (nouveauté)**
- Écosse
- Espagne du Nord-Ouest (Galice, Asturies, Cantabrie)
- Finlande
- Grèce continentale
- Hongrie, République tchèque, Slovaquie
- Îles grecques et Athènes
- Irlande
- Islande
- Italie du Nord
- Italie du Sud
- Lacs italiens
- Malte
- **Norvège (nouveauté)**
- Pologne et capitales baltes
- Portugal
- Roumanie, Bulgarie
- Sicile
- Suisse
- Toscane, Ombrie

LES GUIDES DU ROUTARD 2008-2009 (suite)

(dates de parution sur **www.routard.com**)

Villes européennes

- Amsterdam
- Barcelone
- Berlin
- Florence
- Lisbonne
- Londres
- Moscou, Saint-Pétersbourg
- Prague
- Rome
- Venise

Amériques

- Argentine
- Brésil
- Californie
- Canada Ouest et Ontario
- Chili et île de Pâques
- Cuba
- Équateur
- États-Unis côte Est
- **Floride (nouveauté)**
- Guadeloupe, Saint-Martin, Saint-Barth
- Guatemala, Yucatán et Chiapas
- **Louisiane et les villes du Sud (nouveauté)**
- Martinique
- Mexique
- New York
- Parcs nationaux de l'Ouest américain et Las Vegas
- Pérou, Bolivie
- Québec et Provinces maritimes
- République dominicaine (Saint-Domingue)

Asie

- **Bali, Lombok (mai 2008)**
- Birmanie (Myanmar)
- Cambodge, Laos
- Chine (Sud, Pékin, Yunnan)
- Inde du Nord
- Inde du Sud
- Indonésie (voir Bali, Lombok)
- Istanbul
- Jordanie, Syrie
- Malaisie, Singapour
- Népal, Tibet
- Sri Lanka (Ceylan)
- Thaïlande
- **Tokyo-Kyoto (mai 2008)**
- Turquie
- Vietnam

Afrique

- Afrique de l'Ouest
- Afrique du Sud
- Égypte
- Île Maurice, Rodrigues
- Kenya, Tanzanie et Zanzibar
- Madagascar
- Maroc
- Marrakech
- Réunion
- Sénégal, Gambie
- Tunisie

Guides de conversation

- Allemand
- Anglais
- Arabe du Maghreb
- Arabe du Proche-Orient
- Chinois
- Croate
- Espagnol
- Grec
- Italien
- **Japonais (nouveauté)**
- Portugais
- Russe

Et aussi...

- Le Guide de l'humanitaire
- **G'palémo (nouveauté)**

Nous tenons à remercier tout particulièrement Loup-Maëlle Besançon, Thierry Besson, Gérard Bouchu, Grégory Dalex, Fabrice de Lestang, Cédric Fischer, Carole Fouque, Michelle Georget, David Giason, Lucien Jedwab, Emmanuel Juste, Jean-Sébastien Petitdemange, Thomas Rivallain, Claudio Tombari et Solange Vivier pour leur collaboration régulière.

Et pour cette nouvelle collection, nous remercions aussi :

David Alon et Andréa Valouchova
Bénédicte Bazaille
Jean-Jacques Bordier-Chêne
Nathalie Capiez
Louise Carcopino
Florence Cavé
Raymond Chabaud
Alain Chaplais
Bénédicte Charmetant
François Chauvin
Cécile Chavent
Stéphanie Condis
Agnès de Couesnongle
Agnès Debiage
Tovi et Ahmet Diler
Fabrice Doumergue et Pierre Mitrano
Céline Druon
Nicolas Dubost
Clélie Dudon
Aurélie Dugelay
Sophie Duval
Alain Fisch
Aurélie Gaillot
Lucie Galouzeau
Alice Gissinger
Adrien et Clément Gloaguen
Angela Gosmann
Romuald Goujon
Stéphane Gourmelen
Claudine de Gubernatis
Xavier Haudiquet
Claude Hervé-Bazin
Bernard Hilaire
Sébastien Jauffret
François et Sylvie Jouffa
Hélène Labriet
Lionel Lambert
Francis Lecompte
Jacques Lemoine
Sacha Lenormand
Valérie Loth
Béatrice Marchand
Philippe Martineau
Philippe Melul
Kristell Menez
Delphine Meudic
Éric Milet
Jacques Muller
Anaïs Nectoux
Alain Nierga et Cécile Fischer
Hélène Odoux
Caroline Ollion
Nicolas Pallier
Martine Partrat
Odile Paugam et Didier Jehanno
Laurence Pinsard
Xavier Ramon
Dominique Roland et Stéphanie Déro
Déborah Rudetzki
Corinne Russo
Caroline Sabljak
Prakit Saiporn
Jean-Luc et Antigone Schilling
Laurent Villate
Julien Vitry
Fabian Zegowitz

Direction : Nathalie Pujo
Contrôle de gestion : Joséphine Veyres, Vincent Leav et Héloïse Morel d'Arleux
Responsable éditoriale : Catherine Julhe
Édition : Matthieu Devaux, Magali Vidal, Marine Barbier-Blin, Géraldine Péron, Jean Tiffon, Olga Krokhina, Virginie Decosta, Caroline Lepeu, Delphine Ménage et Émilie Guerrier
Secrétariat : Catherine Maîtrepierre
Préparation-lecture : Muriel Lucas
Cartographie : Frédéric Clémençon et Aurélie Huot
Fabrication : Nathalie Lautout et Audrey Detournay
Couverture : Seenk
Direction marketing : Dominique Nouvel, Lydie Firmin et Juliette Caillaud
Responsable partenariats : André Magniez
Édition partenariats : Juliette Neveux et Raphaële Wauquiez
Informatique éditoriale : Lionel Barth
Relations presse France : COM'PROD, Fred Papet ☎ 01-56-43-36-38 • info@comprod.fr •
Relations presse : Martine Levens (Belgique) et Maureen Browne (Suisse)
Régie publicitaire : Florence Brunel

LA SCANDINAVIE

Remerciements

Pour cette édition, nous remercions particulièrement :

– Sarah Chevalier de l'ambassade du Danemark à Paris ;

– Henrik Thierlein du Wonderful CPH à Copenhague ;

– Helena Nahon, Élisabeth Nebout et Pierre Tolcini, de l'office suédois du tourisme ;

– Eva Hennockson de l'office du tourisme de Göteborg ;

– Fabrice Doumergue et Pierre Mitrano ;

– François Poncelet pour ses compétences linguistiques.

COMMENT ALLER AU DANEMARK ET EN SUÈDE ?

EN AVION

Les lignes régulières

▲ **AIR FRANCE**

Rens et résas : ☎ 36-54 (0,34 €/mn ; tlj 24h/24), sur • airfrance.fr •, dans les agences Air France et dans ttes les agences de voyages (fermées dim).

➢ Au départ de Paris, Air France dessert :
– Copenhague à raison de 4 vols/j. au départ de Roissy-CDG ;
– Stockholm avec 3 vols/j. au départ de Roissy-CDG.

Air France propose de nombreux tarifs accessibles à tous en fonction des disponibilités. Sur nos sites, vous avez la possibilité de consulter les meilleurs tarifs du moment, rubrique « Offres spéciales », « Promotions ».

Le programme de fidélisation *Air France-KLM* vous permet d'accumuler des miles à votre rythme et de profiter d'un large choix de primes. Avec votre carte *Flying Blue,* vous êtes immédiatement identifié comme client privilégié lorsque vous voyagez avec tous nos partenaires.

Air France propose également des réductions aux jeunes. La carte *Fréquence Jeune* est réservée aux jeunes âgés de 2 à 24 ans résidant en France métropolitaine, dans les départements d'Outre-Mer, au Maroc ou en Tunisie. Avec plus de 18 000 vols par jour, 900 destinations et plus de 100 partenaires, *Fréquence Jeune* vous offre autant d'occasions d'accumuler des *miles* partout dans le monde.

▲ **SAS**

Service de résa : ☎ 0825-325-335 (0,15 €/mn). • flysas.fr •

➢ SAS, compagnie aérienne scandinave, membre de *Star Alliance,* propose plusieurs vols/j. au départ de Paris-Charles-de-Gaulle 1, Nice et Zürich pour Copenhague et Stockholm. SAS dessert aussi Copenhague au départ de Lyon et Genève, et Stockholm au départ de Nice et Bruxelles. Cette compagnie possède des réseaux domestiques importants au Danemark et en Suède, et dessert aussi régulièrement la Finlande, la Norvège, la Pologne et les pays baltes.

SAS offre, tout au long de l'année, des tarifs promotionnels sur son site internet. Le *SAS Visit Scandinavia Air Pass* est composé de coupons valables pour toute la Scandinavie, les pays baltes et la Russie. Le *pass* doit être acheté en France. Il faut réserver son premier trajet intérieur avant de partir. Bon à savoir : désormais, SAS propose de nouveaux tarifs en aller simple, valables sur tous les vols, à l'exception des long-courriers. Ce nouveau système offre beaucoup de flexibilité, il n'y a pas de contraintes de séjour minimum ou d'achat du billet 14 ou 21 jours avant le départ.

▲ **BRUSSELS AIRLINES**

Rens : ☎ 0892-64-00-30 (0,34 €/mn) depuis la France et ☎ 0902-51-600 (0,75 €/mn) en Belgique. • brusselsairlines.com •

La compagnie aérienne a fusionné en 2007 avec *Virgin Express.* Deux tarifications : *b-flex economy+* visant une clientèle professionnelle et *b-light economy,* proposant des formules *low-cost* depuis Brussels Airport vers plus de 50 destinations en Europe. Liaisons depuis Brussels Airport vers Copenhague et Billund au Danemark ainsi que Göteborg et Stockholm en Suède.

Les compagnies *low-cost*

Ce sont des compagnies dites « à bas prix ». De nombreuses villes de province sont desservies, ainsi que les aéroports limitrophes des grandes villes. Ne pas trop espérer trouver facilement des billets à prix plancher lors des périodes les plus fréquentées (vacances scolaires, week-ends...). À bord, c'est le service minimum. Afin de réduire les files d'attente dans les aéroports, certaines compagnies font même payer l'enregistrement aux comptoirs d'aéroport. Pour éviter cette nouvelle taxe qui ne dit pas son nom, les voyageurs ont intérêt à s'enregistrer directement sur Internet où le service est gratuit. La résa se fait parfois par téléphone (pas d'agence, juste un numéro de réservation et un billet à imprimer soi-même) et aucune garantie de remboursement n'existe en cas de difficultés financières de la compagnie. En outre, les pénalités en cas de changement d'horaires sont assez importantes et les taxes d'aéroport rarement incluses. Il faut aussi rappeler que plusieurs compagnies facturent maintenant les bagages en soute. Ne pas oublier non plus d'ajouter le prix du bus pour se rendre à ces aéroports, souvent assez éloignés du centre-ville. Au final, même si les prix de base restent très attractifs, il convient de prendre en compte tous ces frais annexes pour calculer le plus justement son budget.

▲ **AIR BERLIN**
• *airberlin.com* •
➢ Parmi son éventail de vols, cette compagnie propose des liaisons Paris-Orly-Copenhague.

▲ **CIMBER**
Infos et résas : • cimber.dk •
➢ Liaisons depuis Lyon et Bâle vers Copenhague ; correspondances vers d'autres villes danoises, Norrköping et Stockholm.

▲ **CITY AIRLINE**
Infos et résas : • cityairline.com •
➢ Entre Lyon-Saint-Exupéry et Göteborg, 1 à 2 vols/j. Départs également de Zürich. Correspondance de Göteborg vers Åre-Östersund et Luleå en Laponie suédoise.

▲ **FLY NORDIC**
• *flynordic.com* •
➢ Compagnie suédoise basée à Stockholm (Arlanda) qui propose des vols depuis Bordeaux, Nice et Genève. Liaison entre Copenhague et Stockholm. Vols intérieurs entre les villes suédoises.

▲ **NORWEGIAN**
• *norwegian.no* •
➢ Liaisons de Paris-Orly à Stockholm-Arlanda 4 fois/sem.

▲ **RYANAIR**
Infos et résas : • ryanair.com •
➢ Deux liaisons/j. entre Paris-Beauvais et Stockholm-Stavska. Depuis Francfort-Hahn et Karsruha, en Allemagne (ce qui peut intéresser ceux qui habitent dans l'Est), Ryanair dessert aussi Göteborg et Stockholm-Stavska. Nouvelles liaisons au départ de Marseille-Provence vers Göteborg-City et Stockholm-Stavska (4 fois/sem), et de Grenoble et Bâle vers Stockholm-Stavska.

▲ **STERLING**
Infos : ☎ 0825-320-321 (0,15 €/mn). • sterling.dk/fr •
➢ Compagnie scandinave qui offre des vols à bas prix entre différentes grandes villes en Scandinavie (Copenhague, Aalborg, Billund, Stockholm-Arlanda, Göteborg) et vers d'autres villes en France, dont Paris-Roissy-CDG, Chambéry, Montpellier, Biarritz et Nice. Également liaisons de Bruxelles vers Copenhague et Stockholm-Arlanda et de Genève vers Copenhague.

▲ **MALMÖAVIATION**

Infos et résas : ● malmoaviation.se ●

➢ Compagnie suédoise proposant des vols au départ de Bruxelles vers Copenhague, Malmö-Sturup et Umeå via Göteborg et Stockholm-Bromma.

LES ORGANISMES DE VOYAGES

Ne pas croire que les vols à tarif réduit sont tous au même prix pour une même destination à une même époque : loin de là. On a déjà vu, dans un même avion partagé par deux organismes, des passagers qui avaient payé 40 % plus cher que les autres. De plus, une agence bon marché ne l'est pas forcément toute l'année (elle peut n'être compétitive qu'à certaines dates bien précises). Donc, contactez tous les organismes et jugez vous-même.
Les organismes cités sont classés par ordre alphabétique, pour éviter les jalousies et les grincements de dents.

En France

▲ **BENNETT**

Rens et résas : ☎ 0825-12-12-36. Service maritime : ☎ 01-56-93-43-40. ● bennett.fr ● Brochures disponibles gratuitement.

Ancienne agence parisienne (depuis 1918), aujourd'hui marque de *Vacances Transat,* spécialiste de la Scandinavie, de la Finlande, de l'Islande, de l'Irlande et de la Grande-Bretagne. Séjours, circuits accompagnés et itinéraires spéciaux pour automobilistes.
Bennett est aussi l'agent général des compagnies car-ferries : *Irish Ferries* (France-Irlande en direct ou via la Grande-Bretagne), et *Viking Line* (Suède-Finlande).

▲ **BOURSE DES VOLS / BOURSE DES VOYAGES**

Infos : ● bdv.fr ● ou par téléphone, au ☎ 0892-888-949 (0,34 €/mn), lun-sam 8h-22h.

Agence de voyages en ligne, bdv.fr propose une vaste sélection de vols secs, séjours et circuits à réserver en ligne ou par téléphone. Pour bénéficier des meilleurs tarifs aériens, même à la dernière minute, le service de Bourse des Vols référence en temps réel un large panel de vols réguliers, charters et dégriffés au départ de Paris et de nombreuses villes de province à destination du monde entier.

▲ **CLUBAVENTURE**

– Paris : 18, rue Séguier, 75006. ☎ 0826-88-20-80 (0,15 €/mn). ● clubaventure.fr ● Ⓜ Saint-Michel ou Odéon. Lun-sam 10h30-19h.

– Lyon : 2, rue Vaubecour, 69002. Lun-sam 10h30-13h, 14h-18h30.

Spécialiste du voyage d'aventure depuis près de 30 ans, Clubaventure privilégie la randonnée en famille ou entre amis pour parcourir le monde hors des sentiers battus. Le catalogue offre 600 voyages dans 90 pays différents à pied, en 4x4, en pirogue ou à dos de chameau. Ces voyages sont conçus pour une dizaine de participants, encadrés par des guides accompagnateurs professionnels.

▲ **COMPTOIR DES PAYS SCANDINAVES**

– Paris : 344, rue Saint-Jacques, 75005. ☎ 0892-237-337 (0,34 €/mn). ● comptoir.fr ● Ⓜ Port-Royal. Lun-sam 10h-18h30.

– Toulouse : 43, rue Peyrolières, 31000. ☎ 0892-232-236 (0,34 €/mn). Lun-sam 10h-18h30.

– Lyon : 10, quai de Tilsitt, 69002. Ouv été 2008.

Safari en motoneige, pêche au trou, promenade en traîneau à chiens ou à rennes, balade à raquettes... La Scandinavie n'est jamais bien loin lorsque leurs conseillers vous aident à bâtir un voyage. Comptoir des pays scandinaves propose un grand choix d'hébergements de charme, des idées de voyages originales et bien d'autres suggestions à combiner selon son budget, ses envies et son humeur.

Chaque Comptoir est spécialiste d'une ou de plusieurs destinations : Afrique, Brésil, États-Unis, Canada, désert, Italie, Islande, Groenland, Maroc, pays celtes, Égypte, Scandinavie, pays du Mékong.

▲ FUAJ

– Paris : antenne nationale, 27, rue Pajol, 75018. ☎ 01-44-89-87-26 ou 27. • fuaj.org • Ⓜ La Chapelle, Marx-Dormoy ou Gare-du-Nord. Lun 10h-17h, mar-ven 10h-18h. Rens dans ttes les auberges de jeunesse, les points d'info et de résa en France et sur le site • hihostels.com •

La FUAJ (Fédération unie des auberges de jeunesse) accueille ses adhérents dans 155 auberges de jeunesse en France. Seule association française membre de l'IYHF *(International Youth Hostel Federation)*, elle est le maillon d'un réseau de 4 200 auberges de jeunesse réparties dans 81 pays. La FUAJ organise, pour ses adhérents, des activités sportives, culturelles et éducatives ainsi que des rencontres internationales. Les adhérents de la FUAJ peuvent obtenir gratuitement les brochures *Voyages en liberté/Go as you please, Printemps-Eté, Hiver, le Guide des AJ en France*. Le guide international regroupe la liste de toutes les auberges de jeunesse dans le monde. Ils sont disponibles à la vente (7 €) ou en consultation sur place.

▲ LASTMINUTE.COM

Les offres lastminute.com sont accessibles sur • lastminute.com • , au ☎ 0899-78-5000 (1,34 € l'appel, puis 0,34 €/mn) et dans 9 agences de voyages situées à Paris, Nice, Toulouse, Bordeaux, Montpellier, Aix-en-Provence et Lyon.

Lastminute.com propose une vaste palette de voyages et de loisirs : billets d'avion, séjours sur mesure ou clés en main, week-ends, hôtels, locations en France, location de voitures, spectacles, restaurants... pour penser ses vacances selon ses envies et ses disponibilités.

▲ NORD ESPACES

– Paris : 35, rue de la Tombe-Issoire, 75014. ☎ 01-45-65-00-00 ou 07-64. • nord-espaces.com • Ⓜ Saint-Jacques. Lun-ven 8h45-12h30, 14h-18h.

Spécialiste des pays nordiques (Finlande, Islande, Norvège, Suède, Danemark, Groenland, Spitzberg et pays baltes, Antarctique), l'équipe de Nord Espaces, dirigée par un Norvégien d'origine, propose en été de nombreux circuits classiques ou sur mesure, rencontre avec la culture lapone, etc. En hiver, de nombreux programmes originaux de motoneige, chiens de traîneau, raids à skis, séjours multiactivités, séjours libres, ainsi que diverses formules de fin d'année au pays du Père Noël ! Nord Espaces est également à votre disposition pour tout programme sur mesure.

▲ NOUVELLES FRONTIÈRES

– Rens et résas dans tte la France : ☎ 0825-000-825 (0,15 €/mn). • nouvelles-frontieres.fr •

Les 13 brochures Nouvelles Frontières sont disponibles gratuitement dans les 210 agences du réseau, par téléphone et sur Internet. Plus de 30 ans d'existence, 1 400 000 clients par an, 250 destinations, une chaîne d'hôtels-clubs *Paladien* et une compagnie aérienne, *Corsairfly*. Pas étonnant que Nouvelles Frontières soit devenu une référence incontournable, notamment en matière de tarifs. Le fait de réduire au maximum les intermédiaires permet d'offrir des prix « super-serrés ». Un choix illimité de formules vous est proposé : des vols sur la compagnie aérienne de Nouvelles Frontières au départ de Paris et de province, en classe « Horizon » ou « Grand Large », et sur toutes les compagnies aériennes régulières, avec une gamme de tarifs selon votre budget. Sont également proposés toutes sortes de circuits, aventure ou organisés ; des séjours en hôtels, en hôtels-clubs et en résidences ; des week-ends, des formules à la carte (vol, nuits d'hôtel, excursions, location de voitures...), des séjours neige.

Avant le départ, des réunions d'information sont organisées. Intéressant : des brochures thématiques (plongée, rando, trek, thalasso).

NOUVEAUTÉ

G'PALÉMO (paru)

Un dictionnaire visuel universel qui permet de se faire comprendre aux 4 coins de la planète et DANS TOUTES LES LANGUES (y compris le langage des signes), il suffisait d'y penser !... Que vous partiez trekker dans les Andes, visiter les temples d'Angkor ou faire du shopping à Saint-Pétersbourg, ce petit guide vous permettra d'entrer en contact avec n'importe qui. Compagnon de route indispensable, véritable tour de Babel... Drôle et amusant, *G'palémo* vous fera dépasser toutes les frontières linguistiques. Pointez simplement le dessin voulu et montrez-le à votre interlocuteur... Vous verrez, il comprendra ! Tout le vocabulaire utile et indispensable en voyage y figure : de la boîte de pansements au gel douche, du train-couchettes au pousse-pousse, du dentiste au distributeur de billets, de la carafe d'eau à l'arrêt de bus, du lit *king size* à l'œuf sur le plat... Plus de 200 dessins, déclinés en 5 grands thèmes (transports, hébergement, restauration, pratique, loisirs) pour se faire comprendre DANS TOUTES LES LANGUES. Et parce que le *Guide du routard* pense à tout, et pour que les langues se délient, plusieurs pages pour faire de vous un(e) séducteur(trice)...

▲ PANDORE VOYAGES

– Paris : 195, rue de Vaugirard, 75015. ☎ 01-40-56-02-56. • pandore-voyages.com •

Spécialiste du Groenland et des pays scandinaves sur mesure ; on peut aussi y réserver des billets de train.

▲ SCANDITOURS / CELTICTOURS

– Paris : 36, rue de Saint-Pétersbourg, 75008 (rez-de-chaussée). ☎ 01-42-85-64-30. Ⓜ Place-de-Clichy. Lun-jeu 10h-18h30, ven 10h-17h30.

Scanditours est une véritable institution sur la Norvège, la Finlande, la Suède, le Danemark, l'Islande, le Groenland, les îles Féroé et le Spitzberg.

Circuits accompagnés et voyages individuels : transport aérien, location de voitures, autotours, séjours à la ferme, en maisons de pêcheurs, en auberges, en hôtels ou en manoirs.

Scanditours est l'agent général des car-ferries directs sur la Scandinavie : *Color Line, TT-Line* et *Silja Line*.

Scanditours est également l'agent général de *Scandlines* qui assure les liaisons Allemagne-Danemark, ainsi que les traversées entre les îles du Danemark. On peut également réserver des traversées à bord de *P & O Stena Line, DFDS Seaways* et *Smyril Line*. Bref, toutes les possibilités de voyages vers les pays nordiques.

▲ VOYAGES-SNCF.COM

Voyages-sncf.com, première agence de voyages sur Internet, propose des billets de train, d'avion, des chambres d'hôtel, des locations de voitures et des séjours clés en main ou Alacarte® sur plus de 600 destinations et à des tarifs avantageux. Leur site • voyages-sncf.com • permet d'accéder tous les jours 24h/24 à plusieurs services : envoi gratuit des billets à domicile, Alerte Résa pour être informé de l'ouverture des réservations et profiter du plus grand choix, calendrier des meilleurs prix (TTC), mais aussi des offres de dernière minute et des promotions...

Et grâce à l'écocomparateur, en exclusivité sur • voyages-sncf.com •, possibilité de comparer le prix, le temps de trajet et l'indice de pollution pour un même trajet en train, en avion ou en voiture.

▲ VOYAGES 4A

– Saint-Jean-de-Luz : 203, rue des Artisans, 64501. Rens et résas : ☎ 05-59-23-90-37. • voyages4a.com • Lun-ven 10h-18h.

Voyages 4A propose des voyages en autocar sur lignes régulières à destination des grandes cités européennes, des séjours et circuits Europe durant les ponts et vacances, le Carnaval de Venise, les grands festivals et expositions, des voyages en transsibérien, des séjours en Russie... Quelques destinations hors Europe comme le Sénégal, Cuba et le Brésil.

Formules tout public au départ de Paris, Lyon, Marseille et autres grandes villes de France.

▲ VOYAGES WASTEELS

65 agences en France, 140 en Europe. Centre d'appels infos et ventes par téléphone : ☎ 0825-887-070 (0,15 €/mn). Pour obtenir l'adresse et le numéro de téléphone de l'agence la plus proche de chez vous, rdv sur • wasteels.fr •

Voyages Wasteels propose pour tous des séjours, des week-ends, des vacances à la carte, des croisières, des locations mer et montagne, de l'hébergement en hôtel, des voyages en avion ou train et de la location de voitures, au plus juste prix, parmi des milliers de destinations en France, en Europe et dans le monde.

▲ VOYAGEURS EN EUROPE DU NORD (Danemark, Finlande, Islande, Norvège, Suède)

Le grand spécialiste du voyage en individuel sur mesure. ☎ 0892-23-61-61 (0,34 €/mn). • vdm.com •

– Paris : La Cité des Voyageurs, 55, rue Sainte-Anne, 75002. ☎ 0892-23-56-56 (0,34 €/mn). Ⓜ Opéra ou Pyramides. Lun-sam 9h30-19h.

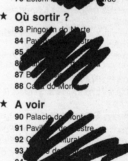

– Également des agences à Bordeaux, Grenoble, Lille, Lyon, Marseille, Montpellier, Nantes, Nice, Rennes, Rouen, Strasbourg et Toulouse.
Sur les conseils d'un spécialiste de chaque pays, chacun peut construire un voyage à sa mesure...
Pour partir à la découverte de plus de 120 pays, 120 conseillers-voyageurs, de près de 30 nationalités et grands spécialistes des destinations, donnent des conseils, étape par étape et à travers une collection de 27 brochures, pour élaborer son propre voyage en individuel.
Voyageurs du Monde propose également une large gamme de circuits accompagnés (Famille, Aventure, Routard...). Voyageurs du Monde a développé une politique de « vente directe » à ses clients, sans intermédiaire.
Dans chacune des *Cités des Voyageurs*, tout rappelle le voyage : librairies spécialisées, boutiques d'accessoires de voyage, expositions-ventes d'artisanat ou encore cocktails-conférences. Toute l'actualité de VDM à consulter sur leur site internet.

En Belgique

▲ CONNECTIONS
Rens et résas : ☎ 070-233-313. • connections.be • Lun-ven 9h-21h, sam 10h-17h.
Spécialiste du voyage pour les étudiants, les jeunes et les *independent travellers*. Le voyageur peut y trouver informations et conseils, aide et assistance (revalidation, routing...) dans 22 points de vente en Belgique et auprès de bon nombre de correspondants de par le monde.
Connections propose une gamme complète de produits : des tarifs aériens spécialement négociés pour sa clientèle (licence IATA), une très large offre de « last minutes », toutes les possibilités d'arrangement terrestre (hébergement, locations de voitures, *self-drive tours*, vacances sportives, expéditions) ; de nombreux services aux voyageurs comme l'assurance voyage « Protections » ou les cartes internationales de réductions (la carte internationale d'étudiant ISIC).

▲ NOUVELLES FRONTIÈRES
– Bruxelles (siège) : bd Lemonnier, 2, 1000. ☎ 02-547-44-22. • nouvelles-frontieres.be •
– Également d'autres agences à Bruxelles, Charleroi, Liège, Mons, Namur, Waterloo, Wavre et au Luxembourg.
Voir le texte dans la partie « en France ».

▲ SCANDINAVIA
– Bruxelles : rond-point du Meir, 9, 1070. ☎ 02-521-77-70. • http://bureauscandinavia.be •
Le bureau Scandinavia propose des voyages vers la Norvège, le Danemark, la Suède, la Finlande, l'Islande et le Groenland. Réservations des ferries entre l'Allemagne et les ports scandinaves. Voyages individuels ou en groupe, traversées, croisières et *city trips*. Séjours sportifs ou culturels. Location de chalets.

▲ SERVICE VOYAGES ULB
– Bruxelles : campus ULB, av. Paul-Héger, 22, CP 166, 1000. ☎ 02-648-96-58.
– Bruxelles : rue Abbé-de-l'Épée, 1, Woluwe, 1200. ☎ 02-742-28-80.
– Bruxelles : hôpital universitaire Érasme, route de Lennik, 808, 1070. ☎ 02-555-38-49.
– Bruxelles : chaussée d'Alsemberg, 815, 1180. ☎ 02-332-29-60.
– Ciney : rue du Centre, 46, 5590. ☎ 083-216-711.
– Marche : av. de la Toison-d'Or, 4, 6900. ☎ 084-31-40-33.
– Wepion : chaussée de Dinant, 1137, 5100. ☎ 081-46-14-37. • servicevoyages.be • Lun-ven 9h-17h.

Service Voyages ULB, c'est le voyage à l'université. L'accueil est donc très sympa. Billets d'avion sur vols charters et sur compagnies régulières à des prix hyper-compétitifs.

▲ **TAXISTOP**
Pour ttes les adresses Airstop, un seul numéro de téléphone : ☎ 070-233-188. Taxistop : ☎ 070-222-292. • airstop.be • Lun-ven 9h-18h30, sam 9h-14h.
– Taxistop/AirstopBruxelles : rue Fossé-aux-Loups, 28, 1000.
– Airstop Anvers : Sint Jacobsmarkt, 84, 2000.
– Airstop Bruges : Dweersstraat, 2, 8000.
– Airstop Courtrai : Badastraat, 1A, 8500.
– Taxistop/Airstop Gand : Maria Hendrikaplein, 65B, 9000.
– Airstop Louvain : Maria Theresiastraat, 125, 3000.
– Taxistop Ottignies : boulevard Martin, 27, 1340.
Taxistop propose un système de covoiturage alors qu'Airstop offre une large gamme de prestations, du vol sec au séjour tout compris à travers le monde.

▲ **ZUIDERHUIS (BELGIAN BIKING)**
– Gand : H.-Frère-Orbanlaan, 34, 9000. ☎ 09-233-45-33. • zuiderhuis.be •
« Maison de voyage » installée en Flandre qui centralise les propositions de *Vreemde kontinenten, Te Voet, Explorado* (pour les jeunes entre 18 et 30 ans), mais qui développe aussi, et c'est son originalité, ses propres programmes de vacances cyclistes, individuels ou en groupe, avec réservations d'étapes et assistance logistique en Belgique, en Europe et dans le monde (*Cameleon bike* et *Belgian biking*).

En Suisse

▲ **NOUVELLES FRONTIÈRES**
– Genève : 10, rue Chantepoulet, 1201. ☎ 022-906-80-80.
– Lausanne : 19, bd de Grancy, 1006. ☎ 021-616-88-91.
Voir le texte dans la partie « En France ».

▲ **STA TRAVEL**
• statravel.ch •
– Bienne : General Dufourstrasse 4, 2502. ☎ 058-450-47-50.
– Fribourg : 24, rue de Lausanne, 1701. ☎ 058-450-49-80.
– Genève : 3, rue Vignier, 1205. ☎ 058-450-48-30.
– Genève : rue de Rive, 10, 1204. ☎ 058-450-48-00.
– Lausanne : bd de Grancy, 20, 1006. ☎ 058-450-48-50.
– Lausanne : à l'université, Anthropole, 1015. ☎ 058-450-49-20.
Agences spécialisées notamment dans les voyages pour jeunes et étudiants. Gros avantage en cas de problème : 150 bureaux STA et plus de 700 agents du même groupe répartis dans le monde entier sont là pour donner un coup de main *(Travel Help).*
STA propose des voyages très avantageux : vols secs *(Blue Ticket),* billets Euro Train, hôtels, écoles de langues, voitures de location, etc. Délivre la carte internationale d'étudiant et la carte Jeune Go 25.

Au Québec

▲ **TOURS CHANTECLERC**
• tourschanteclerc.com •
Tours Chanteclerc est un tour-opérateur qui publie différentes brochures de voyages : Europe, Amérique du Nord, Amérique du Sud, Asie et Pacifique sud, Afrique et le Bassin méditerranéen en circuits ou en séjours. Il se présente comme l'une des « références sur l'Europe » avec deux brochures : groupes (circuits guidés en français) et individuels. « Mosaïque Europe » s'adresse aux voyageurs indépendants qui réservent un billet d'avion, un hébergement (dans toute l'Europe), des

excursions ou une location de voiture. Aussi spécialiste de Paris, le grossiste offre une vaste sélection d'hôtels et d'appartements dans la Ville Lumière.

▲ **TOURSMAISON**

Spécialiste des vacances sur mesure, ce voyagiste sélectionne plusieurs « Évasions soleil » (plus de 600 hôtels ou appartements dans quelque 45 destinations), offre l'Europe à la carte toute l'année (plus de 17 pays) et une vaste sélection de compagnies de croisières (11 compagnies au choix). Toursmaison concocte par ailleurs des forfaits escapades à la carte aux États-Unis et au Canada. Au choix : transport aérien, hébergement (variété d'hôtels de toutes catégories ; appartements dans le sud de la France ; maisons de location et condos en Floride), location de voitures pratiquement partout dans le monde. Des billets pour le train, les attractions, les excursions et les spectacles peuvent également être achetés avant le départ.

▲ **VACANCES TOURS MONT ROYAL**

• *toursmont-royal.com* •

Le voyagiste propose une offre complète sur les destinations et les styles de voyages suivants : Europe, destinations soleils d'hiver et d'été, forfaits tout compris, circuits accompagnés ou en liberté. Au programme Europe, tout ce qu'il faut pour les voyageurs indépendants : location de voitures, cartes de train, bonne sélection d'hôtels, excursions à la carte, forfaits à Paris, etc. À signaler : l'option achat/rachat de voiture (17 jours minimum, avec prise en France et remise en France ou ailleurs en Europe) ; également : vols entre Montréal et les villes de province françaises avec *Air Transat* ; les vols à destination de Paris sont assurés par la compagnie *Corsairfly* au départ de Montréal et de Moncton (Nouveau-Brunswick).

EN BUS

Qu'à cela ne tienne, il n'y a pas que l'avion pour voyager. À condition d'y mettre le temps, on peut se déplacer en bus – on n'utilise pas le mot « car », qui a des relents de voyage organisé –, comme le souligne notre consœur journaliste et amie, Laurence Bonnet. En effet, le bus est bien moins consommateur d'essence par passager au kilomètre que l'avion. Ce système de transport est valable à l'intérieur de l'Europe, à condition d'avoir du temps et de ne pas être à cheval sur le confort. Il est évident que les trajets sont longs et les horaires élastiques. On n'en est pas au luxe des *Greyhound* américains où l'on peut faire sa toilette à bord mais, en général, les bus affrétés par les compagnies sont assez confortables : AC, dossier inclinable (exiger des précisions avant le départ). En revanche, dans certains pays, le confort sera plus aléatoire. En principe, des arrêts toutes les 3 ou 4h permettent de ne pas arriver avec une barbe de vieillard.
N'oubliez pas qu'avec un trajet de 6h, en avion on se déplace, en bus on voyage. Et puis, en bus, la destination finale est vraiment attendue, en avion, elle vous tombe sur la figure sans crier gare, sans qu'on y soit préparé psychologiquement.
Prévoyez une couverture ou un duvet pour les nuits fraîches, la Thermos à remplir de liquide bouillant ou glacé entre les étapes (on n'a pas toujours soif à l'heure dite) et aussi de bons bouquins.
Enfin, le bus est un moyen de transport souple : il vient chercher les voyageurs dans leur région, dans leur ville. La prise en charge est totale de bout en bout. C'est aussi un bon moyen de se faire des compagnons de voyage.

Les compagnies de bus

▲ **CLUB ALLIANCE**

– Paris : 33, rue de Fleurus, 75006. ☎ 01-45-48-89-53. Fax : 01-45-49-37-01. Ⓜ *Notre-Dame-des-Champs.*

Spécialiste des week-ends et des ponts de 4 jours. Circuits économiques en Europe (dont la Norvège, la Suède et le Danemark), y compris en France, pendant les vacances de Pâques ainsi qu'en juillet et août. Brochure gratuite sur demande.

▲ **EUROLINES**

Infos : ☎ 0892-89-90-91 (0,34 €/mn). • eurolines.fr • Vous trouverez également les services d'Eurolines sur • routard.com • Bureaux à Paris (1er, 5e et 9e arrondissements), La Défense, Versailles, Avignon, Bordeaux, Clermont-Ferrand, Dijon, Grenoble, Lille, Lyon, Marseille, Metz, Montpellier, Mulhouse, Nantes, Nice, Nîmes, Perpignan, Rennes, Strasbourg, Toulouse et Tours.

Deux gares routières internationales à Paris : Galliéni (☎ 0892-89-90-91 ; Ⓜ Galliéni) et La Défense (☎ 01-49-03-40-63 ; Ⓜ La Défense-Grande-Arche).

Leader européen des voyages en lignes régulières internationales par autocar, Eurolines permet de voyager vers plus de 1 500 destinations en Europe à travers 34 pays, avec 80 points d'embarquement en France.

– *Pass Eurolines :* pour un prix fixe valable 15 ou 30 jours, vous voyagez autant que vous le désirez sur le réseau entre 40 villes européennes. Le *Pass Eurolines* est fait sur mesure pour les personnes autonomes qui veulent profiter d'un prix très attractif et désireuses de découvrir l'Europe sous toutes ses coutures.

Au départ de nombreuses villes françaises via Valenciennes, Eurolines dessert 23 villes en Scandinavie. Par exemple, au Danemark : Copenhague, Ålborg, Århus, Køge, Kolding, Rodby et Velge ; en Suède : Göteborg, Stockholm, Halmstad, Jönköping, Linköping, Ljungby, Malmö, Norrkoping, Helsingborg et Svinesund. Compter 20h de trajet pour Copenhague, 21h pour Göteborg et 26h pour Stockholm.

EN VOITURE

Entre Paris et la frontière danoise, compter 1 250 km. Ensuite, depuis l'achèvement des ponts sur les détroits danois, Grand Belt et Øresund, on peut gagner Malmö et la Suède au sec sans prendre de ferries. C'est un peu plus long (il faut passer par le Jutland) et il faut savoir que les ponts sont à péage (pour les tarifs, voir la rubrique « Transports » dans « Danemark utile »).

Comment gagner les ports d'embarquement allemands ?

Autoroutes

➢ *Paris-Valenciennes (péage) – Mons-Liège – Aix-la-Chapelle – Cologne-Dortmund-Hambourg (ou Dortmund-Hanovre-Hambourg) :* 900 km. Les autoroutes belges et allemandes sont gratuites.

Après Hambourg, vous devez gagner l'un des 5 ports d'embarquement allemands, d'où partent les ferries :

➢ *Hambourg-Puttgarden :* 155 km.

➢ *Hambourg-Kiel :* 98 km.

➢ *Hambourg-Travemünde :* 70 km.

➢ *Hambourg-Grenå :* 410 km.

➢ *Hambourg-Frederikshavn :* 500 km.

– Conseil aux auto-stoppeurs : il est difficile de faire du stop entre Lübeck et Puttgarden. Vous avez intérêt à passer par Travemünde, qui est tout près de Lübeck.

Autoroutes sans ferries

Les autoroutes danoises sont gratuites.

➢ *Frontière danoise-Copenhague :* 150 km.

EN BATEAU

Après la voiture, il vous faudra impérativement prendre le bateau, sauf en faisant le détour par le Jutland.

Si vous voyagez en camping-car ou en caravane entre le 15 juin et le 15 août, nécessité quasi impérative de réserver si vous ne voulez pas connaître les quais par cœur. Toutefois, il n'est pas toujours évident de prévoir à quelle heure et quel jour on pourra embarquer. Pour remédier à cet inconvénient, il y a sur les autoroutes scandinaves des bureaux d'information touristique qui peuvent effectuer pour vous ces réservations en téléphonant directement aux compagnies.

L'été en Scandinavie s'achève tôt, vers mi-août. Aussi, dès le 6 août, certaines traversées voient leurs tarifs diminuer de moitié.

Les ferries qui appartiennent aux chemins de fer danois (DSB) sont gratuits pour les possesseurs de la carte *Inter-Rail.*

Pour la route la plus fréquentée et la plus simple, prendre le bac Puttgarden-Rødby (pour vous donner un ordre de grandeur, coût de 47 € pour un trajet avec une voiture et 4 personnes), puis un autre bac Helsingør-Helsingborg. On peut prendre le billet pour les 2 bacs à Puttgarden.

En stop : essayez de profiter d'une voiture qui ne compte pas 5 passagers. Le prix est le même.

LES COMPAGNIES MARITIMES

En France

▲ **EURO-MER**

– *Montpellier : 5, quai de Sauvages, 34078 Cedex 3. ☎ 04-67-65-95-12. • euromer.net •*

Euro-Mer propose des tarifs attractifs sur toute la Scandinavie. Promos quotidiennes. Réservez longtemps à l'avance pour en profiter.

Pour la Suède

➢ *Départs d'Allemagne*

– De Rostock ou de Travemünde vers Trelleborg : tarifs spéciaux pour les campeurs.

– De Kiel vers Göteborg.

– De Sassnitz vers Trelleborg.

– Puttgarden (Allemagne) – Rødby (Danemark) – Helsingør (Danemark) – Helsingborg (Suède) : combiné comprenant les 2 traversées. Billet ouvert valable 2 mois (intéressant pour les camping-cars).

➢ *Départs du Danemark*

– D'Helsingør vers Helsingborg.

– De Frederikshavn vers Göteborg : si vous êtes flexible sur les horaires, nombreuses offres spéciales.

– De Frederikshavn vers Göteborg, ou départs de Kiel (Allemagne) vers Göteborg.

Pour le Danemark

➢ *Départs d'Allemagne*

– De Puttgarden vers Rødby.

– De Rostock vers Gedser.

– De Sassnitz vers Rønne (Bornholm).

En Belgique

➢ De nombreuses compagnies maritimes assurent les liaisons entre les différents pays scandinaves. La plupart d'entre elles sont représentées par *De Keyser Thornton : rue de la Madeleine, 63, Bruxelles 1000. ☎ 02-513-83-95.*

– Scandinavia : ☎ 02-23-08-455. Représenté à Bruxelles (1070).

– L'Express Côtier, Color Line, Stena Line et *Fjord Line*.

Sites des compagnies scandinaves

Pour consulter horaires et infos. Attention, ils sont tous en anglais !

▲ ***Stena Line :*** • *stenaline.be* •
▲ ***Color Line :*** • *colorline.com* •
▲ ***Scandlines :*** • *scandlines.com* •
▲ ***Silja Line :*** • *silja.com* •
▲ ***DFDS Seaways :*** • *dfdsseaways.com* •
▲ ***TT Line :*** • *ttline.com/english* •
▲ ***Fjord Line :*** • *fjordline.com* •
▲ ***Master Ferries :*** • *masterferries.com* •

EN TRAIN

De France

Au départ de Paris, les trains partent de la ***gare du Nord.***

➢ ***Paris-Copenhague :*** départ en soirée (changement à Hambourg), arrivée à Copenhague vers 12h.

➢ ***Paris-Stockholm :*** même train que pour Copenhague. Correspondance en train direct à Copenhague vers 12h30 jusqu'à Stockholm. Arrivée en fin d'après-midi.

De Belgique

➢ ***Bruxelles-Copenhague :*** départ de Bruxelles en fin de matinée. Correspondances à Cologne et Hambourg, arrivée à Copenhague vers 22h. Également un train de nuit via Hambourg au départ de Bruxelles-Midi vers 23h30.

De Suisse

➢ ***Bâle-Copenhague :*** départ vers 9h (avec 1 changement à Hambourg), arrivée à Copenhague vers 22h. Train de nuit vers 18h avec 1 changement à Fulda, arrivée vers 10h.

Pour préparer votre voyage

– ***Billet à domicile :*** commandez et payez votre billet par téléphone au ☎ 36-35 (0,34 €/mn) ou sur Internet, la SNCF vous l'envoie gratuitement à domicile.

Pour voyager au meilleur prix

La SNCF propose de nombreuses réductions. Pour en profiter au maximum, il faut réserver à l'avance. Les billets sont en vente 3 mois avant la date de départ.

➢ ***Prem's : plus vous anticipez, plus vous voyagez au meilleur prix.***

Découvrez les prix *Prem's* à partir de 22 € (1) l'aller en 2de classe TGV (en période normale), 17 € (1) en 2de classe Téoz et 35 € (1) en 2de classe Lunéa couchettes.

(1) Prix Prem's pour un aller simple en 2de classe (période normale pour TGV), dans la limite des places disponibles. Billet non échangeable, non remboursable.

➢ ***Les cartes : réduction garantie***

– La carte *12-25* est destinée aux voyageurs âgés de 12 à 25 ans. Elle est valable 1 an et offre jusqu'à 60 % de réduction sur le train (-25 % garantis même au dernier moment) dans la limite des places disponibles à ce tarif.

– Avec les cartes *Enfant +* et *Senior (destinées aux voyageurs de 60 ans et plus),* vous avez jusqu'à 50 % de réduction (-25 % garantis sur tous les trains) pour un nombre illimité de voyages pendant un an.

– La carte *Escapades* s'adresse aux voyageurs de 26 à 59 ans. Elle offre jusqu'à 40 % de réduction (-25 % garantis) sur tous les trains pour des allers-retours

DESTINATIONS	AU DÉPART DE	PORTS	FRÉQUENCES EN HTE SAISON	DURÉE MOYENNE	COMPAGNIES
La Norvège	L'Allemagne	Kiel - Oslo	Quotidien	20h	COLOR LINE
	Le Danemark	Hirtshals - Oslo	Quotidien	8h30	COLOR LINE
		Hirtshals - Kristiansand	2 fois par jour	2h30	COLOR LINE
		Hirtshals - Stavanger/ Bergen	3 fois par semaine (mar, jeu, sam)	21h 11h (bateau grande vitesse)	COLOR LINE
		Hirtshals - Larvik	Quotidien	5h15	COLOR LINE
		Hanstholm - Kristiansand	3 fois par jour en été	2h	MASTER FERRIES
		Hanstholm - 1° Egersund 2° Haugesund 3° Bergen	3 fois par sem ; 5 fois par sem en été	1° 8h30 2° 13h30 3° 18h30	FJORD LINE
		Copenhague - Oslo	Quotidien	16h	DFDS SEAWAYS
		Frederikshavn - Oslo	Quotidien	10h30 12h	STENA LINE COLOR LINE
La Suède	L'Allemagne	Travemünde - Trelleborg	3 fois par jour	9h	TT LINE
		Rostock - Trelleborg	3 fois par jour	5-6h ; 2h55 en catamaran	TT LINE
		Rostock - Trelleborg	3 fois par jour	7h30	SCANDLINES - HANSAFERRY
		Sassnitz - Trelleborg	5 fois par jour	4h	SCANDLINES - HANSAFERRY
		Kiel - Göteborg	Quotidien	13-14h	STENA LINE
	Le Danemark	Helsingør - Helsingborg	60 fois par jour	0h20	SCANDLINES
		Grenå - Varberg	2 fois par jour	4h	STENA LINE
		Frederikshavn - Göteborg	8 fois par jour	2h	STENA LINE
Le Danemark	L'Allemagne	Puttgarden - Rødby*	45 fois par jour	0h45	SCANDLINES
		Rostock* - Gedser	9 fois par jour	1h15	SCANDLINES
	Lignes intérieures	Esbjerg - Fanø	40 fois par jour	0h12	SCANDLINES

* Prolongation vers Helsingør

LIAISONS MARITIMES VERS LA SCANDINAVIE

de plus de 200 km effectués sur la journée du samedi ou du dimanche, ou comprenant la nuit de samedi à dimanche sur place.

➢ ***Les tarifs « Loisir »***

Les tarifs « Loisir » sont proposés en 1re et 2de classes. Ils sont valables pour tous sans distinction d'âge. Plus vous anticipez votre voyage, plus vous obtenez des prix intéressants.

Vous pouvez également bénéficier de prix avantageux « week-end », en réservant vos billets dans les jours précédant votre départ si vous effectuez un aller-retour comprenant une nuit du samedi au dimanche sur place ou un aller-retour sur la journée du samedi ou du dimanche.

Les billets « Loisir » sont échangeables et remboursables gratuitement jusqu'à la veille du départ. Le jour du départ, ils sont échangeables et remboursables moyennant une retenue de 10 € (3 € pour les porteurs d'une carte de réduction).

➢ ***Les « Bons Plans du Net »***

Les « Bons Plans du Net » sont proposés sur Internet. Ils offrent en permanence des prix réduits toute l'année jusqu'à -60 % sur une sélection de trains (TGV, Téoz ou Lunéa) sur lesquels des « déstockages » de places invendues sont effectués. Toutes ces offres sont soumises à conditions.

– Avec les ***Passes Inter-Rail,*** les résidents européens peuvent voyager dans 30 pays d'Europe, dont le ***Danemark*** et la ***Suède.*** Plusieurs formules et autant de tarifs, en fonction de la destination et de l'âge.

– Pour les grands voyageurs, l'***Inter-Rail Global Pass*** est valable dans l'ensemble des 30 pays concernés : intéressant si vous comptez parcourir plusieurs pays au cours du même périple. Il se présente sous 4 formes au choix. Deux formules flexibles : utilisable 5 j. sur une période de validité de 10 j. (249 € pour les plus de 25 ans, 159 € pour les 12-25 ans), ou 10 j. sur une période de validité de 22 j. (359 € pour les plus de 25 ans, 239 € pour les 12-25 ans). Deux formules *continues* : *pass* 22 j. (469 € pour les plus de 25 ans, 309 € pour les 12-25 ans), *pass* 1 mois (599 € pour les plus de 25 ans, 399 € pour les 12-25 ans). Ces 4 formules existent aussi en version 1re classe !

– Si vous ne parcourez qu'un seul des deux pays, le ***One Country Pass*** vous suffira. D'une période de validité de 1 mois, et utilisable, selon les formules, 3, 4, 6 ou 8 jours en discontinu : à vous de calculer avant votre départ le nombre de jours que vous passerez sur les rails. Là encore, ces formules existent en version 1re classe (mais ce n'est pas le même prix, bien sûr).

Zone Danemark

	+ de 25 ans	12-25 ans	4-11 ans
3 jours	69 €	45 €	34,50 €
4 jours	89 €	58 €	44,50 €
6 jours	119 €	77 €	59,50 €
8 jours	139 €	90 €	69,50 €

Zone : Allemagne, Norvège et Suède

	+ de 25 ans	12-25 ans	4-11 ans
3 jours	189 €	125 €	94,50 €
4 jours	209 €	139 €	104,50 €
6 jours	269 €	175 €	134,50 €
8 jours	299 €	194 €	149,50 €

Pour obtenir plus d'informations sur les conditions, pour réserver et acheter vos billets

– ***Internet :*** *• voyages-sncf.com • tgv.com • corailteoz.com • coraillunea.fr •*
– ***Téléphone :*** *☎ 36-35 (0,34 €/mn).*
– *Également dans les gares, les boutiques SNCF et les agences de voyages agréées SNCF.*

Chemins de fer scandinaves

▲ DB FRANCE

– *Paris : 47, av. de l'Opéra, 75002 (2ᵉ étage). ☎ 01-44-58-95-50 (10h-12h30, 13h30-18h). • dbfrance.fr • Ⓜ Opéra. Lun-ven 10h-18h.*

DB France (chemins de fer allemands) est l'agent des chemins de fer danois, norvégiens et suédois. On vous y fournira des itinéraires et des prix intéressants. Vente de la carte ***Scanrail,*** un *pass* qui permet de voyager dans les 3 pays scandinaves plus la Finlande. Consulter le site *• scanrail.com •*

LES QUESTIONS QU'ON SE POSE LE PLUS SOUVENT SUR LE DANEMARK

➤ Quand aller au Danemark ?
L'influence maritime tempère beaucoup le climat de ce pays scandinave méridional où l'hiver est long mais rarement très froid. On s'attendra donc à y trouver souvent de la pluie, mais la meilleure saison va du « joli mois de mai » à mi-septembre. Les 25 °C sont souvent atteints au cours de l'été.

➤ Est-ce une destination chère ?
Le Danemark est un pays au niveau de vie élevé, et cela se constate à tous les postes de dépenses. Il faut donc bien préparer votre budget avec les indications que nous vous donnons dans « Danemark utile ».

➤ Où loger ?
Les auberges de jeunesse sont ce qu'il y a de plus économique. Mais réservez le plus tôt possible, c'est souvent plein en été. Profitez aussi des bungalows qui équipent les campings. Mais le plus enrichissant pour vous sera de prendre des chambres chez l'habitant.

➤ Comment se déplacer ?
Comme toujours, l'idéal est la voiture, surtout à plusieurs. Toutefois, le train est un bon moyen de transport lui aussi, surtout si on le combine avec le vélo, que l'on peut louer dans les gares. Le réseau des pistes cyclables est remarquablement organisé.

➤ Qu'y a-t-il à voir et à faire ?
Copenhague, la capitale, sera sans doute le point de chute où vous passerez quelques jours. Pour le reste, à défaut de spectaculaires richesses naturelles, on prendra beaucoup de plaisir à découvrir, au milieu d'une agréable campagne, de jolies villes et surtout des habitants joyeux et accueillants.

➤ Quelle langue utiliser ?
Il faudra (à défaut d'apprendre le danois) peaufiner votre anglais qui est quasiment la deuxième langue maternelle des Danois. L'allemand est aussi très répandu. Le français est rarement pratiqué.

➤ Que faire avec des enfants ?
Le Danemark est un petit paradis pour les mômes. Il y a les parcs d'attractions : ***Legoland, Tivoli,*** mais aussi d'immenses plages, des promenades à la campagne, des séjours à la ferme, sans oublier l'univers des contes d'Andersen !

LES COUPS DE CŒUR DU ROUTARD AU DANEMARK

- À Copenhague, se replonger dans l'enfance sur les manèges du parc Tivoli.

- Découvrir le monde alternatif et déconcertant de Christiania.

- Vivre la chaude ambiance des bars et restos de Nyhavn, au cœur de la plus méditerranéenne des villes nordiques.

- À Roskilde, faire un tour sur l'eau à bord d'une reproduction de drakkar viking.

- Admirer la galerie de portraits historiques en médaillons du château de Frederiksborg.

- Se repaître du jeu de lumières et de volumes sur fond de décor maritime des œuvres du musée Louisiana.

- Choisir le cadre bucolique et enchanteur de l'île de Bornholm (la « Corse scandinave ») pour une villégiature tranquille et familiale.

- Faire le tour des îles méridionales de Sealand pour découvrir les églises médiévales et leurs fresques.

- À Odense, emmener les enfants visiter la maison natale d'Andersen et apprendre à quel point le conte du *Vilain Petit Canard* était autobiographique.

- Près de Silkeborg, faire l'« ascension » du Himmelbjerget, qui culmine à... 147 m, et profiter d'un panorama de forêts et de lacs.

- Près de Skagen, se rendre à Gremen là où deux océans se rencontrent et se croire au bout du monde... à condition de choisir le moment où il n'y en a pas trop !

DANEMARK UTILE

ABC DU DANEMARK

- ***Superficie :*** 43 096 km². Plus de 400 îles, dont 100 seulement sont habitées ; 7 300 km de côtes et plus de 1 000 lacs. Le Jutland constitue la majeure partie du pays. C'est la seule partie du Danemark à avoir une frontière terrestre, en l'occurrence avec l'Allemagne. Mais n'oublions pas que ce petit pays possède également les îles Féroé ; et l'énorme Groenland (même si celui-ci est un territoire autonome), soit 50 fois le Danemark !
- ***Capitale :*** Copenhague (1 300 000 hab.). Autres villes : Århus (275 000 hab.), Odense (176 000 hab.), Aalborg (160 000 hab.).
- ***Population :*** 5,447 millions d'habitants. Urbanisée à 85 %.
- ***Densité :*** 126 hab./km².
- ***Espérance de vie :*** 77,9 ans.
- ***Monnaie :*** la couronne danoise (Dk).
- ***PIB/hab. :*** 39 635 €.
- ***Taux de chômage :*** 3,8 %.
- ***Point culminant :*** Yding Skovøj, 173 m d'altitude.
- ***Point le plus bas :*** 7 m.
- ***Langue officielle :*** le danois.
- ***Régime :*** monarchie constitutionnelle parlementaire. Margrethe II est reine depuis 1972.
- ***Premier ministre :*** Anders Fogh Rasmussen depuis 2001. Réélu en novembre 2007.
- ***Partis politiques dominants :*** sociaux-démocrates et conservateurs.
- ***Religion :*** luthérienne à 86 %.

AVANT LE DÉPART

Adresses utiles

En France

ℹ *Il n'y a pas d'office du tourisme danois. Il ne reste plus qu'à consulter le site • visitdenmark.com • par ailleurs très complet.* Ce site (en français) permet la réservation d'hébergement *on line* et la collecte d'un maximum d'informations utiles à la préparation du voyage au Danemark.

■ ***Ambassade et consulat :*** *77, av. Marceau, 75116 Paris. ☎ 01-44-31-21-21. • amb-danemark.fr • Ⓜ Charles-de-Gaulle-Étoile. Services consulaires : 9h30-12h30.* Une vingtaine de consulats dans les principales villes de France.

■ ***La maison du Danemark :*** *142,*

av. des Champs-Élysées, 75008 Paris. ☎ 01-56-59-17-40. • mdd@maisondu danemark.dk • Restaurant *Flora Danica.*

En Belgique

■ ***Ambassade royale du Danemark :*** *rue d'Arlon, 73, Bruxelles 1040. ☎ 02-233-09-00. • ambbruxelles.um.dk •* Ouv lun-ven 10h-12h, plus mer 16h-18h.

■ ***Informations touristiques :*** *rue d'Arlon, 73, Bruxelles 1040. ☎ 02-233-09-23.* Ouv en sem 10h-12h.

En Suisse

■ ***Ambassade royale du Danemark :*** *Thunstrasse 95, 3006 Bern, P.B. 261, 3000 Bern 31. ☎ 031-350-54-54. • amb bern.um.dk •*

■ ***Consulat du Danemark :*** *9, rue de la Gabelle, PO Box 1368, 1227 Carouge. ☎ 022-827-05-00.*

Au Canada

■ ***Royal Danish Embassy :*** *47, Clarence St, suite 450, Ottawa, Ontario K1N-9K1. ☎ (613) 562-1811. • ambot tawa.um.dk •*

Formalités d'entrée

– Pour les ressortissants de l'UE, carte d'identité ou passeport en cours de validité. Le Danemark fait partie de l'espace Schengen. Il y a donc peu de restrictions à l'entrée ; cela est valable également pour tout étranger résidant légalement (pourvu d'un permis de séjour) en France ou en Belgique.
– Malgré son appartenance à l'UE, le Danemark a maintenu une réglementation douanière en ce qui concerne le tabac et l'alcool, tant à l'entrée du pays qu'à la sortie. Renseignez-vous sur les quantités autorisées.

Assurances voyage

– ***Routard Assistance :*** *c/o AVI International, 28, rue de Mogador, 75009 Paris. ☎ 01-44-63-51-00.* Depuis 1995, *Routard Assistance,* en collaboration avec *AVI International,* spécialiste de l'assurance voyage, propose aux routards un tarif à la semaine qui inclut une assurance bagages de 1 000 € et appareils photo de 300 €. Pour les séjours longs (2 mois à 1 an), il existe le *Plan Marco Polo*. *Routard Assistance* est aussi disponible en version « *light* » (durée adaptée aux week-ends et courts séjours en Europe). Dans les dernières pages de chaque guide, vous trouverez un bulletin d'inscription.
– ***Air Monde Assistance :*** *5, rue Bourdaloue, 75009 Paris. ☎ 01-42-85-26-61.* Assurance-assistance voyage, monde entier, frais médicaux, chirurgicaux, rapatriement... *Air Monde* utilise l'assureur *Mondial Assistance*. Malheureusement, application de franchises.
– ***AVA :*** *25, rue de Maubeuge, 75009 Paris. ☎ 01-53-20-44-20.* Un autre courtier fiable qui propose un contrat *Snowcool* pour les vacances d'hiver, et *Capital* pour ceux qui souhaitent s'assurer en cas de décès, invalidité, accident lors d'un voyage à l'étranger. Attention, franchises pour leurs contrats d'assurance voyage.
– ***Pérès Photo Assurance :*** *18, rue des Plantes, 78600 Maisons-Lafitte. ☎ 01-39-62-28-63.* Assurance de matériel photo tout risque basée sur le prix d'achat de votre matériel. Avantage : garantie à l'année. Inconvénient : franchise et prime d'assurance pouvant être supérieures à la valeur de votre matériel.

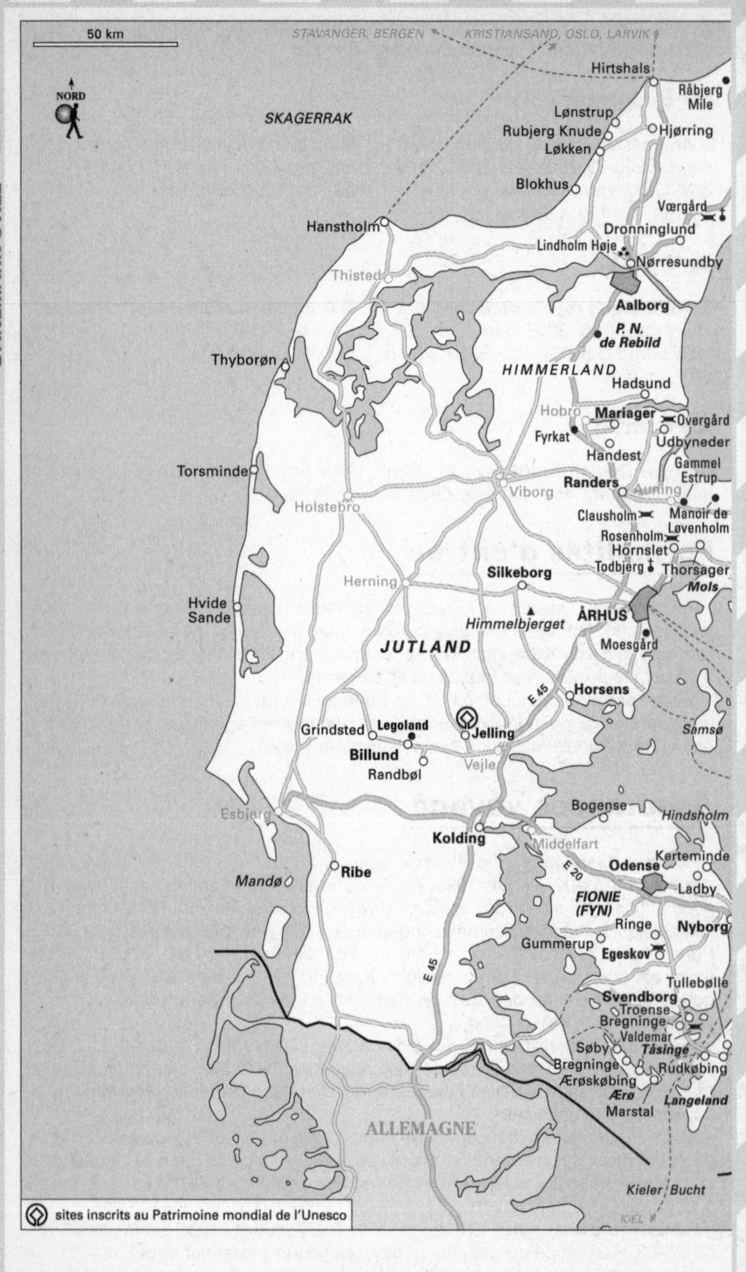
50 km
NORD
STAVANGER, BERGEN
KRISTIANSAND, OSLO, LARVIK
SKAGERRAK
Hirtshals
Råbjerg Mile
Lønstrup
Rubjerg Knude
Hjørring
Løkken
Blokhus
Vægård
Hanstholm
Dronninglund
Lindholm Høje
Nørresundby
Thisted
Aalborg
P. N. de Rebild
Thyborøn
HIMMERLAND
Hadsund
Hobro
Mariager
Overgård
Fyrkat
Udbyneder
Handest
Gammel Estrup
Torsminde
Randers
Auning
Viborg
Holstebro
Clausholm
Manoir de Løvenholm
Rosenholm
Hornslet
Todbjerg
Thorsager
Herning
Silkeborg
Mols
Hvide Sande
ÅRHUS
Himmelbjerget
Moesgård
JUTLAND
E 45
Horsens
Samsø
Grindsted
Legoland
Jelling
Billund
Randbøl
Vejle
Bogense
Hindsholm
Esbjerg
Kolding
Middelfart
Kerteminde
E 20
Odense
Ribe
Mandø
Ladby
FIONIE (FYN)
Ringe
Nyborg
Gummerup
Egeskov
E 45
Tullebølle
Svendborg
Troense
Bregninge
Valdemar
Søby
Tåsinge
Bregninge
Rudkøbing
Ærøskøbing
Ærø
Langeland
Marstal
ALLEMAGNE
Kieler Bucht
KIEL
sites inscrits au Patrimoine mondial de l'Unesco

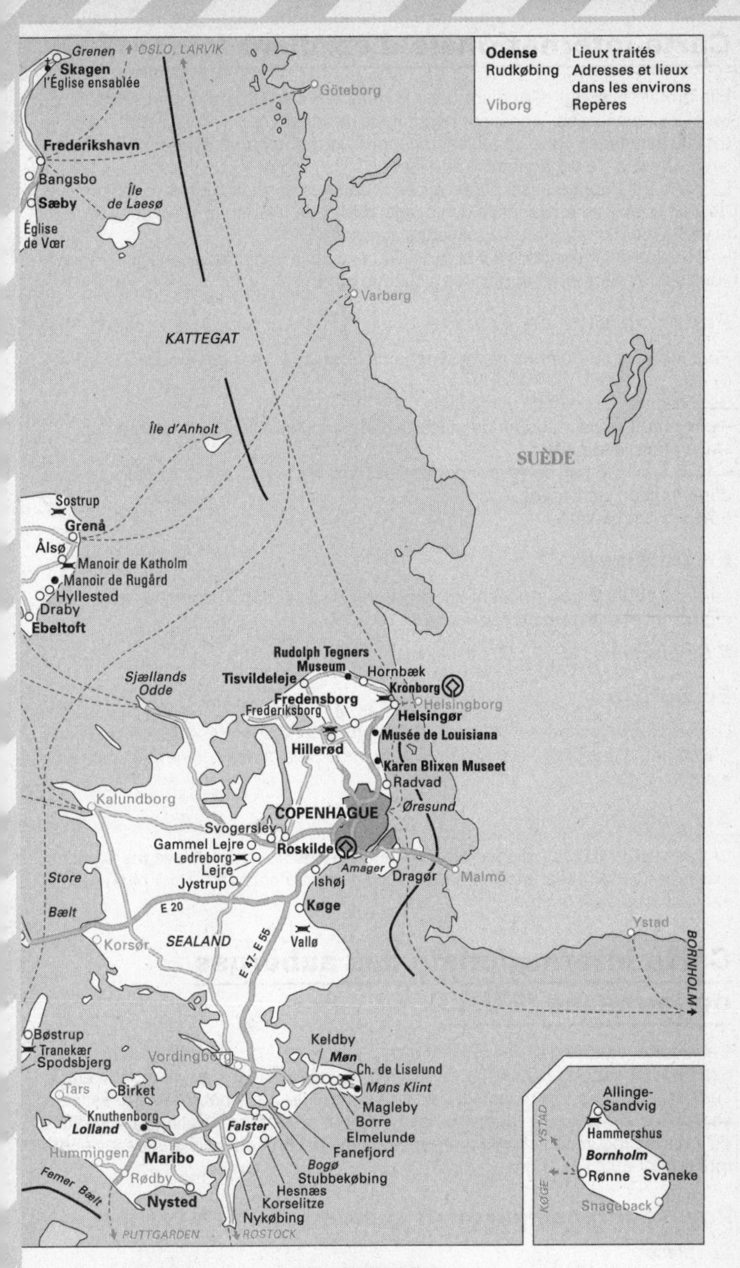

Odense Lieux traités
Rudkøbing Adresses et lieux dans les environs
Viborg Repères
Grenen
OSLO, LARVIK
Skagen
l'Église ensablée
Göteborg
Frederikshavn
Bangsbo
Île de Laesø
Sæby
Église de Vœr
Varberg
KATTEGAT
Île d'Anholt
SUÈDE
Sostrup
Grenå
Ålsø
Manoir de Katholm
Manoir de Rugård
Hyllested
Draby
Ebeltoft
Rudolph Tegners Museum
Tisvildeleje
Hornbæk
Kronborg
Sjællands Odde
Fredensborg
Frederiksborg
Helsingborg
Helsingør
Musée de Louisiana
Hillerød
Karen Blixen Museet
Radvad
Kalundborg
COPENHAGUE
Øresund
Svogerslev
Gammel Lejre
Roskilde
Ledreborg
Lejre
Jystrup
Amager
Dragør
Malmö
Ishøj
Store Bælt
E 20
Køge
Ystad
BORNHOLM
Korsør
SEALAND
E 47- E 55
Vallø
Bøstrup
Tranekær
Spodsbjerg
Vordingborg
Keldby
Møn
Ch. de Liselund
Møns Klint
Tars
Birket
Magleby
Borre
Elmelunde
Fanefjord
Knuthenborg
Lolland
Falster
Hummingen
Maribo
Bogø
Stubbekøbing
Rødby
Femer Bælt
Nysted
Hesnæs
Korselitze
Nykøbing
PUTTGARDEN
ROSTOCK
Allinge-Sandvig
Hammershus
Bornholm
YSTAD
KØGE
Rønne
Svaneke
Snageback

LE DANEMARK

Carte internationale d'étudiant (carte ISIC)

Elle prouve le statut d'étudiant dans le monde entier et permet de bénéficier de tous les avantages, services, réductions étudiants du monde, soit plus de 37 000 avantages concernant les transports, les hébergements, la culture, les loisirs... C'est la clé de la mobilité étudiante !
La carte ISIC donne aussi accès à des avantages exclusifs sur le voyage (billets d'avion spéciaux, assurances de voyage, cartes de téléphone internationale, cartes SIM, location de voitures, navettes aéroport...).
– Pour plus d'informations sur la carte ISIC et pour la commander en ligne, rendez-vous sur les sites internet propres à chaque pays.

Pour l'obtenir en France

Pour localiser un point de vente proche de chez vous : • isic.fr • ou ☎ 01-40-49-01-01.
Se présenter au point de vente avec :
– une preuve du statut d'étudiant (carte d'étudiant, certificat de scolarité...) ;
– une photo d'identité ;
– 12 €, ou 13 € par correspondance, incluant les frais d'envoi des documents d'information sur la carte.
Émission immédiate.

En Belgique

La carte coûte 9 € et s'obtient sur présentation de la carte d'identité, de la carte d'étudiant et d'une photo auprès de :

■ ***Connections :*** *☎ 02-550-01-00. • isic.be •*

En Suisse

Dans toutes les agences *STA Travel (☎ 058-450-40-00),* sur présentation de la carte d'étudiant, d'une photo et de 20 Fs. Commande de la carte en ligne : • isic.ch • ou • statravel.ch •

Au Canada

La carte coûte 16 $Ca ; disponible dans les agences TravelCuts/Voyages Campus, les gares VIA Rail et dans les bureaux d'associations d'étudiants. Pour plus d'infos : • viacampus.ca •

Carte internationale des auberges de jeunesse (FUAJ)

Cette carte, valable dans plus de 80 pays, vous ouvre les portes des 4 000 auberges de jeunesse du réseau *Hostelling International* réparties dans le monde entier. Les périodes d'ouverture varient selon les pays et les AJ. À noter, la carte est souvent obligatoire pour séjourner en auberge de jeunesse, donc nous vous conseillons de vous la procurer avant votre départ. En effet, adhérer en France vous reviendra moins cher qu'à l'étranger.

Pour tout renseignement et réservation en France

Sur place

■ ***Fédération unie des auberges de jeunesse (FUAJ) :*** *27, rue Pajol, 75018 Paris. ☎ 01-44-89-87-27. • fuaj.org • Ⓜ Marx-Dormoy ou La Chapelle.*

Lun 10h-17h, mar-ven 10h-18h. Montant de l'adhésion : 11 € pour les moins de 26 ans et 16 € pour les plus de 26 ans (tarifs 2007-2008). Munissez-vous d'une pièce d'identité lors de l'inscription. Une autorisation des parents est nécessaire pour les moins de 18 ans (photocopie obligatoire de la carte d'identité du parent qui autorise le mineur).

– Adhésion possible également dans toutes les AJ, points d'information et de réservation FUAJ en France.

Par correspondance

Envoyez une photocopie recto verso d'une pièce d'identité et un chèque du montant de l'adhésion ; ajoutez 2 € pour les frais d'envoi de la FUAJ. Vous recevrez votre carte sous 15 jours.

– La FUAJ propose aussi une ***carte d'adhésion « Famille »,*** valable pour un ou 2 adultes ayant un ou plusieurs enfants âgés de moins de 14 ans. Fournir une copie du livret de famille. Elle coûte 23 €.
Une seule carte famille est délivrée pour toute la famille, mais les parents peuvent s'en servir lorsqu'ils voyagent seuls. Seuls les enfants de moins de 14 ans peuvent figurer sur cette carte.
– La carte donne également droit à des réductions sur les transports, les musées et les attractions touristiques de plus de 81 pays mais ces avantages varient d'un pays à l'autre, ce qui n'empêche pas de la présenter à chaque occasion. Liste de ces réductions disponible sur • hihostels.com • et les réductions en France sur • fuaj.org •

En Belgique

Le prix de la carte varie selon l'âge : entre 3 et 15 ans, 3 € ; entre 16 et 25 ans, 9 € ; après 25 ans, 15 €. Votre carte de membre vous permet d'obtenir de 5 à 9 € de réduction sur votre première nuit dans les réseaux LAJ, VJH et CAJL (Luxembourg), ainsi que des réductions auprès de nombreux partenaires en Belgique.

Renseignements et inscriptions

– ***LAJ :*** *rue de la Sablonnière, 28, Bruxelles 1000. ☎ 02-219-56-76. • laj.be •*

– ***Vlaamse Jeugdherbergcentrale (VJH) :*** *Van Stralenstraat, 40, Antwerpen 2060. ☎ 03-232-72-18. • vjh.be •*

En Suisse

Le prix de la carte dépend de l'âge : 22 Fs pour les moins de 18 ans, 33 Fs pour les adultes et 44 Fs pour une famille avec des enfants mineurs.

■ ***Schweizer Jugendherbergen (SJH) :*** *service des membres des AJ suisses, Schafhauserstr. 14, Postfach 161, 8042 Zurich. ☎ 01-360-14-14. • youthhostel.ch •*

Au Canada

Elle coûte 35 $Ca pour une durée de 16 à 26 mois (tarifs 2008) et 175 $Ca à vie. Gratuit pour les enfants de moins de 18 ans qui accompagnent leurs parents. Pour les juniors voyageant seuls, la carte est gratuite, mais la nuit reste payante (moindre coût). Ajouter systématiquement les taxes.

■ ***Auberges de Jeunesse du Saint-Laurent / St-Laurent Youth Hostels :***
– À Montréal : 3514, av. Lacombe, (Québec) H3T-1M1. ☎ (514) 731-1015. N° gratuit (au Canada) : ☎ 1-866-754-10-15.
– À Québec : 94, bd René-Lévesque Ouest, G1R-2A4 (Québec). ☎ (418) 522-2552.

■ ***Canadian Hostelling Association :*** *205 Catherine St, bureau 400, Ottawa K2P-1C3 (Ontario). ☎ (613) 237-7884. • hihostels.ca •*

ARGENT, BANQUES, CHANGE

La monnaie danoise

L'***unité monétaire*** danoise est la couronne (*krone,* abrégée Dk) = 100 *øre* ; 1 Dk = env 0,13 €, 0,22 Fs et 0,20 $Ca début 2008. Et vous obtenez 7,45 Dk pour 1 €. Après le référendum de 2000, l'éventuel passage à l'euro est reporté à une nouvelle consultation populaire. Toutefois, tourisme européen oblige, les Danois se sont bien acclimatés à la nouvelle devise. Il n'est pas rare de trouver des listes de prix avec le double affichage et bon nombre d'établissements acceptent aujourd'hui d'être payés en euros, comme les campings ou les hôtels.
ATTENTION : nos conversions en euros sont délibérément arrondies pour vous donner essentiellement un ordre de grandeur et ne prétendent pas correspondre au cent près à la conversion exacte. La variation avec le change peut être de 0,50 €.

Horaires des banques

Généralement : du lundi au vendredi de 9h30 (ou 10h) jusqu'à 16h (18h le jeudi).

Change

Les banques danoises prennent une petite commission pour changer des espèces et une commission plutôt élevée si l'on change des chèques de voyage (elle est forfaitaire, quelle que soit la somme changée, sauf dans certains établissements qui n'hésitent pas à vous annoncer une commission par chèque échangé ! Fuyez-les, bien sûr). Les banques proposent de meilleurs taux de change que les kiosques. Pour les chèques de voyage, il est préférable de les changer dans les agences émettrices. Vous aurez, bien sûr, acheté ceux-ci en euros pour ne pas changer deux fois.

Les cartes de paiement

Ne pas utiliser de cartes de paiement pour acheter des couronnes, les commissions sont exorbitantes. En revanche, très pratiques, les ***guichets-distributeurs*** qui donnent les instructions en français. On en trouve dans pratiquement toutes les villes. Les commissions sur les cartes de paiement sont inférieures à celles des banques, mais celles-ci sont moins bien acceptées par les commerçants. *American Express* ne prend pas de commission à Copenhague. Attention, consulter les commissions (parfois élevées) pratiquées par votre propre banque (sur le retrait d'espèces et les achats).
Par ailleurs, on vous recommande de bien regarder le menu des restaurants : beaucoup taxent les règlements par carte de paiement (voir plus loin « Budget »).
Quelle que soit la carte que vous possédez, chaque banque gère elle-même le processus d'opposition et le numéro de téléphone correspondant ! Avant de partir, notez donc bien le numéro d'opposition propre à votre banque (il figure souvent au dos des tickets de retrait, sur votre contrat ou à côté des distributeurs de billets), ainsi que le numéro à seize chiffres de votre carte. Bien entendu, conserver ces informations en lieu sûr, et séparément de votre carte. Par ailleurs, l'assistance médicale se limite aux 90 premiers jours du voyage.
– Carte ***MasterCard :*** *n° d'urgence assistance médicale au ☎ 00-33-1-45-16-65-65. • mastercardfrance.com • En cas de perte ou de vol, composer le numéro communiqué par votre banque ou, à défaut, le numéro général : ☎ 00-33-892-69-92-92 pour faire opposition 24h/24.*
– Pour la carte ***American Express,*** *téléphoner en cas de pépin au ☎ 00-33-1-47-77-72-00. Numéro accessible tlj 24h/24, PCV accepté en cas de perte ou de vol. • americanexpress.fr •*

– ***Carte Bleue Visa :*** *numéro d'urgence assistance médicale* (Europ Assistance), ☎ *00-33-1-45-85-88-81. Pour faire opposition, contacter le numéro communiqué par votre banque ou, à défaut depuis l'étranger, le* ☎ *1-410-581-9994 (PCV accepté).* • *carte-bleue.fr* •

– *Pour ttes les cartes émises par* ***La Banque Postale,*** *composer le* ☎ *0825-809-803 (0,15 €/mn). Pour les DOM ou depuis l'étranger, le* ☎ *00-33-5-55-42-51-96.*

Besoin urgent d'argent liquide

En cas de besoin urgent d'argent liquide (perte ou vol de billets, chèques de voyage, carte de paiement), vous pouvez être dépanné en quelques minutes grâce au système *Western Union Money Transfer.* Pour cela, demandez à quelqu'un de vous déposer de l'argent en euros dans l'un des bureaux *Western Union* ; les correspondants en France de *Western Union* sont *La Banque Postale (fermé sam ap-m, n'oubliez pas !* ☎ *0825-00-98-98, 0,15 €/mn)* et *Travelex* en collaboration avec la *Société financière de paiement (SFDP ;* ☎ *0825-825-842, 0,15 €/mn).* L'argent vous est transféré en moins de 15 mn. La commission, assez élevée, est payée par l'expéditeur. Possibilité d'effectuer un transfert en ligne 24h/24 par carte de paiement (*Visa* ou *MasterCard* émise en France). • *westernunion.com* •

BUDGET

Le Danemark est un pays très cher, on se répète. Il est donc important de bien budgéter votre séjour. Un des éléments de la réussite de votre voyage est de réserver votre hébergement dès que vous le pouvez. Voici quelques indications chiffrées, qui correspondent à nos différentes rubriques et qui vous aideront à calculer vos dépenses moyennes.

Attention, une loi permet aux commerçants danois (principalement les restaurateurs) de majorer l'addition en cas de règlement par carte de paiement étrangère (donc *Visa, MasterCard,* etc.) pour cause de frais bancaires. Ils ne le font pas tous, mais dans les restos un peu chic cela fait vite une jolie différence. Prévoyez donc du cash ou demandez avant de commander. Nous, on trouve ça parfaitement scandaleux.

Et puis au resto, l'eau plate est théoriquement gratuite, mais si on ne commande aucune autre boisson... on peut vous la facturer.

Hébergement

– ***Bon marché :*** de 80 à 125 Dk par personne (10,50 à 16,75 €).
– ***Prix moyens :*** de 250 à 450 Dk pour deux (33,50 à 60 €).
– ***Plus chic :*** plus de 450 Dk pour deux (60 €).

Repas

– ***Bon marché :*** de 50 à 100 Dk par personne (6,70 à 13,40 €).
– ***Prix modérés :*** de 100 à 150 Dk par personne (13,40 à 20 €).
– ***Prix moyens :*** de 150 à 200 Dk par personne (20 à 27 €).
– ***Plus chic :*** plus de 200 Dk par personne (27 €).

ACHATS ET MAGASINS

Tout est plutôt cher au Danemark, à l'exception du matériel électromécanique (platines, amplis, baffles – mais pas la célèbre marque *Bang & Olufsen* qui est très chère –, calculatrices électroniques de poche, etc.) et des vêtements.

Remarque : les étrangers non membres de l'UE ont droit à une réduction correspondant à la TVA et se montant à 25 % du prix de vente. On a dit : non membres !

Relisez votre passeport ! Amis québécois et suisses bienvenus. Demandez aux boutiques où vous faites vos achats le formulaire de remboursement de la TVA et faites valider vos factures à la sortie du pays.
Soldes très intéressantes en août et en février à Copenhague.
Sur le plan artisanal, le Danemark est réputé pour sa belle verrerie, sa porcelaine, ses objets en bois et de beaux textiles. Pour les enfants, n'oubliez pas les Lego, invention danoise. Enfin, le design danois a une réputation internationale. Ustensiles de cuisine, lampes, meubles. Superbe, la plupart du temps. À voir quand même, en magasin ou dans certains musées. Mais tout cela est cher, voire hors de prix.
Les horaires des boutiques et magasins sont d'ordinaire : du lundi au jeudi de 9h (ou 10h) à 17h30 (ou 18h), vendredi jusqu'à 19h ou 20h, samedi de 9h à 13h (ou 14h) ; sauf exceptions locales comme dans le centre de Copenhague. Le dimanche, vous ne trouverez ouverts que des boulangeries et des fleuristes.

CLIMAT

Le Danemark, c'est la Côte d'Azur des pays nordiques. L'hiver n'est jamais très froid (rarement en dessous de - 5 °C) grâce à l'influence maritime qui tempère fortement le climat général. Mais il est assez long. Le 22 décembre est le jour le plus court : le soleil se lève à 8h40 et se recouche à 15h37, tout paresseux qu'il est. L'été, les températures de jour oscillent entre 18 et 25 °C, avec des nuits un peu fraîches. Le vent refroidit souvent l'atmosphère. Dès qu'une journée très chaude (ça arrive assez souvent) pointe le bout de son nez, tout le monde déserte les villes et file au bord de la mer, jamais à plus de 1h de voiture. Autre spécialité : se faire bronzer en tenue très légère dans les parcs des villes dès les premiers rayons du soleil. Bon, apporter quand même un imper... Il y a beaucoup de plages, mais l'eau est frisquette.
Entre la fin du « joli mois de mai » et mi-septembre, pas de problème pour visiter le Danemark. Les journées sont longues et les nuits claires et fraîches. Juin, le mois des fêtes, est moins arrosé que juillet et août. Si vous êtes frileux, inutile de tremper vos orteils dans la mer du Nord ou la Baltique : en plein mois d'août, la température se hisse jusqu'à 20 °C. À partir d'octobre, le froid, le vent et les nuages bas reviennent à la charge.
Pour consulter les prévisions météo : ● dmi.dk ●

ÉLECTRICITÉ

Courant alternatif de 220 volts. Prises de courant : même chose qu'en France.

ENFANTS

L'enfant danois est un enfant-roi. Depuis le début des années 1970, le sort de ces têtes blondes est au cœur de la politique de l'État. Ils ont acquis des droits réels, et le système éducatif mis en place vise avant tout à la formation de bons petits citoyens, tous égaux, responsables et respectés en tant qu'individus à part entière. Dans les cas de divorce, par exemple, la législation met désormais l'accent sur l'intérêt de l'enfant.
Vous constaterez très vite en voyageant au Danemark que quasiment tout est fait et pensé pour eux : les parcs d'attractions qui leurs sont destinés sont nombreux (il n'y a pas que *Legoland !*).
– Presque tous les w-c publics disposent d'un espace pour changer bébé ;
– il n'est pas rare non plus de trouver des espaces permettant de les nourrir ;
– les moyens de transport, les grands lieux publics, et parfois même certains restos, disposent d'espaces de jeux pour qu'ils puissent se défouler ;
– dans les villes, les transports en commun (bus et métro) sont en principe gratuits pour les enfants de moins de 6 ans et les poussettes ;

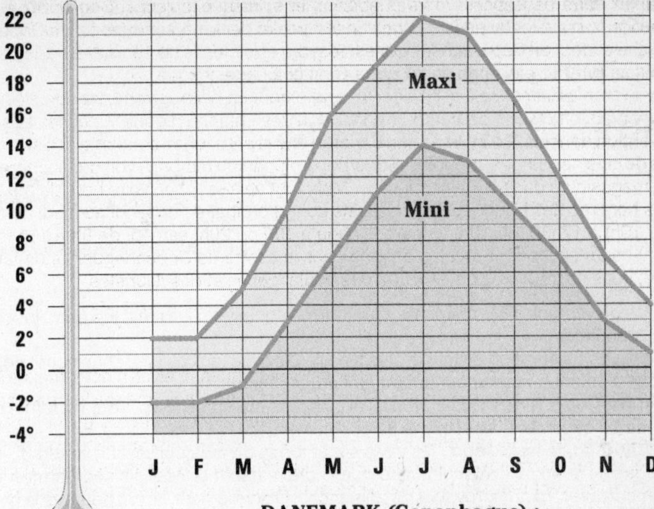

DANEMARK (Copenhague) :
moyenne des températures atmosphériques

DANEMARK (Copenhague) : nombre de jours de pluie

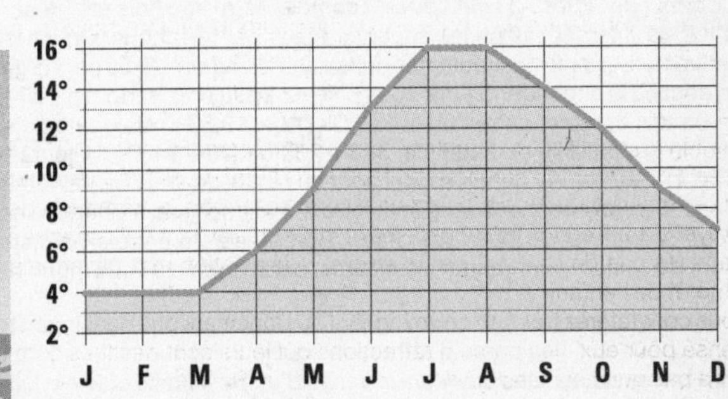

MER DU NORD : moyenne des températures de la mer

– enfin, dans les musées (voire les églises), il y a presque toujours un coin pour eux, avec jeux et atelier de dessin. Signalons en particulier le *Musée national* de Copenhague où tout un département leur est réservé et le *musée de Louisiana* où ils peuvent se livrer aux joies du découpage et du coloriage.

FÊTES ET JOURS FÉRIÉS

Voici quelques fêtes à dates fixes, mais on ne parle pas ici des dizaines de festivals de musique et de théâtre qui ont lieu dans tout le pays. Consulter le site • *visitdenmark.com* • pour connaître l'ensemble des manifestations culturelles.
– ***Pâques :*** tout est fermé pendant cinq jours, du jeudi au lundi inclus, sauf quelques boutiques ouvertes le samedi matin.
– ***4e vendredi après Pâques :*** le jour des Prières.
– Pas de véritable Fête nationale. Ou alors, on considère que c'est le ***5 juin*** : jour de la Constitution.
– ***23 juin :*** célébration du jour le plus long (le 24) avec feux de joie, chants, hot dogs et vin à volonté... sans pour autant être un jour férié.
– ***Autres jours fériés :*** Noël, Nouvel An, Ascension, Pentecôte... Tout est fermé du 24 au 26 décembre, ainsi que le 31.
– ***Attention, le week-end :*** les villes sont mortes dans la journée. Le vendredi, les magasins ferment 1 à 2h plus tard que l'horaire habituel. Mais ils sont fermés les samedi après-midi (incroyable !) et dimanche. Officiellement, ils ont pourtant le droit d'ouvrir tout le week-end, mais seules les grandes surfaces profitent du créneau. Ah, la force des habitudes... On trouve également une épicerie ouverte tous les jours, et même tard le soir, dans les gares des grandes villes.

HÉBERGEMENT

Les auberges de jeunesse

• *danhostel.dk* •
La carte internationale des auberges de jeunesse n'est pas toujours obligatoire pour séjourner dans une AJ danoise. Certains établissements ne la demandent pas, d'autres l'exigent. Il est moins cher d'acheter sa carte en France. Si vous ne l'avez pas, vous pourrez l'obtenir dans la première AJ rencontrée. Pour une année, compter 160 Dk (21 €). Sans carte, prévoir une taxe de 35 Dk (4,50 €) par jour. À Copenhague, les AJ sont souvent complètes, même hors été. Réservation impérative via Internet ; ils ne les acceptent plus par téléphone. On y sert de copieux petits déj. Les prix maximum des nuits dans les AJ sont fixés par l'organisme général dont elles dépendent. Ainsi vous paierez à peu près partout pareil. Pour une nuit en dortoir, compter entre 100 et 150 Dk (13 et 19,50 €) et un peu plus en chambre double ou familiale de 2 à 6 lits, 300 à 700 Dk (39 à 91 €). Toujours beaucoup de confort dans les AJ danoises, qui sont en réalité de vrais petits hôtels, sans limite d'âge. Sac de couchage souvent interdit. Avoir son sac à viande, sinon possibilité (voire obligation) de louer des draps. Bon nombre d'entre elles disposent également de casiers pour ranger les affaires, pensez donc à vous munir d'un cadenas.

Les *sleep-in*

Saviez-vous que l'idée du *sleep-in* venait d'un Hollandais qui ne voulait pas laisser les routards dormir dans les parcs ?
Dans le principe, ils ne fournissent que des matelas mis à terre ou des lits superposés. En réalité, des AJ non officielles qui proposent des dortoirs mais aussi, selon les cas, des chambres doubles. Bonne ambiance en général, mais attention à vos affaires... Les grandes villes proposent toujours un *sleep-in,* vu qu'il est interdit de coucher dehors. Les mairies se doivent de trouver une solution pour chacun, même pour

les plus fauchés. Souvent un peu moins cher que les AJ (pas besoin de carte) et souvent aussi moins bien tenu. Compter entre 100 et 150 Dk (13 et 19,50 €) par lit.

Le camping

• *dk-camp.dk* •

Très nombreux terrains de camping, souvent fort bien aménagés. Certains possèdent même des congélateurs (gratuits) et des machines à laver (payantes). L'usage de l'eau chaude dans les douches est payant la plupart du temps. Certains mettent des réchauds (souvent gratuits) à la disposition des campeurs. De plus en plus de campings possèdent des petits bungalows en bois pour deux ou six personnes, parfois très confortables. Pratique et pas si cher. À ne pas négliger quand il pleut. Les enfants paient demi-tarif jusqu'à l'âge de 12 ans. Pour avoir accès à un camping homologué, vous devez présenter une *carte de camping* valide. Pour vous la procurer, rendez-vous au premier camping homologué ou au bureau local du tourisme.

Les campings 3 étoiles ne sont pas beaucoup plus chers que les 2 étoiles, mais leurs prestations sont nettement supérieurs. Il existe un catalogue des campings de luxe : Elite Camp.

Pour une étape d'une nuit, la carte de transit est accessible pour 20 Dk (2,60 €). La *Camping Card Scandinavia* coûte 80 Dk (10,50 €) et concerne les individuels, les couples et leurs enfants de moins de 18 ans. Elle est valable dans tous les pays nordiques. Les groupes de cinq à onze personnes paient le même tarif. Le chef de groupe, âgé de plus de 18 ans, présente alors la carte au nom des autres membres.

Il existe des ***brochures régionales*** très bien faites répertoriant tous les campings et même un catalogue général pour tout le Danemark, avec des photos. Disponibles dans les offices du tourisme et très utiles. Compter, en fonction du niveau des installations, entre 125 et 170 Dk (16 et 22 €) pour deux avec une tente et une voiture.

Difficile en haute saison de trouver une hutte (bungalow) sans réservation.

Chez l'habitant

À consulter : • bedandbreakfast.dk • bbdk.dk •

Pratiquement tous les offices du tourisme ont une liste de chambres chez l'habitant à votre disposition. Intéressant d'un point de vue économique, cela peut aussi s'avérer enrichissant pour le charme du lieu et le contact avec la maisonnée. Faire le tri néanmoins : bien se faire préciser dans quel quartier on est logé, l'accès par les transports, les services offerts...

Chaque office du tourisme gère ses chambres chez l'habitant et s'occupe des réservations en prenant une petite commission de 25 à 50 Dk (3,25 à 6,50 €). Globalement, compter entre 300 et 400 Dk (39 et 52 €) pour deux, sans le petit déj. Vous pouvez aussi repérer les panneaux *Zimmer Frei* ou *Rooms.*

Cyclistes, randonneurs et kayakistes

L'association *Dansk Cyclist Forbund,* à Copenhague, vend un répertoire d'adresses privées à travers le pays pour bivouaquer ou camper à tout petit prix. Voir « Adresses et infos utiles » à Copenhague.

Dormir à la belle étoile

Le camping sauvage est en principe interdit. Dans un pays soucieux de la protection de son environnement, certaines régions ont aménagé des campings sommaires (gratuits), sans eau, avec juste des emplacements pour les promeneurs sans moteur (cyclotouristes, randonneurs...). En dehors de ces espaces, on risque de se faire embarquer.

Hôtels

• *danishhotels.dk* • *danskkroferie.dk* •

Très chers. Le Danemark a adopté le système des étoiles pour les classer. Ça n'a pas fait baisser les prix ! Compter à Copenhague entre 700 et 1 000 Dk (91 et 130 €) pour une chambre double dans un 2-étoiles, avec le petit déj. Intéressant : certains hôtels proposent des chambres familiales pour quatre à six personnes. Cela amortit un peu le coût ! Les prix varient souvent en fonction des saisons et des jours de la semaine.

Dans le reste du pays, compter, pour la même catégorie, une fourchette de prix entre 600 et 900 Dk (78 et 117 €).

INTERNET

La plupart des villes disposent de cafés Internet où les Danois jouent en réseau sur des dizaines d'ordinateurs. Compter 25 à 35 Dk (3,20 à 4,50 €) l'heure. Souvent ouverts très tard dans la soirée et toute la nuit le week-end. Dans les bibliothèques municipales, c'est gratuit et limité à 1h. On vous donne dans ce guide les adresses internet des hôtels, AJ, musées, et des compagnies de ferries. Très important surtout en haute saison pour réserver une chambre ou un billet de bateau. Les sites sont mis à jour et traduits en anglais. Les offices du tourisme ont des sites internet actualisés et mettent en accès libre des ordinateurs pour faire les réservations de chambres chez l'habitant. Ainsi les plus habiles pourront prévoir leur hébergement à l'avance.

LANGUES

Le danois appartient au groupe des langues scandinaves. Les Danois, Suédois et Norvégiens se comprennent bien en parlant leur propre langue (même si les Suédois disent du danois qu'il se tousse plus qu'il ne se parle...). On se débrouille avec le norvégien au Danemark, c'est pratiquement la même langue.

L'anglais et l'allemand sont fort répandus. Le danois est abscons pour nous avec sa prononciation très différente de l'orthographe ! Sachez quand même que leur alphabet comprend trois lettres de plus que le nôtre : le « æ », le « ø » et le « å ». Et que ce ne soit pas une raison pour ne pas essayer ! On vous donne un minimum de mots pour le baragouiner. Utile pour un séjour prolongé... et pour faire des rencontres.

LE DANOIS, POLI DE LA GLOTTE

Les influences étrangères sont multiples dans le danois : l'allemand en premier lieu, par des termes liés au commerce (la ligue hanséatique) ou à la religion (la langue de Luther)... mais aussi le français pour les métiers, la bouffe... et l'italien pour la musique ou les finances. Pour finir, l'anglais, dans les techniques et pour tous les termes de la vie moderne. D'origines multiples, le danois se distingue des autres langues scandinaves par un « coup de glotte » spécifique dit-on.

Prononciation des trois lettres supplémentaires

æ se prononce « è » ou « ai ».
ø se prononce « e ».
å se prononce « o ».

Mots usuels et politesse

oui	*ja*
non	*nej*

aujourd'hui	*i dag*
demain	*i morgen*
hier	*i går*
bonjour	*goddag*
bonsoir	*godaften*
bonne nuit	*godnat*
au revoir	*farvel*
excusez-moi !	*undskyld !*
s'il vous plaît	*vær så venlig* (très peu utilisé)
merci	*tak*
et	*og*

Expressions courantes

parlez-vous le français, l'anglais ?	*taler du fransk, engelsk ?*
je ne comprends pas	*jeg forstår ikke*

Vie pratique

entrée/sortie	*indkørsel/udkørsel*

Transports

automobile	*bil*
chaussée glissante	*glat*
sens unique	*ensrettet*
essence	*benzin*
gonflage	*luft*
graissage	*smøring*
huile	*olie*
lavage	*vask (bilvask)*
parking	*parkering*
pneu	*dæk*
interdit	*forbudt*
direction	*retning*
stationnement interdit	*parkering forbudt*
sortie interdite	*ingen adgang*
travaux en cours	*vejarbejde*
attention danger	*fare*

Argent

quel est le prix ?	*hvad koster det ?*

À l'hôtel

hôtel	*hotel*
camping	*camping*
auberge de jeunesse	*vandrehjem*
chambre avec	*værelse med*
sur la rue	*til gaden*
sur la cour	*til gården*
petit déjeuner	*morgenmad*

Au restaurant

bière (pression)	*øl (fadøl)*
café	*kaffe*
café crème	*café au lait*
chocolat	*chokolade*
eau	*vand*
jus de fruits	*frugt juice*
lait	*mælk*

tasse	*kop*
thé	*te*
vin blanc	*hvidvin*
vin rouge	*rødvin*
verre	*glas*
addition	*regningen*
carte, menu	*kortet (ou spisekortet)*
couteau	*kniv*
couvert	*bestik*
cuillère	*ske*
cuillère à café	*teske*
fourchette	*gaffel*
fromage	*ost*
fruit	*frugt*
gâteau	*kage*
hors-d'œuvre	*forret*
pain	*brød*
plat	*ret*
poisson	*fisk*
repas	*måltid*
viande	*kød*

Jours

lundi	*mandag*
mardi	*tirsdag*
mercredi	*onsdag*
jeudi	*torsdag*
vendredi	*fredag*
samedi	*lørdag*
dimanche	*søndag*

Chiffres

1	*en*	17	*sytten*
2	*to*	18	*atten*
3	*tre*	19	*nitten*
4	*fire*	20	*tyve*
5	*fem*	21	*en-og-tyve.*
6	*seks*	22	*to-og-tyve*
7	*syv*	30	*tredive*
8	*otte*	31	*en-og-tredive,*
9	*ni*	40	*fyrre*
10	*ti*	50	*halvtreds*
11	*elleve*	60	*tres*
12	*tolv*	70	*halvfjers*
13	*tretten*	80	*firs.*
14	*fjorten*	90	*halvfems*
15	*femten*	100	*hundrede*
16	*seksten*	1 000	*tusinde*

LIVRES DE ROUTE

– ***Le Dîner de Babette*** *(1958), de Karen Blixen ; Gallimard, coll. « Folio », n° 2007.* Cette nouvelle de la baronne danoise raconte l'histoire d'une domestique française employée dans une famille norvégienne. La peinture du rigorisme puritain de la fin du XIXe s est savoureuse. Le livre comporte 4 autres nouvelles. L'ensemble est écrit avec humour et précision, fantaisie parfois. Adapté au cinéma avec brio (voir la rubrique « Personnages. Cinéma » dans « Danemark : hommes, culture et environnement »).

– ***Smilla et l'amour de la neige*** *(1995), de Peter Høeg ; Le Seuil, coll. « Points », n° 298.* Quelques jours avant Noël, à Copenhague, un petit Groenlandais de 6 ans tombe d'un toit et se tue. Les autorités concluent à un accident, mais ce n'est pas le sentiment de Smilla, qui refuse de croire à cette version : elle sait que l'enfant souffrait de vertige. Grâce à son origine esquimaude et son enfance passée à Thulé, elle a appris à déceler les indices laissés dans la neige... Au travers de cette quête de vérité de Smilla, seule contre tous, on découvre un polar, des rues de Copenhague aux icebergs de l'Arctique, abordant le problème des « immigrés » groenlandais au Danemark. Le livre qui a fait connaître Peter Høeg et dont fut tiré un film réalisé par le Danois Bille August (*Smilla,* 1997).

– ***Le Vol du frelon*** *(2005), de Ken Follett ; Livre de Poche n° 10913.* Un bon gros roman d'espionnage facile à lire qui raconte en mille rebondissements les actions d'un groupe de la résistance danoise durant la Seconde Guerre mondiale pour mettre hors de nuire une installation de radars nazis.

– ***La Vierge froide et autres racontars*** *(1974), de Jørn Riel ; 10/18, n° 2861.* De ses nombreuses années passées au Groenland, l'auteur nous rapporte ces « racontars », des nouvelles où il nous conte la vie de ces chasseurs dispersés dans les immenses étendues arctiques. À l'humour, la fantaisie des personnages et de l'auteur se mêlent la poésie et la rudesse de ce très Grand Nord.

– ***Silence en octobre*** *(1999), de Jens Christian Grøndahl ; Gallimard.* Le narrateur, quitté soudainement par sa femme après 18 ans de vie commune, replonge dans un flot de souvenirs, de sensations et de réflexions sur sa vie, sur la vie. Grøndahl, né en 1959, est considéré comme l'un des meilleurs écrivains danois de sa génération. Certains seront charmés par son écriture sensible, presque féminine, d'autres seront agacés.

– ***Le Médecin personnel du roi*** *(2002), de Per Olov Enquist (l'auteur est suédois, mais l'intrigue est danoise) ; Actes Sud, coll. « Babel » n° 553.* Intrigues au royaume de Danemark : le jeune roi, Christian VII, est fou et les affaires du pays sont menées par quelques nobles. Malheureusement pour eux, Sa Majesté s'entiche du docteur Struensee, qui occupera peu à peu une place prépondérante dans la vie du royaume. Ce roman, fondé sur des faits historiques que l'auteur assaisonne à sa sauce, illustre les grands conflits d'idées du siècle des Lumières.

MUSÉES

Bonne nouvelle, les musées nationaux sont désormais souvent gratuits. Sinon, les grandes villes proposent des cartes valables un, deux ou trois jours, qu'on achète dans les offices du tourisme et qui donnent l'accès gratuit aux musées, voire aux transports. Quand on veut visiter beaucoup de sites, cette carte peut être amortie. Sinon, il existe pratiquement dans tous les musées des réductions pour étudiants, retraités, enfants ou familles. Avoir une carte internationale d'étudiant peut limiter les dépenses. Enfin, certains musées sont gratuits un jour de la semaine.

POSTE

Les bureaux de poste sont habituellement ouverts du lundi au vendredi de 9h-10h à 17h-18h et le samedi de 9h à 12h. Les boîtes aux lettres sont reconnaissables à leur couleur rouge vif.

Poste restante : pour les expéditeurs, écrire simplement : poste restante, noms du destinataire, de la ville et du pays.

L'affranchissement d'une lettre ou d'une carte pour la France est à 5,50 Dk (0,74 €).

POURBOIRES

On distribue rarement des pourboires au Danemark, que ce soit au resto, dans le taxi ou au cinéma.

SANTÉ

Pour un séjour temporaire au Danemark (ou en Suède), pensez à vous procurer la carte européenne d'assurance maladie. Il vous suffit d'appeler votre centre de Sécurité sociale (ou de vous connecter au site internet de votre centre, encore plus rapide !), qui vous l'enverra sous une quinzaine de jours. Cette carte fonctionne avec tous les pays membres de l'Union européenne (y compris les 12 petits derniers), ainsi qu'en Islande, au Lichtenstein, en Norvège et en Suisse. C'est une carte plastifiée bleue du même format que la carte vitale. Elle est valable un an, gratuite et personnelle (chaque membre de la famille doit avoir la sienne, y compris les enfants). Attention, la carte n'est pas valable pour les soins délivrés dans les établissements privés.

SITES INTERNET

• ***routard.com*** • Tout pour préparer votre périple. Des fiches pratiques sur plus de 180 destinations, de nombreuses informations et des services : photos, cartes, météo, dossiers, agenda, itinéraires, billets d'avion, réservation d'hôtels, location de voitures, visas... Et aussi un espace communautaire pour échanger ses bons plans, partager ses photos ou trouver son compagnon de voyage. Sans oublier *routard mag*, ses reportages, ses carnets de route et ses infos pour bien voyager. La boîte à outils indispensable du routard.
• ***visitdenmark.com*** • Le site du Conseil du tourisme danois. Nombreux liens vers les sites touristiques à visiter.
• ***cphpostdk*** • Le site du *Copenhaguen Post*, l'hebdo anglophone.
• ***design.dk*** • Le design danois dans tous ses états.
• ***copenhagenpictures.dk*** • Des photos de la capitale.
• ***useit.dk*** • Des informations pour les jeunes : hébergement, spectacles, transports...

TABAGISME

À la suite de ses voisins européens, le Danemark a banni le tabac des lieux publics ainsi que dans les restaurants et les bars de plus de 100 m². Néanmoins, la répression est beaucoup moins sévère que dans les autres pays : un fumeur contournant la loi sera prié de quitter l'établissement, ailleurs il aurait payé une amende.

TÉLÉPHONE

Le Danemark est équipé de cabines à cartes, et c'est bien pratique. Les cartes sont disponibles en 30, 50 ou 100 Dk (4, 6,50 ou 13 €). On les trouve dans les petites épiceries, kiosques, offices du tourisme... La plupart du temps, on peut se faire appeler dans les cabines. Les portables français avec un abonnement international passent sans difficulté dans tout le pays (mais bonjour les factures !). Les numéros danois ne comportent pas de préfixe de ville ou de région.
– ***Danemark → France :*** 00 + 33 + numéro du correspondant (sans le 0 initial). Pour téléphoner en France en PCV, composer le ☎ 115.
– ***France → Danemark :*** 00 + 45 + numéro du correspondant. Coût : 0,26 €/mn en tarif normal du lundi au vendredi de 8h à 19h et 0,19 €/mn en tarif réduit.

Téléphone portable

Réseaux GSM 900 et 1800. Parmi les opérateurs téléphoniques, on compte *Sonofon* (• *sonofon.dk* •), *TeleDanmark* (• *teledanmark.dk* •) et *Orange* (• *orange.dk* •)

Numéros utiles

- ***Renseignements téléphoniques généraux :*** ☎ *118.*
- ***Urgences :*** ☎ *112.*

TRANSPORTS

Le réseau routier

L'organisation du réseau routier dans l'archipel danois est telle que l'utilisation de ferries est fréquente. Les autoroutes sont gratuites. Des téléphones d'urgence sont installés sur les autoroutes et un réseau de dépannage, appelé *Falck,* est joignable 24h/24. En revanche, on ne trouve aucune station d'essence sur les autoroutes.

Le stop

Il est toléré (sauf sur les autoroutes, où il est interdit) et on peut dire assez sûr. Mais il est relativement difficile : les Danois ne le pratiquent qu'occasionnellement et ont tendance à le voir d'un mauvais œil. Cependant, si vous êtes patient, vous pourrez aller sans histoires où vous le désirez.

La voiture

Idéale si vous êtes plusieurs. Les principales îles sont maintenant reliées par des ponts... dont les deux principaux sont à péage (chers). Il s'agit de celui reliant Copenhague à Malmö et le *Storebælt,* reliant la Fionie au Sealand. On peut emporter de quoi faire la cuisine et aménager le coffre avec des conserves et d'autres produits alimentaires. Ça fera toujours ça d'économisé, vu le prix des produits sur place. Attention, peu de panneaux routiers, et ces derniers sont souvent placés trop bas pour être visibles de loin. Ce n'est pas toujours facile de se repérer. Se munir d'une bonne carte.

– ***Limitation de vitesse :*** 130 km/h sur autoroute, mais le plus souvent limité à 110 km/h, 80 km/h sur route et 50 km/h en agglomération. Caravanes : 70 km/h partout, sauf en ville. Comme les habitants des autres pays nordiques, les Danois font preuve d'un grand civisme au volant et respectent les autres. On peut en prendre de la graine. Respect des distances de sécurité, vitesse modérée en cas de pluie... De même, il n'est pas question de rouler avec plus de deux bières dans l'estomac (0,5 g/l d'alcool maximum). Là encore, c'est moins la peur du gendarme qui joue que le simple amour de la vie. Par ailleurs, pour ceux qui feront les malins, les flics seront là pour les rappeler à l'ordre. Amendes sévères (à payer immédiatement), confiscation du véhicule... Si vous êtes plusieurs, faites comme les Danois : sur quatre, il y en a trois qui boivent et le quatrième raccompagne les autres.

– ***Ceinture de sécurité :*** obligatoire à l'avant et à l'arrière.

– ***Codes :*** on roule en codes, de jour comme de nuit.

– ***Contrôles radars :*** sur certains grands axes. De toute manière, on le répète, il vaut mieux respecter les limitations de vitesse.

– ***Documents :*** un permis de conduire national est accepté. On conseille fortement aux ressortissants de l'UE emmenant leur propre véhicule au Danemark de se procurer une carte verte (internationale). Sans cette carte, la couverture de l'assurance est limitée au minimum légal appliqué au Danemark ; la carte verte permet au propriétaire du véhicule de bénéficier du niveau de couverture habituel appliqué par sa police d'assurance d'origine.

– ***Parking :*** payant dans les grandes villes (systèmes de zones). Pour éviter les PV, se garer systématiquement sur les places à parcmètres ou les parkings privés. Hors du centre des villes, on trouve toujours la liste des emplacements gratuits aux offices du tourisme. Les disques de stationnement sont en vente dans les stations-service (10 à 15 Dk, soit 1,30 à 2 €), mais on peut en trouver gratuitement dans les

offices de tourisme. Ne pas dépasser l'heure fatidique de quelques minutes, il peut vous en coûter plus de 500 Dk (65 €) d'amende.
– ***Essence :*** on trouve toutes sortes de carburants, à des prix élevés. Super, ordinaire, sans-plomb, gazole. Il y a des pompes partout, souvent en libre-service. Avoir des billets de 50 et 100 Dk. Cartes de paiement généralement acceptées. Une réserve de 10 l d'essence maximum est permise, à condition de disposer de bidons appropriés. Faites le plein en Allemagne avant de franchir la frontière, cela vous reviendra moins cher qu'au Danemark.
L'organisation automobile danoise s'appelle Forenede Danske Motorejere (FDM). ☎ *70-13-30-40.* • *fdm.dk* •
– ***Péages en 2008 :*** pont du Storebælt, 29 € pour une voiture, même tractant une remorque (total moins de 6 m) ; 44 € avec une caravane. • storebaelt.dk • Pont de l'Øresund, 36 € pour une voiture et 71 € avec une caravane. • oeresundsbron.com •
– Sur ce dernier site internet, plusieurs formules de tickets combinés avec la traversée en ferry depuis l'Allemagne.

Remarques pour la frontière

Ceux qui font la route Amsterdam-Danemark via l'Allemagne et qui passent la frontière entre Nordhom et Danekamp trouveront (pour acheter des Dk) une banque ouverte jusqu'à 22h et un restaurant routier où l'on mange copieusement pour pas trop cher *(Scandinavian Snack).*

Location de voitures

Elle est possible pour les conducteurs de plus de 20 ans et peut être effectuée auprès des agences de voyages ou des compagnies aériennes. Pour les principaux loueurs de voitures, voir nos adresses à Copenhague.

■ ***Avis :*** • *avis.dk* •
■ ***Europcar :*** ☎ *7011-66-99.* • *europcar.dk* •
■ ***Hertz :*** ☎ *017-90-00.* • *hertzdk.dk* •
■ ***Budget :*** ☎ *055-05-00.* • *budget.dk* •
■ ***Auto Escape :*** *n° gratuit au* ☎ *0800-920-940.* ☎ *04-90-09-28-28.* • *info@autoescape.com* • *autoescape.com* •

Vous trouverez également les services d'Auto Escape sur • *routard.com* • *Résa conseillée à l'avance. Réduc supplémentaire de 5 % aux lecteurs de ce guide sur l'ensemble des destinations.* L'agence Auto Escape réserve auprès des loueurs de gros volumes d'affaires, ce qui garantit des tarifs très compétitifs.

Le vélo

D'innombrables pistes cyclables sont présentes le long des routes. À la campagne, il est également possible de faire de nombreuses balades à vélo. Les bicyclettes peuvent être emmenées sur les ferries, dans les trains, les bus et les vols domestiques. Il est aussi possible d'en louer dans certaines gares de chemin de fer. *Compter entre 50 et 75 Dk (6,50 et 10 €) par jour.* On peut mettre son vélo dans les trains, à condition d'acheter un *cykler ticket* (cela dit, les contrôleurs ne sont pas trop regardants sur les petits trajets). D'autre part, les offices du tourisme pourront vous indiquer des adresses de loueurs locaux. Un dépôt est exigé comme garantie, ainsi qu'une pièce d'identité. Copenhague est sillonnée de pistes cyclables et propose un système de prêt de vélos, comme les caddies, qui commencent à faire des émules dans certaines villes du pays. Il est bien agréable de voir de belles mamans avec un enfant devant et un autre derrière se balader en toute sécurité dans une grande ville.
Les motocyclistes, eux, doivent porter un casque et rouler constamment en codes.
Pour tout renseignement concernant la pratique du vélo :
■ ***Dansk Cyclist Forbund :*** *Rømersgade 7.* ☎ *33-32-21-21.* • *dcf.dk* •

Le bus

Des autobus de campagne fonctionnent dans les régions où aucune ligne de chemin de fer n'est présente et quelques compagnies privées effectuent de longs trajets. Au départ des grandes villes, on peut aller dans le moindre petit village. Le réseau est donc bien étendu, mais les fréquences sont faibles. En revanche, tous les grands axes sont desservis soit par le train, soit par bus plusieurs fois par jour. Très pratique, donc !

Le bateau

• *scandlines.dk* •

Les îles danoises sont reliées entre elles par un important réseau de ferries. Ici, on prend le bateau comme on prend le bus. Ça va du grand ferry avec resto ou cafétéria, parfois TV, salle vidéo, boutiques, aires de jeux pour les enfants et dortoirs au petit car-ferry local où on ne descend même pas de la voiture. Attention, en été (surtout le week-end), les files d'attente sont longues et il faut parfois patienter plusieurs heures, sauf en venant tôt le matin. Possibilité de réserver et de payer vos places par avance sur les sites internet des compagnies. Les liaisons, leurs fréquences et les prix sont disponibles dans des brochures très bien faites qu'on trouve dans les offices du tourisme des villes portuaires. À savoir que, depuis 1998, le pont suspendu le plus long d'Europe, entre le Sealand et la Fionie, a renforcé l'activité économique entre les deux principales régions du pays et pas mal changé ses habitudes.

Liaisons également avec la Suède (moins par voie maritime depuis l'ouverture du pont sur l'Øresund), la Norvège et l'Allemagne. Les traversées en ferry entre Kalundborg et Århus, Ebeltoft et Sjællands Odde et entre Rønne et Copenhague sont régulières. La carte du Danemark délivrée sur demande au Conseil du tourisme est très lisible ; toutes les liaisons maritimes s'y trouvent.

Le train

Les Chemins de fer danois (DSB) : • dsb.dk • Réseaux et horaires des trains et des bus : • rejseplanen.dk •

Depuis la France, trains wagons-lits et couchettes. Au Danemark même, les chemins de fer danois proposent des trains express appelés *Lyntogs* pour les longues distances sans escale. On peut souvent acheter des journaux, des magazines et des casse-croûte à bord de ces trains, et même y téléphoner (cabines à bord). Un tout nouveau type de train, le IC3, relie toutes les grandes villes entre elles et la capitale, environ toutes les heures. Une réservation préalable est obligatoire sur les trains qui traversent le pont du Storebælt ! Allez savoir pourquoi ! Les enfants de moins de 10 ans voyagent gratuitement. Les personnes âgées de plus de 65 ans et les groupes d'au moins huit personnes bénéficient également de réductions intéressantes. Par ailleurs, il existe des compartiments en fonction de vos désirs ou de votre situation : compartiments « silence » *(Stille kupe)* où il est interdit de parler ou de téléphoner, un autre pour les allergiques, pour les enfants, pour les gens bruyants...

Les prix des tickets DSB sont classés selon un système de zones. Ils varient selon la distance ; plus le voyage est long, plus le coût par kilomètre est réduit.

– ***Scanrail :*** *rens en gare. Équivalent scandinave de l'*InterRail. *Valable au Danemark, en Suède, Norvège et Finlande. Permet la gratuité de certains transports (trains, ferry Helsingør-Helsingborg...) et des réducs autour de 50 % sur autocars et ferries. Compter 1 200 Dk (156 €) pour 15 j. (moins de 25 ans) ; 1 800 Dk (234 €) pour les autres.*

DANEMARK : HOMMES, CULTURE ET ENVIRONNEMENT

Le Danemark, le plus petit des pays scandinaves, est composé de plusieurs îles dont les plus importantes sont la Sealand, la Fionie et le Jutland (qui est en fait une presqu'île), plus des dizaines d'autres toutes petites comme Lolland, Falster, Møn... C'est aussi le pays que les voyageurs pressés (écolos montant en Norvège ou ados fantasmant sur la Suède) traversent parfois trop rapidement. Ils ont assurément tort. Le Danemark cache aussi plein de merveilles écologiques, et ses filles et garçons sont les plus vivants et chaleureux des Scandinaves, véritablement des Méridionaux du Nord. Prenez donc le temps de découvrir ce pays qui, s'il n'offre pas de grandes curiosités naturelles, en propose des milliers d'autres, plus discrètes, au détour de chaque chemin, de chaque ville. Louez-y un vélo, les autorités ont créé des centaines de kilomètres de pistes cyclables pour en faciliter la découverte, au rythme de la nature danoise si douce, si tonique...

AMBRE

Dès l'âge de la pierre, l'ambre occupe une place privilégiée parmi les gemmes précieuses et semi-précieuses. Ces gouttelettes mordorées, relativement translucides, apparaissaient mystérieusement sur les côtes après chaque tempête. Il n'en fallait pas plus pour attribuer à ce don de la mer des propriétés magiques et différentes vertus médicinales. Une légende renforce le caractère surnaturel de ses origines : elle affirme qu'après la mort de Phaéton, ses sœurs inconsolables se sont métamorphosées en arbres pleurant d'amères larmes d'ambre.
La réalité affleure, puisque l'ambre provient effectivement de la résine des forêts de conifères fossilisés du tertiaire. Cette pierre née de l'eau ne dépasse guère le secteur de la Baltique. Une aubaine pour les Danois, qui développent dès l'âge du bronze un commerce régulier vers la Méditerranée en empruntant les cours de la Vistule, de l'Elbe et du Danube. L'ambre s'échangeait contre d'autres denrées rares, comme le bronze ou l'or, et servait à confectionner toutes sortes de bijoux porte-bonheur. Aujourd'hui encore, la mer dépose régulièrement son lot d'offrandes. Sur les côtes ouest du Jutland, les Danois ramassent jusqu'à 500 kg d'ambre par an, offrant la possibilité aux joailliers de perpétuer la grande tradition de l'artisanat scandinave.

CONSTITUTION

Monarchie constitutionnelle avec comme souveraine la reine Margrethe II, installée sur le trône depuis 1972. On vote à partir de 18 ans pour élire une assemblée législative, le *Folketing.* C'est après ce vote que le gouvernement est constitué. Une dizaine de partis sont représentés au Parlement. L'esprit de tolérance a créé de grands écarts, aussi flagrants que l'existence de Christiania, la « ville libre », à Copenhague, et l'autorisation de défiler pour certains groupuscules néonazis. La vie politique est faite de longs débats et de compromis permanents.

CUISINE

Bon, d'abord, vous n'êtes pas venu pour la gastronomie, c'est clair. Cependant, le pays offre quelques spécialités délicieuses, certaines assez chères il est vrai, mais qu'il faut au moins goûter.
– ***Le petit déjeuner*** est le repas le plus copieux, avec fromages, charcuteries, céréales, *wienerbrød*...
– ***Le smørrebrød :*** c'est le plat national à midi, qui se présente sous l'aspect de petites tranches de pain de seigle recouvertes de hareng, de viande fumée, de saumon parfois *(laks),* accompagnées d'œufs durs, de betterave au vinaigre, de salade et d'oignons. Cela peut aller du *smørrebrød* très élaboré du grand restaurant au plat tout simple du café ou du snack, se composant de trois petits « canapés ». On boit de la bière avec, ou de l'*aquavit* (eau-de-vie ; cette dernière doit sortir du freezer).
– ***Le pitabrød :*** petit sandwich chaud, au mouton ou aux crevettes.
– ***Le hareng*** *(sild)* ***:*** on le retrouve à toutes les sauces (plus délicieuses les unes que les autres). Simplement mariné, au madère, au cherry, au curry, avec de la crème, etc.
– ***La platte :*** c'est une grande assiette froide se composant de quelques harengs, de filets de poisson, de pâté, de croquettes de viande et de fromage. Les *platte* plus élaborées peuvent comprendre de l'anguille fumée, des crevettes, du saumon, du porc ou du canard et plusieurs sortes de fromages. Elle constitue un repas complet.
– ***Plat typique :*** les *frikadelles* (genre de boulettes de viande et parfois de poisson).
– ***Pâtisseries :*** le *wienerbrød* est la pâtisserie nationale du Danemark ; on en trouve dans toutes les boulangeries. À base de pâte feuilletée, de pâte d'amandes, de cannelle, cardamome, etc., elles sont délicieuses, même si certaines d'entre elles vous paraîtront un peu lourdes à digérer !
– ***Bières :*** la bière est l'alcool le plus abordable au Danemark, c'est aussi celui qui coule le plus à flots. *Carlsberg* et *Tuborg,* dont la réputation n'est plus à faire (les deux bières font partie du même groupe), sont omniprésentes dans tous les bars, restaurants, boîtes, etc. Également quelques bières locales, comme la fameuse *Odense.* Pas étonnant que les Danois arrivent en troisième position au monde pour la consommation de bière, avec une moyenne de 125 l par habitant par an.
– La réglementation de l'achat des alcools est beaucoup moins stricte que dans les autres pays scandinaves où sévissent les ***system bolagets*** aux horaires draconiens. C'est d'ailleurs pour cela que les Suédois viennent acheter leur bière au Danemark et débarquent par wagons entiers pour faire « le plein » aux pompes danoises. Méfiez-vous tout de même : les magasins n'ont pas le droit de vendre d'alcool le samedi après 17h. Et oubliez les vins dans les restaurants, ils sont hors de prix. La meilleure *aquavit* (eau-de-vie de grain) est l'*Ålborg Export* (à boire bien glacée !). Mais les jeunes ont depuis bien longtemps délaissé cet alcool considéré comme ringard. Pour un Nordique, prendre une *aquavit* c'est comme demander un Picon-grenadine en France. Que dire du *mjød* dans ce cas ? Cet alcool parfumé à base de miel et au goût voisin du muscat était la boisson des Vikings.
– Pour manger bon, chaud et économique, acheter des plats dans les supermarchés. La plupart d'entre eux ont un rayon traiteur. C'est très correct.
– À signaler, le ***yaourt*** en paquet d'un litre : économique, délicieux, et avec de vrais fruits.
– Ne négligez pas les ***glaces,*** elles sont souvent excellentes. Il est vrai que le Danemark est un pays de production laitière.
– ***Fruits et légumes :*** en ville, on en trouve partout dans des kiosques installés dans la rue, pas forcément moins chers que dans les supermarchés, mais en tout cas c'est très pratique. Sinon, devant les maisons des particuliers en bord de route à la campagne. Moins cher qu'en ville, évidemment.
– À l'angle des rues, nombreux ***kiosques*** à burgers et hot dogs.
– Ne pas hésiter, dans les ports où se trouvent des ***fumeries de poisson,*** à acheter anguilles, harengs ou maquereaux fumés. Délicieux.

Les repas

Le repas de midi se prend au Danemark à... midi (original) ! Le repas du soir a lieu entre 18h et 20h. Du coup, inutile de se présenter à la sortie des spectacles : la plupart des cuisines ferment entre 21h et 22h. Pour le petit déj, c'est parfois assez difficile, car les Danois ne le prennent jamais au café du coin.

ÉCONOMIE ET SOCIÉTÉ

En comparaison avec la plupart des pays industrialisés, le Danemark a conservé un secteur agricole important et diversifié. La production industrielle danoise repose sur les importations de matières premières et de composants. Les principales industries sont le fer, l'acier et autres métaux, celles-ci sont suivies de l'électronique (croissance particulièrement rapide), les produits chimiques et de la biotechnologie, de l'industrie du papier et de l'impression, du textile et du ciment. Depuis la découverte de réserves de pétrole en mer et de gaz naturel dans les années 1980, la production a augmenté pour atteindre une autosuffisance du pays en besoins énergétiques, ce qui n'exclut pas la production d'électricité à partir de l'énergie éolienne. L'économie danoise dépend essentiellement du commerce extérieur et le pays exporte principalement des denrées alimentaires (viande de porc, poisson, produits laitiers, céréales) et des produits manufacturés grâce à une industrie spécialisée, notamment dans les biens d'équipement de la maison. Le Danemark ne participe pas à l'euro ; les Danois ont rejeté l'adhésion par un référendum en 2000. Avec le Royaume-Uni, c'est le seul État de l'Union européenne à avoir signé avec les autres États membres une clause d'*opting-out* en matière de monnaie unique qui lui permettrait de rester indéfiniment en dehors de la zone euro.

Ces dernières années, le Danemark a connu un cycle de forte croissance qui fait de lui un des pays les plus riches d'Europe. Cette prospérité lui a permis de réduire l'endettement public, de connaître de forts excédents budgétaires et de ramener le chômage à 3,3 % en 2007.

Après un ralentissement économique en 2003, la reprise, amorcée en 2004, s'est confirmée en 2005 et 2006 : croissance de 3,4 et 3,3 %, chômage contenu, excédent budgétaire (6 % du PIB en 2006). Depuis mars 2006, et pour la première fois depuis la fin de la Seconde Guerre mondiale, le Danemark a entièrement résorbé sa dette extérieure. Très dépendant du commerce extérieur en raison de la taille de son propre marché, le pays tire une partie importante de sa croissance de ses exportations (32 % de son PIB), concentrées sur certains produits (produits pharmaceutiques, biens d'équipements industriels, mais aussi pétrole et gaz naturel).

Le budget 2007 donnait la priorité aux dépenses sociales, à la recherche et à l'éducation, à l'intégration des immigrés et aux personnes âgées.

Le modèle social danois

Ce modèle socio-économique a beaucoup fait parler de lui ; il s'est progressivement modifié au cours des années et les nombreuses réformes ont permis de diminuer le nombre de chômeurs. De fait, en dix ans, le Danemark a réduit son taux de chômage de 9,6 % de la population active (1993) à 3,3 % (fin 2007), loin de la moyenne européenne. Cette performance remarquable serait pour l'essentiel le résultat de son modèle de

LE QUART D'HEURE DANOIS

Ils n'en font aucun effet d'annonce, ni n'en tirent de fierté particulière, mais l'égalité des sexes est bien dans les mœurs danoises. La reine est une femme (non ?), le taux de femmes au travail atteint les 70 %, et l'homme assume volontiers les taches ménagères. Papa garde les gamins à la maison. Et, égalité des sexes oblige, maman voit d'un mauvais œil une galanterie trop insistante ! Ne vous étonnez pas de recevoir une baffe en cas de tentative de baise-main.

flex-sécurité, mélange de flexibilité pour les entreprises (facilités de licenciement) et de sécurité pour les salariés.
La loi ne fixe ni salaire minimum ni durée légale du travail. Elle ne garantit pas le droit de grève et n'impose pas de modèle au contrat de travail. Les négociations se font entre employeurs et salariés, au niveau des entreprises et ces conventions collectives concernent environ 75 % des salariés. Environ 30 % de la main-d'œuvre change de travail chaque année. Les Danois restent huit ans en moyenne dans la même entreprise, mais peuvent changer de poste.

LES MARQUES DANOISES CONNUES

Stimorol *(alimentation)*, LEGO *(jouets)*, Bang & Olufsen *(hi-fi)*, Maersk *(transports)*, Royal Copenhaguen *(vaisselle)*, Ecco *(chaussures)*, Bodum *(cuisine)*, Carlsberg, Tuborg, Ceres *(brasserie)*, Vestas *(éoliennes)*, Grundfos, Danfos *(chauffage)*.

En cas de licenciement, la loi ne prévoit pas de versement d'indemnités par l'employeur. L'assurance chômage est un système facultatif, administré par 35 caisses privées, agréées par l'État et proches des syndicats. S'il perd son emploi, un travailleur touche 90 % de son salaire précédent, avec un plafond de 145 000 Dk (19 000 €) par an, pour une durée maximale de quatre ans, sans dégressivité. Pour les personnes ne bénéficiant pas d'assurance chômage, il existe une aide sociale municipale, conditionnée à la recherche d'un emploi.
Pour être bénéficiaire des allocations de chômage, il faut avoir travaillé au moins 52 semaines au cours des trois années précédentes et cotisé à une assurance spéciale. Dans le cas contraire, le chômeur bénéficie d'une aide sociale plus réduite. Durant les six premiers mois de chômage, des programmes d'activation pour retrouver un emploi sont obligatoires et proposent une formation ou un stage en entreprise. Un contrôle strict est exercé qui détermine le versement de ces indemnités. Il faut toutefois noter la sévérité du système : au bout de deux ans maximum, une offre d'emploi est systématiquement proposée – ou plutôt imposée – à tout chômeur, puisque celui-ci est tenu de l'accepter (sous peine d'être privé de ses droits !). Si ses qualifications ne correspondent pas à celles de l'emploi, il suivra une formation appropriée.
Les différences sociales sont aussi moins grandes que chez nous. La protection sociale est, comme dans les autres pays nordiques, une des plus fortes du monde. Corollaire inévitable, le coût de ces mesures : le taux d'imposition au Danemark (plus de 50 %) est l'un des plus élevés d'Europe et les dépenses publiques pour l'emploi représentent 1,66 % du PIB, contre 0,91 % en France.

ENVIRONNEMENT

La défense de l'environnement demeure l'une des principales préoccupations des Danois. Dès les années 1960, alors que l'idée même d'écologie en Europe n'en était qu'au stade du balbutiement, les habitants de ce petit pays prirent conscience de la dégradation progressive de leur environnement. Près de 80 % de la population vivait déjà en zone urbaine et ressentait d'autant plus cruellement la perte du patrimoine commun. On choisit en priorité de traiter les eaux usées. Déversées jusqu'ici dans la mer et les cours d'eau, elles polluaient sans vergogne les espaces cultivés et les forêts. Au début des années 1990, plus de 90 % des eaux transitaient dans différentes stations d'épuration, permettant le retour des coquelicots dans les prairies. Parallèlement, on réduisit la quantité de plomb émise par les gaz d'échappement. Autre cheval de bataille, la production d'énergie devait s'effectuer à partir de sources durables, comme le soleil et le vent. Du coup, les éoliennes ont progressivement poussé un peu partout au Danemark et font désormais partie du paysage. À Ebeltoft notamment, seize moulins à vent isolés en mer produisent suffisamment d'électricité pour 600 foyers. Mais dans ce pays, le souci de la protection de l'environnement se mesure également à toutes sortes d'actes de civisme quotidiens. Le prix des bouteilles en plastique est majoré d'une consigne, récupérable au retour. De même, dans les supermarchés, les sacs en plastique sont payants. On a même vu certains hôtels introduire le tri sélectif dans les chambres de leurs hôtes ! Quel exemple... ces Danois !

GÉOGRAPHIE

Grand comme un mouchoir de poche (bon, peut-être deux mouchoirs de poche) qu'on aurait découpé aux ciseaux et dispersé dans la mer. Cela donne un pays d'une surface totale de 43 000 km² (environ treize fois plus petit que la France), composé de plus de 400 îles dont deux principales, la Sealand et la Fionie, et la presqu'île du Jutland. En tout, une centaine est habitée. Malgré une petite superficie, avec ses côtes déchiquetées, composées d'échancrures, d'anses, de presqu'îles, de lacs... le Danemark comprend plus de 7 300 km de côtes. Si les plages sont nombreuses, le paysage est particulièrement uniforme : une campagne d'une monotone platitude, seulement rythmée par de douces collines, d'épaisses forêts et de beaux lacs. Pas de montagnes ni de neiges éternelles par ici. Le point le plus haut du pays culmine à... 173 m. Attention au mal de l'altitude ! C'est le royaume de la balade pépère à vélo dans des paysages sereins (gare au vent, cependant !). Le grand plus : on n'est jamais loin d'une plage ou d'un port. C'est pourquoi les Danois font beaucoup de voile. Tous les jeunes ont un ami ou les parents d'un ami qui possèdent un voilier sur lequel on passe le week-end. Et puis il y a les plages, évidemment...

HISTOIRE

Le Danemark est l'un des plus vieux royaumes au monde. Habité depuis la préhistoire, c'est évidemment avec les Vikings que cette contrée se réveille véritablement, à la fin de l'âge du fer, vers le IXe s. Les fouilles effectuées révèlent tous les jours un peu plus l'importance de ce peuple d'intrépides aventuriers. Ils vont en Normandie, en Sicile et même jusqu'à Terre-Neuve, à bord de leurs navires dont on peut admirer de superbes spécimens (notamment à Roskilde). Ils ne se convertissent au christianisme qu'à à la fin du Ier millénaire, sous l'influence des autres pays d'Europe. Ils règnent alors sur toute la Scandinavie. S'ils sont des guerriers, ce sont aussi des marchands. Copenhague est fondée au XIIe s par Valdemar le Grand à l'emplacement d'un petit village. À la fin du XIIIe s, le pays possède déjà une constitution. Copenhague se transforme en une importante étape commerciale et concurrence les marchands de la Hanse au XIVe s. En 1397, une alliance est signée entre le Danemark, la Suède et la Norvège pour contrer la puissance germanique. L'union de Kalmar met ses voisins sous la domination officielle du Danemark. Mais la Suède supporte mal cet état de faits et reprend sa liberté au milieu du XVIe s après plusieurs guerres qui s'éternisent sur plus de cent ans. La mainmise du Danemark sur la Norvège, en revanche, durera jusqu'au début du XIXe s.

La Réforme et les thèses de Luther l'emportent au XVIe s.

Toute la première moitié du XVIIe s voit la capitale se couvrir de palais et châteaux sous l'influence de Christian IV. Durant le XVIIIe s, le pays est dirigé par des rois qui

DANNEBORG : SYMBOLE D'UNITÉ NATIONALE

Les légendes sont innombrables quant à l'origine du drapeau danois (Danneborg). Étendard miraculeux venu du ciel pour donner la victoire sur les Estoniens lors de la bataille de Tallinn au XIe s ? Inspiré par la croix dont rêva Constantin avant de devenir empereur du Saint-Empire et de se convertir au christianisme en 312 ? De fait, cette croix blanche de saint Olaf sur fond rouge inspire bon nombre de bannières du Grand Nord. Cet objet de fierté et de ralliement pour les Danois se hisse en tête des plus vieux drapeaux au monde.

font avancer le progrès social bien au-delà de ce que proposera la Révolution française, faisant du Danemark l'un des pays les plus avancés d'Europe. Lors des guerres napoléoniennes, il est l'allié de la France, irritant les Anglais qui craignent que la flotte danoise ne prenne part aux combats. Ils décident alors de bombarder Copenhague. Vaincu comme la France, le Danemark est alors contraint de céder, en 1814, la Norvège à la Suède.
Le XIXe s est une période de développement économique et social important, et une nouvelle constitution est rédigée en 1849. Après la guerre contre la Prusse en 1864, le Danemark, amputé du Schleswig-Holstein, perd 40 % de son territoire et 20 % de sa population. En 1920, après référendum, une grande partie des territoires perdus en 1864 réintègre le royaume. L'Islande devient ensuite un État autonome seulement lié à l'ancienne mère patrie par un souverain commun. La social-démocratie danoise répand ses bienfaits durant l'entre-deux-guerres et le grand homme de cette période s'appelle Thorvald Stauning. Le Danemark avait réussi à préserver une fragile neutralité en 1914-1918. Ce ne sera pas le cas durant la Seconde Guerre mondiale, mais ce qui s'est passé pendant cette période mérite qu'on s'y attarde.

Le Danemark pendant la guerre : résistance civile contre barbarie

En 1939, l'Allemagne nazie et le Danemark signent un pacte de non-agression. Le 9 avril 1940, en route pour la Norvège, les troupes allemandes envahissent le Danemark sans rencontrer la moindre résistance. En accord avec le roi Christian X, le gouvernement de coalition accepte l'ultimatum remis par l'Allemagne qui prévoit que les occupants ne se mêleront pas des affaires intérieures danoises et respecteront sa neutralité. De leur côté, le roi et le gouvernement invitent la population à vivre normalement et à se résigner à cette situation. Les Alliés prennent cette attitude pour de la lâcheté et l'expression « se coucher comme un Danois » devient une injure courante aux États-Unis.
Pendant un an et demi, le modus vivendi établi par les Allemands est maintenu. Le mécontentement de la population ne se manifeste que par des actions symboliques comme porter des insignes interdits ou chanter en chœur dans les parcs et sur les places.
À la fin de 1941, les Allemands contraignent le gouvernement danois à accepter le pacte anti-Komintern qui place le Danemark aux côtés des puissances de l'Axe contre les Alliés avec pour conséquences la suppression du parti communiste, l'emprisonnement de leurs membres et la création d'un « corps libre danois » composé de volontaires pour se battre sur le front de l'Est.
À l'annonce de cette nouvelle, des émeutes éclatent dans le pays et la résistance prend une forme nouvelle avec des actions de grève et des sabotages.
La situation empire au point que, le 28 août 1943, les Allemands imposent au gouvernement danois la suppression du droit de grève, l'interdiction de manifestation et de réunion, la proclamation de la loi martiale et l'instauration de la peine de mort pour les saboteurs.
Encouragé par la résistance de la population, au lieu de se soumettre comme en 1940, le gouvernement cesse purement et simplement de fonctionner et le roi se déclare désormais prisonnier dans son palais gardé par des troupes allemandes.
Le 18 septembre 1943, Hitler donne l'ordre de déporter les juifs danois. Première surprise : les responsables allemands qui occupaient le pays depuis plusieurs années, et qui connaissaient l'attitude de la population, refusent cet ordre. Le général von Hannecker lui-même refuse de mettre ses troupes à la disposition du plénipotentiaire du Reich, le Dr Werner Best.
Adolf Eichmann dépêche un de ses meilleurs hommes, le SS Rolf Gunther au Danemark, qui ne parvient pas à convaincre ses collègues de Copenhague. Et Hannecker refuse même d'obliger les juifs à pointer pour aller au travail. Il faut

savoir que la constitution de 1849 garantit la liberté de culte, et la communauté juive est parfaitement intégrée à la population danoise.

Werner Best repart alors à Berlin pour obtenir une concession de taille : la promesse que tous les juifs du Danemark seront déportés dans le ghetto créé à des fins de propagande à Theresienstadt (Terezin), en Bohême.

Les nazis décident alors d'acheminer des unités de police d'Allemagne pour procéder, dans la nuit du 1er au 2 octobre 1943, à la recherche des juifs, maison par maison. Puis de les évacuer à bord de bateaux prêts dans le port, et ce sans l'aide des troupes allemandes affectées au Danemark ni des Danois, bien sûr.

C'était sans compter que, quelques jours avant la date fatidique, un responsable des transports allemands révèle tous les projets allemands aux fonctionnaires danois.

La réaction danoise est incroyable : le jour même, le ministère des Affaires étrangères danois demande à Best de s'expliquer sur cette rumeur ; une pétition est présentée par les unions professionnelles et les syndicats. Le roi Christian X lui-même fait parvenir un avertissement écrit à l'ambassade d'Allemagne en menaçant les Allemands d'être le premier citoyen à porter l'étoile jaune si les Allemands en imposaient le port aux juifs.

Pendant ce temps, la population danoise, qui s'attend depuis longtemps à la rafle des juifs, organise leur fuite vers la Suède dans des embarcations de pêcheurs. Les réseaux de résistance prennent en charge leur voyage. De leur côté, les responsables juifs informent les communautés locales de l'imminence des arrestations dans les synagogues à l'occasion des offices. Les juifs ont tout juste le temps de quitter leurs appartements et de se cacher dans des familles non juives. Les hôpitaux et cliniques de Copenhague « renvoient » tous leurs patients portant un nom juif et, sans même qu'ils quittent leur lit, les réadmettent sous d'autres noms. Certaines cliniques vont jusqu'à hospitaliser des familles entières de juifs en parfaite santé, se transformant du jour au lendemain en un véritable camp de transit pour des centaines de juifs, leur fournissant vivres et argent avant de les diriger vers des organisations de résistance.

Résultat : sur un total de 7 800 juifs danois, seuls 425, soit 5 %, sont embarqués sur le bateau allemand prévu pour transporter au moins 5 000 personnes. Quel pied de nez magistral !

Ensuite, la résistance danoise ne se contente pas de ce sauvetage miraculeux. À force de demandes répétées, des envoyés du gouvernement danois sont admis à visiter le camp de Theresienstadt au cours de l'été 1944 et tous les juifs danois reçoivent des colis de vivres. Comme l'a écrit Hannah Arendt, les juifs danois « jouissaient, plus que tout autre groupe, de privilèges spéciaux parce que des officiels et des citoyens danois ne cessaient de s'enquérir de leur sort ».

Finalement, seuls 48 d'entre eux sont morts en détention, chiffre exceptionnellement bas. Lors de son procès, à Tel-Aviv, Eichmann a reconnu, que, « pour différentes raisons, l'opération projetée à l'endroit des juifs du Danemark avait échoué ».

De la guerre à nos jours

Les troupes britanniques libèrent le pays le 5 mai 1945. Après la guerre, fini la neutralité, le pays adhère à l'OTAN en 1949. L'Islande s'est émancipée définitivement en 1944 en se proclamant république, sous la protection américaine. Le plan Marshall relance l'économie. Les sociaux-démocrates et les partis conservateurs se partagent en alternance l'exercice du pouvoir. Le Danemark, membre de l'UE depuis 1972, à la suite de la Grande-Bretagne (pour bénéficier des avantages économiques de l'unification des marchés), a dit « non » à Maastricht dans un premier temps avant de renégocier certains points du traité avec l'UE. Les Danois ont finalement dit « oui », malgré une forte réticence intérieure. Il faut savoir qu'à Copenhague, les mots « union politique », « intégration » et « fédéralisme » sont considérés comme des gros mots ! Un des pays les plus riches du monde craint en effet de perdre plus qu'il n'a à gagner dans le processus communautaire, surtout dans le domaine de la protection sociale fondée sur l'État-providence et celui de l'identité nationale. Les Danois refusent d'envisager une citoyenneté européenne et renâclent devant l'idée d'une coopération militaire, ce qui n'a pas empêché le gouvernement conservateur de soutenir la coalition américano-britannique au cours de son occupation de l'Irak en 2003... Soutien maritime, avec un sous-marin et une frégate, très utiles dans la guerre du désert...

En septembre 2000, pour la sixième fois, les Danois s'opposent par référendum à l'intégration européenne en refusant l'adhésion de leur couronne au système euro. La victoire des opposants se fait de manière encore assez nette : 53 % contre 47 %.

En 2001, à la suite d'élections qui se sont focalisées sur le thème de l'immigration, une nouvelle coalition entre le « bloc bourgeois » et les libéraux plus le Parti du peuple danois prend la majorité au Parlement. Anders Fogh Rassmussen forme le nouveau gouvernement. Les élections européennes ont vu le parti libéral du Premier ministre connaître une déconvenue en termes de sièges au profit des sociaux-démocrates. En 2004, le prince héritier Frederik épouse une jeune Australienne.

En février 2005, des élections anticipées renforcent la coalition sortante entre la droite libérale-conservatrice et l'extrême droite xénophobe du parti populaire du peuple (PPD).

Début 2006, des caricatures de Mahomet publiées dans un quotidien de Copenhague provoquent une indignation (à retardement) du monde musulman qui crie au blasphème. Il faut savoir que 200 000 Danois sont de confession musulmane. Le monde occidental se divise entre partisans de la liberté de la presse pour qui on peut « rire de tout » et ceux qui prônent la modération en demandant qu'on fasse le distingo entre islam et terrorisme. Néanmoins, des ambassades danoises sont mises à sac et les touristes danois sont obligés de quitter les pays musulmans les plus radicaux où ils séjournent. Beaucoup d'agitation pour peu !

En mars 2007, à Copenhague, des émeutes font suite à l'évacuation d'un squatt par la police. Aux législatives de novembre 2007 (anticipées de 15 mois), le Premier ministre Anders Fogh Rasmussen, qui affirme avoir beaucoup d'affinités avec Nicolas Sarkozy, conforte sa majorité de centre-droit pour un troisième mandat mais devra composer avec une extrême droite renforcée.

MÉDIAS

Programmes en francais sur TV5MONDE

TV5MONDE est reçue dans le pays par câble, satellite et sur Internet. Retrouvez sur votre télévision : films, fictions, divertissements, documentaires – qui témoignent de la diversité de la production audiovisuelle en langue française – et des informations internationales.

Le site • tv5.org • propose de nombreux services pratiques aux voyageurs • tv5.org/voyageurs • et vous permet de partager vos souvenirs de voyage sur • tv5.org/blogosphere •

Pensez à demander dans votre hôtel sur quel canal vous pouvez recevoir TV5MONDE et n'hésitez pas à faire vos remarques sur le site • tv5.org/contact •

Presse

Gros lecteurs de journaux, les Danois en consomment plus de deux millions par jour. Le premier journal date de 1666 et avait la particularité d'être rédigé en vers ! En général, la consommation des médias va croissant, notamment celle des médias électroniques, Internet compris, alors que les journaux souffrent de stagnation.

Depuis 2001, la publication de toute une série de quotidiens gratuits est venue renforcer la pression sur les quotidiens traditionnels. Les trois grands quotidiens du matin, *Berlingske Tidende,* Morgenavisen *Jyllands-Posten* et *Politiken,* ont mieux conservé leurs lecteurs grâce à leur profil sérieux. Ils ont même vu leur tirage augmenter. On observe un développement analogue en province, puisque quatre grands journaux régionaux ont pu relever leur niveau qualitatif.

Télévision

En 1988, la suppression du monopole de la télévision d'État, en même temps que l'apparition de la télévision par satellite et par câble, a fait exploser le nombre des chaînes de télévision accessibles au public danois, ce dont ont surtout souffert les tabloïds de midi et les hebdomadaires de variétés. La radio, et surtout la télévision, ont vu leur public s'élargir fortement depuis 1945 à mesure qu'elles augmentaient le volume de leurs programmes de variétés sous forme de musique, de films et de séries télévisées. Internet constitue un nouveau facteur de la croissance des médias. Depuis 1995, et surtout depuis 2001, les médias imprimés – emboîtant le pas aux grands quotidiens – et les médias électroniques se sont lancés sur le Net où ils se taillent désormais une place considérable.

Radio

On peut capter RFI et France Inter (162 MHz) les lundi et mardi entre 20h et 6h, ainsi que le dimanche de 23h à 6h. RFI est également diffusée en FM par câble ainsi que Radio Kulture sur le canal 94.
Escapade – FM 98.9 : radio pétillante pour tous les francophiles et francophones de Copenhague ! Diffusion tous les dimanches de 18h à 19h30. *Escapade* est une association qui a pour but de promouvoir les échanges culturels et linguistiques entre francophones et Danois. Outre la diffusion d'informations, elle se met également au service de la diffusion de la langue et, d'une certaine façon, de la culture française.

PERSONNAGES

Industrie

– ***Les Jacobsen :*** cette grande dynastie de la brasserie fut fondée par Jacob Christian Jacobsen à Copenhague en 1801, en louant sa propre brasserie dans laquelle il confectionne des bières de froment de fermentation haute.
Son fils, Jacob Christian Jacobsen (lui aussi !), travaille en 1845 dans la brasserie *Spaten* à Munich où il invente une nouvelle bière blonde et prend la décision de la brasser au Danemark. Il construit une nouvelle brasserie dans un faubourg de Copenhague, sur une montagne, *berg* en danois (en fait une collinette), et il ajoute le prénom de son fils, « Carl », pour baptiser sa bière qui va entrer dans la légende sous le nom de *Carlsberg*. Fortune faite, il se lance dans l'achat d'œuvres d'art, essentiellement antiques, mais aussi d'art français et danois de son temps. Il visite chaque année le Salon à Paris pour y acheter des œuvres de peinture académique, mais surtout des sculptures qu'il installe, avec les collections d'art antique, dans un musée en plein cœur de Copenhague, baptisé *Ny Carlsberg Glyptotek* (du mot grec qui signifie : « collection de pierres gravées »).

Littérature

– ***Hans Christian Andersen*** *(1805-1875)* **:** né à Odense, ce fils d'un cordonnier et d'une paysanne monte à Copenhague à l'âge de 14 ans, après avoir perdu son père, pour devenir comédien. Découvrant qu'il sait à peine lire, le directeur du théâtre royal le prend sous sa protection. Il étudie le latin, écrit une première pièce et publie des poèmes, dont certains, mis en musique, deviendront très populaires au Danemark sans qu'on n'en connaisse l'auteur. Ses pièces n'ayant aucun succès, il écrit des romans historiques dans la veine de Walter Scott et Victor Hugo. La gloire viendra grâce à ses fameux contes. Renouvelant le genre après Perrault et les frères Grimm, le papa du *Vilain Petit Canard* et de *La Petite Sirène* devient l'ami de Wagner et Dickens, ainsi qu'un familier de la cour danoise. Suprême honneur, son nom est donné à un prix, qui récompense les meilleurs livres pour enfants.

– ***Karen Blixen*** *(1885-1962)* **:** née à Rungstedlund, elle épouse un cousin suédois, le baron Blixen-Finecke, et part vivre au Kenya où il possède une plantation de café. De retour en Europe, ruinée, divorcée et rongée par la siphyllis, elle écrit de nombreux recueils de contes (plutôt obscurs) sous des pseudonymes masculins, puis ses mémoires. Parmi ses livres les plus renommés, *La Ferme africaine,* redécouvert grâce au film *Out of Africa,* et *Le Dîner de Babette,* également porté à l'écran sous le titre *Le Festin de Babette.* Karen Blixen est enterrée dans sa propriété de Rungsted (au nord de Copenhague), où l'on peut visiter son musée. Elle frôla à plusieurs reprises le Nobel de littérature au point même qu'Hemingway, lauréat en 1954 et parfait gentleman, déclara que le prix aurait dû échoir à la baronne.

– ***Søren Kierkegaard*** *(1813-1855)* **:** né à Copenhague, ce penseur mélancolique, héritier du romantisme, se distingue très tôt par ses écrits aux titres évocateurs : *Crainte et Tremblement, Miettes philosophiques, Le Concept de l'angoisse, Traité du désespoir...* tout un programme ! Esthète, polémiste, adepte de l'ironie, il n'en reste pas moins l'un des plus grands philosophes de son temps, ne serait-ce que pour son influence sur les existentialistes.

Cinéma

Formidable, tous les films au Danemark sont en v.o. ! Voilà, avec les voyages, ce qui ouvre les jeunes Danois aux langues étrangères. Si vous voulez entendre parler français, allez voir le dernier film de Catherine Deneuve. Certains films danois ont des sous-titres anglais. Voir les programmes dans les journaux. Idem pour les films à la TV.

– ***Carl Theodor Dreyer*** *(1889-1968)* **:** un monument du panthéon danois, mais surtout un monument du cinéma mondial, car le pauvre Carl inquiétait la société danoise plus qu'il ne suscitait une fascination aveugle. Il faut dire qu'il n'était pas toujours très gai... Abandonné par sa mère suédoise et adopté par une famille danoise plutôt dure avec lui, on a (vite) dit que ces traumatismes avaient forgé son génie ! Bref, cette montagne jurant dans les paysages danois était plus appréciée des Renoir, Hitchcock, Godard et consorts que de ses compatriotes. Avec le recul, voit-on mieux la montagne ? En tout cas, les Danois accordent plus d'intérêt à ses films aujourd'hui que lors de leur sortie...

Rappelons sa filmographie essentielle : *La Passion de Jeanne d'Arc* (1928 ; muet ; avec Falconetti, Michel Simon et Antonin Artaud), qu'un jury désigna en 1958 comme l'un des dix meilleurs films mondiaux ; *Dies Irae* (*Jour de colère* ; 1943) ; *Ordet* (*La Parole* ; 1955) ; *Gertrud* (1964), son dernier film, qu'il mit neuf ans à tourner et qui montre, dans un style très épuré, la solitude d'une femme (la superbe Nina Pens Rode) face au conformisme de la société et à l'égocentrisme des hommes. Ceux qui n'ont pas mis les pieds dans une salle pour voir ce genre de films depuis longtemps auront peut-être du mal en regardant ces scènes d'un immobilisme apparent. On dit que Carl Theodor Dreyer radiographiait les âmes (or, rappelez-vous qu'on ne bouge pas pour une radio !). Mais c'est superbe. Godard comparait ce film à du Beethoven ! Tiens, à propos de Godard, du cinéma et du Danemark, une devinette : quelle Danoise fut l'égérie de la Nouvelle Vague dans les années 1960 ? Anna Karina, bien sûr !

– ***Lars von Trier** (1956)* **:** l'autre nom du cinéma danois. Le cinéaste connaît aujourd'hui une reconnaissance internationale. Celui qui ne vient jamais chercher son prix si ce n'est pas le premier (!) est le cinéaste de l'étrange et du surnaturel. C'est un catholique converti, et tout ça se sent dans les films qu'il a réalisés : *Element of Crime* (1984 ; primé à Cannes) ; *Epidemic* (1987 ; primé à Cannes) ; *Europa* (1991) ; *The Kingdom* (1994 ; série TV sortie en vidéo) ; *Breaking the Waves* (1996), grand prix du jury à Cannes, césar du meilleur film étranger, film européen de l'année... Avec la magnifique Emily Watson (prix d'interprétation à Cannes !), Stellan Skarsgård et Jean-Marc Barr. Après des premières œuvres assez noires, voire vraiment glauques, Lars von Trier est parvenu à toucher un public plus large. Il connaît à nouveau le succès avec son film *Les Idiots* (1998), film produit selon les règles austères du Dogme 95. En 2000, avec *Dancer in the Dark,* il gagne la Palme d'or à Cannes et le prix d'interprétation féminine va à la chanteuse islandaise Björk. Ce film musical raconte l'histoire d'une émigrée tchèque aux États-Unis, travaillant à la chaîne dans une usine (aux côtés de Catherine Deneuve) alors qu'elle est en train de perdre la vue. En 2003, il réalise *Dogville,* puis, en 2005, *Manderlay,* les deux premiers volets d'une trilogie expérimentale.
– ***Bille August** (1948)* **:** réalisateur nettement plus académique et moins provocateur que le précédent, il fut découvert grâce à *Pelle le Conquérant,* l'histoire d'un homme veuf et de son fils qui quittent la Suède à la fin du XIXe s pour chercher une vie meilleure au Danemark. Palme d'or à Cannes en 1988. Avec Max von Sydow, un des acteurs fétiches de Bergman, que Bille August fit jouer également dans *Les Meilleures Intentions* sur un scénario autobiographique du maître Bergman, également Palme d'or en 1992. Que de prix pour les cinéastes danois !... Derniers films en date : *Smilla* (1997), d'après le best-seller de l'écrivain danois Peter Høeg, et *Les Misérables* en 1998.
– ***Gabriel Axel** (1918)* **:** le film qu'il tira de la nouvelle de Karen Blixen, intitulé *Le Festin de Babette* (1987), raconte l'histoire d'une Française (Stéphane Audran) qui fuit la Commune et arrive dans une communauté luthérienne du Jutland à laquelle Martine et Filippa ont voué leur vie. Babette gagne à la loterie et décide d'offrir un repas français plantureux à la communauté, qui considère la bonne chère comme un pêché... Un bijou. Les scènes extérieures ont été tournées dans la région de Skagen, au nord du Jutland, et le film reçut l'oscar du meilleur film étranger en 1988.
– Ne pas oublier non plus le réalisateur de *Festen,* **Thomas Vinterberg,** primé à Cannes et qui a rencontré un grand succès en France.

Dynastie

– ***Christian X** (1870-1947)* **:** au cours de la Seconde Guerre mondiale pendant l'occupation allemande, Christian X reste dans sa capitale parmi ses sujets. Bien que septuagénaire, il parcourt chaque jour la ville à cheval, saluant aimablement tout le monde, sauf les soldats allemands. Pour protester contre les lois raciales, il a le culot de menacer d'arborer l'étoile jaune à son uniforme. Suivant son exemple, les Danois organisent une grande opération d'évacuation de la population juive vers la Suède en une nuit, sauvant ainsi quelques milliers de juifs de la déportation et de la mort (voir « Histoire » plus haut).
– ***La reine Margrethe II** (1940)* **et le prince consort :** installée sur le trône danois depuis 1972, la reine Margrethe II a succédé à son père Frederik IX à l'âge de 31 ans. Frederic IX n'ayant engendré que des filles, la Constitution avait été modifiée pour permettre aux femmes de régner. Chef de l'État, cette grande dame (presque 1,80 m) possède aussi plusieurs cordes à son arc. Elle est avant tout une artiste : elle peint, elle a conçu des costumes pour le théâtre royal, dessiné et brodé des chasubles pour les archevêques, illustré *Le Seigneur des Anneaux* de Tolkien,

exposé ses découpages et ses peintures, et elle participe régulièrement à des travaux de traduction (Simone de Beauvoir). Il faut dire qu'elle possède un talent certain.

Comme toute la famille royale, elle sort très librement dans Copenhague (avec tout de même un garde du corps), et sans chichis. Tiens, un truc marrant, elle s'habille parfois de manière assez fantaisiste, avec plus ou moins de réussite, et sait se faire remarquer. Mais ce qui caractérise le plus la reine des Danois est sans nul doute sa très grande popularité.

VOUS AVEZ LES BONS VŒUX DE SA MAJESTÉ

Une preuve de la popularité de la reine : son discours de fin d'année, unique intervention directe auprès du peuple à la TV, fait toujours un tabac incroyable. Ainsi la soirée du Nouvel An dans les foyers danois débute-t-elle quasi obligatoirement par son discours, qui n'hésite pas, sur certains sujets, à remettre en place ses concitoyens (racisme, intégration sociale...).

Cette immense aura met évidemment un peu dans l'ombre son Français de mari, le prince consort (pas souvent), Henri de Montpezat. Fils de viticulteur de Cahors, lui-même propriétaire terrien, il était deuxième secrétaire de l'ambassade de Londres quand ils se sont connus. Accusé au début, peut-être pas tout à fait à tort, d'être un peu hautain et distant et de mal parler le danois, son image s'est au fil du temps améliorée. Il a fait de gros progrès en danois (malgré un fort accent français), et ses problèmes de santé ont provoqué un réel élan de sympathie. Il a su, de plus, à diverses occasions, remplacer la reine avec prestance quand cela a été nécessaire. Un couple fort aimé donc, où, chacun à sa place, joue son rôle à la perfection. Madame et monsieur passent tout le mois d'août en France, dans leur château de Caix, dans le Lot où le prince consort veille sur ses vignes. C'est Frederik, l'aîné de leurs deux garçons, chouchou de toutes les minettes danoises ainsi que de la presse *people,* qui sera amené à succéder à sa maman sur le trône. Resté célibataire jusqu'à plus de 30 ans, le prince héritier a épousé une Australienne en 2004. En octobre 2005 est né un nouvel héritier : un garçon nommé Christian... de toute façon, cela ne pouvait être que Frederik ou Christian. Ainsi s'achève notre page *Point de vue-Image du monde.*

Les scientifiques et les aventuriers

– ***Tycho Brahé** (1546-1601) :* né dans une famille de la haute noblesse en Scanie, une province suédoise alors danoise. Vocation précoce : à l'âge de 14 ans, il observe une éclipse de soleil. Il fréquente les universités de Copenhague, Leipzig, Wittenberg, Rostock et Bâle en s'intéressant à l'alchimie et l'astronomie. Anecdote cocasse : lors d'un duel en 1566, il perd le bout de son nez. Dès lors, il porte un nez postiche en argent. De retour au Danemark, il découvre une nouvelle étoile dans la constellation de Cassiopée (en fait une supernova). Professeur à l'université de Copenhague, il est convaincu que l'avancement de l'astronomie se construit sur de méticuleuses observations. Brahé accepte l'offre du roi Frédéric II de fonder un observatoire astronomique. On lui donne la petite île de Ven (aujourd'hui suédoise), où il construit Uranieborg (palais d'Uranie) qui devient le plus important observatoire d'Europe. Sur base de l'observation d'une comète en 1577, il démontre qu'elle n'appartient pas à l'atmosphère terrestre comme on le croyait alors, mais qu'elle décrit une orbite elliptique autour du soleil recoupant celles des planètes. Kepler, son élève, généralisera le principe des orbites elliptiques à toutes les planètes. Ce système est adopté par les Jésuites, contournant ainsi le système héliocentrique de Copernic qui sera déclaré opposé à la Bible en 1616. À la mort du roi Frédéric II, Tycho Brahé perd ses appuis et quitte le Danemark avec livres et instruments pour s'installer à Prague en tant que mathématicien impérial de la cour de l'empereur Rodolphe II.

– ***Vitus Béring*** *(1681-1741)* **:** nul besoin de remonter à la période viking pour évoquer le souvenir d'intrépides marins danois. En 1681 naquit à Horsens, bourgade paisible du Jutland, l'un des plus fameux explorateurs de l'histoire. Officier de marine au service de la Russie, il fut chargé par le tsar Pierre le Grand d'explorer les côtes de Sibérie orientale. Il construisit une flotte au Kamchatka (à défaut de drakkars !) et découvrit en 1728 le célèbre détroit qui sépare la Sibérie de l'Alaska, lequel porte aujourd'hui son nom. Il mourut en 1741, la barre à la main, lors d'une nouvelle expédition.

– ***Knud Rasmussen*** *(1879-1933)* **:** il avait tout pour réussir ! Né à Jakobshavn, aux confins du Groenland, le petit Knud préférait les récits des chasseurs inuit à ceux des maîtres d'école. Rien d'étonnant à ce que le jeune rêveur se métamorphose en ethnologue confirmé. Il dirigea différentes expéditions polaires couronnées de succès, au cours desquelles il rassembla la plus grande collection au monde d'objets ayant trait à l'univers arctique. Savant respecté par ses pairs, on lui doit une théorie selon laquelle les Indiens d'Amérique du Nord et les Esquimaux seraient issus de la même branche asiatique.

POPULATION

Avec ses 5,3 millions d'habitants, ce petit pays possède une forte densité de population (plus de 125 hab./km^2). Près de 80 % réside dans les villes et les grosses bourgades. La capitale compte un peu plus d'un million d'habitants. La majorité de la population est d'origine scandinave. Il y a un petit groupe d'Inuits (du Groenland), de Féroëns, et d'immigrants d'ailleurs. D'après les statistiques officielles (là-bas, on n'a pas peur des chiffres...), 6,2 % de la population était d'origine immigrée en 2003.

Le danois est parlé partout dans le pays, mais il y a un petit groupe de germanophones près de la frontière allemande.

Environ 84,3 % de la population se réclame de l'Église du peuple danois, une Église luthérienne. Le reste de la population appartient aux autres Églises chrétiennes, ou est musulmane.

SAVOIR-VIVRE ET COUTUMES

Le Danemark est l'un des pays les plus égalitaires d'Europe et celui qui possède les meilleures lois sociales (même si les riches existent toujours, bien sûr), à tel point qu'on commence à se demander si ce n'est pas un encouragement à l'immobilisme. La répression, sous n'importe quelle forme, y est rare : Christiania (lire « À voir. À faire » à Copenhague) est tolérée depuis des lustres, beaucoup de prisons n'ont pas de barreaux et les couples peuvent s'y réunir. La police est très présente dans les rues, mais elle n'a pas à intervenir très souvent. Les Danois sont très respectueux des lois, et traverser une rue au feu rouge est souvent mal vu (amende de 500 Dk, soit 65 € à la clé ; légère mansuétude vis-à-vis des touristes). Le soir, les jeunes prennent tous leur vélo car, au-delà de deux bières, vous ne pouvez plus conduire. Les Danois sont très modestes et refusent souvent de montrer un quelconque signe extérieur de richesse.

LA SIMPLICITÉ COMME VERTU CIVIQUE

Les dirigeants sont au Danemark d'une redoutable simplicité : un Premier ministre dans le bottin (pas mondain), des hommes politiques prenant les transports en commun... loin des limousines blindées à pim-pon. La reine participe de cette modestie ; elle travaille, traduit et illustre des contes pour enfants sous un pseudonyme, fait elle-même ses courses et déjeune dans les restaurants, simplement, au milieu des convives, sans provoquer de bousculades. Les dirigeants seraient-ils des citoyens comme les autres ?

Les banlieues de Copenhague sont plutôt uniformes et tristounettes et si les intérieurs danois sont très chaleureux (*hyggelig* en danois), c'est qu'on y passe beaucoup de temps.
Cela veut-il dire que tout est rose ? Non, bien sûr. La tolérance et le refus de se distinguer peuvent amener à une certaine uniformisation des mœurs et des comportements, et engendrer un discret ennui. Pour ceux qui cherchent à « rencontrer les Danoises » en boîte, un conseil : ne vous fiez pas à la légende qui court sur les filles scandinaves. Elles ne vous sauteront pas dessus au premier mot que vous leur adresserez ; même si la France a bonne réputation là-bas, ne vous croyez pas en terrain conquis. On vous le dit pour vous éviter les désillusions.

SITES INSCRITS AU PATRIMOINE MONDIAL DE L'UNESCO

Organisation des Nations Unies pour l'éducation, la science et la culture

En coopération avec le centre du patrimoine mondial de l'UNESCO

Pour figurer sur la liste du Patrimoine mondial, les sites doivent avoir une valeur universelle exceptionnelle et satisfaire à au moins un des dix critères de sélection. La protection, la gestion, l'authenticité et l'intégrité des biens sont également des considérations importantes.
Le patrimoine est l'héritage du passé dont nous profitons aujourd'hui et que nous transmettons aux générations à venir. Nos patrimoines culturel et naturel sont deux sources irremplaçables de vie et d'inspiration. Ces sites appartiennent à tous les peuples du monde, sans tenir compte du territoire sur lequel ils sont situés. Pour plus d'informations : • http://whc.unesco.org •
Le château de Kronborg (2000) ; la cathédrale de Roskilde (1995) ; l'église de Jelling, avec tumuli et pierres runiques (1994) ; et le fjord glacé d'Ilulissat au Groenland (2004).

UNITAID

« L'aide publique au développement est aujourd'hui insuffisante » selon les Nations unies. Les objectifs principaux sont de diviser par deux l'extrême pauvreté dans le monde (1 milliard d'êtres humains vivent avec moins de 1 dollar par jour), de soigner tous les êtres humains du sida, du paludisme et de la tuberculose et de mettre à l'école primaire tous les enfants du monde d'ici à 2020. Les États ne fourniront que la moitié des besoins nécessaires (80 milliards de dollars).
C'est dans cette perspective qu'a été créée, en 2006, Unitaid, qui permet l'achat de médicaments contre le sida, la tuberculose et le paludisme.
Aujourd'hui, plus de 30 pays se sont engagés à mettre en œuvre une contribution de solidarité sur les billets d'avion, essentiellement consacrée au financement d'Unitaid. Ils ont ainsi ouvert une démarche citoyenne mondiale, une première mondiale, une fiscalité internationale pour réguler la « mondialisation » : en prenant son billet, chacun contribue à réduire les déséquilibres engendrés par la mondialisation.
Le fonctionnement d'Unitaid est simple et transparent : aucune bureaucratie n'a été créée puisque Unitaid est hébergée par l'OMS et sa gestion contrôlée par les pays bénéficiaires et les ONG partenaires.
Grâce aux 300 millions de dollars récoltés en 2007, Unitaid a déjà engagé des actions en faveur de 100 000 enfants séropositifs en Afrique et en Asie, de 65 000 malades du sida, de 150 000 enfants touchés par la tuberculose, et fournira 12 millions de traitements contre le paludisme.
Le *Guide du routard* soutient, bien entendu, la réalisation des objectifs du millénaire et tous les outils qui permettront de les atteindre ! Pour en savoir plus : • unitaid.eu •

LE DANEMARK

COPENHAGUE ET LA CAMPAGNE ENVIRONNANTE

COPENHAGUE *(KØBENHAVN)*

1 300 000 hab.

« Copenhague émerge graduellement de la campagne environnante. Des lieux comme Paris, New York et Londres sont si grands qu'ils ne nous donnent plus la sensation d'avoir un centre bien défini. La taille de Copenhague lui permet d'avoir le dynamisme et le poids culturel des autres villes importantes, tout en ayant la facilité d'accès d'une petite ville. »
C'est Peter Høeg, l'auteur du best-seller *Smilla et l'amour de la neige,* qui parle ainsi de sa ville. C'est effectivement l'impression qui se dégage de la capitale du Danemark, qui n'est rien de moins que la plus grande ville de Scandinavie !
Le Grand Copenhague compte 1,3 million d'habitants. Il est agréable de flâner dans Strøget, la rue piétonne et commerçante, véritable colonne vertébrale du centre, en choisissant à tout moment de s'éloigner dans des rues moins touristiques, voir tel ou tel musée, déjeuner dans un petit resto, boire une bière au comptoir ou faire ses courses. Certaines adresses sont un peu excentrées ? Qu'à cela ne tienne ! Enfourchons notre vélo, et nous voilà parti pour dérouler les kilomètres de pistes cyclables qui irriguent la ville comme de véritables vaisseaux sanguins, indispensables à la respiration de la cité et de ses habitants. L'air de la mer nous rappelle que Copenhague est bâtie sur une île et qu'il faut parcourir ses charmants canaux, en bateau-mouche ou à pied, de Nyhavn, l'ancien port saturé de cafés, à Christianshavn, espace préservé et surnommé la Petite Amsterdam...
La capitale du Danemark possède une architecture inégale mais agréable, avec beaucoup de musées intéressants et de nombreuses manifestations, surtout en été. N'oublions pas enfin que Copenhague est finalement assez « royale » avec Christiania, cette « ville libre » au cœur de la capitale, une expérience sociale qui perdure après plus de trente ans d'existence... aujourd'hui menacée par le gouvernement actuel. Allez-y en toute décontraction, sans appareil photo : n'emmenez que votre curiosité et votre ouverture d'esprit. C'est de toute façon la règle d'or pour bien découvrir la ville. Des petits coins tranquilles au bord de l'eau aux boîtes et bars branchés d'une faune gaie voire gay, Copenhague offre une palette de goûts nuancée qui fait la réputation de savoir-vivre de ce bout d'Europe ! C'est bien ce à quoi nous invite cette statue posée négligemment sur un rocher... Un savant dosage entre douceur, élégance et vitalité.

Arrivée et retour à l'aéroport

✈ ***L'aéroport*** *(hors plan I par H8) est à 11 km du centre, à Kastrup, sur l'île d'Amager.* ☎ *32-31-32-31.* • *cph.dk* •

Services

Point d'information CPH : *dans le hall central de l'aéroport. Tlj 5h-minuit.* C'est le bureau d'information des vols donc pas un véritable office du tourisme, mais il fournit quand même un plan gratuit, quelques brochures et les magazines *Playtime* de *Use It* et *Copenhagen This Week.* Explique comment aller en ville et peut également réserver un hôtel *(commission de 60 Dk, soit 7,80 €).*

■ **Consigne :** *consigne manuelle, 6h-22h30. Coffres accessibles en permanence. Consigne manuelle : 30 Dk/j. (4 €) par bagage. Consigne automatique 20-50 Dk (2,60-6,60 €) selon capacité du casier.*

■ **Bureau de change :** *dans la zone de retrait des bagages, notamment. Ouv 6h30-22h.* Même taux qu'en ville. Pour les espèces, commission fixe quelle que soit la somme changée. Il y a également plusieurs distributeurs dans l'aéroport.

■ **Enregistrement pour le retour :** les voyageurs munis d'un billet SAS évitent les files d'attente en s'enregistrant sur des machines électroniques (à côté des comptoirs). Marche à suivre simple et bien expliquée.

Transports aéroport-ville

➢ **Train :** c'est de loin la manière la plus simple et la plus rapide de joindre la ville. Liaisons directes ttes les 12 mn entre la Lufthavnstation (gare de l'aéroport) et la Hovedbanegården (gare centrale), en 10 mn. Les billets s'achètent au comptoir DSB (28,50 Dk, soit 3,70 €). Les voies sont à l'étage inférieur. La nuit (ven-sam), départs moins fréquents. Vous pouvez, dès l'aéroport, vous procurer la *Copenhague Card (CPH Card)* qui permet de rejoindre gratuitement le centre-ville.

➢ **Bus nº 250 :** liaisons ttes les 15 mn. Va jusqu'à la Rådhuspladsen (pl. de l'Hôtel-de-Ville) et s'arrête en cours de route. Compter 28,50 Dk (3,70 €). Durée du trajet : 40 mn. Pour le retour, c'est le circuit inverse ! Bien moins pratique que le train.

Arrivée à la gare

La gare centrale *(plan II, B4) ferme entre 2h et 4h30 env (5h30 le w-e).* Élégante architecture de brique et de métal.

Services

■ **DSB :** ☎ *70-13-14-15 (S-tog).* • *dsb.dk* • Numéro de la compagnie nationale de chemins de fer, valable pour toute la Sealand.

■ **Consigne** (garde-robe = *manuel ;* bagagebokse = *casiers automatiques) : dans la gare centrale, au sous-sol. Ouv 5h30 (6h dim)-1h. Payant (moins cher en casiers).*

■ **Change :** Forex. *Enseigne jaune et noir, face à l'entrée donnant sur Bernstorffsgade. Tlj 8h-21h. Sinon, près de la poste, bureau X-change, tlj 7h-21h (fait également* Western Union*) ; distributeur automatique de la* Danske Bank *juste à côté.*

✉ **Poste :** *lun-ven 8h-21h, w-e 10h-16h.*

■ **Petit supermarché :** *tlj 6h-minuit (7h dim).*

■ **Pharmacie :** *tlj 8h (10h dim)-20h.*

■ **Interkiosk :** *dans le hall central. Lun-sam 6h-2h, dim 7h-22h.* Vente de journaux français (Il faut bien chercher).

I●I *Nombreux* **fast-foods** *et boutiques* **DSB** *ouv jusqu'à minuit.*

■ **W-c** *(gratuits) et* **douches** *(payantes) au sous-sol.*

@ **Mailchat :** *prendre un ticket à l'entrée. Tarif : 29 Dk (3,80 €) les 90 mn valable pour 3 j. dans ts les points* Sidewalk express. *Payable par CB ou pièces.*

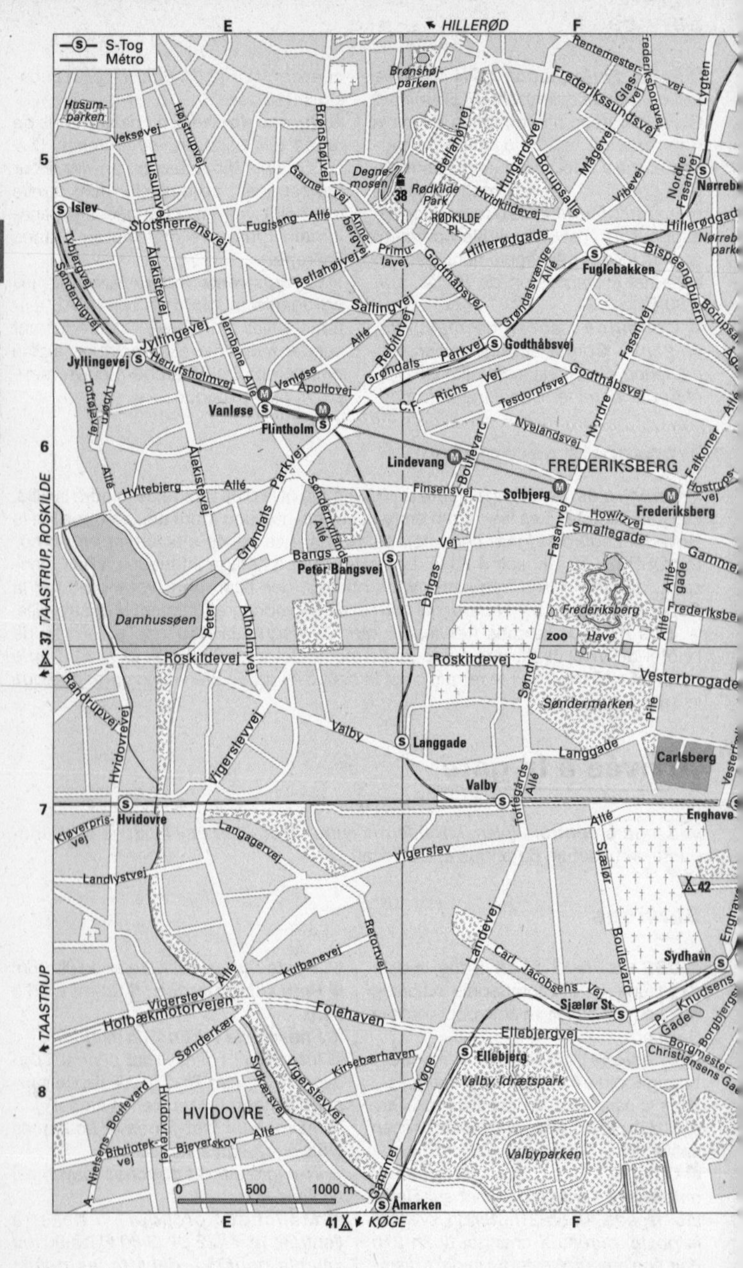

S-Tog
Métro
HILLERØD
KØGE
37 TAASTRUP, ROSKILDE
TAASTRUP
Islev
Jyllingevej
Vanløse
Flintholm
Lindevang
Solbjerg
Frederiksberg
Fuglebakken
Godthåbsvej
Nørrebro
Peter Bangsvej
Langgade
Valby
Hvidovre
Enghave
Sydhavn
Sjælør St.
Ellebjerg
Åmarken
FREDERIKSBERG
HVIDOVRE
Damhussøen
Frederiksberg Have
ZOO
Søndermarken
Carlsberg
Valby Idrætspark
Valbyparken
Brønshøjparken
Husumparken
Degnemosen
Rødkilde Park
RØDKILDE PL.
Roskildevej
Vesterbrogade
Hillerødgade
Frederikssundsvej
Slotsherrensvej
Jyllingevej
Sallingvej
Godthåbsvej
Grøndals Parkvej
Vigerslevvej
Holbækmotorvejen
Folehaven
Ellebjergvej
Gammel Køge Landevej
Carl Jacobsens Vej
Valby Langgade
0 500 1000 m

COPENHAGUE – ENSEMBLE (PLAN I)

Adresses et infos utiles

– ***Copenhagen Card (CPH Card) :*** *199 Dk (26 €) pour 24h et 429 Dk (56 €) pour 72h. Deux enfants de moins de 10 ans peuvent profiter de la gratuité s'ils accompagnent un adulte détenteur d'une carte, et de 10 à 15 ans l'enfant paiera 129 ou 249 Dk (17 ou 32,50 €).* Elle donne un accès gratuit aux transports en commun du nord de la Sealand (train, bus, métro – sauf vers Malmö, bien sûr) ainsi qu'à de nombreux musées, sites et attractions de la ville de Copenhague. Elle propose également des tarifs réduits sur plusieurs attractions de la région. On peut l'acheter dans les hôtels, AJ, campings, principales gares DSB, à l'aéroport et à l'office du tourisme. Attractive sur le principe, mais faites votre calcul en fonction de ce que vous désirez voir. D'autant que pas mal de musées sont gratuits le mercredi et que les heures (assez réduites) de visite ne permettent pas des journées très « chargées ». La carte peut être vite amortie, selon votre rythme de visite et les sites que vous tenez à voir.
Détails sur • *cphcard.com* •

COPENHAGUE

ℹ ***Office du tourisme*** *(Copenhague Right Now ; plan II, B3) :* *Vesterbrogade 4 A.* ☎ *70-22-24-42.* • *visitcopenhagen.com* • *Juil-août, lun-sam 9h-20h, dim 10h-18h ; mai-juin, lun-sam 9h-18h ; sept-avr, lun-ven 9h-16h (14h sam).* Souvent bondé en été. N'oubliez pas de prendre votre petit ticket avant d'attendre patiemment votre tour. Il y a toujours du personnel parlant le français, compétent, accueillant et patient, mais peu nombreux. Bornes d'info en libre-service. D'ailleurs, préparez vos questions studieusement : on vous fera souvent remarquer au comptoir que l'info était disponible sur la borne !
– Nombreuses et excellentes brochures, toutes traduites en anglais mais peu en français.
– Donne toutes les infos possibles et imaginables sur la ville, fait les résas d'hôtels, d'AJ et de chambres chez l'habitant. Vu la commission *(100 Dk, soit 13 €),* autant réserver soi-même. Fournit également la liste de tous les hébergements bon marché et en affiche chaque jour les disponibilités.
– Gère aussi environ 300 chambres dans la ville et autour. *Doubles 390-500 Dk (51-66 €).*
– Tiens, un super plan : l'office dispose chaque matin des offres d'hôtels normalement très chers *(800-1 000 Dk, soit 104-130 €)* qui cassent le prix des chambres restées vacantes. Des rabais allant jusqu'à 50 %, valables pour toute la durée de votre séjour. On ne peut réserver que le jour même et sur place. Prêts ? Partez ! ! !
– Très bon plan de la ville.
– Bons services qu'on peut, si nécessaire, régler en devises. Timbres et télécartes.
– ***Site internet :*** • *aok.dk* • Où manger, où sortir dans la capitale.
– ***Use It :*** en décembre 2007, le plus qu'historique centre d'information pour jeunes a été obligé de cesser son activité à la suite d'une décision politique. En attendant, l'équipe a décidé de publier un petit guide gratuit distribué dans les *hostels* et maintient l'activité de son site • usit.dk •

✉ ***Poste*** *(plan II, C2) : Købmagergade 33. La plus centrale. Lun-ven 10h-17h30, sam 10h-14h. Également une grande poste dans la gare (voir plus haut les horaires). Pour la poste restante, se rendre au bureau principal, sur Fisketorvet, Kalvebod Brygge 59 (plan II, B4). Lun-ven 10h-17h30, sam 10h-14h. Use It fait aussi poste restante.*

@ ***Netcafé*** *(plan II, B3) : Axeltorv 1-3.* ☎ *33-32-10-99. Tlj, 24h/24.* Avec environ 110 ordinateurs en ligne, l'attente n'est jamais bien longue !

■ ***Téléphone :*** appels longue distance depuis toutes les cabines. Cartes en vente dans les postes et kiosques à journaux. *Infos :* ☎ *118.*

■ ***Réservation d'AJ à l'étranger*** *(Danhostel ; plan II, A4,* ***2****) : Vesterbrogade 39 (1er étage).* ☎ *33-31-36-12.* • *danhostel.dk* • *Lun-jeu 9h-16h (15h ven).* Pour ceux qui projettent de poursuivre hors des frontières danoises, résa moyennant une commission. Vente de cartes internationales d'AJ et de la brochure des AJ au Danemark. Attention, pour les résas au Danemark,

Adresses utiles

- Office du tourisme *(plan II)*
- Postes *(plan II)*
- Netcafé *(plan II)*
- Aéroport *(hors plan I)*
- Gare centrale *(plan II)*

2 Réservation d'AJ à l'étranger *(plan II)*
3 Réseau national d'adresses privées pour randonneurs et cyclistes *(plan II)*
5 Forex *(plan II)*
6 Pharmacie *(plan II)*
7 Librairie française *(plan II)*
8 Københavns Cykler *(plan II)*
9 Københavns Cyklebørs *(plan II)*
10 Østerport Cykler *(plan II)*
11 Départ des bus Eurolines *(plan II)*

Où dormir ?

20 City Public Hostel *(plan II)*
21 Sleep-in Green *(plan II)*
22 Danhostel Copenhagen City *(plan II)*
23 Hotel Jørgensen *(plan II)*
25 Chicken's Private Pension *(plan II)*
26 Hotel Saga *(plan II)*
27 Hotel Cab Inn City *(plan II)*
28 Absalon Hotel *(plan II)*
29 Hotel Tiffany *(plan II)*
30 Hotel Centrum *(plan II)*
31 Sømandshejm Bethel *(plan II)*
32 Danhostel Copenhagen Amager *(plan I)*
33 Camping Charlottenlund Fort *(hors plan I)*
34 Copenhagen Sleep-in *(plan I)*
35 Danhostel Lyngby-Tårbæk *(hors plan I)*
36 Hotel Fox *(plan II)*
37 Absalon Camping *(hors plan I)*
38 Danhostel Bellahøj *(plan I)*
39 Sleep-in Heaven *(plan II)*
40 Hotel Selandia *(plan II)*
41 Hundige Camping *(hors plan I)*
42 Camping Ajax *(plan I)*

Où manger ?

50 Café Petersborg *(plan II)*
51 Pizzeria Italiano *(plan II)*
52 Riz Raz *(plan II)*
53 Feinsmækker *(plan II)*
54 Pasta-Basta *(plan II)*
55 Kanal Kaffeen *(plan II)*
56 Den Grønne Kælder *(plan II)*
57 Laundromat Café *(plan II)*
58 Café Oscar *(plan II)*
59 Café Sorgenfri *(plan II)*
60 Atlas et Flyvefisken *(plan II)*
61 La Galette *(plan II)*
62 Café Sommersko *(plan II)*
63 L'Éducation Nationale *(plan II)*
64 Bøf & Ost *(plan II)*
65 Sporvejen *(plan II)*
66 Skindbuksen *(plan II)*
68 Vita *(plan II)*
69 Restaurant Ankara *(plan II)*
70 Café Sonja *(plan II)*
72 Thaï Esan 2 *(plan II)*
73 Indus Restaurant *(plan II)*
74 Nam Thip *(plan II)*
76 Picnic *(plan II)*
77 The Bagel Co *(plan II)*
79 Flora's Kaffe Bar *(plan II)*
80 Kates Joint *(plan II)*
82 LêLê nhà hàng *(plan II)*
83 Café Wilder *(plan II)*
84 Restaurant Kanalen *(plan II)*
85 Morgenstedet *(plan II)*
86 Månefiskeren *(plan II)*
87 Spiseloppen *(plan II)*
89 Delicatessen *(plan I)*
91 Kafe Kys *(plan II)*
92 Café Viggo *(plan II)*
93 Café Ketchup *(plan II)*
94 India Palace *(plan II)*
95 Cap Horn *(plan II)*
140 The Royal Café *(plan II)*

Où se gaver de douceurs ?

96 La Glace *(plan II)*

Où boire un verre ?

64 Peder Oxe *(plan II)*
67 Café Victor *(plan II)*
78 Pussy Galore's et Sebastopol *(plan II)*
100 Dan Turèll *(plan II)*
101 Nyhavn *(plan II)*
102 Sabines Cafeteria *(plan II)*
103 Café Europa *(plan II)*
104 Det Elektriske Hjørne *(plan II)*
105 Palæ Bar *(plan II)*
106 Hviids Vinstue *(plan II)*
107 Bankeråt *(plan II)*
108 Café Carlton *(plan II)*
109 Dag H *(plan I)*
110 Absolut Ice Bar *(plan II)*
111 Square *(plan II)*
112 Barcelona *(plan II)*
113 Le Woodstock *(plan II)*
114 Nemoland *(plan II)*
115 Pilegården *(plan II)*

Où écouter de la musique ?

87 Loppen *(plan II)*
120 Copenhagen Jazz House *(plan II)*
121 Mojo Blues Bar *(plan II)*
122 Drop Inn *(plan II)*
123 Hvide Lam *(plan II)*
124 Stengade 30 *(plan II)*
125 Vega *(plan I)*
128 Café Rust *(plan II)*

Où danser ?

126 Park Café *(plan I)*
128 Rust *(plan II)*
129 Baron Bolten's Gaard *(plan II)*

Achats (... ou visites !)

140 Royal Copenhagen et Georg Jensen *(plan II)*
141 A.C. Perch's Thehandel *(plan II)*

NORD
Nørrebrogade
Møllegade
Guldbergsgade
Blegdamsvej
Ryesgade
FREDENSBRO
Øster Søgade
Sølvgade
Elmegade
Fælledvej
Ravnsborgade
Sortedam-Dossering
Sortedams Sø
Kapelvej
Griffenfeldsgade
DRONNING LOUISES BRO
Øster Farimagsgade
Botanisk Have
BLÅGÅRDSPLADS
Gothersgade
Frederiksborggade
Vendersgade
Åboulevard
Blågårdsg.
Sortedam-Dossering
Peblinge Sø
Nørre Søgade
Nansensgade
Rømersgade
Israels Plads
Linnésgade
Nørreport
H. C. Ørsteds Vej
Rosenøms Allé
Forum
Vodroffsvej
Gyldenløvesgade
Nørre Farimagsgade
Ørsteds Parken
Nørre Voldgade
Fiolstræde
Nørregade
Krystalgade
Sankt Petri
Frue Pl.
Vor Frue Kirke
Forchhammersvej
Danasvej
Jørgens Sø
Søgade
Teglg.
Peders Stræde
Studie str.
Larsbjørnsstr.
Skindergade
NYTORV
Niels Ebbesens Vej
Forhåbningsholms Allé
Vodroffsvej
Svineryggen
Kampmannsg.
Vester Søgade
Vester Farimagsgade
Hammerichsgade
H. C.
Vester Voldgade
Fr.berggade
Rådhus
Lavendel. str.
Hesteg.
Farverg.
Løngangstr.
RÅDHUS PLADSEN
AXELTORV
Vesterport
Gammel Kongevej
Ved Vesterport
Danish Design Centre
Andersens Boulevard
Tivoli
Storm
Vester
Vesterbrogade
Reventlowsgade
Gare centrale
Helgolandsgade
Colbjørnsensgade
Bernstorffsgade
Ny Carlsberg Glyptotek
Puggaards.
Vesterbrogade
Bymuseum
Viktoriagade
Absalonsgade
Lille Istedgade
Tietgensgade
Niels Brocksg.
Mitchellsgade
Hambrosg.
Istedgade
Dannebrogsgade
Halmtorvet
Ingerslevsgade
Kalvebod
Saxogade
0 200 400 m
A
B
1
2
3
4
128 78 57 112 76 77 21 124 80 39 79 9 5 23 3 107 123 7 102 51 36 60 63 96 61 53 94 122 121 110 6 92 82 82 69 2 74 40 28 8 30 26 72 108 111 73 29 11 27 20 70

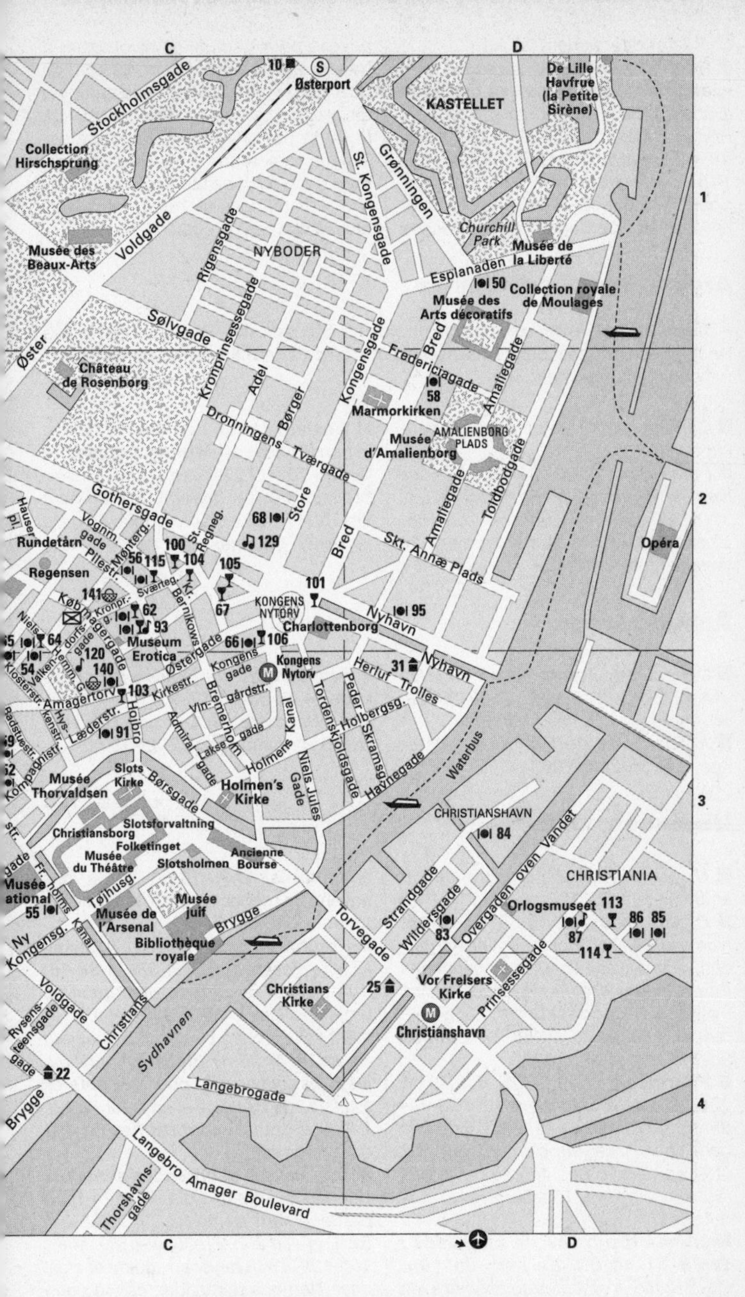

COPENHAGUE – CENTRE (PLAN II)

contacter directement les AJ.

■ ***Réseau national d'adresses privées pour randonneurs et cyclistes*** *(Dansk Cyclist Forbund ; plan II, B2,* ***3****) : Rømersgade 7.* ☎ *33-32-31-21.* ● *dcf.dk* ● *Lun-ven 12h-17h30, sam 10h-14h.* Cette boutique d'équipement pour cyclotouristes vend une brochure (en anglais) contenant des adresses privées pour camper et bivouaquer à travers tout le pays. Les tarifs sont ce qu'il y a de plus bas après le camping sauvage : compter environ 20 Dk (2,60 €) par personne. En principe, 2 nuits maximum à chaque endroit, mais c'est négociable. Douche et cuisine sur place généralement possibles, facturées en sus.

Argent, banques, change

– ***Distributeurs de billets :*** des distributeurs partout en ville. Pratiquement toutes les banques en possèdent. Elles acceptent la plupart des cartes de paiement internationales. Super-pratique.

■ ***Danske Bank :*** *distributeur à la gare centrale.*

■ ***Forex :*** *à la gare (tlj 8h-21h) et sur Nørre Voldgade 90 (plan II, B2,* ***5****).* ☎ *33-32-81-00. Sem 8h-19h, w-e 10h-16h.* Change le liquide et les chèques de voyage (commission).

■ ***Western Union :*** *en cas de besoin urgent d'argent liquide, appelez le* ☎ *800-10-711. Deux adresses : Vesterbrogade 6D, en général ouv lun-sam 9h-16h45 ; et un autre dans la gare (bureau* X-change*).*

Ambassades

■ ***Consulat de France*** *(plan II, C2)* ***:*** *Ny Østergade 3 (2ᵉ étage).* ☎ *33-67-01-00. Ouv au public 8h30-12h30.*

■ ***Ambassade de Belgique :*** *Øster Allé 7.* ☎ *35-25-02-00.*

■ ***Ambassade de Suisse :*** *Amaliegade 14.* ☎ *33-14-17-96.*

■ ***Ambassade du Canada :*** *Kristen Bernikowsgade 1.* ☎ *33-48-32-00.*

Urgences, soins

■ ***Urgences*** *(pompiers, police ou ambulance)* ***:*** ☎ *112.*

■ ***Objets trouvés :*** ☎ *36-13-14-15. Numéro central. Pour trouver un guichet, il faut aller à Vanløse en périphérie (bus nᵒˢ 12 ou 22 ou S-tog jusqu'à Islev) :* Politiets Hittegodskontor, *Slotsherrensvej 113.* ☎ *38-74-88-22. Lun-ven 9h-14h, mar et jeu 17h30.*

■ ***Pharmacie*** *(plan II, B3,* ***6****)* ***:*** Steno Apotek, *Vesterbrogade 6C.* ☎ *33-14-82-66. C'est la plus centrale, face à la gare. Ouv tlj avec supplément de 15 Dk (2 €) en dehors des heures ouvrables (20h-8h en sem, 16h-8h le w-e). CB refusées.*

■ ***Lignes groupées de médecins :*** ☎ *38-11-40-00. En sem 8h-16h. Consultations gratuites au cabinet avec le formulaire E111 (à se procurer en France auprès de la Sécu). En dehors de ces horaires :* ☎ *70-13-00-41.* On vous enverra un médecin de garde qu'il vous faudra alors payer.

■ ***Hôpitaux :*** Frederiksberg Hospital, *Nordre Fasanvej 57.* ☎ *38-16-38-16. Au nord-est du centre. Bien pour les urgences. Ouv 24h/24. Autre établissement :* Bispebjerg Hospital, *Bispebjerg Bakke 23.* ☎ *35-31-35-31. En principe, les soins sont gratuits pour ts, même les touristes de passage avec le formulaire E111, sf pour des problèmes chroniques, bien sûr.*

■ ***Traitements et urgences dentaires*** *(Tandlægevagten)* ***:*** *Oslo Plads 14, mais pratiquement au nº 12.* ☎ *35-38-02-51. Lun-ven 20h-21h30, w-e et j. fériés 10h-12h. Il faut payer en liquide et c'est cher.* Ne nous demandez pas le pourquoi des horaires.

Loisirs

■ ***Librairie française*** (Den Franske Bogcafé ; *plan II, B2,* ***7***) : *Fiolstræde 16.* ☎ *36-99-16-92. Lun-ven 10h-18h (16h sam).* Nombreux bouquins et livres-CD en français.

■ ***Journaux français :*** *les press byran (on traduit ?), dont celui de la gare, sont ts bien approvisionnés et proposent la presse internationale (dont la française).*

■ ***Douches publiques et piscines :***

– *Douches : dans la gare. Payant. Également sur Rådhuspladsen (pl. de l'Hôtel-de-Ville).* Au sous-sol de l'édifice noir, on trouve des douches payantes et des w-c. Très propre.

– *Water Culture House (DGI) : Tietgensgade 65.* ☎ *33-29-80-50. Derrière la gare. Tlj 10h-17h (19h lun, mer et ven).* Un grand complexe sportif avec piscine, accessible à tous.

Compagnies aériennes

■ ***Air France :*** ☎ *82-32-76-00. La compagnie n'a plus de bureau en ville. Il reste en revanche un contact téléphonique, joignable lun-ven 9h-16h30.*

■ ***SAS :*** *Ved Vesterport 1.* ☎ *70-10-20-00.* ● *scandinavian.net* ● *Lun-ven 9h-17h30 ; joignable par téléphone tlj 7h-22h.*

Agences de voyages

■ ***Kilroy :*** *Skindergade 28.* ☎ *70-15-40-15. Hors saison, lun-ven 10h-17h30 ; mai-juil, ouv également sam 10h-14h.* Pour les moins de 26 ans et les étudiants (tarifs intéressants pour les charters, en particulier), mais tout le monde peut y aller.

■ ***Wasteels :*** *Skoubogade 6.* ☎ *33-14-46-33. Ouv tte l'année, lun-ven 9h-17h, sam 10h-14h. Tarifs réduits pour les moins de 26 ans sur les vols internationaux.*

Transports

– Tout le centre de la ville se parcourt à pied ou à vélo. La bécane reste de loin le moyen le plus efficace et le moins cher. Et puis, tous nouveaux, tous beaux, débarqués d'Inde, il y a maintenant des rickshaws qu'on loue à la durée.
– Si vous êtes en voiture, en cas d'infraction, vous aurez un PV *(530 Dk, soit 69 €)* ou... un sabot. Et ici, on les place très vite. Si vous utilisez une voiture de location, l'amende sera inévitablement prélevée via votre carte de paiement.
– Le magazine ***Playtime*** propose des itinéraires à vélo, à pied et en bus dans la ville et ses environs.

Bus, métro, trains et bateaux

● *movia.dk* ● *m.dk* ● *sb.dk* ● *Bus, métro et trains à Copenhague et dans ses environs.*
– Un système de tarifs communs permet la correspondance entre les bus, métro et trains dans une périphérie de 50 km environ (en fait, dans toute la Sealand du Nord). Fonctionne de 5h à 0h30. Après minuit, quelques bus permettent de joindre les AJ les plus éloignées (prix doublé). Fréquence : entre 20 mn et 1h. Les tickets sont assez chers. Gratuit avec la *CPH Card.* Les vendredi et samedi, possibilité également de prendre le métro entre 1h et 5h.
– ***Klippekort :*** forfait pour 10 trajets valides dans ts les transports (chacun valable 1h), dispo dans les gares, l'office du tourisme, les kiosques HUR, la plupart des supermarchés et stations-service. Attention, elle ne s'achète pas directement dans le bus. Existe en 2, 3, 4, 5 et 6 zones (2 ou 3 suffisent généralement). Deux zones : 120 Dk (15,50 €) ; 3 zones : 160 Dk (21 €). Le compostage de la carte est obligatoire (à l'entrée des bus ou sur le quai des gares). On peut utiliser cette carte à plusieurs le cas échéant (composter autant de fois que de passagers). La nuit, il faut composter 2 fois/pers.

– ***Ticket 24h :*** en vente aux guichets des gares et au terminal des bus, Rådhuspladsen : 110 Dk (14,50 €). Intéressant pour une journée bien remplie, il est valable pour le Grand Copenhague, c'est-à-dire pour toutes les zones.
– ***Flexcard :*** carte valable pdt 7 j., avec un nombre de trajets illimité. Prix : 195 Dk (25,50 €) pour 2 zones.
– ***CPH Card :*** forfait 1 à 3 j. incluant les transports en commun et l'entrée dans la plupart des musées de la Sealand du Nord. Voir « Adresses et infos utiles » pour plus d'explications.
– ***Les bus :*** un ticket (19-29 Dk) reste valable 1h. Ils s'achètent à la station ou dans le bus mais c'est bien moins cher avec la Klippekort. Les bus circulent à toute heure mais sont moins nombreux entre minuit et 5h (et leur prix double !).
– ***S-tog*** *(S-train)* **:** c'est un train de banlieue très rapide, comparable au RER parisien. Même prix que le bus. À noter que la carte *Inter-Rail* est valable dans les S-tog (car ils appartiennent au DSB) mais pas dans les bus.
– ***Métro :*** capitale oblige, Copenhague est en train de percer un métro. Un projet lancé au début du XXe s ! La première portion a été inaugurée en 2002 entre Nørreport-centre et l'île d'Amager au sud-est. Depuis, ce métro hyper-moderne puisque entièrement automatisé et sans conducteur continue de faire son trou. Il fonctionne tous les jours de 5h à 1h, plus la nuit du vendredi au samedi.
– ***Waterbus :*** un bus aquatique jaune et bleu (HUR, lignes 901-902) qui relie en été la bibliothèque à la petite sirène. Pas de supplément à acquitter si on utilise une carte de réduction *(Ticket 24h, CPH card, Flexcard)* mais il faut payer un petit plus si on combine un trajet aquatique avec un simple ticket de bus en cours de validité.

Prêt et location de vélos

On le dit et le redit, c'est à vélo qu'il faut arpenter la ville : réseau cyclable efficace et qui couvre l'ensemble des routes. Rapidité et tranquillité assurées. Pas de problème de parking. Bien que la ville commence à être encombrée de vélos abandonnés... Attention, les vélos ont priorité sur les voitures et même les piétons. Vigilance de rigueur au niveau des carrefours.
– ***Prêt de vélos :*** • *bycyklen.dk* • Une association a mis en place depuis quelques années un système de prêt de vélos assez malin. Environ 2 500 biclous sont mis à la disposition de tous, entre début mai et mi-décembre. Plusieurs dizaines de points de prêt sont répartis dans un périmètre bien limité. Les vélos sont accrochés comme les caddies de supermarchés : une pièce de 20 Dk (2,60 €) et on prend l'engin. Soit on le repose à un autre point quand on n'en a plus besoin et on récupère sa pièce, soit on le remet n'importe où, mais on perd ses sous. De fait, le système et le matériel ne sont pas aussi flambants qu'au début.
À noter qu'on n'a pas le droit d'attacher le vélo (forte amende, tout comme pour un petit tour hors des limites imposées), qu'il n'y en a pas toujours de disponibles (la bête se fait même rare en fin de saison) et enfin que ces engins ne risquent pas de gagner le Tour de France. C'est tout de même une initiative extra et qui fonctionne. Dernière info : l'hiver, ce sont des prisonniers qui réparent les bicyclettes. Décidément, ce pays n'est pas tout à fait comme les autres.
– ***Visites guidées à vélo :*** • *citysafari.dk* •

Location de vélos

■ ***Københavns Cykler*** *(plan II, B4,* ***8****) :* *Reventlowsgade 11.* ☎ *33-33-86-13.* • *copenhagen-bikes.dk* • *Sur le flanc droit de la gare quand on fait face à l'entrée. Hors saison, lun-ven 8h-17h30, sam 9h-13h. L'été, ouv également dim 10h-13h. Vélos à partir de 75 Dk/j. (10 €). Prévoir un paiement en liquide mais une caution de préférence par CB (500 Dk, soit 65 €).*

■ ***Københavns Cyklebørs*** *(plan II, B2,* ***9****) :* *Gothersgade 157.* ☎ *33-14-07-17.* • *cykelboersen.dk* • *Sur le côté de l'église. Lun-ven 9h-17h30, sam 10h-13h30. Loc à partir de 60 Dk/j. (8 €).*

■ ***Østerport Cykler*** *(plan II, C1,* ***10****) :*

Østerport Station, Spor 13. ☎ *33-33-85-13.* • *oesterport-cykler.dk* • *Succursale de* Københavns Cykler. *En face de la gare, petite pyramide de verre et d'alu surplombant les voies. Lun-ven 8h-18h, sam 9h-13h, dim sur rdv.*

Rickshaw

Deux compagnies battent le pavé de Copenhague. Les bestioles (carrioles couvertes tractées par un vélo) vous attendent dans l'hyper-centre (surtout le soir). Sinon, on les hèle au passage ou on réserve sa course. Pas de tête de station.

■ ***Copenhagen Rickshaw :*** ☎ *35-43-01-22.* • *rickshaw.dk* • Site en danois (pas glop).
■ ***Quickshaw :*** ☎ *70-20-13-75.*

Stop

Désormais pas très facile au Danemark. Voir « Quitter Copenhague ».

Garages

■ ***Garage Peugeot-City :*** *Rådmandsgade 54.* ☎ *35-83-84-05.*
■ ***Garage Citroën :*** *Sydhavnsgade 16.* ☎ *36-18-02-00.*
■ ***Garage Renault :*** *Jagtvej 155.* ☎ *35-87-86-85. Pas très loin du centre.*

Où dormir ?

L'hébergement au Danemark est cher. Toutefois, Copenhague est une ville tellement agréable et vivante le soir qu'il faut à tout prix essayer de séjourner dans le centre. Nos adresses sont classées par quartiers. Et pour multiplier vos chances de trouver quelque chose de central, ne négligez pas la solution du logement chez l'habitant, d'un excellent rapport qualité-prix, proposée par *Use It* et l'office du tourisme.
– L'office du tourisme délivre une liste complète des AJ et des *YMCA* de la ville.
– Les AJ étant souvent pleines à craquer, même après le 15 août, il est IMPÉRATIF de réserver par téléphone dès votre arrivée à la gare ou à l'aéroport... voire avant !
– Pour vous offrir du luxe sans casser le porte-monnaie, on vous rappelle que l'office du tourisme propose pour le jour même des rabais importants (jusqu'à 50 %) dans certains grands hôtels auxquels il reste des chambres (lire le commentaire dans « Adresses et infos utiles »). Un vrai bon plan.

Dans le centre ou à proximité

De prix moyens à plus chic

≜ ***Danhostel Copenhagen City*** *(plan II, C4,* ***22****) : H. C. Andersens Boulevard 50.* ☎ *33-11-85-85.* • *danhostel.dk/copenhagencity* • *Ouv tte l'année sf vac de Noël. Plus cher que les AJ traditionnelles. Compter 130-165 Dk (17-21,50 €) en dortoir ; doubles 520-660 Dk (67,50-86 €). À 15 mn de la gare à pied.* Le dernier-né des *hostels* de Copenhague avec son millier de lits ne désemplit pas. Dans un grand building blanc (on ne peut pas le louper) posé au bord du quai, cette AJ impersonnelle au possible mais nickel offre tout le confort d'un hôtel. Vue imprenable sur la ville mais on plaint les voisins tant le bâtiment est moche. Excellent petit déj-buffet et également cuisine à dispo.

≜ ***Hotel Jørgensen*** *(plan II, B2,* ***23****) : Rømersgade 11 ; à l'angle de Vendersgade.* ☎ *33-13-81-86.* • *hoteljoergensen.dk* • *À env 25 mn de la gare à pied, bus n° 5A ou S-tog et métro Nørreport ; c'est à 5 mn. Ouv tte la nuit. Lit en dortoir 150 Dk (19,50 €) ; doubles*

600-725 Dk (78-94 €) selon confort. Coin populaire, dans une rue calme. Petit hôtel sympa, qui propose toutes sortes de solutions, depuis les dortoirs de 6 à 12 lits, aux chambres pour 4 (intéressantes) en passant par des doubles, les plus chères avec salle de bains privée. Les chambres sont correctes. Les dortoirs sont confinés au sous-sol avec des soupiraux en guise d'ouverture. Comme en AJ, il faut son duvet et son cadenas, mais le petit déj-buffet à volonté, très complet, est compris dans le prix. Pas de résa pour les dortoirs. Sanitaires peu nombreux. Avec ses qualités et défauts, c'est tout de même une adresse recommandable.

Hotel Cab Inn City *(plan II, B4,* ***27****) : Mitchellsgade 14. ☎ 33-46-16-16. • cabinn.com • Compter 645 Dk (84 €) pour deux et jusqu'à 765 Dk (100 €) pour 4 pers, petit déj en supplément. Parking payant.* Entre les quais et Tivoli, cet hôtel offre une formule relativement originale, mais on vous conseille de faire un tour sur leur site pour vérifier que ça vous convient. Cet hôtel tout confort, très propre, propose des chambres minuscules arrangées à la manière de cabines de bateau où tout s'encastre. Les lits se basculent, les sanitaires sont riquiqui, etc. Nickel, moderne. Pour plus cher, des chambres « Captains class » offrent un confort plus classique. *Possède 2 autres adresses en ville, à l'ouest du centre :* ***Cab Inn Express*** *(plan II, A3), Danasvej, 32-34. ☎ 33-21-04-00.* Ⓜ *Forum.* ***Cab Inn Scandinavia*** *(plan II, A2), Vodroffsvej 55. ☎ 35-36-11-11.* Ⓜ *Forum.*

Sømandshejm Bethel *(plan II, D3,* ***31****) : Nyhavn 22. ☎ 33-13-03-70. • info@hotel-bethel.dk • Honnêtes chambres pour 2 avec bains 795-895 Dk (103-116 €) selon vue, petit déj-buffet compris mais bien modeste.* C'est l'édifice en brique avec toit en pointe et petite horloge d'angle. Si vous venez ici, c'est un peu comme si vous preniez un hôtel à Montmartre. Vous logerez face au plus joli canal qui abrite la plus belle brochette de bars de la ville. Une trentaine de chambres en tout, à la déco passe-partout, à l'ambiance un peu vieillotte. Évidemment, cet ancien repaire de marins garni de maquettes de bateaux n'a plus grand-chose à voir avec ce qu'il devait être il y a encore quelques dizaines d'années, mais sa situation est idéale et, le soir, quand le soleil arrose le quai juste en face, la vue est fantastique. Réservez les chambres qui ont une vue sur l'extérieur, car les autres donnent sur un mur, ce qui est beaucoup moins romantique. Chambres en angle plus grandes, très agréables et plus chères. La situation justifie les prix un peu élevés, et ça reste moins cher que derrière la gare.

Très chic et complètement fou

Hotel Fox *(plan II, B3,* ***36****) : Jarmers Plads 3. ☎ 33-95-77-55 ou 33-13-30-00. • hotelfox.dk • Doubles 945-1 620 Dk (123-211 €) selon taille.* Toutes les chambres sont non-fumeurs. Un délire : le premier *art hotel,* entièrement relooké par 21 jeunes artistes internationaux qui ont eu carte blanche pour décorer les 61 chambres en donnant libre cours à leur imagination. Certains se sont contentés d'habiller les murs, d'autres ont supervisé la chambre jusque dans ses moindres détails, sélectionnant objets et mobilier brocantés. Literie, moquette ou rideaux ont été intégrés dans leur univers à coup de peinture, de graffs, de collages, et bombant à même les murs. Les atmosphères sont ludiques et colorées, peuplées d'animaux étranges qui veillent sur le sommeil des dormeurs. En principe, il n'est pas permis de choisir sa chambre, mais on peut exprimer une préférence parmi celles qui sont disponibles. Impossible de toutes les décrire, allez faire un tour sur leur site pour vous faire une idée. Pour plus de fun encore, il faut aussi réclamer son *mini-barbag* portable, version amoureux avec champagne et chimie aphrodisiaque en plus. Le matin, on savoure un petit déj original et frais où tous les mets tiennent dans un verre, prêts à être emportés. Le soir, on sirote des cocktails sophistiqués au son d'une douce musique *lounge.*

Autour de la gare, dans le quartier de Vesterbro

Le quartier de Vesterbro, derrière la gare et plus au sud-ouest, autrefois mal famé, a fait peu à peu peau neuve, même si les sex-shops et leurs vitrines font également partie de cette rénovation ! Les nombreux hôtels de bon confort reçoivent une clientèle de groupes et les prix sont donc élevés. Cela dit, certains de ces hôtels pratiquent des rabais importants quand ils ont des chambres qui leur restent sur les bras (voir l'office du tourisme dans « Adresses et infos utiles).
Voici en plus quelques adresses sélectionnées, mais vous trouverez d'autres possibilités sur place. Tous les hôtels se situent dans d'élégants immeubles du XIXe s bien retapés.

Bon marché

Camping Ajax *(plan I, F7, **42**) : Bavnehøj Allé 30. ☎ 33-21-24-56. À 2 km du centre. Depuis la gare, S-tog jusqu'à Enghave, puis 500 m à pied ou bus n° 1A qui se prend au sud de la gare (compter 10 mn). Ouv slt en juil-août, réception à partir de 8h. Doubles 120 Dk (15,60 €).* Pas vraiment un camping mais plutôt le terrain de l'auberge de jeunesse privée du même nom. Mais bon, on peut planter sa tente et même en louer une. Amis camping-caristes, il vous faudra choisir un autre endroit. Vraiment l'ambiance AJ avec barbecue et café à volonté. Et puis, les voisins sont calmes : on est juste à côté du cimetière.

City Public Hostel *(plan II, A4, **20**) : Absalonsgade 8. ☎ 33-31-20-70. • city-public-hostel.dk • Compter à peine 10 mn à pied de la gare, sinon, bus nos 6A ou 26 et descendre à Vesterbros Torv, mais ça prend plus de temps. Ouv mai-août. Réception tte la nuit. Lit 130 Dk (17 €).* Pas besoin de la carte des AJ ici, puisque c'est privé, d'ailleurs les revenus sont reversés à des associations de quartier proposant des animations pour les enfants. Voilà pour le concept ; côté confort, les 200 lits sont répartis en grands dortoirs non mixtes, autant dire que c'est un peu bordélique. Réception-salon bien sympathique et buffet copieux pour le petit déj (pas trop cher). Pelouse agréable, terrain de volley. Casiers. Possibilité de cuisiner. Barbecues à disposition (charbon fourni)... Peut-être un peu moins bien tenue que certaines autres adresses, cette AJ aux allures improvisées reste un excellent choix prix-proximité-calme-ambiance.

Plus chic

Hotel Selandia *(plan II, A-B4, **40**) : Helgolandsgade 12. ☎ 33-31-46-10. • hotel-selandia.dk • Doubles 580-800 Dk (75,50-104 €) avec lavabo ou douche, petit déj-buffet compris.* Certainement un des meilleurs rapports qualité-prix du quartier... pas des plus design, certes, mais les chambres sont agréables.

Hotel Saga *(plan II, B4, **26**) : Colbjørnsensgade 18-20. ☎ 33-24-49-44. • sagahotel.dk • Pour une chambre sans sanitaires, 620-750 Dk (81-98 €) et quelque 200 Dk (26 €) de plus pour une double avec sanitaires, petit déj compris. Un peu moins cher en hiver et les w-e.* Hôtel gentillet d'environ 80 chambres, sans aucune véritable particularité, un rien vieillot. Familial, accueillant et propre.

Absalon Hotel *(plan II, B4, **28**) : Helgolandsgade 15. ☎ 33-24-22-11. • absalon-hotel.dk • Doubles sans sanitaires 650-870 Dk (85-113 €), avec sanitaires 1 050 Dk (137 €), petit déj compris ; un poil moins cher en hiver.* En fait, il y a ici deux hôtels en un : une partie plus ancienne et moins chère, aux chambres un peu vieillottes mais impeccables (c'est là qu'il faut aller) et une autre entièrement refaite, bien plus classe et inabordable. Bonne tenue générale, excellent accueil, mais un peu plus cher que chez les voisins. Bon petit déj-buffet.

Beaucoup plus chic

■ ***Hotel Tiffany*** *(plan II, B4,* ***29****) : Halmtorvet 1. ☎ 33-21-80-50. • hoteltiffany.dk • Chambres env 1 250 Dk (163 €) en plein été ; env 1 000 Dk (130 €) le reste de l'année. Internet gratuit.* Cet hôtel, superbement refait, impeccable, avec douche, w-c et TV, propose une petite trentaine de chambres, ce qui explique qu'il n'accueille pas les groupes et que l'atmosphère soit plus intime. On paie donc l'ambiance cosy. Les chambres disposent d'une kitchenette très habilement dissimulée dans un placard avec micro-ondes. Le petit déj du lendemain se cache dans le frigo (petits pains tout frais déposés devant la porte le matin).

■ ***Hotel Centrum*** *(plan II, A-B4,* ***30****) : Helgolandsgade 14. ☎ 33-31-31-11. • hotelcentrum.dk • En été, doubles avec sanitaires env 1 300 Dk (169 €), petit déj-buffet compris. Internet gratuit.* Les prix variant beaucoup selon la fréquentation, cette adresse devient parfois d'un bon rapport qualité-prix. Chambres belles et agréables. Accès à la piscine de l'hôtel voisin.

Un peu plus loin du centre

Bon marché

■ ***Sleep-in Green*** *(plan II, B1,* ***21****) : Ravnsborgade 18. À Nørrebro. ☎ 35-37-77-77. Bus n° 5A depuis la gare. Ouv mai-oct, variable selon les années. Réception ouv presque 24h/24, fermée 12h-16h pour le ménage, mais possibilité de déposer son sac. Lit en dortoir 120 Dk (15,50 €). Petit déj bio. Caution pour les draps et oreillers en sus. Connexion Internet possible.* Dans une rue de brocanteurs fréquentée par une faune « artiste », pas loin de cafés installés dans un environnement plutôt agréable, le *Sleep-in Green* est à l'image du quartier : couleurs vives aux murs et fait de bric et de broc. Environ 65 places, en 3 dortoirs mixtes de 10 à 40 lits. Ambiance assez « familiale » (dans le sens où les routards du monde entier forment une grande famille !). Les jeunes qui s'en occupent (avec une certaine fierté) marchent plutôt au feeling... Le canapé et les fauteuils du salon sont un peu défoncés, mais il y a là une atmosphère marrante qu'il vaut mieux partager si on veut s'y sentir à l'aise. Sanitaires et douches communs qui brillent plus par leur absence que par leur propreté ! Bref, ce n'est pas un hôtel, et le lieu se veut plutôt écolo-grungeo-cool.

■ ***Copenhagen Sleep-in*** *(plan I, G5,* ***34****) : Blegdamsvej 132. À Østerbro. ☎ 35-26-50-59. • sleep-in.dk • Près de Fælledparken et non loin du Park Café. Pour y aller : bus n° 14 de l'hôtel de ville (arrêt « Trianglen ») ou nos 15 et 1A de la gare ; ou S-tog jusqu'à Østerport et récupérer les bus nos 15 et 1A ; les bus de nuit sont les nos 85N et 95N. Ouv juin-août. Réception 24h/24. Compter 110 Dk/pers (14,50 €).* Prendre une petite allée derrière le jardin d'enfants. Le plus grand *sleep-in* de la ville, mais pas le moins accueillant ! Un monde fou l'été, mais on tâche de bien faire les choses quand même. Bon état d'esprit. Bref, cet ancien terminus des tramways (parfois, c'est encore l'heure de pointe !), devenu salle de sport, se transforme l'été en dortoir de plus de 280 lits ! 16 000 personnes dorment chaque année entre les cloisons de contreplaqué formant des stalles pour 4 ou 6 personnes. Filles et garçons séparés (en principe, il y a aussi des box mixtes). Entre nous soit dit, on trouve toujours une solution ici, même si c'est théoriquement complet. Un matelas dans un coin, même au beau milieu de la nuit... Bon, évidemment, il ne faut pas demander le grand confort. Seulement une grosse douzaine de douches gratuites disponibles. Accès gratuit également à la cuisine. Petit déj à la cafétéria. Coffres (caution pour la clé). Dortoirs et douches fermés 12h-16h pour le nettoyage. Pas besoin de carte ici. Durée illimitée. Bref, un endroit routard par excellence.

■ ***Sleep-in Heaven*** *(plan II, A1,* ***39****) : Struenseegade 7. À Østerbro. ☎ 35-35-*

46-48. • *sleepinheaven.com* • *Bus n° 250S depuis la gare ou l'aéroport (très long) ou* Ⓜ *Forum, puis 500 m à pied. En principe, ouv tte l'année. Réception 24h/24. Lit en dortoir 130-160 Dk (17-21 €) ; doubles 500 Dk (65 €).* Dans un coin de la ville fait de longues lignées d'immeubles en brique et pourtant proche du grand parc Faelledparken. Environ 90 lits sont répartis en dortoirs mixtes avec des box de 6 à 14 lits (deux rares doubles et même une triple). Cinq nuits maximum sur place. Bonne tenue générale et ambiance agréable. Consignes gratuites, connexion Internet possible, billard sous la mezzanine, petite terrasse, mais on déplore qu'il n'y ait pas de cuisine. Surtout qu'on est loin de tout.

Plus chic

☗ ***Chicken's Private Pension*** *(plan II, D4,* ***25****) : Torvegade 36. À Christianhavn.* ☎ *32-95-32-73.* • *chickens.dk* • *À 10 mn en bus n° 2A depuis la gare ou* Ⓜ *Christianshavn. Pensez à réserver au moins 2 sem avt (et non de l'aéroport au dernier moment !) et même à confirmer 24h avt votre arrivée. Doubles 550 Dk (72 €).* Voici une adresse de logement chez l'habitant dans une maison privée du XVIIe s joliment restaurée. À l'extérieur, façade rose et porte bleue. À l'intérieur, des encadrements de portes aux meubles, tout est dans le ton d'une demeure ancienne avec une bonne odeur d'encaustique. On s'y sent vraiment comme chez soi : la cuisine à disposition permet de préparer son petit déj, et les proprios sont exquis. Donc, une bonne alternative aux hôtels souvent sans âme de Copenhague. Deux inconvénients : 2 chambres donnent sur l'avenue un peu bruyante (à éviter) et la salle de bains extérieure est commune aux 5 chambres d'hôtes. Sinon, une bonne petite adresse de charme.

Où dormir dans les environs ?

Au sud

Bon marché

⛺ ***Hundige Camping*** *(hors plan I par E8,* ***41****) : Hundige Strandvej 72, à Greve.* ☎ *43-90-31-85.* • *hundigecamping.dk* • *À 18 km au sud de Copenhague. Prendre le S-tog en direction de Køge, arrêt « Hundige » ; en sortant de la station, descendre l'escalier sur la gauche et emprunter le « Parallelstien » ; au bout de l'allée (jardin d'enfants sur le côté), tourner à droite, puis prendre le 1er sentier à gauche ; la réception se trouve au bout de ce sentier. Ouv tte l'année. Compter env 140 Dk (18 €) pour deux avec tente et voiture, plus du double pour un bungalow. Douche payante.* Un camping niché dans un grand espace très vert et agréablement découpé par des haies et des sentiers. Bien équipé, sanitaires propres, un espace jeu pour juniors, commerces à proximité et surtout une belle plage à 500 m. On trouve toutefois que certains bungalows côtoient la route de trop près.

☗ ***Danhostel Copenhagen Amager*** *(plan I, G8,* ***32****) : Vejlands Allé 200.* ☎ *32-52-29-08.* • *danhostel.dk/amager* • *À 4 km au sud du centre. En métro, descendre au Bella Center (ligne Nørreport-Vestamager), longer l'Ørestad, boulevard vers le nord, jusqu'à Vejlands Allé. Tourner à gauche ; on aperçoit alors très au loin, sur la droite, derrière la grande route, les drapeaux de l'AJ. Également bus n° 30, mais plus compliqué. Ouv quasiment 24h/24, sf 10h-13h. Fermé de mi-déc au 2 janv. Lit 120 Dk (15,60 €) ; doubles à partir de 360 Dk (46,80 €) avec la carte des AJ, sinon 30 Dk (4 €) de plus. Sac de couchage interdit et draps obligatoires (loc sur place à 40 Dk, soit 5 €).* Dans un très grand espace dégagé, un ensemble de constructions en bois et préfabriqué de qualité. Le tout très moderne, genre hôtel en rase campagne dans un curieux environnement, au milieu de nulle part avec plein d'autoroutes au loin. Les jeunes débarquent ici par cars entiers... et sont logés en dortoirs de 2 à 5 personnes. Il y a même des doubles avec bains. Très haut niveau de confort, malgré le prix modéré. Cuisine bien équipée. Cafétéria qui sert, le matin et parfois le soir jusqu'à 19h30, de bons petits plats, mais surtout quand il y a des groupes. Laverie. Change. En bref : drôle d'endroit pour une AJ, mais rien à redire au niveau confort et en plus excellent accueil. Parking aisé, vu la place autour.

Au nord

⛺ **Camping Charlottenlund Fort** *(hors plan I par G5, **33**) : Strandvejen 144B. ☎ 39-62-36-88. • campingcopenhagen.dk • À env 6 km de Copenhague. En voiture, suivre l'autoroute vers Helsingør, (sortie n° 17) et direction Jægersborg. En S-tog, ligne A, B ou C et descendre à Svanemøllen ; de là, prendre le bus n° 14, direction Klampenborg ou Charlottenlund ; demandez au chauffeur de vous déposer au camping. Ouv mai-sept. Pour 2 pers, une tente et une voiture : 190 Dk (25 €). Douche payante.* Petit camping autour d'un fort qui prit sa retraite en 1932. On dort entouré de gros canons qui montent la garde et à côté d'une petite plage où une foule sympathique vient bronzer le week-end. Bonne ambiance. On plante sa tente le long d'une allée, dans les douves, assez au calme. Peu d'ombre et un peu encaissé dans les hauts murs du fort. Points positifs : accès facile, proximité de la plage. En négatif : un peu cher, souvent bondé. Malgré tout, c'est l'un des meilleurs du coin. Location de vélos en été. Cuisine et machine à laver.

🏠 **Danhostel Lyngby-Tårbæk** *(hors plan I par G5, **35**) : Rådvad 1. ☎ 45-80-30-74. • lyngbyhostel.dk • À 15 km au nord de Copenhague. Prendre le S-tog jusqu'à Lyngby puis le bus n° 187 direction Rådvad ; en fin de sem, prendre les n°s 182 ou 183. En voiture : aller à Lyngby par l'autoroute, prendre la direction Lundofte (sortie n° 15) puis Rådvad. Indiquée. Ouv avr-sept. Réception 9h-12h, 16h-21h. Lit 125 Dk (16 €) ; doubles à partir de 390 Dk (51 €) pour les membres.* AJ dans une grande maison un tantinet forestière, équipée de chambres et dortoirs pour 2, 4, 5 ou 6 personnes. Disons-le tout de suite : la nature autour de l'AJ est vraiment chouette. D'ailleurs, en été, la population ne s'y trompe pas, elle profite allègrement des lacs, de la forêt et de toutes les possibilités sportives qui s'y trouvent : randonnée, canoë, équitation et même un golf... Chambres très bien tenues, avec lits superposés et salles de bains communes. Il y a aussi un camping. Salles de jeux, de lecture, cuisine à disposition. Sports possibles. Bref, une excellente adresse en pleine nature.

À l'ouest

⛺ **Absalon Camping** *(hors plan I par E7, **37**) : Korsdalsvej 132. ☎ 36-41-06-00. • camping-absalon.dk • À 9 km du centre, vers l'ouest. Pour y aller : S-tog de la gare centrale en direction de Høje Taastrup, jusqu'à Brondbyoster ; c'est à 800 m de la station, sur la gauche. Sinon, bus n° 550S (93N la nuit) depuis la gare ; il s'arrête devant le camping. En voiture, par l'E47 (sortie n° 24), prendre à droite dans la Roskildevej, puis à gauche au niveau de la station* Shell *; c'est à 150 m derrière le bâtiment en brique, siège du* Dansk Camping Union. *Ouv tte l'année, 9h-22h (18h hors saison et fermé 12h-14h). Pour 2 pers avec une tente (douche comprise), env 180 Dk (23,50 €). Pour un bungalow, 260 Dk (34 €).* Ensemble calme et familial, mais les emplacements pour tentes sont les moins favorisés (trafic nocturne). Très grand espace divisé par des haies et de grands peupliers. Sanitaires plutôt bien tenus, plaques chauffantes à disposition et, pour les nuits fraîches, on peut même louer une couverture. Les bungalows avec leur petite table devant sont très sympas. Pelouse assez soignée ; bref, un camping bien équipé. Piscine à proximité.

Danhostel Bellahøj *(plan I, E-F5,* **38***) : Herbergvejen 8, 2700 Brønshøj ; derrière la Bellahøjvej, au bout de la ruelle. ☎ 38-28-97-15. • danhostel.dk/bellahoej • À 5 km au nord-ouest du centre, non loin du camping du même nom. Juste en face du lac de Brønshøj. Bus n° 2A (n° 82N, la nuit) de la pl. de l'Hôtel-de-Ville ; s'arrêter à Fuglsang Allé (env ttes les 30 mn). Ouv 24h/24 (chacun dispose d'un pass). Fermé pour les vac de Noël. Lit 120 Dk (15,50 €) ; doubles 350 Dk (45,50 €) pour les membres.* C'est l'une des AJ officielles de Copenhague. En tout, plus de 250 lits en petits dortoirs de 4, 6 ou 12 places ou en chambres. Petit immeuble jaune dans un quartier de HLM peu attrayant. Propreté et excellent confort, mais accueil froid et fonctionnel. Calme. Bonne literie. Parking privé surveillé. Excellent petit déj-buffet à volonté, assez cher mais vite amorti. Draps exigés (location possible), cuisine très pratique et superbement équipée, cafétéria et resto (dîner possible et plats à emporter). Nombreux services : machines à laver, change, salon TV, connexion Internet et une jolie cour ombragée avec tables et barbecue... Bref, tout le confort d'un hôtel, mais pas la chaleur que l'on peut attendre d'une auberge de jeunesse.

Où manger ?

Plein de bonnes petites adresses sympas et même parfois abordables ! Incroyable, non ? À savoir : beaucoup de restos ne servent plus de repas après une certaine heure, mais continuent à abreuver la clientèle. Ce qui explique que plusieurs de nos adresses de restos se retrouvent également dans « Où boire un verre ? ».

Et puis le dira-t-on assez, le midi, les formules de plat du jour pratiquées par presque tous les restos sont généralement copieuses et peu chères. Une façon de profiter de certaines très belles adresses à un prix très démocratique... Alors n'hésitez pas à consulter la rubrique « Chic », vous pourrez découvrir de bonnes surprises...

LE FESTIN DE BABETTE

Que de chemin parcouru depuis que Babette, l'héroïne du roman de Karen Blixen, se débattait pour régaler des Danois honteux du péché de gourmandise ! Depuis, ce peuple s'est ouvert aux joies de la table, à ses douceurs salées et sucrées. Et le Danemark connaît même ces dernières années la reconnaissance de sa bonne chère au travers de grands chefs primés par les critiques gastronomiques internationaux. Comment dit-on « faire bombance » à Copenhague ?

Le soir, les prix doublent généralement, sauf dans les formules buffet qui restent abordables et nourrissantes.

– Les ***supermarchés*** courent les rues à Copenhague. Les moins chers sont les *Netto (Nørre Voldgade 94 et Store Kongensgade 47), ouv jusqu'à 20h (17h sam)*. Il y a également des *Fakta* un peu partout dans la ville. Les *7-Eleven,* plus chers, sont ouverts toute la nuit. Plus chic enfin, les *Irma* et *Iso.* Ils ferment à 20h.

– N'oubliez pas les ***marchés,*** tel celui de fruits et légumes d'*Israël Plads (lun-ven 7h-18h ; sam jusqu'à 14h ; fermé dim)*.

– En désespoir de cause, vous avez les ***kiosques à saucisse*** *(pølsevognen).* En fait, c'est le vrai fast-food danois populaire, dont l'idée s'est exportée jusqu'en Russie. Il y en a à chaque coin de rue. C'est pas vraiment bon, pas trop sain (colorants rouges pour la saucisse, doses massives d'agents conservateurs pour le pain et, pour couronner le tout, de la moutarde sucrée en accompagnement), mais ça fait un tabac ici. Essayez une fois. Histoire de discuter autour d'une saucisse, quoi !

Dans le centre

Bon marché

Nombreux restos pas chers tout au long de Strøget, qui proposent des formules pizza et salade à volonté, ou juste des pizzas bien nourrissantes. Faites votre choix !

|●| ***Riz Raz*** *(plan II, C3, **52**) : Kompagnistræde 20. ☎ 33-15-05-75. Annexe sur Store Kannikestræde, au n° 19 (plan II, B-C2). Tlj 11h30-minuit. Buffet à volonté de spécialités orientales pour 69 Dk (9 €) jusqu'à 16h30 et 79 Dk (10 €) après ; plats 100-190 Dk (13-25 €).* Dans une charmante rue piétonne, bordée de tables en terrasse, une adresse qui fait le plein depuis des années avec un étonnant buffet pas dispendieux, frais et agréable. Plein de légumes qui fleurent bon la Méditerranée. Les plats à la carte sont bien plus chers.

|●| ***Kafe Kys*** *(plan II, C3, **91**) : Læderstræde 7. ☎ 33-93-85-94. Cuisine ouv jusqu'à 22h30 (21h30 de sept à mi-juin). Sandwichs et salades 50-75 Dk (6,50-10 €).* Sur fond de musique pop, les jeunes avalent à longueur de journée de copieux sandwichs tout en refaisant le monde. Terrasse agréable sur rue piétonne.

|●| ***Feinsmækker*** *(plan II, B3, **53**) : Larsbjørnsstræde 7. ☎ 33-32-11-32. Lun-ven 9h-17h30, sam 10h-16h. Sandwichs et salades env 45 Dk (6 €).* Lieu minuscule. Une manière de se restaurer typique du quartier, puisque le coin est essentiellement étudiant. Fromage, salami ou rosbif au choix.

|●| ***Sporvejen*** *(plan II, C2-3, **65**) : Gråbrødretorv 17. ☎ 32-10-80-80. Ouv tlj 10h-22h30.* Sûr que vous aurez le ticket pour ce petit bar-resto sans prétention habillé en voiture de tram. Sur de vieilles banquettes, on sirote une bière ou on déguste un burger à prix doux, dans des effluves de frites, en se laissant vagabonder aux anciennes promenades de ce wagon. Ne pas rater la station : le dernier tram n'est pas très couche-tard !

|●| ***Pasta-Basta*** *(plan II, C3, **54**) : Valkendorfsgade 22. ☎ 33-11-21-31. Ouv 11h30-3h (5h ven-sam) sans interruption. Buffet à volonté 89 Dk (11,50 €).* Les gourmands pourront piocher dans une dizaine de sortes de salades de pâtes froides (et fraîches !) accommodées selon l'humeur du jour. Premier bon point. Le second bon point ? Des horaires plutôt larges. Les plats à la carte, beaucoup plus chers, sont en revanche d'un rapport qualité-prix assez médiocre.

|●| ***India Palace*** *(plan II, B3, **94**) : H. C. Andersens Boulevard 13. ☎ 33-91-04-08. Ouv tlj : déjeuner 11h30-15h30 59 Dk (7,50 €) ; dîner 16h-23h30 89 Dk (11,50 €) ; plats 70-100 Dk (9-13 €).* Des prix très corrects à toute heure de la journée pour un repas plus que raisonnable. Des saveurs épicées qui chatouillent un peu le palais. Pas celui du maharadja, le vôtre, dans une ambiance feutrée et très indienne.

|●| ***La Galette*** *(plan II, B3, **61**) : Larsbjørnsstræde 9, au fond d'un passage (suivez Obélix !). ☎ 33-32-37-90. Lun-sam 12h-16h, 17h30-22h, dim 16h-22h. Galettes de toutes sortes 30-75 Dk (4-10 €).* Encore un resto ethnique... que cette petite crêperie bretonne, vous l'aviez compris, unique à Copenhague. Tenue par des Français (non, sans blague ?). Quelques tables dehors en été pour déguster une des crêpes de farine et galettes de sarrasin décrites en français dans le texte. Par Toutatis, bon accueil !

|●| ***Pizzeria Italiano*** *(plan II, B2-3, **51**) : Fiolstræde 2. ☎ 33-11-12-95. Sur un bout de placette piétonne. Tlj, tte la journée, jusqu'à minuit. Plat du jour 11h-16h pour 69 Dk (9 €) ; le soir, plats 89-180 Dk (11,50-23,50 €).* Un resto à deux pas de Strøget, à la déco résolument italienne, à l'accueil courtois et à la cuisine d'un bon rapport qualité-prix... pour les pizzas, lasagnes ou pâtes. Les boissons y sont surfacturées (dont verre d'eau payant). Et attention aux pourboires que les serveurs s'attribuent parfois sur la facturette de la carte de paiement. Très fréquenté par les étudiants du coin et les touristes. Petite terrasse.

|●| ***Den Grønne Kælder*** *(plan II, C2, **56**) : Pilestræde 48. ☎ 33-93-01-40.*

Lun-sam 11h-22h. Plat ou assiette végétarienne 40-65 Dk (5-8,50 €) le midi, env 90 Dk (11,50 €) le soir. La salle en contrebas est un peu sombre, mais agréable, tout comme les tartes, salades, houmous, salades de pâtes... Adresse réputée dans l'écosystème végétarien.

|●| ***Café Sorgenfri*** *(plan II, C3,* ***59****) : Brolæggerstræde 8 ; à l'angle de Knabostræde.* ☎ *33-11-58-80. En plein centre, dans une rue un peu à l'écart. Tlj 11h30-22h. Ttes sortes de sandwichs typiquement danois à partir de 70 Dk (9 €) selon ce que vous choisissez de mettre dedans.* Intéressant petit resto d'habitués, dans une atmosphère de « café brun », sombre, bas de plafond, avec photos anciennes, vieilles toiles et nappes cosy. Les ogres choisiront la *platte (150 Dk, soit 19,50 €),* grande assiette d'assortiments typiques (hareng mariné, crevettes, boulettes de porc, pâté de foie, fromage...). Les appétits d'oiseaux se contenteront d'une assiette. Arriver tôt, la cuisine ferme à 21h30.

De prix modérés à prix moyens

|●| ***Atlas*** *(plan II, B3,* ***60****) : Larsbjørnsstræde 18, angle de Studiestræde, en demi-sous-sol.* ☎ *33-15-03-52. Tlj 12h-22h. Fermé dim. Plats env 140 Dk (18 €).* On aime bien ce croisement de rues. Animées, un poil « artistes » sans être trop branchées ; jolies boutiques, atmosphère calme et légèrement underground... Dans le resto, melting-pot d'assiettes gourmandes de tous pays qu'on déguste dans une salle toute rouge, sur des tables couvertes de différentes cartes du monde. Histoire de rêver à son prochain périple de routard. Accueil simple et un peu speed, on aime beaucoup.

|●| ***Flyvefisken*** *(plan II, B3,* ***60****) : Larsbjørnsstræde 18 ; à l'angle de Studiestræde.* ☎ *33-14-95-15. Lun-sam 17h30-22h. Plats env 120 Dk (15,50 €) ; le double pour un repas complet.* Resto siamois de l'*Atlas* (juste au-dessus), à l'angle d'une maison ocre qui distille une douce atmosphère. Cuisine thaïe raffinée, bien réalisée, dans une salle de petite taille décorée d'éléphantesques tapisseries. Excellente réputation qui ne semble pas se ternir avec les années.

|●| 🍸 ♩ ***Café Ketchup*** *(plan II, C2,* ***93****) : Pilestræde 19.* ☎ *33-32-30-30. Ouv jusqu'à 1h jeu, 3h ven-sam, minuit les autres soirs. Cuisine ouv 10h-22h. Fermé dim. Le midi, plats 80-120 Dk (10,50-15,50 €) ; plus onéreux en soirée.* Un endroit hybride, totalement inclassable, où la clientèle et l'atmosphère évoluent en fonction de l'heure. Dans la journée, les convives profitent de l'accalmie pour savourer une cuisine internationale inventive, plutôt bien réalisée. Mais en milieu de soirée, ce restaurant sage à la déco très étudiée se métamorphose en bar-boîte hyper-branché. On y va autant pour voir que pour être vu, dans une atmosphère festive particulièrement exaltante. Rapidement bondé le week-end. Place aux oiseaux de nuit !

|●| ***Kanal Kaffeen*** *(plan II, C3,* ***55****) : Frederiksholm Kanal 18.* ☎ *33-11-57-70. Lun-ven 11h30-19h, sam 10h30-16h. Fermé dim.* Smørrebrød *40-75 Dk (5-10 €). En face de l'entrée de Slotsholmen.* Cette adresse en demi-sous-sol a vu défiler depuis 1852 pas mal de politiciens venus ici se restaurer entre deux séances parlementaires. Et la patine y fait loi ; poutres apparentes, nappes roses, scènes de marine. Assortiment d'une trentaine de *smørrebrød* à choisir sur une liste. On est facilement rassasié avec 2 portions. Une spécialité redoutable pour les non-initiés : le *gammel ost med rom* (fromage au rhum), palais et estomac blindés de rigueur ! À déguster avec une grande bière et un verre d'*aquavit* pour faire passer. Accueil adorable.

|●| 🍸 ***Café Sommersko*** *(plan II, C2,* ***62****) : Kronprinsensgade 6.* ☎ *33-14-81-89. Ouv 9h-22h30 (22h dim). Déjeuner env 90 Dk (11,50 €) ; plats 100-170 Dk (13-22 €).* Petite restauration sans grand relief, petites tables jaunes et banquettes de moleskine rouge côté café. Petits plats dans les grands côté resto, avec des préparations acceptables mais pas renversantes allant du *sommersko burger* au thon grillé aux épinards. On hésite entre une brasserie parisienne et un néobistrot postchic. C'est sans doute un peu les deux avec

ses affiches françaises passées et un personnel en tablier blanc et gilet noir : ah... Paris ! Un bar sympa pour commencer sa soirée sur fond musical hip-hop ou *R'n'B.* Petite formation de jazz le jeudi soir en général. Ambiance détendue assez propice aux rencontres. Beaucoup de jeunes, mais les papas et les mamans un peu friqués tâchent d'y rester dans le coup. Chicos disent ses détracteurs. À vous de voir.

Un peu plus chic

🍽 **The Royal Café** *(plan II, C3, **140**) : Amagertorv 6. ☎ 51-50-03-02. Tlj 11h30-22h30 (23h jeu-sam). Le midi, sandwichs et salades env 110 Dk (14,50 €) ;* smushies *45 Dk (6 €) pièce.* Royalement situé en plein centre du centre, derrière la boutique de la manufacture royale de céramique, ce café-resto est un feu d'artifice chic et choc. De longues tables de marbre blanc y côtoient de petits recoins à fauteuils rouges ou encore la table de grand-maman avec des chaises bleu pétrole. Et les murs ! une expo carrément folle de sacs à main, théières japonaises, bocaux de bonbons et autres vases kitschissimes. Et dans tout ça, on mange ? Oui. Une carte aussi fournie que délirante. Le lieu ayant inventé le *smushie* : à mi-distance entre *smørrebrød* et sushi. Prenez-les en photo : ils sont super bien présentés... et tellement vite avalés ! Pas de quoi faire bombance, mais grand prix de l'inventivité. On paye un peu le concept.

🍽 **Bøf & Ost** *(plan II, C2, **64**) : Gråbrødretorv 13. ☎ 33-11-99-11. Tlj 11h30-22h30 (23h jeu-sam). Le midi, buffet et menus 100-140 Dk (13-18 €) ; le soir, plats 150-200 Dk (19,50-26 €), menu 3 plats 350 Dk (45,50 €) et avec vins 500 Dk (65 €).* Déjeuner proposant un alléchant buffet de harengs cuisinés à toutes les sauces ou un menu de 3 *smørrebrød* au choix. Cuisine le soir d'inspiration française, servant des viandes savoureuses et d'excellentes préparations. Sa terrasse chauffée se situe sur une adorable place bordée de restos et de cafés parfois animée de musiciens. Devenu, au fil du temps, aussi cher que son frère-voisin le *Peder Oxe* (même propriétaire), le *Bøf & Ost* assure malgré tout un service et une ambiance à la hauteur.

🍽 **L'Éducation Nationale** *(plan II, B3, **63**) : Larsbjørnsstræde 12. ☎ 33-91-53-60. Ouv lun-sam 11h30-minuit (la cuisine ferme à 22h), dim 16h30-22h. Le midi, omelettes, croque-monsieur, salades et soupes 70-140 Dk (9-18 €) ; en cours du soir, c'est une autre histoire, avec des plats 185-210 Dk (24-27,50 €) ; le double pour un repas complet avec du vin.* Bon, derrière la façade ocre, l'enseigne frappée du COCORI-coq gaulois, des plaques du métro parisien, on trouve un lieu animé par des Français dans une ambiance bistrot, avec un zinc en virgule et une énorme statue de Gainsbourg chapeauté d'un képi de gendarme. Le décor est planté... Les Danois viennent y goûter, le soir, une cuisine française de terroir, honnête et trop chère (salade lyonnaise, cuisses de grenouilles, steak au poivre, foie gras...). On le conseille plutôt pour une halte du midi.

Autour de la place Kongens Nytorv et Nyhavn

– ***Nyhavn :*** vous ne pourrez pas manquer la ribambelle de restos le long du quai ! Que ce soit pour manger ou pour boire un verre, vous aurez l'embarras du choix... n'en déplaise à votre porte-monnaie ! Sinon, plein d'adresses dans les quartiers attenants.

De prix modérés à prix moyens

🍽 **Café Oscar** *(plan II, D2, **58**) : Bredgade 58. ☎ 33-12-50-10. Tlj 10h-22h30 (minuit ven-sam). Avt 17h, plats 65-90 Dk (8,50-9 €) ; après, 150 Dk*

(19,50 €). Un des rares endroits où manger dans ce secteur un peu solennel. Petite restauration simple mais goûteuse avec des vrais bons petits plats cuisinés, salades, crêpes, burgers, sandwichs (à emporter). Croissants le matin. Déco agréable, plancher de bois brut, bougies sur les tables et tableaux modernes au mur. Un bon compromis qualité-prix.

|●| **Café Petersborg** *(plan II, D1,* ***50****) : Bredgade 76. ☎ 33-12-50-16. Lun-ven slt. Pour le midi, assortiment de* smørrebrød *40-75 Dk (5-10 €) ; plats env 150 Dk (19,50 €)* et soupe du jour en hiver. Un des plus vieux restos de la ville, situé au sous-sol de l'ancien consulat de Russie, où les marins des chalutiers (russes) venaient se restaurer (d'où son nom). Succession de vénérables pièces lambrissées au plafond bas. Tables nappées de bleu et gravures du XIXe s. Excellents *smørrebrød* à cocher sur une liste, un peu chers hélas. Clientèle d'habitués qui travaillent dans le quartier et de touristes tout heureux de se retrouver dans un cadre ancien, authentique et douillet.

|●| **Vita** *(plan II, C2,* ***68****) : Store Kongensgade 25. ☎ 33-11-80-11. Tlj sf dim 17h-1h (3h mer-jeu, 5h ven-sam) ; ce qui en fait un lieu de rendez-vous des paumés du petit matin. Plats du midi 75 Dk (10 €) ; le soir, 125-180 Dk (16-23,50 €).* Bel endroit que cette ancienne pharmacie totalement relookée chicos-branchée un peu vieillotte, qui se fond dans l'ambiance snobinarde du quartier ! Serviettes, nappes blanches et son du piano viennent ajouter au style. Nourriture franco-danoise (si, si !) où l'on retrouve au coude à coude du saumon fumé et un steak sauce béarnaise (voyez le genre !). L'important est surtout l'ambiance de fin de semaine qui se poursuit jusqu'à l'aube.

Plus chic

|●| **Skindbuksen** *(plan II, C2,* ***66****) : Lille Kongensgade 4. ☎ 33-12-90-37. Ouv 10h-1h. La cuisine s'arrête à 22h. Deux solutions : avt 17h30,* smørrebrød *45-80 Dk (6-10,50 €) ; après, plats 90-180 Dk (11,50-23,50 €).* Des bons *smørrebrød* aux petits plats fumeux, nous, ce qu'on préfère, ce sont les 3 sortes de harengs. Parfaitement dans la lignée des « cafés bruns »... sans fumée. Plutôt moderne, avec des toiles contemporaines qui ornent les murs. Un bon coin pour venir boire un verre à n'importe quelle heure. Clientèle entre deux âges, bien chaleureuse, qui s'y presse dans une ambiance joyeuse et bon enfant. Formations de jazz le dimanche après-midi en été. Sinon, musique tous les soirs à partir de 20h (dimanche 16h-18h30).

|●| **Cap Horn** *(plan II, D2,* ***95****) : Nyhavn 21. ☎ 33-12-85-04. Ouv tlj 9h-23h. Résa conseillée. Plats principaux autour de 200 Dk (26 €).* Dans une maison du XVIIe s, cuisine inspirée, soignée, à base de produits bio *(økologiske).* Si les portions peuvent décevoir l'appétit d'un gourmand, les saveurs, elles, réjouiront le fin bec. Sur le quai, la terrasse au coude à coude voit défiler badauds, vendeurs de roses et musiciens de tout poil. La salle intérieure offre un cadre plus intimiste et plus calme.

Dans le quartier de Vesterbro

Vesterbro, derrière la gare, est un quartier à la réhabilitation galopante, mais populaire par excellence, celui des restos bon marché et de la cuisine étrangère. Exotique même ! Coin des exclus et des immigrés, même si l'on est loin des bas-fonds de certaines villes européennes. Les petits budgets trouveront ici de quoi se nourrir à mille lieues des établissements touristiques du centre.

Bon marché

|●| **Café Sonja** *(plan II, A4,* ***70****) : Saxogade 86-88. ☎ 33-24-68-25. Lun 12h-16h (10h mar-ven). Deux plats différents par jour, dont l'un végétarien, 45 Dk*

COPENHAGUE

(6 €). Si, si, vous avez bien lu ! De fait, ne pas venir après 14h car il risque de ne plus rien y avoir à manger, tellement c'est bon marché. Mais quand y'en a plus, y'en a plus ! Vous l'aviez compris, il s'agit d'un lieu alternatif, avec une petite terrasse les pieds dans la rue, où la notion de profit n'a pas vraiment cours. Bravo !

|●| ***Restaurant Ankara*** *(plan II, A4,* ***69****) : Vesterbrogade 35. ☎ 33-31-92-33. Tlj 12h-minuit. Buffet à volonté env 49 Dk (6,50 €) jusqu'à 16h et 79 Dk (10 €) après. Sinon, menu 3 plats 119 Dk (15,50 €).* Grand choix de salades, entrées froides et plats chauds qui hument la Turquie (houmous, feta, légumes cuisinés, poulet en sauce...). Une vraie bonne affaire dans ce quartier truffé d'hôtels. Attention, l'eau n'y coule pas de source... un peu surfacturée. La salle est joliment décorée de tapis et objets moyen-orientaux. À deux pas, au n° 39, l'*Alanya* propose une prestation kif-kif.

|●| ***Nam Thip*** *(plan II, A4,* ***74****) : Viktoriagade 3. ☎ 33-31-64-51. Tlj 17h-22h (un peu plus tard ven-sam). Plats copieux 55-90 Dk (7,50-12 €). Riz en supplément.* L'ambiance cherche à rappeler le pays, mais c'est dans l'assiette que les saveurs de la Thaïlande se retrouvent véritablement. Cuisine bien faite, saine et fine. On peut parfaitement se contenter d'un plat.

COPENHAGUE

De prix modérés à prix moyens

|●| ***Thaï Esan 2*** *(plan II, A4,* ***72****) : Lille Istedgade 9. ☎ 33-24-98-54. Tlj 12h-23h. Plats copieux env 95 Dk (12,50 €).* Une carte longue comme le bras, façon resto chinois, mais les portraits du couple royal ne trompent pas, on est au royaume des mille sourires. Bonne petite nourriture thaïe, parfumée comme tout, très prisée par les gens du coin puisque c'est souvent comble. Ambiance chaleureuse, beaucoup de choix et service de qualité.

|●| ***LêLê nhà hàng*** *(plan II, A4,* ***82****) : Vesterbrogade 56 et 40. ☎ 33-22-71-35. N° 56 ouv lun-jeu 11h30-23h (2h ven-sam, 22h dim). Plats 65-165 Dk (8,50-21,50 €), tendance européenne. N° 40 ouv lun-sam 12h-22h. Résa conseillée. Plats plutôt vietnamiens env 120 Dk (15,50 €).* Pas un mais deux ! Sous un même nom, il y a le petit bistro avec déco brute, tables dépareillées, carrelage noir et blanc au sol et cuisine apparente (n° 56), et l'immense salle moderne avec hauts plafonds et service « à l'américaine » (n° 40). Attention, gros succès, même en semaine le resto ne désemplit pas au-delà de 21h. On y vient pour un joli assortiment de plats du Sud-Est asiatique : soupes de nouilles aux crevettes et lait de coco, brochettes de bœuf ou de poulet délicatement épicées à la coriandre et parfumées à la citronnelle ou aux herbes fraîches... Un régal pour les papilles sensibles, tout cela à des prix raisonnables. Pour rester dans le ton, bière *Tiger* de Singapour, moins chère que la mousse locale ! Un seul inconvénient : le niveau assourdissant des conversations. Accueil souriant avec des bribes de français.

|●| ***Indus Restaurant*** *(plan II, A4,* ***73****) : Istedgade 25 ; à l'angle de Viktoriagade. ☎ 33-24-23-73. Dim-jeu 16h-23h, ven-sam 14h-23h. Plats 70-125 Dk (9-16 €).* Parmi les nombreux restos indiens du secteur, celui-ci constitue un bon rapport qualité-prix, avec des préparations réalisées avec doigté.

|●| ***Delicatessen*** *(plan I, G7,* ***89****) : Vesterbrogade 120. ☎ 33-22-16-33. Ouv lun-jeu 11h-23h (2h ven-sam, 22h dim). Petite restauration env 80 Dk (10,50 €) et plats (le soir) 95-135 Dk (12,50-17,50 €).* Un resto plébiscité par la jeunesse danoise, en raison de sa carte qui change régulièrement et truffée de plats internationaux (du Japon à l'Italie en passant par l'Espagne des tapas, il y a du chemin !) et de ses fréquentes soirées animées par un DJ le vendredi. Salle de taille moyenne à la déco moderne, tendance oblige. Atmosphère détendue.

|●| 🍸 ***Café Viggo*** *(plan II, A3,* ***92****) : Vaernedamsvej 15, au début du quartier de Frederikdiksberg. ☎ 33-31-18-21. Lun-sam 10h30-minuit (2h ven, 1h sam), dim 17h-minuit. Plats env 150 Dk (19,50 €) le soir, moitié prix le midi.* M'enfin ! Ils sont tous là pour vous accueillir : Astérix, Obélix, Natacha, Gaston Lagaffe

(*Vakkske Viggo* en danois) et Mademoiselle Jeanne... peints en grandes fresques sur des murs de brique orange. Tenu par des Gaulois, avec donc des petits plats franchouillards pas mal tournés et des cocktails exotiques pour ceux qui ne veulent qu'y prendre l'apéro. Clientèle d'étudiants.

Dans le quartier de Nørrebro

C'est un quartier ouvrier qui devient branché, au nord-ouest, un peu plus éloigné, cependant très intéressant pour qui veut avoir un aperçu de la vie sociale à Copenhague. Plein de petits restos pas chers. Prendre le bus n° 5A de la gare ou Rådhuspladsen jusqu'à Stengade.

Bon marché

Nombreux ***vendeurs de shawarma*** sur Nørrebrogade et quelques kiosques à sandwichs, deux fois moins chers qu'en ville et aussi bons. Les fauchés feront leur choix.

I●I ***Laundromat Café*** *(plan II, A1,* ***57****) : Elmegade 15. ☎ 35-35-26-72. Lun-sam 11h-minuit (2h ven-sam), dim 10h-23h. Plats 40-105 Dk (5-13,50 €), brunchs 45-110 Dk (5,85-14 €).* Murs et banquettes rouge pétant (programme couleurs 40 °C), favorables aux bonnes rencontres. Bibliothèque aux livres bigarrés (programme lavage main). Bière ambrée pour se rincer le gosier et petits plats copieux (programme délicat 20 °C) sans que le porte-monnaie sorte lessivé. Le premier café-bibliothèque-laverie qu'on connaisse. Très réussi, même sans assouplissant.

I●I ***Picnic*** *(plan II, A-B1,* ***76****) : Fælledvej 22B. ☎ 35-39-09-53. Tlj 11h-22h30. On se cale pour env 75 Dk (10 €).* Petit resto proposant une cuisine du Bosphore, comme les *mezze* ou l'« assiette *Picnic* » : échantillon de toutes les entrées orientales (houmous, tzatziki, olives, feta...). Sandwichs pas chers. Café turc. Allez ensuite dépenser les économies ainsi réalisées dans les bars du quartier...

I●I ***The Bagel Co*** *(plan II, A1,* ***77****) : Elmegade 14. ☎ 70-20-35-22. Tlj 9h-21h (18h w-e). Autour de 40 Dk (5 €) le bon gros bagel copieux, tout frais tout rond, qu'on fait remplir au choix avec du salami, du jambon, du thon ou même du saumon fumé.* La préparation n'est pas toujours des plus appétissante, mais le résultat est extra. Quelques tables pour faire une pause, ou alors on emporte son trophée pour le déguster en explorant le quartier, le nez en l'air.

I●I ***Kates Joint*** *(plan II, A1,* ***80****) : Blågårdsgade 12. ☎ 35-37-44-96. Tlj 17h30-22h30 (mais cela peut changer). Excellents plats particulièrement copieux 55-80 Dk (7,50-10,50 €).* Faut trouver, pas d'enseigne. Cool, végétarien comme il se doit, jazzy pour que tout le monde soit détendu, un gentil laisser-aller pour la déco, avec de massives tables en bois poli. Quelques touristes, beaucoup de locaux, l'ensemble un peu branché. Voilà tout ce qu'il faut pour déguster un savoureux *lam curry*, un goûteux *caribbean chicken hot pot*, un *dhal* réussi... Allez, on y retourne.

Prix modérés

I●I 🍸 ***Flora's Kaffe Bar*** *(plan II, A2,* ***79****) : Blågårdsgade 27. ☎ 35-39-00-18. Tlj 9h-minuit env (ça dépend des soirs). En fonction de ce qu'on prendra, on grignotera pour 80 Dk (10,50 €) et on se rassasiera pour le double. Brunch 100 Dk (13 €) servi jusqu'à 15h.* Situé sur une petite place tranquille du quartier. Tellement tranquille qu'on y pratique le sport national danois : le stationnement de landaus sur le trottoir, été comme hiver. C'est sûr, c'est plutôt un café jeune et branché qu'un resto ! Reste que si on passe dans le quartier, on peut parfaitement apprécier les très bons gâteaux, les sandwichs ou les consistants petits plats, que l'on prendra en terrasse si le soleil donne. Même si l'on peut s'y sustenter, cet endroit est réputé pour son vaste choix de cafés venant du monde entier. Bonne ambiance décalée de quartier. Petite curiosité : à gauche du comptoir, un peu en retrait, une photo très rare du roi-marin Frédéric IX avec le torse bardé de tatouages.

Dans le quartier de Christianshavn

Un quartier qu'on aime. Calme, peu de restos. L'anti-Nyhavn qui se trouve à trois brasses.

Bon marché

|●| ***Café Wilder*** *(plan II, D3,* ***83****)* **:** *Wildersgade 56 ; à l'angle de Sankt Anægade. ☎ 32-54-71-83. Tlj 9h-21h45. Fait bar jusqu'à 2h. Compter 65-85 Dk (8,50-11 €).* Pas chères, ces très bonnes assiettes composées froides (1 à 3 éléments combinés au choix). Super-copieuses. Et puis, si ce lieu n'a rien de tape-à-l'œil, il brille par son accueil souriant et décontracté. Petit déj moyen par contre, même un peu cher.

Très, très chic

|●| ***Restaurant Kanalen*** *(plan II, D3,* ***84****)* **:** *Wilders Plads 2. ☎ 32-95-13-30. Au bord du canal, à l'angle de Strandgade. Tlj sf dim 11h30-15h, 18h-22h. Chic et raffinée, une adresse de luxe où il faudra compter 360-490 Dk (47-64 €) pour un repas de 3 à 6 plats ; menu végétarien 240 Dk (32 €). Supplément si on utilise la CB.* On mange dans une charmante maison de poupée rose, posée au bord du canal. La décoration intérieure est d'un raffinement extrême, avec grand tralala façon nappe blanche et cristallerie sur d'agréables tables rondes. L'adorable petite terrasse n'est pas en reste, bercée par des bateaux au repos sur le *Kanal*. On vous sert, dans une atmosphère paisible presque aphone, une cuisine travaillée, limpide et complexe à la fois, fine, à l'image du lieu. La carte évolue merveilleusement autour des produits de la mer. C'est plutôt le soir qu'on vient ici, aux lueurs des bougies qui vacillent, un méli-mélo de saveurs étonnantes pour un repas en amoureux.

À Christiania

Visiter Christiania, c'est aussi y prendre éventuellement un repas. Sur ce plan-là aussi, goûtez la différence.

Bon marché

|●| ***Morgenstedet*** *(plan II, D3,* ***85****)* **:** *tt au fond du quartier, à gauche de l'allée centrale, très au calme. Demandez votre chemin. Tlj sf lun 12h-21h. Le midi, un plat chaud et 2 salades au choix 60 Dk (7,80 €) ; après 17h, la même chose 70 Dk (9 €).* De loin le meilleur resto végétarien de Christiania. Une sorte de baraque avec une courette devant où, les soirs d'été, crépite un feu de bois. À l'intérieur, la gazinière à mémé apprête tartes, gratins, soupes (celle à la carotte est délicieuse) et légumes, aux saveurs d'Inde, au goût pluriethnique, sur fond de musique yiddish ou autre si affinités. C'est frais, c'est bio, ça change tous les jours et c'est délicieux. Cool et baba à la fois. On adore, le midi comme le soir.

|●| ***Månefiskeren*** *(plan II, D3,* ***86****)* **:** *au fond de Christiania, sur la gauche de l'allée principale. Demander, c'est plus simple.* Ancienne usine avec sa haute cheminée qui ne crache plus de fumée depuis longtemps. Fumer, le mot est lâché. Un panneau vous prévient :

« Plus de 6 000 inspections de policiers en armes depuis mars 2004... le café le plus sûr du monde ! » Ce vaste espace aménagé n'importe comment, avec 2 billards, des tables éparses, des jeux de société, une terrasse... ne ressemble pas à grand-chose, mais c'est toute une ambiance ici. On y grignote sur le pouce des *samousas* (sorte de beignets), des petits sandwichs, des toasts... Voici un lieu important de Christiania où il faut de toute façon aller jeter un œil, si ce n'est sur le plan culinaire, au moins sur le plan sociologique.

Sunshine Bakery : *dans l'allée principale, sur la droite.* Viennoiseries réussies et bons gâteaux, dans une petite cahute décatie... tenue par des jeunes gens dans les nuages.

Plus chic

Spiseloppen *(plan II, D3,* ***87****) : c'est le grand entrepôt en brique à l'entrée de Christiania, au 2e étage. Tlj sf lun 17h-22h. Plats 165-215 Dk (21,50-28 €).* Pourquoi vous indiquer ce lieu hors de prix ? Pour son originalité, mais pas forcément pour y dîner. Car, à l'entrée de ce quartier alternatif, les tarifs pratiqués sentent presque la provoc'. L'espace est immense, la cuisine copieuse, mais l'ambiance fait un peu « *lodge* africain », d'où on observe la savane sans y pénétrer.

Où se gaver de douceurs ?

Si on parlait des « danoiseries » ? Ces « viennoiseries » que vous découvrirez certainement au petit déj. Parfumées de cannelle et cardamome. Un régal. En vente dans plein de pâtisseries, il suffit de pousser la porte.

La Glace *(plan II, B3,* ***96****) : Skoubogade 3-5. Lun-jeu 8h30-17h30 (18h ven), sam 9h-17h. Pâtisserie ou part de gâteau 20-32 Dk (2,70-4,30 €).* Célèbre pâtisserie de Copenhague, datant de 1870. La spécialité de la maison : les gâteaux à la crème et plein d'autres petites bombes caloriques qui fondent délicieusement dans la bouche pour se déposer ensuite sur vos hanches ! Salon de thé classiquement bourgeois, idéal pour une jolie pause dans l'après-midi.

Où boire un verre ?

La soirée à Copenhague commence toujours par un bar. C'est là, selon leur style, que se retrouvent les jeunes et les moins jeunes, et c'est là qu'il est le plus facile de parler aux Danois et de les rencontrer. Certains bars ferment tôt (1h ou 2h) et sont un prélude avant d'aller en boîte ; d'autres restent ouverts toute la nuit et la foule y est dense jusqu'au petit matin, avec toujours une bière à la main pour aller encore plus loin. Calmes en semaine, on peut à peine y entrer les vendredi et samedi soir. Personne ne vous obligera à consommer sous peine d'expulsion immédiate. Au contraire, il faut aller commander au bar, sous peine, pour le coup, de ne jamais être servi et de se dessécher dans un coin !

LES CAFÉS BRUNS FONT GRISE MINE

Le café brun était un grand classique de l'étape à Copenhague. Hérité du rade borgne où les vieux marins ripaillaient, se chamaillaient, et mouraient pleins de bière et de drame... dans une ambiance enfumée par la pipe. On y mangeait une cuisine simple, sous quelque fameux trois-mâts, dans un cadre bancal au mur. Ben voilà, loi antitabac oblige, la magie du lieu s'est envolée en volutes. Le café reste, mais seul le hareng saur est toujours fumé ici (facile !)...

Voici quelques endroits sélectionnés, qui couvrent un peu tous les genres, de cette cité cosmopolite et tolérante. Plusieurs adresses de bars sont aussi des restos, souvent des boîtes et même parfois des lieux de concerts. On peut passer une soirée très variée dans un même endroit.

Dans le centre

Les bars sont très différents les uns des autres. Ne pas oublier qu'un troquet vide et morne à 22h sera peut-être bondé à minuit. Il faut donc bien gérer les lieux selon l'heure.

Café Europa *(plan II, C3,* ***103****) : Amagertorv 1 ; à l'angle de Højbro Plads et à mi-chemin de Strøget. Tlj 9h-minuit (un peu plus tard en fin de sem).* Café moderne assez chic, en plein centre. On y peut consulter gratuitement la presse internationale, dont *Le Monde*, en avalant son café. Éviter toutefois d'y manger un morceau : prix à la hauteur de la situation.

Peder Oxe *(plan II, C2,* ***64****) : Gråbrødre Torv 11. Ouv jusqu'à 1h.* En surface, un resto super-chic et méga-cher ! mais au sous-sol, un bar minuscule comme un sauna. D'ailleurs, la température après minuit doit être assez voisine de celle de l'alcôve de bois. Une de nos adresses préférées. Il y a tellement de monde à l'intérieur qu'on boit sa bière dehors, sur la jolie place. De beaux garçons, forts comme des *Thor*, et de jolies filles, belles comme des *Petites Sirènes*, se retrouvent ici dans une même bonne humeur. Les vendredi et samedi sont les grands soirs. Petite terrasse.

Pilegården *(plan II, C2,* ***115****) : Pilestræde 44. Ouv mar-sam 12h-17h, puis jeu 22h-3h (5h ven-sam). Fermé dim-lun.* On n'y vient guère avant 23h et plutôt en fin de semaine. Dans une maison rouge du centre. On peut y descendre moult *Tuborg* dans une atmosphère animée et bruyante où le moindre interstice est rempli par la musique. Grand choix de musiques sur la platine et de bières à la pression. Rendez-vous des braillards en tout genre. Café petit et chaleureux. Buffet pour le déjeuner mais un peu cher.

Det Elektriske Hjørne *(plan II, C2,* ***104****) : à l'angle de Ny Østergade et de Store Regnegade. Fermé dim.* Cadre de style un rien décadent, avec ses grandes baies vitrées donnant sur la rue. Le tout donne une allure assez originale au lieu, plutôt distinguée ! L'éclairage bien étudié donne la touche de chaleur, d'intimité. Ça n'empêche pas que l'endroit soit tout aussi animé que chez les voisins (en face, le *Zeze* a ses adeptes aussi). D'ailleurs, quand les commandes affluent au bar, le personnel est un peu... électrique.

Dan Turèll *(plan II, C2,* ***100****) : Store Regnegade 5. Tlj 9h30-minuit (1h jeu, 2h ven-sam, 22h dim).* Copie conforme d'un troquet parigot des années 1970 situé à la porte de Clignancourt ; un grand rendez-vous des branchés de la ville, qui en ont fait un de leurs lieux favoris. Dan Turèll, poète-écrivain et auteur de polars prisé dans les milieux artistiques, est mort en 1993. On donne ici ses rendez-vous, dans cette ambiance de Formica, de comptoir en alu, de banquettes de moleskine, autour de petits plats trop chers (rosbif, tandoori, chili) qui n'ont pourtant rien de bien extraordinaire. Une clientèle de journalistes et d'étudiants se retrouve ici dans le souvenir de Dan Turèll, ou juste pour boire une bière dans ce bel endroit.

Absolut Ice Bar *(plan II, B3,* ***110****) : Løngangstræde 27. Droit d'entrée 150 Dk (19,50 €).* Bar à donner des frissons ! Après avoir acquitté le droit d'entrée (qui jette un froid !), endossé des parkas polaires, passé un sas thermique... vous voilà plongé dans un glaçon. Pas moins de 140 t de glace pour maintenir une température de -5 °C. Une froide lumière bleue baigne les tableaux de glace, sièges et tables de glace, comptoir de glace, verre de glace (pour siroter le petit cocktail compris dans le droit d'entrée)... et la doucereuse musique *lounge* peine à vous réchauffer l'esprit... Une gageure, un pari plus qu'un agréable moment douillet avec une facture énergétique indécente pour vous convertir en *ice* *cube* en plein été. Pas très écologique tout cela !

Sabines Cafeteria *(plan II, B3,* ***102****) : Teglgårdsstræde 4. Lun-sam 12h-minuit (2h ven). Fermé dim.* Depuis plus de 50 ans, *Sabines* était un café de quartier. Si le lieu s'est modernisé, il a conservé cette atmosphère tranquille en semaine mais animée les soirs de week-end et surtout en hiver ! Charme sans fioritures d'un café pas tape-à-l'œil. Idéal pour ceux qui veulent sortir un peu du circuit touristique et branché de la ville, pour écrire ses cartes en prenant un café, un verre de vin, grignoter une salade, avaler un gaspacho, déguster une assiette composée... Musique jazzy en fond, douce et reposante.

Bankeråt *(plan II, B2,* ***107****) : Ahlefeldstgade 27-29. Tlj 9h30-21h30. Un peu à l'extérieur de l'hypercentre (au nord-ouest).* C'est à la limite entre rêve et cauchemar qu'on sombre en entrant dans ce bistrot. Des têtes lumineuses de poupées décapitées comme lustres, un buste à chapeau melon (sans botte de cuir), un ours empaillé dépité... ambiance un peu inquiétante. Sans parler des w-c où les mecs font pipi dans un « urinoir bouche » style emblème des *Stones* avant de se laver les mains dans un lavabo lampe. À la troisième bière, on prend de l'assurance et on taille la bavette à une tête de belette empaillée. À la tantième... c'est la *banqueroute*...

Autour de la place Kongens Nytorv et Nyhavn

Nyhavn *(plan II, C-D2-3,* ***101****) :* ce n'est pas un bar à proprement parler (ou alors gigantesque !), mais une rue piétonne du centre, au bord du plus beau canal de la ville, où s'alignent une trentaine de troquets et restos et qui devient un vaste débit de boissons en plein air les vendredi et samedi soir en été. Toute la soirée, assis au bord du canal en rang d'oignons, garçons et filles braillent, picolent, chantent et... vomissent ! La bonne ambiance assurée ! On peut aussi préférer explorer la moiteur de l'intérieur des bars. De toute façon, à minuit, tout le monde dedans ! C'est la loi danoise : les terrasses sont fermées, passé cette heure fatidique, pour éviter les « débordements » sans doute... Dehors ou dedans, c'est ici qu'on commence sa soirée en fin de semaine. Tout ça se passe sous le regard condescendant des voiliers en bois, à quai pour l'éternité, éclairés par une lumière sublime en début de soirée.

Café Victor *(plan II, C2,* ***67****) : ouv jusqu'à 1h (2h ven-sam, 22h dim).* Plus chic que les précédents et rendez-vous des gens aisés de Copenhague. Vaut le détour pour le décor « à la française » et les jolies filles. Un classique.

Palæ Bar *(plan II, C2,* ***105****) : Ny Adelgade 7. Ouv tlj 11h-1h (2h jeu-sam).* Pour une clientèle entre deux âges, comme on peut être entre deux eaux, une atmosphère chaleureuse, avec des murs qui résonnent de gravures et de tableaux évoquant la musique. Jazz, blues ou vieux rock de préférence, pour titiller la nostalgie d'un bouquet de quinquas sympas. On ne s'explique pas le bibendum lumineux qui survole la salle...

Hviids Vinstue *(plan II, C2,* ***106****) : Kongens Nytorv 19 ; à l'angle de Lille Kongensgade. Tlj 10h-1h (2h ven-sam).* Une institution puisque, depuis 1723, cette vieille taverne abreuve les habitués du quartier. Dans ses minuscules salles sombres et en enfilade, les quadras, quinquas et sexagénaires viennent descendre 1, 2, 3... 10 mousses. Encore un « café brun » qui parque désormais ses fumeurs dans une salle mistoulinette genre fumoir à viandes. Le lieu n'en demeure pas moins authentique.

– Enfin, notez que sur **Kultorvet** (voir le resto *Klaptræt*) on trouve pas mal de terrasses, en été. Grande place agréable et aérée.

À Vesterbro

Café Carlton *(plan II, A-B4,* ***108****) : Halmtorvet 14. ☎ 33-29-90-90. Ouv jusqu'à 2h le w-e. Brunch 115 Dk (15 €).* L'un des hauts lieux de la vie nocturne danoise. Les convives y affluent en début de soirée pour grignoter un bout, puis profitent ensuite du bar élégant, niché dans une vaste salle à l'atmosphère tamisée et décorée de toiles contemporaines, pour siroter de bons cocktails au son de la musique électronique. Chic mais détendu.

Square *(plan II, A-B4,* ***111****) : Halmtorvet 18. Brunch 105 Dk (13,50 €).* Voisin du *Café Carlton,* avec qui il partage le même type de clientèle. Bon bar à cocktails où se rassemblent des trentenaires assagis dans un cadre épuré et élégant et où les lustres semblent être l'unique touche classique, toutefois un peu chargée. Agréable terrasse chauffée.

À Nørrebro

Voici quelques cafés-restos qui sont également de bonnes haltes pour une mousse onctueuse.

Barcelona *(plan II, A1,* ***112****) : Fælledvej 21. Resto ouv 11h-22h (petite restauration 60-100 Dk, soit 8-13 €). Le bar ferme entre 2h et 5h selon soirs. Fermé dim-lun.* Un endroit aux multiples facettes, où l'on vient surtout en soirée pour écouter les prestations de différents DJs, un verre à la main. Possibilité de grignoter au bar quelques petites choses en cas de creux intempestif. Sympa uniquement le week-end, en semaine c'est absolument désert.

Pussy Galore's *(plan II, A1,* ***78****) : Sankt Hans Torv 30. Tlj 9h-23h.* Dans ce lieu design et chaleureux à la fois, on aime bien cette terrasse en fin d'après-midi, quand la jeunesse du quartier s'y retrouve après les cours ou le boulot, ou alors carrément plus tard, quand cette même jeunesse est retournée chez elle se doucher et se changer, et vient ici pour entamer la soirée sur le bon pied. En revanche, ne pas se laisser tenter par une cuisine trop irrégulière.

Sebastopol *(plan II, A1,* ***78****) : Sankt Hans Torv 32. Tlj jusqu'à 1h (2h jeu-sam).* Grande brasserie à l'allure parisienne (encore !). Fort agréable, un peu chic, très fréquentée aussi bien par les familles que par les jeunes branchés. Menu en français. On peut également se poser là pour satisfaire un petit creux.

Dans le quartier d'Østerbro

Dag H *(plan I, H5,* ***109****) : Dag Hammarskjölds Allé 36-40. Lun-jeu 10h-23h, ven-sam 10h-minuit, dim 10h-21h.* L'adresse par excellence des amateurs de café (pas offerts !). La carte détaille l'éventail des provenances, dont les noms exotiques laissent deviner les subtils arômes. Aux murs, quelques trophées et une poignée de tentures primitives accompagnent idéalement la dégustation. Agréable terrasse pour profiter du soleil l'après-midi. Boutique attenante.

À Christiania

Le Woodstock *(plan II, D3,* ***113****) : dans l'allée centrale, sur la gauche.* Dans une sorte de baraque en bois, entièrement peinturlurée. Clientèle margeo, rescapés des années 1960, « pochtrons » invétérés, intellos refaisant le monde, jeunes plus piercés qu'un morceau d'emmenthal, et quelques épaves, échouées sur le sable de Christiania, la coque en mille morceaux. C'est ici le dernier endroit où ils trouvent un peu de chaleur.

Nemoland *(plan II, D3-4,* ***114****) :* c'est une vaste esplanade extérieure tout au bout de l'allée centrale, avec colonnades et statues grecques. Prix des consos très démocratiques. Les soirs d'été, un grand feu de bois. Concerts de temps en temps.

Où écouter de la musique ?

Beaucoup de concerts de rock, jazz, soul, funk et autres à Copenhague. Voici quelques établissements spécialisés dans l'accueil de groupes divers et variés. Ce sont souvent aussi des bars évidemment, et parfois des boîtes certains soirs de fin de semaine. On le dit quand c'est le cas. L'entrée est toujours payante quand un groupe se produit.
Et n'oubliez pas le festival de jazz tous les étés !

♩ ***Copenhagen Jazz House*** *(plan II, C3,* ***120****)* **:** *Niels Hemmingsensgade 10. • jazzhouse.dk • Concerts gratuits jeu 20h30 ; 60-200 Dk (8-26 €) selon calibre du groupe ven-sam à partir de 21h30 ; voire d'autres j. en sem (se procurer le programme ou appeler). À partir de minuit ven-sam, la boîte ouvre ses portes. Entrée : env 50 Dk (6,50 €).* Un temple du jazz. Bar au rez-de-chaussée et grande salle bien arrangée au sous-sol. La musique est globalement jazz (ben voyons !), elle peut être aussi blues ou soul, mais jamais de techno (la techno, ça soûle !), et l'ambiance est plutôt branchée. Beaucoup de monde, et des styles très divers malgré tout. Des gens comme Herbie Hancock sont passés ici (pas le même prix !). La grande boîte de jazz de la ville.

♩ ***Mojo Blues Bar*** *(plan II, B3,* ***121****)* **:** *Løngangstræde 21C. ☎ 33-11-64-53. Musique tlj 20h-5h (se procurer le programme). Entrée payante lors des concerts : 50 Dk (6,50 €). 20h-22h, la pinte de bière baisse de 50 %, mais le concert proprement dit ne débute qu'à 21h30.* C'est le seul vrai bar de blues au Danemark. Une sorte de caf'conc' minuscule où l'on vient entre amis applaudir des formations blues, soul, blues-rock, zydeco ou autres dans une belle ambiance intime. Amateur de musique de qualité, voilà un bout de salle intime parfait pour vous, aux murs couverts de photos noir et blanc de *blues men.* On y est heureux, serrés comme des sardines et fumés comme des harengs.

♩ ***Drop Inn*** *(plan II, B3,* ***122****)* **:** *Kompagnistræde 34 ; à l'angle de Hestemøllestræde. ☎ 33-11-24-04. • dropinn.kbh.dk • Ouv 11h-5h. Entrée gratuite tlj (ce qui est tt à fait notable) sf ven-sam, où le prix reste raisonnable : 25-40 Dk (3-5 €).* Cette adresse aurait pu figurer dans « Où boire un verre ? » puisque c'est avant tout un café moderno-baroque avec bois, bougies et déco œcuménique (bouddhas, icônes orthodoxes). S'y produisent, tous les soirs entre 22h et minuit, des formations blues-rock, funk et plus si affinités.

♩ 🍸 ***Hvide Lam*** *(plan II, B2,* ***123****)* **:** *Kultorvet 5.* Sur cette petite place croquignolette en diable, il faut ouvrir l'œil pour repérer cet échantillon de vieux troquet, bardé de bois, modestement éclairé, qui accueille tous les soirs autour de 20h30 (sauf lundi) une formation de jazz tendance New Orleans (gratuit), autour de laquelle viennent se réchauffer les habitués et quelques touristes qui ont su flairer un lieu qui parle avec son cœur. Si un vent frais vous glace les sangs dehors, sûr qu'à l'intérieur vous serez réchauffé pour un bon moment.

♩ ***Stengade 30*** *(plan II, A1,* ***124****)* **:** *Stengade 18. • stengade30.dk • Dans le quartier de Nørrebro. Ouv 18h-22h. Concerts jeu-sam vers 21h. Entrée payante selon qualité du groupe (moins de 80 Dk, soit 10,50 €).* Dans une maison rouge taguée selon les pointillés, un peu en retrait de la rue, encore un lieu alternatif qu'il fait bon explorer. Bonnes vibrations et musique très variée. Après les concerts, comme tous les lieux dans le même genre, on y danse, on y danse...

♩ ***Loppen*** *(plan II, D3,* ***87****)* **:** *Bådsmandsstræde 43. Prix d'entrée très variable suivant les groupes. À Christiania, dans les mêmes locaux que le resto* Spiseloppen, *après l'entrée principale, juste à droite. Concerts tte l'année sf de juil à mi-août, mer-sam vers 21h.* Né avec la création de Christiania. Grande salle au 2e étage, avec parquet et poutres. Après les concerts, les vendredi et samedi, ça fait boîte.

♩ ***Vega*** *(plan I, G7,* ***125****)* **:** *Enghavevej 40. • vega.dk • Âge min de 20 ans pour l'entrée.* Au pied d'un horrible immeuble des années 1960. Prix d'entrée en fonction des groupes. L'un des clubs les plus en vue de la capitale où se produisent les meilleurs groupes et les plus talentueux DJs du moment. Certains magazines spécialisés le considèrent même comme l'un des 5 meilleurs endroits de la planète pour écouter les performances des DJs ! Rien que ça ! Musique très variée, de la zizique électronique aux jazz-bands. Vaste espace, plusieurs salles de concerts, des bars, etc.

♩ **Café Rust** *(plan II, A1,* ***128****) : dans le quartier de Nørrebro. Voir « Où danser ? ».*

Où écouter encore de la musique ?

C'est en 2000 que Mærsk Mølle, capitaine de l'industrie navale, décide d'offrir un opéra à Copenhague, qui en manque cruellement. Tout est réuni pour une belle œuvre. Des fonds (3 milliards de couronnes !), un architecte, H. Larsen, qui a le vent en poupe, un site idéal sur le port. Mais très vite les exigences du magnat (je paie donc je décide) se heurtent au monde politique, artistique et aux Danois. In fine, le torchon brûle même avec son ami architecte. Le « toaster » (surnom du bâtiment) sera finalement inauguré en janvier 2005... sans Larsen qui n'a pas voulu porter le toast !

Pour les concerts plus « officiels », on peut acheter les billets au bureau situé à gauche de l'entrée du Tivoli. *Lun-ven 12h-19h, sam 12h-15h. Vente de billets de concerts rock et de théâtre pour le jour même à 50 %.*

Opéra, musique classique

Opéra *(Det Kongelige Operaen ; plan II, D2) : Ekvipamestervej 10. ☎ 33-69-69-69. • operaen.dk • Bus n° 66, ou* Ⓜ *Christianhavnstorv (puis 1 km à pied), ou même le Waterbus (service assuré les j. de représentation).* Opéra d'architecture hyper-moderne et de répertoire classique. On vous rassure, même si l'architecte se nomme Larsen... l'acoustique est à couper le sifflet !

Tivoli *(plan II, B3) : Vesterbrogade 3. ☎ 33-15-10-12. • koncertsalen. tivoli.dk • Billetterie à gauche de l'entrée principale du parc. Ouv en sem 9h-20h, w-e 10h-20h.* Nombreux concerts classiques, comédies musicales, groupes renommés. Assez cher, mais d'excellente réputation.

The Royal Theatre *(det Kongelige Teater ; plan II, C2) : sur Kongens Nytorv. ☎ 33-69-69-69. Réduc de 50 % sur les billets achetés le j. même après 17h, au théâtre même. Moitié prix pour les moins de 26 ans si l'on achète les billets 2 sem à l'avance.* L'équivalent de notre Comédie-Française. Pièces de théâtre (en danois !) et ballets (en partage avec l'opéra).

♩ **Citykirkene :** *• citykirkerne.dk •* Site répertoriant les nombreux concerts classiques dans les églises de la capitale. De bonne qualité et souvent gratuits.

Où danser ?

Après les bars, les boîtes sont l'autre lieu de rencontre favori des Danois. Allez-y tôt les vendredi et samedi (avant minuit) car, après cette heure, des files d'attente impressionnantes se forment devant l'entrée et il n'est pas rare d'attendre 1h. Tout cela se fait néanmoins dans un ordre impeccable, l'atmosphère y est bon enfant et les resquilleurs sont rapidement ramenés à l'ordre. Le jeudi est également un bon soir. Pas mal de monde, mais ce n'est pas la cohue de la fin de semaine.

Là encore, certaines des adresses que l'on donne sont parfois aussi des bars et des lieux de concerts. À Copenhague, rien n'est exclusif et tout est interchangeable.

♫ 🍸 ♩ |●| **Park Café** *(plan I, G5,* ***126****) : Østerbrogade 79. ☎ 35-25-16-61. • park.dk • Au nord du centre, quartier d'Østerbro dans le complexe du stade.*

Boîte au 1er étage ouv jeu-sam 23h-5h. Payant ven-sam soir : 50 Dk (6,50 €). Attention, âge min requis 18, 20 ou 22 ans selon j. Ce lieu multiforme, qui date de 1926, était déjà conçu pour des bals et des réceptions ! Au rez-de-chaussée, un bar vaguement second Empire (grands lustres et tableaux) avec resto très chic plein de nappes blanches, assez cher. La clientèle s'en déverse à partir de 23h dans la giga-boîte : plusieurs pistes, bars... elle ouvre même sur une terrasse très agréable lorsqu'il fait beau et qui donne sur la pelouse du stade. Si, si ! Musique *R'n'B 90's*, latino... c'est selon la salle et le jour. Lieu très prisé par la jeunesse. Imaginez ! Avec bars, boîtes, restos, concerts, terrasse...

♫ ***Rust** (plan II, A1, **128**) : Guldbergsgade 8. Mer-sam 21h-23h (concert sans limite d'âge) puis 23h-5h (boîte de nuit pour les plus de 21 ans). Compter 50-60 Dk (6,50-8 €) ; gratuit jeu.* Encore un lieu multiforme, avec 3 bars sur plusieurs niveaux, une salle de concerts et un sous-sol où l'on danse également chaudement. Une adresse populaire, lieu de rendez-vous de tout le quartier. Récapitulons : un bar, des groupes, des DJs, des jeunes qui gigotent et de la bière. Génial, non ?

– La ***Gothersgade*** est la rue du centre-ville qui concentre boîtes de nuit et cafés mode à défaut d'être branchés. Pas terrible, juste de quoi impressionner la jeunesse. Le secteur des physionomistes qui se croient à « Niou Yorque » alors qu'ils ne sont que de méchants « ouvre-boîtes » à Copenhague. Ils font le tri entre le gras et l'ivresse, pour finalement laisser pénétrer... les plus... les moins... bref, on n'a pas vraiment compris qui pouvait entrer !

♫ ***Nasa** se situe dans le complexe culturo-commercial **Baron Bolten's Gaard** (Bolten's, plus simplement ; plan II, C2, **129**), Gothersgade 8.* Au bout d'une série de courettes en enfilade où, au milieu de vénérables maisons retapées, se mêlent des structures modernes et une curieuse fontaine murale. C'est très chicos et donc pas forcément pour vous (cravates et pantalons à pinces pour monsieur, tailleur coordonné pour madame). À fuir.

Où sortir encore ?

Cinémas

La plupart des cinémas se trouve dans les environs de Rådhuspladsen, la place de l'Hôtel-de-Ville : ils passent surtout des nouveautés. Prix assez élevés, surtout le week-end. Jetez un œil au cinéma *Palads*, sur Axeltorv, ce bâtiment rose, bleu et orange (!) au milieu des cafés, face à l'indicateur de consommation d'eau des Copenhagois (objectif : descendre à moins de 110 l par personne et par jour ; allez, courage, encore une petite bière !).
Voici quelques cinoches plus « art et essai », passant souvent des films francophones et parfois moins chers. Pas mal de festivals en été, quelquefois en plein air. On vous rappelle qu'au Danemark, tous les films sont en v.o. sous-titrée !

■ ***Gloria** : Rådhuspladsen 59. ☎ 33-12-42-92.* Pas mal de films français. Indépendants également, style Jarmusch.
■ ***Husets biograf** : Rådhusstræde 13. Dans Huset, au 2e étage. ☎ 33-32-40-77.* Bien dans l'esprit de « la maison ». Pas cher.
■ ***Grand** : Mikkel Bryggersgade 8. ☎ 33-15-16-11. Moins cher en sem.* Beaucoup de films francophones. Cafétéria sympa.

Achats (... ou visites !)

À vrai dire, on a failli mettre la plupart de ces adresses dans « À voir. À faire », tant les prix du design et de la porcelaine danoise pulvériseraient un budget de routard

moyen ! De toute façon, ce n'est pas toujours pratique d'emporter une chaise ou un service douze tasses dans son sac à dos ! Néanmoins, si ce ne sont pas des musées, ces magasins valent le coup d'œil. Donc, pour ne pas tout mélanger, on vous les met ici. Pour un petit souvenir, il reste toujours les marchés aux puces...
– Sur *Strøget,* on trouve beaucoup de magasins de design et d'objets d'art. Très chers, évidemment. En voici quelques-uns.

Royal Copenhagen *(plan II, C3,* ***140****) : Amagertorv 6. Lun-ven 10h-18h ; sam 10h-17h.* Possibilité de voir un peintre en porcelaine en action. Porcelaine d'une grande finesse de renommée internationale. Très beau, si l'on aime ça. *Les inconditionnels visiteront la manufacture, située à Smallegade 47, à Frederiksberg. ☎ 38-14-92-97. Bus n° 14. Visites guidées payantes en sem. Gratuit pour ceux qui ont la* CPH Card.

Georg Jensen *(plan II, C3,* ***140****) : Amagertorv 4. Mêmes horaires.* Argenterie hors de prix !

Dansk Møbelkunst : *Bredgade 32. Toujours dans le centre, mais hors de Strøget. Ouv 10h-18h (14h sam).* Grand choix de mobilier au design séduisant. Occasions à moitié prix, mais ça reste cher ! Le secteur abrite plusieurs boutiques dans le même genre ou spécialisées dans les années 1950-1960.

A.C. Perch's Thehandel *(plan II, C2,* ***141****) : Kronprinsensgade 5. Lun-sam 9h-17h30 (19h ven, 14h30 ou 16h30 sam).* La plus ancienne maison de thé d'Europe qui date de 1835. Cadre ancien et bonnes odeurs !

Les marchés aux puces *(loppemarked)*

Chaque sam, mai-sept, 8h-14h, sur Israels Plads. Bus n°s 14 et 5A depuis l'hôtel de ville. Bon, ce n'est pas vraiment l'idée que l'on se fait, nous, des puces. Les vendeurs se battent en duel... tout comme les acheteurs, d'ailleurs. C'est pourtant le plus grand.
Autres marchés aux puces sur Smallegade, au nord du parc de Frederiksberg (par le bus n° 14) et sur la Kongens Nytorv. Ouv sam mat en été. Sinon, la rue Ravnsborggade, dans le quartier de Nørrebro, abrite plusieurs brocantes spécialisées dans le petit mobilier et les objets d'occasion.

À voir. À faire

Copenhague offre de multiples visages, parfois opposés. Qu'y a-t-il de commun entre les froides constructions du centre et le quartier marginal de Christiania, entre les rues piétonnes bourgeoises et les quartiers populaires de Nørrebro ? Une ville finalement assez secrète, qui cache son jeu au premier abord, pour mieux se découvrir à celui qui sait l'apprivoiser.
– On rappelle qu'il existe une *CPH Card,* qui permet de visiter un assez grand nombre de musées et sites de la ville et même de la région de Copenhague. La carte est chère, les heures d'ouverture des musées assez limitées, et disons que seuls les marathoniens de la culture amortiront à coup sûr leur investissement. Certains lieux, en outre, ne proposent qu'une petite réduction avec la carte. Faites donc vos calculs avant de l'acheter. Concernant les musées et sites, on précise dans le texte quand c'est gratuit avec la *CPH Card* ou quand il y a des réductions grâce à celle-ci. Sinon, les prix des entrées sont malheureusement assez élevés. Il y a en revanche toujours des réductions pour les enfants, d'au moins 50 %, et le plus souvent la gratuité totale. Enfin, on rappelle que de nombreux musées proposent une journée d'entrée gratuite au cours de la semaine. C'est souvent le mercredi. L'excellente brochure liée à la *CPH Card* (disponible gratuitement à l'office du tourisme) vous fournit tous les prix, les heures d'ouverture, les modes d'accès au moindre petit musée de la ville. C'est un complément très utile à nos infos.
– Le magazine *Playtime* édité par *Use It* (en anglais) fourmille également d'infos pratiques et utiles. Pour toutes infos précises, allez les voir.

– À noter : une fois par an, en octobre, se déroule les Nuits culturelles *(Kultur Natten)*, pendant laquelle tous les musées (et les magasins) restent ouverts jusqu'à minuit, et les transports en commun sont gratuits.

LES QUARTIERS DE COPENHAGUE

Strøget et le quartier latin *(plan II, de B2-3 à C2)*

Centre névralgique de la ville, sa colonne vertébrale en quelque sorte. Des magasins de luxe, des boutiques d'artisanat, des cafés avec terrasse et la foule des grands boulevards. Hyper-touristique en été.

LES FLÂNERIES DU PROMENEUR PAS SOLITAIRE

Strøget : la flânerie en danois. Une institution en ce pays où est née la rue piétonne. Dans chaque ville, Strøget, c'est l'artère principale, celle où on se balade, où on « shoppe » dans les magasins, où on « choppe » dans les brasseries. Une seule et même voie, succession de rues aux noms différents. À Copenhague, Frederiksberggade, Vimmelskaftet, Amagertorv, Nygade, Stergade. Impossible de s'y égarer : y a qu'à suivre la foule.

Rådhus *(hôtel de ville ; plan II, B3)* **:** *sur la Rådhuspladsen, on ne peut pas le louper.* ☎ *33-66-25-82. Lun-ven 8h-17h. Accès gratuit au grand hall. Visite guidée (anglais) payante lun-ven 15h, sam 10h et 11h : 20 Dk (2,50 €).*
Construit à la fin du XIXe s, dans un style mi-Moyen Âge nordique, mi-Renaissance lombarde. On peut visiter gratuitement la gigantesque salle de réception Renaissance avec ses balcons et arcades. Entrée payante pour la salle où se trouve l'horloge astronomique mise au point par un serrurier entre 1943 et 1955. On peut s'abstenir de visiter les salles de réunion (visite guidée). Tour de 105 m de haut, d'où le panorama sur la ville est idéal.
Autour de la Rådhuspladsen, jetez un œil à l'hôtel *Palace* à la belle déco néo-Renaissance, aux deux Vikings ayant l'air de rentrer d'une beuverie, à la fontaine aux dragons et au baromètre, avec sa jeune fille à vélo (beau temps) ou au parapluie...
– En partant de Rådhuspladsen, Strøget traverse ***Gammeltorv*** et ***Nytorv,*** deux jolies places bordées de plusieurs maisons de styles baroque et Renaissance. Ne pas oublier de jeter un œil au charmant *Jorcks Passage,* au niveau du n° 42-44 de *Vimmelskaftet.* Plus loin, on longe l'***église du Saint-Esprit*** qui date de 1672. Demandez la brochure en français. Juste sur le côté, édifice gothique en brique avec pignons et créneaux. Ancien monastère, c'est l'un des deux édifices gothiques de la ville. Joli jardin avec tables en plein air.

Vor Frue Kirke *(cathédrale Notre-Dame ; plan II, B3)* **:** *sur Nørregade.* ☎ *33-14-41-28. Tlj 7h30-17h. Entrée gratuite.* Reconstruite en style néoclassique en 1829 après les bombardements de la ville en 1807 par les Anglais (fin août, début septembre, incroyable reconstitution de l'incendie : clocher en feu et projection de flammes très réaliste). Elle se distingue par son entrée particulièrement lourdingue. Toutes les statues de marbre sont de Thorvaldsen, c'est dire si c'est mastoc. Particulièrement ennuyeuse, mais on se consolera avec l'anecdote suivante : Thorvaldsen, l'orgueilleux, sculpta les statues de façon à ce qu'elles soient trop grandes pour les niches prévues par l'architecte Hansen ! C'est pour cette raison que celles-ci sont posées devant et non dedans ! Décoration intérieure peu intéressante à part ça, mais l'acoustique est extraordinaire. Surtout pour le répertoire sacré et autres concerts avec chœurs.
– Plus loin encore, au n° 6 d'Amagertorv, on trouve l'un des plus vieux hôtels particuliers de la cité, qui abrite la ***manufacture royale de porcelaine*** du XVIIe s – voir *Royal Copenhaguen* dans « Achats (... ou visites !) ». Beau pignon en escalier. Sur la Højbroplads, belle fontaine des Cigognes. À la fin de leurs études, les jeunes

sages-femmes viennent danser ici, car la légende raconte que les bébés y sont apportés d'Égypte par les cigognes. Toujours sur cette place, chouettes cafés en terrasse qui permettent de regarder les bateleurs. Le parcours s'achève par ***Østergade*** qui se souvient des intellectuels qui y vécurent : Andersen, Kierkegaard, Drachmann, Strindberg le Suédois...

🔭 ***Museum Erotica*** *(plan II, C2-3) :* *Købmagergade 24. ☎ 33-12-03-11. • museumerotica.dk • Non loin du Parlement. Mai-sept, tlj 10h-23h ; le reste de l'année, tlj 11h (10h ven-sam)-20h. Entrée chère : 99 Dk (13 €) ; aucune réduc pour personne, na ! Et surtout pas pour les enfants !*
Un musée de l'Érotisme à Copenhague ? Quoi de plus normal quand on sait que le Danemark fut le premier pays du monde à autoriser la pornographie, en 1968... C'est ce que rappelle l'une des nombreuses expositions permanentes de ce musée, qui retrace l'histoire de la sexualité depuis l'Antiquité au travers d'une riche iconographie allant des miniatures indiennes aux magazines pornos actuels. On est accueilli par un gros phallus ! On hésite ici entre l'hypocrisie d'un musée-prétexte et la présentation assez crue et finalement plutôt bien documentée de certaines réalités, fussent-elles dans un domaine qu'on aborde rarement hors de l'alcôve. On vous laisse juge. De nombreux thèmes sont ainsi évoqués, parmi lesquels la ceinture de chasteté, le libertinage au XVIIIe s, les premières photos, donc les premières photos pornos... françaises, ça va de soi, les cartes postales coquines (toujours françaises !) du XIXe s. Évocation de la prostitution à Copenhague, les pin-up américaines avec leurs gros seins, la vie sexuelle des peuples, toujours plus ou moins la même finalement, les premiers films pornographiques, les godemichés (d'une diversité qui laisse songeur), le sadomasochisme, mais aussi la psychologie (Freud trône ici en héros) et la sociologie au travers du fameux rapport Kinsey. Tiens, voyeur à mort, des petits panneaux témoignant de la sexualité (souvent déprimante) de quelques stars ou personnalités.
Un endroit qui n'a donc rien à voir avec un vulgaire sex-shop, même si la dernière salle présente un mur d'écran de films pornos hardos (*Ah !... yes, yes.* Oh !... oui, oui. *Ach !... ja, ja...* c'est selon la version !). Malgré tout, dans l'ensemble, ce panorama du sexe est traité sous un angle cul-turel, comme le rappelle cette phrase de D. H. Lawrence (l'auteur de *L'Amant de lady Chatterley*) mise en exergue du prospectus : « Il existe deux grands modes de vie : le religieux et le sexuel. » On vous laisse méditer là-dessus.

🔭🔭 ***Kongens Nytorv*** *(plan II, C2-3) :* le centre aristocratique de Copenhague. On y trouve des cafés célèbres, des grands magasins, l'hôtel d'Angleterre ainsi que :
– ***le théâtre royal :*** *du XIXe s ; visites guidées tlj 11h. Compter 75 Dk (10 €) ;*
– ***le palais de Charlottenborg :*** c'est l'un des monuments baroques les plus importants du Danemark. Construit à la fin du XVIIe s, il devint par la suite le siège de l'Académie royale des beaux-arts. Expos temporaires de temps en temps.

🔭🔭 ***Le quartier latin*** *(plan II, B2-3) :* quelques rues piétonnes autour de l'université et de la cathédrale. Belles maisons anciennes baignant dans des tons roses, rouges et pourpres.

– ***L'église Sankt Petri :*** *à l'angle de Nørregade et de Sankt Peders Stræde. Ouv mars-nov, mar-sam 11h-15h. Visite guidée sam 12h. Compter 25 Dk (3,20 €).* La plus vieille de la communauté allemande de la ville (XVe s) dédiée à saint Pierre et qui projette toujours dans le ciel sa belle flèche ouvragée.

– ***Regensen*** *(plan II, C2) :* *sur Købmagergade, à l'angle de Store Kannikestræde.* On découvrira ce qui est probablement la plus ancienne résidence universitaire au monde. Une longue façade de brique, très sobre, datant de la première moitié du XVIIe s. On peut essayer (si c'est ouvert) d'accéder à la charmante cour par la *Store Kannikestræde*. Au centre, un arbre où les anciens étudiants attachent un gant que les nouveaux doivent venir saluer. Coutume très ancienne. Atmosphère toute provinciale et estudiantine à la fois.

– **Rundetårn** *(tour ronde ; plan II, C2)* **:** *Købmagergade 52A. ☎ 33-73-03-73. Ouv 10h (12h dim)-20h en été, 17h oct-mai. La lunette astronomique est accessible au public dim 13h-16h (de mi-juin à juil), mar et mer 19h-22h (oct-mars). Grimpette : 25 Dk (3,20 €) ; gratuit avec la* CPH Card. *Brochure en français.* Cette grosse tour du XVIIe s est le plus ancien observatoire d'Europe en activité. Rampe d'accès en spirale de 209 m absolument unique ! Elle fait plus de sept fois le tour de la partie centrale. Pierre Ier de Russie y serait monté à cheval suivi du carrosse de la tsarine tiré par six chevaux. De là-haut, belle vue sur la ville, certainement l'une des plus belles. L'endroit servit d'observatoire aux astronomes de l'université. Petit musée à la mémoire de l'astronome Tycho Brahé (voir la rubrique « Personnages » dans « Danemark : hommes, culture et environnement »).

– Tout le quartier a un petit charme désuet, propice aux balades nocturnes sentimentales. Voir la petite place ***Gråbrødretorv*** *(plan II, C2-3),* avec ses pavés, ses vieilles maisons ocre, rouge et vert, ses terrasses animées et son gros platane au milieu. Le vendredi et le samedi soir, grande et sympathique animation due aux restaurants qui bordent un côté de la place.

Autour du château de Christiansborg *(plan II, C3-4)*

¶¶ ***Slotsholmen*** *(îlot du Château)* **:** ensemble de bâtiments constituant le cœur historique de la ville et entouré de canaux. Jetez un petit œil aux originales sculptures sous l'eau, sous le pont d'Højbro au nord-ouest. À la fondation de la ville par Absalon, on construisit le premier château en ces lieux en 1167. On entre par une grande place à laquelle on accède par le Frederikholm Kanal. Au centre, statue équestre de Christian IX, premier roi de la dynastie de Glücksburg. On l'appela le « Beau-père » de l'Europe car la plupart de ses filles et fils devinrent roi ou reine d'un pays européen. Autour de la grande place, les écuries et les manèges. Tout cet ensemble est d'une froideur architecturale... certaine.

¶ ***Le château de Christiansborg*** *(plan II, C3)* **:** *entrée par la cour centrale (c'est indiqué). ☎ 33-92-64-92. Mai-sept, visites guidées obligatoires, en anglais 11h, 13h et 15h. Le reste de l'année, mar, dim 15h. Durée : 1h. Entrée : 60 Dk (8 €) ; gratuit avec la* CPH Card. *Possibilité de visiter les salons de réception.* Construit en 1745, le château brûla à plusieurs reprises et fut reconstruit dans la foulée. D'origine, il ne subsiste aujourd'hui que les deux ailes baroques du manège. Le reste du bâtiment, du début du XXe s, est de style néobaroque peu inspiré. On peut y voir les nombreuses salles de réception de la reine, clinquantes et froides. Ancien lieu de couronnement des monarques (qui ont renoncé à cette cérémonie depuis la constitution au XIXe s), le palais est désormais la résidence du Premier ministre, qui reçoit la reine pour certaines réceptions ou la signature des lois. À part les beaux parquets et quelques toiles rappelant les grandes étapes historiques de la royauté, l'ensemble n'a rien de palpitant. On révise les dynasties danoises. Pour les rois, deux prénoms à retenir : Christian et Frederik... après, il suffit de faire suivre les numéros (ce sont les maths qui rattrapent l'histoire) ! En numéro VII, Christian, qui aura régné 42 ans. À noter enfin, un ensemble de tapisseries des Gobelins particulièrement modernes, aux couleurs vives, à la facture naïve, parfois pleines d'humour. Et aussi la très belle bibliothèque de la reine (avec mini-ascenseur en angle, très chic).

¶ ***Folketinget*** *(Parlement danois)* **:** *dans la même enceinte. Visite juil-sept tlj 14h, oct-juin dim 14h.* Intérêt très limité.

¶ ***Slotsforvaltning*** *(ruines du château)* **:** *sur la grande place, entrée sous les arcades. Mai-sept, tlj 10h-16h ; hors saison, fermé lun. Entrée : 40 Dk (5,20 €) ; gratuit avec la* CPH Card. On voit, au sous-sol de la tour, les ruines de l'enceinte Absalon et des quatre châteaux ayant précédé celui-ci. Beaucoup de vieilles pierres... pas très parlantes. Visite non indispensable.

Teatermuseet *(musée du Théâtre)* **:** *Christiansborg Ridebane 18, dans la 1re cour du château, sous les arcades, sur la droite quand on fait face à la statue équestre.* ☎ *33-11-51-76.* • *teatermuseet.dk* • *Mar-jeu 11h-15h, w-e 13h-16h. Entrée : 30 Dk (4 €) ; réduc ; gratuit avec la* CPH Card. *Demander la brochure en français.* Que l'on s'intéresse au théâtre ou pas, ce musée situé dans le vrai théâtre royal est passionnant : collections de costumes, souvenirs d'acteurs célèbres du XVIe s à aujourd'hui. On y retrace toute l'histoire du théâtre danois. Salle superbe, intime, tout en bois. Très nombreuses photos, gravures, portraits de grands artistes, maquettes de scènes, affiches anciennes. Jolie loge royale. Oh, tenez, un truc marrant ! Allez donc faire un tour sur la scène, légèrement en pente pour accentuer la perspective. On peut y actionner une étrange machine à faire du vent et une autre rappelant le bruit d'une mitrailleuse.

– Les édifices suivants se trouvent sur l'îlot, hors de l'enceinte du château.

L'ancienne Bourse *(plan II, C3)* **:** *sur Børsgade. Ne se visite pas.* L'une des plus jolies constructions de la ville, œuvre commandée par l'inévitable Christian IV. Notez les pignons ouvragés et la haute flèche composée de quatre queues de dragon, qui dessinent en se torsadant une incisive de narval. Elles symbolisent les quatre royaumes des pays nordiques et la torsade marque leur union indissoluble ! Ce fut d'abord un marché (chaque petite porte donnait accès à un artisan spécialisé), puis une Bourse avant que celle-ci ne soit déménagée il y a quelques dizaines d'années. C'est aujourd'hui une chambre de commerce.

Holmens Kirke *(église de la Marine ; plan II, C3)* **:** *Holmens Kanal. Face au Parlement, de l'autre côté du canal. Tlj sf dim 9h (12h sam)-14h. Entrée gratuite.* Cette église possède trois particularités. Sa nef fut construite pour forger des ancres de marine, puis fut transformée en église pour le personnel naval ! Elle n'a pas de tour-clocher, car son fondateur (Christian IV) voulait pouvoir admirer toute sa flotte depuis le château. Enfin, c'est ici que Margrethe II s'est mariée avec son Français de prince consort... Style Renaissance hollandaise. Pupitre en bois très travaillé.

Thorvaldsensmuseum *(musée Thorvaldsen ; plan II, C3)* **:** *Bertel Thorvaldsens Plads 2.* ☎ *33-32-15-32.* • *thorvaldsensmuseum.dk* • *Entrée sur le côté droit. Tlj sf lun 10h-17h. Entrée : 20 Dk (2,60 €) ; réduc ; gratuit avec la* CPH Card *et mer pour ts. Audioguide en anglais gratuit.* L'ensemble du musée est dédié au plus grand sculpteur danois : Thorvaldsen (1770-1844), pétri de classicisme. D'abord, le bâtiment : une curieuse réplique de temple gréco-romain construite du vivant de l'artiste mais renfermant en son centre son tombeau. Ensuite, les œuvres de Thorvaldsen (des copies, souvent), fortement inspirées par quarante années passées à Rome et, la plupart du temps, considérablement ennuyeuses, il faut bien le dire. Enfin, au 1er étage, les collections personnelles du sculpteur : antiquités grecques et égyptiennes, de très fins camées (qu'on observe à la loupe) et quelques toiles de contemporains danois. Tout autour de l'édifice, sur les murs extérieurs, les frises de plâtre racontent l'installation des sculptures et leur transport dans le musée.

Slotskirke : *entrée par la grande place à l'extérieur de l'enceinte du château. Visite slt dim 12h-16h. Entrée gratuite.* À côté du château, on peut jeter un petit coup d'œil à l'église privée de la reine. Toute blanche avec sa façade néoclassique massive et sa coupole assez basse. Bon, pas palpitant.

Tøjhusmuseet *(musée de l'Arsenal ; plan II, C3)* **:** *Tøjhusgade 3.* ☎ *33-11-60-37. Tlj sf lun 12h-16h (10h juil-août). Entrée : 40 Dk (5,20 €) ; gratuit pour les moins de 17 ans et avec la* CPH Card. Dans un bâtiment construit vers 1600 est exposé tout ce qui a trait à l'histoire militaire du pays, du XVe s à nos jours. Sur deux niveaux dans un gigantesque entrepôt, des armées de mannequins à la *Barry Lindon,* de chevaliers en armure style *Excalibur,* de canons qui tonnèrent et de fusils à la poudre d'escopette. Réservé aux amateurs de capes et d'épées ou de fers croisés...

Den Sorte Diamant *(bibliothèque royale ; plan II, C3-4)* **:** *søren Kierkgaard-plads 1. ☎ 33-47-47-47. ● kb.dk ● Ouv lun-sam 8h-22h. Entrée gratuite, mais expos à l'étage payantes.* L'extension moderne de la bibliothèque royale (surnommée *le Diamant Noir*), inaugurée en 1999, est l'œuvre des architectes Morten Schmidt, Bjarne Hammer et John F. Lassen. Ce mastodonte noir en verre et granit poli du Zimbabwe est comme posé sur l'eau. Bon, si l'aspect extérieur de ce bloc sombre nous semble un peu massif, l'intérieur est pas mal quand même. Surprise, la lumière inonde l'espace. Ça donnerait presque envie d'être studieux ! La transition entre la nouvelle et l'ancienne bibliothèque est, quant à elle, joliment réussie. Petit coup d'œil aux anciennes salles d'étude, patinées, avec leurs alignements de box en bois.

Dansk Jødisk Museum *(Musée juif danois ; plan II, C3)* **:** *Proviantpassagen 6. ☎ 33-11-22-18. ● jewmus.dk ● À l'arrière de la bibliothèque royale. Ouv juin-août mar-dim 10h-17h ; sept-mai, mar-ven 13h-16h, w-e 12h-17h. Entrée : 40 Dk (5,20 €) ; gratuit avec la* CPH Card. Passé une porte façon coffre-fort, on entre dans la maison d'Amenophis (Asterix et Cléopâtre) : planchers en pente, murs biseautés, angles aigus, vitrines traversantes... une architecture déstabilisante de Daniel Libeskind. L'expo est un témoignage de la foi juive sur le sol danois au travers d'accessoires quotidiens ou rituels. Voir les beaux objets de culte en or et argent, beaux châles de prière... On y apprend la tolérance danoise qui permit d'éviter les lois antijuives de l'occupant allemand (1940) et même une audacieuse opération d'évacuation (en Suède neutre) d'envergure à la veille de rafles prévues par les Allemands en 1943. 7 800 juifs filèrent sous la moustache d'Adolf, échappant ainsi à une mort quasi certaine (voir la rubrique « Histoire » dans « Danemark : hommes, culture et environnement »).

Nationalmuseet *(Musée national ; plan II, B-C3)* **:** *Ny Vestergade 10. ☎ 33-13-44-11. ● natmus.dk ● Dans une rue qui donne sur Frederiksholms Kanal. Tlj sf lun 10h-17h. Entrée gratuite. En travaux jusqu'à mi-2008.*
Musée gigantesque et admirable, très moderne, intelligemment aménagé. Les salles sont numérotées et on trouve de bonnes explications en anglais. La collection retrace grosso modo l'histoire du Danemark, du fond des âges à nos jours (10 000 ans !), sous toutes ses formes. C'est non seulement la mémoire du pays qui est réunie ici, mais aussi celle d'autres contrées, puisque le musée abrite d'importantes pièces ethnographiques, d'antiquités proche-orientales, romaines, égyptiennes, grecques et italiennes.
Parmi les plus passionnants, le département de la préhistoire danoise (on est au Danemark, non ?). La section de l'âge du bronze est particulièrement riche, avec des armes, des objets sacrificiels, de remarquables boucliers, des cercueils et des vêtements très bien conservés, découverts dans des tourbières, enterrés là souvent par superstition. Un superbe chariot solaire en or : 14 siècles av. J.-C., on croyait que le soleil était tracté dans sa course sans fin par un attelage.
Grande section sur la période viking. Ce qui impressionne ici, c'est l'exceptionnelle qualité des objets présentés. Superbes salles consacrées aux pierres runiques (inscriptions gravées dans la pierre, indiquant l'auteur et le destinataire du message). Et puis, en vrac, vous verrez de magnifiques hanaps revêtus d'or sculpté, deux chaudrons retrouvés... pleins de pièces (ceux d'*Astérix et le chaudron* ?), une horloge médiévale dont le contrepoids est un gros galet suspendu par une corde, le magnifique intérieur d'*Almenborg* ou le lit de *Clausholm* magistralement sculpté, des retables, puis une étonnante petite table couverte d'un motif très ancien qui fait très moderne : pour décrypter l'image, il faut l'admirer au travers d'un miroir cylindrique (le peintre a dû s'amuser).
Enfin, une belle collection regroupe du mobilier et des intérieurs danois du milieu du XVIIe au milieu du XVIIIe s : objets domestiques, vaisselle, meubles d'excellente facture et vêtements. Voir les superbes tapisseries des rois. Il en reste quinze, dont huit sont exposées ici. Ne pas oublier le second étage qui expose le Danemark de 1660 à nos jours... c'est instructif, musical, ludique, bien fait, vivant : chapeau !

La section ethnographique s'avère également très complète, passant en revue une bonne partie de la planète, notamment les Inuits, l'art indien, chinois, africain... Superbes objets et parures.
Un musée décidément exceptionnel.
Si vous êtes avec des petits, ne manquez pas la section enfants, le ***Children Museum,*** un mini-musée très pédagogique qui leur est réservé et où ils peuvent toucher, tirer, se déguiser, bref, expérimenter.

Le Musée national propose également la visite de **Klunkehjem Museum** *(maison aux Pompons), une demeure victorienne située à deux rues de là. Entrée gratuite aussi. En juil-août, visites guidées (en anglais) jeu-dim 12h, 13h, 14h et 15h. Le reste de l'année, slt le w-e, aux mêmes horaires.* Il s'agit d'un vaste appartement bourgeois ayant appartenu à deux vieilles filles, et la déco s'en ressent terriblement. Sombre, kitsch et encombré d'une multitude de bibelots. D'ailleurs, la maison s'appelle « aux Pompons » car il y en a partout.

Danish Design Centre *(centre danois du Design ; plan II, B3)* **:** *HC Andersens Boulevard. ☎ 33-69-33-69. • ddc.dk • Tlj sf lun-ven 10h-17h (21h mer), w-e 11h-16h. Entrée : 50 Dk (6,50 €) ; gratuit pour les moins de 12 ans, avec la* CPH Card, *et pour ts mer à partir de 17h.* Trois niveaux dédiés à ce que compte de plus fou le design scandinave, ou à ces objets devenus familiers mais modernes en leur temps (le couteau suisse, la deux-deuche...). Des fringues aussi, un rayonnage de supermarché surréaliste. On trouve ça un peu chérot : allez-y quand c'est gratuit ou prenez le temps de flâner en ville, vous en verrez autant dans les magasins.

Tivoli *(plan II, B3-4)* **:** *Vesterbrogade 3. ☎ 33-15-10-01. • tivoli.dk • Plusieurs entrées. De mi-avr à sept, dim-jeu 11h-23h (minuit juin-août), ven-sam 11h-0h30. Entrée assez chère : 75 Dk (9,80 €) ; 40 Dk (5,20 €) pour les enfants 3-11 ans ; un peu moins cher hors saison ; entrée gratuite avec la* CPH Card *mais les attractions sont payantes.* Pass *pour les attractions : 200 Dk (26 €).*
On adore inconditionnellement ou on fuit au grand galop ce parc d'attractions vieux de plus de 150 ans, le plus célèbre du pays, en plein centre, à côté de la gare. À la cadence de 4 millions de visiteurs par an, plus de 300 millions de badauds sont venus ici depuis 1843.
À l'époque, c'est un vrai visionnaire, Georg Cartensen, qui lança ce projet, vilipendé dans un premier temps par la presse qui y voyait un lieu de débauche. Heureusement pour lui, le roi de l'époque, Christian VIII, soutint son projet.
À Copenhague, l'ouverture du Tivoli marque le début du printemps, l'apparition des premiers T-shirts, même s'il ne fait que 10 °C dans les rues. Il y a des grandes roues, des tirs à la carabine, des montagnes russes, des parades, une grande scène avec des spectacles un peu ringards. On passe du palais moghol au pavillon chinois, aux étangs japonais, bordés d'attractions foraines qui donnent le frisson aux amateurs de sensations fortes. Le week-end, une balade familiale incontournable pour les habitants de la capitale. Très touristique mais aussi bon enfant avec vendeurs de barbe à papa, ballons, etc. Autant y aller le soir pour les illuminations et quand il y a un concert ou un feu d'artifice (en principe mercredi ou dimanche), ça rentabilise le prix ! On est surpris de découvrir autant de diversité de décors et de paysages sur un espace aussi restreint. Bien que toutes les attractions aient changé au fil des années, il en subsiste une, une seule qui tient le coup depuis le début : il s'agit d'un stand où l'on casse les assiettes de porcelaine avec des boules. Une véritable antiquité. Nombreux restos en tout genre : ils sont tous très chers mais on a bien aimé ceux qui jouxtent le lac (on se sentirait presque au calme !).
Tivoli possède également un musée dont l'entrée est payante et l'intérêt franchement limité. Concerts gratuits en été dans le Tivoli Concert Hall (attention aux files d'attente pour entrer dans le parc ces jours-là !). À noter, les animations d'Halloween début octobre et, à partir de mi-novembre, le grand marché de Noël.

ꝚꝚꝚ **Ny Carlsberg Glyptotek** *(plan II, B4)* **:** *Dantes Plads 7 ; à côté de Tivoli.* ☎ *33-41-81-41.* • *glyptoteket.dk* • *Tlj sf lun 10h-16h. Entrée : 50 Dk (6,50 €) ; gratuit avec la* CPH Card, *pour les mineurs et pour ts le dim.*
L'architecture de ce bâtiment mélange allègrement tous les styles « néo » dont ce superbe jardin d'hiver, avec la devise du clan Jacobsen, écrite en français : « Bien faire » et « Laisser dire »...
Le père Jacobsen, pour avoir abreuvé le monde entier de sa fameuse bière *Carlsberg,* s'est considérablement enrichi. Soucieux de « mettre l'art à portée de tous », il débute une œuvre de collection : antiquités, peinture, sculpture, que tous ses descendants perpétueront. Une philosophie familiale qui a fait de la Glyptotek (« collection de sculptures ») une expo privée digne de grands musées nationaux publics.
Une nouvelle aile accueille maintenant la peinture française. Très moderne, le bâtiment se fond à l'ancienne construction, avec ses lignes pures et ses puits de lumière qui lui confèrent une blancheur de sanctuaire dominé par une terrasse (vue sur Tivoli).
Trois ***Van Gogh*** se battent en duel, dont le très beau *Paysage de Saint-Rémy.* Belle série de bronzes de ***Degas.*** Bustes caricaturaux d'***Honoré Daumier.*** Et puis, en vrac : *Delacroix, Manet, Courbet, Corot, Toulouse-Lautrec, Bonnard, Picasso...* Et un tableau d'un certain Charles Chaplin, qui n'a vraiment rien à voir avec celui que l'on connaît ! Comme Louis-Gustave Ricard n'est pas représentant ès spiritueux. Quelques Rodin dans le musée : l'*Âge d'Airain* et *Saint Jean-Baptiste* ainsi qu'une copie du *Baiser.*
Ne négligez pas le riche département d'antiquités égyptiennes, grecques, romaines et étrusques. Collection d'animaux momifiés, dont un sarcophage de chat (les Égyptiens aussi étaient spécialistes en bière). Expo de peintures danoises dans l'autre aile, principalement datées du XIXe s. Avec d'intéressantes études (un même sujet vu par de jeunes peintres, qui passèrent un jour à la postérité). Faites une pause au délicieux café en bordure du jardin d'hiver. Concerts de musique classique gratuits à certaines périodes. « Bien faire » et « Laisser dire », merci M. Jacobsen.

UNE PENSION ALIMENTAIRE QUI A RAPPORTÉ

La collection de Gauguin se trouvent à la Glyptotek est probablement l'une des plus belles au monde. Il faut dire que Gauguin était marié à une Danoise, Mette-Sophie Gad. Après leur rupture, le peintre lui donna l'argent qu'il lui devait... en tableaux. Peintures, mais aussi bas-relief de bois sculpté et céramiques. C'est amusant de passer des paysages de neige de Pont-Aven aux chaudes couleurs tahitiennes... Grand routard, ce Gauguin !

Nyhavn (plan II, C-D2-3)

ꝚꝚꝚ L'un des quartiers les plus vivants de la ville ; l'été, un des plus fréquentés aussi. Succession de vieilles maisons, de part et d'autre d'un canal, investies désormais par le tourisme... Beaucoup de charme avec tous ces bateaux figés (dont un joli bateau-phare), la plupart pour toujours, bateaux-mouches exceptés. Les marins y viennent encore se mélanger avec la population du quartier et les touristes. Ça donne, dans les cafés, une ambiance très « dans le port de Copenhague, y a des marins qui se soûlent... », mais aussi plein de jeunes qui, le week-end, boivent dans une ambiance débridée malgré le succès « montmartrois » du lieu... Hans Christian Andersen vécut une vingtaine d'années au ***n° 67.*** Habiterait-il encore ici s'il était vivant ou déménagerait-il vers le quartier de Christianshavn, plus calme, plus préservé ? Nyhavn est aussi le quartier des tatoueurs.

➢ ***Possibilité de promenade sur les canaux et le port :*** deux sociétés se partagent le marché.

■ ***DFDS :*** *☎ 33-96-30-30.* • *canaltours.com* • *Départ principal de Nyhavn (mais il y a d'autres arrêts). Propose 2 tours guidés d'1h (en anglais ou allemand) : le* Gul tur *(tour jaune) et le* Rød tur *(tour rouge) 60 Dk (7,80 €) ts deux ; petite réduc avec la* CPH Card. *Ttes les 30 mn juil-août 10h-19h (17h sept-oct ; avr-juin) ; ttes les heures 10h-15h de nov à Noël.* Très touristique, mais permet d'avoir une vue d'ensemble de la ville. La compagnie propose aussi des bateaux-taxis qui parcourent les canaux : on prend un billet à l'heure et on monte ou descend à n'importe quel arrêt (pratique pour allier découverte à pied et balade sur l'eau).

■ ***Netto :*** *☎ 32-54-41-02.* • *netto-boats.com* • *Départ du quai devant l'église de Holmen. Durée : env 1h. C'est la moins chère. Prix : 30 Dk (4 €). Tlj avr-oct 10h-17h (19h juil-août).* Commentaires en plusieurs langues dont le français, mais vraiment, on n'a rien compris. Parfait pour une simple balade.

De Nyhavn à Kastellet *(plan II, C-D1-2)*

👁👁 ***La place Amalienborg*** *(plan II, D2)* **:** bel ensemble architectural très classique, composé de quatre palais du XVIIIe s entourant la place. Le palais de Christian IX est aujourd'hui celui de la reine. Quand celle-ci est à Copenhague, parade de la garde tous les jours vers 12h, et en musique lors des grandes occasions. Assez drôle, les uniformes font penser *au Petit Soldat de plomb,* et la relève n'est pas vraiment martiale.
Au centre de la place, statue équestre de Frederik V, fondateur de cette partie de la ville. Il voulait fêter en 1748 les 300 ans de la dynastie Oldenbourg sur le trône danois. Il donna alors quatre parcelles de terrain à quatre familles nobles pour faire édifier quatre palais, à condition qu'ils soient identiques. Ce qui fut fait. Réalisée par le Français Sally, la statue aurait coûté quatre fois plus cher que la construction des quatre palais ! Par ailleurs, le palais de Christiansborg, à quelques pâtés de maisons de là, ayant brûlé en 1794, on ne sut plus où loger la famille royale. L'État acheta donc deux palais puis les deux autres. Depuis, la famille royale a toujours habité ici. Une partie a été transformée en musée. Incroyable, tous ces palais sont construits sur pilotis !

👁👁 ***Le musée d'Amalienborg :*** *dans un des quatre palais bordant la place (celui devant et à gauche de la statue équestre quand on la regarde de face). ☎ 33-12-21-86. Bus nos 15, 19 et 1A. Mai-oct, tlj sf lun 10h-16h (11h le reste de l'année). Entrée : 50 Dk (6,50 €) ; gratuit avec la* CPH Card. Ce musée abrite la collection royale de la dynastie Glücksburg de 1863 jusqu'à 1947 (règne de Christian X). On a reconstitué certaines pièces et salons privés avec leur mobilier original. Onze salles en tout. En suite, le bureau de Frederik IX (jolie collection de pipes), celui de Christian IX décoré de nombreuses photos de famille, le salon de la reine Louise (plein de pompons et tentures, encombré de bibelots), la salle à manger de Christian X avec son milieu de table en argent (allégorie de Neptune), la salle de Frederik VIII, de style Renaissance. Le bureau de Christian X est également intéressant, avec sa collection d'armes. Et aussi une collection de costumes et d'objets personnels. Rococo-kitsch à souhait.

👁 ***Marmorkirken*** *(église de Marbre ; plan II, D2)* **:** *Frederiksgade 4. Lun-jeu 10h-17h (18h mer), ven-dim 12h-17h. Sommet du dôme : 25 Dk (3,25 €).* A battu un record danois de durée de construction. Commencée en 1749, elle ne fut achevée qu'en 1894. Forme circulaire et coupole de 45 m de hauteur. Nombreuses statues de personnages célèbres tout autour. Sinon, pas grand-chose à voir. Ah si ! La vue sur Amalienborg du haut du dôme. On peut y grimper en été, tous les jours à 13h et 15h très précisément.
À côté, sur Bredgade, la petite *église russe Alexandre-Nevsky* et ses trois coupoles dorées.

Den Kongelinge Aftøbningssamling *(collection royale de moulages ; plan II, D1)* **:** *Tolbodgade 40. ☎ 33-74-84-84. Mer 14h-20h (17h dim). Entrée gratuite.* En 1896, l'éléphant danois de la bière (Carl Jacobsen) a créé cette improbable collection de moulages de sculptures célébrissimes. Ces vrais faux étaient destinés à l'époque aux étudiants en beaux-arts et à tous ceux qui n'avaient pas les moyens de parcourir le monde et ses musées. Drôle de panthéon que ces Grecs, Romains, têtes de Louis XVI (sans plaisanter), Vénus de Milo, Jeune Homme à l'épine, David... Un bric-à-brac hétéroclite de la sculpture pour réviser ses classiques.

Danske Kunstindustrimuseet *(musée des Arts décoratifs ; plan II, D1)* **:** *Bredgade 68. ☎ 33-18-56-56. • kunstindustrimuseet.dk • S-tog : Østerport. Ⓜ Kongens Nytorv. Bus nos 15, 1A et 19. À deux pas du palais d'Amalienborg. Tlj sf lun 11h (12h w-e)-17h. Les collections concernant la période entre le Moyen Âge et le début du XIXe s n'ouvrent qu'à partir de 11h. Entrée : 50 Dk (6,50 €) ; gratuit pour les mineurs, avec la* CPH Card *et mer pour ts.* Agréable cafétéria, on peut déjeuner à l'extérieur.
Le bâtiment est un ancien hôpital du XVIIe s conçu par l'architecte d'Amalienborg. La cafétéria et le hall d'entrée sont dignes du design danois : sobres et réussis.
La collection de ce musée concerne les arts décoratifs, les arts appliqués et le design industriel, du Moyen Âge à nos jours. La visite se fait dans un ordre chronologique et nous emmène en Chine, au Japon, en Europe, pour une petite leçon de goût et de couleur. Porcelaines chinoises du XVe s, tapisserie de la manufacture de Beauvais, verres de Venise du XVIIIe s, Art nouveau français (chaise Majorelle, vases Gallé)... pour finir par le design danois du XXe s avec ses fameuses lampes Poul Henningsen, et un aperçu des principales tendances et phases de son développement. Finalement, ce musée retrace l'histoire des influences des arts décoratifs du monde entier sur le design danois. Plutôt intéressant. Espace interactif pour les enfants.

Vers le Kastellet et la Petite Sirène *(plan II, D1)*

Frihedsmuseet *(musée de la Liberté)* **:** *Churchillparken. ☎ 33-13-77-14. • natmus.dk • Au nord-est du centre. S-tog : Østerport. Bus nos 15, 1A, 19... Mai-sept, tlj sf lun 10h-17h (15h oct-avr). Entrée gratuite.* Intéressant pour avoir un aperçu du rôle des Danois lors de la Seconde Guerre mondiale, dont le sauvetage de la communauté juive (voir la rubrique « Histoire » dans « Danemark : hommes, culture et environnement »). Textes et vidéos traduits en anglais, mais exposition un peu statique. Ce pan de l'histoire danoise n'est pas sans intérêt quand on sait que le pays renonça à sa neutralité après la guerre et qu'aujourd'hui, un débat est en train de s'ouvrir sur le bien-fondé de laisser défiler certains groupuscules néonazis danois au grand jour.

Kastellet *(plan II, D1)* **:** en se dirigeant vers la Petite Sirène, on longe une ancienne citadelle en étoile, entourée de canaux. C'est aujourd'hui un grand parc agréable où sont encore casernés des militaires, mais l'accès est libre. À voir, l'église de Saint-Alban (fin XIXe s), celle du Kastellet et le moulin qui servait à fabriquer du pain en cas de siège.

De Lille Havfrue (Petite Sirène ; plan II, D1) **:** *située au bord de l'eau, un peu au nord du centre, accessible à pied (à côté de Kastellet). Sinon, en bateau, départ de Gammel Strand ou de Nyhavn ttes les 30 mn, dès 10h ou via le Waterbus. Sympa, mais on ne voit la sirène que de dos.* Perchée sur son petit rocher, elle fut sculptée par Edward Eriksen au début du XXe s ; c'est le proprio des brasseries Carlsberg (encore !) qui en fit l'acquisition pour la mettre là. Avant de venir la voir, sachez qu'elle est toute petite et assez peu impressionnante. C'est pourtant le symbole, l'image de marque du pays, comme le saucisson à Lyon, le Coca aux États-Unis, la tour Eiffel à Paris et la tour de Pise en Italie. Elle vous attirera certainement de son joli chant. Comme tous les touristes et amoureux transis qui échouent ici, même le soir. Sachez que la pauvre sirène a subi bien des attaques et des profanations au cours de sa vie placide. Décapitée dans les années 1960 comme on décapite le symbole du pouvoir, elle fut également plusieurs fois bombée, mais toujours nettoyée et rebichonnée. Assez drôle, aucune carte postale ne le montre, mais, en arrière-plan, de l'autre côté du bras d'eau, de vilaines usines et des dépôts de gaz lui servent de décor.

Autour de Rosenborg (plan II, C1-2)

Rosenborg Slot (château de Rosenborg ; plan II, C2) **:** entrée sur Øster Volgade 4A. ☎ 33-15-32-86. • rosenborgslot.dk • S-tog : Nørreport. Depuis la gare, bus n°s 5A, 6A. Château et salles du trésor ouv tlj mai-oct 10h-16h (17h juil-août) ; horaires restreints mar-dim le reste de l'année (11h-14h ou 15h, en général). Entrée : 50 Dk (6,50 €) ; gratuit pour les mineurs et avec la CPH Card.
Au milieu d'un grand parc, cet édifice Renaissance du XVIIe s est entouré de douves. C'était le château préféré de Christian IV et de ses enfants, leur résidence d'été et de campagne, à la distance faramineuse de... 2 km de Christiansborg... On peut aujourd'hui encore marcher sur ses traces et y flâner gratuitement, ou boire un coup à sa santé à la terrasse de la cafétéria à l'entrée sur la droite. Pour la visite, demander le feuillet en français. Il détaille les différentes salles qui abritent toutes les collections royales d'art, de joyaux et d'orfèvrerie depuis Christian IV jusqu'à Frederik VII (1863), soit plusieurs siècles. Une dynastie de souvenirs.
Les murs y accueillent des tableaux familiaux et tapisseries bucoliques. Le mobilier est admirable, salons baroques ou Renaissance d'une richesse incroyable qui permet de voir l'évolution des styles. Intéressant cabinet de travail de Christian IV (tout petit, donc plus facile à chauffer) et salon d'hiver couvert de tableaux sombres encastrés dans les boiseries (collection unique d'art néerlandais). Entre autres merveilles, le salon de marbre au plafond baroque à mort et ses incroyables maquettes de bateaux, la chambre du roi, la salle de Frederik IV (tendue de superbes tapisseries des Gobelins). Certaines pièces sont couvertes de faux marbre, d'une richesse et d'une lourdeur incroyables. Cabinet des bronzes. Série d'objets de toute beauté (coupes, maquettes, bibelots, céramiques, horloge astronomique, table marquetée en argent...). Voir encore, au 2e étage, la *grande galerie* avec son trône en dents de narval et ses tapisseries du XVIIe s. Toujours dans cette salle, une alcôve minuscule où est conservée toute la vaisselle royale et une autre abritant une étonnante collection de verreries (cabinet des verreries).
Mais il ne faut pas quitter le musée sans voir les ***salles du trésor,*** au sous-sol, gardées comme tous les « joyaux de la Couronne » qui se respectent. On peut y admirer l'épée de Christian III de 1551 et le plus ancien insigne de l'ordre de la Jarretière. Le joyau reste évidemment la couronne de Christian IV, pièce Renaissance unique entièrement filigranée d'or, datant de la fin du XVIe s. Incrustations de statuettes allégoriques des vertus – supposées – d'un bon roi. Et puis encore des bijoux, parures royales, cannes, épées, parures équestres, boîtes et maquettes de navire en ivoire ciselé, médaillons et diadèmes. Autant d'objets inestimables à ne pas manquer.

Le jardin botanique (Botanisk Have ; plan II, B1-2) **:** Gothersgade 128. ☎ 35-32-22-40. S-tog et Ⓜ Nørreport. Bus n°s 5A, 6A, 14. Mai-sept, tlj 8h30-18h (16h le reste de l'année sf lun). Entrée gratuite. Des milliers de plantes de toutes les latitudes, mais surtout du Nord (Danemark, îles Féroé, Groenland, Islande). Énorme serre blanche en fer forgé où l'on peut déambuler sous la coupole à 5 m du sol, au-dessus de la mini-jungle, dans la chaleur et le parfum des forêts de... l'African Queen. Parc très agréable.

✪✪✪ ***Statens Museum for Kunst*** *(musée des Beaux-Arts ; plan II, C1)* **:** *Sølvgade 48-50.* ☎ *33-74-84-94.* • *mk.dk* • *Accès par la partie moderne à l'arrière du bâtiment. Demander le plan à l'entrée. Tlj sf lun 10h-17h (20h mer). Entrée gratuite pour le fonds permanent.*

L'un des plus importants musées de Copenhague. À notre avis, le plus beau. Le musée s'est enrichi en 1998 d'un bâtiment moderne qui s'est superbement accouplé à l'ancien. Comme les Danois savent le faire, un vaste espace blanc, lumineux à l'extrême, avec de larges baies vitrées donnant sur un espace de verdure, est venu compléter la partie traditionnelle. Près de cent salles sur deux étages, où est présentée une brillante sélection de peintures et sculptures danoises, scandinaves et européennes de très haute tenue.

Au 2e étage, remarquable département de toiles du « siècle d'or hollandais » (XVIIe s), disposées comme à l'époque tout en hauteur (jumelles à dispo pour distinguer les détails). Quelques Rubens. Peintures des XVIIe et XVIIIe s d'artistes scandinaves. Également bel assortiment de l'âge d'or danois (XIXe s), surtout l'école de Skagen, que l'on peut schématiquement comparer à notre école de Barbizon pour l'homogénéité du groupe. Une peinture danoise brillamment représentée. Sans oublier l'exceptionnelle collection de Matisse, dessins et tableaux éblouissants de couleurs.

La nouvelle aile est consacrée à la peinture moderne et à l'art contemporain en général. Sans entrer dans les détails de chaque salle, signalons les toiles de Vilhelm Lundstrøm et d'Asger Jorn, très créatif, avec son monde labyrinthique. Des petites salles intimes pour accueillir la folie de quelques Munch et de superbes Braque. Plus loin, des Rouault assez diaboliques. Emil Nolde est aussi très présent, avec ses sujets qu'on croirait issus des contes de fées danois. Quant aux vastes espaces emplis de lumière, ils présentent des mises en scène originales, accrochages déments, humoristiques ou loufoques, qui laissent souvent pantois. Dans le grand hall du bas, d'intéressantes sculptures. Section consacrée au dessin et aux arts graphiques en général. Travail de recherche intéressant.

✪✪ ***Hirschsprungske Samling*** *(collection Hirschsprung ; plan II, C1)* **:** *Stockholmsgade 20 ; dans le parc d'Østre Anlæg.* ☎ *35-42-03-36.* • *hirschsprung.dk* • *Au nord-ouest du centre. S-tog jusqu'à Østerport ou Nørreport, ou, mieux, nombreux bus (nos 6A, 14, 40, 42, 43...) jusqu'à Sølvtorvet ; proche du Statens Museum for Kunst et du jardin botanique. Tlj sf mar 11h-16h. Entrée : 50 Dk (6,50 €) ; gratuit pour les moins de 16 ans, avec la* CPH Card *et mer pour ts.*

Dans un beau parc, une jolie maison bourgeoise du début du XXe s, spécialement conçue pour abriter une collection privée de peintures danoises du XIXe s et du début du XXe s. Riche marchand de tabac, Heinrich Hirschsprung fit don de sa collection à l'État danois. Le musée est ouvert au public depuis 1911.

Une mosaïque en forme de feuille de tabac accueille les visiteurs à l'entrée. Mobilier d'époque le plus souvent dessiné par les artistes. Âge d'or danois, avec Eckersberg (entre nous, assez pompier), Købke et les autres. L'école de Skagen est bien représentée également. Beaucoup de luminosité chez Krøyer avec une magnifique *Promenade sur la plage au clair de lune.* Des scènes d'intérieur intimistes alternent avec des paysages à la luminosité typique des ciels danois.

Nørrebro et Østerbro *(plan I, G-H5 et plan II, A-B1)*

✪ Quartier ouvrier au nord de Copenhague, qui ne présente d'intérêt que pour les amoureux des rues populaires et des petits cafés chaleureux où l'on se serre les jours de pluie et pour tous ceux qui veulent voir vivre les Danois sans fard ni artifices... ***Elmegade*** est l'une des artères principales du quartier. On y trouve nombre d'antiquaires et de magasins d'occasion. Dans les rues autour, cafés, boutiques de disques, squats, immeubles éventrés. Les HLM émergent d'îlots en pleine « restructuration » immobilière. Vous y rencontrerez beaucoup de jeunes de la *nå-generationen,* formule évasive qui signifie « ni oui ni non ». C'est la génération du chômage et du manque de perspectives.

La Blågårdsgade, ancien quartier industriel converti en rue commerçante, mène à la ***Blågårds Plads.*** C'est de là que partent toutes sortes de manifestations : écolos, pour le vélo, contre la violence, etc. C'est un lieu de rassemblement, que ce soit pour boire un café ou préparer une manif !

D'une place vivante, passons à un cimetière : ***Assistens Kirkegård.*** *☎ 35-37-19-17. Bus nos 5A, 3 et 350S. Entrée par Kapelvej 2. En hte saison, tlj 8h-20h.* C'est un lieu étonnant où sont enterrés H. C. Andersen et le philosophe danois Søren... Kierkegaard (« cimetière », en danois...). De là à dire que cela a influencé le caractère de ce précurseur de l'existentialisme, ou son combat contre l'Église (*Kirke* en danois) ! En tout cas, les Danoises lui rendent hommage en venant bronzer ici seins nus en été, les joggeurs joggent, les poussettes se promènent au milieu des tombes, dans un lieu qui est autant parc que cimetière, avec ses vieux arbres et ses plantes poussant à tort et à travers comme dans une jungle...
– À l'est d'Østerbro et Vesterbro on trouve cinq lacs artificiels, fréquentés par les promeneurs, sportifs et autres joueurs de backgammon.

Vesterbro *(plan I, F-G7 et plan II, A-B4)*

C'est un quartier qui, depuis plus d'une décennie, poursuit une vaste réhabilitation. Situé derrière la gare, ce coin des immigrés et des exclus reçoit de plus en plus de cars de touristes, puisque la plupart des grands hôtels accueillant des groupes se situent dans le secteur. Avec ses sex-shops florissants, il a un côté Pigalle, en nettement moins touristique. C'est aussi le quartier des petits restos populaires pas chers, souvent « ethniques ». La rénovation du lieu a attiré de nouveaux restos plus chic, et une harmonie entre les gargotes d'hier et les façades d'aujourd'hui s'est tranquillement créée, à la manière danoise, sans heurts.

Københavns Bymuseet *(plan II, A4) : Vesterbrogade 59. ☎ 33-21-07-72. Tlj sf mar 10h-16h (21h mer). Entrée : 20 Dk (2,60 €) ; gratuit pour les mineurs, avec la* CPH Card *et ven pour ts.*
Devant le musée, dans la cour, belle maquette en terre cuite de la ville telle qu'elle était au XVIe s. Le rez-de-chaussée traite de la période comprise entre le Moyen Âge et le milieu du XIXe s : maquettes des monuments les plus importants de la ville, gravures, livres anciens, costumes... Infos sur les différents corps de métiers dans l'histoire. Très intéressante maquette : Copenhague en 1660, avec un système de repères lumineux, comme les vieux plans de métro à Paris. On retrouve aussi toute l'histoire de la ville au travers de vieilles enseignes de bois ou pierre, de jolies salles aux plafonds de stuc, une belle collection de toiles, véritable mémoire photographique de la Copenhague ancienne. Au sous-sol, une métaphore : ce qu'on est censé trouver sous la ville et les bas-fonds, la débauche... et puis l'éclairage urbain, les canalisations, les abris de guerre, évocation des cimetières, des ordures et des maisons de passe.
Gonflé d'avoir placé là le petit monde de la débauche urbaine. Pas très délicat pour les péripatéticiennes ! Plus on monte, plus on grimpe dans les siècles, avec tout en haut le XXe s et bientôt le XXIe s. C'est le plus intéressant, le plus vivant, presque une boutique de décoration ! Véritable inventaire à la Prévert avec quantité d'objets oubliés au fond de nos mémoires pour certains, juste abandonnés pour d'autres, absolument inconnus aux yeux des plus jeunes... Marrant. Effets sonores sympas tout au long de la visite. Minuscule section consacrée à Kierkegaard : quelques effets personnels, une gravure de lui, portraits, bouquins...

Les brasseries Carlsberg *(Visitors Centre and Jacobsen Brewhouse ; plan I, F7) : Gamle Carlsbergvej 11. ☎ 33-27-13-14. • visitcarlsberg.dk • Visite possible mar-dim 10h-16h. Entrée : 40 Dk (5,20 €).*
Tout d'abord, l'édifice principal, le siège historique avec ses grandes cheminées de brique grise, est assez dément, véritable mélange de « kitscherie » néo-Renaissance. Quatre énormes éléphants de pierre supportent le porche. Ils représentent les quatre enfants du fondateur de la brasserie.

Dommage, on ne visite plus les cuves (du début du XXe s) mais on suit un parcours historico-didactique et interactif avec documents sur la fondation Carlsberg, enseignes du passé, publicités... Pas vraiment palpitant. Également des informations sur les anciens procédés de fabrication et les conditions de travail il y a un siècle. En vrac, on apprend que Carlsberg et Tuborg sont deux bières d'une même compagnie et que c'est la septième brasserie du monde. À la fin, une dégustation gratuite des différents produits de la firme... limitée à deux demis par personne pour éviter... hic !... les abus !

LA MONTAGNE DE CARL

Au fait, savez-vous pourquoi « Carlsberg » ? Tout simplement parce que le fils du patron trouvait que l'usine de papa occupait ce qu'il voyait comme une montagne (en fait, une colline de quelques dizaines de mètres). Le bon père (Carl Jacobsen) nomma ainsi le site et sa bière Carlsberg, « la montagne de Carl ».

Christianshavn *(plan II, D3)*

C'est encore un autre visage de Copenhague. Loin de Nyhavn, hyper-touristique, Christianshavn possède des canaux paisibles, sans resto tous les 10 m, plein de bateaux, beaucoup d'air et quelques adresses sympas pas tape-à-l'œil. Ça n'a jamais été un quartier branché, ni ostensiblement contestataire. En fait, un bon équilibre entre Christiania la rebelle, à deux pas, et le centre suractif de Strøget, avec en point de mire le magnifique clocher en colimaçon de Vor Frelsers Kirke. Le bruit des mouettes donne au quartier sa dimension maritime. Les canaux bordés de petites maisons basses et d'entrepôts, où les bateaux se balancent doucement, renvoient au gentil surnom du quartier : la Petite Amsterdam... La nonchalance des apéros sur les ponts de ces mêmes bateaux pousse à entamer la conversation sur la différence entre le schnaps et le pastis. Dans cette ambiance, les résidents ne s'y trompent pas et viennent se faire quelques grillades, ou apportent leur pique-nique sur les tables et les bancs du quai. Rien ne vous empêche d'en faire autant, s'il reste de la place... Et si l'appel de l'eau est le plus fort, louez une barque à la buvette *Bådudlejning,* face au n° 29 de Overgaden Neden Vandet, ouverte tous les jours l'été 11h-minuit. Quelques rafiots de quatre personnes, bien sympa. Sur le quai pavé bordant l'eau, vous découvrirez de beaux hôtels particuliers et d'anciennes demeures d'armateurs et puis, de l'autre côté du grand canal, l'architecture décoiffante de la bibliothèque royale. Tout un programme pour qui n'en a justement aucun. Car Christianshavn possède le charme rugueux d'un ancien quartier de pêcheurs fiers et libres... et d'une population légèrement en marge, sans le crier sur les toits.

Orlogsmuseet *(plan II, D3) : Overgadenoven Vandet 58. ☎ 33-11-60-37. • orlogsmuseet.dk • Mar-dim 12h-16h. Entrée : 65 Dk (8,70 €) ; réduc ; gratuit mer.* Un petit musée plaisant dans un ancien hôpital, consacré essentiellement à la marine de guerre danoise. Belles maquettes du temps des bateaux à voile : constructions navales, scènes de batailles, instruments de navigation et même la reconstitution d'un sous-marin ou d'une cabine de bateau. Complet et bien chaloupé.

Vor Frelsers Kirke *(plan II, D4) : Sankt Annægade 29. ☎ 32-57-27-98. Bus nos 2A, 66, 8... Concerts assez souvent. Tlj 11h (12h dim)-15h30 ; avr-août, tlj 11h-16h, 20h certains j. en été. Entrée : 20 Dk (2,60 €) ; gratuit avec la* CPH Card. *Documentation en français. Fermée pour travaux en 2008.* Église de style baroque fin XVIIe s qui mérite une visite. C'est ce superbe clocher doré, avec escalier en colimaçon extérieur, dont la flèche surmontée d'un « homme sur le globe » mesure 90 m de haut, qu'on aperçoit où que l'on soit. À l'intérieur, fraîchement restauré, autel de style baroque italien en marbre et en bois, et remarquable buffet d'orgues de la fin du XVIIe s (supporté par deux éléphants). La visite vaut surtout pour ces deux pièces. Possibilité de grimper en haut de la tour et de bénéficier d'une belle vue sur le port. On vous conseille cette superbe grimpette impressionnante, avec

400 marches qui se rétrécissent au sommet. Ceux qui souffrent de claustrophobie et de vertiges s'abstiendront. Une légende (à moins que ce ne soit un racontar !) dit que l'architecte, s'apercevant que les escaliers tournaient dans le mauvais sens, se serait jeté du sommet. On espère qu'il savait qu'il avait bâti une église...

Christians Kirke *(plan II, C4) : Strandgade 1. ☎ 32-54-15-76. Concerts assez souvent. Tlj 9h-17h (sf office). Entrée gratuite.* Cette église a des allures extérieures de sa presque voisine (Vor Frelsers). Mais elle vaut de s'attarder sur son surprenant intérieur. Construite sous Frederik V par l'architecte d'Amalienborg, elle abrite plusieurs niveaux d'étranges loges qui surplombent l'autel. Au niveau du sol, un parterre de bancs... lieu de culte ? Théâtre ? On peut se poser la question. D'ailleurs, des messes s'y célèbrent, et de nombreux concerts s'y donnent !

Christiania *(plan II, D3)*

Christiania est un ancien quartier militaire qui s'insère dans Christianshavn et dont l'entrée principale est sur *Prinsessegade.*
Expérience innovante d'exploration de nouvelles formes de vie sociale née il y a 40 ans, Christiania est toujours debout, mais sa survie est régulièrement remise en cause par les autorités. Et puis, de l'intérieur, l'idée de départ s'est effritée avec le temps et beaucoup de rebelles d'alors ne vivent plus ici ou se sont rangés à une vie tout à fait normalisée. Le bateau prend l'eau mais continue de naviguer. Installez-vous, on vous narre le conte de Christiania (qui n'est pas d'Andersen).

Des débuts prometteurs

En 1971, l'armée abandonne une caserne située à Christianshavn. 22 ha de terrain, des bâtiments en dur, des hangars, des rues, le tout ceint par un muret, à deux pas du centre de la capitale : l'occasion est trop belle !
Un mouvement de squat s'opère et bientôt plusieurs centaines de jeunes occupent les lieux, retapent les bâtiments, créent des ateliers, des boutiques et mettent en place une forme de vie alternative. Les pouvoirs publics laissent faire et vont jusqu'à reconnaître la « ville libre de Christiania » en tant qu'expérience sociale pour trois ans. Après quelques années enthousiasmantes, Christiania connaît sa première crise lorsque le gouvernement, devant le problème préoccupant de la circulation de la drogue, veut stopper net l'expérience et expulser les occupants. Une large mobilisation, complétée de pétitions et culminant avec une manifestation de 30 000 personnes devant le Parlement, fait reculer la décision. En parallèle, les habitants de Christiania intentent des procès contre la décision d'expulsion. Quelques épisodes spectaculaires jalonnent ces années de lutte : l'occupation de la radio danoise (1973), une « Christianite » qui allaite son bébé en plein conseil municipal de la ville, la tournée « Love Sweden » pour répondre à la Suède qui accuse Christiania d'être une plaque tournante de la drogue en Scandinavie (1982).

Une démocratie chez les marginaux

La démocratie spécifique à Christiania fonctionne au niveau de l'atelier ou du district. Il n'y a pas d'administration centrale à proprement parler. Beaucoup d'habitants travaillent à l'extérieur, mais Christiania emploie une centaine de personnes. Ici, le droit d'utilisation supplante celui de propriété. Personne ne peut vendre sa maison ni la quitter plus de six mois. La vie collective à Christiania est ponctuée d'assemblées générales de quartier, seules instances décisionnelles. L'économie est organisée en coopératives de production ou de services. Une caisse commune répartit leurs bénéfices, venant en aide à celles qui sont déficitaires et recueille le loyer symbolique des 800 résidents. La moitié de cette somme est reversée à la municipalité de Copenhague pour l'amélioration du cadre de vie collectif. Si le rejet du système capitaliste est proclamé, la communauté survit, il faut le dire, grâce aux subsides de l'aide sociale et aux échanges commerciaux avec l'extérieur, le commerce de toute drogue étant désormais interdit.

La drogue, toujours la drogue

La drogue a toujours été plus ou moins associée à Christiania. La majorité des « Christianites » a œuvré en faveur de la disparition des drogues dures et des dealers sur leur territoire. Intéressante évolution, de nombreux panneaux ayant fleuri : « *Say NO to hard drugs !* » On trouvait, il y a peu encore, quelques dizaines de marchands sur l'allée centrale, vision surréaliste pour le touriste de base : pipes, narghilés et barrettes de shit ou sachets d'herbe. Avec des panneaux prometteurs « extra quality », « marocain premier choix »... Les autorités qui avaient jusqu'alors plus ou moins accepté cet état de faits ont décidé d'intervenir en 2005 pour interdire rigoureusement ce commerce de drogue douce. Ça se traduit désormais par des descentes de police régulières et des contrôles drastiques.

Et aujourd'hui ?

Ce que beaucoup redoutaient arrive : les habitants acceptent, la mort dans l'âme, un compromis avec la municipalité pour donner un statut légal au quartier et permettre des rénovations jugées nécessaires par les autorités. L'idée utopique d'abolition de la propriété privée est battue en brèche par la construction de 20 000 m² de logements mis en vente au prix du marché (un rêve qui rapporte gros aux tenants de l'immobilier, dans ce quartier stratégique). Et la propriété collective va être transférée à une association mixte chargée de toucher des loyers. En outre, si les « anciens » devraient garder un régime spécial, les nouveaux habitants paieront des taxes. Une réflexion encore plus « structurelle » se discute au Parlement. Christiania fait décidemment l'objet de toutes les attentions politiques !

Visiter Christiania

– ***Visite guidée :*** *de fin juin à fin août, visite guidée tlj à 15h ; le reste de l'année, w-e slt à 15h. Prix : 30 Dk (4 €) par tête. Point de rencontre env 50 m après l'entrée principale, sous le panneau de bois avec le drapeau de Christiania : trois ronds jaunes sur fond rouge*. Une visite guidée n'est pas indispensable pour s'imprégner du quartier, mais c'est un complément intéressant pour qui veut en savoir plus. Votre première visite sans guide devra se faire le soir, le choc n'en sera que plus grand.
Pour en savoir plus : ● *christiania.org* ● Site complet (version anglaise difficile d'accès).

Quelques impressions sur le quartier

Visite guidée ou pas, venir à Copenhague sans découvrir ce quartier, c'est passer à côté d'un aspect important de la mentalité danoise. On a ici une illustration concrète de la tolérance et du droit à la différence, inconcevable dans bien d'autres pays. Si la visite est intéressante sur le plan sociologique, il ne faut pas s'attendre à « voir » grand-chose. Tout est dans l'atmosphère, dans le mode de vie.
L'endroit donne l'impression d'un chantier inachevé, presque d'un bidonville. Il fut une période où l'on pouvait penser qu'à force de vouloir entretenir une culture alternative, de vivre coupés de la société danoise traditionnelle et de ses lois, les habitants s'étaient enlisés dans une vie sans lendemain. Il se dégageait de la balade à Christiania un malaise, un soupçon de regret en voyant que les choses avaient si peu évolué en un quart de siècle. Aujourd'hui, le quartier s'épanouit en cultivant sa différence plus qu'en en faisant une volonté isolationniste. Des créateurs, des artistes, des enfants, des familles vivent là, pas si mal que ça. Dans la zone « pavillonnaire » se retrouvent les plus anciens... Cabanes devenues maisons, agrémentées de beaux jardins aux plantes exotiques, un vrai petit paradis.
Christiania se compose d'un réseau de rues et de chemins où la voiture est bannie, d'entrepôts vides, d'ateliers d'artistes, de baraques de bois et de quelques boutiques vendant des productions locales, de petits restos et de chouettes troquets

(voir « Où manger ? » et « Où boire un verre ? »). D'ailleurs, après avoir fait un petit tour et traîné sans raison par les rues et les traverses, allez donc y manger un morceau ou y boire un coup. L'occasion d'engager la conversation et d'y faire des rencontres.

Les bâtisses joliment taguées portent des noms poétiques comme l'*île aux lapins,* la *maison banane,* le *tumulus nord,* l'*hélicoptère invisible,* l'*arche de paix,* ou nettement plus prosaïques comme la *rue aux dealers.* La partie la plus visible se trouve de part et d'autre de l'allée centrale. Ici, un atelier d'art y forge le fer : chandeliers, corbeilles de fruits... Pas mal. Là, on rafistole un vieux bateau ou on fabrique quelques bijoux, plus loin, on monte une pièce de théâtre. Le magasin de vélos vaut un coup d'œil (voir plus loin)... et puis, à l'abri de drapeaux pour le Tibet libre, dans bien des endroits, on ne fait rien. Car Christiania est aussi le paradis du farniente, un lieu où le premier droit est celui à la paresse. Si les activités principales visibles se concentrent autour de cette artère centrale, une bonne partie des Christianites habite tout au fond du quartier, de l'autre côté du petit lac.

New Age oblige, on y trouve aussi des lieux plus ou moins mystico-secrets, temples bouddhistes, école de formation aux sciences occultes et centres de méditation en tout genre.

Sachez enfin que le touriste (oui, vous, même avec votre *Guide du routard* !) est vu comme un voyeur. Ami photographe, vous n'êtes pas le bienvenu, de larges panneaux vous le rappellent. Respectez-les. Pas question de visiter des locaux ou des appartements (même si les cars entiers de touristes pourraient le laisser croire), sauf à lier connaissance avec un habitant ou avoir déjà un contact. Il n'est pas possible d'y planter sa tente ou d'y résider, il faut être clair là-dessus : Christiania n'a jamais créé de structure type AJ ou camping... faute de moyens techniques et sanitaires pour les milliers de visiteurs qui débarquent en été.

L'utopie et la réalité

On aurait envie de répertorier cette expérience dans le petit livre des utopies humaines. Quarante ans de lutte pour défendre sa différence. Un îlot alternatif dans le flot continu de la société danoise. Et pourtant, outre les descentes de police, les projets immobiliers de la commune, ce qui menace peut-être le plus cette communauté, c'est justement que cette différence est de moins en moins flagrante. Oui, il y a des artistes, de véritables écolos (bio pur jus), de sincères entreprises associatives de partage et de générosité (banques de vêtements gratuits dans les rues...). Mais seul un petit tiers des habitants vit encore dans la marginalité. Les autres amènent leurs gosses à la crèche puis vont bosser « normalement » dans les sociétés traditionnelles du « monde capitaliste », partent eux aussi en vacances et deviennent du coup des « citoyens » comme les autres. Les intérieurs cosy de certaines maisons sont dignes des pages glacées d'un magazine de décoration. Ils vivent comme tous les habitants de Copenhague, ou presque, mais sans débourser une couronne pour se loger, alors qu'autour d'eux les loyers ont flambé. Une partie des Danois trouve ça inacceptable.

À BICYCLETTE

L'atelier Smedien a mis au point un génial biclou familial en 1984. Un néo-triporteur à l'huile de genou équipé à l'avant d'une grosse caisse pour les gosses ou les courses (parfois même les deux). Il roule sa bosse dans toute la ville et c'est très sympathique. Autrefois assemblé à Christiania, il est désormais produit sur l'île de Bornholm pour faire face à la demande. Malheureusement, son prix est devenu pas populaire pour un sou (plus de 1 000 € !).

Et d'autres alertes internes peuvent inquiéter : un resto aux prix pour le moins élevés à la frontière entre les deux mondes. Des vélos rigolos et pratiques qui deviennent une industrie lucrativissime. Plus rien de bien alternatif !

Enfin, l'économie du tourisme met aussi les pieds dans le plat : bus, tours organisés, avec son million de visiteurs annuels, Christiania est le site le plus visité de Copenhague.
Selon certains, une occasion de préserver ce quartier en le faisant classer comme « héritage vivant ». Les Christianites accepteront-ils de faire partie d'une sorte de zoo ?
En attendant, quittons Christiania, avec ce mot humoristique visible au-dessus du portail principal : « Vous entrez dans la Communauté européenne »...

Holmen *(plan I, H6)*

Derrière Christianshavn et Christiania, cet espace fut libéré par l'armée. Seule la Marine nationale y a encore quelques secrets à garder, tout au bout du site... Pour accéder à Holmen depuis Christiania, poursuivre un peu Prinsessegade vers le nord. Peut-être pour éviter un nouveau Christiania, la municipalité a aussitôt récupéré ces dizaines d'hectares. Aujourd'hui, plusieurs grands projets sont sortis de terre : une école d'architecture, une autre de cinéma, une troisième de théâtre, un complexe de logements de luxe également. Le premier à avoir abouti : l'imposant opéra (voir « Où écouter encore de la musique ? »). On l'aperçoit du pont qui débouche sur la Torvegade, avec son toit immense et sa façade arrondie. Bref, une véritable nouvelle zone estudiantine et culturelle est en train de voir le jour.

COPENHAGUE

➤ DANS LES ENVIRONS DE COPENHAGUE

Ordrupgaard : *Vilvordevej 110.* ☎ *39-64-11-83.* • *ordrupgaard.dk* • *À Charlottenlund, assez loin au nord de la ville. Pas très facile d'y aller par les transports en commun. La station de train la plus proche est Lyngby, puis bus n° 388 de Lyngby Station vers Helsingør ; ou gare de Klampenborg, puis bus n° 388 vers Lyngby. Mar-ven 13h-17h (18h mer), w-e 11h-17h. Entrée : 70 Dk (9 €) ; gratuit pour les enfants, avec la* CPH Card *et pour ts mer. Ce musée est vraiment intéressant ; on ne veut pas que vous l'oubliiez.*
Fort de son succès, il abrite trop souvent des expositions temporaires qui empêchent malheureusement de voir l'expo permanente. Alors, renseignez-vous avant de partir aussi loin. Située au fond d'un parc admirable, dans un calme total, cette grosse demeure bourgeoise accueille une collection unique et absolument fantastique de tableaux impressionnistes, réunis ici au début du XXe s par un riche homme d'affaires qui venait souvent en France faire ses emplettes. Il était conseillé par des critiques d'art dans ses achats, mais suivait également son propre goût. La majorité de la collection se compose de peintures françaises de la fin du XIXe s et du début du XXe s et de la période de « l'âge d'or danois ».
Que de chefs-d'œuvre ! En vrac, *Le Moulin à vent* de Corot, les *Baigneuses* de Cézanne, quelques Courbet *(Les Falaises d'Étretat),* plusieurs Degas *(Danseuse ajustant son chausson, Chanteuse de café, Femme se coiffant...),* un admirable *George Sand* de Delacroix et puis quelques Gauguin, comme cet étonnant *Portrait de jeune fille...* et encore des Ingres, Manet, Matisse, Pissarro, Renoir, Rousseau... Parmi les Danois, notons Peter Hansen, Christian Købke, Johannes Larsen, Niels Skovgaard, etc. Mais on arrête là, et on vous laisse admirer tout seul. On le rappelle, un des plus beaux musées impressionnistes hors de France. Par ailleurs, parc superbe et petite cafétéria agréable.

Les plages : ne l'oubliez pas, Copenhague se trouve au bord de l'eau, et un peu plus au nord on trouve des plages où les Copenhagois(es) se précipitent dès que les beaux jours reviennent. De la gare, S-tog direction Helsingør, jusqu'à Klampenborg, puis la plage de principale de Copenhague : ***Bellevue*** (environ 25 mn). Beaucoup de monde en fin de semaine et l'été. En fait, une bonne partie de toute cette côte au nord de Copenhague est aménagée pour la baignade : langues de sable

artificielles, pelouses, kiosques, terrains de volley... Les soirs d'été et en fin de semaine, tout le monde vient là pour se baigner, improviser un barbecue de poche, se balader, se faire caresser par un rayon de soleil... vraiment une chouette atmosphère.
– Si vous préférez les grands espaces, il vous faudra aller plus loin sur cette même côte, jusqu'à ***Hornbæk,*** tout au nord de l'île de Sealand, où les plages sont immenses et superbes. Compter 1h en voiture et 1h30 par le train.
– Vers le sud-est et plus près du centre, la plage d'***Amager,*** juste au nord de l'aéroport.

Dragør : *prononcez « dragueur »... mais vous l'attendiez un peu celle-là ! Bref, si vous souhaitez changer un peu d'air (ou le prendre, tt simplement), ce charmant petit port de plaisance (et de liaisons avec la Suède) n'est qu'à 12 km env de Copenhague, au sud de l'aéroport. Bus n° 30 de Rådhuspladsen. En voiture, suivre la direction de l'aéroport ou l'E20.* Avec ses vieilles ruelles et ses maisons de marins colorées en jaune, on a déjà la sensation d'être dans un autre univers, campagnard et provincial. Disons que la transition entre Copenhague et le reste du pays est plus douce. Petit musée de la Ville sur le port.

Le resto du ***Dragør Strandhotel,*** *avec sa terrasse sur le port, propose de nombreux* smørrebrød *abordables jusqu'à 16h.* Pour les grosses faims, la *platte* permet de goûter à des harengs, du saumon, du fromage et de la viande.
Pour le dessert, faites comme tout le monde, payez-vous une de ces énormes glaces chez ***Dragør Is,*** juste à côté. Et léchez-la en regardant béatement les bateaux, comme un gosse !
Les budgets plus élevés peuvent aller au ***café Beghuset*** ou au ***Dragør Kro*** (fait également hôtel) qui se trouvent en retrait, dans les ruelles pavées du village, et possèdent des cours intérieures très agréables en été.

Arken Museum for Moderne Kunst *(musée d'Art moderne)* ***:*** *Skovvej 100, à* ***Ishøj.*** *☎ 43-54-02-22. • arken.dk • À 20 km au sud de la ville. Pour y aller : S-tog de la gare centrale vers Køge, arrêt à la station « Ishøj », puis bus n° 128. En voiture, prendre l'E20 et la sortie 26, puis suivre les panneaux « Arken ». Mar-dim 10h-17h (21h mer). Entrée : 50 Dk (6,50 €) ; gratuit pour les moins de 17 ans et avec la* CPH Card. Ce musée récent, éloigné, est déjà intéressant pour son architecture originale en forme de bateau tout blanc et son emplacement face à la baie de Køge. Vue magnifique de la cafétéria. Il vaut aussi par la polémique qu'il suscita lors de sa réalisation et de son ouverture : l'architecte n'avait pas encore son diplôme au moment du concours et la première directrice n'avait pas non plus la formation qu'elle prétendait détenir... Bref, le lancement du musée ressembla à sa situation : un bateau échoué ! Uniquement des expos temporaires. Toutes les formes d'expression y sont représentées, des plus « traditionnelles » aux médias modernes tels que la photo et la vidéo, les accrochages les plus farfelus ou intrigants... Des salles de concerts et de cinéma ultramodernes offrent régulièrement des spectacles en soirée.

QUITTER COPENHAGUE

En stop

Sachez qu'il vous faudra pas mal de patience. Le stop est interdit sur les autoroutes. Allez, bon courage !
Use It affiche des annonces de conducteurs prêts à vous embarquer contre une participation aux frais. À voir sur place.

En bus

De Copenhague, il existe des départs pour toutes les grandes villes européennes. À noter que pour Malmö, le train est bien plus rapide et moins cher.

*Ts les bus internationaux (*Eurolines *et autres compagnies) partent du* DGI-Byen *sur la Ingerslevsgade (plan II, B4,* **11***).*

■ ***Eurolines :*** *Reventlowsgade 8.* ☎ *33-25-12-44. Résa par téléphone ouv en sem 9h-17h, w-e 10h-14h. Bureaux ouv lun-ven 9h-17h, sam 10h-14h. On peut acheter des billets à cette adresse ou directement dans le bus.* Eurolines est la plus grande compagnie et la plus fiable pour les grands trajets. Liaisons pour Stockholm, Göteborg, Oslo, Amsterdam, Hambourg, Francfort, Berlin, Munich, Budapest, Prague, Cracovie, Varsovie, Bruxelles ou Paris.

En voiture et en car-ferry, vers la Fionie et le Jutland

Liaisons principales des ferries. Toutes ces destinations avec la compagnie *Mols Linien.* ☎ *70-10-14-18.* • *mols-linien.dk* •

➢ ***De Kalundborg*** *(Sealand)* ***à Århus*** *(Jutland)* **:** 2h40.

➢ ***De Odden*** *(Sealand)* ***à Ebeltoft*** *(Jutland)* **:** 1h40 (45 mn en *speedcraft,* mais plus cher).

➢ ***De Odden*** *(Sealand)* ***à Århus*** *(Jutland)* **:** 65 mn en *speedcraft,* mais plus cher.

En train

Liaisons pour de nombreuses îles danoises au départ de Copenhague (dont Odense via un tunnel de 7 km). Et, bien sûr, pour toute la Sealand. Trains réguliers pour Helsingør, Hillerød, etc. Le réseau étant vaste et complexe, s'adresser à la gare de Copenhague directement.

– ***Round the Sound*** *(Øresund Rundt)* **:** forfait combiné pour les transports dano-suédois, ferries et trains, autour de l'Øresund. Qui ne s'achète désormais qu'en Suède !

– ***Cartes Inter-Rail et Scanrail :*** permettent de bonnes réduc ; voir la rubrique « Transports. En train » dans « Danemark utile ».

Pour la Suède

Pour traverser l'Øresund, plusieurs possibilités.

En voiture

Le ***pont-tunnel,*** véritable merveille architecturale longue de 16 km qui relie Copenhague à Malmö (le plus long d'Europe). Payant dans les 2 sens : 260 Dk (33,80 €) pour un véhicule inférieur à 6 m. Le double pour un véhicule supérieur à 6 m. On peut payer en euros, en liquide. Depuis l'ouverture de ce pont, il n'y a plus de liaison par ferry à cette hauteur. Pour les ferries vers la Suède, voir ci-après.

En bateau (avec voiture)

➢ ***D'Helsingør*** *(nord de la Sealand)* **:** liaisons en ferry ou bateau vers Helsingborg en Suède, juste de l'autre côté du chenal, au point où il est le plus étroit. Trois compagnies se partagent le marché. Liaisons ttes les 30 mn env la journée, ttes les heures la nuit. Durée : 20-45 mn. Prix : 260 Dk (33,80 €) pour un véhicule inférieur à 6 m ; 530 Dk (69 €) pour un véhicule supérieur à 6 m. Idem au pont-tunnel ; gratuit avec la carte *Inter-Rail.*

En bateau pour les autres pays

Pour Oslo (Norvège) et Swinoujscie (Pologne), le terminal est au nord de Kastellet. Bus n° 26 ou navette DFDS *(gratuite pour les possesseurs d'un ticket de cette compagnie, 155 Dk, soit 20 € pour les autres).*

➢ ***Pour la Norvège*** *(Oslo)* **:** 1 liaison/j. à 17h. Arrivée à 9h le lendemain. Infos auprès de la *DFDS Seaways :* ☎ *33-42-30-00.* • *dfdsseaways.dk* •

➢ ***Pour la Pologne :*** ferries pour Swinoujscie avec la compagnie *Polferries (☎ 33-13-52-23)*. Quatre départs/sem. Durée : env 10h.
– De nombreuses autres connexions existent pour la Suède (Göteborg, Stockholm) et l'Allemagne (Berlin en bateau + bus). Se renseigner auprès de l'office du tourisme.

LA SEALAND

Une synthèse de tout ce qui caractérise le Danemark. Région de forêts et de lacs parsemée de châteaux construits par les rois du Danemark successifs, des églises superbes, des villas coquettes et une douceur de vivre. De Copenhague à Helsingør, la route 152 suit la Riviera danoise. En chemin, vous rencontrerez le parc aux cerfs de Klampenborg et le musée Louisiana. On passe devant des marinas où se serrent les bateaux de plaisance, de nombreuses plages, artificielles ou pas, et la route est bordée de demeures fleuries. Au sud on découvre les petites îles, notamment la charmante Møn et ses fameuses falaises plongeant dans la mer Baltique.

LA SEALAND DU NORD

S'il n'y a qu'une chose à voir au nord de Copenhague, c'est évidemment le musée d'Art moderne de Louisiana mais, sur le trajet, on peut d'abord s'arrêter à la maison de Karen Blixen, transformée en musée.

LE MUSÉE D'ART MODERNE DE LOUISIANA

Situé (en venant de Copenhague) un peu avt la petite ville de Humlebæk (à 34 km de Copenhague slt) et à 11 km au nord de Rungsted. ☎ *49-19-07-19.* • *louisiana.dk* • *Train régional pour Helsingør ttes les 10 mn. Trajet : 36 mn jusqu'à Humleback. Puis bus n° 388 (2 bus/h), arrêt « Louisiana ». Mar-ven 11h-22h, w-e 11h-18h. Entrée : 90 Dk (12 €) ; gratuit pour les moins de 18 ans et réduc riquiqui avec la* CPH Card. *Il existe un forfait train + musée intéressant. Se renseigner à la gare.*
Cela vaut vraiment la peine de s'y arrêter. Un des plus beaux musées d'Europe, consacré à l'art moderne mondial sous toutes ses formes. On y voit de tout, sans discriminations ni préjugés. Toutes les tendances sont ici représentées. Il y a bien sûr les collections permanentes, mais une bonne partie des activités du musée est aussi tournée vers de grandes expos temporaires, ce qui fait de Louisiana un peu le Beaubourg du Danemark au niveau du contenu, mais ouvert sur l'extérieur. Le musée se compose d'une succession de longues galeries de verre autour d'un parc face à la mer. On ne va pas passer en revue toutes les merveilles du musée, mais notons quand même quelques sculptures sur granit de Heerup, une importante collection de Giacometti, et de nombreuses réalisations, de toutes sortes, relatives à l'art moderne : peintures, esquisses, photos, mobiles, sculptures et objets en métal, art en mouvement, jeux de lumière, objets... Parmi les Danois, notons la section dédiée à Henry Heerup et ses montages de bois et assemblages divers, des œuvres de Robert Jacobsen, d'Asger Jorn ou encore Eiler Bille. Signalons aussi des Dubuffet, Bacon, Tapiés, Jean Arp, le *Pouce* de César... et de nombreux artistes du groupe Cobra (Karel Appel). Notons tout de même que le musée a décidé de faire tourner le stock énorme dont il dispose pour rendre celui-ci plus vivant, plus surprenant, encore et encore... Ne vous étonnez donc pas de ne pas retrouver toutes les œuvres citées !

En vous promenant sur les grandes pelouses ouvertes sur la mer, vous aurez l'occasion de dire bonjour à la chouette de Joan Miró et d'écouter le vent du large souffler entre les sculptures de Max Ernst et les mobiles de Calder. Un musée vraiment magnifique, agencé en totale harmonie avec la nature. Superbement imaginé ! Les expos temporaires peuvent parfois faire preuve de beaucoup d'audace, mais elles se révèlent toujours d'une grande qualité. Ici, on monte, on descend, on sort, on rentre, les salles se prolongent sur le dehors, contournent un bouquet d'arbres, semblent plonger jusqu'à la mer... La nature et l'art, finalement si proches et si opposés par essence, n'ont jamais atteint une telle harmonie. À la fin de la visite (ou entre deux sections), on peut se relaxer sur les grandes pelouses face à la mer en contrebas. Il y a même des chaises longues et une cafétéria accueillante, face à la mer.

– Et puisque Louisiana fête l'art au sens large, sachez que la salle de concerts accueille tous les mercredis soir (en général) d'excellentes formations qui se produisent, en été, en extérieur. Divin !

– Enfin, une section est destinée aux enfants. Vous pourrez initier votre progéniture à l'art (mais oui !) grâce aux nombreux ateliers (peinture, sculpture, construction...). Des ordinateurs sont également connectés à Internet. Cependant, vous ne pouvez laisser votre enfant seul. Très belle vue sur le détroit depuis cette section. Les enfants sont vraiment rois au Danemark !

KAREN BLIXEN MUSEET *(RUNGSTED)*

Situé sur la route 152, la route d'Helsingør, à env 20 km au nord de Copenhague, à Rungsted. Exactement face au port de plaisance, sur la gauche donc quand on vient de Copenhague. Pour y aller, même chose que pour Louisiana, mais descendre à Rungsted, puis à pied ou bus n° 388. Attention, entrée discrète. ☎ 45-57-10-57. • *karen-blixen.dk* • *Mai-sept, tlj sf lun 10h-17h ; hors saison, mer-ven 13h-16h, w-e 11h-16h, fermé lun-mar. Entrée : 45 Dk (6 €) ; gratuit pour les enfants et avec la* CPH Card Plus. *Le grand parc tt autour est ouv en permanence. Entrée gratuite. Les gens du coin aiment bien y apporter leur pique-nique.*

Karen Blixen fut l'une des grandes romancières danoises du XXe s. Née en 1885 et décédée en 1962, elle fréquenta tous les grands de ce monde et fut la première écrivaine danoise dont la notoriété dépassa les frontières de son pays. Elle vécut 17 ans dans une ferme en Afrique. Elle en tirera un livre superbe, *Den Afrikanske Farm (La Ferme africaine),* qui deviendra un film à succès en 1985 : *Out of Africa* avec Merryl Streep, Klaus-Maria Brandauer et le beau Robert Redford. Autre film tiré de l'un de ses livres, *Le Festin de Babette* avec Stéphane Audran. Elle est également connue pour ses *Contes d'hiver* et ses *Sept Contes gothiques.* Karen Blixen (voir la rubrique « Personnages » dans « Danemark : hommes, culture et environnement ») est aussi populaire au Danemark que Marguerite Duras en France. Ces romancières ont d'ailleurs en commun leur attachement à un continent lointain où elles vécurent longtemps (l'Afrique pour l'une, l'Asie pour l'autre), d'avoir écrit sur leur pays d'adoption et d'avoir fait des livres qui eurent un grand succès à l'écran. *La Ferme africaine* comme *L'Amant* furent deux énormes succès littéraires populaires qui ont donné lieu à de superbes adaptations cinématographiques. La comparaison entre les deux femmes s'arrête là, leur style littéraire étant très différent.

Cette maison est une propriété familiale où Karen Blixen vécut avec ses parents, puis où elle résida seule. Elle y écrivit beaucoup et les pièces sont aménagées comme elles l'étaient quand elle y résidait. Vaste et relativement rustique, en tout cas simple et dépouillée, on peut maintenant la visiter. Patins obligatoires. Visite guidée toutes les 30 mn. Audioguides. Exposition de dessins et tableaux africains réalisés par Karen elle-même quand elle était étudiante en arts graphiques, dont la superbe *Jeune Fille kikuyu.* Puis on découvre plusieurs pièces où trônent de beaux éléments de mobilier (poêle du XVIIIe s, sofa Récamier). Noter, dans le grand salon, les rideaux trop longs, tradition séculaire dans la région. Nombreux souvenirs d'Afrique dans le bureau (collection de lances, poignards, boucliers...). C'est ici que Karen

Blixen écrivit la plupart de ses succès. À l'étage, bibliothèque, expo de photos sur sa vie et, en vitrine, sa minuscule machine à écrire. Derrière la maison, un immense parc où les Danois se promènent et pique-niquent le week-end... Au fond de ce parc, la romancière repose au pied d'un hêtre.

HELSINGØR

67 700 hab.

Port de pêche (appelé encore parfois Elseneur en français) et de commerce situé à 50 mn de la capitale en train, c'est le point le plus proche de la Suède où l'on peut se rendre en 20 mn de traversée. C'est même moins cher que le pont sur l'Øresund, mais pas grand-chose. C'est ce qui fit la fortune de la ville puisque, autrefois, des droits de passage étaient perçus pour franchir l'Øresund. Au cours de la guerre anglo-danoise en 1801 (les Danois étaient dans le camp de Napoléon), la flotte britannique, en route pour Copenhague, se glissa le long de la côte suédoise, hors de portée des canons de Kronborg. Les navires d'Albion lancèrent une canonnade sur Helsingør, mais seul un boulet atteignit la pile : pile sur la maison du consul anglais !
Le centre-ville est assez mignon et possède beaucoup de vieilles maisons des XVIIe et XVIIIe s, dans un réseau de ruelles et de passages adorables, de chaque côté de l'artère centrale. À l'angle de Bjergegade et de Stengade, très belle maison à pignons, qui abrite aujourd'hui une cafétéria bon marché. Se balader autour des rues Stengade (c'est la rue piétonne centrale), Strandgade (celle qui borde le port) et Sankt Olaigade, autour du port, pour humer un peu l'air du passé. Rappelons aussi que c'est dans le château d'Elseneur que Shakespeare situa l'action de Hamlet.

Comment y aller ?

➢ ***De Copenhague :*** prendre le train. Liaisons ttes les 20 mn. Durée : 55 mn.

Adresses utiles

■ ***Office du tourisme :*** *Havnepladsen 3 ; au bord de Strandgade.* ☎ *49-21-13-33.* • *visithelsingor.dk* • *Près de l'embarcadère des bateaux, sur une grande place. De mi-juin à fin août, lun-ven 10h-16h, sam 10h-13h ; hors saison, lun-sam 10h-17h (18h ven, 15h sam).* Très nombreuses brochures bien conçues. Fait les résas pour les chambres chez l'habitant à partir de 400 Dk (52 €) pour deux sans le petit déj. Petite commission perçue par l'office.
✉ ***Poste :*** *Stjernegade 7. Lun-ven 10h-17h, sam 10h-13h.*
■ ***Distributeur automatique :*** Danske Bank, *au n° 57 de la Stengade.* Toutes cartes.
■ ***Hôpital :*** *Esrumvej 145.* ☎ *48-29-49-49.*
@ ***Internet :*** PC-Billig, *Stensgade 28D.* ☎ *49-21-52-93. Dans la maison au fond de la cour. Lun-sam 10h-17h30 (18h sam), dim 12h-18h.* Une quinzaine d'ordinateurs, à l'étage, sous des plafonds mansardés tout rouges. Prix intéressants.
■ ***Location de vélos :*** Michaels Cykler, *Kongeveien 17.* ☎ *49-20-08-44. Sur la droite à l'entrée de Helsingør en venant de Copenhague. Compter env 80 Dk (10,50 €) pour 1 j.*

Où dormir ?

Bon marché

⛺ ***Hornbæk Camping :*** *Planetvej 4, à Hornbæk.* ☎ *49-70-02-23.* • *camping-hornbaek.dk* • *À 12 km de Helsingør. Indiqué en arrivant à Hornbæk. Ouv tte* *l'année. Compter env 136 Dk (18 €) pour deux avec la voiture.* Dans un coin agréable, dans les terres mais la mer n'est pas très loin. Dunes et belle plage. Propose également des chalets. Accessible par le train.

Helsingør Camping Grønnehave : *Strandalleen 2. ☎ 25-31-12-12. • helsingorcamping.dk • À 1,5 km du centre. De la gare, un autorail rouge vous y conduit ; descendre à « Marienlyst », la 2e station. Train ttes les 30 mn. Au bord de la plage et de la petite voie ferrée (mais les trains s'arrêtent aux alentours de 23h). Pratique. Ouv tte l'année. Réception 8h-22h l'été. À la belle saison, compter 160 Dk (21 €) pour deux et une voiture.* Un peu moins cher hors saison. Douche chaude payante. Propre mais c'est tout petit, on est un peu les uns sur les autres. Location de chalets.

AJ Helsingør Vandrerhjem : *Strandvej 24. ☎ 49-21-16-40. • helsingorhostel.dk • Situé un peu au nord de la ville (env 3 km), en longeant la côte au départ du château, en bord de plage. Train 2 fois/h, ligne Hornbæk-Gilleleje ou bus n° 340 (1 fois/h) ; descendre à Højstrup. Réception 8h-12h, 15h-21h (slt 8h-12h dim). Fermé déc-janv. Carte de membre exigée et résa indispensable. Lit en dortoir 150 Dk (19,50 €).* Dortoirs ou maisons pour familles ; près de 200 lits en tout. Apporter ses draps : sac de couchage interdit. Grosse et belle maison tout en brique avec une pelouse entourée de maisonnettes blanches et vertes. Calme et propre, avec une jolie pelouse sur le devant qui donne sur une plagette caillouteuse. Jeu d'échecs géant, table de ping-pong, billard, accès Internet, cuisine à disposition, boutique et location de vélos. Sympa.

Où manger ?

Bon marché

Pizzeria Pakhuset : *Stengade 26 ; au fond du passage. ☎ 49-21-10-50. Tlj 11h-23h (13h-22h dim). Pizzas 46-70 Dk (6-9,50 €).* Pizzas pas mal et assez copieuses. La terrasse, avec un rayon de soleil et une bonne bière, devient délicieuse. Tout au fond de la cour, un café plein de jeunes.

Møllers Conditori : *Stengade 39.* Pâtisserie réputée, pleine de gâteaux de qualité. Terrasse dans la rue piétonne.

Plus chic

Madam Sprunck : *Stengade 48. ☎ 49-26-48-49. Ouv 11h-16h, 18h-21h30. Le midi, plats 70-140 Dk (9,50-19 €).* Beaucoup viennent ici pour les petits plats simples : pâtes, hamburgers, mais plutôt conséquents. La maison sert aussi quelques salades, des plats de harengs, etc. Le soir, c'est un resto chic (à l'étage). C'est donc 3 fois plus cher. Décor frais et agréable, raffiné et plein de charme. Petite cour au calme pour manger, boire un cappuccino ou descendre une bière.

Lemongrass : *Torvegade 5. ☎ 49-25-15-11.* Sur la place principale, un resto thaï à prix honnêtes, joliment décoré avec profusion de fleurs. Les plats épicés sont marqués d'un piment sur le menu, les autres manquent un peu de saveur. Service aimable.

Où boire un verre ?

Hotel København : *Sankt Anna Gade 17. Tlj jusqu'à minuit.* Façade verdâtre, des centaines de chopines en vitrine, un bar typique du coin, avec un billard et pas mal de piliers de comptoir. Courette miniature sur l'arrière. Bien agréable pour une mousse.

À voir. À faire

➢ Se balader dans les ruelles de la vieille ville, se laisser happer par les ruelles étroites, essayer de slalomer entre la Stengade, en l'évitant au maximum... En fait, pas grand-chose à faire en dehors des soirées de week-end où déferlent les Suédois en goguette.

Le château de Kronborg : *à 1 km au nord de la ville. À côté de l'embarcadère pour la Suède, difficile de ne pas distinguer sa silhouette. ☎ 49-21-30-78. • kronborg.dk • Mai-sept, tlj 10h30-17h ; horaires restreints en hiver. La visite se compose du château, de sa chapelle et des casemates, ainsi que du Musée maritime. Les prix d'entrée pour l'ensemble : 85 Dk (11 €) ; le tt sans le Musée maritime : 60 Dk (8 €) ; 50 Dk (6,50 €) pour le Musée maritime et 30 Dk (4 €) pour les casemates ; beaucoup moins cher pour les enfants.*
Très imposant et d'ailleurs classé au Patrimoine de l'Unesco. Superbes fortifications en bordure de mer. L'endroit était à l'évidence éminemment stratégique. Le château fut édifié en 1585 dans le style Renaissance. C'est là que Shakespeare situa l'action de *Hamlet*... qui n'avait, bien entendu, jamais mis les pieds dans le coin (puisque cette tragique histoire se déroula dans l'île de Mors !).
– ***Le château :*** nombreuses salles très belles et impressionnantes, souvent pleines de tableaux. On aime bien la chambre du roi avec ses gros médaillons peints au plafond. Mais la plus incroyable est sans nul doute la salle de bal, longue de 70 m, avec d'énormes poutres et un dallage de marbre. Au milieu de la salle, porte en ébène et bois de rose. Voir aussi la ***chapelle*** aux stalles, bancs, chaire et autel en bois sculpté doré. Rien ici n'a échappé au ciseau du sculpteur.
– ***Les casemates :*** visite libre ou guidée toutes les heures, à l'heure pile. Ces casemates datent du XVIe s et sont situées sous le château. C'est un ensemble de longs couloirs très humides et voûtés, frais, presque froids, couverts de pavés assassins, où vivaient les soldats. Ça devait être parfait pour le vin, mais pas vraiment pour les hommes. Réseau de couloirs sombres un peu inquiétants. Se munir d'une lampe de poche. Au détour d'un couloir, on découvre la statue du héros national, Holger Danske (Ogier le Danois), qui fait semblant de dormir et se réveille toujours quand la patrie est en danger. D'ailleurs, un groupe de résistants avait pris ce nom en 1943.
– ***Le Musée maritime :*** dans le château même. Il y a un peu de tout dans cet excellent musée. Même si les explications manquent cruellement, on se régale de voir tant de jolies choses. On y voit des figures de proue remarquables, de très nombreuses toiles et gravures, des objets en os sculptés par les Inuits et des bateaux en bouteille. Également des maquettes marines, des vaisseaux du XVIIe s et de nombreuses archives sur la navigation au travers des siècles. Section consacrée à la navigation en Asie, notamment en Chine... Évocation de la navigation au Groenland... Section moderne avec expo sur les forages de pétrole et de gaz. Reconstitution de cabines, section sur le fret moderne avec de nombreuses maquettes... Vraiment intéressant.

Helsingør Bymuseum *(musée municipal) : Sankt Anna Gade 36. ☎ 49-28-18-00. Tlj 12h-16h. Entrée : 20 Dk (2,60 €) ; réduc ; gratuit pour les enfants et avec la* CPH Card Plus. Petit musée municipal qui offre, comme toujours dans ce type de musée, un gentil cocktail d'objets variés et divers, rangés soigneusement en petites sections en tout genre : maquettes de bateau, costumes, éléments de fouilles, jouets, collection de poupées, vitrine de serrurerie, de ferronnerie, maquette de la ville au XIXe s, quelques éléments sur la Seconde Guerre mondiale... Le regard se promène, se perd, s'attendrit. On a toujours eu un faible pour ce genre de lieux.

L'église et le couvent Sankt Mariae : *Sankt Anna Gade 38. À côté du musée municipal. De mi-mai à mi-sept, église ouv tlj 10h-15h ; le reste de l'année, jusqu'à 14h. Pour le couvent, visite guidée et payante, de mi-mai à mi-sept, en sem slt 14h. Entrée : 20 Dk (2,60 €).* Jolie église du XVe s, tout en brique, avec son étonnant pignon à degrés. Le cloître avec sa jolie pelouse est l'un des mieux conservés d'Europe. Ce quartier de maisons basses est bien agréable.

QUITTER HELSINGØR

➢ ***Bateaux ou ferries pour Helsinborg*** *(Suède)* **:** en été, départ de ferries env ttes les 10 à 20 mn, presque 24h/24. Trois compagnies :
– *Scandlines :* la plus importante et la plus chère des trois, mais fonctionne tte la nuit, env 1 bateau/h. • *scandlines.dk* •
– *HH-Ferries :* la moins chère pour ceux en voiture. • *hhferries.dk* •
– *Sundbusserne :* la plus rapide, mais slt pour les piétons. • *sundbusserne.dk* •

FREDENSBORG

Dans cette cité située sur la route de Helsingør à Hillerød, en bordure du lac Esrom Sø, se trouve le château de Fredensborg. Édifié en 1720 par Frederik IV dans le style d'une demeure de chasse pour fêter la paix conclue entre le Danemark et la Suède. La reine actuelle y vit d'avril à novembre, sauf en juillet. Ce mois-là, possibilité de visiter cette élégante demeure blanche, ainsi que les appartements royaux et le parc.

Comment y aller ?

➢ ***De Copenhague :*** S-tog pour Hillerød, ttes les 20 mn. Puis un vieux train de Hillerød jusqu'à Fredensborg et 15 mn de marche pour terminer.

Adresse utile

🛈 ***Office du tourisme :*** *devant la grille du château, sur la gauche, tt petit kiosque.* ☎ *48-48-21-00.* • *visitfredensborg.dk* • *Mai-août, tlj 12h-17h ; hors saison, lun-ven 12h-16h.* Font les résas pour les chambres chez l'habitant (commission de 10 %), par téléphone ou en direct.

Où dormir ? Où manger ?

Bon marché

🏠 ***AJ Fredensborg Vandrerhjem :*** *Østrupvej 3.* ☎ *48-48-03-15.* • *fredensborghostel.dk* • *Juste avt d'arriver au château, sur la gauche. Fermé 15 j. fin déc. Réception ouv 9h-12h, 16h-19h (21h l'été). Lits en dortoirs (5 pers max) 110 Dk (14,50 €) ; doubles 295-480 Dk (38,50-62,50 €) ; petit déj 47 Dk (6 €). Plus cher sans carte des AJ.* Très belle AJ, véritable maison à la campagne avec son agréable jardin, son salon cosy, sa terrasse et sa pelouse arborée. Calme total. Table de ping-pong. Douche et w-c impeccables. Apporter ses draps (location possible), sacs de couchage interdits. C'est aussi là que vous trouverez les infos sur la région. Pas de couvre-feu. Cuisine à disposition.

Prix moyens

🏠 *Il existe une douzaine de* ***chambres chez l'habitant*** *dans le secteur. L'office du tourisme s'occupe des résas. Il vaut mieux être véhiculé. Compter autour de 350 Dk (46 €) pour deux, sans petit déj.*

Plus chic

Pension Bondehuset : *Sørupvej 14. ☎ 48-48-01-12. • bondehuset.dk • Dans la rue qui mène au château de Fredensborg, tourner à gauche avt l'*Hôtel Store Kro *; laissez-vous ensuite porter par les virages de la route jusqu'à la pension, située à droite juste après un arrêt de bus (enseigne à l'entrée, mais peu lisible). Compter 750 Dk (98 €) pour 2, petit déj inclus.* Comparé aux chaînes hôtelières du coin, ce prix reste raisonnable, et le cadre, lui, frise l'idyllique. Ces chaumières, au bord d'un lac, cachées derrière les bosquets de fleurs et les arbres majestueux, abritent de jolies chambres dans un décor un peu vieillot et bourgeois. Des fauteuils et des tables dispersés dans le jardin vous invitent à la paresse. Clientèle grisonnante et très comme il faut.

Hyper-chic... pour voyage de noces

Hôtel Store Kro : *Slotsgade 6. ☎ 48-40-01-11. • storekro.dk • Sur la petite route qui mène au château, sur la gauche. Chambres hyper-luxe ... 1 325-1 650 Dk (172-214 €), mais prix nettement moins élevés de mi-juil à mi-août.* C'est Frederik IV qui décida en 1723 de faire construire cette demeure luxueuse pour ses invités. Si vous décidez de casser votre petit cochon, préférez les chambres dans le bâtiment principal et non dans l'annexe. Par ailleurs, demandez-en impérativement une qui donne sur le parc. Superbes chambres, protégées par des doubles portes, avec tout le charme des siècles passés, entièrement personnalisées et dotées du plus grand confort. Couloirs et chambres décorés de tableaux anciens et de beaucoup de vieux meubles. Remarquable resto au plafond voûté, bleu ciel, grande véranda, salons cossus, jardin aménagé et fleuri. Un ensemble d'une grande cohérence de goût et de toute beauté. Atmosphère classe et campagnarde à la fois. Tout cela pour... une petite fortune.

À voir

Le château : *visite slt en juil, 13h-16h30. Entrée pour le château et l'orangerie : 60 Dk (8 €) ; réduc pour les enfants ; 40 Dk (5 €) pour le château ou l'orangerie séparément. Visite guidée slt, de 30 mn, en anglais. Parc autour du château ouv tlj, tte l'année. Entrée gratuite. Pour mieux apprécier la visite, on vous prête à l'entrée une feuille d'explications en français. Pratique mais sommaire.* On passera en revue neuf salles de cette belle demeure au mobilier un peu guindé. Voir surtout la *salle de la Garde* et son extraordinaire serrure, la *chambre de Frederik IV* avec son mobilier et ses soieries aux murs, le beau *salon jaune* et l'intéressante *salle du Jardin,* rococo et décorée de tableaux classiques. Noter, sur les vitres des fenêtres, les signatures gravées dans le verre de personnages illustres, comme celle de la reine Élisabeth ou de Winston Churchill. Voir aussi cette imposante et froide salle de la Coupole, composée de vrais et faux marbres. L'église termine la visite intérieure. Le parc, lui aussi, vaut le détour, et franchement on peut se contenter de celui-ci. Le site a vraiment été bien choisi et offre de belles occasions de promenade.

RUDOLPH TEGNERS MUSEUM

Tt au nord de l'île de Sealand, à 2 km du village balnéaire de Dronningmølle et à env 15 km à l'ouest de Helsingør. Si l'on est en voiture, il est conseillé de suivre cette jolie côte, dont la route épouse les contours au plus près. Elle est truffée de petites stations balnéaires et villages de villégiature. Dronningmølle est l'un de ceux-là. Au centre du village, pancarte sur la gauche pour le Tegners Museum. C'est à 2 km en pleine cambrousse, entouré de champs de bruyère et de cultures. Site admirable, éminemment champêtre, où le sculpteur Rudolph Tegners s'est fait construire un bunker-atelier-musée dans un parc. ☎ 49-71-91-77. Visite juin-août, tlj sf lun 9h30-17h ; de mi-avr à juin, tlj 12h-17h. Entrée : 40 Dk (5 €) ; gratuit pour les moins de 12 ans.

Curieux personnage que ce Tegners (1873-1950), incompris par ses contemporains, vaguement extrémiste sur les bords (à droite), ayant flirté avec les idées nazies et ne s'en étant jamais remis. Résultat, il s'enferma dans ce bunker de béton, absolument hideux, sans fenêtre latérale (puisque toute la lumière est zénithale), où l'on peut voir aujourd'hui la palette complète de son art. Beaucoup de plâtres et des dizaines d'études, gigantesques pour la plupart, parfois mal dégrossies, parfois vulgaires et lourdes, taillées comme à la hache, et d'autres d'une élégance toute féminine, pleine de retenue et de délicatesse. Il y a de tout, et c'est ça qui est intéressant.
Dans ce musée pas comme les autres, on a le sentiment de suivre la vie, les frayeurs et les craintes de l'artiste, son travail en cours plus que le résultat. On tourne en rond autour de la coupole pour découvrir ces statues gigantesques. Voir les *Trois enfants qui ont soif,* une des œuvres les plus touchantes selon nous, le beau *De Blinde i Marrakech,* dans le style des *Bourgeois de Calais* de Rodin, cette « valse » très touchante, composée de trois femmes. Et puis cet abominable *Apollon,* sous lequel la femme de l'artiste repose à jamais, ou encore ce *Saint Pierre.* Tout aussi affreux, le monumental *Shakespeare* ou ce curieux *Danemark pendant l'Occupation*. Tegners, lui, repose sous la coupole. Un lieu passionnant et curieux, comme le personnage qui l'habita et, en tout cas, hors de tout circuit touristique, puisque les Danois ont plutôt tendance à cacher ce sculpteur maudit. Quelques statues sont disséminées dans la lande aux alentours. Si le musée est fermé, c'est déjà un moyen de découvrir son univers et de faire une promenade au grand air.

TISVILDELEJE

Station balnéaire chère et très fréquentée par les habitants de Copenhague. Superbe plage de sable. Toute la côte est bordée d'une forêt de chênes et de hêtres plantés il y a deux siècles pour lutter contre les sables mouvants. À 3 km de Tisvildeleje, le petit village de *Tibirke* fut englouti par les sables. Il n'en subsiste que l'église. Paysage agréable de collines et de bois.

Comment y aller ?

➢ ***De Copenhague :*** prendre le train jusqu'à Hillerød puis le bus jusqu'à Tisvildeleje. Un tramway circule le long de la côte de mi-juin à fin août.

Où dormir ?

■ À la gare de Tisvildeleje, au petit point d'infos touristiques *(ouv 12h-17h),* on vous indiquera plusieurs adresses de ***B & B*** dans les environs. Possibilité de téléphoner pour savoir s'il y a de la place. Prix raisonnables, petits déj excellents.

■ ***Auberge de jeunesse :*** *Bygmarken 30.* ☎ *48-70-98-50.* • *helene.dk* • *Réception 8h-21h. Compter 115 Dk (15 €) la nuit en dortoir ; 420 Dk (54,50 €) la double, sans petit déj.*

HILLERØD

Agréable bourgade pépère et nonchalante qui abrite l'un des plus beaux châteaux du pays : Frederiksborg. Visite à ne pas manquer, car ce château est aux Danois ce que Versailles est aux Français. Le bourg s'organise autour de la rue piétonne, la Slotsgade au charme tout provincial.

Comment y aller ?

➢ ***De Copenhague :*** trains A et E directs, ttes les 10 mn. Durée : 40 mn. De la gare d'Hillerød, compter 15 mn de marche jusqu'au château.

Adresses utiles

ℹ ***Office du tourisme :*** *Aöllestraede.* ☎ *48-24-26-26.* ● *hillerodturist.dk* ● *Lun-ven 10h-17h.* Résa de chambres chez l'habitant : compter autour de 350 Dk (45,50 €) pour deux.

■ **Location de vélos :** Skansens Cykler, *Skansevej 31.* ☎ *48-26-17-27. Compter env 50 Dk/j. (6,50 €).*

Où dormir ?

De bon marché à prix moyens

⛺ ***Camping Hillerød :*** *Blytækkervej.* ☎ *48-26-48-54.* ● *hillerodcamping.dk* ● *Un peu à l'extérieur, au sud du centre, à env 1 km. Bien fléché. Ouv Pâques-fin sept. Réception 8h-12h, 15h-20h. Compter env 130 Dk (17 €) pour deux avec une voiture ; également quelques cabanes pour 4 ou 5 pers 170-280 Dk (22-36,50 €).* Grand pré verdoyant planté de beaux arbres. Location de quelques caravanes. Sanitaires impeccables, cuisine disponible. Machine à laver. Vélos en prêt gratuit. Salle de jeux, ping-pong. Bonne halte.

🏠 ***Den Nordiske Lejrskole og Kursuscenter :*** *au* Nordic Camp and Conference Center, *Lejrskolevej 4.* ☎ *48-26-19-86.* ● *nordlejr.dk* ● *À env 3 km à l'est du centre, à proximité de l'hôpital (sygehus). Bus n°s 701, 702 et 705 à prendre à la gare. Ils s'arrêtent à 5 mn à pied du centre. Facile d'accès, donc. Demandez au chauffeur le centre de conférences. Ouv tte l'année. Réception 17h-19h, mais on peut déposer ses affaires plus tôt. Chambres pour 2 ou 4 pers respectivement 330 et 550 Dk (43 et 72 €), petit déj-buffet inclus.* Une centaine de lits en tout. Plus cher qu'une AJ, mais il n'y a pas 40 solutions, et le site, en pleine forêt, est vraiment remarquable. En été, cet étonnant centre accueille les étudiants, les groupes, les classes de nature, les familles, les touristes... Une sorte d'AJ améliorée, très propre, moderne, lumineuse. Confort excellent. Possibilité de se faire faire des *lunch-packed*, à savoir un panier-déjeuner, pour pas cher.

Où manger ?

🍽 ***Hennessy's :*** *Slotsgade 52.* ☎ *48-25-56-01. Cuisine ouv jusqu'à 22h. Sert de 11h à 23h des plats honnêtes mais sans génie, env 80 Dk (10,50 €) :* Irish stew, *assiette de* smørrebrød *ou demi-poulet grillé.* Demander aussi le *Hennessy's special.* À prendre sur une superbe terrasse au bord du lac, avec l'une des plus belles vues sur le château de Frederiksborg. En soirée, idéal pour prendre une petite mousse mais éviter d'y dîner : cher pour une carte peu inspirée et des saveurs tendance micro-ondes.

🍽 Plusieurs autres petits ***restos*** dans la rue piétonne. On a repéré ce café-brasserie en rotonde sur une place avec terrasse et une belle vue face au château.

À voir

★★★ ***Le château de Frederiksborg :*** *bien fléché, et de tte manière on ne peut pas le louper, c'est le plus grand de Scandinavie.* ☎ *48-26-04-39. Avr-oct, tlj 10h-17h ;*

le reste de l'année, 11h-15h. Entrée : 60 Dk (8 €) ; prix très réduit pour les enfants et une mini-réduc avec la CPH Card.
Tout à fait extraordinaire. Visite quasi obligatoire. De plus, le château est situé au bord d'un lac, dans une jolie région boisée. Construit par Frederik II en 1560, puis poursuivi par son fils Christian IV après 1620. Élégants bâtiments en brique rouge de style Renaissance, couverts de toits et clochers vert-de-gris. Le bâtiment principal brûla en partie en 1859, mais fut superbement restauré par la fondation Ny Carlsberg. Jusqu'en 1848, le château servit de résidence aux rois du Danemark et tous les couronnements s'y déroulaient. C'est aujourd'hui le ***musée national d'Histoire.*** Pour accéder au château, on traverse un petit pont qui mène à une grande cour, où trône une splendide fontaine exprimant délicatement toute la mythologie danoise. De part et d'autre, les dépendances et, au fond, après le petit pont, le château, planté sur l'eau. Tout autour, beau jardin, en partie de style baroque.
La visite
Sur trois étages, près de 90 salles offrent le plus bel échantillonnage de mobilier, peintures, portraits royaux, objets d'art, etc., du Danemark. Admirer la remarquable collection rassemblée par Frederik VI avec des centaines de portraits en médaillon ; personnages historiques, familles nobles mais aussi « civils ». En cherchant bien, vous trouverez Tycho Brahé.
Impossible de passer en revue tous les joyaux de cet écrin merveilleux. Nous n'avons pointé là que quelques-unes des multiples richesses qui abondent dans cet endroit incroyable, dont on a du mal à croire qu'une bonne partie est finalement toute récente.
– Coup de chapeau tout de même à la *salle de la Rose,* complètement détruite par un incendie et entièrement reconstituée comme à l'époque de Christian IV avec ses stucs au plafond, ses colonnes de marbre et ses murs couverts de cuir repoussé. Au 2e étage, la *salle 37,* qu'utilisait la mère de Christian IV. Admirable plafond à caissons.
– La *salle d'honneur* est d'une somptueuse richesse. Tapisseries superbes, évoquant les guerres contre les Suédois, entièrement reconstituées et avec précision après le grand incendie de 1859. En revanche, le plafond manque singulièrement de finesse. Cheminée en marbre et argent. Portraits des souverains accrochés aux murs. Après la salle d'honneur, une enfilade de salons et salles, tous plus richement ornés les uns que les autres, avec toujours des stucs, des tables de marqueterie, des crédences, des consoles, des tableaux. La *chambre 41* possède un lit remarquable.
– La *chapelle,* quant à elle, épargnée par le feu, présente deux étages d'arcades richement décorées. Autel et chaire en ébène avec décoration en argent, stalles de marqueterie. On la visite par le triforium. Noter les loges privées destinées aux nobles. Orgue de 1610. Elle a souvent servi de cadre à des mariages royaux et princiers (le dernier en 1995 ; manque de bol, le prince Joachim et la princesse Alexandra sont à présent divorcés).
– Tout en haut du château, sous les combles, belle *section d'art moderne* qui ne fait que s'étoffer avec le temps et belles expos temporaires. Toute la peinture danoise du XXe s.

ROSKILDE

53 200 hab.

Ancienne ville royale à une petite quarantaine de kilomètres de la capitale, cité commerciale et religieuse de premier plan, Roskilde a conservé une indéfinissable distinction et une grande noblesse personnifiées par sa cathédrale, l'une des plus belles du pays, et ses clochers effilés. Sachez que la ville est millénaire depuis 1998.

Comment y aller ?

➢ *De Copenhague :* ts les trains qui vont vers le sud ou vers l'ouest passent par Roskilde, avec 4 départs/h env et même 6 aux heures de pointe. Durée : 35 mn. Très facile d'accès donc, pour une visite à la journée depuis la capitale.

Adresses utiles

Office du tourisme *(plan A3) : Gullandsstræde 15. ☎ 46-31-65-65. • visitroskilde.com • À 5 mn de la cathédrale. L'été, lun-ven 9h-18h, sam 10h-14h, fermé dim ; le reste de l'année, ferme 1h plus tôt.* Délivre cartes et brochures très bien faites, en anglais. Fait les résas pour les *B & B*, les chambres chez l'habitant et les hôtels. Petite commission (25 Dk, soit 3,25 €). Si vous avez déjà la *Copenhagen Card*, il faut savoir que certains sites de Roskilde sont gratuits avec celle-ci. Assez intéressant, vu le prix d'entrée des lieux à visiter. Ils vendent aussi le *pass* pour le festival.

Poste *(plan B3) : Jernbanegade 3. Lun-ven 10h-17h30, sam 9h-12h30.*

Banques : *plusieurs sur Algade, avec distributeurs.*

Gare ferroviaire *(plan B3) : Jernbanegade 1. ☎ 70-13-14-15 (téléphone de la gare de Copenhague, valable pour tte la Sealand).*

Gare routière *(plan B3) : Jernbanegade. ☎ 36-13-14-15.* Toutes les compagnies de bus partent du même endroit.

Location de vélos *(plan A3, **1**) :* JAS Cykler, *Gullandsstræde 3. ☎ 46-35-04-20. Tlj sf dim jusqu'à 17h30 (18h ven, 14h sam). Vélos à partir de 50 Dk/j. (6,70 €).*

Police : *Kornerups Vænge 12. ☎ 46-35-14-48.*

Pharmacie *(apotek ; plan B3, **2**) : Dom Apoteket, Algade 52. ☎ 46-32-32-77. Lun-ven 9h30-18h, sam 9h-15h.*

Hôpital *(plan B3, **3**) : Køgevej 7. ☎ 46-32-32-00.*

Où dormir ?

De bon marché à prix moyens

Roskilde Camping *(hors plan par B1, **11**) : Baunehøjvej 7, Veddelev. ☎ 46-75-79-96. • roskildecamping.dk • Au nord de la ville, à 4 km par la route 6. Sinon, bus n° 603 de la gare routière, qui s'arrête à deux pas ; 2 bus/h. Ouv de Pâques à mi-sept. Compter env 130 Dk (17 €) pour deux avec tente et voiture ; une dizaine de bungalows pour 4 pers, équipés de plaques chauffantes et de frigo ; compter 350-450 Dk (45,50-58,50 €) le chalet, plus 64 Dk/pers (9 €).* Un appartement à louer également. Douche et électricité payantes. Grand espace dégagé et ombragé, vaste et vallonné, qui s'étale à flanc de colline jusqu'au bord du fjord. Plage, ponton, supérette, resto, terrain de volley, jeux pour enfants. Plage agréable (eau fraîche), entourée d'une nature superbe, face au coucher de soleil. Table pour pique-niquer au bord de l'eau. Adresse qui vaut par son site plus que par ses installations, en plus parfois un peu bruyante étant donné le monde.

Borrevejle Centeret Camping & Cabins : *à 15 km à l'ouest de Roskilde. ☎ 46-40-01-40. • borrevejlecenter.dk • De la gare de Roskilde, bus n°s 229E ou 226 et 227, direction Skibby ; demander* Borrevejle Camping *; le bus s'arrête devant. En voiture, prendre l'autoroute 21-23, direction Holbæk, sortie 15 ; le camping est à 500 m, côté gauche, à la station-service* Dk *; d'ailleurs, la réception est dans la station-service. Ouv tte l'année. Compter env 116 Dk (15 €) pour 2 avec tente et voiture.* Agréable, bien situé, dans un parc protégé mais beaucoup moins sympathique que le *Roskilde Camping* : il n'a pas la mer et la route n'est pas loin. Environ 25 bungalows pour 4 ou 6 personnes, avec bains. Bien équipé : cuisine, frigo et coin salon également. Machine à laver disponible dans

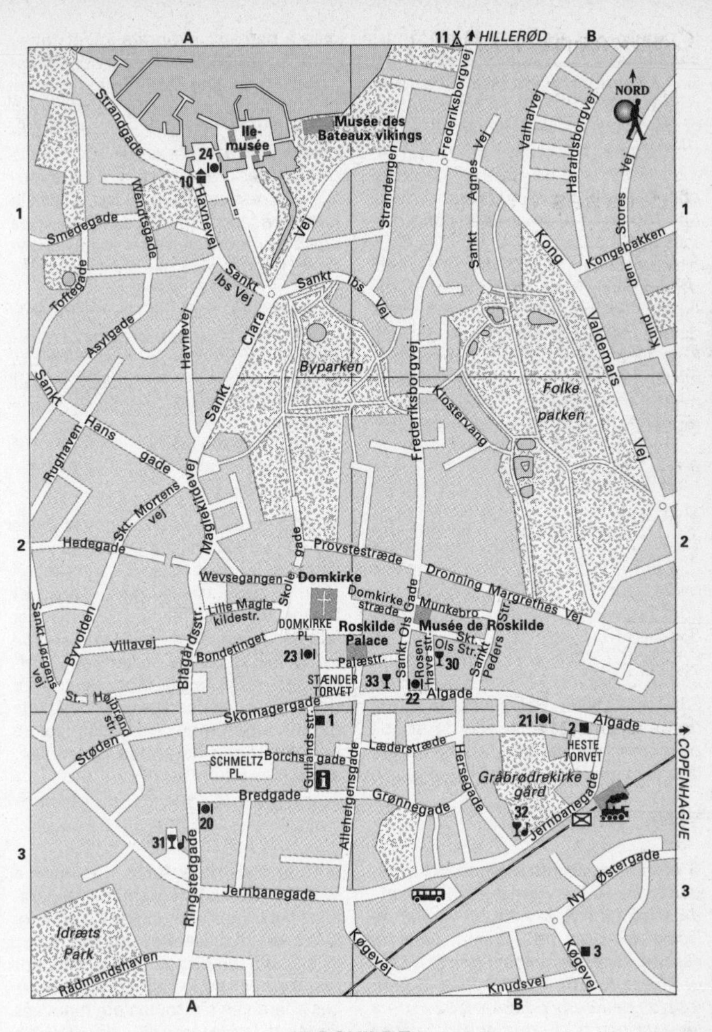

ROSKILDE

Adresses utiles

- Office du tourisme
- Poste
- Gare ferroviaire
- Gare routière
- 1 Location de vélos
- 2 Pharmacie
- 3 Hôpital

Où dormir ?

- 10 AJ Danhostel Roskilde Vandrerhjem
- 11 Roskilde Camping

Où manger ?

- 20 Bella Capri
- 21 Philis Turkish Restaurant
- 22 Restaurant de l'hôtel Prindsen – Brasserie Lebœuf
- 23 Raadhus-Kælderen
- 24 Restaurant Snekken

Où boire un verre ? Où écouter de la musique ?

- 30 Café Satchmo
- 31 Gimle
- 32 Buddy Holly
- 33 Café Mulle Rudi

le camp. Supérette. Camping-cars bienvenus.

AJ Danhostel Roskilde Vandrerhjem (plan A1, **10**) : *Vindeboder 7. ☎ 46-35-21-84. • danhostel.dk • Ouv tte l'année. Réception 8h-12h, 16h-22h. Possibilité de réserver par téléphone. En été, nous vous le conseillons. Env 150 lits en tt, groupés en petits dortoirs de 3 à 6 lits, 120 Dk (15,50 €). Doubles également, 420 Dk (54,50 €) ; petit déj en plus, assez cher mais superbe buffet à volonté.* Une AJ assez extraordinaire, devant le port-musée de Roskilde. Quatre grandes structures de bois et de verre, modernes et lumineuses, reliées entre elles par des passerelles, rappelant l'architecture des vastes hangars à bateaux. Propreté impeccable, grand confort et tous les services à disposition : douche et w-c dans chaque chambre, machine à laver, cuisine équipée, salon TV, pas de couvre-feu puisque chacun a sa carte-clé... Possibilité de louer des draps. Et puis, si vous voulez vous restaurer le midi, demandez le *lunch-packed*. Pour le soir, on vous envoie prendre votre repas au super resto d'à côté pour pas cher *(autour de 75 Dk, soit 9,80 €)*. Extra.

Après l'AJ, le mode de logement le moins cher est la ***chambre chez l'habitant.*** *C'est l'office du tourisme qui s'occupe des résas. Pratique. Compter à partir de 150 Dk/pers (19,50 €), sans le petit déj.*

Plus chic

Svogerslev Kro : *à Svogerslev. ☎ 46-38-30-05. • svogerslevkro.dk • À 4 km à l'ouest de Roskilde, donc mieux vaut avoir un véhicule car les bus sont rares dans ce coin-là. Doubles 850 Dk (110 €), petit déj compris, ce que l'on trouve bien cher, franchement. Menus 3 plats 275 Dk (36 €) et 4 plats 335 Dk (43,50 €).* Belle auberge au toit de chaume et à la façade de brique peinte en rose, assez au calme malgré la proximité de la route. Une vingtaine de chambres en tout, dans de jolies maisonnettes basses et autour d'un grand jardin, mais équipées sans aucun charme, au goût passe-partout et assez petites. En revanche, la salle à manger à la déco vieillotte se révèle un endroit sympathique, intime et familial. Excellent resto réputé qui propose surtout des spécialités danoises, ou des plats danois légèrement francisés : plats accompagnés de sauce béarnaise, sauce « au beurre »...

Très, très chic

Manoir de Skjoldenæsholm : *Skjoldenæsvej 106, à Jystrup. ☎ 57-52-81-04. • skj.dk • À env 25 km au sud de Roskilde, près de Jystrup. Ouv tte l'année. Une quarantaine de chambres de luxe autour de 1 050 Dk (136 €) pour les plus petites et 1 795 Dk (233 €) pour les « un peu plus grandes ». Quelques autres chambres bien plus luxueuses encore, mais hors de prix. Petit déj-buffet compris.* Ce superbe manoir de style néoclassique, situé au milieu d'un parc et près d'un étang, reconstruit en 1766, est détenu depuis 7 générations par la famille Bruun de Neergaard. Le rez-de-chaussée est époustouflant : salon, salle de billard, pièces attenantes, tout est superbement conservé. Les chambres ont toutes été rénovées dans le *old style*. Jacuzzi, salon, TV... De vrais appartements. Réception au 1er étage. Il y a même un golf de 18 trous juste à côté ! Une adresse de charme si on en a les moyens...

Où manger ?

Bon marché

Bella Capri (plan A3, **20**) **:** *Ringstedgade 15A. ☎ 46-35-78-50. Mar-dim 17h-22h. Pizzas (bonnes) et pâtes (copieuses) 50-80 Dk (6,50-10,50 €).* Rideaux à carreaux, tables en bois clair, bref, une déco quelconque. Petit resto apprécié des locaux pour ses prix doux. Parfait pour se remplir l'estomac. Si la déco vous déprime, commandez une pizza à emporter et profitez des parcs de la ville ou des pontons du port pour la déguster (petite info très pratique tant qu'on y est : pizzas non prédécoupées et couteau non fourni...).

|●| ***Philis Turkish Restaurant*** *(plan B3,* ***21****) : Algade 42. ☎ 46-35-15-46. Ouv tlj ; sert jusqu'à 23h, plus tard en fin de sem. Plats turcs 60-110 Dk (8-14,50 €) et menus complets env 70 Dk (9 €).* Un peu plus cher le soir. Surtout une adresse du midi, assez agréable avec sa courette-terrasse. Cuisine pas chère et copieuse, à défaut d'être raffinée.

|●| Pas mal d'autres ***cafés*** dans Skomagergade et autour. Parmi eux, deux sont particulièrement populaires dans le cœur des Roskildiens : le *Café CeCi* et le café *Druedahl.* Autrement, quelques restos asiatiques ou pizzerias dans la Algade. Pas de la très grande cuisine, mais c'est le meilleur moyen de manger pas cher. Pour le dessert, allez prendre une glace sur le port, comme tout le monde, en regardant les bateaux et le coucher de soleil.

Plus chic

|●| ***Restaurant de l'hôtel Prindsen – Brasserie Lebœuf*** *(plan B2,* ***22****) : Algade 13. ☎ 46-35-80-10. Ouv lun-ven jusqu'à minuit, w-e jusqu'à 2h pour le bar et la terrasse. Sert jusqu'à 22h. Pour un déjeuner jusqu'à 16h (40-90 Dk, soit 5-12 €) et un très beau buffet à 158 Dk (20,50 €) ou des plats plus sophistiqués le soir (compter le double), mais les portions sont un peu trop timides.* À l'intérieur, bar tout en bois et belle salle de resto chic et branchée. Le rendez-vous favori des habitants de 18 à 55 ans. On vient surtout en terrasse sur le trottoir l'été. Viande ou saumon grillé chers, mais on peut se contenter d'une copieuse entrée comme le saumon fumé avec sauce tartare ou une soupe.

|●| ***Raadhus-Kælderen*** *(plan A2,* ***23****) : Stændertorvet, sous l'hôtel de ville. ☎ 46-36-01-00. Tlj sf dim soir 11h-21h30. Y aller pour le midi, car le soir c'est décidément trop cher. Déjeuner 2 plats 178 Dk (23 €) ; le soir, menu 3 plats 335 Dk (43,50 €).* Après la visite de la cathédrale, on peut aussi y boire agréablement un verre dans la courette, dès que le soleil donne. Étonnant également, ce lieu ancestral et un peu vieillot fait aussi boîte les vendredi soir et samedi soir. Au XVe s, c'était là que les notables planquaient leurs bonnes bouteilles de pinard. Puis ce furent les archives de la Ville pendant presque 500 ans, à l'époque où la chaussée était plus basse qu'aujourd'hui. Maintenant, il faut descendre 4 marches pour pénétrer dans ce restaurant en sous-sol, sous l'hôtel de ville. Cadre élégant, original et rustique entièrement restauré...

|●| ***Restaurant Snekken*** *(plan A1,* ***24****) : sur le port, près de l'île-musée. ☎ 46-35-98-16. Ouv tlj. Déjeuner 11h30-16h30 ; dîner 18h-21h30 env. Le midi, plats bien faits 60-120 Dk (8-16 €) :* classic burger, *mais aussi et surtout une belle assiette de harengs 135 Dk (17,50 €) ; le soir, c'est le niveau au-dessus : menus 250-370 Dk (31-48 €).* On dîne à l'intérieur d'un vaste espace très beau, épuré, moderne mais pas froid, encore adouci par un service décontracté. Bonnes préparations, raffinées mais vraiment trop onéreuses. Les gourmands risquent, par contre, de rester sur leur faim et se rabattre sur le pain. Superbe terrasse devant les chantiers navals et les bateaux. Si la fraîcheur tombe, on vous donne une couverture. Bref, un lieu qu'on aime, surtout quand un rayon de soleil vient caresser les quais, et ce malgré ses prix à provoquer l'hémorragie fatale d'un porte-monnaie de routard. On peut aussi se contenter d'une glace ou d'un café.

Où boire un verre ? Où écouter de la musique ?

🍸 ***Café Satchmo*** *(plan B2,* ***30****) : Rosenhavestræde 2. Tlj sf dim 11h-22h.* Café tranquille, branché et élégant, avec des tables en bois carrées, murs jaunes et peintures modernes. Musique cool et terrasse derrière. Quelques salades et sandwichs...

Gimle *(plan A3, **31**) : Ringstedgade 30. Tlj sf dim jusqu'à minuit, bien plus tard le w-e. Au fond d'une cour et avec terrasse.* C'est le bar le plus branché de la ville, où se produisent des groupes les vendredi et samedi soir. En général, ça fait boîte après. Bonne ambiance estudiantine. Surtout animé les vendredi et samedi soir, car en semaine c'est bien calme, un peu trop d'ailleurs. Parfois, le samedi matin, un petit concert de jazz.

Buddy Holly *(plan B3, **32**) : Jernbanegade 6A. Face à la gare. Ven 22h-5h, sam 23h-6h.* Branché mais pas dépressif, définitivement rock. Ça fait boîte et salle de concerts.

*Bars sympas dans la courette de Djalma Lunds Gaard, notamment le **Café Mulle Rudi** (plan B2, **33**).*

À voir. À faire

On rappelle que si vous avez déjà la *CPH Card,* certains sites de Roskilde sont gratuits.

Domkirke *(cathédrale ; plan A2) : • roskildedomkirke.dk • Avr-sept, mar-ven 9h-16h45, sam 9h-12h, dim 12h30-16h45 ; le reste de l'année, mar-sam 10h-15h45. Pas de visite en cas de cérémonie ou service. Entrée : 25 Dk (3,25 €). Visite guidée en anglais 11h et 14h en sem ; 11h sam ; 14h dim. Brochure en français archi-complète à l'entrée de l'église. Demandez-la, elle est bien utile si vous voulez mettre des noms sur ttes les tombes.*

Cette immense église, inscrite au Patrimoine mondial de l'humanité par l'Unesco, allie le roman et le gothique avec bonheur, et son intérieur est splendide. Elle fut fondée au XIIe s. De la façade, on notera surtout les hautes flèches pointues, véritable carte d'identité de la ville.

C'est ici que sont enterrés tous les souverains du Danemark. C'est un peu l'équivalent de la basilique de Saint-Denis près de Paris. En tout, 39 têtes couronnées y reposent (dont le crâne d'Hamlet ?). Pour les Danois, c'est donc un véritable pèlerinage. Certains tombeaux sont lourds et sans élégance, d'autres sont des chefs-d'œuvre de dentelle de pierre. Beau retable anversois datant de 1580, dans le style Renaissance. Les stalles en bois ont été sculptées en 1420. Orgue probablement le plus ancien du pays. Derrière l'autel, plusieurs tombeaux dont le gisant de la reine Margrethe Ire, en marbre blanc et noir. Une dizaine de chapelles tout autour de la nef. Attardez-vous sur celle de Christian IV (1620), d'une richesse et d'un baroque inouïs, sarcophages ouvragés, épitaphes, fresques, superbe grille en fer forgé (1618), trop c'est trop...

Le musée des Bateaux vikings et l'île-musée *(Vikingeskibs Museet ; plan A1) : Vindeboder 12. ☎ 46-30-02-00. • vikingeskibsmuseet.dk • Bien fléché du centre, à env 2 km. Bus n° 605 depuis le centre (1/h, il vaut mieux marcher), direction Boserup. Tte l'année tlj 10h-17h. Entrée du site et des musées : 80 Dk (10,50 €) ; nombreuses réduc. Textes et film en français.*

S'il n'y a qu'un site à visiter à Roskilde, c'est bien celui-là. On est là au bord d'un fjord, à l'endroit même où l'on trouva d'étonnantes carcasses de bateaux vikings. Plusieurs pôles de visites : le musée des Bateaux vikings, puis sur l'île-musée, un vrai chantier naval.

– *Le musée des Bateaux vikings* : construit sur le port, tout au bord de l'eau. On y trouve les carcasses plus ou moins complètes des cinq bateaux coulés entre les années 1040 et 1070 dans le fjord de Roskilde, au lieu-dit Skuldelev, pour empêcher les incursions étrangères. Les milliers de débris, retrouvés en 1957, permirent à des spécialistes de les reconstituer, patiemment. Le plus long faisait 30 m. D'ailleurs, son histoire est assez étonnante : en reconstituant cette épave, on crut longtemps qu'il s'agissait de deux bateaux, avant de réaliser qu'il n'y en avait qu'un seul, mais énorme. C'est le premier de cette taille qu'on trouvait. Le bois des

cinq bateaux récupérés dans la vase, après un si long séjour dans l'eau, ne supportant pas d'être séché, dut être traité. Il fallut injecter plusieurs centaines de litres de glycol dans tous les « pores » de chaque morceau. Les cinq navires qui sont présentés ici sont tous différents, du bateau marchand au bateau de guerre (les souvent mal nommés « drakkars »). Le musée donne de nombreuses informations pédagogiques et synthétiques (panneaux explicatifs en français) sur la vie des guerriers nordiques, dont les raids lointains suscitent l'admiration. Il faut dire que les Vikings allèrent jusqu'à Constantinople et Terre-Neuve !
Incroyable encore, lors de la construction de l'île-musée en 1997, on trouva le plus grand bateau connu à ce jour : 36 m de long ! Mais il n'est pas visible, car les spécialistes sont en train de travailler dessus ! En complément de la présentation de ces superbes bateaux, on peut voir un ensemble de vitrines racontant l'histoire de ces guerriers pas comme les autres. Récit illustré d'une attaque de Vikings repoussés par les habitants de Roskilde. Au fond du musée, reconstitution d'un bateau pour que les enfants puissent s'amuser. Film intéressant sur le renflouement des bateaux (demander qu'on vous diffuse la version française disponible pour les groupes).
Par ailleurs, toujours dans le musée, expositions temporaires de qualité, tournant toujours autour du monde de la navigation.
– *L'île-musée :* c'est l'espace situé à côté du musée, constitué d'un port avec de nombreux quais et de grands hangars qui abritent un ensemble d'ateliers où l'on fabrique, répare et reconstitue... L'île est accessible en permanence, mais la visite des ateliers a lieu seulement l'été, tous les jours de 10h à 17h. En demi-saison, l'île fonctionne surtout le week-end. Sur les quais mêmes, on peut admirer environ 35 bateaux, tous d'origine nordique (Danemark, îles Féroé, Norvège, Suède, Finlande), la plupart du XXe s, construits selon les méthodes traditionnelles vikings. Ce qu'il y a d'incroyable ici, c'est que l'île est vivante et qu'il y a plein de choses à voir : l'***atelier de réparation*** par exemple, où il y a toujours une belle embarcation sur le chantier. Tous les jours 10h-12h et 14h-17h, on peut aussi voir le passionnant ***Archeological workshop*** *(atelier archéologique),* où des spécialistes étudient, mesurent, dessinent, conservent et reconstituent les morceaux des neuf embarcations trouvées dans le chenal de Roskilde en 1997. On y voit les chercheurs travailler et on peut leur poser des questions (en anglais !). On peut même toucher certains bouts de bois, vieux de plus mille ans et parfaitement conservés. On trouve aussi depuis 2005 un ***grand bateau*** reproduit à l'identique d'un de ceux qui se trouvent à l'intérieur, dans le musée. Il a appareillé en 2007 pour une petite croisière jusqu'en Irlande. Toutes les techniques utilisées sont celles des Vikings du XIe s. Et puis, si vous avez de la chance, vous verrez peut-être un atelier de cordage en plein air. Impressionnant. Si vous êtes en famille, il y a aussi plusieurs ***ateliers pour les enfants*** : chaque semaine un thème différent (on paie uniquement le matériel).

➢ ***Tour en bateau viking*** *(Sailing Tour International Nordic Boat) : compter 50 Dk (6,50 €) en plus du ticket d'entrée sur l'île. Entre 1 et 5 départs/j. Durée : env 50 mn.* Assez sympa et original. On embarque sur un petit bateau. Quand il y a du vent, on fait de la voile, quand il n'y en a pas... on rame ! De toute manière, on rame pour sortir et rentrer au port.

Le musée de Roskilde *(plan B2) : Skt Ols Gade 15 et 18. ☎ 46-31-65-00. Tlj 11h-16h. Entrée : 25 Dk (3,25 €) ; gratuit pour les enfants.* Musée régional présentant différents aspects de l'histoire et de la vie locale. Petite section préhistorique (bijoux, tombes...), pas mal d'éléments religieux (beau Christ en Croix), maquette de la cité au XIIe s, livres anciens, collections de vêtements paysans (belles broderies), vieilles enseignes, mobilier des siècles passés, costumes folkloriques, belle collection de porcelaine, etc. Nombreux tableaux de la ville au XIXe s, ce qui permet d'observer un panorama très complet de la cité.

Roskilde Palace *(ancien palais épiscopal ; plan A-B2) : tt à côté de la cathédrale, sur la grande place.* Construction harmonieuse de 1733, dans un jaune bouton d'or éclatant. Le roi et sa suite y logeaient quand ils passaient dans le secteur. Relié à la cathédrale par l'arche d'Absalon. Dans ce palais, trois petits musées. D'abord, deux petits ***musées d'Art moderne*** (expos temporaires) : *le premier, ouv mar-ven 11h-17h, w-e 12h-16h. Entrée : 20 Dk (2,60 €). Le deuxième, gratuit, ouv mar-dim 12h-16h. Le troisième, le* ***Palæsamlingerne,*** *abrite les collections du palais. Ouv de mi-mai à mi-sept, tlj 11h-16h. Entrée : 25 Dk (3,25 €). Ticket combiné avec le Roskilde Museum.* Collections de peintures sur mascarons de différents siècles, notamment des XVIIIe, XIXe et XXe s, qui appartiennent à une société de chasse de la ville. Peintures des riches marchands de Roskilde, quelques objets d'art. Mobilier, effets personnels, vues de la région.

➢ ***La promenade dans le coin du port et du quartier de Sankt Jørgensberg*** est agréable. Vieilles maisons classées et rues tortueuses.

➢ ***Balade en bateau dans le fjord :*** *pour infos, sur le port ou ☎ 46-75-64-60 (Sagafjord). • sagafjord.dk • En hte saison, tours tlj dans le fjord 12h, 15h et 19h. Hors saison, 2 tours slt : avr-mai et oct, w-e slt ; sept, tlj. Prix : 85 Dk (11 €) ; réduc. Durée : 1h30.* On conseille de prendre celui de 15h, car c'est le seul qui n'inclut pas de repas. Il est donc bien moins cher. Sinon, possibilité de faire une balade en bateau viking à l'île-musée (voir plus haut).

LA SEALAND

Festival

– Ts les ans à Roskilde, le dernier w-e de juin ou le 1er w-e de juil, a lieu le plus grand ***festival rock*** *d'Europe, qui dure 4 j. Possibilité d'acheter les tickets à l'avance sur Internet ou sur place pour dim slt. • roskilde-festival.dk • Le pass est également disponible à l'office du tourisme.* C'est une sorte de mini-Woodstock, à ne pas manquer si vous aimez la musique. Une programmation excellente, avec les meilleurs groupes du moment. Qualité et ambiance assurées. On y rencontre Norvégiens, Suédois, Danois, Allemands, Finlandais, Belges et des voyageurs de bien plus loin encore. À l'époque du festival, on campe sur le site même, dans un grand parc agencé à cet effet, au point que les campings sont vides !... Et la population passe de 50 000 à 120 000 ! Il existe 8 sites de concerts qui sont ouverts à la fois pendant la journée et le soir.

➤ *DANS LES ENVIRONS DE ROSKILDE*

Le centre de recherches de Lejre (Lejre Forsøgscenter) *: situé à 8 km à l'ouest de Roskilde. ☎ 46-48-08-78. • lejrecenter.dk • Assez difficile de s'y rendre en stop. Prendre le train Roskilde-Lejre, puis bus n° 233 jusqu'à « Lejre forsøgscenter ». Le bus et le train sont connectés ; 1 liaison/h. De juil à mi-août, tlj 10h-17h ; mai-juin, de mi-août à mi-sept et pdt les vac scol, mar-dim 10h-16h (11h-17h le w-e). Entrée : 80 Dk (10,50 €) ; moitié prix pour les enfants et gratuit avec la* CPH Card. Ces villages de l'âge du fer et de la pierre, reconstitués dans une jolie région de collines veloutées, présentent de multiples activités et expériences archéologiques. Des animateurs en costume tentent d'y faire revivre le mode de vie d'autrefois, les premiers métiers et l'artisanat. D'ailleurs, pendant l'année scolaire, toutes les classes du pays y vont au moins une fois apprendre à faire du feu, manier sur un étang un canoë creusé dans un tronc d'arbre, broyer du grain, faire de la poterie, tisser des fibres naturelles, préparer un repas préhistorique, etc. Tous les enfants peuvent vraiment participer. Enfin, un « chemin de l'Histoire » musarde entre les collines et présente différents aspects de la vie domestique pendant l'âge du fer, avec des explications vivantes et détaillées. Visite vraiment intéressante et promenade nature vivifiante et agréable, on croise des sangliers, des canards, des moutons et des chèvres en semi-liberté et même la race éteinte (mais reconstituée par croisement) des légendaires aurochs de la préhistoire. Pendant les vacances scolaires, des familles danoises viennent vivre ici selon les coutumes de l'époque. En août, des artisans de toute l'Europe occupent les ateliers et tentent de fabriquer les objets usuels en respectant les techniques de l'époque. Dans un périmètre de quelques kilomètres, plusieurs possibilités d'excursions.

Le château de Ledreborg : *sur la route du centre de recherches de Lejre, 2 km avt. Pas de bus. De mi-juin à août, tlj 11h-17h ; mai et sept, ouv slt dim. Entrée : 60 Dk (8 €) ; gratuit avec la* CPH Card. Intérêt discutable. Grosse demeure baroque de 1740 et parc anglais. On visite au 1er étage une série de salles couvertes de tableaux plutôt moches. Mobilier des XVIIe et XVIIIe s. Quelques belles tapisseries, quelques objets. Beau jardin derrière. Mais c'est à peu près tout ce qui est beau dans ce château. Concerts, comédies musicales... le week-end du 15 août. Grosse affluence. Prendre les places à l'avance.

Gammel Lejre : *à env 10 km à l'ouest de la ville. Pour y aller, il n'y a guère que la voiture.* Il s'agit d'un village danois typique avec ses chaumières. Petit *musée* dans une vieille maison équipée à l'ancienne. En arrivant dans le village, sur la droite, grand parking. Un chemin mène à un pré où l'on trouve deux rangées de pierres en forme de navire : c'est l'un des plus grands cimetières vikings du Xe s. On y trouve de nombreux squelettes.

LA SEALAND DU SUD ET LES ÎLES MÉRIDIONALES

Les voyageurs qui foncent de Copenhague à Odense (et inversement) ont tendance à oublier l'existence des îles du sud de la Sealand, quel dommage ! Elles constituent une excellente alternative à la rébarbative autoroute vers la Fionie. De Køge, allez vagabonder vers l'île de Møn avec ses faux-airs bretons et ses impressionnantes falaises de craie blanche. Quelques belles plages, la promesse de balades sur les lacs de Maribo et un original parc à thème vous attendent sur Falster et Lolland. Et pendant que vous y êtes, offrez-vous le plaisir d'une traversée en bateau vers les îles Fioniennes avant de remonter à Odense. Certes, c'est plus long que la route directe, mais jalonné d'étapes pleines de charme.

KØGE

Malgré un environnement industriel un peu triste, cette petite ville paisible et charmante satisfera les amoureux de vieilles et jolies maisons à colombages. On y trouve d'ailleurs la plus ancienne demeure du Danemark et aussi un port et une plage. Beaucoup de monde dans la journée, personne le soir.

Comment y aller ?

➢ ***De Copenhague :*** 1 train ttes les 10 mn ; durée : 35 mn.
➢ ***De Roskilde :*** 1 train/h ; durée : 20 mn.

Adresses et infos utiles

Office du tourisme : *Vestergade 1. ☎ 56-67-60-01. • visitkoege.com • Lun-ven 9h-17h, sam 10h-13h (juin-août 9h-14h sam).* Donne des adresses pour loger chez l'habitant et peut éventuellement réserver pour vous (commission de 25 Dk, soit 3,35 €).

✉ **Poste :** *au bout de Vestergade, sur Jernstøbervanget.*

■ **Banques :** *plusieurs établissements sur la place principale, Torvet.* Distributeurs acceptant la carte *Visa.*

– **Marché :** *ts les mer et sam sur Torvet.*

Où dormir ?

⛺ **Vallø Stifts Camping :** *Strandvejen 102.* ☎ *56-65-28-51.* • *Dk-camp.dk/vallo* • *Au sud de la ville, direction Vallø. Ouv avr-sept. De fin juin à mi-sept, réception 8h-21h ; le reste de l'année, 8h-13h, 15h-20h. Compter env 120 Dk (15,50 €) pour deux, gratuit pour la voiture. Également des chalets pour 4 pers env 400 Dk (52 €) la nuit. Après 22h, les voitures n'entrent plus.* Un grand et beau camping sous les arbres, très bien équipé, à 300 m de la plage, avec des bungalows et des douches nombreuses et payantes ; penser toutefois à s'éloigner un peu de la route qui le sépare de la mer.

⛺ **Køge Sydstrand Camping :** *Sdr. Badevej 1.* ☎ *56-65-07-69. Fax : 56-66-07-78. Ouv mai-août, 8h-21h (réception fermée 12h-15h). Compter env 120 Dk (15,50 €) pour deux avec la voiture.* À 100 m de la plage, très simple et calme, bloc sanitaire des plus succinct ; beaucoup de caravanes à demeure, séparées par des haies de fleurs. Bon accueil. Un petit air de *has been* qui a son charme, à condition de ne pas regarder du côté de la très vilaine raffinerie.

🏠 **AJ Lille Køgegård :** *Vamdrupvej 1.* ☎ *56-65-14-74. Fax : 56-66-08-69. À 3,5 km de la gare, en dehors de la ville (bus n° 210 ttes les heures). Ouv d'avr à mi-déc (sf pour les groupes). Réception 8h-12h, 16h-21h. Une AJ de 82 lits, avec des chambres de 2 lits 220 Dk (28,50 €) et de 4 lits 400 Dk (52 €). Compter 90 Dk (12 €) pour un lit en dortoir.* Propre et sympa, sans fioritures excessives mais avec un vrai petit confort convivial. Pas de couvre-feu. Le petit déj est servi sur commande seulement, pas de repas sauf pour les groupes. Grande cuisine, parking privé entouré de verdure.

🏠 **B & B :** *compter 400-500 Dk (52-65 €) pour un couple, petit déj en général compris.* L'office du tourisme vous donnera une liste d'une trentaine d'adresses situées dans un rayon de 20 km autour de la ville.

Où manger ?

Prix moyens

🍽 **Det Grønne Hus** *(La Maison Verte) : Vesdtergade 3C.* ☎ *56-67-60-70. Derrière le Centralhotellet, à côté de l'office du tourisme. Ouv slt mer-ven 10h-16h, sam 10h-15h. Compter env 50 Dk (6,50 €) pour des sandwichs, des salades et du pain.* Cette charmante maison de brique rouge abrite un centre écolo très actif. Du bois partout, c'est clair, propre et sympa. Tout est fait maison, bio bien sûr, excellent et copieux. On mange dans la salle commune face au coin cuisine, devant la bibliothèque ou bien dans le ravissant jardin de curé qui s'étend jusqu'à la rivière, parmi les cultures potagères et arbres fruitiers. Il y a même 2 canoës pour se balader sous les frondaisons. Ambiance sereine et militante, des conseils partout jusque dans les w-c. Une adresse bien reposante.

🍽 **Café O'Flanagans :** *Nørregade 22B.* ☎ *56-63-33-39. Face à l'église Sankt Nikolaï. En hte saison, lun-jeu 11h-23h, ven 15h-3h, sam 17h-3h. La cuisine cesse de servir vers 20h. Plats et sandwichs env 50 Dk (6,50 €).* Un bel intérieur de vieux troquet aux murs jaunis par la fumée, une terrasse dans la rue derrière ou quelques petites tables dans la rue principale : à vous de choisir l'endroit où vous boirez votre café glacé, dégusterez un sandwich, une salade, un bout de gâteau à la carotte, etc. Le tout très frais, vraiment copieux et pas cher ! Service jeune et souriant. Bref, un endroit charmant.

Où boire un verre ?

Sur le port, face aux chalutiers à quai, quelques pubs et cafés aux façades colorées et aux enseignes exotiques : ***Horizonte, Bossa Nova, Tolboden...*** et même un resto gastronomique.

À voir

Les maisons anciennes : Køge fourmille de vieilles et vénérables demeures, particulièrement sur *Kirkestræde,* au n° 13 (la maison du forgeron), au n° 10 (début du XVIIe s) et au n° 20, la maison présumée la plus vieille du pays (1527). Sur *Vestergade,* au n° 7, et surtout au n° 16 sur *Brogade* (colombages, motifs de brique et frises en bois sculpté). Sur *Nørregade,* voir le n° 4 (qui abrite le musée) et le n° 31.

Køge Museum : *Nørregade 4. ☎ 56-63-42-42. Juin-août, tlj 11h-17h ; hors saison, en sem 13h-17h, sam 11h-15h, fermé dim. Entrée : 30 Dk (4 €) ; gratuit avec la* CPH Card. Il présente de façon superbe l'histoire de la ville au travers de costumes, de mobilier, d'objets domestiques, de reconstitutions d'intérieurs, d'argenterie, de produits de fouilles... Les collections sont très riches, Køge ayant été pendant longtemps un grand port marchand par lequel transitaient des produits de toute l'Europe. Le musée est lui-même situé dans une vénérable maison ancienne à colombages, dont le toit ondule doucement sous le poids des ans. Une visite à ne pas manquer.

Kunstmuseet Køge Skitsesamling *(musée des Esquisses)* ***:*** *Nørregade 29. ☎ 56-66-24-14. En hte saison, mar-dim 10h-17h (20h mer) ; le reste de l'année, horaires variables. Entrée : 30 Dk (4 €) ; gratuit dim.* Musée d'art contemporain qui présente tous les travaux réalisés par les artistes avant l'œuvre définitive : esquisses, ébauches, dessins, études, plâtres. Tout est là, sauf, évidemment, les œuvres finies. À l'étage, expos temporaires sur le même thème. Agréable café au rez-de-chaussée.

L'église Sankt Nicolaï : *entrée sur Kirkestræde, face au n° 27. En hte saison, tlj 10h-16h ; le reste de l'année, horaires variables. Entrée gratuite.* Elle accuse un style gothique du XIVe s assez dépouillé, malgré des proportions intéressantes et une composition robuste, à la façon d'une forteresse, où alternent brique et pierre. Mobilier superbe : bancs Renaissance ouvragés, balcon en bois peint, chaire de bois incroyable de finesse, dalles du sol essentiellement composées de pierres tombales. Noter le travail du haut baldaquin à trois étages. Voir encore le retable au maître-autel entièrement sculpté et ajouré, à la forme originale. Dans le bras droit du transept, petit musée.

➤ DANS LES ENVIRONS DE KØGE

Le château de Vallø : *à 8 km au sud-est de Køge. Accès au parc tlj.* Élégant bâtiment de brique avec des tours rondes surmontées d'un joli dôme, mais le château n'est pas ouvert au public ; seul le parc se visite.

L'ÎLE DE MØN

Sur la route entre Rødby (sur l'île de Lolland) et Copenhague, Møn se révèle un véritable joyau écologique, l'alliance heureuse de la douceur de Belle-Île (en Bretagne) et du charme irlandais, le paradis des géologues... C'est ici que l'on trouva le *Grønjægers hoj,* le tumulus préhistorique le plus important du pays.

Plusieurs dizaines d'autres jalonnent d'ailleurs l'île, ainsi que des « chambres » de géants et près de 200 tertres de l'âge du bronze. Pour les cyclistes, de petites routes de campagne, sinueuses et vallonnées, permettent de découvrir toutes les richesses de l'île.

Comment y aller ?

➢ ***De Copenhague*** : train jusqu'à Vordingborg, puis bus jusqu'à Møns Klint lun-ven ttes les heures, tte l'année ; se renseigner pour le w-e.
➢ ***De l'île de Falster :*** ferry de Stubbekøbing à Bogø et, de fait, le plus petit du pays. Mai-sept slt, 1 navette/h 9h-18h. Charme assuré. Mais il existe aussi un pont sur l'autoroute de Copenhague entre Falster et Sealand ; une sortie de ce pont conduit à Bogø et, de là, on rejoint facilement l'île de Møn par la digue.

Adresses utiles

Møn Turistkontor : *Storegade 2, 4780 Stege. ☎ 55-86-04-30. • visitmoen.com • C'est la 1re maison jaune après le port. De mi-juin à août, lun-ven 10h-17h, sam 9h-18h, dim 11h-13h ; hors saison, lun-ven 10h-17h, sam 9h-12h.* On peut y obtenir la liste des fermes-auberges, soit une vingtaine dans le secteur Møn et Bogø pour des tarifs allant de 200 Dk (26 €) pour une double avec salle de bains commune à 400 Dk (52 €) avec salle de bains privée.
Location de vélos : *à Stege et Klintholm Havn.*

Où dormir ?

Camping Møns Klint : *Lintevej 544, Borre. ☎ 55-81-20-25. • campingmoensklint.dk • À Liselund et aux falaises. Pour s'y rendre en venant de Stege et avt d'arriver au parc et au château de Liselund, prendre à gauche, direction Pomerelende. Ouv avr-oct. Compter autour de 120 Dk (16 €) pour 2 pers avec la voiture.* À l'orée de la forêt, au bord d'un lac, bien équipé, piscine, minigolf et location de vélos. Assez familial.
Au-dessus, en traversant la forêt (mais, à pied, la route est longue !), une aire de ***camping semi-sauvage*** *sous des hêtres immenses, slt 30 emplacements : 60 Dk (8 €) pour 2 pers.* Pas d'eau, aucune infrastructure à part les poubelles pour le tri sélectif, mais une vue extraordinaire sur la Baltique et un chemin de chèvre qui dévale la falaise jusqu'à la plage de galets aux eaux transparentes.
Camping Vestmøn : *Hårbøllevej 87, Askeby. ☎ 55-81-75-95. En venant de Stege, prendre la route de Bogø. Le bus s'arrête à Askeby, à 5 km, ensuite c'est fléché. Ouv mai-sept. Réception 9h-12h, 15h-20h. Compter 120 Dk (15,50 €) pour 2 pers.* Très calme, à deux pas de l'immense plage de sable, de beaux emplacements séparés par des bosquets sur une pelouse impeccable, des sanitaires tip-top et douche payante. Couvre-feu 22h-7h. Petite boutique. Une adresse bien agréable pour les voyageurs motorisés, mais les propriétaires n'acceptent pas les cartes de paiement (règlement en couronnes danoises seulement), vous êtes prévenu !
Auberge de jeunesse Møns Klint : *Langebjergvej 1. ☎ 55-81-20-30. En pleine saison d'été, bus directs depuis Stege ; le reste du temps, le terminus est Magleby ; à 3 km, bien indiqué ensuite. Dans la zone des falaises, à 5 km de la plage. Ouv de mai à mi-sept. Le lit en dortoir 105 Dk (13,50 €), la simple 300 Dk (39 €), chambres 2-6 pers 360-600 Dk (47-78 €).* Le restaurant fonctionne pour les 3 repas quotidiens. L'endroit rêvé pour une cure de nature, en pleine campagne, dans une vieille bâtisse entourée d'arbres et de pelouses, au bord d'un petit lac et, juste à côté, un centre équestre pour explorer les environs (falaises, château, forêts, etc.).

Logement à la ferme : *chez Alice et H. J. Rasmussen, Skovsgärd, Klintevej 15. ☎ 55-81-47-29. Sur la route principale, à la sortie de Stege. En direction des falaises, à gauche juste après le panneau, grande ferme au toit de tuiles, reliée à la route par une allée d'arbres. Ouv de mi-avr à mi-sept. Appartements env 2 450 Dk/sem (319 €).* Une adresse de plus de 20 ans ! Alice et son mari se contentent désormais de louer 2 appartements complets pour 4 personnes chacun ; pas de petit déj en principe, mais si on insiste, en période creuse... ça peut s'arranger, de même qu'on peut louer à la journée, c'est selon. Déco pas géniale, mais superbe parc et accueil adorable.

Où manger ?

Bon marché

Restaurant et bar Hyttefadet *(Le Vivier) : à Klintholm Havn, sur le petit port. ☎ 55-81-92-36. Ouv de mi-mars à fin sept, tlj 12h-22h ; hors saison, slt le w-e.* C'est la cantine des voileux et des marins qui viennent y manger le fruit de leur pêche. Les soles y sont fraîches et à un prix défiant toute concurrence : le plat complet, avec 2 ou 3 soles (selon la taille), cuites au beurre, pommes vapeur, sauces et cornichons autour de 90 Dk (12 €), vous laissera un souvenir impérissable. Le patron veille au grain en passant du bar à la salle à manger. D'un côté, bières, cirés et palabres, de l'autre, ambiance bateau plutôt calme et cosy, murs rose saumon (on n'invente rien), plafonds en bois blanc, petit mobilier presque précieux, sur le carrelage des tapis parlant de voyages, et sur les murs des photos et des tableaux, thème unique décliné à l'infini : les voiliers. Une jolie terrasse donnant sur le port de pêche. Une très bonne maison où l'on prendrait volontiers des habitudes !

Café Klint : *Storegade 68, Stege. ☎ 55-81-17-00. Dans la rue principale.* Un café-salon de thé-resto dans un cadre ravissant avec une petite carte bien appétissante de *smørrebrød,* salades, plats du jour cuisinés avec soin, et même une entrecôte, tout cela à prix modiques. Pour le mobilier, mélange de pin et de vannerie, tables rondes, fines nappes brodées, rideaux pastel, bougies, miroirs et vénérables poutres. Bref, un petit bric-à-brac ethno des plus sympa.

À voir

La route des églises

Vous trouverez, en chemin vers Møns Klint, les plus belles églises rurales du Danemark. Attention, elles peuvent être fermées le lundi !

Keldby : profusion de fresques par le maître d'Elmelunde.

Elmelunde : l'église la plus ancienne de l'île (la partie la plus vieille date de 1080). Fresques montrant des scènes de la Bible (Adam et Ève dans l'Éden, le massacre des Innocents, les Rois mages, etc.). Toute blanche, sur une petite butte, elle servait jadis de repère pour les pêcheurs.

Borre : magnifique architecture extérieure avec son toit en escalier.

Magleby : construction de brique rouge plus austère, datant de 1200 et présentant des influences romanes.

Møns Klint

Sur la pointe est, il y a 20 000 ans, la brusque glaciation des eaux releva le fond crayeux de la mer en de hautes falaises parsemées d'aiguilles et d'escarpements et donna cette curiosité géologique : Møns Klint. L'érosion fit le reste en découpant la côte et laissant apparaître les différentes formations de la roche. Au pied des falaises, 8 km de promenades, possibilité de baignade et, le soir, un spectacle superbe lorsque le soleil joue avec la blancheur des parois et toutes les nuances de vert de la forêt de hêtres qui les borde. Accès par le parking payant derrière la cafétéria.

Les falaises : un escalier permet d'accéder à leur pied. Entraînez-vous sec question souffle (il faut remonter les 500 marches !). Petite expo au point de départ sur les découvertes géologiques du coin. Attention aux serpents entre les galets, les jours de grand beau temps. En été, vous aurez peut-être la chance d'assister à des concours de ricochets qui s'organisent spontanément, pour la plus grande joie des participants, toutes générations confondues. L'office du tourisme indique les bons plans de promenades.

Le château de Liselund : *ouv mai-oct. Fermé lun. Visites guidées payantes tlj 10h30, 11h, 13h30 et 14h ; dim 15h et 15h30 en plus.* Ravissant manoir au toit de chaume de 1795, surplombant un magnifique parc à l'anglaise ouvert au public. Joli mobilier.

Klintholm : *accès au parc tlj.* Vaste parc avec de grandes allées, des étangs et un manoir de style néo-Renaissance. Également un petit port et une jolie plage.

L'église de Fanefjord : un vrai livre d'images. Toutes les voûtes sont couvertes de fresques du maître d'Elmelunde, représentant des épisodes de la Bible, à l'usage des paysans qui ne savaient pas lire.

Une digue de 2 km relie Møn à la petite ***île de Bogø.*** Belle église au toit en escalier conservant quelques influences romanes et vieux moulin hollandais (1852). Ferry de Bogø à Stubbekøbing sur l'île de Falster.

La presqu'île de Faro

Cafétéria : immanquable, tout près de l'échangeur. Genre restauration d'autoroute. Très utile quand tout le reste est fermé. On y trouve aussi un office du tourisme.

L'ÎLE DE FALSTER

Plus plate, moins secrète que l'île de Møn, elle présente néanmoins quelques paysages agréables. Sur la côte orientale, Marielyst, petite station balnéaire à la mode, étale ses plages de sable blanc. À Stubbekøbing, *musée de la Moto et de la Radio.* Nykøbing, la ville la plus importante, présente la particularité d'être à cheval sur l'île de Falster et l'île de Lolland ; c'est là que se trouve le fameux Middelaldercentret.

Adresse utile

Office du tourisme : *Østergågade 7 ; à Nykøbing. ☎ 54-85-13-03. • tinf.dk • Lun-sam 10h-17h (18h ven, 13h sam) ; fermé dim.* Excellent accueil, une des employées parle le français. Vous y trouverez la liste d'une petite dizaine de *B & B* ; ils peuvent aussi retenir votre passage sur le ferry de Lolland à Langeland.

Où dormir ?

⛺ ***Stubbekøbing Camping :*** *Gl. Landevej 4, Stubbekøbing.* ☎ *54-44-10-57. En venant de Bogø, prendre à gauche en entrant dans la ville. Ouv de mi-avr à mi-sept. Compter 104 Dk (14 €) pour deux avec tente et voiture.* Situé dans un chouette quartier près de l'eau. Un beau terrain, très bien entretenu, et qui descend vers une petite plage de sable clair d'où l'on voit passer les bateaux. De grands emplacements bien isolés par la végétation, des rigolos petits bungalows avec terrasse. Boutique à la réception.

⛺ ***Smedegården Camping :*** *Bøtøvej 5. Marielyst.* ☎ *54-13-66-17.* • *marielyst.dk* • *Dans le centre. Compter 116 Dk (16 €) pour 2.* Dans un terrain pas plus grand qu'un mouchoir de poche, une vingtaine d'emplacements et quelques huttes situés pratiquement dans le jardin du propriétaire qui tient la boutique et fait l'entretien. Très jolis sanitaires et plage derrière la dune.

AJ : *Østre Allé 110, Nykøbing.* ☎ *54-85-66-99.* • *danhostel.dk/nykoebing-falster* • *À 1 km du centre. Pas de bus, prendre la direction « Zoo » et continuer, c'est à droite. Fermé de mi-déc à mi-janv. Quelques lits en dortoir 150 Dk/pers (20 €) ; doubles avec bains env 360-520 Dk (49-70 €) selon saison.* Très calme, dans un vaste parc. Belle salle à manger bleu et jaune dans laquelle sont servis les 3 repas. On peut louer des vélos au camping voisin, qui dépend aussi de l'AJ.

À voir

Le musée de la Moto et de la Radio : *Nykøbingvej 54, Stubbekøbing.* ☎ *54-44-22-22. Dans le centre. Juin-août, tlj 10h-17h ; sept, slt w-e 10h-17h. Fermé le reste de l'année. Entrée : 35 Dk (4,50 €).* Visite intéressante pour les nostalgiques de *L'Équipée sauvage.* Plus de cent modèles et quelques vieilles mobs. La partie radio est dédiée à l'inventeur du haut-parleur, Peter L. Jensen, un enfant du pays, et recèle une grande collection de récepteurs, haut-parleurs et phonographes.

La route qui suit la côte jusqu'à Nykøbing traverse le petit port de pêche plein de charme de ***Hesnæs.*** Les murs des maisons sont couverts d'osier, selon la coutume locale. À ***Pomlenakke,*** quelques falaises, et à ***Korselitze,*** manoir et grande forêt.

À ***Nykøbing,*** encore une belle église de brique rouge. Voir, à l'intérieur, un arbre généalogique peint en 1627, d'une finesse de détail extra.

L'ÎLE DE LOLLAND

C'est l'île désespérément plate sur laquelle on prend pied en débarquant à Rødby. Si vous venez de Nykøbing, vous la traverserez d'est en ouest jusqu'à Tårs. C'est de là que part le ferry pour l'île de Langeland, passage obligé pour rallier la Fionie (en plein été, il est prudent de retenir sa place à l'avance). Le vent y souffle à son aise et les éoliennes s'en donnent à cœur joie. Les habitants de Møn racontent, en souriant, qu'il suffit de monter sur une caisse de bière pour voir tous les contours de Lolland. Dans ce cas, ça permet de voir qu'il y a quand même quelques sites à visiter. Les flâneurs trouveront du plaisir à se balader dans le petit port de Nysted et autour des cinq lacs de Maribo.

Rens : • *turistlolland.dk* •

Middelaldercentret *(centre médiéval) : Ved Hamborgskoven 2, Sundby L. ☎ 54-86-19-34. • middelaldercentret.dk • Dans le quartier de Nykøbing qui se trouve sur l'île de Lolland, très bien indiqué après le pont à droite. Mai-sept et vac fin oct, tlj 10h-16h (21h mer). Beaucoup de spectacles pdt l'été. Entrée : 75 Dk (10 €) ; nombreuses réduc.* Mérite largement une halte. Il s'agit à la fois d'un centre de recherches et d'un parc « vivant » sur le thème du Moyen Âge comme il y en a tant au Danemark. On y trouve un petit village, des ateliers et des boutiques animés par des personnes en costume d'époque, des bateaux entièrement reconstitués suivant les techniques de l'époque, et même une impressionnante salle des banquets... En se promenant dans les rues, on côtoie les habitants qui vaquent à leurs occupations en ignorant complètement les visiteurs, et on a la curieuse impression d'être un spectateur qui aurait remonté le temps.

NYSTED

Ancien port de commerce très actif, aujourd'hui tranquille petit port de pêche, la ville la plus méridionale du Danemark décline ses vieilles maisons le long des plages les plus chaudes de la Baltique. Non loin de la ville, à *Aalholm,* se trouve un château de belle allure, dont le parc est ouvert au public. Les châtelains, collectionneurs passionnés de voitures, y ont installé un fameux musée.

La meilleure façon de rejoindre Copenhague, c'est en train, au départ de Nykobing, à 15 km de Nysted.

Adresse utile

Office du tourisme : *Stradvejen 18A. ☎ 54-87-19-85. Lun-jeu 9h-16h30, ven-sam 9h-15h ; juil, ouv également dim 10h-13h.*

Où dormir ?

Nysted Camping : *Skansevej 38. ☎ 54-87-09-17. • nysted-camping.dk-camp.dk • Ouv avr-fin oct. Compter env 155 Dk (20 €) pour deux avec tente et voiture en hte saison.* Encore un beau camping, au calme, surtout si l'on peut planter sa tente près du fjord, sous de grands arbres (possible en été seulement).

Où manger ?

Restaurant Spisestedet : *sur le port, exactement au môle, dans une des petites maisons en bois peintes en rouge abritant les activités portuaires. ☎ 54-87-20-15. Ouv tte l'année. Une cuisine danoise goûteuse et bien servie. Compter env 110 Dk (14,50 €) l'assiette de poisson, salade, pain et beurre ; une carte principalement à base de produits de la mer et un menu de 3 plats pour 168 Dk (22 €).* Accueil chaleureux. Une clientèle d'habitués. On peut manger dehors sur la terrasse en caillebotis, un formidable poste d'observation sur les bateaux et les mouettes. À l'intérieur par contre, une vraie maison de poupée vous attend : murs rouges, moquette verte, raffinement des rideaux qui cachent le haut des fenêtres, petites chaises précieuses et des objets danois partout, partout. Autour de la pièce, rangée au-dessus des fenêtres, court une impressionnante collection de vieilles bouteilles de vin français provenant de la faillite du château que l'on voit de l'autre côté de l'eau. Certaines sont vides, la plupart sont trop vieilles pour être bues... la lecture des étiquettes a de quoi donner des regrets. À méditer !

À voir

Le Musée automobile d'Aalholm : à 1 km de là sur la route de Rødby. ☎ 53-87-19-11. De mi-mai à fin août, tlj 10h-17h ; d'avr à mi-mai et sept-oct, slt w-e 10h-16h. Entrée : 70 Dk (9,50 €). Le plus grand Musée automobile de l'Europe du Nord. Un monde ! Plus de 200 modèles mis en scène avec des mannequins en costume d'époque. De la superbe Delaunay-Belleville 1909 à la Bugatti 1938 en passant par la magnifique Pierre Arrow 1922, la petite Morgan 1914 et toute la collection des Rolls, les modèles vous laisseront pantois. Sans compter l'interminable Ford Lincoln Continental 1972 et une modeste 4 CV crème dans un coin. Bon, on s'arrête faute d'adjectifs, mais allez-y sans hésiter !

MARIBO

La vraie petite ville de province tranquille, à l'image de la rue colorée et fleurie qui mène à la cathédrale. Un paysage d'îles et de lacs, des petits bateaux qui vont et viennent, et une profusion de chemins bucoliques.

Adresse utile

***Office du tourisme :** Torvet (pl. du Marché). ☎ 54-78-04-96. En hte saison, lun-ven 9h-17h, sam 10h-13h.* Ils ont une liste d'une dizaine de *B & B* sur la région. S'y renseigner sur les bateaux qui font le tour des lacs... par intermittence.

Où dormir ?

***Maribo Sø Camping :** Bangshavevej 25. ☎ 54-78-00-71. • maribo-camping.dk • Ouv de mi-avr à mi-oct. Compter env 140 Dk (18 €) pour deux avec tente et voiture. Douches gratuites.* Également location de bungalows. Très bien situé, sur une presqu'île face à l'église et des chemins pour aller partout à pied. Le patron a organisé au cordeau les deux centaines d'emplacements, il est vrai qu'avec ses grandes caravanes à double auvent et tout le confort de la maison, c'est plutôt un village de résidences secondaires. Bref, la version danoise du camping cosy. Gérante francophone.

***Auberge de jeunesse :** Sdr. Bd 82B. ☎ 54-78-33-14. • danhostel-maribo.dk • Près du lac, dans le quartier de l'hôpital, assez éloigné de la ville, à 4 km de la gare. Bus ttes les heures. Fermé 1 sem fin déc. Compter 110 Dk (14,50 €) en dortoir, 300 Dk (39 €) la chambre pour 1, 2 ou 3 pers et 400 Dk (52 €) celle pour 4. Petit déj 50 Dk (6,50 €).* Chambres pas bien grandes, mais l'aménagement est de qualité, avec sanitaires communs à l'étage. C'est une grande maison de brique qui ne dépare pas dans le lotissement.

À voir

***La cathédrale :** ouv 9h-18h.* Splendide église gothique de 1470. Intérieur blanchi à la chaux, dont le dépouillement ne met que plus en valeur le retable baroque de 1641 et la chaire.

***Le musée du Diocèse** (Stiftsmuseum) : Banegådspladsen. Tlj sf lun 12h-16h. Entrée : 30 Dk (4 €) ; billet combiné avec le musée suivant.* L'un des plus anciens musées de la province. Des antiquités régionales de toutes sortes et, surtout, des expos tournantes pour montrer l'importante collection de tableaux. On vous recommande les salles présentant des peintures du *golden âge* (première partie du XIXe s). Ne pas manquer la salle consacrée aux Christs en Croix du Moyen Âge : certains possèdent un style étonnant, presque contemporain. Petit musée d'Art moderne à la même adresse.

Frilandsmuseum *(musée en plein air) : à Meinckesvej. Près du camping. Mai-oct, tlj sf lun 10h-16h.* Un lieu de quiétude sous les grands chênes, où l'on peut voir des fermes et des maisons typiques de Lolland avec leur mobilier, décoration et objets domestiques.

À voir dans les environs

Knuthenborg : *☎ 54-78-80-89. • knuthenborg.dk • À 6 km de Maribo. Voiture obligatoire. Juin-fin oct, 10h-17h. Prix d'entrée assez élevé : 115 Dk (15 €) ; réduc.* Un parc safari-photo de 600 ha avec une quinzaine de kilomètres de routes intérieures pour voir les « bêtes sauvages » en liberté. Un super zoo de plein air pour ceux qui aiment ça. Tigres royaux du Bengale, étonnants de beauté et de puissance. En été, une vieille loco et des wagons à la retraite relient Maribo au port du parc, situé à Bandholm.

L'église de Birket : *à 20 km au nord-ouest de Maribo.* Belle église avec clocher en bois séparé. Seul exemple au Danemark. N'intéressera que les amateurs motorisés d'architecture religieuse.

Festival

– ***Festival de jazz :*** *mi-juil.* Plein de big bands qui réveillent la ville. Si vous le manquez, rabattez-vous, le week-end, sur la discothèque *Mona Lisa,* place du Marché.

L'ÎLE DE BORNHOLM

IND. TÉL. : 56

Au milieu de la mer Baltique, à 150 km à l'est de Copenhague mais à seulement 25 km des côtes suédoises se trouve la charmante île de Bornholm. C'est un peu la Corse des Scandinaves. Pour les amoureux de nature, de tranquillité, de balades à vélo, de belles plages mais aussi d'histoire avec les étonnantes églises rondes et les villages de pêcheurs au riche artisanat, il s'agit de l'endroit rêvé pour voir le temps s'écouler dans la douceur. Une curiosité historique : l'île a été occupée par les Soviétiques en 1945 et c'est le seul territoire que Staline a accepté d'évacuer après la guerre.

Comment y aller ?

En bateau

Depuis la construction du pont, il n'y a plus de ferry reliant Bornholm à Copenhague. Désormais, la seule possibilité est de passer par Ystad en Suède ou Køge au Danemark.

Au départ d'Ystad

La liaison est assurée par catamarans et ferries avec possibilité d'embarquer sa voiture, mais c'est très cher, sf en réservant plus de 7 j. à l'avance. De toute façon, la réservation est obligatoire.
Une seule compagnie assure ces liaisons (ce qui explique les prix aussi élevés).
Bornholmstrafikken Hamntorget : *☎ (00-46) 411-55-87-00 à Ystad (Suède) ou ☎ 95-18-66 à Rønne (Bornholm). Résas possibles sur Internet : • bornholmstra*

fikken.dk • Fortes variations de prix selon période, si vous anticipez ou non la résa. Hte saison : 13 mai-7 août, basse saison : le reste de l'année. Si les résas ont été effectuées 7 j. à l'avance min, prix pour un billet aller-retour non modifiable, appelé billet rouge : adultes, 157 Dk (20,50 €) en basse saison et 234 Dk (30,50 €) en hte saison. Prix/pers valable tte l'année, aller simple : 170 Dk (22 €) et 83 Dk (11 €) ; gratuit pour les enfants de moins de 11 ans. Prix par voiture + 5 pers, aller simple : 755 Dk (98 €) en basse saison et 988 Dk (128 €) en hte saison. Durée de la traversée : 1h20 en hydrofoil, sinon 2h30. Six départs/j. Les piétons doivent se présenter 15 mn avt le départ. Les véhicules, 30 mn avt le départ. Vous l'aurez compris, il vaut mieux s'y prendre à l'avance, surtout si on veut prendre sa voiture. Comme c'est vraiment cher en voiture malgré tout, si vous avez un véhicule, possibilité de le laisser pour plusieurs jours à Ystad à côté du port. Renseignez-vous à l'office du tourisme d'Ystad pour les parkings. Certains sont peu chers.

Au départ de Køge

Bornholmstrafikken : *☎ 95-18-66.* • *bornholmstrafikken.dk* • Trajet beaucoup plus long (6h30, de nuit) et plus cher : 204 Dk/pers (27,50 €) en hte saison. Un départ/j.

En avion

Vols au départ de Copenhague assurés par ***Cimber Air.*** *☎ 70-10-12-18.* • *cimber.dk* • Et par ***DAT.*** • *dat.com* • À l'arrivée, ts les bus qui desservent l'île sont au débarcadère : pour Snageback, bus n°s 5 ou 7 ; pour Nexø, bus n°s 5, 6, 7 ; pour Svaneke, bus n°s 4, 5, 7 ; pour Gudhjem, bus n°s 3, 7, 9.

Adresses utiles

Bureau d'information : *près du port, à Rønne, dans un petit bâtiment moderne en face du resto* Perronen. • *bornholminfo.dk* • *Ouv 7h30-18h.* Change devises et chèques de voyage sans problème.

Location de vélos : on trouve quelques loueurs à Rønne ainsi que dans quelques-uns des petits ports touristiques, mais aucun dans le centre de l'île.
– *À Rønne :* Bornholms Cykeludlejning, *Norde Kytvej 5. ☎ 95-13-59. À 100 m du bureau d'information. Ouv 8h-16h, 20h30-21h.* Cykel Centret, *Søndergade 7, dans le centre-ville. ☎ 95-06-04 ou 40-34-96-04.* • *cykeludlejning-bornhm.dk* • *Fermé dim ap-m.* Le premier est le plus fourni et le plus pratique. Dans les 2 endroits, possibilité de louer des tandems, des vélos enfant, et même des tandems « adulte/enfant », très pratiques si le petit dernier n'est pas encore très à l'aise.
– *Ailleurs dans l'île :* Boss Cycler, *Søndergade 14, Svaneke.* Sandvig Cykeludlejning, *Strandvejen 121, Sandvig. ☎ 48-00-60.*

Transports intérieurs

Le vélo

Pour ceux qui n'ont pas de voiture, Bornholm est vraiment un endroit génial pour les balades à vélo : une île aux dimensions raisonnables, avec peu de relief, de nombreuses pistes cyclables (235 km de réseau, dont la carte peut vous être fournie par les loueurs de vélos ou le bureau d'information) et des routes peu fréquentées. Prévoir toutefois des vêtements imperméables, ainsi qu'un casse-croûte car les restaurants sont rares, surtout au centre de l'île. À noter toutefois que certains habitants placent sur le bord de la route de petits stands charmants où vous pouvez acheter quelques victuailles, surtout des groseilles, ce qui est tout à fait sympathique mais notoirement insuffisant quand on pédale avec entrain.

Le bus

Il existe un réseau de bus qui peut s'avérer pratique, par exemple en cas de coup de pompe à vélo (possibilité de monter son vélo à bord, ou plutôt derrière). Il y a neuf lignes en tout, mais sept d'entre elles sont au départ de Rønne. Il faut donc parfois prendre deux bus. Brochure des horaires à l'arrivée des ferries ou au bureau d'information. Le terminus à Rønne se trouve juste entre les deux.

■ ***BAT** : ☎ 95-21-21. • bat.dk •* Le prix du trajet dépend de la distance parcourue mais vu que ce n'est pas donné, il vaut mieux parfois prendre une carte disponible dans les bus ; 1 j. pour 130 Dk (17,50 €) ou 5 j. pour 440 Dk (59 €).

Location de voitures ou de scooters

■ ***Avis** : Snellemark 19, Rønne. ☎ 95-22-08. • avis-bornholm.dk • Et à l'aéroport de Kø.*

■ ***Europcar** : Ndre Kystvej 1, Rønne. ☎ 95-43-00.*

Où dormir ?

Bon marché

🏠 Il y a des ***AJ*** sur toute l'île, à environ 20 km les unes des autres. Elles sont situées à Rønne, Hasle, Sandvig-Allinge, Gudhjem, Svaneke, Boderne. Assez bien indiquées. On y trouve de la place même en été. *Résa possible sur • danhostel.dk •*

🏠 ***Danhostel** : Ejnar Mikkelsensvej 14, à Gudhjem. ☎ 48-56-35. Ouv tte l'année. Nuit 150 Dk/pers (20 €) ou doubles sans bains 385 Dk (52 €).* En plein centre du village et à 1 km de la plage. Propose également des chambres familiales. Cuisine à disposition.

🏠 ***Danhostel Sandvig** : Hammershusvej 94, 3770 Allinge. ☎ 48-03-62. Située pas loin de la route mais en pleine nature, à 500 m de la plage et à 800 m de la forteresse de Hammerhus. Compter 150 Dk (19,50 €) en dortoir ; doubles 400 Dk (52 €) sans bains.*

Chambres d'hôtes

🏠 ***Bjørnegard** : chez Else Rottensten. Klemens Storegade 29, à Klemensker. ☎ 96-61-11. Résa sur • bedanbreakfast.dk • Ouv tte l'année. Compter 300 Dk (39 €) la chambre, petit déj en plus.* La maîtresse de maison, charmante et qui parle parfaitement anglais, reçoit dans une grande ferme traditionnelle, avec 4 chambres doubles et 2 chambres simples. Bains sur le palier. Calme et authenticité garantis et, en prime, un joli jardin pour prendre le thé au soleil couchant. Petit déj composé de produits de la ferme.

Plus chic

🏠 ***Grethas Pension** : Nygade 7, Sandvig-Allinge. ☎ 48-10-10. Env 245-370 Dk/pers (32-48 €) selon confort et saison, petit déj compris.* Chambres avec bains et kitchenette. Dans un joli jardin, au centre de Sandvig.

Où manger ?

Dans l'île, on trouve de nombreux restaurants dans les petits villages côtiers, ou encore des fumeries. Mais strictement rien à l'intérieur de l'île, même dans les villages ou près des églises rondes.

Roadhuskroen : *Nørregade 2 (la place principale). ☎ 95-00-69. Ouv midi et soir. Compter 55-150 Dk (7-19,50 €) le midi pour un menu ; plats à partir de 140 Dk (19 €) le soir.* Cuisine soignée, pas mal de plats à base de viande, servis dans une petite salle croquignolette.

Où sortir ?

Le Roxy : *à Svaneke. Ouv 21h-3h.*
Club Savoie : *à Nexø. Ouv 1 j. sur 2.*

À voir

Rønne : la ville la plus importante de l'île, mais pas un charme fou. On vous déconseille donc d'y séjourner. La place principale comporte toutefois quelques brasseries avec terrasse où il peut être agréable de se restaurer avant de découvrir l'île ou en attendant le bateau.

Les églises rondes : on peut aujourd'hui admirer quatre de ces admirables églises disséminées sur Bornholm. Il s'agit à la fois de bâtiments religieux et de forteresses, érigés entre le XIIe et le XIVe s pour se protéger des invasions des pirates venus de la mer. Elles sont d'une grande originalité et très belles, avec leurs épais murs blanchis à la chaux percés de meurtrières, leur intérieur comportant un pilier central parfois orné de superbes fresques et leur petit cimetière émouvant. L'accès aux quatre églises est payant mais très bon marché.

Au nord-ouest de Bornholm

Nyker : *à 7 km au nord-est de Rønne, en direction de Klemensker.* On y trouve la plus récente des églises rondes, mais pas la moins admirable, avec des pierres runiques énigmatiques sous le porche et, sur le pilier central, une fresque représentant la Passion du Christ divisée en treize épisodes, partant de droite vers la gauche. Magnifiquement conservé. Voir notamment, sur le quatrième panneau, le petit diable chuchotant à l'oreille de Ponce Pilate. Montez également dans le clocher, ce qui vous permettra d'admirer la superbe charpente en bois ainsi que les cloches datant des XVIIe et XVIIIe s.
Enfin, ne manquez pas d'observer les trois beaux portails d'accès au cimetière, au mécanisme très original et datant également des XVIIe et XVIIIe s.

Hasle : il s'agit de l'un des petits ports où l'on trouve les plus importantes fumeries de poisson de l'île, les fameuses *Røgeri,* caractéristiques de Bornholm. La pêche étant bien sûr l'activité ancestrale de Bornholm, chaque maison avait jusqu'au milieu du XXe s sa propre fumerie, mais c'est à Hasle que l'on peut désormais trouver les plus belles, reconnaissables à leurs hautes cheminées blanches surplombant de longues bâtisses. Des tables de bois ont été disposées et vous pouvez ainsi déguster votre poisson, de 10h à 18h, dans un cadre charmant en bord de mer, avant de rejoindre la jolie plage de sable blanc par un petit sentier à gauche des bâtiments (15 mn de marche).
Le village en lui-même est agréable à parcourir avec quelques maisons colorées et boutiques d'antiquaires ainsi qu'un bel hôtel de ville datant de 1855, mais le tour en est vite fait.

La forteresse de Hammershus : *l'accès à la forteresse est libre, et la visite peut être complétée par celle du petit musée qui décrit la vie au château.* Un lieu historique superbe dans un lieu très romantique, tout au nord de Bornholm. Perchées au sommet de hautes falaises surplombant la mer, les ruines de brique rouge de cette forteresse moyenâgeuse sont parmi les plus imposantes d'Europe

du Nord et laissent une impression de puissance. Sa construction a été entreprise en 1250 par l'archevêque de Lund, puis la forteresse a ensuite été élargie successivement jusqu'au XVIe s, avant de perdre progressivement de son importance avec le développement de l'artillerie. À partir de 1743, le bâtiment n'est plus utilisé comme forteresse. D'intéressants panneaux disposés dans les ruines permettent d'imaginer la vie dans le château et de comprendre les fonctions de ses différentes parties.
|●| Il est possible de se restaurer dans une cafétéria tout à fait correcte, attenante au musée.

Au nord-est de Bornholm

★ ***Allinge :*** charmant petit port de pêche avec ses maisons et son église bariolées, ses ruelles pavées, ses nombreux restaurants et cafés, ses boutiques d'artisanat parmi lesquelles quelques sympathiques fabriques de bonbons de toutes les couleurs et pour tous les goûts.
On y trouve également une plage agréable, de même que celle de Sandvig juste au nord.

★ ***Olsker :*** à quelques kilomètres à l'intérieur des terres, on trouve la plus ancienne des églises rondes, mais aussi la plus imposante. Elle se situe à l'extérieur du village.

★ ***Bornholms Kunstmuseum Helligdommen*** *(musée d'Art moderne) : situé à Rønne. ☎ 48-43-86. • bornholms-kunstmuseum.dk • Juin-août, tlj 10h-17h ; mai et sept-oct, mar-dim 10h-17h. Entrée : 50 Dk (6,50 €).* Inauguré en 1993, ce grand bâtiment blanc, situé dans un site champêtre en bord de mer, est essentiellement consacré à l'école de Bornholm, avec des œuvres notamment de Edvard Keie, Karl Isakson, Olaf Rude, Niels Ledgard. Il a été agrandi pour ouvrir une intéressante section consacrée au design. À proximité du musée, un sentier mène au site de Helligdomsklipperne, avec ses beaux rochers au bord de l'eau.

★★ ***Gudjhem :*** un très beau village avec ses ruelles bordées de maisons à colombages et descendant jusqu'à la mer en pente raide (il est même interdit de circuler à vélo), son petit port de pêche, ses fumeries de poisson et ses nombreux restaurants. Également un beau moulin sur les hauteurs. Les amateurs peuvent visiter aussi la fabrique de verre et les nombreux magasins de céramique.
C'est de Gudjhem que l'on peut rejoindre le plus facilement l'île de Christiansø, à 1h de bateau, où vous pouvez voir une forteresse du XVIIIe s. Cela dit, le prix de la traversée *(170 Dk, soit 22 €)* est élevé et il n'y a pas grand-chose à y voir. Traversées possibles également à Allinge et Svaneke.

Melsted : très jolie petite plage à 2 km au sud du Gudjhem, en bord de la route en direction de Svaneke, juste après le *Sannes Familie Camping*.

★ ***Bornholms Middelaldercenter*** *(centre médiéval) : au sud de Gudjhem, en direction d'Østerlars. ☎ 49-83-19. • bornholmsmiddelaldercenter.dk • Ouv l'été 10h-17h.* Il s'agit d'une ferme reconstituée, avec des combats de chevaliers, des démonstrations d'artillerie et de fauconnerie, ainsi qu'un centre d'artisanat. Un grand marché médiéval a lieu du 18 au 23 juillet, mais se renseigner car les dates peuvent changer.

★★ ***Østerlars :*** la plus ancienne des églises rondes et la plus imposante. Le pilier central a été creusé pour abriter le baptistère. Les fresques sont magnifiques, avec pas moins de 150 personnages représentés. Détail amusant, dans la scène du Jugement dernier, les personnages sont avalés par une baleine !

Au sud de Bornholm

★ ***La forêt d'Almindingen :*** il s'agit de la plus grande forêt du sud du Danemark, traversée de plusieurs pistes cyclables qui permettent de musarder, d'y cueillir des framboises, de se reposer au bord d'un étang ou d'un ruisseau. Rien de spécial à voir mais une promenade très agréable. La partie la plus belle est sans doute *Paradisbakkerne,* à l'est, non loin de *Svaneke.*

Svaneke : agréable port, moins touristique que Gudjhem, mais très joli également avec son lot de maisons à colombages parmi les mieux préservées de Bornholm. Près du port se trouve Glastorvet où un grand nombre d'artisans sont rassemblés.

Dueodde : on y trouve surtout une immense plage de sable blanc et fin avec, en arrière-plan, des dunes et des pinèdes. Essayez de monter en haut du phare (196 marches tout de même !), qui vous permettra d'avoir une vue d'ensemble de cette côte très spectaculaire.

Nylars : en revenant vers Rønne, une autre très belle église ronde, réputée comme la plus solide de toutes. Elle disposait à l'origine d'une deuxième porte, située au nord, réservée aux femmes, et qui a été remplacée par une fenêtre. Les fresques ornant le pilier central décrivent des scènes de la Genèse, avec notamment un curieux serpent tentateur à tête humaine. Le clocher situé à côté de l'église est particulièrement élégant.

LES ÎLES FIONIENNES

Composées de quatre îles principales : *Langeland, Tåsinge, Ærø* et *Fyn* (la Fionie). Quatre visages souriants que rencontrent nécessairement tous ceux qui font une visite sérieuse du Danemark. *Fyn* est le passage obligé en venant de Copenhague quand on se déplace en voiture. En plus de la visite de la dynamique Odense et de son joli centre historique, prenez le temps de découvrir les petites îles du sud, trop souvent oubliées. D'ailleurs, on vous conseille dans ce guide de débuter votre visite des îles Fioniennes par le sud. Au menu : campagne idyllique gentiment vallonnée, ports de plaisance, plages pour les amoureux de la baignade. Le soir venu, une superbe lumière dorée et caressante se dépose sur les reliefs ondulants de ces îles. Des ponts relient certaines d'entre elles, mais une traversée par bateau est obligatoire pour rejoindre Ærø, île aux nombreuses particularités qui la distinguent du reste du pays, et qu'on considère comme une des plus jolies régions du Danemark.
• *fyntour.dk* • Le site des îles Fioniennes.

LANGELAND

En débarquant à Spodsbjerg, ralentissez, vous risqueriez de traverser l'île sans vous en rendre compte et ce serait dommage. Cette étroite bande de terre étirée face au Lolland demeure méconnue, malgré la fréquentation touristique en progression. Elle offre pourtant des paysages attrayants, alternant les collines couvertes de moulins à vent, les églises blanchies à la chaux et les petits bois et futaies que vient lécher la mer.

Arriver – Quitter

➢ On y accède par la ***route*** depuis l'archipel Fionien grâce aux ponts reliant Rudkøbing à l'île de Tåsinge puis à Svebdborg.

Seuls les ***ferries*** relient Spodsbjerg (Langeland) à Tars (Lolland) et la Sealand du Sud, avec la compagnie *Scandlines*. Un ferry/h tte l'année dans les 2 sens ; plus nombreux en saison, 6h15-22h15. Compter 225 Dk (30 €) pour deux avec une voiture. Trajet : 45 mn.
– Rens, résas et paiement : ☎ 33-15-15-15 et en ligne : ● scandlines.dk ●

Adresse utile

Office du tourisme : *Torvet 5, Rudkøbing (pl. du Marché). ☎ 62-51-35-05. ● langeland.dk ● De mi-juin à fin août, lun-ven 9h-17h, sam 9h-15h ; hors saison, lun-ven 9h30-16h30, sam 9h30-12h30.* Très bon accueil, une des employées parle le français.

Où dormir ? Où manger ?

Campings : *un peu partout à Bagenkop, Lohals, Tranekær, Rudkøbing et Spodsbjerg, mais le préféré de l'office du tourisme est l'****Emmerbølle Strand Camping,*** *au nord de Tranekær, à Emmerbølle. ☎ 62-59-12-26. ● emmer bolle.dk ● Compter env 175 Dk (23 €) pour deux avec tente et voiture.* Location de vélos, Internet.

Auberge de jeunesse de Rudkøbing : *Engdraget 11. ☎ 62-51-18-30. ● danhostel.dk/rudkobing ● Ouv mai-sept ; tte l'année pour les groupes. Chambres de 1 à 6 lits avec ou sans bains. Compter 140 Dk (18 €) en dortoir ; doubles avec bains 400 Dk (52 €).* De petits bungalows et quelques emplacements pour camper. Sa déco simple et fonctionnelle n'en fait pas la plus belle AJ du pays, mais elle présente l'avantage d'être à la fois près du centre et déjà à la campagne. Service de petit déj, location de vélos.

Tullebølle Kro : *à Tullebølle, un peu avt Tranekær. ☎ 62-50-13-25. Au bord de la route, à gauche après l'église en venant de Rudkøbing. Doubles sans bains 450 Dk (58,50 €).* Cette vieille auberge d'un rouge éclatant était un relais de diligences. Le resto est connu pour ses spécialités d'anguilles. Jolie déco aux couleurs pastel.

À voir

Le château de Tranekær : *à env 12 km au nord de Rudkøbing, à la sortie de Tranekær. Entrée payante (25 Dk, soit 3,35 €) dans la partie du parc extérieure aux douves.* Superbe édifice rouge sang construit en angle, dominant de sa butte un charmant petit village.

L'église de Bøstrup : *quelques km plus haut que Tranekær.* Toits à plusieurs niveaux et figures de granit très anciennes dans les murs. Le petit cimetière et la vieille chaumière à côté donnent à l'ensemble beaucoup de charme.

Rudkøbing : la « capitale » de l'île. Belles maisons à colombages autour des rues Smedegade, Brogade et Østergade. Voir sur Brogade, au n° 15, la vieille pharmacie et son petit jardin des herbes médicinales. Le ***musée régional de Langeland*** (Jens Winthersvej 12) présente des collections et expos temporaires intéressantes. Très beau moulin à vent à côté de la place du Marché (Torvet).

TÅSINGE

Depuis qu'un pont la relie à Svendborg, l'île de Tåsinge a beaucoup perdu de son autonomie mais pas de sa séduction. C'est une Normandie fleurie et agréable à parcourir à vélo.

Où dormir ?

*Camping **Vindebyøre.** Voir plus loin à Svendborg « Où dormir ? ».*

À voir

Troense : petit port très touristique aux coquettes maisons. Sa rue passe pour être l'une des plus belles du pays. Le ***musée de la Marine*** local est amusant. Installé dans une vieille école datant de 1790, il présente des maquettes de navires, des peintures et dessins, et toutes sortes de souvenirs liés à la mer.

Le château de Valdemar : *à quelques km de Troense.* Entrée assez chère. Construit en 1756 dans un style baroque. Ensemble harmonieux. De chaque côté du château courent les jolis bâtiments des métairies de couleur jaune et blanche avec leurs clochetons. Grand étang devant. Valdemar est devenu une annexe du musée de la Marine, axé sur le mobilier et les collections de l'ancien propriétaire, un amiral qui s'était enrichi dans les batailles navales.

Bregninge : village du centre avec une église intéressante sur une colline, point culminant de l'île. À l'intérieur, belle tête de Christ datant de 1200 et des maquettes de navires du XVIIIe s. Pour vous consoler, car l'église est parfois fermée, grimpez au sommet du clocher par un escalier extérieur pour avoir une vue super sur la région.
– Petit *musée* d'intérêt local dans une maison de 1826. Quelques écrits (en danois, malheureusement) sur la fin tragique d'Elvira Madigan et de son amant. Cette danseuse célèbre, immortalisée par une littérature abondante et la belle interprétation de Vanessa Redgrave dans le film de Bô Widerberg, repose dans le cimetière de Landet, à quelques kilomètres. Pour les romantiques invétérés...

ÆRØ

C'est la plus jolie des îles Fioniennes, peut-être parce que le temps n'a pas eu prise sur elle et que ses maisons aux couleurs pimpantes des XVIIe et XVIIIe s continuent à égayer des paysages variés d'une douceur idyllique. On ne peut s'y rendre que par bateau. La très jolie traversée entre les petites îles frise le romantisme. Évidemment, hyper-touristique en été, les Allemands se rappelant opportunément que l'île fut rattachée un temps au duché du Schleswig-Holstein. Louer un vélo n'y est pas une nécessité mais une obligation.

Arriver – Quitter

Une seule compagnie de ferries dessert l'île : *Ærøfærgerne. Résa : ☎ 62-52-40-00 ou sur • aeroe-ferry.dk •* Possibilité de payer en ligne ou de réserver sa place à l'avance (conseillé en juil-août) et de la payer une fois dans le bateau. Mais dans ce cas, paiement en liquide slt. Billet aller-retour : retour utilisable au départ de ts les ferries quittant l'île, de n'importe quelle ville. Compter 630 Dk (82 €) pour un aller-retour à deux avec une voiture et 183 Dk (24 €) pour 1 pers avec un vélo. Un peu plus cher pour Mommark.

➢ ***Svendborg-Ærøskøbing :*** 5 à 6 fois/j. dans les 2 sens. *☎ 62-52-40-00 ou 62-52-10-18.* Trajet : 1h15.

➢ ***Rudkøbing-Marstal :*** 5 à 6 fois/j. dans les 2 sens. *☎ 62-53-17-22.* Trajet : 1h.

➢ ***Faaborg-Søby :*** 4 à 6 fois/j. dans les 2 sens. *☎ 62-61-14-88* (à Faaborg). Trajet : 1h.

➢ ***Mommark** (Jutland)-**Søby** :* juil-août, 5 fois/j. dans les 2 sens. Avr-juin et sept, 3 à 5 fois/j. dans les 2 sens. Hors saison, beaucoup moins de liaisons. ☎ *62-58-17-17.* Trajet : 1h.

Adresses utiles

Office du tourisme : *Vestergade 1, à Ærøskøbing.* ☎ *62-52-13-00.* • *arre.dk* • *Juste à l'arrivée du ferry. Hte saison, lun-sam 10h-15h30, dim 10h-15h ; hors saison, mêmes horaires en sem, ferme à 13h sam, fermé dim.* Possibilité de louer une chambre chez l'habitant. Pour plus de chances de succès, se rendre sur l'île avec le 1er ferry du matin.

Location de vélos : Pilebaekkens Cykler, *à Ærøskøbing.* ☎ *62-52-11-10. Sur une rue perpendiculaire à la rue qui monte du port. Compter 50 Dk/j. (6,50 €).*

Où dormir ?

L'île dispose de 3 véritables campings en bord de mer à Ærøskøbing, Søby et Marstal. Autour de 120 Dk (13 €) pour deux avec tente et voiture. À noter aussi, une demi-douzaine de campings sommaires, réservés slt aux cyclistes et randonneurs avec des emplacements pour des tentes, sans eau et gratuit ; sf pour deux ou trois d'entre eux, payants 20-30 Dk (2,60-4 €) avec douche. Liste dans les offices du tourisme.

***Marstal Vandrerhjem** : Færgestræde 29, Marstal.* ☎ *63-52-63-58.* • *danhostel.dk/marstal* • *À 300 m du port, au sud, proche de la plage et des bois. Ouv fin mars-fin oct. Lits en dortoir 100 Dk (13 €) ; doubles avec bains 400 Dk (52 €).*

***Gråsten Farm** : chez Julie Martin Hansen, Østermarksvej 20, à Gråsten.* ☎ *62-52-24-25.* • *graastenfarmb-b.com* • *greyfarm.dk* • *À 6 km d'Ærøskøbing et autant de Marstal. Compter 480 Dk (62 €) pour deux avec le petit déj ; lit supplémentaire : 240 Dk (31 €) ; réduc à partir de 2 nuits. Propose également un terrain de camping à la ferme, slt pour les cyclistes et randonneurs, avec douche payante et w-c, pour 20 Dk/pers (2,60 €).* Chouette *B & B* dans une sympathique maison moderne à 300 m de la plage. Trois chambres doubles. Également un appartement de 4 personnes à la semaine pour 2 000 Dk (390 €). Location de vélos. Possibilité d'acheter du lait de la ferme et du pain tous les jours. Pour les clients de la ferme, réduc sur le prix du ferry pour les groupes d'au moins 6 personnes (la demander directement avant de prendre le bateau).

***Ærøskøbing Vandrerhjem** : Smedevejen 15, à Ærøskøbing.* ☎ *62-52-10-44.* • *danhostel.dk* • *À la sortie de la ville en direction de Marstal. Ouv de mi-avr à mi-oct. Lits en dortoir 122 Dk (16 €) ou doubles sans bains 300 Dk (39 €).* Une AJ qui semble perdue au milieu de la campagne, pourtant à quelques centaines de mètres de la petite ville. Bon point de départ pour explorer la nature de l'île.

À voir

***Ærøskøbing** :* la « capitale » dispose d'un centre historique charmant. Les petites maisons anciennes à colombages (certaines datent du XVIIe s) et aux couleurs vives, à l'architecture merveilleusement biscornue, se serrent les unes contre les autres dans les rues piétonnes. Vous découvrirez ici une vieille et curieuse tradition danoise : des rétroviseurs aux fenêtres des plus vieilles maisons ! Plus besoin de se lever de son fauteuil pour voir qui passe dans la rue ou qui sonne à la porte. Notez dans Smedegade, au n° 37, une adorable maisonnette tout droit sortie d'un conte pour enfants, avec sa minuscule lucarne finement décorée. Aussi une collection de bateaux en bouteille sur Smedegade, au n° 22 ; un petit *Musée régional,* dans Brogade, comprenant l'ancienne pharmacie et des meubles, objets, vêtements évoquant la vie sur l'île des trois derniers siècles. La maison du sculpteur *Hammerich* se visite sur Gyden, au n° 22. La ville possède le plus ancien *bureau de poste* du Danemark (1749) sur Vestergade. Ouvert en été pour la vente des timbres, du lundi au vendredi, de 13h à 16h. Belle *église* de 1758 avec chaire sculptée et bateaux votifs.

La presqu'île d'Urehoved : belle balade le long de la plage, avec ses amusantes petites baraques en bois, peintes en bleu, rouge, vert ou jaune...

Bregninge : église romane avec fresques et un triptyque magnifique de Claus Berg (1530).

À voir encore, le petit port de **Søby** et de nombreux vestiges préhistoriques. Liste à l'office du tourisme.

Marstal : ce port fut l'un des plus importants du Danemark. Il est encore aujourd'hui, malgré son effacement, entièrement tourné vers la mer. Vous visiterez l'*église des Marins* : émouvante avec ses bateaux ex-voto ; et le *musée de Marstal* : Prinsengade 4. Objets et souvenirs du monde entier. Collection extra de modèles réduits de bateaux, armes, gravures, photos, etc. Très enrichissant.

***Office du tourisme :** Kirkestræde 25. ☎ 62-53-19-60.*

FYN

Avec 1 130 km de côtes, la Fionie (Fyn) se hisse d'emblée parmi les plus vastes des îles danoises. Dépeinte par Andersen comme le « beau jardin du Danemark », elle séduit les voyageurs par la sérénité des paysages et la quiétude des habitants. Plusieurs ponts la privent d'une insularité totale. Toutefois, ceux qui relient Nyborg à la Sealand constituent une véritable attraction. Ce gigantesque bras métallique suspendu au-dessus des eaux occupe la deuxième place parmi les plus grands ponts du monde.
La vue est vraiment spectaculaire, mais le péage se révèle à la hauteur du titan : prévoir 29 € par voiture.

SVENDBORG

Grand port depuis toujours et centre industriel également. Valdemar le Victorieux et les pirates de la Baltique venaient y boire un verre, non sans ravager la ville de temps à autre. Malgré cela, un grand nombre de maisons survécurent, et la balade à pied dans les petites rues est assez agréable. Beaucoup d'animation, et de jeunes aussi, le week-end. Sur le quai, quelques terrasses.

Arriver – Quitter

Svendborg-Odense : 1 train/h.
Svendborg-Ærø : *au port. Résa conseillée en juil-août : ☎ 62-52-40-00 ou 10-18, ou sur • aeroe-ferry.dk • Dans le bateau, paiement en liquide slt.* Compter 680 Dk (88 €) pour 1 aller-retour à deux avec une voiture ou 163 Dk (21 €) pour 1 pers à pied. Billet aller-retour : retour utilisable au départ de ts les ferries quittant l'île, de n'importe quelle ville. Liaisons 5 à 6 fois/j. dans les 2 sens. Trajet : 1h15.
Bus pour Nyborg : ttes les 30 mn.

Adresses utiles

Office du tourisme : *Centrum Pladsen 4. ☎ 62-21-09-80. • svendborg.dk • En été, lun-sam 9h30-18h (15h sam) ; hors saison, 9h30-17h (12h30 sam). Fermé dim.* Très bien fait, avec beaucoup de doc. Peut changer de l'argent en dépannage. Fait les résas pour les hôtels et les ferries, propose une liste de chambres chez l'habitant.

Poste : *Klosterplads 11.*

Banques : *il y en a deux sur la Centrum Pladsen et 2 autres sur Møllergade.*

Location de vélos : à l'hôtel *Svendborg,* à l'AJ et dans les campings.

Station de bus : *à côté de la gare.*

Où dormir ?

Camping Vindebyøre : *Vindebyorevej 52. ☎ 62-22-54-25. • vindebyoere.dk • Sur l'autre rive, dans l'île de Tåsinge, c'est à 5 mn de Svendborg en voiture. Pour y aller, passer le pont Sundbrovej, direction Tåsinge et prendre immédiatement sur la gauche ; là, c'est indiqué. Ouv de fin mars à mi-oct. Compter 143 Dk (18,50 €) pour deux avec tente et voiture.* Location de bateaux à moteur, de canoës et de vélos. Café Internet. Au bord du Sund, adossé à une jolie colline boisée avec une minuscule plage de sable, beau et serein. Des chaumières blanches et noires abritent les installations impeccables, des bungalows avec cuisine. Calme total. Bien bel endroit.

Carlsberg Camping : *Sundbrovej 19. ☎ 62-22-53-84. • carlsberg-camping.dk • Dans l'île de Tåsinge, à 1 km au sud du pont. Ouv Pâques-fin sept. Compter 165 Dk (21,50 €) pour deux avec tente et voiture. Douche payante.* Des chalets jusqu'à 6 personnes avec bains et cuisine. À l'intérieur des terres, un immense camping, cloisonné au laser, installations impressionnantes, piscine, minigolf, salles de jeux, de TV, location de vélos. Plus proche de la ville de toile que du campement relax. Les maniaques de l'ordre devraient lui trouver un charme certain.

Auberge de jeunesse (Svendborg Vandrerhjem) : *Vestergade 45. ☎ 62-21-66-99. • danhostel-svendborg.dk • À 5 mn du centre à pied ; à 800 m de la gare. Prend les résas par téléphone. Compter 150 Dk (19,50 €) en dortoir et 420 Dk (54,50 €) pour deux.* Superbe AJ de 230 lits en chambres de 2 ou 4. Construite dans les murs d'une ancienne fonderie, une architecture très inspirée a marié l'ancien au moderne. Luxueuse cuisine commune en demi-cercle, digne des meilleures revues de déco et géniale utilisation des couleurs dans tout le bâtiment. Absolument nickel, confortable comme un hôtel, sympa comme une AJ. Très bien équipé : douche et w-c dans les chambres, machine à laver, billard, ping-pong, pelouse devant avec table, location de vélos.

Hôtel Æro : *Brogade 1, Svendborg. ☎ 62-21-07-60. • hotel-aeroe.dk • Doubles 725 Dk (94 €) ; dans l'autre partie, plus luxueuse, chambres à partir de 865 Dk (112 €).* Dans une belle maison datant de 1820, peinte en jaune, sur le quai, face au départ du ferry pour l'île du même nom. Une partie de l'hôtel offre des chambres lumineuses et dotées d'équipements modernes.

Où manger ?

– ***City Gartneren :*** échoppe de fruits et légumes dans la Gåsestræde.
– Quelques ***supermarchés*** et beaucoup de ***restos*** dans les rues piétonnes.

Restaurant Oranje af Svendborg : *sur le quai même, sur le port, sur Jessensmole. ☎ 62-22-82-92. Service 12h-22h. Plats 160-210 Dk (21-27 €).* Dans un bateau du début du XXe s amarré au quai, avec vue sur le Sund, on déguste du bon poisson préparé classiquement, en sauce. L'endroit est particulièrement agréable et animé en fin de semaine.

|●| ***Le restaurant de l'hôtel Æro :*** *même adresse, même téléphone, même patron, mais bizarrement rien à voir avec l'hôtel. Compter env 200 Dk (26 €) pour un bon plat et une bière, mais vous risquez d'être tenté par une carte des vins assez cosmopolite.* Excellentes spécialités danoises, principalement de saumon et d'anguille, très bien servies avec classe et chaleur par un patron qui aime son métier. Plusieurs salles à manger toutes habillées de différentes couleurs chaleureuses, et une terrasse couverte, fréquentées par une clientèle d'habitués et de familles, donnent le ton. Des générations se sont succédé autour des grandes tablées couvertes de nappes damassées. À l'abri de ces murs, plein de secrets semblent encore flotter. Et on prend le pari que si Willy sort son accordéon, vous ne vous sentirez pas si pressé, soudain, de quitter les lieux.

|●| ***Café Palermo :*** *au fond d'une courette qui donne presque sur Centrum Pladsen, à l'angle de Gåsestræde et de la place principale.* Pizzas, pâtes et quelques plats grecs bien servis et pas chers dans un lieu mignon. Autre avantage : sert tard le soir.

Où boire un verre ? Où sortir ?

Toute l'animation nocturne de la ville se concentre sur la rue centrale piétonne Gerritsgade, et également près du port.

Under Uret *(Sous l'Horloge) : Gerritsgade 50. ☎ 62-21-83-08. Tlj jusqu'à 2h (3h en fin de sem).* Certainement le bar le plus branché auprès des jeunes. Tout en longueur, tout en folie.

Borsen : *Gerritsgade 31. ☎ 62-22-41-41.* Parfois des petites formations musicales en fin de semaine.

♫ ***Crazy Daizy :*** *Frederiksgade 2. ☎ 62-21-67-60. Presque sur le port. Ferme à 5h.* LA boîte de la ville. Sur 2 niveaux, on y trouve tout ce qui plaît à la jeunesse actuelle. Il faut avoir 21 ans.

♫ ***Chess :*** *Vestergade 7.* Une autre boîte, plus jeune celle-là.

À voir

Le Musée régional *(Anne Hivdes Gård) : Fruestræde 3. ☎ 62-21-02-61. Près du marché. Ouv 8h-16h.* Situé dans Anne Hivdes Gård, une maison ancienne (1560) très pittoresque. C'est d'ailleurs la plus vieille de la ville. Collection d'objets domestiques et de vaisselle des XVIIe et XVIIIe s.

Torvet : c'est la place du Marché, très agréable, surtout les jours de marché précisément.

L'église Notre-Dame : elle domine la place du Marché de sa grosse tour carrée. Quelques vénérables maisons autour. D'origine romane, elle a été considérablement remaniée en style gothique. Intérieur assez austère. Chaire de 1598 et autel de style Renaissance du début XVIIe s. Le carillon de 27 cloches retentit à 12h et 16h. À 22h, il sonne une dernière fois pour rappeler aux « bonnes gens » que c'est l'heure de dormir, perpétuant ainsi la coutume médiévale de l'aboyeur. Si vous entrez par la porte la plus éloignée de l'autel, vous aurez la surprise de traverser une pièce dédiée aux enfants et qui communique avec l'église : lits, jeux, petits bureaux avec crayons et papier. Pendant la messe, les jeunes paroissiens vont et viennent à leur gré dans le calme, les parents depuis les bancs du fond jettent un œil sur leur progéniture, une maman va s'y installer pour donner le sein à son bébé. Encore une idée qui pourrait faire des petits...

L'église Saint-Nicolas : *dans Gerritsgade.* La plus ancienne église de la ville. Belle construction de brique rouge. Intérieur frais et lumineux.

Les maisons à colombages : sur Bagergade, Gåsestræde et Møllergade. C'est Bagergade qui en possède le plus. Voir la magnifique ***Wiggers Gård,*** place du Marché (Torvet), qui abrite un grand magasin. Grands panneaux de bois sculptés sur la façade, évoquant les différents corps de métiers.

Viebælte Gård *(Svendborg Museum) : Grubbemøllevej 13. ☎ 62-21-02-61. Tlj sf lun 10h-16h. Entrée : 40 Dk (5,20 €) ; réduc.* Un vrai bric-à-brac, situé dans une ancienne maison de pauvres. Tout sur l'histoire de la ville. Au rez-de-chaussée, on a conservé « la maison des pauvres » telle qu'elle était (cellier, cellule d'isolement, cuisine, dortoirs...). En fait, c'était une sorte d'asile où les familles des nécessiteux étaient recueillies et « très bien traitées » (hommes et femmes étaient séparés néanmoins). Au 1er étage, on relate le Moyen Âge et la préhistoire (collections modestes...). Au 2e étage, le cabinet de consultation d'un médecin tel qu'il l'a laissé en prenant sa retraite. Frissons garantis à la vue des instruments. Dans un autre bâtiment, expos de vieux jouets, d'artisanat et curieuse reconstitution d'un appartement des années 1950 (mais où sont donc les patins ?) et surtout, clou de la visite, une collection très kitsch et hallucinante de photos de personnes célèbres (Gagarine, Golda Meir, Gina Lollobrigida, le roi Fayçal, etc.) et d'autres beaucoup plus obscurs, classées par panneaux et dédicacées. À qui ? à une dame qui a entrepris cette affaire uniquement pour épater son mari. La famille en a fait don à la commune. Aux dernières nouvelles, il n'y avait pas encore de raton laveur mais... ça doit pouvoir s'arranger.

LE CHÂTEAU D'EGESKOV

Prononcer « liiiskov ». Situé à une vingtaine de kilomètres de Svendborg, sur la route d'Odense. Considéré à juste titre comme l'un des plus beaux châteaux Renaissance d'Europe. Bâti sur un lac, il repose sur des pilotis de chêne. Le château s'élève au milieu d'un superbe parc, avec jardins baroques et arbres bicentenaires. On y trouve plusieurs musées très ludiques et absolument passionnants sur l'aviation ou l'automobile qui plairont beaucoup aux enfants... et à leurs parents.

Adresse utile. Où manger ?

À l'entrée du domaine, une chaumière abrite l'***office du tourisme,*** *ouv lun-ven 10h-17h.* C'est une mine en ce qui concerne les possibilités touristiques de toute la région.

Cafétéria installée dans les anciennes écuries du château. On peut piqueniquer dans le parc, par ailleurs largement pourvu en aires de jeux et parcours dans les arbres.

Où dormir à Egeskov et dans les environs ?

Vous trouverez aussi un ***micro-camping*** *gratuit, ouv mai-sept, interdit aux caravanes : juste un coin de pelouse pour 2 j. max, sans sanitaires.*

Auberge de jeunesse de Ringe : *Søvej 30-34, à Ringe. ☎ 62-62-21-51. • danhostel.dk/ringe • À 10 km au nord d'Egeskov. Arrêt de bus à 800 m. Fermé la 2de quinzaine de déc. Compter 150 Dk (19,50 €) en dortoir et 310 Dk (40 €) la double ; sanitaires collectifs.* Située au sein d'un complexe culturo-sportif, avec camping, piscine, salle de spectacle, dans un village tranquille au bord d'une jolie rivière, l'auberge est plutôt sympa. Repas servis dans la grande salle à manger.

À voir

Parc et château peuvent se visiter séparément, mais on vous conseille de tout visiter : compter une demi-journée.

La visite du château : • *egeskov.com* • *Mai-oct, tlj 10h-17h ; sf en juil, 10h-19h. Entrée groupée aux parc, musées et château : 175 Dk (23 €). Entrée aux parc et musées slt : 120 Dk (15,50 €).* Sur trois niveaux, on passe en revue de nombreuses salles, salons, chambres à coucher décorées de manières très variées quant aux styles et aux époques. Superbes poutres dans le salon des chevaliers, mignon salon de musique, salle de chasse couverte de trophées. Nombreuses chambres luxueuses... Bon, on n'entre pas dans les détails vu qu'à l'entrée, on vous délivre une petite brochure en français commentant chaque pièce.

– ***Le labyrinthe de Piet Hein :*** un régal pour les mômes.

– ***Le jardin :*** *juil-10 août, tlj 10h-20h (23h mer, avec de nombreuses activités et représentations) ; juin et août, tlj 10h-18h ; sept-oct et mai, tlj 10h-17h. Fermé nov-avr. Réouverture 26 avr 2008.* Absolument délicieux. Surtout la vaste roseraie.

– ***Veteran Museum :*** dans un vaste hangar, véhicules du début du XXe s (Hispano Suiza, Ford, Chevrolet...), voitures des années 1950 (Dauphine). En mezzanine, hélico et moteurs d'avions.

– ***Le musée des Attelages :*** superbe collection de la fin du XIXe s et du début du XXe s.

– ***Le musée des Machines agricoles :*** bien beaux spécimens.

– ***Le musée des Motocyclettes :*** là aussi, de superbes modèles. Notre Solex y est même exposé.

– ***La crypte :*** fou rire garanti en touchant la tête de Dracula...

ODENSE

176 000 hab.

Prononcez « Ouenssé » si vous voulez avoir une chance qu'on vous indique la bonne route. L'archétype de la ville provinciale, étudiante et touristique, en grande partie grâce à Hans Christian Andersen qui fit pleurer des millions d'enfants avec sa marchande d'allumettes, et qui eut aussi la bonne idée de naître à Odense en 1805. Il n'y resta pas, mais ça n'a pas empêché les bourgmestres d'exploiter sa célébrité au profit de la ville. À tel point que tout le quartier autour de sa maison natale a été converti en musée tout à la gloire de l'écrivain. À noter que, pendant longtemps, Odense fut un lieu de pèlerinage pour honorer saint Knud, le roi assassiné en 1086, et qu'il y reste quelques belles églises.

UN PEU D'HISTOIRE

Odense doit son nom à Odin, divinité nordique à qui elle avait probablement consacré un sanctuaire. Mais la ville la plus importante de Fionie est surtout liée à l'histoire de saint Knud, assassiné lors d'une révolte paysanne au XIe s. Le saint, alors roi du Danemark, avait eu l'audace de venir en personne percevoir de nouvelles taxes. Il eut toutefois le bon goût de mourir devant une église, offrant à Odense la possibilité de devenir un important lieu de pèlerinage. Initiative payante : la ville abrita même jusqu'à six couvents ! C'est aujourd'hui une grande cité universitaire, animée et provinciale à la fois, dotée d'un centre-ville piéton bien agréable.

HANS CHRISTIAN ANDERSEN (1805-1875)

On connaît le bonhomme comme l'un des plus grands conteurs qui soient. L'histoire de sa vie débute d'ailleurs comme l'un de ses contes : « Fils d'une lavandière et d'un cordonnier sans fortune qui mourut très jeune... » On a déjà la larme à l'œil. Il vécut à Odense jusqu'à 14 ans, puis il partit à Copenhague. Il raconta lui-même sa vie dans *Le Vilain Petit Canard* où il montra qu'il importe peu « de naître dans la cour des canards, pourvu qu'on sorte d'un œuf de cygne ». Le cygne symbolise ici sa capacité à avoir lui-même transcendé son milieu pour s'élever par son génie de la narration. Mais la petite histoire est trop belle, et une autre (plus authentique ?) vient se superposer. De récentes études avancent l'hypothèse qu'il serait le fils caché du roi Christian VIII et d'une jeune comtesse de Fionie, et qu'il aurait été seulement confié au cordonnier. Bon, l'affaire n'est pas tranchée ! Jeune homme, il voyagea beaucoup dans toute l'Europe et écrivit ses impressions dans de nombreux romans et contes. En 1835 parurent les premiers *Contes pour enfants,* qui lui conférèrent rapidement (il avait à peine 30 ans) une renommée mondiale. Bien vite, les critiques perçurent au travers de ces histoires simples non seulement la drôlerie et la poésie, mais également une certaine ironie mordante. Il ne se maria jamais, ce qui provoqua bien des sarcasmes sur sa personnalité. Pourtant, on dit qu'il fut amoureux... plusieurs fois... mais plusieurs fois malheureux. Sa ville de naissance ne le comprit jamais et il n'y revint que rarement. Cependant, c'est elle aujourd'hui qui tire d'Andersen le plus grand des profits et se targue d'être « la ville d'Andersen ».

ANDERSEN BIGOT ?

Les contes d'Andersen sont marqués par la religion, alors même qu'il n'était pas très pieux. Cette présence provient du fait qu'à cette époque, religion et littérature étaient les deux sujets dominants dans la société danoise. Dans chaque conte, on retrouve une référence à la religion : les prières, la messe, la confirmation, des citations bibliques. Il parle aussi du paradis, des anges, de la mort et bien sûr de Dieu. Pour preuve, cet extrait : « Il y a une vieille légende à propos d'un saint qui devait choisir un des sept péchés capitaux ; il choisit celui qui lui parut le moins grave : l'ivrognerie et avec celui-là, il commit les six autres péchés. » Voilà qui est plutôt ironique, non ?

Adresses et infos utiles

– ***Passeport pour l'aventure*** *(Odense Eventyr Pass) : compter 120 Dk (15,50 €) pour 24h, 160 Dk (21 €) pour 48h ; moitié prix pour les enfants.* En vente à l'office du tourisme ou dans les hôtels, ce passeport offre la gratuité dans tous les musées d'Odense, les piscines et les transports urbains (bus, train et bateau).
– ***Dans les pas de H. C. Andersen :*** *suivant le même principe que le Passeport pour l'aventure, un billet valable slt 1 j. donne accès aux sites relatifs à l'écrivain. De mi-juin à mi-août, compter 105 Dk (14 €) pour les adultes et 30 Dk (4 €) pour les enfants. Moins cher hors saison.* En vente à l'office du tourisme. Valable pour la maison natale d'Andersen, sa maison d'enfance et au village fionien (Den Fynske Landsby). Surtout intéressant hors saison !

Office du tourisme *(plan C2)* **:** *Rådhuset, sur le flanc gauche de la mairie (par la Vestergade). ☎ 66-12-75-20. • visitodense.com • De mi-juin à fin août, lun-ven 9h30-18h, w-e 10h-15h ; hors saison, lun-ven 9h30-16h30, sam 10h-13h.* Fait les résas chez l'habitant. Vente de timbres. Très bien fait. Personnel sympathique et compétent. Quand l'office est fermé, on peut utiliser l'écran tactile en vitrine pour tout savoir sur la ville. Plusieurs autres écrans de ce type dans le centre-ville.

✉ **Poste centrale** *(plan C1,* ***1****)* **:** *Dannebrogsgade 2.*

✉ **Poste secondaire** *(plan B2-3,* ***2****)* **:** *Brandts Passage 31. Juste à côté du centre culturel Brandts Klædefabrik.*

@ **Boomtown** *(plan B3,* ***3****)* **:** *Pantheonsgade 4. ☎ 63-11-15-05. • boomtown.net • Tlj 12h-1h (minuit ven-dim).* Une vaste salle envahie d'ordinateurs,

impeccable pour ceux qui n'aiment pas faire la queue.
■ ***Galaxy Netcafé*** *(plan C1, **4**) : Østre Stationsvej 27. ☎ 66-14-14-59. Au 1er étage de la gare centrale.*
■ ***Banques :*** *la plupart sont sur Vestergade et possèdent des distributeurs.*
■ ***Consulat de France :*** *Bjarne Dahl, Rasmus Rask Allé 65. ☎ 65-96-35-84.*
■ ***Gare centrale*** *(plan C1) : Østre Stationsvej. ☎ 65-40-40-40.* Bâtiment moderne avec boutiques, ciné, bibliothèque... Consignes automatiques.
■ ***Gare routière*** *(plan B1) : juste derrière la gare ferroviaire, sur Dannebrogsgade 10, à côté de la poste centrale. ☎ 63-11-22-33.* Les bus régionaux sont blancs, et les bus de la ville, rouges.
■ ***Hôpital*** *(Odense Universitetshospital) : J. B. Winsløws Vej. ☎ 66-11-33-33 (urgences). Au sud-ouest du centre-ville.*
■ ***Pharmacie ouverte 24h/24 :*** *Ørnen Apoteket, Vestergade 80. ☎ 66-12-29-70.*
■ ***Location de vélos :*** City Cycler, *Vesterbro 27. ☎ 66-13-97-83.*
■ ***Journaux français :*** *Skt Knuds Kirkestræde et à la gare centrale.*

Où dormir ?

Campings

▲ ***Camping Odense DCU*** *(hors plan par D3, **15**) : Odensevej 102. ☎ 66-11-47-02. • camping-odense.dk • Bus nos 21, 22 ou 24 en direction de Højby. Ouv tte l'année, réception jusqu'à 22h en hte saison. Compter 175 Dk (23 €) pour deux avec tente et voiture.* Très pratique, ce vaste camping occupe une position stratégique à proximité du centre-ville et du village fionien. La rivière Odense Å coule tout près, on peut y prendre un bateau qui remonte vers la ville. Le camping dispose d'emplacements biens tenus et de nombreux équipements fonctionnels ou ludiques, comme une piscine et un minigolf. Également quelques bungalows.
▲ ***Camping Blommenslyst :*** *Middelfartvej 494. ☎ 65-96-76-41. • blommenslyst-camping.dk • À 10 km à l'ouest du centre-ville. Bus nos 830, 831, 832 de la gare. Ouv tte l'année. Compter 115 Dk (15 €) pour deux avec tente et voiture. Douche payante.* Gardé par une ribambelle de nains de jardin, ce petit camping fort romantique s'organise autour d'un étang envahi de canards. Avec une soixantaine d'emplacements, atmosphère conviviale garantie. Penser toutefois à choisir une place éloignée de la route, passablement bruyante. Propose également quelques chalets au

■ Adresses utiles

- Office du tourisme
- **1** Poste centrale
- **2** Poste secondaire
- **3** Boomtown
- **4** Galaxy Netcafé
- Gare centrale
- Gare routière

Où dormir ?

- **10** Det Lille Hotel
- **11** Ydes Hotel et Domir Hotel
- **12** Danhostel Odense City
- **13** B & B Pjentehus
- **14** B & B La Maison
- **15** Camping Odense DCU

Où manger ?

- **20** Café Biografen
- **21** Café Skt Gertrud
- **22** Franck A
- **23** Boulangerie Baguette
- **24** Froggy's Café
- **25** Den Gamle Kro

Où boire un verre ? Où danser ?

- **24** Arkaden
- **30** Birdy's
- **31** Kong Græs
- **32** Cuckoo's Nest
- **33** Australian Bar
- **34** Den Smagløse Café

■ Où jouer au billard ?

- **40** Sharks
- **41** City Club

LES ÎLES FIONIENNES

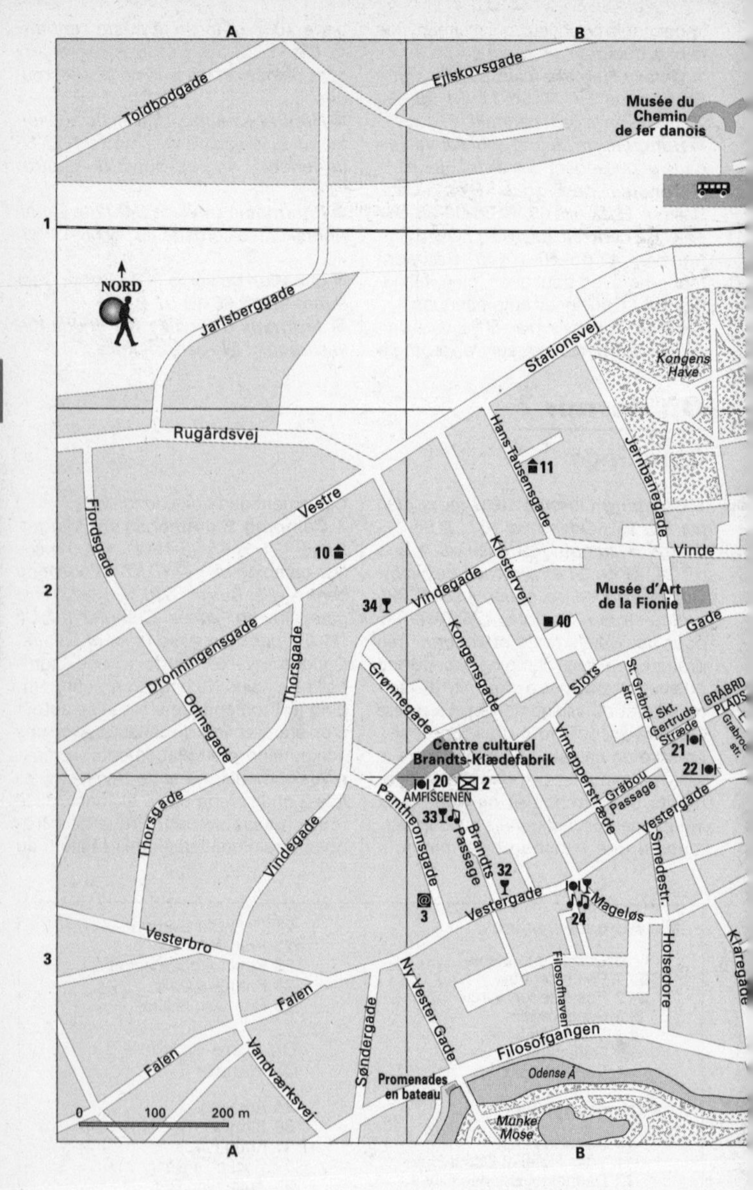
A
B
1
2
3
NORD
Toldbodgade
Ejlskovsgade
Musée du
Chemin
de fer danois
Jarlsberggade
Stationsvej
Kongens
Have
Rugårdsvej
Hans Tausensgade
11
Jernbanegade
Vestre
Fjordsgade
10
Klostervej
Vinde
Musée d'Art
de la Fionie
34
Vindegade
40
Gade
Dronningensgade
Thorsgade
Kongensgade
Slots
Grønnegade
Odinsgade
St. Gråbrd-
str.
Skt.
Gertruds
Stræde
GRÅBRD
PLADS
21
22
Vintapperstræde
Centre culturel
Brandts-Klædefabrik
20
2
AMFISCENEN
Gråbou
Passage
Vestergade
Thorsgade
Pantheonsgade
33
Brandts
Passage
Vindegade
32
Smedestr.
24
Mageløs
3
Vestergade
Vesterbro
Filosofhaven
Holsedore
Klaregade
Ny Vester Gade
Falen
Søndergade
Filosofgangen
Falen
Vandværksvej
Odense Å
Promenades
en bateau
0
100
200 m
Munke
Mose

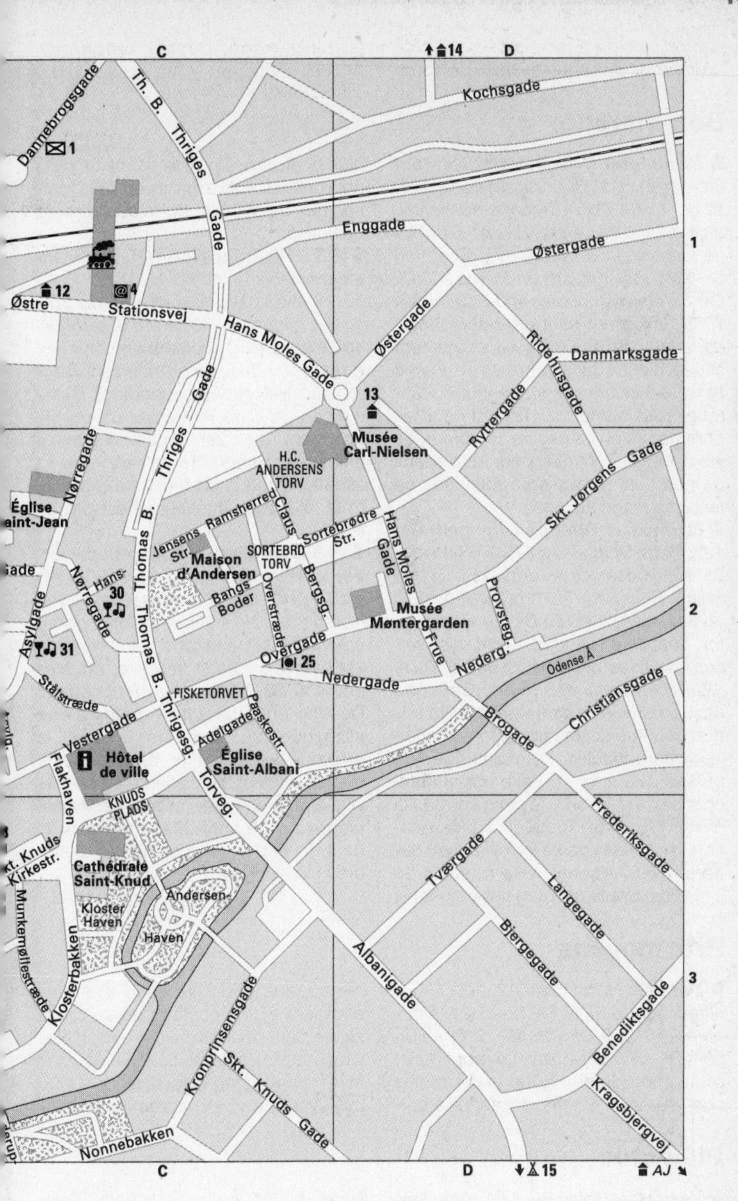

ODENSE

LES ÎLES FIONIENNES

confort variable. Épicerie de l'autre côté de la route. Bus pour le village de Korup (supermarché, poste, banque...). Accueil charmant.

Bon marché

☗ ***Danhostel Odense Vandrerhjem*** *(hors plan par D3)* **:** *Kragsbjergvej 121. ☎ 66-13-04-25. • odense-danhostel.dk • À 2 km du centre. Bus nos 61 et 62 de la gare. Ouv mars-nov ; réception 8h-12h, 16h-20h. Lits en dortoir 200 Dk (26 €) l'été slt ; doubles 460-540 Dk (60-70 €) ; excellent petit déj-buffet inclus dans les prix.* Superbe AJ idéalement située, nichée dans un immense manoir flanqué d'un grand parc tranquille. Bâtiment tout confort, pourvu de parties communes chaleureuses décorées de vieux outils. Petit plus pour les oiseaux de nuit : les portes sont équipées de serrures magnétiques !

☗ ***Danhostel Odense City*** *(plan C1,* ***12****)* **:** *Østre Stationsvej 31. ☎ 63-11-04-25. • cityhostel.dk • Fermé 15 j. fin déc et janv. Réception 8h-12h, 16h-20h (21h en juil). Compter 150 Dk (20 €) en dortoir, petit déj 50 Dk (6,50 €) ; et selon saison, doubles avec bains 500-580 Dk (65-75 €), petit déj inclus.* Cette AJ occupe une imposante bâtisse de brique pourvue de chambres fonctionnelles irréprochables. Le moins que l'on puisse dire, c'est qu'elle n'a aucune chance de remporter la palme de l'AJ la moins bruyante. Toutefois sa localisation, à côté des gares ferroviaire et routière, avec le centre-ville à moins de 5 mn, la propulse au rang des étapes les plus pratiques. On vous donne un *pass* qui vous autorise à rentrer après la tournée des bars, à n'importe quelle heure de la nuit.

☗ ***B & B Pjentehus*** *(plan D1,* ***13****)* **:** *Pjentedamsgade 14. ☎ 66-12-15-55. 📱 40-59-13-49. • pjentehus.dk • Fermé 10 j. fin déc. Doubles 350 Dk (45 €), petit déj 40 Dk/pers (5 €).* Douche en commun. À deux pas du logis d'Andersen, *Pjentehus* offre tous les avantages d'une maison de ville. Tenue par un couple charmant et accommodant, elle marie intimité et tranquillité en raison de sa situation stratégique dans une impasse. Et la jolie déco intérieure n'est pas en reste !

☗ ***B & B La Maison*** *(hors plan par D1,* ***14****)* **:** *Billesgade 9. ☎ 66-13-00-74. 📱 20-76-42-63. • odensecity-bedandbreakfast.dk • Depuis Kochsgade, emprunter la Julesgade. La Billesgade est parallèle à cette dernière. Doubles env 430 Dk (56 €), petit déj compris.* Douche en commun. À moins d'être allergique aux chants des oiseaux, la quiétude de ce quartier résidentiel offre une alternative bienfaisante au centre-ville affairé. En plein milieu, *La Maison* dispose d'un agréable jardin pour le petit déj et de quelques petites chambres bien tenues.

Prix moyens

☗ ***Det Lille Hotel*** *(plan A2,* ***10****)* **:** *Dronningensgade 5. ☎ 66-12-28-21. Doubles 450-550 Dk (58,50-72 €) selon confort, petit déj inclus.* Le propriétaire proclame que son hôtel est le moins cher du pays. Chambres de taille correcte, sans effort de déco. Bon, les escaliers et les couloirs ne sont pas super-clean, mais la maison est fort bien située à proximité de la zone piétonne et le proprio sympathique, alors, si vraiment vous ne savez plus où vous loger...

Plus chic

☗ ***Ydes Hotel*** *(plan B2,* ***11****)* **:** *Hans Tausensgade 11. ☎ 66-12-11-31. • ydes.dk • Proche de la gare. Doubles 550 Dk (72 €).* Visiophone à l'entrée. Entrez, qu'on vous dit... Et là, stupéfaction de voir le ou la réceptionniste... sur un écran TV ! En fait, c'est depuis le *Domir Hotel,* à côté, qu'on vous parle. Drôle d'impression. Rassurez-vous, la technologie, c'est pour le soir seulement ! Un véritable être humain vous accueille en journée. Toujours est-il que c'est moderne et confortable. Un poil moins cher que le *Domir* (sans doute à cause de cette réception virtuelle). Chambres exiguës situées sous les combles.

🏨 ***Domir Hotel*** *(plan B2,* ***11****) : Hans Tausensgade 19 ; à côté de l'Ydes Hotel, donc.* ☎ *66-12-14-27.* • *domir.dk* • *Doubles env 595 Dk (77 €).* Ah ben, le voilà en chair et en os, notre réceptionniste ! Tellement plus agréable... Chambres sensiblement identiques, un peu petites, avec TV, bains... Petit déj plus copieux. On se demande pourquoi ces petites différences... L'humain ? Décidément, c'est ce qu'on préfère.

Où dormir dans les environs ?

⛺ *Pour ceux qui se déplacent en voiture, le* ***camping de Gummerup*** *(Hjemstavnsgardens Camping) peut dépanner.* ☎ *64-72-33-63. À env 25 km d'Odense, au sud-ouest, près de Glamsbjerg.*

⛺ 🏨 *Kerteminde, à 21 km d'Odense.* Offre l'avantage d'être à la mode et à la mer : c'est d'ailleurs le lieu privilégié des migrations estivales des gens du coin. Une ***AJ*** et 2 ***campings*** pour les routards motorisés.

Où manger ?

Instinct grégaire oblige, la plupart des ***restos-cafés*** se regroupent dans les quelques rues piétonnes du centre. On les retrouve notamment à l'angle de Vestergade et de Kongensgade, ou encore dans Vinttaperstrade, passage plein de troquets sympas. Beaucoup de jeunes !

Prix moyens

🍽 ***Café Biografen*** *(plan B2-3,* ***20****) : au rez-de-chaussée des musées de la Brandts Klædefabrik, dans le Brandts Passage.* ☎ *66-13-16-16. Jeu-sam jusqu'à 1h, le reste de la sem jusqu'à minuit. Sert des petits plats autour de 70 Dk (9 €) jusqu'à 21h.* Le rendez-vous des cinéphiles, alignés sous les affiches ou en terrasse. Propose une bonne carte de plats chauds, du genre chili, et quelques gâteaux appétissants pour alimenter les conversations. Donne sur la place des concerts : ultra-fréquenté les soirs d'été.

🍽 ***Café Skt Gertrud*** *(plan B2,* ***21****) : Jernbanegade 8.* ☎ *65-91-33-02. À côté de la sculpture représentant la valise volante du conte d'Andersen. Tlj jusqu'à 1h. Sandwichs et salades autour de 80 Dk (10,40 €) ; sinon, compter 150-200 Dk (19,50-26 €) pour un repas plus élaboré.* Ambiance sage pour cette belle brasserie française dont la grande salle déborde sur la rue. À l'intérieur, la musique jazz-rock glisse sur les vieilles affiches de publicité, tandis que les convives s'extasient devant la carte présentée à l'extérieur dans la langue de Molière.

🍽 ***Franck A*** *(plan B2,* ***22****) : Jernbanegade 4.* ☎ *66-12-27-57. Tlj 10h-2h. Compter env 70 Dk (9,50 €) pour un plat simple ou un sandwich amélioré, et 100-150 Dk (13-19,50 €) pour un vrai repas.* Un café touché par la vague des néo-bistrots branchés. Entre murs de brique et tuyaux métalliques, un DJ noyé dans un halo de lasers concocte une musique d'ambiance explosive. Gare aux décibels ! Terrasse en été, où l'on vous sert une petite carte truffée de salades copieuses et de bons petits plats.

🍽 ♪ ***Froggy's Café*** *(plan B3,* ***24****) : Vestergade 68.* ☎ *65-09-74-47. Ouv 10h-minuit (4h ven-sam). Plats simples autour de 70 Dk (9 €).* Si la déco comme la musique flirte avec le meilleur de l'Angleterre, la bière demeure authentiquement danoise. Un grand écart réjouissant, à l'origine de soirées savoureuses le week-end. Pour les affamés, quelques plats internationaux sans surprise mais honorables. Concert chaque vendredi et samedi soir.

🍽 ***Boulangerie Baguette*** *(plan C3,* ***23****) : Pogestraede 22. Derrière le gros building sur pilotis. Mar-ven 9h30-17h30, sam 9h-13h ; fermé dim-lun.* Pâtisserie-boulangerie raffinée avec beaucoup de choix.

Un peu plus chic

|●| ***Den Gamle Kro*** *(plan C2, **25**) : Overgade 23. ☎ 66-12-14-33. Tlj jusqu'à 22h30. Plats rapides le midi autour de 70 Dk (9 €), le soir à la carte à partir de 150 Dk (19,50 €).* Voici l'occasion rêvée de rentrer dans une des superbes maisons à colombages de la vieille ville. La demeure date de 1683, certaines parties remontant même au XIVe s, autant dire que le resto a un charme fou. Détenu par un boulanger, un confiseur, puis transformé au début du XXe s en salon de thé, avec des pièces strictement réservées aux femmes et d'autres aux hommes. On buvait son thé chacun chez soi, à l'époque ! Aujourd'hui, on mange tous ensemble dans la cour intérieure fleurie une cuisine de spécialités danoises, fines et copieusement servies. La cuisinière flambe les viandes sous vos yeux ébahis. Service attentif et aimable. Remarquez, au sous-sol, les belles salles en pierre voûtées.

|●| ***Restaurant Carlslund :*** *Fruens Boge Skov 7. ☎ 65-91-11-25. À 6 km du centre, tt proche du village fionien et du terminus des bateaux qui viennent de Munke-mose. En voiture, depuis Filosofgangen, suivre le Sdr. Bd. Après la voie ferrée, emprunter Lindevej sur la gauche, terminé par la Jernbane Allé ; Fruens Boge Skov se situe à l'extrémité gauche de cette dernière. Tlj jusqu'à 22h. Compter env 90 Dk (12 €) pour un plat et 165-185 Dk (21,50-24 €) pour un menu.* En pleine forêt, cette charmante auberge au toit de chaume et aux salons bourgeois prolonge idéalement la visite du village fionien voisin. Sur la terrasse, les habitués engloutissent benoîtement la grande spécialité, une omelette inondée de lardons. Copieux, gras et convivial (une pour deux suffit). Le samedi après-midi en juillet, concert de jazz. C'est le meilleur jour pour y aller.

Où boire un verre ? Où danser ?

🍸 ***Den Smagløse Café*** *(plan A2, **34**) : Vindegade 57. ☎ 66-12-75-66.* Un pub décontracté décalé, à la déco fourre-tout proprement hallucinante : collage de vieux journaux et photos du mur au plafond, mélange de bric-à-brac, sculptures, trophées de chasse, guirlandes de Noël et boule à facettes qui tourne sans que personne ne s'y intéresse. La foule des habitués s'installe dans d'épais sofas ou s'accoude au zinc... en zinc, tout en sirotant des bières presque données. Pour prolonger la soirée, allez faire un tour au ***Jazz,*** quelques mètres plus loin : concerts et scène ouverte plusieurs soirs par semaine.

🍸 ♫ ***Birdy's*** *(plan C2, **30**) : Nørregade 21. ☎ 66-14-00-39. Ouv 16h-2h (7h ven-sam). Boîte fermée dim.* Un lieu multiforme (bar, resto mexicain et indien, et une boîte rock au sous-sol). Qu'on y vienne pour dîner tranquillement entre amis, pour boire un verre ou pour danser, l'endroit est très cool, relax et agréable. Comme ça ferme au petit matin, on vient y prendre un petit déj à la sortie de boîte. D'ailleurs, on y sert des repas jusqu'à 4h le week-end, ce qui est rare.

🍸 ***Cuckoo's Nest*** *(plan B3, **32**) : Vestergade 73. ☎ 65-91-57-87. Jeu-sam 11h-2h, le reste de la sem jusqu'à minuit.* Littéralement : « nid de coucou ». Grand bar au look chico-soft, un rien B.C.B.G., repaire des petits « coucous » de la ville en quête d'aventures. Tout ça dans l'élégance et la modération... Terrasse très sympa dans la cour, à l'arrière.

🍸 ♫ ***Kong Græs*** *(plan C2, **31**) : Asylgade 7-9. ☎ 66-11-63-02. Ouv ven-sam.* Banquettes et tables basses ajoutent au confort de ce vaste pub tendu de rouge. Un bar-boîte popu au sous-sol. Musique en tout genre, pour une population largement ratissée.

🍸 ♫ ***Australian Bar*** *(plan B3, **33**) : Brandts Passage 10. ☎ 66-11-83-90. Jeu-sam 22h-5h.* À mille lieues du *bush* desséché, cette discothèque aux allures de pub étanche toutes les soifs, même les plus ardentes. Soif de rencontres également, avec la jeunesse trépidante d'Odense. Concert le vendredi.

🍸 ♫ ***Arkaden*** *(plan B3, **24**) : juste à côté du* Froggy's Café. *Ven-sam 22h-6h.* Un complexe sans complexes, aux

LES ÎLES FIONIENNES

couleurs arrogantes, qui propose bar, boîte, resto dans le genre cow-boy. Bon, ce n'est pas notre préféré, mais il attire bon nombre de fêtards.

Où jouer au billard ?

■ ***Sharks*** *(plan B2,* ***40****)* ***:*** *Klostervej 3 (côté Slotsgade). ☎ 66-11-99-90. Tlj 12h-1h (2h ven-sam).* Bel endroit, déco très américaine avec sa statue de la Liberté et un requin grandeur nature suspendu au-dessus des tables. Une vingtaine de billards américains enveloppent un coin salon très confortable. Revers de la médaille : ça fait vraiment vide quand il n'y a pas un chat...

■ ***City Club*** *(plan C3,* ***41****)* ***:*** *Sankt Knuds Kirkestræde. Tlj sf dim 12h-1h.* Moquette et lambris participent à l'atmosphère chaleureuse de ce petit club intimiste. Idéal pour jouer au *kegle,* ce billard à 3 billes, avec 6 quilles au milieu qu'il faut dégommer selon des règles bien précises.

À voir. À faire

Pour toute information utile sur les ***musées d'Odense,*** *une seule adresse : ● museum.odense.dk ● Tout y est, en anglais. Également au ☎ 65-51-46-01.*

☺☺ ☺ ***La maison d'Andersen*** *(H. C. Andersens Hus ; plan C2)* ***:*** *Bangs Boder 29. ☎ 65-51-46-01. De juin à mi-août, tlj 9h-18h ; fin août-mai, mar-dim 10h-16h. Entrée : 60 Dk (8 €) ; réduc.*
La maison natale d'Andersen regroupe les souvenirs, photos, lettres et objets ayant appartenu à l'écrivain et à sa famille. Elle s'est muée en grand musée hyper-moderne à l'occasion du bicentenaire de sa naissance en 2005 : de nouvelles salles ont vu le jour, enrichies de collections inédites sur le grand homme. L'ensemble occupe maintenant un pâté de maisons entier, rejetant la maison natale à une extrémité. Elle paraît même ridiculement petite, et bien trop peu mise en valeur à notre goût. Tout cela au service et à la gloire du grand homme. La maison, ainsi oubliée, reste un grand musée forcément superbe et passionnant. La présentation impeccable et très vivante permet de pénétrer dans l'univers du grand conteur : dessins et croquis de voyage, collages réalisés quand il s'ennuyait, mais surtout ses premiers contes, ses poèmes et manuscrits. Grande fresque de 1931 qui retrace l'histoire de sa vie en huit panneaux dans la salle ronde. Superbes découpages à la Matisse. Et l'on comprend mieux après qu'Andersen, qui accumula un énorme retard scolaire et souffrit de se retrouver toujours avec des « petits » en classe, ait écrit cet adorable conte : *Le Vilain Petit Canard.* Belles éditions originales dans toutes les langues (126 en tout !). Possibilité d'écouter l'enregistrement de grand nombre de contes avec des casques, dans toutes les langues. De fin juin à début août, à 11h, 13h et 15h, dans la cour devant l'entrée, petits spectacles de 20 mn où apparaissent une partie des 156 personnages de ses contes.
Tout le quartier autour a été rénové superbement, mais est évidemment très touristique. Superbes maisons anciennes à colombages et rues piétonnes pavées. On peut aussi visiter :
– *Sa* ***maison d'enfance*** *(plan C3)* ***:*** *Munkemøllestræde 3-5. Tlj 10h-16h hte saison.* Deux pièces minuscules. Rien à voir.
– ***Fyrtøjet :*** *Hans Jensens Stræde 21. Juil, tlj 10h-17h ; août, tlj 11h-16h ; hors saison, horaires restreints, fermé dim-lun.* Propose différentes activités pour les enfants, comme des lectures de contes ou des spectacles de marionnettes. Ticket combiné.

☺☺ ***La cathédrale Saint-Knud*** *(plan C3)* ***:*** *sur Flakhaven, en plein centre, à côté de l'hôtel de ville. Avr-oct, en sem 10h-17h, dim 12h-17h ; nov-mars, ferme à 16h.* Une des plus importantes églises gothiques du pays, dont la construction remonte au XIIIe s. Elle s'enorgueillit de nefs bien équilibrées et bien proportionnées, mises en valeur par un intérieur très dépouillé. On dénote toutefois un magnifique retable en triptyque du XVIe s, haut de 5 m et large de 6 m, avec 300 personnages sculptés par Claus Berg, le maître d'Odense. Remarquer également les fonts baptismaux de 1720, ou encore la chaire de bois avec son bel escalier. Dans la crypte gisent les reliquaires du roi Knud et de son frère Benedikt, assassinés au XIe s lors d'une révolte paysanne. La cathédrale tire son nom de ce divin voisinage, Knud n'étant rien de moins que le premier saint de l'histoire du Danemark ! À l'arrière de la cathédrale, charmant petit parc traversé par une rivière. Au milieu, une statue... d'Andersen, vous vous en doutiez !

– Ceux qui aiment l'architecture religieuse visiteront l'***église Sankt Hans*** et sa chaire extérieure, et ***Frue Kirke,*** avec son toit de cuivre, ses fonts baptismaux et sa chaire dus au sculpteur Mortensen (vers 1600).

Le village fionien *(Den Fynske Landsby) : Sejrskovvej 20. ☎ 65-51-46-01. Au sud du centre-ville. Bus n° 42 de la gare. Accessible en bateau depuis Munkemose. D'avr à mi-juin et de mi-août à fin oct, tlj 10h-17h ; de mi-juin à mi-août, tlj 10h-19h ; nov-mars, tlj 11h-15h. Entrée hte saison : 55 Dk (7 €) ; réduc.* Au cœur de la ville, une poignée de champs cultivés dissimulés par les arbres enserrent la reconstitution fidèle d'un vieux village danois. Les petits chemins conduisent à différentes fermes des XVIIIe et XIXe s, mais également au moulin, à la forge ou à la tuilerie, tous restitués avec le mobilier d'époque. À l'extérieur, la basse-cour bien vivante renforce l'impression de dépaysement. De mi-juillet à mi-août, danses populaires et petites pièces jouées d'après les contes d'Andersen. Un des plus agréables musées en plein air du Danemark. Très instructif pour les enfants, qui peuvent traire les vaches, tisser, envoyer du courrier à la vieille poste ou faire le tour du site en voiture à cheval...

Møntergarden *(Byhistorik Museum ; plan D2) : Overgade 48. Tlj sf lun 10h-16h. Entrée : 25 Dk (3 €).* Ensemble de maisons des XVIe, XVIIe et XVIIIe s parfaitement préservées. Elles constituent un surprenant pâté de maisons transformé en musée, comprenant notamment la *Møntergarden* (1646), la *Ejler Rønnous* (1547) et la maison *Østerbye* (1631). Mobilier, vaisselle, objets domestiques, costumes de la ville. Collections de monnaies et médailles.

Le musée d'Art de la Fionie *(Fyns Kunstmuseum ; plan B2) : Jernbanegade 13. Tlj sf lun 10h-16h. Entrée : 30 Dk (4 €) ; réduc.* Toutes les tendances de la peinture danoise, en particulier l'école des peintres de Fionie. Expos temporaires également, souvent d'un bon niveau.

Le musée national du Chemin de fer danois *(Jernbanemuseet ; plan B1) : Dannebrogsgade 24. ☎ 66-13-66-30. • jernbanemuseum.dk • Derrière la gare routière, côté nord. Tlj 10h-16h. Entrée : 48 Dk (6 €). Demander le plan à l'entrée.* Ici, pas de maquettes ni de joujoux en vitrine, mais une vingtaine de vraies locos centenaires et un morceau de quai reconstitué. On entre dans l'univers ferroviaire avec jubilation, en découvrant les wagons royaux, une voiture sur rail ou une loco chasse-neige de 1869 (incroyable)... Petite expo sur la vie du rail, reconstitution d'intérieurs de wagons bourgeois. Tiens, on a oublié, il y a même un wagon-squat... abandonné. À l'extérieur, petit circuit en train miniature pour les petits. Un vrai rêve de gamin, grandeur nature. En mezzanine, vitrines de jouets liés au train et *Lego* pour les petits. Excellent musée à ne pas manquer.

Le centre culturel Brandts-Klædefabrik *(plan B2-3) : Brandts Torv 1. ☎ 66-13-78-16. • brandts.dk • Juil-août, tlj 10h-17h ; fermé lun hors saison. Entrée : 25 Dk (3,25 €) pour le musée de la Photographie ou le musée des Arts graphiques ; 30 Dk (4 €) pour les expos. Ticket combiné : 50 Dk (6,50 €).* Une sorte de Beaubourg local. Toute la jeunesse européenne se retrouve dans une ancienne manufacture superbement réhabilitée par Kristian Isager. Elle comprend des galeries de peinture, de photographie, un cinéma, des cafés *(café Biografen),* etc. Également des expos temporaires de qualité. Au dernier étage, dans le *musée des Arts graphi-*

ques, on circule au sein des ateliers, avec l'odeur de la pâte à papier et de l'encre, tout en admirant les vieilles machines et les premières pages. Super !

Le musée Carl-Nielsen *(plan C-D1-2)* **:** *Claus Bergs Gade 11. Juin-août, jeu-ven 14h-18h, dim 12h-16h ; hors saison, jeu-ven 16h-20h, dim 12h-16h. Entrée : 25 Dk (3,25 €) ; réduc.* Vie de l'enfant du pays, mort en 1931, et de sa femme, le sculpteur Anne Marie Carl Nielsen. Peu d'intérêt, si ce n'est l'écoute des œuvres du compositeur avec du matériel *Bang & Olufsen.* Passionnera uniquement les vrais fans. Les commentaires sont en danois.

Les amoureux des maisons anciennes parcourront la ***Jernbanegade*** *(plan B1-2)*, avec le Grabrødrekloster (couvent des frères gris) de 1279, Abani Torv, et le couvent des demoiselles nobles d'Odense (vers 1500), ainsi qu'***Overgade*** *(plan C-D2).*

L'hôtel de ville *(plan C2)* présente une façade Renaissance. Forteresse avec créneaux de façade. Devant, sculptures modernes.

– ***Marché :*** *mer et sam mat, à Sorterbrødretorv.*

➢ ***Balade en bateau*** *au départ du Munke Mose (plan B3)* **:** ☎ *65-95-79-96.* • *aafart.dk* • *Balade qui mène sur la Odense Å jusqu'à proximité du village fionien. Tarif : 55 Dk (7 €) aller-retour ; réduc.* Un arrêt au zoo, site peu intéressant par ailleurs.

Festivals et animations

– Odense aime créer l'événement. Tout au long de l'année, elle organise toutes sortes de manifestations culturelles, depuis le festival de jazz jusqu'au théâtre de rue. Certaines revêtent un caractère solennel, comme le *Festival international du cinéma* proposé courant août, d'autres sont des manifestations populaires festives, comme la parade des personnages d'Andersen présentée tout l'été. Se renseigner, il y en a pour tous les goûts !
– *À Ringe (25 km),* ***festival de rock*** *début juil.* Bonnes pointures.

➢ *DANS LES ENVIRONS D'ODENSE*

À 30 km au nord-est, charmante ***presqu'île de Hindsholm*** : villages de chaumières colorées.

À une trentaine de kilomètres au nord-ouest, ***Bogense*** et sa fabrique d'objets en bois peint (dans la rue de l'office du tourisme, vers le centre).
Camping sur le port, ouv tte l'année. ☎ *64-81-14-43.*

À ***Kerteminde,*** *à 20 km à l'est, petit musée de la Mer : Fjord & Bælt Centret. De fin juin à mi-août, tlj 10h-18h ; hors saison, tlj 10h-16h (ou 17h). Fermé de déc à mi-fév.* Bien pour les enfants. Repas des phoques et dauphins en public plusieurs fois par jour.

Ladby : *à 18 km à l'est d'Odense. L'été, ouv tlj 10h-17h. Entrée : 25 Dk (3,35 €).* Restes impressionnants d'un drakkar au Ladbyskibet.

NYBORG

18 500 hab.

Embusquée tel un aspic dans la rocaille, Nyborg défend, depuis le Moyen Âge, la vieille route commerciale entre l'est et l'ouest du Danemark. Un emplacement de choix dont la bourgade a rapidement tiré parti, comme le démontre l'accroissement du tissu urbain. Avantage politique également... Du XIIe au XVe s, la ville reçut l'insigne honneur d'accueillir le *Danehof*, l'assemblée des

notables danois présidée par le roi. Toutefois, c'est le terrible incendie de 1797 qui modela le visage de Nyborg. Les architectes choisirent de tronquer les immeubles d'angle pour faciliter le passage des pompiers. Un pied de nez pour les incendiaires ? Désertée par les ferries depuis la construction du gigantesque pont, elle présente aujourd'hui l'aspect d'une petite ville assoupie dans l'attente du retour des touristes.

Adresses utiles

Office du tourisme : *Torvet 9. ☎ 65-31-02-80. • nyborgturist.dk • Sur la pl. de l'Hôtel-de-Ville, face à la colline du château. Ouv 15 juin-15 août, lun-ven 9h-17h, sam 9h30-14h ; hors saison, lun-ven 9h-16h, sam 9h30-12h30.* Propose une liste de chambres chez l'habitant. Vous trouverez un petit guide très pratique, ainsi qu'un plan de la ville.

✉ ***Poste :*** *Dronningensvej 7. Dans une rue perpendiculaire à la Korsgade, qui donne sur la pl. de l'Hôtel-de-Ville.*

Gares ferroviaire et routière : *Banegårdsalléen 100. À env 1 km à l'est du centre-ville.* Des départs ttes les heures pour Copenhague.

■ ***Taxi :*** *☎ 70-10-33-20.*

■ ***Hôpital :*** *☎ 63-31-28-00.*

■ ***Supermarché Netto :*** *Adelgade 8. Lun-ven 9h-20h, w-e 10h-17h.*

Où dormir ?

Chic

Hôtel Villa Gulle : *Østervoldgade 44. ☎ 65-30-11-88. • villa-gulle.dk • Doubles avec douche 750 Dk (97 €), 450 Dk (58 €) sans, petit déj compris.* Aucune excuse pour rater la messe ! À deux pas de *Vor Frue Kirke,* cette jolie bâtisse dispose de chambres sommaires mais confortables orientées face au port, ou perchées au-dessus d'une petite rue peu passante. Possibilité de réserver une double plus exiguë mais nettement moins chère. Propriétaire très accueillante.

Où camper dans les environs ?

Grønnehave Strand Camping : *Rejstrupvej 83. ☎ 65-36-15-50. • gronnehave.dk • Au nord de Nyborg, juste après le hameau de Skaboeshuse (suivre la Strandalléen jusqu'au bout). Compter env 150 Dk (19,50 €) pour deux avec tente et voiture, en hte saison. Douche chaude payante.* Ce vaste camping bien ordonné cumule tous les avantages : ceux de la campagne, avec ses bois et ses champs cultivés, et ceux de la plage avec la mer à quelques encablures. Nombreux jeux pour les enfants. Emplacements bien tenus et sanitaires impeccables.

Où manger ?

Café Anthon : *Mellemgade 25. ☎ 65-31-16-64. Dans une rue perpendiculaire à la Slotsgade. Petits plats autour de 60 Dk (8 €).* D'emblée, les instruments de musique suspendus aux murs annoncent la couleur : les mélomanes sont les bienvenus à l'occasion des fréquents concerts ! Entre deux volées de décibels, on s'attable volontiers sous les vieilles publicités pour une salade ou un sandwich bien roboratif. En prime, une agréable terrasse dans la rue piétonne pour les enragés de la bronzette.

Lauses : *sur le port, en bas d'Adelgade. Ouv 10h-22h 1er mai-30 sept,* *jusqu'à 21h hors saison. Sandwichs et petits plats.* Certainement pas le rendez-vous des gastronomes, mais cette cafétéria plantée sur la jetée profite d'une agréable situation. En terrasse, on y grignote quelques plats simples comme un *schnitzel* ou des *frikadelles* avec le clocher de Notre-Dame et le port en toile de fond.

Café Rembrandt : *Havnegade 2A. ☎ 65-30-32-30. Lun-ven 10h-21h, w-e 10h-22h. Repas env 200 Dk (26 €) min.* Juste à côté du *Lauses*, pour un dîner plus gastronomique, avec spécialités de poisson bien préparées. Terrasse agréable bruitée par les mâts des bateaux. Chic et cher !

À voir

Ceux qui envisagent de visiter *Mads Lerches Gård* et le *château* ont tout intérêt à acheter le ticket cumulatif à 45 Dk (6 €), plus avantageux.

Mads Lerches Gård : *Slotsgade 11. ☎ 65-31-02-07. Tlj 10h-17h en juil, jusqu'à 16h en juin et en août, jusqu'à 15h hors saison. Fermé nov-fév. Entrée : 30 Dk (4 €) ou 45 Dk (6 €) avec le château.* Fardée de rouge et bardée de chênes séculaires, cette splendide maison à colombages édifiée autour d'une cour intérieure suscite l'admiration des passants depuis 1601. La vieille dame abrite aujourd'hui un musée d'histoire locale. Les différentes pièces restituent le décor et l'ameublement d'une vieille maison traditionnelle. Y sont exposées des collections de vieux outils et de coiffes, ou d'objets inattendus comme des landaus. Une balade instructive, avec tout le charme des petits musées de province.

Le château : *☎ 65-31-02-07. • museer-nyborg.dk • Ouv 10h-17h en juil ; juin-août jusqu'à 16h ; hors saison jusqu'à 15h. Fermé début nov-début mars. Entrée : 30 Dk (4 €). Billet groupé avec Mads Lerches Gård : 45 Dk (6 €).* Probablement occupé depuis des temps immémoriaux en raison de son importance stratégique, le site n'apparaît dans les textes qu'à la fin du XIIe s, lorsque Knud Prislavsen entreprit de le fortifier solidement. Témoin privilégié de l'histoire danoise, le roi Erik Klipping y signa en 1282 la charte qui allait devenir la première constitution du pays. Maintes fois remanié, il devint une puissante forteresse sous Christian III avant de tomber en désuétude. Aujourd'hui, il demeure un castel massif flanqué de tours où l'on disposait des canons. Pas grand-chose à l'intérieur, hormis une poignée d'uniformes, quelques meubles du XVIe s et un chat momifié ! Noter, toutefois, l'impressionnante charpente des combles.

Vor Frue Kirke : *à l'extrémité de Baggersgade, rue perpendiculaire à la Nørregade qui débouche sur la pl. de l'Hôtel-de-Ville. Accessible par la petite porte du chevet. Ouv juin-août, 9h-18h, jusqu'à 16h hors saison.* Construite de 1388 à 1428, Notre-Dame de Nyborg présente une certaine unité, malgré les nombreux remaniements subis jusqu'au XIXe s. Elle comprend quelques belles pièces, comme la chaire décorée de scènes bibliques sculptée en 1653 par Mortensen d'Odense. Les fonts baptismaux en bois du XVIe s retiennent également l'attention, en raison des couleurs chatoyantes qui rehaussent les sculptures. De loin en loin, quelques maquettes de navires, cité portuaire oblige.

À droite de l'église, remarquer **Korsbrødregården,** l'un des rares vestiges médiévaux de la ville. Construit en 1432, cet austère bâtiment appartenait aux moines de l'ordre de Saint-Jean-de-Jérusalem.

Festival

– **Festival de musique classique :** *fin juin-fin août, concert dim soir à 19h30 dans la salle d'apparat du château.*

LE JUTLAND

KOLDING

55 000 hab.

Ville-étape dans votre visite du Jutland, dominée par l'imposant château fort des monarques danois. Le centre-ville est, comme d'habitude, un réseau de ruelles piétonnes plutôt agréables, mais désertes le soir. Une ceinture *(ring)* cerne le centre, où les vieux bâtiments et l'architecture moderne se mêlent dans une douce harmonie. On ne reste pas vraiment à Kolding. On se contentera d'y visiter le *château-musée* et le *musée d'Art moderne* dans les environs, et puis on filera.

Adresses et infos utiles

Office du tourisme : *Akseltorv 8.* ☎ *76-33-21-00.* • *visitkolding.dk* • *De juil à mi-août, lun-ven 9h30-19h, sam 9h30-14h30 ; hors saison, lun-ven 9h30-17h30, sam 9h30-14h. Vend un pass pour la visite des différents sites de la ville ; prévoir 90 Dk (11 €) ; gratuité pour Trapholt et Koldinghus, réduc pour les autres. Loc de vélos, 60 Dk/j. (8 €) et de barques pour remonter la rivière, 300 Dk/j. (39 €).* Propose des chambres chez l'habitant.

Poste : *Banegårdspladsen 8. Dans le centre.*

Distributeurs de billets : *sur banegade et sur la place de l'office du tourisme.*

Surfers Paradise : *Jernbanegade 11. Tlj 12h-2h.* Comme son nom l'indique, c'est l'endroit idéal pour surfer sur Internet !

Gare ferroviaire : *Banegårdspladsen.* ☎ *70-13-14-15.*

Gare routière : *Mazantigade 12.* ☎ *75-52-68-11.*

Hôpital : ☎ *75-53-32-22.*

Legoland : *bus n° 406 de la gare des bus.*

Où dormir ?

Bon marché

Kolding City Camp : *Vonsildvej 19.* ☎ *75-52-13-88.* • *koldingcitycamp.dk* • *À 3 km au sud de la ville. Bus n° 3 ttes les 20 mn. Ouv tte l'année. Prévoir 173 Dk (22,50 €) pour deux avec tente et voiture.* Un camping bien ordonné qui demeure agréable et calme, malgré ses vastes dimensions. Caravanes et agréables chalets avec bains et cuisine à louer également. Tennis. Excellent accueil de la famille Dvinge, dont la moitié parle le français et peut organiser vos parties de pêche dans la région.

Danhostel Kolding Vandrerhjem (AJ) : *Ørnsborgvej 10.* ☎ *75-50-91-40.* • *danhostel.dk/kolding* • *De la gare ferroviaire, bus n° 3 direct. Sinon, c'est à 15 mn à pied du centre, vers le nord-ouest. Petite ruelle donnant dans Gøhlmannsvej ; suivre le logo bleu. Fermé en déc-janv. Réception juin-août 8h-12h, 16h-20h (18h hors saison). Compter 140 Dk (18 €) en dortoir ; 420 Dk (54,50 €) la double avec sdb, sans le petit déj ; 300 Dk (39 €) sans sdb.* Perchée à flanc de colline, l'AJ bénéficie d'une très jolie vue sur la ville, son lac et le fjord. Les chambres de 1 à 6 personnes sont impeccables, ce qui ne gâche rien. Pas de couvre-feu.

Plus chic

Saxildhus Hotel : *Banegaardspladsen, face à la gare.* ☎ *75-52-12-00.* • *saxildhus.dk* • *Compter 1 045-1 195 Dk (136-155 €) la double, petit* *déj compris.* Occupe une belle bâtisse 1900 en bordure de la zone piétonne. Ravissantes chambres très claires, pourvues de meubles cossus. Certaines d'entre elles sont même coiffées d'une remarquable charpente. Atmosphère, atmosphère...

Où manger ?

Den Blå Cafe : *Lilletorvet (la petite place) ; dans un petit complexe moderne. ☎ 75-50-65-12. Accès par Slotsgade 4. Sert des plats jusqu'à 21h30. Ferme à 2h ven-sam. Plats 90-120 Dk (12-16 €).* Un classique de la ville, où l'on mange dans une jolie salle à la lumière tamisée ou sur la terrasse en été. Ambiance sage toujours agréable. Sandwichs, salades, pâtes du jour, carpaccio et excellentes patates frites !... Aussi une bonne adresse pour boire un verre. Plein de jeunes.

Bella Italia : *Jernbanegade 40. ☎ 75-50-58-07. Cuisine ouv jusqu'à 21h30. Compter 80-150 Dk (10,50-19,50 €) pour un plat principal, 70 Dk (9,50 €) pour une pizza.* Coincée entre la gare et la zone piétonne, cette petite trattoria propose une cuisine italienne simple mais de bon aloi. Pizzas très honnêtes. Atmosphère chaleureuse.

Où boire un verre ?

Tavlen : *Munkegade 10. ☎ 75-52-58-91. Ouv slt le w-e jusqu'à 5h.* On y boit, on y joue du jazz. Un vrai « lieu » en ville. Bonne atmosphère et plein de gens cool, de bonnes vibrations.

Knud's Garage : *Munkegade 5. Ouv jusqu'à minuit (2h jeu-sam).* Café à la parisienne un peu *destroy,* fréquenté par la jeunesse bohème du coin. Musique live de temps en temps.

À voir

Koldinghus : *à 2 mn de la place centrale, dominant la ville. ☎ 76-33-81-00. • koldinghus.dk • Tlj 10h-17h. Entrée : 60 Dk (8 €) ; réduc ; gratuit pour les moins de 18 ans.* L'orgueil de Kolding brûla accidentellement en 1808 pendant les guerres napoléoniennes. Mais l'audacieuse restauration a transcendé le vieux château du XIIIe s... On ne s'est pas contenté de relever les murs à l'identique, mais plutôt d'associer les vestiges médiévaux à d'étonnantes architectures modernes. La grande salle est particulièrement remarquable, avec ses charpentes épurées et son réseau de passerelles métalliques. Si l'édifice accueille fréquemment de grandes expos temporaires, la plupart des salles sont consacrées à des collections historiques classiques (mobilier, tableaux, objets religieux, peintures du XIXe s, sections militaires et belle section de faïence du XVIIIe s). Salles bien aménagées, baignées de lumière, et pièces d'art de haut niveau. Superbe vue depuis la terrasse du donjon.

Kunstmuseet Trapholt et Dansk Møbeldesign : *Æblehaven 23. ☎ 76-30-05-30. • trapholt.dk • À l'est du centre, à env 2 km ; bien fléché. Bus ligne n° 4 depuis la gare jusqu'à Lyshøj Allé. Tlj 10h-17h. Entrée : 60 Dk (8 €) ; réduc.* Une sorte de petit Louisiana entièrement consacré à l'art moderne. Structure hyper-lumineuse, géométrique et blanche, au milieu de la verdure avec le fjord en toile de fond. Toutes les tendances artistiques y sont représentées : peinture, sculpture, vidéo, assemblages. Abrite des expos temporaires de bon niveau, mais également une étonnante collection permanente parmi laquelle figurent les dix tableaux de Richard Mortensen. Ils racontent une célèbre histoire de Viking qui a perdu sa vache et qui la retrouve finalement. Section décorative et arts appliqués du début du XXe s. Collection de Franciska Clausen, une cubiste danoise du début du XXe s. Souvent sont présentés des artistes comme Jens Adolf Jerichau,

Jais Nielsen... Ne pas manquer non plus la partie du musée consacrée au design du mobilier danois. Court mais très réussi. À voir absolument.
Cafétéria très agréable précédée d'une grande pelouse.

Geografisk Have : Christian 4 Vej. ☎ 75-50-38-80. Au sud-est de la ville. Bus nº 2. Mai-sept, tlj 10h-18h. Entrée : 40 Dk (5 €) ; réduc. Grand jardin botanique qui s'étend sur plusieurs hectares. Vaste serre et des milliers de fleurs et plantes soigneusement classées et ordonnées par régions, d'où le nom. Plantes d'Amérique du Nord, de Chine, du Japon et d'Europe. Ce jardin magnifique fut créé en 1927. Intéressant.

Superbe ***maison*** rouge à colombages du XVIe s au nº 18 de Helligkorsgade.

RIBE

8 500 hab.

À une cinquantaine de kilomètres de Kolding et au cœur d'un plat pays de polders, le Jutland méridional, voici la ville médiévale par excellence : la plus vieille et la mieux conservée du Danemark. Le premier établissement digne de ce nom date du début du VIIIe s, lorsque des commerçants choisirent la côte est de la rivière pour y fonder un comptoir. Vers 860, alors que le christianisme n'en était qu'au stade de balbutiement, le moine Ansgar obtint la permission d'y ériger une église. La ville ne cessa plus de prospérer, tissant un réseau urbain toujours plus dense autour de sa cathédrale, jusqu'à ce que les marins décident d'emprunter de nouvelles routes commerciales au XVIIe s. Mais Ribe connaît un nouvel âge d'or grâce au tourisme. Elle fut la première ville danoise à inciter ses habitants à restaurer leurs demeures de manière traditionnelle. Du coup, cathédrale, maisons à colombages, jardins ombragés et rivière forment un ensemble absolument superbe, à l'atmosphère détendue bien que touristique. Une halte chaudement recommandable.

Adresses utiles

Office du tourisme : *Torvet 3. ☎ 75-42-15-00. • visitribe.dk • Sur la petite place derrière la cathédrale. Juil-août, lun-ven 9h-18h, sam 10h-17h (de mi-juil à mi-août, ouv dim 10h-14h) ; horaires restreints hors saison (jusqu'à 16h30 en sem). Vend le* Ribe pass *(20 Dk, soit 2,60 €), un passeport valable 11 j. qui offre 20 % de réduc dans les musées et ttes sortes d'avantages.* Excellent accueil et plein de doc intéressante. On y parle parfois le français. Résas pour les hôtels et l'AJ possibles, mais c'est moins cher de le faire soi-même. Fait le change. Renseignement sur le tracteur-bus pour l'île de Mandø, et sur les horaires de marées.

Poste : *Skt Nicolajgade 12.*

Banques : *nombreuses banques sur Saltgade (nº 4 ou 10) ou Seminarievej (nº 4 ou 8), à l'entrée nord de la ville.*

Gare ferroviaire : *Dagmarsgade 16.* De Kolding, env 2 trains/h (changement à Bramming).

Station de bus : *à la gare.*

Location de vélos : *à l'AJ, Skt Pedersgade 16. ☎ 75-42-06-20. Tlj 8h-12h, 16h-21h. Compter env 60 Dk/j. (8 €).*

Où dormir ?

De bon marché à prix moyens

Ribe Camping : *Farupvej 2. ☎ 75-41-07-77. • ribecamping.dk • À 1,5 km au nord de la ville, très proche donc, et pourtant en pleine cambrousse. Ouv tte l'année. Prévoir env 145 Dk (19 €) pour deux avec tente et voiture.* Dissimulé derrière un rempart d'arbres, ce vaste camping dispose d'emplacements bien tenus et de nombreux équipements. Grande cuisine bien équipée gratuite, machines à laver payantes. Huttes pour 2 ou 6 personnes au confort variable. Épicerie. Petit snack. Piscine, jeux pour les enfants. Le *Ribe pass* est donné gratuitement aux campeurs.

Auberge de jeunesse *(Ribe Vandrerhjem)* **:** *Sct Pedersgade 16. ☎ 75-42-06-20. • danhostel.dk/ribe • À 5 mn à pied du centre. L'entrée est devant un parking mais, juste derrière, il y a des champs à perte de vue. Ouv fév-nov. Compter 92 Dk (12 €) en dortoir (4 ou 5 lits) l'été, 150 Dk (19,50 €) hors saison ; doubles 355-490 Dk (46-64 €), petit déj en plus.* D'une capacité de 170 lits environ, cette AJ moderne dispose de chambres de 2, 4 ou 5 lits, équipées pour la plupart de bains. Un véritable hôtel, mais avec lits superposés. Location de vélos. Même quand c'est complet, on s'arrangera pour vous loger. Excellent petit déj-buffet. *Ribe pass* donné gratuitement.

L'office du tourisme propose une vingtaine de ***chambres chez l'habitant.*** Prix vraiment intéressants.

Plus chic

Weis Stue Hotel et Restaurant : *Torvet 2. ☎ 75-42-07-00. • weisstue.dk • Derrière la cathédrale, sur la place centrale. Sert tte la journée jusqu'à 21h30. Doubles 625 Dk (84 €) avec petit déj. Plat principal 70-150 Dk (9-19,50 €).* Vieille auberge qui a su conserver son charme, ses bonnes grosses tables et sa déco d'origine. Sert des plats typiques bien réalisés, assez lourds certes mais revigorants. Propose également quelques chambres à l'ancienne, fort agréables, aux formes plus biscornues les unes que les autres. Les célibataires dormiront dans « l'Alcôve », chambre minuscule et adorable (la moins chère). Prévoir des boules *Quies*, les bruits venant de la cuisine peuvent être dérangeants.

Backhaus : *Grydergade 12. ☎ 75-42-11-01. • backhaus-ribe.dk • Doubles 500 Dk (65 €), petit déj compris. Parking privé.* Avec la cathédrale en ligne de mire, cette grosse bâtisse de brique occupe une position centrale tout en échappant à la frénésie des rues piétonnes. Elle dispose d'une dizaine de chambres confortables, mais se contente de sanitaires et de douches en commun.

Den Gamle Arrest : *Torvet 11. ☎ 75-42-37-00. • dengamlearrest.dk • Sur la place de la cathédrale. Cellule double sans sdb 565-715 Dk (73-93 €), 815-915 Dk (106-119 €) avec.* Vous avez dit « cellule » ? Nous sommes dans l'ancienne prison réaménagée en hôtel. On aurait pu la mettre dans la rubrique « À voir. À faire », car il s'agit bien d'une réelle curiosité. On pousse les lourdes portes à barreaux pour accéder aux couloirs... Les chambres sont installées dans les anciennes cellules minuscules où il faut tirer le lit pour pouvoir se coucher. Les combles dissimulent de plus belles et plus grandes chambres. La cour intérieure est superbe, très calme, et l'on peut y prendre le thé, en songeant que c'était là que les prisonniers faisaient leur promenade. La prison a fermé en... 1989.

Où manger ?

Quedens Gaard : *Overdammen 10. ☎ 75-41-10-50. Tlj jusqu'à 18h ou 19h, parfois plus tard selon affluence. Plats 50-75 Dk (6,50-10 €).* Adorable salon de thé-boutique dans la rue la plus commerçante du bourg. On s'installe en terrasse s'il fait beau, ou dans la minuscule salle à manger aux couleurs chatoyantes. Toasts, salades et gâteaux préparés avec de bons produits frais. Patronne charmante. Petit musée attenant, qui présente Ribe au XIXe s. Superbe tête de proue d'un navire du XVIIe s à l'entrée.

Restaurant Sælhunden : *Skibbroen 13. ☎ 75-42-09-46. Sur les quais,* *près du fameux poteau qui indique le niveau de l'eau. La cuisine ferme à 21h45 l'été, 20h45 l'hiver. Plats 90-170 Dk (12-22 €).* Spécialités typiques de poisson, comme le hareng sur lit de petits légumes. Terrasse agréable sur le quai, en été, au bord du canal... La meilleure situation de Ribe pour déjeuner ou dîner après la balade du veilleur de nuit.

Où boire un verre ?

🍸 La terrasse de l'***hôtel Dagmar*** est très fréquentée en été. Et pour cause, c'est sur la place centrale ! Même tard le soir... vous pouvez vous réfugier dans son bar en sous-sol pour déguster toutes les variétés de schnaps ou cet excellent *mjøld,* boisson viking à base d'eau fermentée et de miel dont le goût s'apparenterait à un muscat, en plus profond.

🍸 ***Valdemar Café :*** *Sct Nicolajgade 6. Juste à côté du Kunstmuseum. Fermé dim soir et lun.* Café convivial et tranquille, un peu hors de l'agitation des adresses hyper-touristiques des rues piétonnes. Derrière, un agréable jardin étagé donne sur la rivière. Détente assurée ! Des concerts de temps en temps le week-end et pendant le *Ribe Jazz Festival.*

À voir. À faire

LE JUTLAND

★★★ ***La cathédrale :*** *en plein centre. En hte saison, lun-ven 10h-17h30, dim et j. fériés 12h-17h30 ; le reste de l'année, horaires restreints. Fermé pour les cérémonies. Entrée : 12 Dk (1,60 €).* Édifiée au XIIe s, elle présente une architecture essentiellement romane, malgré les nombreux remaniements dont elle fut l'objet. C'est la seule cathédrale à posséder cinq nefs. Elles renferment de superbes stalles sculptées, dont les accoudoirs représentent des têtes de chiens. Frise végétale très fine au-dessus. Noter également les beaux fonts baptismaux gothiques, les chapiteaux à visages humains ou la chaire Renaissance en bois sculpté polychrome. En revanche, la fresque moderne en mosaïques derrière l'autel dénote un tantinet. On peut grimper au sommet de la tour rescapée (248 marches), d'où la vue sur la région est superbe. La seconde s'écroula pendant la messe de minuit de 1283, privant de dinde une partie des fidèles !

★★★ ***Le musée des Beaux-Arts*** *(Ribe Kunstmuseum)* ***:*** *Sct Nicolajgade 10.* ☎ *75-42-03-62.* • *ribe-kunstmuseum.dk* • *On y accède à pied par un petit pont traversant un sympathique plan d'eau. Tlj sf lun 11h-17h en été, 16h hors saison. Fermé de janv à mi-fév. Entrée : 40 Dk (5,20 €).* Cette bâtisse Renaissance, installée dans un joli jardin, abrite des collections de la peinture danoise des XVIIIe et XIXe s, surtout de l'âge d'or danois. Le clou du musée est le tableau de Michael Ancher, *Un baptême dans l'église de Skagen.* La toile occupe tout un mur, et on y décèle ce qui fait l'originalité de ce grand peintre fondateur de l'école de Skagen. Les jeux de lumière reflètent l'atmosphère de cette superbe ville du Nord, imprimant une grande profondeur aux œuvres. Noter les toiles de Viggo Johansen (le baptême, les paysages), les scènes paysannes de Hans Smidth, la troublante et saisissante de réalisme *Chione tuée par Diana* de L. A. Schou au buste transpercé par une flèche, et cette admirable *Paysanne écrivant une lettre* de Dalsgard. Beaucoup de paysages. À l'étage, toiles du XXe s (Frede Christoffersen et étonnant *People of the Sea* de Jens Sondergard).

★ ***Museet Ribes Vikinger :*** *Odins Plads 1.* ☎ *76-88-11-22.* • *ribesvikinger.dk* • *En été, tlj 10h-18h (21h mer) ; hors saison, tlj 10h-16h. Fermé lun début nov-fin mars. Entrée : 60 Dk (8 €) ; réduc.* Un petit musée consacré à l'histoire de Ribe depuis l'époque viking jusqu'à la fin du Moyen Âge. Il se divise en trois parties : la première comprend différentes collections, notamment de bijoux ; la deuxième présente quelques reconstitutions bien réalisées ; la troisième, une zone multimédia où sont proposées plein d'expériences interactives. La communication moderne au service de l'histoire. Le musée, situé sur le lieu des fouilles, abrite l'un des plus importants centres de recherche du pays.

L'église et le cloître Sainte-Catherine : *en hte saison, tlj 10h-12h, 14h-17h. Entrée au cloître payante : 5 Dk (0,60 €).* On passe par l'église du XVe s (très sobre) pour admirer ce superbe cloître, petit, tout en brique, de style gothique. Son originalité : il est sur deux niveaux. Sobre et tranquille.

Balade dans les vieilles rues : les axes les plus anciens sont Fiskergade, Puggårdsgade, Skibbroen et Sønderportsgade. Sur Sortebrødregade (à l'angle de Overdammen), sur le toit, un nid de cigognes (au-dessus de la *Danske Bank*).

L'hôtel Dagmar est le plus vieil hôtel du Danemark. Il date de 1581 ! Si l'on ne peut pas forcément y dormir, étant donné les tarifs, une visite s'impose. Demandez à voir une chambre ou, si ça pose un problème, jetez un œil à la fantastique salle de restaurant ! L'hôtel, classé 4 étoiles, possède cinquante belles chambres avec des couleurs chatoyantes et des parquets en pente. Petits coffres dans les couloirs, finement travaillés. Il y a même une suite nuptiale. N'oubliez pas la salle de restaurant, on vous dit.

*Autre curiosité : l'**hôtel Den Gamle Arrest,** en face de l'entrée de la cathédrale. Voir « Où dormir ? ».* On le rappelle, c'est l'ancienne prison réaménagée en hôtel. Si l'ambiance des cellules ne vous tente pas pour dormir, allez au moins boire un verre dans la petite cour où les prisonniers faisaient leur promenade. Profitez-en pour visiter le bâtiment.

➢ ***Le veilleur de nuit :*** *on peut le suivre dans sa ronde parmi les vieilles rues (l'été, départs à 20h et 22h). Gratuit. Explications en anglais. Départ devant l'hôtel* Dagmar. Folklo mais sommaire.

➢ Se promener sur le ***quai*** de la rivière, absolument adorable avec les petits bateaux de plaisance et le célèbre poteau sculpté qui mesure les crues. La plus terrible date de 1634, lorsque le niveau de la mer dépassa de 6 m la moyenne. De l'autre côté de la rivière, c'est déjà la rase campagne. Location d'embarcations sur le canal, de l'autre côté du village.

– ***Marché aux puces et aux fruits :*** *ts les mer en été sur Skibbroen, au bord de l'eau.*

➢ ***Excursion sur l'île de Mandø :*** à quelques encablures de la côte, l'île de Mandø constitue une destination idéale pour de jolies balades. Différents itinéraires et différents moyens d'accès, de 2 à 9 km. En voiture, à pied ou pourquoi pas avec un bon VTT, vous empruntez une petite route caillouteuse découverte seulement à marrée basse (suivre les panneaux rouges indiquant « Mandø »). Les amateurs de folklore local prendront le gros tracteur qui assure également la traversée à marée basse par un autre chemin. Il trace sa route tout droit en pleine mer jusqu'à Mandø ! (Suivre les indications bleues « Mandøbussen. ») *Tarif : 60 Dk (8 €). Se renseigner à l'office du tourisme pour les horaires du tracteur et de la marée.*

Fête et festival

– ***Le 1er w-e de mai :*** immense rassemblement viking de Scandinaves et d'Allemands vêtus dans le costume de leurs ancêtres. Ça boit pas mal... ça dort peu. Si vous en redemandez, il y a le *Ribe Vikingecenter,* quelques kilomètres au sud de Ribe. C'est un village d'activités comme on en fait tant au Danemark... *Juil-août, tlj 11h-17h. Entrée : 70 Dk (9 €).*
– ***Ribe Jazz Festival :*** *dernier w-e de juil.* Des concerts sur la pl. de la Cathédrale, dans certains cafés de la ville.

LE JUTLAND

BILLUND ET LEGOLAND

Le bourg de Billund n'a en soi aucun intérêt, mais ceux qui voyagent avec leurs enfants devront à tout prix y faire halte, car c'est là que se situe le célébrissime parc d'attractions Legoland. Nombreux et vastes campings tout autour, mais ce n'est pas génial de dormir là. Beaucoup de monde dans le coin et peu d'intérêt. Venir tôt dès l'ouverture, car on attend parfois 1h ou 2h pour entrer. Vous pouvez y pique-niquer. Moins de monde le week-end en basse saison, quand les touristes ne sont pas là.
À noter que le petit aéroport de Billund est desservi par une liaison directe depuis Paris-Beauvais et Nice par *Sterling* (voir « Comment aller au Danemark et en Suède ? »).

Où dormir ? Où manger ?

De bon marché à plus chic

⛺ ***Billund Camping :*** *Ellehammer Allé 2. ☎ 75-33-15-21. • billundcamping.dk • À 5 mn de l'entrée de Legoland. Bus nos 44 et 912 de Grindsted et Billund. Entrée au niveau des 3 avions. Ouv tte l'année. Juin-août, compter 170 Dk (22 €) pour deux avec tente et voiture ; moins cher hors saison. Formule* Quick Stop *pour les camping-cars quel que soit le nombre de pers : 110 Dk (14,50 €) la nuit, mais arrivée à 21h et départ obligatoire à 9h le lendemain.* Camping campagnard dont les emplacements sont séparés par des haies. Enclos avec ânes au fond et jeux pour enfants. Très bien équipé, eau chaude payante. Nombreuses huttes pour 2 à 5 personnes. Bon accueil, mais souvent archi-bondé.

🏠 ***Legoland Village :*** *Ellehammer Allé 2. ☎ 75-33-27-77. • legolandvillage.dk • Ouv tte l'année. Juin-août, compter 750-1 065 Dk (97-143 €) pour une chambre de 1 à 5 pers avec sdb ; moins cher hors saison.* Juste à côté du *Billund Camping*, cette adresse à l'allure d'une AJ chic présente un excellent confort à la hauteur des plus grands hôtels. Bon, ce complexe très cher est très pratique car fort bien aménagé, mais il n'a rien de sympathique.

🏠 *Beaucoup de* ***chambres chez l'habitant.*** *Appeler l'office du tourisme du parc : ☎ 75-33-19-26.* Pas très cher et très bien, mais pas à côté du parc.

🏠 ***Hôtel Propellen :*** *Nordmarskvej 3. ☎ 75-33-81-33. • propellen.dk • À 5 mn du parc, à quelques mètres de l'entrée du* Billund Camping. *Doubles plus de 1 100 Dk (143 €), petit déj inclus.* Pas le grand charme, mais pratique pour ceux qui souhaitent passer une nuit tout près de Legoland. Genre de *Novotel* avec de grandes chambres. Tout confort. Préférer les chambres à l'arrière.

🍴 ***Café & Bistrot La Famille :*** *c'est le resto entre l'AJ et le camping.* Rien de bien extraordinaire, mais on peut s'y nourrir de menus à prix très abordables. Et il y a des pizzas (moins chères en dehors des heures d'affluence) et des paniers pique-nique...

Où dormir ? Où manger dans les environs ?

⛺ 🍴 ***Camping de Randbøl :*** *à 10 km à l'est de Billund par la route 28, juste avt NyNørup. ☎ 75-88-30-61. Compter 170 Dk (22 €) pour deux avec tente et voiture.* Grand camping qui dispose de plein de cabines à louer, situé dans une région de pisciculture. Nombreux sentiers balisés. Bien pour les routards avec des enfants : aire de jeux et huttes en forêt bien aménagées. Épicerie, resto...

⛺ 🍴 ***Grindsted Camping :*** *Sdr. Boulevard 15, à Grindsted. ☎ 75-32-17-51. Sur la route 30, tourner vers Grindsted C/S ; c'est à 1 petit km. Ouv tte l'année.*

Compter 140 Dk (18 €) pour 2 avec tente et voiture. Camping banal mais correct à 12 km de *Legoland.* Propose aussi des cabines équipées à louer. Épicerie, snack-bar ouvert d'avril à septembre. Piscine à 400 m.

Møllemarkshus Traktørsted : *chez Lene et Benny Hobitz, Hærvejen 62, à Randbøl. ☎ 75-88-34-04. À 9 km du parc vers le sud-est. Prendre la route de Vejle n° 28. Mai-août, tlj 10h-22h ; sept-avr, ouv slt ven-dim.* Charmante auberge, loin de l'agitation de *Legoland.* En été, on mange dehors, au milieu de la cour de ferme de 1804 retapée. Carte en danois que le patron essaiera de vous traduire en anglais. Prix un peu élevés mais cuisine très honnête. Hot dogs pour les fauchés et glaces pour tout le monde.

À voir

Legoland : *☎ 75-33-13-33. • legoland.dk • Avr-juin, tlj 10h-18h (ou 20h) ; juil-début août, tlj 10h-21h ; début août-fin août, tlj 10h-20h ; dernière sem d'août-oct, tlj sf mer-jeu 10h-18h (ou 20h). Entrée gratuite jeu en hte saison à partir de 18h. Pour éviter la queue, la meilleure solution est d'acheter le billet en ligne par CB. Vous achetez et imprimez le ticket chez vous, il n'y a plus qu'à le présenter à l'entrée. Ou alors, acheter les billets la veille, pas évident c'est vrai ! Sinon, compter parfois 1h ou 2h d'attente. Entrée : 225 Dk (29 €) ; 195 Dk (25 €) pour les moins de 13 ans. Très cher, mais le plaisir de vos chères têtes blondes (ou brunes) n'a pas de prix. Y arriver tôt pour amortir le coût.*

UNE BRIQUE DANS LE VENTRE

Au début des années 1930, un charpentier de Billund, Ole Kirk Christiansen, se met à fabriquer des petits jeux en bois pour survivre à la dépression économique qui secoue l'Europe. Il fonde alors la compagnie Lego, à la fois une contraction des deux mots danois « jouer » et « bien », et référence au latin « je combine » ! Ce n'est qu'à la fin des années 1940 qu'ayant acheté une machine à fondre le plastique, il commence à produire ses petites briques empilables et interchangeables. L'aventure était en marche et la fortune certaine.

À l'entrée, on trouve un guichet de l'office du tourisme, infos rapides ; mais une fois son ticket pour le parc acheté, on peut entrer dans le bureau de l'office du tourisme pour plus d'infos, notamment pour vous loger dans les environs. *☎ 75-33-19-26 ou 96-23-47-92. • legoland-travel.dk • Mêmes horaires que* Legoland. *Change.*

C'est à Billund que se fabriquent les fameux jeux *Lego.* Le parc de Legoland est la vitrine de ce jeu magique et inusable qu'est ce petit module à ergots qu'on assemble à satiété.

Le parc totalement dévoué au *Lego* date, lui, de 1968. Il présente des jeux, une ville western, des maquettes de châteaux, de villages, une attaque de port par des pirates, une randonnée en canoë, une auto-école, et même une imitation des quatre présidents taillés dans le roc du Dakota... construits à l'aide de 2 500 000 éléments *Lego.* En fait, ce ne sont pas de simples constructions, mais de véritables œuvres d'art. Il y a même une écluse de trois étages, qui fonctionne.

À voir encore, le château de Rosenborg, un village des Lofoten, le quai de Nyhavn, des canaux avec des bateaux qui naviguent, des voitures, des trains... Il y a aussi le coin des pirates avec leur navire, un musée sur la fabrication des *Lego* et, bien sûr, plusieurs zones de jeux où l'on peut s'amuser des heures avec des *Lego* de toutes les formes et de toutes les couleurs. On termine par une boutique pleine de cadeaux à rapporter. Assez cher quand même. Restos dans l'enceinte du parc. Quelques expositions moins juvéniles, comme la collection de poupées de Dukke Samling, les jouets anciens de la Helme Collection ou le Titania's Palace. Pour les plus grands, plein d'attractions type montagnes russes, rivière infernale, petits trains qui font peur...

➤ DANS LES ENVIRONS DE BILLUND ET LEGOLAND

Les pierres runiques à Jelling : en route pour Horsens et les plus lointaines terres du Nord, ceux qui veulent en savoir un peu plus sur l'histoire du Danemark s'arrêteront à Jelling (sur la route 442, à proximité de Vejle) pour déchiffrer les deux pierres runiques classées au Patrimoine de l'Unesco. La région environnée de champs et de lacs est remarquable. Au Xe s, le fameux monarque viking Gorm l'Ancien choisit ce site pour en faire sa résidence royale et un lieu d'inhumation. Les pierres se dressent à côté de l'église construite plus tard, au XIIe s. Gorm l'Ancien érigea la plus petite dans la première moitié du Xe s. Elle indique dans cet ancien alphabet des langues nordiques que « le roi Gorm éleva ce monument à la mémoire de son épouse Tyra, la parure du Danemark ». Une révélation d'importance : il s'agit de la première mention connue du Danemark. La grande pierre indique que « le roi Harald fit élever cette pierre en l'honneur de son père Gorm et de sa mère Tyra, ce même Harald qui fit la conquête de tout le Danemark et de la Norvège, et qui convertit les Danois au christianisme ». Une mine d'informations ! Pour la première fois un roi danois se proclame chrétien, imité en cela par tout son peuple. C'est pourquoi cette pierre est aujourd'hui considérée comme l'acte de naissance du Danemark, rien que ça ! Elle doit également sa réputation à une magnifique représentation du Christ, jugée comme la plus ancienne de Scandinavie. À l'origine, ces pierres étaient peintes de couleur vive.

HORSENS

57 000 hab.

La septième ville du Danemark se situe à l'extrémité du fjord le plus large du Jutland de l'Est. En 1442, Christophe de Bavière donna ses lettres de noblesse à la cité, qui fut ainsi reconnue comme l'un des pôles les plus actifs du royaume danois.

Mais la principale fierté de la ville, c'est d'avoir été le berceau de l'un des plus grands explorateurs, Vitus Béring (1681-1741). Voir la rubrique « Personnages » dans « Danemark : hommes, culture et environnement ». Son expédition, la *Kamchatka Expedition,* fut l'occasion de montrer au monde entier que l'Asie et le Nouveau Monde n'étaient pas reliés par voie terrestre : le détroit de Béring naissait. En quête de nouvelles découvertes, l'explorateur danois récidiva treize ans plus tard en organisant la seconde *Kamchatka Expedition,* le 15 juillet 1741 ; Béring et ses 10 000 hommes découvrirent alors les plages de Californie.

Si vous passez à Horsens les derniers vendredi et samedi du mois d'août, vous ne serez pas déçu par le Festival médiéval d'Europe qui s'y déroule. Au programme, animations de rues, tournois, éclairage du centre-ville à la torche le soir venu, théâtre, échoppes animées d'artisans et de commerçants... C'est donc à ne pas manquer !

Adresses utiles

Office du tourisme : *situé dans l'ancien hôtel de ville, Søndergade 26. ☎ 75-60-21-20. • visithorsens.dk • Lun-ven 9h30-17h30 (16h30 hors saison), sam 10h-14h (13h hors saison).* Change.

Poste : *Lichtenbergsgade 1. ☎ 76-26-86-00.*

Netc@fé : *Kongensgade 19-21. En face de la gare ferroviaire. Tlj 11h-minuit.*

Gare ferroviaire : *Andreas Steenbergs Plads. ☎ 75-62-57-77. À l'ouest du centre-ville, juste avt le Bygholm Park.*

■ *Hôpital : Sundvej 32. ☎ 79-27-44-44. À deux pas du centre-ville, à l'est.*
■ *Location de vélos :* Bikers World, *Torvet 6. ☎ 75-62-53-48. À l'extrémité est de la rue piétonne. Env 70 Dk/h (9 €).*

Où dormir ?

⛺ ***Bygholm Sø Camping :*** *Lovbyvej 31. ☎ 75-61-31-01. À l'ouest d'Horsens. Ouv Pâques-sept. Compter 115 Dk (15 €) pour deux avec tente et voiture.* Un camping calme et aéré, dans une ambiance bucolique, canards barbotant entre les petits bateaux, étiré comme un long ruban au bord du lac de Bygholm. Emplacements très agréables répartis sous les frondaisons. À l'entrée, un petit resto les pieds dans l'eau, ouvert de 10h à 21h.
⛺ ***Husodde Camping :*** *Husoddevej 85. ☎ 75-65-70-60. • husodde-camping.dk • Ouv avr-sept. Compter 138 Dk (18 €) pour deux avec tente et voiture. Loc de bungalows. Douches payantes.* Le *Husodde Camping* profite d'une situation remarquable, niché sur une excroissance verdoyante enfoncée dans le fjord. Très familial, il constitue une étape idéale avec ses petites plages à quelques pas. Site impeccable pour la planche à voile. Location de vélos. Le gérant parle le français.
🏠 ***Danhostel Horsens Vandrerhjem*** *(AJ) : Flintebakken 150. ☎ 75-61-67-77. • danhostelhorsens.dk • À 2 km du centre, au nord de la ville. Ouv de mi-janv à mi-déc. Prévoir 150 Dk (19,50 €) en dortoir ; doubles 400-600 Dk (52-78 €), petit déj en plus.* Légèrement à l'écart de la ville, cette AJ moderne profite d'une tranquillité et d'un cadre champêtre fort appréciables. Elle dispose de salons cossus, dont les larges baies vitrées offrent une vue plongeante sur le lac et les bois. Chambres impeccables aux murs de briques apparentes, dotées de salles de bains rutilantes. Prêt de vélos.

Où manger ?

|●| ***Eydes Kaelder :*** *Søndergade 17. ☎ 75-62-61-23. Cuisine ouv 11h-21h30 (20h30 dim). Plats 80-150 Dk (10,50-19,50 €).* Les rires et les bonnes odeurs qui s'échappent des soupiraux attirent immanquablement le chaland. Dans une vaste cave voûtée aux allures de pub, les serveurs évoluent entre les piliers massifs, les bras chargés de plats appétissants. Copieux et bien réalisés, comme le saumon grillé accompagné de petits légumes. À déguster sous les torchères fumantes, atmosphère médiévale oblige. Terrasse sur la rue piétonne.
|●| ***Corfitz :*** *Søndergade 21. ☎ 75-62-88-44. Face à l'office du tourisme. Cuisine fermée à 22h. Le midi, petits plats autour de 70 Dk (9 €) ; le soir, menu 150 Dk (19,50 €).* Un resto-bar caméléon. En journée, la clientèle joyeuse et disparate envahit la terrasse à l'occasion d'un repas sur le pouce... On se contente alors de copieux plats de pâtes aux recettes astucieuses et inventives ou de sandwichs roboratifs. Le soir, les convives se réfugient plus facilement à l'étage, intime et chaleureux, pour un dîner plus élaboré.

Où boire un verre ? Où danser ?

🍸 ♫ ***Paddy's :*** *au bout de Søndergade. Fait boîte jeu-sam.* Ce bar à tendance baroque regroupe essentiellement les jeunes de bonne famille. On y déguste une Carlsberg tranquille en début de soirée, et à 23h le lieu se transforme en une discothèque bruyante et bondée. Moins chic et plus enfumé, le ***Vitus Béring Pub,*** quelques mètres avant le *Paddy's*, présente un visage plus décontracté. Ça rigole pas mal dans sa salle entièrement boisée aux allures de taverne.

À voir

Klosterkirken : au bout de Borgergade (elle prolonge Søndergade). Lun-mer et ven 9h-14h, jeu 9h-17h, dim 13h-17h. Fermé sam. Au centre d'un petit jardin se dresse l'ancienne église-cathédrale de la ville. Du XIIIe s, date de sa construction, il ne reste plus grand-chose en raison des multiples remaniements subis jusqu'au XIXe s. En revanche, elle renferme un riche mobilier parmi lequel on remarque une belle chaire du XVIIe s, ou encore des fonts baptismaux en granit du XIIe s. Pour l'anecdote, c'est ici que la famille Béring fit baptiser le petit Vitus le 21 août 1681.

Le musée de Horsens : Sundvej 1A. ☎ 75-29-23-50. • horsensmuseum.dk • Juil-août, tlj 10h-16h ; fermé lun hors saison. Entrée : 30 Dk (4 €) ; réduc. Un musée fourre-tout. Il comprend notamment une salle consacrée à l'explorateur Vitus Béring, où sont présentées toutes les grandes étapes de sa vie. On a même tenté de modeler son visage à partir de son squelette découvert en 1991 ! Moins macabre, le musée propose différentes expositions à caractère historique, depuis la préhistoire jusqu'à nos jours. Entre deux molaires néandertaliennes, on peut également s'extasier devant d'assez belles collections de porcelaines ou d'argenterie. Les enfants ne sont pas en reste, avec une salle bourrée de jeux d'avant guerre. Bref, il y en a vraiment pour tous les goûts.

Le musée des Arts : Carolinelundsvej 2. ☎ 76-29-23-70. Juil-août, lun-ven 10h-16h, w-e 10h-17h ; hors saison, ouv mat dès 11h et fermé lun. Entrée : 20 Dk (2,60 €). Ce sont principalement des artistes danois qui y sont exposés. À tendance résolument moderne, ce musée vous surprendra par sa clarté et son originalité. Avec des peintres tels que Morgens Zieler, Anders Kikegaard ou encore Michael Kvium, ce temple des couleurs et des formes passionnera les inconditionnels.

Le musée de l'Industrie : Gasvej 17-19. ☎ 75-62-07-88. • industrimuseet.dk • Juil-août, tlj 10h-16h ; hors saison, tlj 11h-16h. Entrée : 40 Dk (5 €) ; réduc. Un musée très instructif. Vous y découvrirez des machines, des pièces de mécanique parfaitement restaurées et, plus drôle, vous pourrez vous amuser avec un réseau de téléphone installé dans tout le musée. Du sabotier à l'usine de cigares en passant par le visiophone, vos enfants seront ravis et vous aussi.

SILKEBORG ET LA RÉGION DES LACS 38 000 hab.

Ville toute récente et moderne, elle doit son émergence à Michale Drewsen qui, en 1845, établit une fabrique de papier sur la rivière. Depuis cette date, la petite cité n'a cessé de se développer et de briser son isolement. Si elle ne cache pas de trésors architecturaux ni d'extraordinaires monuments, elle baigne au cœur d'un environnement superbe. Venir à Silkeborg, c'est profiter d'une nature très apaisante et propice à de belles balades. Ville d'eau : elle est encerclée par la rivière Remstrup Å et le lac Silkeborg Langsø, d'où des jets surgissent, lui donnant un faux air suisse. Verdoyante : grandes forêts et « montagnes » parmi les plus hautes du Danemark arrondissent et égayent un paysage trop souvent plat. Le meilleur moyen de découvrir la région est le canoë, et bien sûr le vélo. Ville sans histoire, mais pas sans culture. Le célèbre peintre fondateur du mouvement « CoBrA », Asger Jorn, y a séjourné longtemps. Lui et d'autres artistes ont cédé leurs œuvres à la ville. Elle abrite deux superbes musées, et de nombreux festivals de musique s'y tiennent.

Adresses et infos utiles

Office du tourisme : Åhavevej 2A. ☎ 86-82-19-11. • silkeborg.com • Sur le port, en face du départ du bateau à roue. De mi-juin à fin août, lun-ven 9h-17h, w-e

10h-14h ; d'avr à mi-juin et sept, lun-ven 10h-16h, sam 10h-13h, fermé dim ; le reste de l'année, horaires restreints. Liste de chambres chez l'habitant. Change de l'argent le week-end seulement pendant la haute saison. Beaucoup de doc sur toute la région des lacs.

✉ **Postes :** *Kejlstrupvej 34 et Vestergade 33. Lun-ven 10h-17h, sam 10h-12h, fermé dim.*

■ **Banque :** *sur Østergade et Torvet. Lun-mer 10h-16h, jeu-ven 10h-18h. Fermé w-e.*

Gares ferroviaire et routière *(bus régionaux) : Drewsensvej 5. ☎ 70-13-14-15.*

■ **Hôpital :** *Silkeborg Centralsygehus, Falkevej 1-3. ☎ 87-22-21-00.*

■ **Location de vélos :** *aux campings, et d'autres adresses dans la ville, rens à l'office du tourisme. Autour de 75 Dk/j. (10 €).*

Où dormir ?

Gudenåens Camping Silkeborg : *Vejlsøvej 7. ☎ 86-82-22-01. • gudenaaenscamping.dk • Au sud-est du centre-ville. Ouv tte l'année. Compter 171 Dk (22 €) pour deux avec tente et voiture. Loc de bungalows 2-6 pers à la sem en hte saison, confort variable.* Excellente situation au milieu des arbres et en bordure de la rivière Remstrup Å. Emplacements assez petits mais bien ombragés. Idéal pour des balades à vélo, beaucoup de sentiers à travers les bois et le long de la rivière. Promenade autour du petit port de plaisance. Location de vélos et de canoës pour sillonner la rivière. Jeux pour les enfants.

Silkeborg Sø-Camping : *Århusvej 51. ☎ 86-82-28-24. • seacamp.dk • À env 2 km à l'est du centre-ville, en direction d'Århus. Ouv avr-oct. Compter 169 Dk (22 €) pour deux avec tente et voiture. Douche payante.* Bungalows tout équipés de 2 à 6 personnes. Camping situé dans une pinède ombragée au-dessus du lac Silkeborg Langsø. Location de vélos et de canoës.

Danhostel Silkeborg Vandrerhjem : *Åhavevej 55. ☎ 86-82-36-42. • danhostel.dk/silkeborg • Ouv mars-nov. Réception 8h-12h, 16h-20h (18h hors saison). Compter 80 Dk (10,50 €) en dortoir ; doubles 300 Dk (39 €) avec sdb, 50 Dk (6,50 €) le petit déj.* Cette AJ a tout du parfait hôtel de charme, tant elle occupe un emplacement merveilleux au bord de l'eau. Construite à deux pas du centre-ville et de la gare, elle profite de la quiétude de la rivière (le dortoir dispose de la plus jolie vue !). La cour intérieure plonge directement dans l'eau. Vous pourrez laisser s'écouler tranquillement le temps en comptant les canoës et les bateaux de plaisance qui défilent sous vos yeux. Attention : pas de location de vélos ni de canoës ici !

Où manger ?

Zorba : *Nygade 19. ☎ 86-81-21-55. Ouv tlj, slt le soir dim. Plats 80 Dk (10 €) le midi, env 150 Dk (19,50 €) le soir.* Restaurant à la décoration d'inspiration grecque antique. On s'installe dans la belle salle aux tables dressées avec soin, et lorsque le soleil est au rendez-vous, dans l'agréable jardin. Au menu, des spécialités grecques bien copieuses.

Restaurant Underhuset : *Torvet. ☎ 86-82-37-36. Tlj sf dim soir. La cuisine ferme à 21h30. Situé sur la place principale, au début des rues piétonnes du centre. Le midi, compter 85 Dk (11 €) pour un repas rapide ; le soir, à la carte, 180-200 Dk (23-26 €).* Un resto plutôt chic qui fait du poisson sa spécialité. On déjeune dans la salle, ou sur la terrasse qui déborde sur la grande place.

Où boire un verre ?

Dans le quartier d'origine de la ville, le *Papermill,* vous trouverez votre bonheur dans la succession de cafés et de terrasses qui bordent la rivière, comme au **Café Evald,** *Papirfabrikken 10.*

À voir. À faire

Silkeborg Museum : *Hovedgårdsvej 7. ☎ 86-82-14-99. • silkeborgmuseum.dk • Juste à côté de l'office du tourisme. De mai à mi-oct, tlj 10h-17h ; le reste de l'année, slt le w-e 12h-16h. Entrée : 45 Dk (6 €) ; réduc. Vente d'un petit livre en français sur l'homme de Tollund.* Ce musée de la Préhistoire est situé dans un manoir, le plus vieux bâtiment de la ville, datant de 1767. Il abrite des collections de poteries, de bijoux, et divers objets des âges de bronze et de fer, ainsi qu'une section d'histoire locale. Intéressant certes, mais la principale attraction du musée est l'homme de Tollund, le corps d'un homme préhistorique, réputé le mieux préservé au monde. Il date de 350 av. J.-C. Et c'est vrai qu'il est fascinant. Il a été découvert dans une tourbière à 10 km à l'ouest de Silkeborg en 1950. Parfaitement conservé, c'est celui d'un homme d'environ 40 ans, qui repose avec un visage étonnement paisible. On peut compter les rides sur son front et les fins poils de barbe autour de sa bouche. On le croirait presque endormi. Apparence trompeuse : sa mort est due à un sacrifice humain fait à un dieu. Une corde de cuir tressée autour de son cou a servi à l'étrangler. Le pauvre a été pendu. Entièrement nu, il ne porte qu'un bonnet de cuir sur la tête et une ceinture autour de la taille. Les historiens ont même pu déterminer ce qu'il avait mangé pour son dernier repas. Impressionnant, et un peu morbide !

Silkeborg Kunstmuseum : *Gudenåvej 7-9. ☎ 86-82-53-88. • silkeborgkunstmuseum.dk • Au sud-est de la ville, proche du* Gudenåens Camping. *Avr-oct, tlj sf lun 10h-17h ; le reste de l'année, mar-ven 12h-16h, w-e 10h-17h, fermé lun. Entrée : 50 Dk (6,50 €) ; gratuit pour les moins de 18 ans.* Ce vaste musée d'Art moderne est principalement dédié aux artistes du groupe CoBrA. Il s'articule autour des œuvres de Asger Jorn, le plus actif des créateurs de CoBrA, qui séjourna longtemps à Silkeborg dès 1950, et propose aussi des expos temporaires.

La richesse de ce musée vient du fait que Jorn lui céda la quasi-totalité de ses œuvres. Il ne considérait pas qu'elles lui appartenaient. On navigue dans le musée entre quatre ateliers, livrant les œuvres de Jorn, Fernand Léger, Man Ray, Pierre Wemaëre, Le Corbusier... Notez le célèbre *Canard inquiétant* de Jorn : il achetait des peintures dans des brocantes et peignait par-dessus, détournant le sens des œuvres originales. Ici un canard géant et monstrueux surgit d'une jolie petite ferme. À l'extérieur, la grande mosaïque est signée Jean Dubuffet. De quoi rassasier les amateurs d'art moderne !

LE SERPENT À TROIS TÊTES

En 1948, c'est à Paris que naît ce mouvement artistique et littéraire, à l'initiative du Danois Asger Jorn, des Belges Christian Dotremont et Pierre Alechinsky et des Néerlandais Appel, Corneille et Constant. CoBrA est l'acronyme de Copenhague, Bruxelles, Amsterdam ! En rupture avec un esthétisme trop académique, et même avec le surréalisme, CoBrA revendique le retour à une spontanéité créatrice, à une liberté totale d'expression, plus impulsive. Il en ressort des œuvres violemment colorées, au graphisme tumultueux, s'apparentant parfois à des dessins d'enfant, à un art primitif. Le groupe se dissout en 1951, mais chacun continue à peindre dans le même sens.

➢ Les balades en ***canoë*** peuvent constituer une manière agréable de découvrir la région des lacs. Pour passer une belle journée, négocier avec le loueur qu'il vienne vous chercher à un point d'arrivée, pour éviter de faire l'aller-retour.

– *Plusieurs loueurs dont* Silkeborg Kanocenter, *Åhave Allé 7. ☎ 86-80-30-03. • silkeborgkanocenter.dk • Proche du musée d'Art moderne. Compter 300 Dk/j. (39 €).*

➢ Promenade sur la rivière Remstrup Å, les lacs Borre Sø et Julsø. Possibilité de monter à bord d'un antique bateau à roue (le ***Hjejlen***) pour explorer les lacs alentours. *Départ en face de l'office du tourisme dans Sejsvej 2, Silkeborg. ☎ 86-82-*

07-66. ● *hjejlen.com* ● *Compter 110 Dk (14,50 €) ; réduc.* Plusieurs départs/j. 10h-17h. Le bateau va jusqu'à Himmelbjerget, un des points culminants du Danemark, à travers une succession de lacs et entre de petites îles (voir plus loin).

Festivals

– ***Riverboat Jazz Festival :*** *dernier w-e de juin à bord du Hjejlen, en face de l'office du tourisme et dans de nombreux endroits dans la ville. Rens :* ● *riverboat.dk* ● Quatre jours de musique.
– ***Country Festival :*** *pdt 3 j. le 2e w-e d'août sur Torvet, dans les bars et près du camping* Gudenåens. *Rens :* ● *sccdk.com* ● De nombreux concerts de musique country. Chapeau de cowboy et gilet à franges obligatoires.

➤ *DANS LES ENVIRONS DE SILKEBORG*

Le mont Himmelbjerget : si le point culminant du Danemark accroche les nuages à 173 m d'altitude, le Himmelbjerget (« montagne du ciel ») flirte quand même avec les 147 m ! Son ascension est l'un des moments forts de la visite de la région des lacs. Situé au sud-est de Silkeborg et sur la rive sud du lac Julsø. Prendre la route 52 vers le sud depuis Silkeborg, puis la 445 vers Ry. Fléché. Vous arrivez presque au sommet en voiture. Parking payant : 10 Dk (1,30 €). Reste une petite marche de quelques minutes pour grimper en haut. Du sommet, vue superbe sur toute la région des lacs et les forêts. Une deuxième solution pour y arriver est de partir à pied depuis le village de Ry. Ou alors par le bateau (le *Hjejlen* ou un des autres qui assurent la navette) qui vient de Silkeborg. Il s'arrête au pied de la colline, on monte, on redescend, et on reprend un autre bateau pour continuer la balade sur les lacs en retournant à Silkeborg.

Ry : village sans grand intérêt, si ce n'est qu'il est le point de départ d'une chouette balade qui, en 7 km, mène au sommet de Himmelbjerget. On marche à travers les bois et le long des lacs. Départ pour la rando environ 400 m après le pont sur Rodelundvej en venant du centre de Ry. Un chemin de terre part sur la droite. Plein de campings dans les environs.

ÅRHUS

275 000 hab.

La deuxième ville du Danemark, réputée pour sa grande université, fut l'un des premiers grands ports vikings, probablement fondé au Xe s. Il connut un rapide essor en raison de sa situation commerciale stratégique et s'enrichit considérablement, jusqu'à devenir cette grande ville animée qui se place fièrement derrière Copenhague ! Århus possède un certain charme (ne vous fiez pas, en arrivant, à son apparence industrielle) et on l'aime plutôt bien. Le quartier autour du port et de la cathédrale offre quelques ruelles paisibles et des rues bordées de vieilles maisons. Les bars sont pleins d'étudiants, notamment autour du nouveau canal reconstitué, un peu à la Nyhavn (à Copenhague). Beaucoup de musées intéressants.

Arriver – Quitter

Ferries pour *Kalundborg* et *Sjællands Odde* en Sealand tte l'année. *Infos :* ☎ *70-10-14-18.* ● *mols-linien.dk* ● Traversée : 2h30 à 3h. Liaison également en juil slt pour la presqu'île de Mols, entre Århus et Skødshoved, slt pour piétons et vélos (assez cher). Rens à l'office du tourisme.

Gare ferroviaire centrale (plan C4) *: au sud du centre-ville, sur Banegårdspladsen.* ☎ *70-13-14-15.*

Gare routière (plan C-D3) *: sur Fredensgade, c'est la Rutebilstation.* ☎ *86-12-86-22.* C'est là que se font tous les départs pour les environs.

Adresses et infos utiles

– ***Århus passet :*** c'est un *pass* qui donne droit à la gratuité dans les bus, les musées et les visites diverses. *On l'achète à l'Århus Sporveje, Park Allé 2, à l'office du tourisme, ou encore dans certains hôtels. Prévoir 119 Dk (16 €) pour 1 j. ou 149 Dk (20 €) pour 2 j. ; réduc. Vite rentabilisé.*

Office du tourisme (plan C4) *: Banegårdspladsen 20.* ☎ *87-31-50-10.* • *visitaarhus.com* • *L'entrée pour le public est sur M. P. Bruuns Gade. De fin juin à mi-sept, tlj 9h30-18h (17h sam, 13h dim) ; hors saison, fermé dim et horaires restreints.* On parle le français. Brochures, plan, résas pour les ferries pour la Sealand, la Norvège et la Suède (commission). On vous donnera une liste de chambres chez l'habitant et des infos sur les *B & B.* Fait le change. Ordinateurs à disposition donnant des infos sur la ville. Vend l'*Århus passet* (voir ci-dessus).

Poste (plan C4) *: pl. de la Gare centrale (Banegårdspladsen 1A).* ☎ *89-35-80-00. Lun-ven 9h30-18h, sam 10h-13h.*

Boom Town (plan D3) *: Åboulevarden 21.* ☎ *89-41-39-30. Lun-jeu 11h-1h, ven-sam 11h-8h, dim 11h-minuit.*

Banques : *face à la cathédrale ou l'hôtel de ville, notamment.*

Consulat de France : *Frederiksgade 34.* ☎ *86-18-35-00. Lun-ven 10h-12h.*

Hôpital : *Århus Kommune hospital, Nørrebrogade 44.* ☎ *87-31-50-50. En dehors des heures de service :* ☎ *86-20-10-22.*

Pharmacie ouverte 24h/24 : Åhrus Løve Apotek, *Store Torv 5.* ☎ *86-12-00-22. En face de la cathédrale.*

Journaux français (plan C4) *: à la gare ferroviaire.*

Prêt de vélos : *mai-fin oct.* Système de prêt de vélos directement inspiré de celui de Copenhague. Une trentaine de points de prêt sont répartis dans toute la ville. Les vélos sont accrochés comme les caddies de supermarchés, et il suffit de mettre une pièce de 20 Dk (2,60 €) pour les prendre. On récupère sa pièce quand on les raccroche. Hors saison, les vélos sont récupérés et remis en état. Cela vaut la peine, car les pistes cyclables sont superbes. Un mini-plan de la ville avec les lieux de stationnement des vélos est accroché au guidon.

Location de vélos : Cykel Vaerksted Morten Mengel, *Mejlgade 41.* ☎ *86-19-29-27.* • *mmcykler.dk* • *Compter 65 Dk/j. (8,70 €).* Les bons mollets pourront visiter la région de Mols.

Transports

On peut acheter une carte *Tourist Ticket* qui permet les accès gratuits aux transports pendant 24h et donne droit à une visite guidée de la ville (juillet-août, tous les jours à 10h). Renseignements et achat à l'office du tourisme.

– Les tickets de bus s'achètent dans le bus, à l'arrière (avoir l'appoint).

Où dormir ?

Campings

Camping Blommehaven : *Ørneredevej 35.* ☎ *86-27-02-07.* • *camping-blommehaven.dk* • *À env 3 km au sud du port d'Århus, en direction de Moesgård. Bus n° 19 de la gare centrale jusqu'au camping, service Pâques-fin* *oct ou bus n° 6 jusqu'à Hørhavevej. Ouv de fin mars à mi-oct. Réception 8h-12h, 14h-20h (22h en juil). Prévoir 172 Dk (22 €) pour deux avec tente et voiture.* Difficile de trouver plus joli cadre : en contrebas, la mer et ses plages ; au-dessus, la forêt de Marselisborg et ses sentiers de randonnée. Judicieusement répartis sur des terrasses surplombant la baie, les 500 emplacements échappent à l'étouffement tout en profitant de la vue. Également une vingtaine de chalets à louer pour 4 à 6 personnes équipés de cuisine. Nombreuses animations et activités (aires de jeux, volley...). Cafétéria. Location de vélos, épicerie, machines à laver... Une belle piste cyclable mène à travers bois à Århus.

⛺ ***Århus Camping :*** *Randersvej 400, Lisbjerg. ☎ 86-23-11-33. • aarhuscamping.dk • Sur l'E45, sortie 46 (Århus Nord), suivre « Ikea » et prendre la route 180 vers Ødum ; c'est à la sortie de Lisbjerg (8,5 km d'Århus). Bus n°s 54, 117 et 118 de la gare routière jusqu'à Lisbjerg. Ouv tte l'année. Prévoir env 140 Dk (18 €) pour deux avec tente et voiture. Douches payantes.* Un camping-étape relativement excentré, environné de champs cultivés. Emplacements agréables et ombragés, flanqués d'une piscine gratuite ouverte de début juin à mi-août. Cafétéria, épicerie. Machines à laver et à sécher le linge, plaques chauffantes gratuites. Chalets à louer.

⛺ ***Camping d'Ajstrup :*** *Ajstrup Strandvej 81. ☎ 86-93-35-35. • ajstrupcamping.dk • À 18 km au sud d'Århus. Bus n° 102 de la gare routière (30 mn). En voiture : prendre la route 451 vers Odder et tourner à gauche à Malling vers Ajstrup. Ouv de Pâques à mi-sept. Réception 7h-12h30, 14h30-23h. Compter 125-150 Dk (16-19,50 €) pour deux avec tente et voiture. Douches gratuites.* Un gros camping balnéaire, comptant pas moins de 400 emplacements et une vingtaine de bungalows pour 2 à 7 personnes, confort variable. Toutefois, la proximité de la mer (à peine quelques dizaines de mètres !) et la relative quiétude du site en font une halte très appréciable. Location de vélos et canoës. Épicerie. Snack.

Bon marché

Århus City Sleep-in *(plan D3, **10**) : Havnegade 20. ☎ 86-19-20-55. • citysleep-in.dk • Ouv tte l'année, 24h/24. Compter 115 Dk (15 €) en dortoir ; doubles 360 Dk (47 €) sans bains et 400 Dk (52 €) avec. Petit déj 45 Dk (6 €).* Une sorte d'AJ hyper-centrale, où la carte AJ n'est pas nécessaire, située dans un bâtiment agréable, joli, bien entretenu. Cour intérieure décorée de fresques et salle commune avec TV et billard. Accès à une cuisine. Location

Adresses utiles

- Office du tourisme
- Poste
- Gare ferroviaire centrale
- Gare routière
- Boom Town

Où dormir ?

10 Århus City Sleep-in
11 Hôtel Cab Inn

Où manger ?

20 Special Smørrebrød
21 Raadhuus Kaféen
22 Den Blå Paraply
23 Bar-resto Casablanca
24 Jacob's Bar B.Q.
25 Café Smagløs
26 Brasserie Belli
27 Marco Polo
28 Restaurant Italia

Où boire un verre ? Où écouter de la musique ?

23 Bar-resto Casablanca
25 Café Smagløs
30 Canal d'Åboulevarden
31 Jazz Bar Bent J.
32 Gyngen et Musikcafeen
33 Café Vestergade
34 Huset

Où jouer au billard ?

40 Sharks Pool

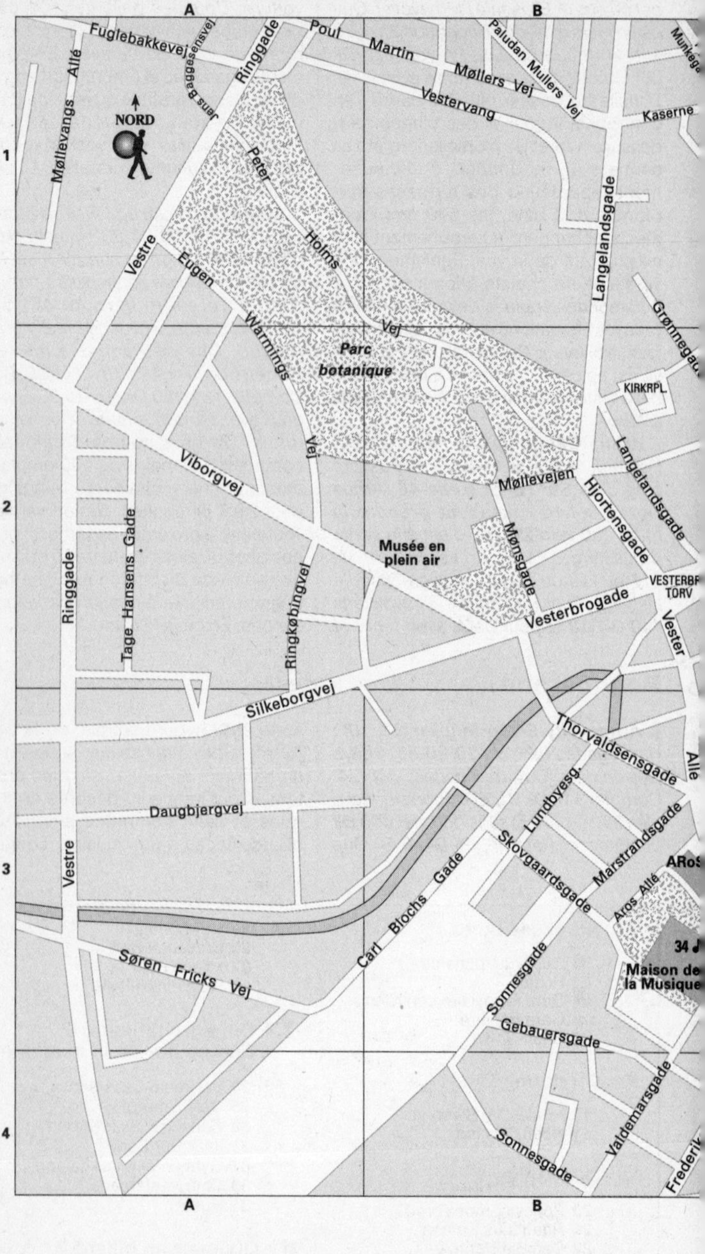

A
B
1
2
3
4
NORD
Fuglebakkevej
Jens Baggesensvej
Møllevangs Allé
Ringgade
Poul Martin Møllers Vej
Paludan Mullers Vej
Vestervang
Kaserne
Munkeg
Peter Holms Vej
Vestre Ringgade
Eugen Warmings Vej
Parc botanique
Langelandsgade
Grønnegade
KIRKRPL.
Viborgvej
Møllevejen
Hjortensgade
Tage Hansens Gade
Ringkøbingvej
Musée en plein air
Møllegade
VESTERBRO TORV
Vesterbrogade
Vester Alle
Silkeborgvej
Thorvaldsensgade
Lundbyesg.
Daugbjergvej
Skovgaardsgade
Marstrandsgade
ARoS
Aros Allé
Carl Blochs Gade
34
Maison de la Musique
Søren Fricks Vej
Sonnesgade
Gebauersgade
Valdemarsgade
Frederik

Steno Museet
Notre-Dame
Kvindemuseet
Cathédrale Saint-Clément
Musée Viking
Rådhus (hôtel de ville)
Gare centrale
Bassin 1
Bassin 2
Bassin 3
200 m

ÅRHUS

de vélos. Bien, quoi ! Ambiance routarde. En fait, le *Sleep-in* fait partie du centre *Gyngen* situé tout près, au n° 53 de Mejlgade : café, resto (plats végétariens), concerts... Les jeunes savent s'organiser ici (voir « Où boire un verre ? Où écouter de la musique ? ») !

Prix moyens

AJ Århus Vandrerhjem *(hors plan par D1) : Marienlundsvej 10, Risskov. ☎ 86-16-72-98. • aarhus-danhostel.dk • Au nord, à 3 km du centre par une voie cyclable et piétonne qui longe la mer. De la gare, bus nos 1, 6, 9 et 16 jusqu'à l'arrêt « Marienlunds ». Réception l'été 8h-12h, 16h-20h ; hors saison, horaires restreints. Fermé de fin déc à mi-janv. Prévoir 140 Dk (18 €) en dortoir ; doubles 440 Dk (57 €) sans bains, 490 Dk (65 €) avec sdb et w-c. Petit déj payant 50 Dk (6,50 €).* Superbe AJ dans un cadre bucolique à souhait, en pleine forêt. Plage en contrebas, à environ 300 m. Dispose de chambres impeccables de 2 à 6 lits ; possibilité de chambres individuelles hors saison. Calme total. Cuisine à disposition. Bon buffet pour le petit déj, à prendre dans une étonnante salle à manger en forme de rotonde.

Plus chic

Hôtel Cab Inn *(plan D3, **11**) : Kannikegade 14. ☎ 86-75-70-00. • cabinn.com • Compter à partir de 450 Dk (58 €) la double avec sdb, sans petit déj. Parking privé bon marché (60 Dk/j., soit 8 €).* Comme son nom l'indique, le concept consiste à reproduire l'atmosphère d'un bateau de croisière. Effectivement, les chambres ont tout de la cabine, à la fois exiguës et fonctionnelles. Toutefois, ce complexe récent a l'immense mérite d'occuper une place stratégique au cœur de la ville. Vissé au sommet du bâtiment, un aquarium-terrasse avec vue sur le clocher de la cathédrale pour le petit déj.

Où manger ?

Bon marché

Special Smørrebrød *(plan C3, **20**) : Sønder Allé 4. Ouv 9h-18h (19h ven). Fermé dim. Compter 40 Dk (5 €) pour un sandwich conséquent.* Un magasin minuscule ne vendant que des *smørrebrød* fraîchement préparés. À déguster sur un banc. Rosbif, poulet, pâté. Le tout à emporter.

Raadhuus Kaféen *(plan C3, **21**) : Sønder Allé 3. ☎ 86-12-37-74. Ouv 11h-23h. Sandwichs env 50 Dk (6,50 €) ; buffet proposant chaque j. un choix de différents plats typiques 100 Dk (13 €) ; plats à la carte env 150 Dk (19,50 €).* Une brasserie danoise aux allures de pub anglais cossu. Cuir, moquette et lambris accompagnent chaleureusement une carte riche en spécialités locales. Grand choix de tartines copieuses, garnies de hareng ou de *frikadelles.*

Beaucoup de restos dans la ***Frederiksgade*** *(plan C3)* : de la cantine de quartier, type cafétéria pour petits budgets à dominante italienne comme le ***Den Blå Paraply*** au n° 73 *(plan C3, **22**)*, avec des plats autour de 50 Dk (6,50 €), à la brasserie à la française bien tenue proposant de bons petits plats élaborés comme la ***Brasserie Belli*** au n° 54 *(plan C3, **26**)*, avec un menu très complet à 160 Dk (21 €).

Prix moyens

Marco Polo *(plan C2, **27**) : Vestergade 51. ☎ 87-30-38-32. Cuisine ouv 17h-22h. Formules entrée + plat : 100-170 Dk (13-22 €).* Une vraie trattoria, épargnée par les sempiternelles pizzas napolitaines. Le chef réalise avec bonheur une cuisine italienne classique mais fort bien préparée, comme d'excellentes pièces de viande nappées de gorgonzola. Idéale pour une soirée romantique, avec sa cour intérieure intime à peine éclairée par les bougies. Service attentif.

|●| ***Restaurant Italia*** *(plan D3,* ***28****) : Åboulevarden 9. ☎ 86-19-80-22. Cuisine ouv 12h (17h dim)-23h. Le midi, menu 50 Dk (6,50 €) ; le soir, compter env 150 Dk (19,50 €).* D'entrée de jeu, le festival de couleurs du buffet d'*antipasti* attire l'œil tout en aiguisant l'appétit. Il faut satisfaire tout le monde ! En cas d'incompatibilité, les plus difficiles devraient se satisfaire d'une bonne pizza bien fournie, ou d'un risotto al dente comme il se doit. Déco agréable, avec la ribambelle classique de souvenirs italiens.

|●| ***Café Smagløs*** *(plan C2,* ***25****) : Kloster Torv 7. ☎ 86-13-51-33. Sert des plats jusqu'à 21h, mais le bar ferme à 1h ou 2h (minuit dim). Tartines et petits plats 50-80 Dk (6,50-10,50 €).* Chaleureusement décoré, l'un des plus vieux cafés d'Århus continue d'attirer une clientèle bigarrée et détendue. Véritable lieu de vie, on y vient pour jouer aux échecs, boire une bière ou grignoter toute la journée de gentilles petites choses. Terrasse bien agréable.

Un peu plus chic

|●| ***Jacob's Bar B.Q.*** *(plan C2,* ***24****) : Vestergade 3. ☎ 87-32-24-20. Tlj 11h-1h30. Plat principal env 150 Dk (19,50 €).* Le midi, on mange dans la salle assez sobre donnant sur la rue. Les tables sont disposées autour d'un bar rond original. Le soir, l'atmosphère devient plus intime. On dîne dans l'adorable courette pavée et ombragée, cernée de jolies maisons à colombages. Quelques airs de piano accompagnent agréablement les excellentes grillades qui font la réputation de la maison. Grand choix de salades ou de plats de pâtes bien réalisés pour les végétariens.

|●| ***Bar-resto Casablanca*** *(plan D2,* ***23****) : Rosensgade 12. ☎ 86-13-82-22. Tlj jusqu'à 2h (minuit dim). Plats à partir de 115 Dk (15 €).* Ambiance très parisienne avec sa terrasse et ses tables de marbre, son zinc élégant, ses grandes glaces, ses banquettes recouvertes de moleskine et son enseigne française de tabac ! Agréable, chaleureux, beaucoup de jeunes s'y réunissent pour un repas d'apparence classique, mais dont tous les plats sont revisités pour un résultat aux saveurs étonnantes. À la carte, un chili, une omelette-salade, des pâtes, un croque-monsieur ou un burger... *Lunch menu* 11h30-16h. Très à la mode. En été, terrasse face à un petit square avec 2 bars tout en bois très élégants. Et on y joue à la pétanque...

Sur le Marselisborg Havn

À quelques encablures au sud du centre-ville (accès par Strandvejen, la route qui mène au Musée préhistorique) émerge la forêt de mâts du récent petit port de plaisance d'Århus. Les architectes ont su gommer son caractère artificiel, minuscule îlot de maisonnettes surgies de nulle part, en le métamorphosant en un agréable lieu de vie ourlé de restos et de bars. Lorsqu'il fait beau, les soirs d'été, ce coin est devenu le rendez-vous privilégié des jeunes bourgeois.

De bon marché à plus chic

|●| ***Crêperiet :*** *Marselisborg Havnevej 24. ☎ 86-12-13-00. Tlj 12h-21h30. Crêpes sucrées à partir de 40 Dk (5 €) ; nettement plus onéreux pour les salées.* Une sorte de petite Bretagne exilée en mer Baltique. À l'heure du thé, on s'attable avec délectation en terrasse devant une bonne crêpe beurre-sucre ou chocolat. Pour les affamés, la maison est également réputée pour sa soupe de

poisson *French Style* ou sa soupe à l'oignon. *Kenåvø !*

|●| **Martino :** *Marselisborg Havnevej 46B.* ☎ *86-18-19-69. Avr-sept, cuisine ouv 11h-21h30 ; oct-mars, slt w-e à partir de 17h. Fermé en janv. Le midi, spécialités italiennes 80-100 Dk (10,50-13 €), mais compter env 200 Dk (26 €) à la carte en soirée.* Tous les amoureux connaissent l'adresse. Perché sur la terrasse du 1er étage, il est bien difficile de ne pas succomber au charme des gréements se découpant sur la forêt de Marselisborg. La cuisine ne dépareille pas, avec de bonnes salades de la mer et des plats italiens fort bien cuisinés. Évidemment, tarifs à la hauteur du cadre.

– On peut également se restaurer au bord du canal. C'est même bien agréable, au coucher de soleil, après l'apéro, mais c'est un peu cher. Et on a préféré vous en parler dans « Où boire un verre ? Où écouter de la musique ? ». À lire, donc.

Où manger dans les environs ?

|●| ***Auberge Skovmøllen :*** *Skovmøllevej 51. À Moesgård.* ☎ *86-27-12-14. À 15 mn à pied du Musée préhistorique, en suivant le sentier balisé. Tlj sf lun 11h-14h, 17h-21h. Plats principaux 80-150 Dk (10,50-19,50 €).* Occupe un ancien moulin à eau dont la roue vétuste baigne encore dans la rivière bouillonnante. Un cadre bucolique, où il fait bon prendre une collation en cours de promenade. Sert toute la journée le thé et le café, accompagnés comme il se doit de délicieux gâteaux, ou une très bonne cuisine de campagne (sole meunière, bœuf béarnaise) à l'heure des repas. Souvent complet. Très danois.

Où boire un verre ? Où écouter de la musique ?

Voici quelques adresses qui, à coup sûr, vous permettront de faire des rencontres intéressantes.

🍸 D'abord, le fameux ***canal sur Åboulevarden*** *(plan C3,* ***30****)* ! Belle histoire que celle de ce canal, au point qu'on aurait pu le placer dans « À voir ». Mais vous ferez comme tout le monde : ici, la bière a plus d'importance que le passé et c'est l'endroit idéal pour l'oublier ! Sachez quand même que les Vikings sont arrivés par là pour s'installer et bâtir la ville : c'était une rivière jusqu'à ce que la civilisation moderne n'en fasse une rue... La rue Vadestedet était un flot ininterrompu de voitures quand la ville décida de retrouver ses racines et de s'embellir à nouveau. Plutôt réussi, non ? Avec son air de Nyhavn, la ville a soudain pris un autre cachet, et le quartier latin un air d'Amsterdam... Évidemment, les bars se sont empressés d'ouvrir, pour notre plus grand bonheur de routards assoiffés ! En partant du *magasin du Nord,* avec son *café du Nord,* un rien bourgeois, on trouve une faune qui rappelle un peu l'esplanade de Beaubourg ; puis trois cafés-restos qui raflent la mise. Terrasses bondées les soirs d'été au ***Paddy Go Easy,*** un pub ; au ***Sidewalk,*** qui remporte la palme de la terrasse surpeuplée ; et au ***café Viggo.*** Idéalement exposées pour recevoir les rayons du soleil, ces terrasses regorgent de blondes légèrement et soigneusement vêtues (mais pas que des blondes ; et puis il y a de beaux gars aussi), qui vous rappellent gentiment que vous êtes bien dans la deuxième ville du Danemark, s'il vous plaît ! Voilà tout ce qu'il faut pour prendre un apéro très sympa, quand il y a encore de la place, bien que ce soit un peu mode, il faut bien le dire. Ah, si vous voulez être sûr de boire un coup, repérez une table, faites-la garder par un copain ou une copine, et allez commander au bar ! Grande tradition danoise d'économie du personnel. Si vous êtes seul, soyez rapide, ou faites connaissance : ici, on partage facilement une table. Et quand la nuit tombe, distribution générale de bougies. Avec des pincettes ! Bref, allez-y. On peut y manger, mais c'est assez cher. La bière aussi, d'ailleurs...

🍷 ♩ ***Jazz Bar Bent J.*** *(plan C2, **31**) : Nørre Allé 66. ☎ 86-12-04-92. Lun 20h30-minuit et ven 17h-minuit. Payant lun, gratuit ven.* Bar minuscule où se retrouvent, pour une *jazz session*, les accros du jazz. On est collé à la scène tellement l'endroit est petit, mais atmosphère électrique garantie.

🍷 ♩ ***Gyngen et Musikcafeen*** *(plan D2, **32**) : Mejlgade 53. ☎ 86-19-22-55 (pour le 1er) ou 86-76-03-44 (pour le 2nd). Ouv jusqu'à 2h, ou plus tôt selon affluence. Fermé dim.* Plusieurs salles dans un bloc de bâtiments avec cour intérieure. Le premier est un café-resto (service jusqu'à 21h), l'autre un lieu de musique avec de nombreux groupes de tous les styles. Rencontres inévitables.

🍷 ***Café Vestergade*** *(plan C2, **33**) : à l'angle de Grønnegade et Vestergade. Ouv 12h-minuit (1h jeu, 2h ven-sam).* À mille lieues des bars tape-à-l'œil victimes de la mode, ce troquet chaleureux privilégie les atmosphères copain-copine débonnaires. En salle ou en terrasse, on refait gentiment le monde au son d'un blues langoureux ou d'un bon morceau de pop.

– Dans le ***quartier latin :*** Studsgade et Klostergade (à la perpendiculaire) accueillent une bonne dizaine de chouettes bars. Avec ses boutiques, sa gentille animation, ses terrasses, ce réseau de rues est vraiment le coin le plus sympa de la ville, avec le canal. Les cafés « à la française » sont très populaires : zinc, affiches de ciné, carotte lumineuse à l'extérieur, cendriers en Bakélite, etc., et toujours une bonne atmosphère. Parmi les plus sympas, le café ***Drudenfuss,*** à l'angle de Studsgade et Graven, le café ***Englen*** (Studsgade 3) et, presque en face, le café ***Kindrodt.*** Tous ont vraiment des allures parisiennes. *Ils ferment à 1h en sem et 2h le w-e.*

– La ruelle Volden mène à la *place Pustervig* qui possède également son lot de terrasses.

🍷 Les cafés ***Smagløs*** *(plan C2, **25**)* et ***Casablanca*** *(plan D2, **23**)* sont également des bars sympas. Voir « Où manger ? ».

♩ ***Huset*** *(plan B3, **34**) : Vester Allé 15. ☎ 86-12-26-77. Fermé en été.* Un genre de *MJC* en pleine ville, avec un tas d'activités. Presque tous les soirs, vers 21h-22h, concert de rock, folk ou jazz. Formule café-théâtre avec petites tables et pénombre chaleureuse mais, on le répète, c'est fermé tout l'été.

Où jouer au billard ?

■ ***Sharks Pool*** *(plan C3, **40**) : Frederiksgade 25. Dans le bloc de béton au 1er étage, en haut de l'escalator. Tlj 12h-1h (3h ven-sam).* Énorme salle pleine de billards américains, très prisée par les jeunes.

À voir

Plein de chouettes choses à voir ici.

★★★ ***Le musée en plein air de la « Vieille Ville »*** *(Den Gamle By ; plan B2) : Viborg Vej 2. ☎ 86-12-31-88. • dengamleby.dk • Nombreux bus depuis la gare routière. De fin juin à mi-sept, 9h-18h ; le reste de l'année, horaires restreints. Entrée : 90 Dk (11,50 €) ; réduc. Tour guidé toutes les 30 mn en anglais ou en allemand (1h), compris dans le prix d'entrée, ou guide écrit en français (payant).*

Une des curiosités les plus courues du Danemark, avec ses 70 maisons anciennes provenant de toutes les régions du pays. On se balade comme dans un vrai village d'autrefois, à travers les siècles et les milieux sociaux divers, puisque les maisons s'étalent du XVIe au XIXe s et appartiennent à toutes sortes de personnes, du simple boulanger jusqu'à la grande bourgeoisie. L'impression de voir plein de musées dans un seul.

Pour recréer cette ville, on a dû démonter puis remonter poutre par poutre et pierre par pierre toutes les demeures bourgeoises, maisons de commerçants, échoppes, ateliers, petites industries, boutiques des chapeliers, du tanneur, des monnayeurs, moulins, douane, poste, etc. Sur le marché, au sein de la vieille ville, on trouve la ***résidence du maire,*** la perle de cet ensemble, vieille de 400 ans, qui contient une collection magnifique de meubles, tels qu'en possédait jadis une famille de la grosse bourgeoisie danoise. Une réussite totale que ce musée à ciel ouvert. De judicieuses et pédagogiques explications en français éclairent bien sûr la visite. Quelques artisans de-ci, de-là insufflent vie au musée, notamment la boulangerie avec ses bons gâteaux et ses berlingots. Possibilité également de faire le tour du site en voiture à cheval. Prévoir 3h pour tout regarder vraiment. À ne pas manquer.

Le musée des Beaux-Arts *(ARoS Aarhus Kunstmuseum ; plan B-C3)* ***:*** *Aros Allé 2. ☎ 87-30-66-00. • aros.dk • Bus nos 3, 4, 14, 17... direction l'université. Tlj sf lun 10h-17h (22h mer). Entrée : 76 Dk (10 €) ; réduc. Consigne gratuite très pratique.* Un des plus beaux musées de Scandinavie. Surnommé le « diamant blanc », le nouveau musée est un cube de brique rouge et de verre de dix étages reliés par un escalier en colimaçon. Les différentes salles et passerelles dessinent de belles courbes harmonieuses dans lesquelles les œuvres sont superbement mises en valeur. Le musée présente toutes les tendances de la peinture et de la sculpture danoises depuis 1750 (étages supérieurs). La section contemporaine est particulièrement séduisante, avec les toiles de Wilhelm Lundstrøm variant de l'expressionnisme au cubisme, celles de Jens Søndergaard, obsédé dans ses paysages par la mort, ou celles, très expressionnistes, de Harald Giersing avec ses *Danseuses 1920*. Également de nombreuses œuvres de Vilhelm Hammershøi, Andy Warhol, Per Kirkeby qui complètent la collection. En bas, la gigantesque sculpture *The Boy* en fibre de verre de Ron Mueck semble monter la garde, tout accroupie qu'elle est sur ce petit bijou architectural, éclatant de blancheur. Belle terrasse sur le toit avec vue panoramique sur la ville. Fréquentes expositions temporaires au sous-sol. Cafétéria et librairie accessibles sans avoir à visiter les expos.

Le Musée préhistorique : *Moesgård Allé 20. ☎ 89-42-11-00. • moesmus.dk • Installé autour du manoir de Moesgård, au sud d'Århus. Bus n° 6 jusqu'au terminus (puis 200 m à pied), ou bus n° 19 jusqu'à la plage, puis à pied rejoindre le musée (2 km) ou faire la balade jusqu'au musée (voir plus bas). En voiture, suivre Moesgård, le musée est à la sortie de la ville. Avr-sept, tlj 10h-17h ; hors saison, tlj sf lun 10h-16h. Entrée : 45 Dk (6 €) ; réduc ; gratuit pour les moins de 17 ans. Penser à emprunter à l'accueil une petite brochure explicative en français sur l'homme de Grauballe (l'ensemble des commentaires est très didactique).* Niché dans un manoir du XVIIIe s, ce musée, par certains côtés un peu vieillot, entraîne ses visiteurs à la découverte de l'humanité depuis la préhistoire. Une nouvelle série de salles a vu le jour, permettant une meilleure présentation des collections. Elles s'organisent chronologiquement : âges de la pierre, du bronze, du fer et époque viking. Les squelettes, objets domestiques, bijoux, etc., sont replacés exactement comme ils ont été trouvés dans la terre ou les cailloux. Photos agrandies avec, au trait, l'emplacement des maisons, des hommes et des animaux, et reproduction des motifs des bijoux.

ÉGORGÉ ET ENTOURBÉ

L'homme de Grauballe, retrouvé intact dans une tourbière toute proche de Silkeborg, est un phénomène datant de l'âge du fer (80 av. J.-C.). On a découvert qu'il avait environ 30 ans et souffrait d'arthrite dentaire. Sûrement un intellectuel (mains longues et raffinées) qui avait, le jour de sa mort, mangé du porridge (orge et avoine) mélangé à des dizaines d'herbes culinaires. Comme pour l'homme de Tollund à Silkeborg, sa mort est due à un sacrifice humain. Les historiens ont déterminé qu'il a été égorgé d'une oreille à l'autre. Le fer contenu dans la terre lui a donné une teinte rougeâtre et les tannins l'ont conservé.

ÅRHUS

Nombreux dioramas. Magnifiques pierres runiques. On y apprend même que les hommes préhistoriques étaient des chirurgiens émérites : 50 % des trépanés survivaient à l'opération !
Plein d'autres objets à voir comme des chariots votifs, chaudrons ouvragés, etc. Expos temporaires également, toujours d'un excellent niveau (entrée comprise dans le ticket du musée). Reconstitution d'une église viking derrière le musée.
➢ Possibilité, pour ceux qui veulent parachever leur visite, de se balader en forêt en suivant un chemin balisé présentant des pierres mégalithiques, dolmens, cercles de pierre et reconstitution de maisons préhistoriques. Super ! Prévoir 1h30.

*** ***La cathédrale Saint-Clément*** *(plan D2) : tlj 9h30-16h en été ; hors saison, 10h-15h.* Du XIIIe s, ce magnifique ouvrage reconnaissable à sa belle flèche effilée n'a conservé que les chapelles romanes du transept. Elle présente aujourd'hui une architecture essentiellement gothique, dont la nef de 93 m demeure la plus longue du Danemark. Cette dernière se caractérise par ses belles nervures, tandis que la blancheur de ses murs met en valeur les nombreuses fresques du XVIe s. Elle abrite une foule de trésors, tels que des fonts baptismaux de 1481, une chaire du XVIe s et surtout un retable extraordinaire du maître de Lübeck, Bernt Notke. Noter encore la grille de fer forgé et l'orgue baroque.

** ***Vor Frue Kirke*** *(Notre-Dame ; plan C2) : lun-ven 10h-14h, sam 10h-12h. Fermé dim.* L'église Notre-Dame retient l'attention en raison de son émouvante crypte romane, considérée comme la plus ancienne construction voûtée de Scandinavie. Il s'agit du seul vestige de la première cathédrale d'Århus. L'édifice actuel, construit du XIVe au XVe s, renferme également un magnifique triptyque réalisé vers 1530 par Claus Berg de Lübeck.

* ***Steno Museet*** *(plan C1) : C. F. Møllers Allé ; dans le parc de l'université. ☎ 89-42-39-75. • stenomuseet.dk • Mar-ven 9h-16h, w-e 11h-16h. Fermé lun. Entrée : 45 Dk (6 €) ; réduc.* Cet intéressant musée porte le nom d'un éminent scientifique danois du XVIIe s, et s'intéresse, en toute logique, à l'histoire de la science et de la médecine. Il aborde différentes spécialités, comme l'optique, l'astronomie ou l'électricité, grâce à de multiples instruments de mesure séculaires, tandis que la section médecine présente différentes reconstitutions très convaincantes. Petite salle d'expérimentation. Planétarium *(payant ; séance à 13h en anglais).* Dans le hall du musée, un pendule de Foucault. Très joli petit jardin et boutique pleine de bonnes idées.

* ***Vikingemuseet*** *(plan C-D2-3) : Clemens Torv 6. ☎ 89-42-11-00. Face à la cathédrale, dans les locaux de la banque* Nordea. *Lun-ven 10h-16h (18h jeu). Entrée gratuite.* Eh non, l'escalier ne conduit pas aux coffres-forts, mais aux vestiges vikings ! Les sous-sols de cette respectable banque abritent d'étonnants témoignages archéologiques, comme les traces de bâtiments des IXe et Xe s, ou une partie des anciens remparts. Rapide et instructif.

* ***Kvindemuseet*** *(plan D2) : Domkirkeplads 5. ☎ 86-18-64-70. Juin-août, tlj 10h-17h (20h mer) ; hors saison, fermé lun et horaires restreints. Entrée : 30 Dk (4 €) ; réduc.* Situé derrière la cathédrale, dans un beau bâtiment. On vous signale ce petit musée parce qu'il est dédié aux femmes, ce qui est rare. Il s'intéresse à la condition féminine au XXe s et propose des expos temporaires d'œuvres de femmes ou concernant la lutte de celles-ci pour acquérir leurs droits. Café tout aussi élégant.

À faire

– ***La piscine municipale*** *(Swømmehal) : Spanien. ☎ 86-13-26-66.* Hammam et sauna intégrés. Superbe petite piscine. Toute moderne, toute propre. Balances, savons, éponges, casiers à clé... la classe pour pas cher !

Les plages : *au sud de la ville, on peut se baigner sur tte la côte qui longe la forêt de Marselisborg.* C'est la plus fréquentée du coin. Bus n° 19 de la gare routière. Au nord, la plage de Risskov. On y accède à vélo depuis le centre-ville. Très belle balade qui longe la mer. Bus n°s 16, 6 et 9 depuis la gare routière.

➢ ***La forêt de Marselisborg :*** nom enchanteur d'une nature non moins enchanteresse, puisque cette forêt qui borde la plage (au sud) se trouve pratiquement à la lisière de la ville ! Ce qui fait que d'un coup de vélo, on est plongé au cœur des arbres et des chemins de promenade. Plein de possibilités de balades superchouettes qui montrent à quel point ville et campagne sont proches au Danemark. Quel pied !

Festivals

Århus est une grande ville pour les festivals en tout genre. En voici quelques-uns.
– ***Festival de jazz :*** *3e sem de juil, à peu près pdt 1 sem. Rens : • jazzfest.dk •* Groupes dans tous les clubs et dans la rue. Extra.
– ***Festival des Vikings :*** *dernier w-e de juil, sur la plage de Moesgård.* Bateaux, combats à l'ancienne, costumes et nourriture vikings. Vraiment sympa.
– ***Festival d'Århus :*** *1re sem de sept.* Festival incroyable où toutes les formes d'art sont à l'honneur. Concerts de jazz, théâtre, improvisations dans la rue, marionnettes, foire à l'ancienne, manifestations sportives dans la vieille ville. Ambiance unique. C'est le plus grand festival de Scandinavie, avec chaque année un thème fédérateur. Si vous êtes au Danemark à cette époque-là, il ne faut surtout pas rater ça.

➤ DANS LES ENVIRONS D'ÅRHUS

Vers la région de Mols

Pour les motorisés et les non-pressés, voilà autant d'occasions de musarder sur de petits chemins à la recherche des églises rurales et des châteaux, histoire de se mettre en appétit avant d'aborder la superbe région de Mols.

L'église de Todbjerg : *sur la route de Lisbjerg à Mejlby.* Une église rurale toute blanche, bâtie en granit au XIIe s. Beaux gisants de part et d'autre du portail. À l'intérieur, quelques vestiges des fresques initiales.

Hornslet : l'église contient quelques trésors remarquables, comme les fonts baptismaux exécutés par un grand maître du Jutland et le retable de Claus Berg. Belles fresques du XIVe s figurant des scènes de combat très animées. Assez surprenant quand on songe aux fresques de la même période en Yougoslavie, souvent sombres et empesées. Quatorze générations de la famille des Rosenkrantz y sont enterrées.

Le château de Rosenholm : *situé à 35 km d'Århus et à 2 km de Hornslet en direction d'Auning. Visite guidée en anglais ttes les heures à l'heure pile, fin juin-fin août, tlj 11h-16h, en mai, juin et sept, w-e 11h-16h. Entrée : 60 Dk (8 €) ; réduc.* Au XVIe s, l'une des plus puissantes familles danoises construisit ce charmant château Renaissance au milieu d'un lac ombragé. Les descendants des Rosenkrantz n'habitent plus la vénérable demeure, mais les appartements ont conservé leur mobilier et le charme suranné d'une époque révolue. La visite réserve de belles surprises, comme une rare tenture de cuir doré (chaque carré correspond à la peau d'un sanglier) ou de belles tapisseries flamandes vieilles de 300 ans. Avertissement aux voleurs : la nuit, le château est gardé par les deux fantômes tapis dans la chambre de la tour !

L'église de Thorsager : la seule église ronde du Jutland (il y en a beaucoup à Bornholm). Construite vers l'an 1200 en brique, avec quatre colonnes de soutien pour neuf voûtes.

Gammel Estrup : *à 38 km au nord d'Århus, juste à côté d'Auning, sur la route 16 qui va d'Auning à Randers. ☎ 86-48-34-44. Avr-oct, tlj 10h-17h (18h de juil à mi-août) ; nov-mars, tlj sf lun 11h-15h. Entrée : 70 Dk (9 €) ; réduc.* Visite intéressante qui combine le seul musée de l'Agriculture du Danemark et un élégant château Renaissance, dont les différentes ailes furent reconstruites entre le XIVe et le XVIIIe s. Ces dernières abritent une belle collection de mobilier seigneurial, qui offre un aperçu de l'évolution de l'ébénisterie. Le *musée de l'Agriculture* vaut surtout pour sa collection d'anciennes machines agricoles, de chariots, calèches, etc., plus que pour sa petite partie « musée ». Pas mal d'expos ou de manifestations temporaires en été. N'hésitez pas si vous passez par là...

LA RÉGION DE MOLS

L'une des plus belles régions du Danemark. Relief assez accidenté et côte très agréable. Un kilomètre au sud de Rønde, les ruines de *Kalø Slot* dressées sur une minuscule presqu'île offrent un magnifique panorama sur la baie d'Århus et la presqu'île de Mols Hoved. Les ruines de ce château médiéval ne présentent quant à elles pas d'intérêt. La presqu'île de Mols est tachetée de petites fermes blanches disséminées dans d'impeccables collines rondes et vertes (en juillet et août, un bateau relie Århus à Mols Hoved). Si vous avez le temps d'aller à Ebeltoft par le chemin des écoliers, prenez la route de la côte par le charmant petit port de Knebelbro plutôt que la route directe. Voir, près de Knebel, le dolmen de Poskaer Stenhus.

Où dormir dans les environs ?

Camping Sølystgaard : *Dragsmurvej 15, Fuglsø. ☎ 86-35-12-39. • soelystgaard.dk • Dans la presqu'île de Sletter Hage, sur la route de Helgenaes. Ouv d'avr à mi-sept. Prévoir env 150 Dk (19,50 €) pour deux avec tente et voiture.* Une sorte de camping du bout du monde, coincé dans le goulot d'étranglement de la presqu'île de Sletter Hage. Ses emplacements se répartissent sur différentes collines couronnées d'arbres, dont les contreforts baignent dans les eaux de la baie d'Ebeltoft. Plage privée et nombreuses attractions comme un tennis, un terrain de pétanque, ou une aire de jeux pour les enfants.

Danhostel Rønde Vandrerhjem : *Grenåvej 10B, à Rønde. ☎ 86-37-11-08. • danhostel.dk/roende • À la sortie de la ville, sur la route de Grenå. Ouv tte l'année. Lits 150 Dk (19,50 €) en dortoir ; doubles 360 Dk (47 €), sans petit déj.* Plantée au sommet d'une colline, l'AJ bénéficie d'une vue magnifique sur la campagne environnante, dont les derniers arpents flirtent avec la mer. Terrasse très agréable pour le petit déj, et chambres confortables équipées de bains et de w-c.

EBELTOFT

4 000 hab.

Petite ville (un grand village plutôt) pleine de charme et offrant d'agréables promenades dans ses rues pavées aux vieilles maisons à colombages. L'une des plus anciennes cités du pays, puisqu'elle reçut sa charte en 1301. Hautement touristique, mais mérite vraiment le déplacement. Signalons que boutiques et musées ferment à 17h.

Adresse et infos utiles

ℹ ***Office du tourisme :*** *S.A. Jensens Vej 3.* ☎ *86-34-14-00.* • *ebeltoftturist.dk* • *Sur le port, près de la frégate Jylland. De fin juin à mi-août, lun-ven 9h-17h, w-e 10h-16h ; hors saison, fermé à 16h30 en sem, 13h sam, fermé dim.* Chambres chez l'habitant. Change. Vente de timbres. Propose également un guide très intéressant sur la ville à prix modique, *Go for a walk in Ebeltoft.*

Ferries pour Sjællands Odde *(Sealand) : résa au* ☎ *70-10-14-18.* • *mols-linien.dk* • *Lun-jeu ttes les 2h, 8h-18h ; ven-dim ttes les heures, 7h-21h.* Traversée : 1h40.

Où dormir ?

Blushøj Camping : *Elsegaardevej 53.* ☎ *86-34-12-38.* • *blushoj-camping.dk* • *À 4 km au sud-est d'Ebeltoft. Ouv d'avr à mi-sept. Env 150 Dk (19,50 €) pour deux avec tente et voiture. De fin juin à mi-août, bungalows avec cuisine et bains pour 2-6 pers à louer 1 sem min.* Hors saison, possibilité de louer à la journée. Isolé au bout d'une petite route de campagne, un beau camping familial à l'atmosphère bon enfant. Ses emplacements occupent différentes collines verdoyantes, formant une vaste terrasse surplombant la mer. Plage attenante ou piscine gratuite. Accueil très gentil.

Dråby Strand Camping : *Dråby Strandvej 13.* ☎ *86-34-16-19.* • *draaby.dk* • *Juste après le village de Dråby, au nord-est d'Ebeltoft. Ouv d'avr à mi-sept. Compter 145 Dk (19 €) pour deux avec tente et voiture.* Bungalows de 2 à 6 personnes, confort variable. À quelque distance du village, le camping profite d'un cadre magnifique au bord de la mer. Une partie des emplacements s'aligne le long d'une belle plage quasi épargnée par les constructions. Mais le cri des mouettes a un prix : pas d'ombre et peu d'espace entre les campements.

Danhostel Ebeltoft Vandrerhjem : *Søndergade 43.* ☎ *86-34-20-53.* • *danhostel.dk/ebeltoft* • *Fermé en déc. Réception 8h-21h en juil-août ; 8h-12h, 14h-20h en mai et sept ; horaires restreints hors saison. Prévoir 140 Dk (18 €) en dortoir ; doubles 310 Dk (40 €) ; petit déj 50 Dk (6,70 €).* Une fois n'est pas coutume, cette AJ occupe une agréable maison de ville de taille humaine. Elle compte une vingtaine de chambres confortables, bordées par un jardinet. Située dans un quartier résidentiel, elle échappe au fourmillement touristique des rues piétonnes.

Où manger ?

Vaffelbageriet : *Skingergade 1.* ☎ *86-34-54-01. En remontant Adelgade vers la Nørreallé. Lun-ven 10h-17h, sam 10h-13h. Fermé dim. Sandwich 30 Dk (4 €).* Trois petites tables en terrasse pour casser la graine à toute heure. Croustillants à souhait, les pains de campagne format individuel font saliver à eux seuls. Alors, avec un brin de poulet, une tranche de bacon et une pincée de verdure...

Bageriet : *Adelgade 60.* ☎ *86-34-10-71. Ouv 11h-2h (minuit dim). Cuisine ouv jusqu'à 21h30. Plats 60-100 Dk (8-13 €).* Calé dans d'impressionnants divans, on se laisse délicieusement emporter par l'atmosphère chaleureuse de ce troquet. De vieilles publicités s'alignent sur les murs, tandis que les salades, grillades et sandwichs envahissent les tables de bois. Terrasse très agréable à l'arrière de la maison.

À voir

L'ancien hôtel de ville *(Det Gamle Rådhus) : Torvet.* ☎ *86-34-55-99. De mi-juin à fin août, tlj 10h-17h. Horaires restreints hors saison. Entrée : 25 Dk (3,25 €) ; réduc. 15 juin-fin août, ticket commun avec la vieille teinturerie : 35 Dk (4,50 €).*

Édifié en 1789 sur des cachots datant de 1576, le plus ancien et le plus petit hôtel de ville du Danemark a la cote auprès des fiancés. Romantique à souhait, il accueille plus de 500 mariages par an... alors qu'officiellement, la véritable mairie a intégré des locaux plus vastes depuis belle lurette ! Il abrite également un musée.
Il comprend trois parties :
– une petite *section archéologique* ;
– le *musée du Siam* : original et quasi unique. Thygesen Havmøller, natif d'Ebeltoft, partit tout jeune travailler au Siam comme forestier et y resta vingt ans. Victime de la malaria, il rentra et ramena avec lui cette surprenante collection (il mourut en 1940). Visite hautement recommandée pour ceux qui prévoient un voyage en Thaïlande ! Vous y verrez pêle-mêle une série de vieilles photos pleines de mystère, une collection invraisemblable d'oiseaux exotiques, de serpents, chauves-souris, iguanes en bocaux, objets d'art, poignards, sabres rares, etc. Tout le charme ambigu du « bon temps des colonies » ;
– une petite *section ethnographique* : meubles, objets domestiques. Noter cette curieuse tradition qui a aujourd'hui disparu : les bijoux en cheveux, artisanat d'origine suédoise ; plusieurs artistes tissaient, à Ebeltoft, fleurs, colliers et boucles d'oreilles avec les cheveux des belles. Au sous-sol, une prison ayant conservé ses chaînes.

La frégate « Jylland » : *Strandvejen 4. ☎ 86-34-10-99. Juil-août, tlj 10h-19h ; jusqu'à 17h hors saison (16h l'hiver). Entrée : 80 Dk (10,50 €) ; réduc pour les familles.* Les amateurs de vieux gréements seront comblés. Mise à l'eau en 1860, la frégate participa à la bataille d'Helgoland en 1864 avant de servir comme navire royal dès 1874. Elle fut désarmée en 1887. La frégate *Jylland* marque la transition entre deux époques : avec elle s'achève la longue période de la marine danoise des voiliers et s'ouvre la voie à la nouvelle ère des bâtiments à hélice. Elle disposait en effet des deux moyens de propulsion, voile et vapeur, la rendant remarquable pour son temps. Restaurée puis ouverte au public en 1994, elle est considérée comme le plus vieux bateau de guerre du monde. On déambule à sa guise sous la gigantesque dentelle des haubans, on s'enfonce dans les entrailles du navire jusqu'à la cale, essayant d'imaginer la promiscuité vécue par les 400 matelots. Une expérience inoubliable pour les petits et les grands. L'été, à 11h30 et 15h, des acteurs rejouent la vie sur le navire et un coup de canon est tiré.

La vieille teinturerie *(Den Gamle Farvergård)* ***:*** *Adelgade 13-15. Tlj l'été 11h-17h. Entrée : 25 Dk (3,25 €). Ticket commun avec l'ancien hôtel de ville : 35 Dk (4,50 €), slt 15 juin-fin août.* Encore un exemple de la grande spécialité du Danemark : les reconstitutions historiques. Cette belle bâtisse du XVIIe s abrite une teinturerie depuis 1772. Du coup, la municipalité a recréé l'atmosphère d'origine pour ceux qui veulent tout savoir sur ce métier sans âge.

Partez à pied à la découverte des cours intérieures, souvent charmantes, et des rues aux pavés disjoints avec leurs maisons anciennes, telle ***Den Skæve Bar*** dans Overgade.

LE JUTLAND

LA ROUTE VERS LE NORD DU JUTLAND

Possibilité de continuer à flâner le long des côtes du Djursland par Grenå ou de remonter directement vers Randers, Hobro et Aalborg. Question de temps, bien sûr, et d'overdose ou non d'églises et de châteaux.

Les églises rurales avec fresques de ***Draby*** et ***Hyllested.***

Le manoir de Rugård : date de 1590. Il ne se visite pas, mais la route qui y conduit est très agréable. Elle suit les contours d'un étang dans un joli village qui fut témoin de coutumes plus que contestables. Vers l'année 1682, le maître des lieux,

Jørgen Arenfeldt, se croyant persécuté par les sorcières, avait recours au jugement de Dieu pour les découvrir. Les femmes soupçonnées de sorcellerie étaient précipitées dans l'étang : celles qui remontaient à la surface se révélaient coupables, celles qui restaient au fond étaient déclarées innocentes. Comme tout était simple à l'époque !

L'église d'Alsø : mignonne église romane. Clocher crénelé avec alvéoles et absides joliment dessinés. À l'intérieur, chaire et stalles de 1597.

À 6 km avant Grenå, le *manoir de Katholm,* qui ne se visite pas, présente une architecture séduisante avec ses tours et ses pignons de 1600.

GRENÅ

Port moderne possédant quelques vieilles rues et des maisons à colombages. Belles plages au sud de la ville.

➢ Ferry pour *Varberg* en Suède (1 à 2 ferries/j.).

➢ Ferry également pour l'*île d'Anholt* en 2h45 (1 ferry/j.). Longue de 7 km. Tout se fait à pied ou à vélo. Elle compte 160 habitants. L'île entière est classée en raison de son paysage unique et de son phare de 1780. Au centre, l'« Ørkenen », ensemble de roches, dunes et sables mouvants.

Adresse utile

Office du tourisme : Torvet 1. ☎ 87-58-12-00. • grenaa-turistbureau.dk • De mi-juin à fin août, lun-ven 9h-17h, sam 9h30-13h30 ; hors saison, lun-ven 9h-16h30 (16h ven), sam 10h-13h. Très efficace, s'occupe de la vente de billets de ferry pour Varberg, ainsi que des résas de nuits chez l'habitant.

Où dormir ?

Camping Fornaes : Stensmarkvej 36. ☎ 86-33-23-30. • Dk-camp.dk/fornaes • À env 4 km au nord de la ville. Ouv avr-fin oct. Compter env 145 Dk (19 €) pour deux avec tente et voiture. Perdu en pleine campagne, un camping aux emplacements tirés au cordeau perpendiculaire à la mer. Piscine, bar et restaurant. Longue plage de plusieurs kilomètres, évidemment très fréquentée en été.

Camping Albertinelund : Albertinelund 3. ☎ 86-38-62-33. • Dk-camp.dk/albertinelund • Juste avt d'arriver à Bønnerup Strand. Ouv tte l'année. Prévoir env 150 Dk (19,50 €) pour deux avec tente et voiture. Un gros camping balnéaire lové au bord de la mer. Vaste plage très agréable à proximité. À côté du petit port de pêche de Bønnerup.

Logement chez l'habitant : se renseigner à l'office du tourisme.

Danhostel Grenå Vandrerhjem : Ydesvej 4. ☎ 86-32-66-22. • danhostel.dk/grenaa • Au sud du centre-ville. Stratégiquement bien située, à 2 km de la gare et 3 km de la plage. Ouv de mi-janv à mi-déc. Réception 9h-20h. Prévoir 120 Dk (15,50 €) en dortoir ; doubles 400 Dk (52 €), petit déj en plus. Accolée aux bois, elle profite d'une tranquillité reposante et d'un cadre agréable. Grand confort.

Danhostel Gjerrild Vandrerhjem : Dyrehavevej 9. ☎ 86-38-41-99. • danhostel.dk/gjerrild • À 10 km au nord de Grenå. Arrêt du bus à 300 m, à Gjerrild. Ouv mai-sept. Compter 150 Dk (19,50 €) en dortoir ; doubles 400 Dk (52 €) avec sdb, sans petit déj. Cachée dans un village typique perdu en pleine forêt, cette AJ paisible compte une série de chambres d'une rare originalité. Il s'agit plutôt de compartiments, puisqu'elles occupent un ancien wagon reconverti en hôtel. Ce n'est pas l'*Orient-Express,* mais avec un brin d'imagination... Accueil chaleureux et bonne cuisine. Toute la région autour est très agréable. Forêts et paysages changeants. Belle plage de Nordstrand à 2 km de là.

À voir

Dans l'***église*** du village, retable, portique de chaire avec armoiries et fresques du XVIIe s.

Au nord de Grenå, le ***château de Sostrup,*** datant de 1599. Privé, mais le public a accès au parc et à la chapelle.

Resto et café auxquels on accède par un curieux escalier à vis.

Le Musée régional : *sur Søndergade, installé dans une superbe baraque de négociant du début du XVIIIe s. Juil-août, lun-ven 10h-16h, w-e 13h-16h. Entrée : 30 Dk (4 €) ; gratuit pour les moins de 18 ans.* Expositions sur l'évolution des techniques de la pêche, ainsi qu'une collection sur l'histoire locale.

Kattegatcentret : *Færgevej 4. ☎ 86-32-52-00. Juil-août, tlj 9h30-18h (10h-17h fin août) ; hors saison, tlj 10h-16h. Fermé 15 j. en déc. Entrée : 110 Dk (14,50 €) ; 60 Dk (8 €) pour les enfants.* Pour les amateurs fortunés, bel aquarium dans une structure moderne en bord de mer. Bassin aux requins avec un tunnel vitré ! Grand espace d'expérimentations destiné aux enfants. Bien fait.

➤ DANS LES ENVIRONS DE GRENÅ

Le manoir de Løvenholm : *sur le chemin de Bønnerup à Auning.* Beau parc accessible au public.

Gammel Estrup : *lire plus haut le paragraphe qui lui est consacré « Dans les environs d'Århus ».*

RANDERS

62 000 hab.

Sixième ville du Danemark, au milieu du « cœur vert du Jutland », avec un centre charmant, tout plein de vieilles maisons et de cafés animés. De tout temps, un carrefour important dont on disait que la voie maritime y rencontrait treize routes terrestres. Pour les Danois, la ville fut le théâtre du premier acte de résistance à l'envahisseur allemand lorsque Niels Ebbesen, en 1340, tua le comte du Holstein.

Adresses utiles

Office du tourisme : *Tørvebryggen 12. ☎ 86-42-44-77. Fax : 86-40-60-04. ● visitranders.com ● De mi-juin à mi-août, lun-ven 9h30-17h30, sam 10h-13h ; hors saison, lun-ven 9h30-16h, sam 10h-13h (fermé sam nov-janv).* Tenu par une équipe performante et souriante, pleine de bons conseils. Plan et petit guide de la ville. Liste de chambres chez l'habitant.

Poste : *Nørregade 1. ☎ 87-12-89-00. Lun-ven 9h30-17h30, sam 9h30-13h.*

Kulturhuset *(maison de la Culture) : Stemannsgade 2. ☎ 87-10-68-00. En sem, 10h-19h (17h30 ven), sam 10h-14h ; dim slt oct-mars 13h-16h.* La bibliothèque est située dans une vaste maison de la Culture (se reporter à la rubrique « À voir ») à l'architecture

de béton brut plutôt réussie, dégageant de grands espaces très lumineux, met gratuitement à disposition des visiteurs des ordinateurs pendant 1h. S'adresser à l'accueil.
Gare ferroviaire : *Jernbanegade 29. ☎ 70-13-14-15. À l'ouest du centre-ville.*
Gare routière : *Dytmærsken 12. ☎ 86-42-37-77.*
Pharmacie ouverte 24h/24 : Sønderbros Apotek, *Dytmærsken 10. ☎ 86-42-29-00.*

Où dormir ?

Bon marché

Danhostel Randers Vandrerhjem : *Gethersvej 1. ☎ 86-42-50-44. • danhostel.dk/randers • À 10 mn du centre-ville. Fermé de début déc à mi-fév. Compter 150 Dk (19,50 €) en dortoir ; doubles 330-410 Dk (43-53 €), sans petit déj.* AJ récente, située dans le nord-ouest de la ville. Elle occupe une grosse bâtisse de brique flanquée d'un jardin et d'une agréable cour intérieure. Chambres à 4 lits bien tenues, mais douches et sanitaires en commun dans la plupart des cas.

Plus chic

Hôtel Randers : *Torvegade 11. ☎ 86-42-34-22. • hotel-randers.dk • Doubles 1 185-1 785 Dk (154-232 €), petit déj compris (moins cher le w-e). Garage privé payant.* Onéreux, certes, mais tarifs à la hauteur des prestations. Au cœur du centre-ville, cette belle bâtisse de caractère offre un cadre luxueux au charme suranné. L'hôtel comprend différents salons pourvus de meubles de style, une superbe salle à manger dominée par un pigeonnier où règne un pianiste, et de spacieuses chambres décorées avec goût, toutes dans des ambiances différentes.

LE JUTLAND

Où manger ?

Café Borgen : *Houmeden 10. ☎ 86-43-47-00. Lun-jeu 11h-23h, jusqu'à 2h ven-sam et 18h dim. Petits plats env 50 Dk (6,50 €).* Autres temps, autres mœurs : tandis que la vieille demeure arbore une belle façade de caractère, le café adopte une déco résolument moderne ! La terrasse, en revanche, se contente d'étaler benoîtement ses tables sur la Erik Menveds Plads. Idéal pour grignoter un sandwich ou une assiette de charcuterie.
Marco Polo : *Storegade 15. ☎ 86-40-30-35. La cuisine ferme à 22h. Menus entrée + plat 120 Dk (15,50 €).* Spécialités italiennes. Un resto au cœur de la mêlée, avec sa terrasse incrustée dans la rue piétonne la plus fréquentée de Randers. Pas de panique pour les agoraphobes : la jolie salle veinée de poutres constitue un excellent cadre pour dévorer une bonne pièce de viande ou un filet de poisson.
Niels Ebbesens Spisehus : *Storegade 13. ☎ 86-43-32-26. La cuisine ferme à 22h. Buffet le midi 100 Dk (13 €) ; menus 120-180 Dk (15,50-23,50 €).* Installé dans une splendide maison à colombages du XVIIe s. La terrasse grignote la rue piétonne, de quoi profiter agréablement des éclaircies en admirant la jolie façade. L'intérieur tient plus du folklore que de l'antique maison de caractère avec ses armures et teintures façon médiévale accrochées aux murs. Mais les assiettes sont bien garnies et les plats appétissants.

À voir

🚶🚶🚶 👨‍👧 ***Tropical Zoo :*** *Tørvebryggen 11. ☎ 87-10-99-99. • regnskoven.dk • De fin juin à mi-août, tlj 10h-18h ; hors saison, 10h-16h (17h le w-e). Entrée : 110 Dk (14,50 €) ; enfant 55 Dk (7,40 €) ; réduc.* La porte à peine entrouverte, une moiteur suffocante assaille le visiteur. Bienvenue dans la jungle, la vraie, avec sa végétation luxuriante, ses averses soudaines et son énigmatique clameur. Trois dômes abritent la reconstitution quasi clinique d'une forêt vierge, dont une partie des habitants se balade en liberté. On traverse même un vivarium géant envahi de reptiles (inoffensifs) ! Assurément exotique.

🚶🚶 ***Les vieilles demeures :*** *Helligaandshuset (la maison du Saint-Esprit), sur Erik Menved Plads.* Elle remonte à 1490 et présente une élégante galerie extérieure. Nid de cigogne sur le toit. Sur Rådhustorvet, la plus vieille, *Påskesønnerns gård.* Une curiosité : le *Rådhus,* construit en 1778... mis sur rail et déplacé de 3 m pour améliorer la circulation. Sacrés Danois ! Sur Brodregade et Storegade, d'autres belles maisons à colombages.

🚶🚶 Pour les amateurs d'architecture moderne, voir la ***maison de la Culture,*** abritant la bibliothèque, le musée de l'Histoire culturelle de la ville et le musée des Beaux-Arts *(Stemannsgade 2. Mar-dim 11h-17h. Entrée à prix modique).* Gravures rares de Rembrandt et bel échantillonnage de mobilier dans des intérieurs reconstitués, œuvres de peintres du Jutland essentiellement.

🚶 ***L'église Sankt Mortens :*** *sur Kirkegade.* Fonts baptismaux et chaire du XVIIe s.

Festival

– ***Festival de jazz :*** *fin août.*

➤ *DANS LES ENVIRONS DE RANDERS*

🚶 ***Le château de Clausholm :*** *à 12 km vers le sud. Autoroute E45, sortie 43. ☎ 86-49-16-55. Ouv début mai-fin sept, 11h-16h, mais le château n'est accessible qu'en juil. Entrée : 70 Dk (9 €) en juil, 40 Dk (5 €) le reste de l'année.* Bel édifice baroque du XVIIe s, renfermant de somptueux appartements. La chapelle possède l'orgue le plus ancien du pays. Parc à terrasses, où l'on donne de fréquents concerts durant l'été.

LE FJORD DE MARIAGER

2 500 hab.

Situé aux portes du Himmerland, il est le plus long fjord du Danemark. Les passionnés d'histoire s'arrêteront visiter les ruines de la forteresse viking proche de Hobro. Ne manquez pas Mariager, petite cité médiévale pleine de charme, prétexte pour les flâneurs à une agréable balade le long du fjord. Ses rues pavées grossièrement de galets ronds, ourlées de superbes maisons à colombages, descendent nonchalamment vers un petit port de plaisance. Au n° 7B d'Østergade, l'une d'entre elles possède une porte très décorée. Église blanche et massive surplombant la ville. La promenade le long de la côte découpée (à vélo pour les courageux) vous emmènera jusqu'à Hadsund, presque à l'embouchure de fjord. De là, plein de possibilités de belles balades à travers les forêts et le parc de Lille Vildmose, un peu plus au nord (renseignements à l'AJ de Hadsund).

Adresse utile

Office du tourisme : *Torvet 1B, Mariager.* ☎ *98-54-13-77.* • *visitmariager.dk* • *De mi-juin à mi-août, lun-ven 9h30-17h, sam 9h-14h, dim slt en juil 11h-15h ; le reste de l'année, horaires restreints et fermé dim.* Très bonnes infos en français, sur les lieux à voir dans la vieille ville. Renseignements sur les balades en bateau sur le fjord.

Où dormir ?

Mariager Camping : *Ny Havnevej 5A.* ☎ *98-54-13-42.* • *mariagercamping.dk* • *Ouv avr-sept. Prévoir 145 Dk (19 €) pour deux avec tente et voiture.* Le camping déploie ses emplacements en file indienne le long du fjord. Belle situation à quelques mètres seulement de petites langues de sable pour déposer sa serviette. Location de bungalows. À conseiller également aux amoureux des trains : plusieurs fois par semaine, durant l'été, une vieille locomotive traverse le site à grand renfort de halètements et de bruits de ferraille. Sinon, possibilité de planter la tente en bord de fjord un peu plus loin que le motel ci-dessous. Super-tranquille, et douce soirée garantie.

Motel Landgangen : *Oxendalen 1.* ☎ *98-54-11-22. Juste à la sortie de la ville, vers Hadsund. Doubles 600 Dk (78 €) avec sdb, petit déj compris.* Un établissement au charme discutable, mais profitant d'une superbe situation face au fjord. Il compte une poignée de chambres fonctionnelles et clinquantes, alignées dans une longue bâtisse de plain-pied.

Où dormir ? Où manger dans les environs ?

Hadsund Camping et Hadsund Vandrerhjem : *Stationvej 33, 9560 Hadsund.* ☎ *98-57-43-45.* • *hadsund-camping-og-vandrerhjem.dk* • *Ouv avr-oct. Compter 105 Dk (14 €) au camping pour deux avec tente et voiture. Douche payante. Dortoir dans l'AJ 85 Dk (11 €) ; doubles 240 Dk (31 €). Sanitaires en commun.* À la fois tout petit camping et AJ à une centaine de mètres du fjord, géré par une Suisse qui parle le français. Le site présente un visage à taille humaine, loin des gigantesques campings que l'on rencontre dans le pays. C'est petit, calme et bien tranquille, à l'image de la gentille proprio qui vous donnera plein de tuyaux pour visiter le fjord et sa région.

Café Baghuset : *Torvet 1, 9560 Hadsund.* ☎ *98-57-10-01. Tlj sf dim 10h-22h. Sandwichs très copieux le midi ; plats le soir 50-90 Dk (6,50-12 €).* Une bonne option pour manger convenablement pour pas cher. L'agréable terrasse domine de toute sa hauteur la place principale de Hadsund.

À voir. À faire

Le musée du Sel (Danmarks Saltcenter) **:** *Ny Havnevej 6, Mariager.* ☎ *98-54-18-16.* • *saltcenter.com* • *Sur le port. De mi-juin à août, tlj 10h-18h ; le reste de l'année, lun-ven 10h-16h, w-e 10h-17h. Fermé 1 sem fin déc. Entrée : 80 Dk (10,50 €).* Voici un très original musée qui change un peu des traditionnels musées historiques. L'histoire commence il y a 260 millions d'années, à l'extrémité du fjord de Mariager, sous l'actuel village de Hvornum, quand les mouvements géologiques du sous-sol comprimèrent le sel contenu dans la terre. Une gigantesque poche de sel commença lentement sa formation. Les divers mouvements du sol lui ont donné un aspect très étonnant de champignon emprisonné sous la surface. À l'inverse des bassins d'évaporation bien connus, on a ici une mine de sel de 5 000 m de profondeur qui pourra fournir du sel pendant les 16 000 prochaines années. Ce site exceptionnel, la seule mine de sel de cette importance en Europe à quelques kilomètres de Mariager, valait bien un musée. Très instructif et ludique, on y présente le « dôme » de Hvornum, les différentes techniques d'extraction de sel dans le monde. Démonstration de la transformation des cristaux en poudre de sel, laboratoire pour les enfants et, en prime, une piscine salée à 30 % qui reproduit les conditions de la mer Morte. Emmenez votre maillot...

***Le Musée régional :** Kirkegade 4B, Mariager. De mi-mai à mi-sept, tlj 13h-17h. Entrée : 15 Dk (2 €).* Dans une belle bâtisse, ancienne demeure de négociant. Propose une exposition sur l'histoire locale, regroupant différentes collections de vieux outils.

➢ Un vieux tortillard folklo relie, plusieurs fois par semaine, Mariager à ***Handest.*** Fonctionne de mi-juin à début septembre.

➤ DANS LES ENVIRONS DU FJORD DE MARIAGER

***La forteresse de Fyrkat :** Fyrkatvej. ☎ 98-51-19-27. À 3 km au sud-ouest de Hobro, à l'extrémité du fjord, fléché. Juin-août, tlj 10h-17h ; le reste de l'année, horaires restreints. Fermé de fin oct à mi-avr. Entrée : 55 Dk (7 €). Visite guidée en été : s'adresser à l'office du tourisme de Hobro, dans le centre-ville.*
L'une des quatre plus importantes forteresses vikings du pays avec Trelleborg, Nonnebakken et Aggesborg. Mais disons-le tout de suite : on ne voit que des talus recouverts d'herbes ! Probablement construite par Harald à la Dent Bleue, la forteresse commandait vers l'an 1000 le fleuve Onsild (qui devait être plus large à l'époque) et, par conséquent, contrôlait aussi tout le fjord. La citadelle mesure environ 120 m de diamètre. Ses remparts circulaires font 12 m de large sur une hauteur de 4 m et sont percés de portes aux quatre points cardinaux. L'aire centrale était divisée en quatre parties, comprenant plusieurs bâtiments pouvant loger chacun au moins cinquante guerriers. La capacité de la forteresse était de 800 à 1 000 hommes.
Près de la forteresse, un bâtiment viking a été fidèlement reconstitué. Demander à l'entrée la description en français. Resto à l'entrée. Sur la route en venant de Hobro, reconstitution d'un village viking avec démonstration de ferronnerie, de cuisine... Bien pour les enfants.

***Le château d'Overgård :** situé à la bouche du fjord.* Ceux qui vont d'Ebeltoft à Hobro par la côte le rencontreront certainement en route. Accès au parc seulement. Beau bâtiment Renaissance avec une tour ronde au milieu et un dôme à niches. L'un des plus proches conseillers de François Ier, Jørgen Likke, vint s'y installer après son retour de France.

*À 3 km du château d'Overgård, l'**église** rurale d'**Udbyneder.** Ouv presque slt le dim.* Chaire de 1650 et fresques.

LE HIMMERLAND

Vaste étendue de landes désertes, de collines couvertes de bruyère et de forêts. Paysages parfois dépouillés, tels les marais du Lille Vidmose au nord-est.
On traverse *Rold Skov,* la plus grande forêt du Danemark, pour arriver au parc national de Rebild. Curieuse forêt à laquelle la population attribuait de bien singuliers pouvoirs. Ainsi, dans la partie appelée « bois ensorcelé », certains arbres aux formes tordues, dont le tronc se développait en deux bras et se ressoudait de façon à laisser un « œil », avaient la propriété de guérir plusieurs maladies. Beaucoup de personnes venaient de loin pour glisser leur

enfant dans l'œil de l'arbre magique et obtenir une guérison. Peu avant Skørping, le *Den Jyske Skovhave* présente un échantillonnage de toutes les variétés d'arbres poussant au Danemark.

LE PARC NATIONAL DE REBILD

Constitué en 1912 sur 200 ha de la Rold Skov par des Américains d'origine danoise. Le *4th of July* y est d'ailleurs fêté chaque année par la communauté dano-américaine.
Paysage plus accidenté et plus sauvage que nulle part ailleurs, et inhabituel au Danemark. Les dimensions du site, assez réduites, en font une promenade vraiment agréable le soir. Sur l'une des collines du parc, une réplique de la première habitation de Lincoln a été édifiée avec des troncs d'arbres fournis par chacun des États américains. Elle abrite un petit *musée de l'Émigration (ouv slt juin-sept).*

Où dormir ?

⛺ ***Safari Camping :*** *Rebildvej 17, Rebild. ☎ 98-39-11-10. • Dk-camp.dk/safari • Ouv tte l'année. Prévoir 136 Dk (18 €) pour deux avec tente et voiture.* Ne nous emballons pas, ce n'est pas d'ici que nous rapporterons de glorieux trophées de chasse à la maison. En revanche, le *Safari Camping* constitue un excellent camp de base pour partir à la découverte des sentiers du parc. Un grand camping champêtre très familial.

🏠 ***Danhostel Rebild Vandrerhjem :*** *Rebildvej 23, Rebild. ☎ 98-39-13-40. • rebild-vandrerhjem.dk • Ouv fév-fin déc. Compter 150 Dk (19,50 €) en dortoir ; doubles 375 Dk (49 €), petit déj 45 Dk (6 €).* Une AJ fort bien située, au départ du chemin qui traverse le parc. Idéal pour le tourisme vert ! Salles communes accueillantes, et chambres confortables avec douches et sanitaires.

AALBORG

160 000 hab.

L'autre grande ville du Jutland avec Århus, dont le vaste port joue un rôle prépondérant depuis le Moyen Âge. Grande cité commerciale et industrielle surgissant d'un seul coup des immenses étendues du Himmerland et du Vendsyssel. Ville étrange qui permet, grâce à son système d'autoroutes, d'être en quelques minutes dans la campagne, mais qui tolère d'énormes cimenteries polluantes à ses portes. Industries peu alléchantes il est vrai, mais les habitants en sont fiers. S'ils les rejettent à la périphérie, c'est pour mieux transformer les anciennes usines du centre en lieux de vie. Ainsi les architectes se défoulent sur un vaste projet qui fera de l'usine thermique Nordkraft une maison de la Culture à n'en pas douter fantastique. Ville jeune et dynamique, Aalborg possède en son centre d'agréables rues anciennes, des quartiers vivants parmi les plus charmants du pays et, surtout, l'un des plus beaux musées d'Art moderne qu'on connaisse. Et puis la majorité de l'*aquavit* que vous avez bue jusqu'ici est fabriquée là... Une halte en somme qu'on recommande sur votre route vers Skagen la magnifique !

Adresses et infos utiles

ℹ ***Office du tourisme*** *(plan B2)* ***:*** *Østerågade 8. ☎ 99-30-60-90. • visitaalborg.com • De mi-juin à fin août, lun-ven 9h-17h30 (16h30 hors saison) ; tte*

l'année, sam 10h-13h (16h en juil). Fermé dim. Liste de chambres chez l'habitant. Très documenté sur la région.
✉ **Poste** *(plan B2)* **:** *Algade 42.* ☎ *99-35-44-00. Lun-ven 9h30-17h30, sam 9h30-13h. Fermé dim.*
@ **Net City** *(plan C2)* **:** *Nytorv 15.* ☎ *98-16-21-99. Lun-jeu 11h-1h, ven-sam 11h-8h, dim 11h-minuit.*
Gare ferroviaire centrale *(plan B3 ;* ☎ *70-13-14-15)* **et gare routière** *(plan B3 ;* ☎ *98-11-11-11)* **:** *sur J.-F.-Kennedy Plads.*
– *Turistkort :* très intéressant, de mai à août, un ticket de transport valable dans toute la région nord, de Hobro à Skagen, dans les bus locaux, régionaux et les trains, pendant 24h à partir de l'instant où on le composte. Nombre de voyages illimité. Il coûte 104 Dk (13,50 €) et s'achète à l'office du tourisme ou à la gare routière. Vite rentabilisé !
■ **Hôpital :** *service des urgences,* ☎ *99-32-11-11.*
■ **Pharmacie de garde** *(plan B2,* **1***)* **:** *Budolfi Apotek, à l'angle de Vesterbro et Algade.* ☎ *98-12-06-77.*
■ **Location de voitures** *(plan B3,* **2***)* **:** beaucoup de loueurs entre les gares ferroviaire et routière, et dans la Jyllandsgade. Liste complète à l'office du tourisme et sur • visitaalborg.com •
■ **Location de vélos** *(plan C2,* **4***)* **:** Munk's Efterfølger, *Løkkegade 25.* ☎ *98-12-19-46. Lun-ven 9h30-17h30, sam 10h-13h. Compter 80 Dk/j. (11 €).*
■ **Journaux français** *(plan B2)* **:** BT centralen, *à l'angle de Boulevarden et d'Algade. Libération, L'Équipe...* avec 2 ou 3 jours de décalage.

Où dormir ?

Comme dans toutes les grandes villes danoises, les hôtels sont hors de prix. Une bonne solution consiste à dormir chez l'habitant (compter en moyenne 325 Dk, soit 43,50 € pour une double). Se renseigner à l'office du tourisme.

Bon marché

Strandparken Camping *(hors plan par A1)* **:** *Skydebanevej 20.* ☎ *98-12-76-29.* • *strandparken.dk* • *Sur la route de l'AJ ci-dessous et tt près de la piscine en plein air, au nord-ouest de la ville. Ouv de Pâques à mi-sept. Compter env 150 Dk (19,50 €) pour deux avec tente et voiture. Douche payante.* Camping de taille moyenne déroulé à faible distance du fjord. Impeccable pour les balades digestives ! Emplacements ombragés et sanitaires bien tenus. Location de chalets de 2 à 6 places (seulement deux sur trente avec cuisine et salle de bains !). Location de vélos.
Danhostel Aalborg Vandrerhjem et Aalborg Camping *(hors plan par A1)* **:** *Skydebanevej 50.* ☎ *98-11-60-44.* • *bbbb.dk* • *À 3 km à l'ouest du centre-ville. Bus n° 13 de Vesterbro jusqu'à l'auberge (il s'arrête devant). Ouv tte l'année. AJ et camping à la même adresse, tenus par les mêmes personnes. À l'AJ, compter 150 Dk (19,50 €) en dortoir ; doubles 425-500 Dk (55-65 €) sans ou avec sdb, sans petit déj. Dispose également d'un terrain de camping spacieux, ouv de mi-mai à fin oct. Autour de 130 Dk (17 €) pour deux avec tente et voiture.* Une petite AJ agréablement située au bord du fjord et ainsi totalement isolée. Tranquillité garantie, à peine troublée par les bateaux de la marina voisine. Vous pouvez aussi préférer l'hébergement dans les cabines de bois style baraques de pêcheurs, pour 2 à 7 personnes sans grand confort mais mignonnettes. Internet gratuit.
Camping Lindholm : *Lufhavnsvej 27, à Nørresundby.* ☎ *98-17-26-83. Au nord de la ville, sur la route de l'aéroport. Ouv juin-août. Compter env 90 Dk (11,50 €) pour deux avec tente et voiture. Douches payantes.* Un petit camping familial à l'écart de tout, et par conséquent très tranquille. Emplacements agréables délimités par d'épaisses haies. Le soir venu, on est alléché par les savoureuses odeurs de tambouille émanant de la cuisine préparée par la famille qui tient le camping. C'est le moment de sympathiser !

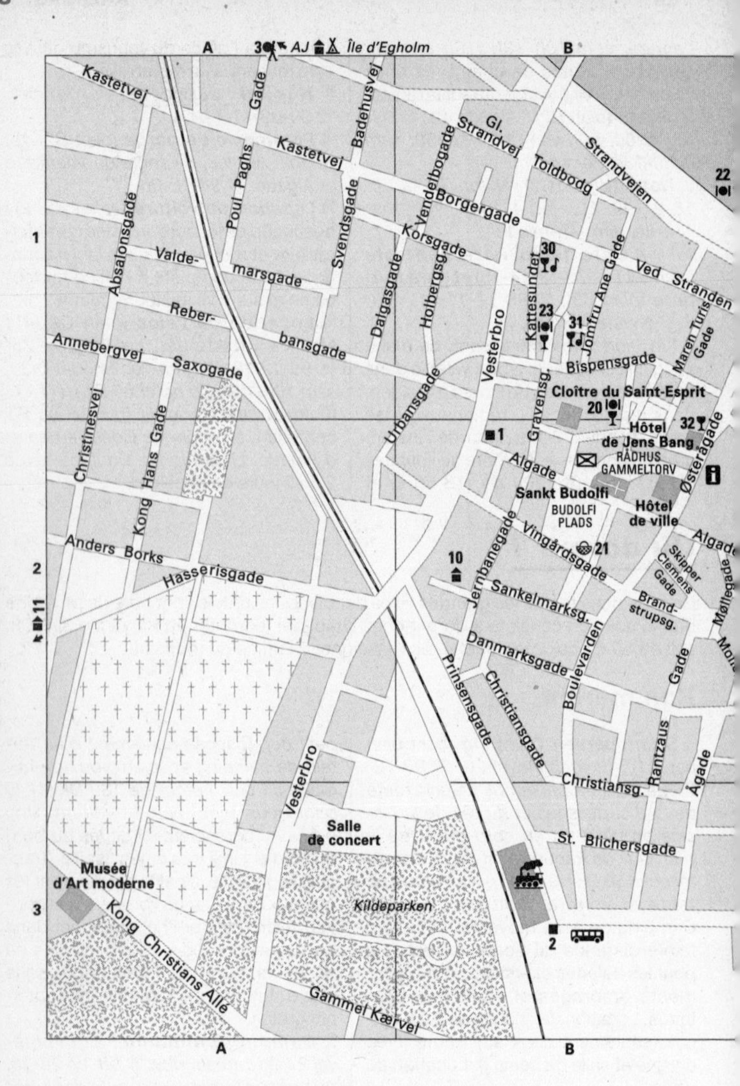

■ **Adresses utiles**		**1**	Pharmacie de garde
	Office du tourisme	**2**	Location de voitures
	Poste	**4**	Location de vélos
	Net City		**Où dormir ?**
	Gare ferroviaire centrale	**10**	Villa Rosa
	Gare routière	**11**	Villa Hasseris

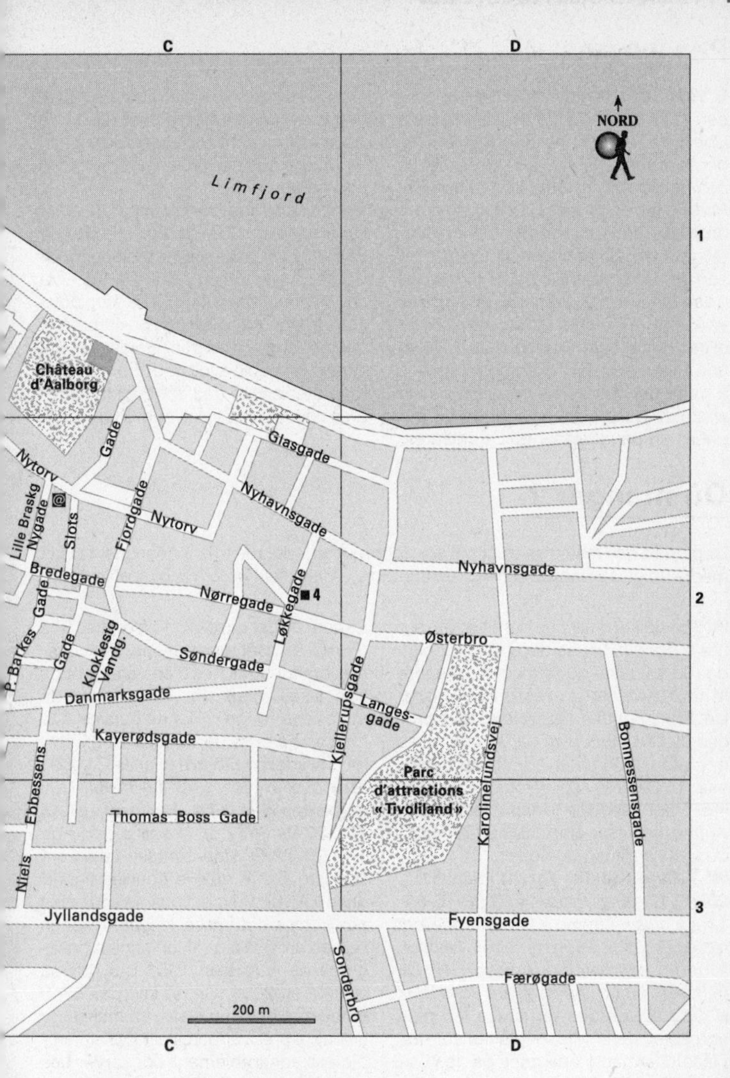

AALBORG

Où manger ?

20 Café Kloster Torvet
22 Isbryderen Elbjørn
23 Stygge Krumpen

Où boire un verre ?

30 Café 1000 Fryd
31 Café Rendez-vous
32 Duus Vinkjoelder

Achats

21 Supermarché Brugsen

À voir

3 Musée de l'Aquavit

Prix moyens

🏠 ***Villa Rosa*** *(plan B2, **10**) : Grønnegangen 4. ☎ 98-12-13-38. • villarosa.dk • Compter 500-600 Dk (65-78 €) la double sans sdb, 700-800 Dk (91-104 €) un petit appartement avec sdb et cuisine. Parking privé.* Un havre de paix au cœur de la ville, en raison de sa situation stratégique dans une impasse. Cette maison de ville flanquée d'un joli jardin dispose d'une poignée de chambres vraiment originales : chacune d'entre elles profite d'une intéressante décoration à thème, de la chambre de l'évêque à celle du marin, en passant par la chambre du chasseur couverte de trophées un peu stressants. La gigantesque chambre du dernier étage au style british avoué et assumé aura raison de votre flegme, tant elle est somptueuse. La charpente y est renversante ! Accueil adorable.

🏠 ***Villa Hasseris*** *(hors plan par A2, **11**) : Hasserisvej 132. ☎ 98-10-38-00. Emprunter Hasserisgade, prolongée par Hasserisvej. Compter 500 Dk (65 €) la double, petit déj compris. Parking privé gratuit.* Une vaste maison de caractère, réfugiée dans un quartier résidentiel. Bel intérieur meublé avec goût (noter le plafond à caissons de l'entrée), et chambres accueillantes très confortables.

Où manger ?

La plupart des restos se trouvent sur Jomfru Anegade, rue très touristique. Ça fait même un peu Disneyland de la restauration... Mais c'est le coin le plus animé !

🍴 Possibilité d'aller déjeuner en été sur l'*île d'Egholm* située dans le fjord (plan de l'île à l'office du tourisme) : prendre le ferry et aller au resto ***Kronborg.*** Départ d'Egholm Færgeleje, tout proche de l'AJ *(hors plan par A1)*, voitures et piétons. Compter 10 mn de traversée, 15 Dk (2 €) aller-retour. La spécialité, c'est l'anguille ! Mais c'est cher... Autres plats plus abordables. Les petits budgets iront pique-niquer...

🍴 🍸 ***Café Kloster Torvet*** *(plan B1-2, **20**) : C. W. Obels Plads 14. ☎ 98-16-86-11. La cuisine ferme à 21h, mais le bar reste ouv jusqu'en fin de soirée. Le midi, formule sandwich + boisson 40 Dk (5,35 €) ; sinon, petits plats 45-65 Dk (6-9 €).* L'une des terrasses les plus agréables de la ville, déployée sur une place charmante épargnée par les voitures. Pour les frileux, la salle échelonnée sur différents paliers offre un refuge chaleureux... à condition de ne pas craindre les chutes de pianos ! Excellentes salades et tartines copieuses.

🍴 🍸 ***Stygge Krumpen*** *(plan B1, **23**) : Vesterå 1. Derrière Jomfru. Pour grignoter de 11h30 à 15h ; le soir, cuisine ouv jusqu'à 21h (22h ven-sam), mais le bar ferme nettement plus tard. Fermé dim. Plat 80-120 Dk (10,50-15,50 €), menu plus gastronomique et plus cher le soir.* Le nom du bar est celui d'un prêtre. Très grande brasserie parisienne, très réussie : grandes affiches d'anciennes pubs françaises, vieux zinc, banquettes de moleskine rouge... Bonne cuisine à la française à base de viandes tendres.

🍴 ***Isbryderen Elbjørn*** *(plan B-C1, **22**) : Strandvejen 6B. ☎ 43-42-34-34. Ouv mar-sam dès 11h. Le midi, plats 70-130 Dk (9-17 €), le soir à partir de 170 Dk (22 €).* Une adresse tellement époustouflante qu'elle pourrait figurer dans « À voir ». Non, vous ne vous êtes pas trompé d'adresse, le *Elbjørn* est un bateau amarré à quai, un ancien brise-glace construit en 1953 qui prit sa retraite en 2004. On ne sait pas si on embarque dans un resto, un musée ou un navire prêt à appareiller tant l'ensemble est admirablement conservé. Les tables occupent tous les ponts, toutes les coursives, du fond de cale en salle des machines au pont supérieur près du poste de commandement. Pour un repas chic le soir et plus simple et rapide le midi, on vous sert une nourriture fine à base de poisson. Si vous n'y déjeunez pas, venez au moins y déguster un café et offrez-vous une petite visite. Même les w-c valent le coup, on traverse d'anciennes cabines encore meublées pour les atteindre. Perdez-vous dans les couloirs et les escaliers imprégnés d'une odeur iodée et partez à la découverte du quartier maître, de la salle radio... On en oublie que c'est un resto.

– Sur *C. W. Obels Plads,* quelques ***restos*** et ***terrasses*** en été. Belle grande place aérée. Franchement, évitez le *Jensen's Bøfhus* : cette chaîne spécialisée dans la viande n'y connaît rien.

Où boire un verre ? Où jouer au billard ?

La vie nocturne à Aalborg est assez calme ; voici néanmoins quelques lieux animés, dont la Jomfru Anegade. Entrée gratuite dans les boîtes, sauf les vendredi et samedi soir.

Strand Pavillonen : *ou* Kysten's Perle, « *la perle de la côte* ». *Bådehavnsvej. À Skudehavn, le port à l'ouest du centre-ville. Tlj 12h-minuit.* En guise de perle, on a plutôt affaire à un bar à matelots qu'à un salon de thé. Mais sa terrasse fleurie constitue une halte de choix, ancrée sur le quai, tables tournées vers la mer.

Café 1000 Fryd *(plan B1,* ***30****) : Kattesundet 10. ☎ 98-13-22-21. Ouv mar-sam. Fermé en juil.* Un café écolo-alternatif tenu par des bénévoles et des étudiants (d'où la fermeture pendant leurs vacances en juillet). Prix dérisoires pour boire quelques bonnes bières locales introuvables ailleurs. Rendez-vous des artistes qui présentent leurs travaux, des concerts de temps en temps. Il y règne un bon esprit bohème.

Café Rendez-vous *(plan B1,* ***31****) : Jomfru Anegade 5.* Un café, un bar, une disco. Petits groupes du dimanche au jeudi en été, quand il y a du monde hors saison. Bonne ambiance. Petite carte pas chère.

Duus Vinkjoelder *(plan B1-2,* ***32****) : Østerågade 9. Ouv 11h-minuit. Fermé dim.* Un beau café à l'atmosphère décontractée, installé dans les superbes caves de l'hôtel *Jens Bangs.* On y sert quelques plats chauds.

– On vous rappelle la charmante *C. W. Obels Plads,* moins tape-à-l'œil (voir « Où manger ? ») : ***terrasses*** en été.

– Une partie de billard ? Allez au ***Q. Ball,*** sur Slotspladsen.

Achats

Supermarché Brugsen *(plan B2,* ***21****) : sur Budolfi Plads. Lun-ven 9h-20h, sam 9h-17h.*

– ***Marché*** *(plan B3) : à l'angle d'Ågade et Christiansgade, mer et sam 7h-13h.*

À voir

Le musée d'Art moderne du Jutland *(Nordjyllands Kunstmuseum ; plan A3) : Kong Christians Allé 50. ☎ 98-13-80-88. • nordjyllandskunstmuseum.dk • Bus n° 15. Tlj sf lun 10h-17h. Entrée : 40 Dk (5,20 €) ; réduc.*

L'un des plus beaux musées d'Art moderne que l'on connaisse. Plus petit que ceux d'Århus et de Copenhague, mais tout aussi splendide, on ressent une proximité avec les œuvres assez rare, le besoin de s'attarder un long moment devant les toiles est ici pleinement satisfait. Il a été construit entre 1968 et 1972 par les architectes Elissa et Alvar Aalto, le grand maître finlandais, et Jean-Jacques Baruël. Le beau bâtiment ivoirin avec la très originale structure de son toit suscite d'étonnants jeux de lumière et une impression de grandeur propice aux expositions. On y retrouve tous les « grands » entrevus à Århus. Les paysages morbides et poétiques de Jens Søndergaard, Vilhelm Lundstrøm balançant perpétuellement entre l'expressionnisme et le cubisme, des toiles du surréaliste Wilhelm Freddie, les tableaux expressionnistes de Harald Giersing, les œuvres du groupe CoBrA, les sculptures de Jacobsen...

Également une intéressante collection d'artistes étrangers, comme Fernand Léger, Poliakoff ou Vasarely. Expos temporaires toujours très attrayantes et riches en audaces artistiques. Bon, on n'en rajoute pas, pour laisser au lecteur le plaisir de découvrir tous les autres.

L'église Sankt Budolfi *(plan B2) : sur Algade. En hte saison, visite lun-ven 9h-16h, sam 9h-14h. En basse saison, ferme plus tôt.* Vous ne pourrez pas la manquer, avec sa belle flèche baroque et ses murs immaculés. Cathédrale depuis 1554, elle doit son nom au saint anglais Botolph. Quelques fresques subsistent à l'entrée. Riches tribunes peintes et chaire sculptée de la fin du XVIIe s. Le baroque commence à imposer son style (colonnes torsadées du retable). Orgue de style rococo ayant conservé son beau buffet d'origine. Si vous venez dès l'ouverture, peut-être bénéficierez-vous d'une répétition de l'organiste. Très joli carillon toutes les heures de 9h à 22h.

Le cloître du Saint-Esprit *(plan B1-2) : tt près de la cathédrale, sur C. W. Obels Plads. De fin juin à mi-août, visites guidées lun, mer et ven 14h. Entrée : 40 Dk (5,20 €) ; réduc.* La plus ancienne institution sociale du Danemark, datant, tenez-vous bien... de 1431 (c'est écrit sur la voûte). Le pape lui accorda le statut de monastère en 1451. L'endroit, toujours aussi étonnamment paisible et agréable, abrite encore nombre de retraités. Visite du cloître et de la salle du chapitre. Fresque du XVe s.

L'ancien Rådhus et l'hôtel de Jens Bang *(plan B2) : Østerågade 9. Ils sont côte à côte.* Le petit bâtiment, c'est le vieil hôtel de ville, jolie construction de style baroque de 1762. L'autre, le grand, fut édifié en 1624 par un riche marchand. Splendide façade Renaissance sur cinq étages, considérée à juste titre comme la plus grande du Danemark.

L'Aalborghus *(château d'Aalborg ; plan C1-2) : sur Slotspladsen, face au port. Visite mai-oct, lun-ven 8h-15h pour la prison et tlj 8h-21h pour les souterrains.* Bel ensemble composé de trois corps de bâtiments à colombages du XVIe s, entourant une cour pavée de galets ronds (accessible 8h-21h). L'ensemble possède beaucoup de grâce. Un havre de paix à 100 m de l'activité frénétique du port. Notez les petites niches installées à chaque fenêtre à l'intention des oiseaux, qui transforment la cour en salle de concerts permanente. Les anciennes prisons et les souterrains sont également ouverts au public.

Les rues anciennes : elles s'imbriquent harmonieusement dans les rues modernes du quartier piéton et des commerces. Une ruelle charmante en escalier derrière la cathédrale, *Latinergyden,* mène à *Gravensgade,* en bas de laquelle commence *Jomfru Anegade,* bordée de maisons à colombages abritant moult restos chic et discothèques. Hyper-touristique, mais c'est le coin le plus animé le soir. Au n° 6 du *Maren Turis Gade,* vous trouverez *Jørgen Olufsen's Gaard,* une superbe maison bourgeoise de style Renaissance. Par la cour intérieure, vous déboucherez sur *Osterågade.* Plus haut, il faut flâner autour de l'*église Notre-Dame* (voir *Frue Kirke*), en particulier sur *Hjelmerstald* donnant sur Møllegade, l'une des rares rues en L subsistant encore. À l'angle de Møllegade et d'Algade, *Nielsen,* une boutique de 1896 qui vend du café, du thé et du chocolat, et qui torréfie le café en vitrine. Sur *Nørregade,* d'autres groupes de maisons intéressantes, notamment au n° 18. Puis suivez Østergravensgade, Søndergade, Klokkestøbergade et Niels Ebbesensgade... Nous ne pouvons citer toutes les charmantes habitations et jardins qui les bordent. Toutes ces rues serpentent autour de l'artère commerçante principale, Algade-Bradegade-Nørregade, avec ses cheminées d'usine en point de mire !

Le musée de la Marine : *Vestre Fjordvej 81. ☎ 98-11-78-03. • aalborgmarinemuseum.dk • Au nord-ouest du centre-ville. Bus nos 2, 8, 12 et 13. Mai-août, tlj 10h-18h ; hors saison, tlj 10h-16h. Entrée : 65 Dk (8,50 €) ; réduc. Infos en anglais.* Inauguré en 1992, ce vaste musée égrène ses bâtiments le long du fjord. Il présente une grande exposition sur l'histoire du port d'Aalborg et de la marine danoise, à grand renfort de maquettes, de collections d'équipements civils et militaires et de gadgets fort ludiques. Mais le clou du spectacle demeure la visite du sous-marin *Springeren,* de 54 m de long. Un régal pour les enfants, surtout lorsque la sirène d'alarme choisit de retentir, plongeant l'habitacle dans une effrayante lumière rouge. Nombreux autres bâtiments exposés, comme le vaisseau rapide *Søbjørnen.*

Le musée de l'Aquavit *(hors plan par A1,* ***3****) : C. A. Olesens Gade 1 ; à l'angle de Strandvejen. ☎ 98-12-42-00. • aalborgsnaps.dk • Bus nos 12 et 13. Juin-août, visites guidées lun et sam slt, 10h et 14h. Entrée : 40 Dk (5,20 €).* Elle figure sur tous les menus, elle apparaît sur tous les rayonnages, mais d'où vient-elle ? La célèbre eau-de-vie danoise inonde le monde depuis Aalborg, où son usine fortifiée a ouvert récemment ses portes au public. La visite commence par une balade parmi les cuves, où l'on tente de comprendre les différents processus de fermentation, avant de s'achever par une petite exposition sur l'*aquavit.* Enfin, et on l'attendait, une petite dégustation pour reprendre des forces. Hips !

L'EAU VITALE

Principalement consommé dans les pays scandinaves, l'aquavit consiste soit en un distillat de céréales, soit en alcool rectifié de pommes de terre. De couleur jaune pâle, autour de 40°, il est généralement parfumé au cumin ou d'autres épices : aneth, coriandre, anis ou carvi. Le nom (qui se dit également akvavit *ou akevit) est une contraction du latin* aqua viate, *signifiant eau-de-vie. En Suède (principal producteur),* aquavit *se dit couramment* snaps... *au Danemark,* schnapps.

Fêtes et manifestations

– En mai, un des plus grands ***carnavals*** d'Europe a lieu ici. Chaque année, ce sont 20 000 à 30 000 personnes qui défilent le samedi de la 21e semaine de l'année. La semaine qui précède, c'est le *carnaval des enfants.* Bref, c'est l'événement annuel de la ville.
– ***Marché viking :*** *1 w-e et pdt 10 j. fin juin.* Grande manifestation viking à Lindholm Høje.
– ***Concerts*** *en plein air l'été, avec des vedettes danoises.*
– ***Festival de jazz et de blues :*** *mi-août. Dans une vingtaine de lieux en ville.*

➤ DANS LES ENVIRONS D'AALBORG

Lindholm Høje : *Vendilavej 11, à Nørresundby. ☎ 99-31-74-40. Bus no 2C ou Uttrup Nord (départ près de l'office du tourisme). À 4 km du centre-ville. Site funéraire et musée. Site ouv tlj. Gratuit. Musée ouv avr-oct, tlj 10h-17h ; hors saison, mar-sam 10h-16h, dim 11h-16h. Entrée au musée : 30 Dk (4 €) ; réduc. Guide en français prêté à l'entrée (ou vendu s'il est déjà prêté !). Très complet et indispensable, car le musée est décrit en danois.* C'est un coup de pouce de la nature qui a permis la préservation de ce site jusqu'à nous : vers l'an mille (terrible, comme chacun le sait), « les collines de Lindholm » furent entièrement recouvertes de sable, poussant la population à l'exil. Du coup, le site fut retrouvé quasi intact, dévoilant les quelque 700 tombeaux que l'on découvre aujourd'hui dispersés sur la colline, échelonnés chronologiquement du Ve s au début de l'ère viking. La plus grande nécropole du Danemark comprend essentiellement des tombes à crémation, entourées pour la plupart de pierres adoptant la forme d'un triangle, d'un bateau, d'un cercle ou d'un ovale. Ces figures correspondent probablement au sexe et au rang de la personne incinérée. On a également retrouvé les traces de plusieurs villages, dont l'emplacement est aujourd'hui marqué par de petits blocs de béton. Au pied de la colline, le petit musée propose une exposition très pédagogique sur

la vie quotidienne à l'époque viking, étayée par les objets découverts à l'occasion des fouilles. Notez quand même que ce site funéraire passionnant pour les historiens et les archéologues devrait laisser les autres complètement froids.
– C'est ici que se déroule le *marché viking* à la fin du mois de juin.

SUR LA ROUTE DU SUD

Pour redescendre vers le sud, n'hésitez pas à emprunter la route qui longe la côte ouest par ***Hanstholm, Thyborøn*** (bac pour la traversée), ***Torsminde*** et ***Hvide Sande.*** Dépaysement garanti à travers les dunes, les étangs et les ports de pêche. Beaucoup d'oiseaux migrateurs à observer.

SUR LA ROUTE DU NORD

Pour rejoindre Skagen, vous pouvez passer par la côte est, mais vous pouvez aussi faire un détour par la côte ouest et, en une journée, vous offrir le programme suivant.

➢ Rejoindre la plage de ***Blokhus*** où vous verrez, en été, le spectacle surprenant de dizaines de voitures garées à 10 m de l'eau et roulant le long de la plage... Si cela vous dit, vous avez le droit de vous rendre jusqu'à ***Løkken*** comme ça (environ 15 km). Étonnant pour des Danois ! Autre invasion : les coccinelles (les insectes, pas les voitures !)... Cela dit, Løkken est une station balnéaire créée de toutes pièces, surtout fréquentée par des Allemands amateurs de bière et de T-shirts mouillés... Des lecteurs déconseillent fortement le camping *Josephines*.

Après une bonne trempette face à ce grand marché de l'occasion, dépassez Løkken et allez jeter un œil au très beau panorama depuis la dune de ***Rujberg Knude*** : superbe vue sur la région et sur la mer, et sur les bâtiments ensablés à ses pieds...

Non loin de là, allez si possible déjeuner dans le charmant village de ***Lønstrup.*** Moins surpeuplé que les deux stations balnéaires précédentes, Lønstrup est plus authentique, avec son vrai moulin, ses maisons tranquilles et élégantes, sa petite plage...

Éventuellement, si le travail de l'ambre vous intéresse, allez visiter un atelier à ***Hjørring.*** Fabrication de bijoux, étapes du travail... on prendra le temps de vous expliquer. *Højers Ravsliberi : Højtvedvej 7, à Mygdal, près de Hjørring.* ☎ *98-97-52-23. Lun-ven 10h-17h.* M. Bernstein parle le français.

EN ROUTE VERS LE NORD

Le château de Vœrgård : *à 25 km au nord d'Aalborg, un château qui cache des merveilles ! À faible distance de Praestbro et de Flauenskjold, sortie n° 14 sur l'autoroute E45, fléché. Infos :* ☎ *98-86-71-08. Fin juin-fin août, tlj 10h-17h ; hors saison, slt w-e 11h-16h. Entrée : 65 Dk (8,70 €) ; petit guide d'explications en français : 10 Dk (1,30 €).*
On ne sait pas si on entre dans un musée ou un château. Les bâtiments mêlent admirablement briques rouges et pierres finement sculptées (notez les frontons de porches et les tours de fenêtres décorés de visages), le tout isolé dans un vaste parc boisé et entouré d'eau. Avec sa décoration intérieure qui n'a rien à envier aux plus beaux musées du pays, l'ensemble est parfaitement homogène et véritablement somptueux. La splendide demeure Renaissance date pour sa partie la plus ancienne de 1481, et prit son aspect actuel en 1590. Le dernier propriétaire, un Danois, rapporta de France les riches collections que l'on peut voir à l'intérieur.

Ainsi ce château de campagne n'abrite rien moins que quelques magnifiques toiles de maîtres : Rubens dispute la vedette à Raphaël. À voir aussi, deux Fragonard et, le clou de la visite, *Le Fou* peint par Goya. On y découvre même un service à café ayant appartenu à Marie-Antoinette pendant sa captivité au Temple. Demandez à la vieille dame passionnante qui vous accueille de vous faire la visite. Vous approcherez au plus près des toiles. À voir aussi, l'***église*** rurale intéressante à côté, à ***Vœr.***

Dronninglund : *situé à env 30 km d'Aalborg.* Seule l'église demeure accessible au public, mais il s'agit sans conteste de la partie la plus intéressante du bâtiment. Elle abrite des fresques au style très enlevé et d'une grande variété de tons. Scènes de bataille (entre autres, Alexandre le Grand sur un éléphant). Le retable remonte à 1600 environ. Splendide tribune seigneuriale et stalles sculptées avec armoiries peintes.

SÆBY

Petite station balnéaire aux coquettes maisons basses abondamment fleuries. De part et d'autre du minuscule port de pêche s'étendent de délicieuses plages de sable fin, où les enfants s'ébattent en toute sécurité. Ne pas y manquer l'*église Sainte-Marie,* ancienne chapelle du XVe s d'un couvent carmélite aujourd'hui disparu. Admirables fresques du XVIe s. Sur l'un des murs, très riche épitaphe célébrant les bienfaiteurs de l'église avec leurs portraits. Stalles datant de 1500 sur lesquelles, curieusement, on trouve une multitude de dessins gravés, et retable de l'école hollandaise de la même époque.

Adresses utiles

Office du tourisme : *Krystaltorvet 3. ☎ 98-46-12-44. • visitsaeby.dk • De mi-juin à mi-août, lun-sam 9h-17h, dim 10h-13h ; hors saison, lun-ven 9h-16h, sam 10h-13h, fermé dim.* Tenu par une équipe souriante et serviable. Location de chambres chez l'habitant. Plan du bourg. Accès Internet très cher.

Mosquito Cykel Center : *Søndergade 6. ☎ 98-46-14-10. En bas de la rue piétonne, à gauche. Lun-ven 9h-17h30, sam 9h-12h. Loc de vélos pour 70 Dk/j. (9,10 €). Tarifs dégressifs.*

Où dormir ?

Svalereden Camping : *Frederikshavnsvej 112A. ☎ 98-46-19-37. • svalereden.dk • Ouv tte l'année. Compter env 140 Dk (18 €) pour deux avec tente et voiture. Douche chaude payante.* Un camping familial coincé entre la route de Frederikshavn et la mer. Plage de 400 m très agréable, dans une zone épargnée par les constructions. Location de chalets accueillants avec ou sans bains jusqu'à 5 personnes, abrités sous les frondaisons. Accueil sympa.

Danhostel Saeby Vandrerhjem : *Sæbygaardvej 32. ☎ 98-46-36-50. • danhostelsaeby.dk • Ouv tte l'année, sf Noël-Nouvel An. Prévoir 105-125 Dk (13,50-16 €) en dortoir ; doubles 220-420 Dk (29-54,50 €), sans petit déj.* Elle n'a probablement aucune chance de remporter la palme des AJ de charme, mais elle figure sans aucun doute dans les carnets d'adresses des athlètes. À l'ouest du centre-ville, cette bâtisse moderne, bien conçue et fonctionnelle, recèle un complexe sportif bourré d'appareils de musculation et autres gadgets. À défaut d'aller à la plage...

FREDERIKSHAVN

35 000 hab.

La plus grande ville du Vendsyssel et la plaque tournante du tourisme par bateau entre les pays scandinaves. Les visiteurs passent à Frederikshavn sans généralement s'y attarder, à moins de débarquer tardivement d'un ferry. La région du Vendsyssel abrite pourtant des sites remarquables qu'il serait dommage de manquer. Paysages qui rappellent les Landes du Sud-Ouest, avec de grandes collines sablonneuses couvertes de pins. Il faut pousser tout au nord et se laisser bercer par la belle lumière de Skagen. Frederikshavn dispose d'un centre-ville moderne, agréable en journée, et d'un petit port de plaisance croquignolet, *Rønnerhavn* (au nord), engoncé dans un charmant carcan de bois, de dunes et de jolies plages. Intéressante aussi est la visite du manoir de Bangsbo, à 3 km au sud-ouest (donc avant d'entrer dans la ville si vous venez du sud).

Arriver – Quitter

En bateau

➢ ***Pour Oslo :*** avec la *Stena Line.* ☎ *96-20-02-00.* • *stenaline.dk* • Ou avec la *Color Line.* ☎ *99-56-19-77.* • *colorline.dk* • Traversée : 8h30. Il vaut mieux faire le voyage de jour. Départ tlj vers 10h-10h30. La remontée du fjord d'Oslo au soleil couchant est féerique.

➢ ***Pour Larvik (Norvège) :*** avec la *Color Line.* ☎ *99-56-19-77.* • *colorline.dk* • La liaison se fait depuis Hirtshals, au nord-ouest. Suivant les saisons, 1 à 2 liaisons/j. (3 sam en hte saison). Traversée : 6h15.

➢ ***Pour Göteborg (Suède) :*** avec la *Stena Line.* ☎ *96-20-02-00.* • *stenaline.dk* • Compter 4 à 9 liaisons/j. selon la saison. Traversée : 3h15.

En train

Gare ferroviaire : *Skippergade.* ☎ *70-13-14-15.* • *njba.dk* • *Réduc de 50 % pour les utilisateurs de la carte* Inter-Rail. La *Turistkort* (voir « Adresses et infos utiles » à Aalborg) est valable dans ces trains. Voyages illimités dans ts les trains du Nord pdt 24h. Tarif : 104 Dk (13,50 €). La compagnie *Nordjyske Jernbaner* dessert ttes les villes côtières entre Aalborg et Skagen. Nombreuses liaisons tlj.

Adresses utiles

Office du tourisme : *Skandiatorv 1.* ☎ *98-42-32-66. Fax : 98-42-12-99.* • *frederikshavn-tourist.dk* • *Juil-août, tlj 9h-18h (14h dim) ; hors saison, lun-ven 9h-16h, sam 11h-14h.* Location de chambres chez l'habitant. Vente de billets de ferry jusqu'à 30 mn avant les départs.

✉ ***Poste :*** *Skippergade. Lun-ven 9h30-17h, sam 9h30-12h.*

Où dormir ?

Nordstrand Camping : *Apholmenvej 40.* ☎ *98-42-93-50.* • *nordstrand-camping.dk* • *Sur la route de Skagen, à 2 ou 3 km sur la droite. Ouv de fin mars à mi-sept. Prévoir 188 Dk (24,50 €) pour deux avec tente et voiture.* Certes onéreux, mais prestations à la hauteur des tarifs. Situé à deux pas du petit port de plaisance, le camping occupe un site très tranquille à la lisière des dunes. Ses emplacements se répartissent par groupes d'une dizaine, bien séparés les uns des autres par d'épaisses haies. Nombreuses activités à disposition, comme une piscine couverte, des terrains de tennis et même un golf à 9 trous.

Danhostel Frederikshavn Vandrerhjem : *Buhlsvej 6. ☎ 98-42-14-75. • danhostel.dk/frederikshavn • À la sortie nord de la ville, suivre la route 35 vers Hjørring. Ouv 1er fév-20 déc. Compter 100 Dk (13 €) en dortoir ; doubles 240-300 Dk (31-39 €), sans petit déj.* Occupe une grande bâtisse de plain-pied, dont les différents bâtiments s'organisent en carrés. Au centre, un espace vert moucheté de tables de bois pour le petit déj. Une vingtaine de chambres, en partie équipées d'une douche et de sanitaires privés. Accueil moyen.

Où manger ?

Penna's : *Nordre Strandvej 48. ☎ 98-43-82-98. À Rønnerhavn, au nord de la ville. Le midi, plats 40-70 Dk (5,25-9 €) ; menu 180 Dk (23,50 €) en soirée.* Une adresse de charme amarrée sur le petit port de plaisance, bercée par le cliquetis des haubans et le cri des mouettes. Au menu, des spécialités de poisson bien réalisées, avec chaque jour un plat inédit. Concerts l'après-midi du 1er dimanche de chaque mois.

Jerry's : *Amaliegade 2. ☎ 98-42-22-55. Dans une rue perpendiculaire à Søndergade, la rue principale. Ouv jusqu'à 23h (minuit ven, 1h sam). Fermé dim. Plats 35-70 Dk (4,50-9 €).* Une sorte de bistrot américain, qui a le mérite de regrouper les jeunes de Frederikshavn. À mille lieues d'une étape gastronomique, mais les sandwichs, pizzas et salades sont de qualité et satisfont n'importe quel estomac. Concerts fréquents.

À faire

➢ Possibilité de passer une journée, voire une demi-journée, sur un ***bateau de pêche.*** Demander au bureau d'information sur le port. On peut s'adresser aussi directement aux pêcheurs. Belle plage au nord de la ville, facile d'accès, avec grand parking.

➤ DANS LES ENVIRONS DE FREDERIKSHAVN

Le manoir de Bangsbo : *Dronning Margrethesvej 6. ☎ 98-42-31-11. À 3 km au sud-ouest. Fléché de l'A10, suivre les panneaux « Bangsbo » slt. Tlj sf lun 10h-17h. Entrée : 40 Dk (5,20 €).*

Ce vaste manoir du XVIIIe siècle, construit sur des vestiges du XVIe s, abrite un spacieux musée aux attraits variés. En passant d'un corps de ferme à l'autre, on accède à une section d'histoire locale et régionale, puis à une plus originale section maritime : elle comprend un superbe bateau viking, reconstitué aux deux tiers avec des matériaux originaux. Découvert puis restauré à partir de 1968, il appartient à la catégorie des navires de commerce utilisés au XIIe s. À voir aussi, des proues de navires, maquettes, gouvernails et instruments de bord de toutes sortes.

Plus émouvante, la section suivante est consacrée à la résistance danoise lors de la Seconde Guerre mondiale : uniformes, matériel d'écoute, armes impressionnantes (mines magnétiques, canon antiaérien de 20 mm), instruments de torture de la Gestapo et beaucoup de coupures de journaux, de textes et de photos sur l'époque. Mais ce foisonnement d'objets peine à masquer une douloureuse réalité : quel fut le rôle du gouvernement danois et de la majorité de sa population pendant l'occupation allemande ? La visite s'achève dans la grange la plus ancienne du Danemark, dont les vieux murs du XVIe s renferment une belle collection de traîneaux et de voitures à chevaux anciens. Tout autour du manoir, un parc très agréable pour pique-niquer ou se balader. On peut y voir des biches et des cerfs en liberté.

L'île de Laesø : île au large de Frederikshavn, en grande partie classée. La plupart des maisons de pêcheurs ont conservé leur toit de goémon. En été, plusieurs départs/j. jour du port. Site de la compagnie maritime : • laesoe-line.dk •

SKAGEN ET GAMMEL SKAGEN

11 000 hab.

La ville la plus septentrionale du Danemark. Une ville pleine de charme ! Il ne faut pas manquer de monter tout au nord pour s'imprégner de la poignante solitude du Vendsyssel, à l'extrême pointe du Jutland, à Grenen, là où les violettes poussent dans les dunes et où les deux mers s'affrontent en une vague perpendiculaire à la terre. Un site qui pousse à la rêverie, terre d'inspiration de peintres mondialement connus. Notez, à la sortie de Skagen, en direction de Grenen, un phare à main à 46 m au-dessus du niveau de la mer, reproduction d'un phare du XVIe s. Vue superbe. La région a toujours attiré les touristes. La ville est très agréable avec ses vieilles maisons de pêcheurs aux murs jaunes. Voir le petit port avec ses pittoresques entrepôts rouges et blancs. On y trouve de bons restos de poisson. Sur le port, on peut acheter dans les entrepôts des beignets de calmars en salade, sauce exquise. Ne pas oublier d'aller à Gammel Skagen, un petit village de charme où le coucher de soleil est le plus spectaculaire.

– Le dernier w-e de juin, festival folk qui attire beaucoup de monde, donc pensez à réserver.

Adresses utiles

Office du tourisme : *Vestre Strandvej 10.* ☎ *98-44-13-77.* • *skagen-tourist.dk* • *Fin juin-fin juil, lun-sam 9h-18h, dim 10h-16h ; juin et août, lun-sam 9h-17h, dim 10h-14h ; hors saison, horaires restreints et fermé dim.* Réserve des chambres chez l'habitant, des appartements et des maisons de vacances.

Poste : *Chr. X's Vej 8.* ☎ *98-44-23-44. Lun-ven 10h-17h, sam 9h30-12h.*

Possibilité de se connecter depuis la **Skagens Bibliotek** *: Sankt Laurentii Vej 23.* ☎ *98-44-28-22. Lun et jeu 10h-18h, mar-mer et ven 13h-18h, sam 10h-13h.*

Gare ferroviaire : *Sct Laurentii Vej 22.* ☎ *98-44-21-33.* On le rappelle, la compagnie *Nordjyske Jernbaner* dessert toutes les (petites) villes côtières entre Aalborg et Skagen. Nombreuses liaisons tous les jours. • njba.dk •

Gare routière : *au même endroit que la gare ferroviaire.*

Hôpital : *Hans Baghsvej 23.* ☎ *98-45-48-15.*

Location de vélos : Skagen Cykeludlejning, *pl. de la Gare.* ☎ *98-44-10-70. Compter 75 Dk/j. (10 €). Tarifs dégressifs.*

Où dormir ?

À Skagen

Bon marché

Attention, en été, les **campings** *sont souvent complets (il y en a 3 près du centre et 4 excentrés).*

Grenen Camping : *Fyrvej 16.* ☎ *98-44-25-46.* • *grenencamping.dk* • *À 1,5 km au nord du bourg. Ouv de mai à mi-sept. Prévoir 156 Dk (20 €) en hte saison pour deux avec tente et voiture.* Idéalement situé, à mi-chemin du centre-ville et de Grenen. Impeccable pour les balades digestives ! Cadre marin agréable avec les dunes et la mer en bordure du site, mais emplacements un tantinet serrés. Location de chalets au confort sommaire.

▲ ***Danhostel Skagen Ny Vandrerhjem :*** *Rolighedsvej 2. ☎ 98-44-22-00. • danhostelnord.dk/skagen • À l'ouest du centre-ville. Fermé de déc à mi-fév. Très fréquenté, résa conseillée bien à l'avance. En dortoir, 150 Dk (19,50 €) selon saison ; doubles 350-600 Dk (45,50-78 €) avec bains, petit déj en plus.* Un tantinet excentré, mais par conséquent très tranquille. Compte une vingtaine de chambres impeccables, en partie équipées de douches et de sanitaires privés. Installations sportives (tennis, badminton...) à proximité.

▲ Si l'AJ est complète, l'office du tourisme peut vous diriger vers des ***chambres chez l'habitant.***

Plus chic

▲ ***Finns Pension :*** *Østre Strandvej 63. ☎ 98-45-01-55. • skaw.dk/finnshotel pension • Dans une avenue qui longe le port, dans la direction de Grenen. Compter 950 Dk (123 €) la double avec sdb, 675 Dk (88 €) sans, petit déj compris.* Espèce de gros chalet de bois noir, construit au début du XXe s pour un comte. Voir l'énorme pilier du salon. Cette pension, décorée avec goût, dispose d'une poignée de chambres charmantes (pensez à réserver), pleines d'objets à thème. Les célibataires auront la « chambre du garçon », avec son lot de bibelots. Très agréable. Petit déj dans la salle commune. Le patron a la foi du charbonnier et le professionnalisme exigeant. Il vous accueille vraiment, vous renseigne, et accepte bien volontiers de vous préparer un repas typique si vous le prévenez suffisamment à l'avance et si vous le laissez faire sans poser 3 600 questions ! Monsieur le comte, la relève est assurée !

À Gammel Skagen

Chic

▲ ***Ruths Hotel :*** *Hans Ruth's Vej 1. ☎ 98-44-11-24. • ruths-hotel.dk • Ouv fév-fin nov. Doubles 1 700 Dk (221 €), petit déj compris.* Perdue au bout d'une allée tranquille, cette grosse bâtisse blanche non dénuée de charme dispose d'une quarantaine de chambres fort confortables, certaines avec balcon. Une halte reposante, à l'image de son beau salon très cossu où la cheminée de brique prend des forces pour l'hiver. Bon accueil. Le restaurant propose des plats de qualité, très raffinés. Le chef est un sympathique Français... et la note, élevée !

VERS LE NORD

Où manger ? Où boire un verre ?

À Skagen

– ***Sur le port,*** c'est ce qu'il y a de plus sympa (excepté par forte chaleur, vu qu'il n'y a pas d'ombre). ***Échoppes*** pas chères. Les vrais restos ont compris leur bonne situation : ils sont très chers, mais tout le monde vient là en été.

|●| ***Pakhuset :*** *Rødspaettevej 6. ☎ 98-44-20-00. Sur le port. Fermé en janv. Plats 70-110 Dk (9-14,50 €) pour le café, env 170 Dk (22 €) pour le resto.* La figure de proue et la cloche de navire perchées au-dessus du bar renseignent sur l'établissement. Ici, la plupart des marmites regorgent de poisson ! Dans la partie restaurant, nichée à l'étage, on se délecte d'excellentes spécialités cuisinées avec finesse tandis que, dans la partie café, on dévore des plats plus simples mais savoureux, comme des soles panées ou des croquettes de poisson fondantes. Terrasse agréable avec les bateaux en toile de fond.

|●| ***Skagen Fiskerestaurant :*** *Fiskehuskaj 13. ☎ 98-44-35-44. Sur le port. Ouv de mai à mi-sept. Plats 80-130 Dk (10,50-17 €).* L'une des adresses les plus courues de Skagen. Avec la criée à proximité, on leur en voudrait de ne pas proposer de spécialités de poisson. On pioche parmi les différentes sortes de harengs ou les *frikadelles* de poisson, à déguster en terrasse ou dans la salle bizarrement tapissée de sable fin.

– Plein de ***restos*** dans les rues principales du centre, du fast-food au resto chic.

|●| ***Jakob's :*** *Havnevej 4A. ☎ 98-44-16-90. Tlj jusqu'à 1h. Le midi, sandwichs et salades env 60 Dk (8 €) ; plats plus élaborés, en soirée, env 180 Dk (23,50 €).* Occupe une place stratégique au cœur de la rue piétonne : depuis la terrasse, on ne perd pas une miette de l'animation nocturne ! Déco moderne plutôt réussie, et cuisine internationale de bon aloi.

Skaw Pubben : *dans Havnevej, au centre.* C'est là qu'il faut venir écouter de la musique, souvent du blues, en éclusant des tas de bières, dont la *half and half,* ce mélange de brune et de blonde, au milieu des blondes et des brunes... de quoi perdre la tête ! Grosse ambiance et grosse foule les soirs de concert en saison. Chouette terrasse.

– Dans les rues piétonnes du centre, plein d'adresses pour les sorties nocturnes : bars rock, boîtes, concerts de musique traditionnelle...

À voir

Le Musée municipal : *Brøndumsvej 4. ☎ 98-44-64-44. Avr-sept, tlj 10h-17h ; oct-mars, mer-dim 10h-15h. Entrée : 60 Dk (8 €) ; réduc.*
Fondé en 1908 par ceux que l'on appelle encore « les peintres de Skagen ». À la fin du XIXe s, Michael et Anna Ancher choisirent de s'installer dans le village, séduits par la beauté de ces paysages du bout du monde. Ils furent bientôt rejoints par de nombreux artistes, également fascinés par la luminosité changeante du site. Parmi les centaines d'œuvres exposées, les tableaux de Michael Ancher et P. S. Krøyer retiennent particulièrement l'attention. Ils ont su parfaitement rendre cette luminosité particulière à Skagen, où soleil, dunes blanches et mer se confondent en des teintes bleutées et nacrées, jeux de lumière donnant à ces peintures des reliefs fascinants et une grande profondeur. Scènes campagnardes et naïves, il semble s'écouler une langueur nonchalante et apaisante dans ces œuvres, qui reflète le sentiment du promeneur qui prendra le temps de s'attarder dans la région.
Mais trompeuse aussi, œuvres douces et dures à la fois, car est peinte ici la difficulté de la vie des pêcheurs travaillant sur la plage, la solitude des habitants en ces terres isolées. Visite du musée indispensable pour goûter pleinement à l'étrangeté et à la beauté de cette région. Voir également la reconstitution de la salle à manger de l'*hôtel Brøndum,* où les artistes se réunissaient régulièrement.

La maison d'Anna et Michael Ancher : *Markvej 2-4. ☎ 98-44-30-09. Juin-sept, tlj 10h-17h ; le reste de l'année, horaires restreints (fermé lun nov-mars). Fermé déc-janv. Entrée : 50 Dk (6,70 €) ; réduc.* Chaussés de patins, les visiteurs pénètrent dans l'intimité de ce couple génial à l'origine de l'école de Skagen. Les différentes pièces sont présentées à l'identique, avec le mobilier et l'aménagement d'origine. De nombreuses toiles du couple sont également exposées.

Le musée en plein air : *P. K. Nielsensvej 8-10. ☎ 98-44-47-60. Juil, tlj 10h-18h ; août, tlj 10h-17h ; le reste de l'année, horaires restreints (fermé w-e oct-avr). Entrée : 30 Dk (4 €).* Quelques maisons anciennes, notamment celles de pêcheurs du XIXe s. L'habitat présenté retrace les trois principales périodes de la ville : la « noire », la « jaune » et la « rouge », couleurs avec lesquelles les maisons étaient peintes. On voit celle du pêcheur riche, du pêcheur pauvre, ainsi qu'un petit musée de la Pêche. Section consacrée au sauvetage.

➤ *DANS LES ENVIRONS DE SKAGEN*

ጰጰጰ **Grenen :** à 3 km du centre, les deux mers se rencontrent... et les touristes aussi. Évitez de monter dans le Sandormen, ce tracteur qui tire un wagon jusqu'à la pointe des deux océans, ça gâche la balade, qu'il faut faire en longeant la mer et les pieds barbotant gaiement dans l'eau. Choisissez une heure matinale ou tardive en été, lumière magnifique et moins de monde. Car c'est fou le nombre de personnes qu'on trouve au mètre carré, sur cette langue de terre de 20 m x 5 m ! Mais ce serait dommage de ne pas voir ça, car c'est d'une beauté poignante. On se prend à croire qu'on arrive au bout du monde, instant de romantisme intense ! On sait bien que ce n'est pas vrai, mais on peut quand même rêver... Attention : ne pas s'y baigner, c'est un endroit trompeur et très dangereux.

ጰ ***Skagen Odde Natur Center :** Batterivej 51. ☎ 96-79-06-06. Avr-oct, tlj 10h-16h ; le reste de l'année, sam-mar slt, mêmes horaires. Entrée : 65 Dk (8,50 €) ; réduc.* Un vaste complexe moderne, abritant une exposition sur l'environnement marin. À grand renfort de vidéos, de montages sonores ou de jeux interactifs, on aborde la question du vent, des marées, de la faune et de la flore, mais également des rapports entre l'homme et la nature. Commentaires en anglais exclusivement.

ጰ ***L'église ensablée** (Den Tilsandede Kirke) **:** à 3 km au sud de Skagen. Intérieur de l'église ouv juin-août.* Cette église de la seconde moitié du XIVe s a subi l'invasion par les sables depuis la fin du XVIIIe s. Pour y accéder, les fidèles devaient se creuser un chemin dans les sables. On ne sait pas si certains sont restés bloqués à force de prier trop longtemps. Aujourd'hui, on voit encore la tour, épargnée par les sables et conservée car elle constitue un repère pour les marins. L'église en elle-même ne présente aucun intérêt.

ጰጰ **Råbjerg Mile :** dune qui se déplace chaque année d'une dizaine de mètres. Approche à pied. Le Pilat danois.

ጰ ***Le musée de la Mer du Nord :** situé à **Hirtshals,** port de pêche à env 50 km au sud-ouest de Skagen.* Superbes aquariums par espèces et par thèmes (la respiration, le camouflage...). Également des phoques et une exposition sur le Groenland.

Bateaux au départ du Jutland

ATTENTION : en été, pas toujours évident de trouver une place. *Essayez de réserver quelques jours avt votre départ.*

➢ **Du Jutland vers Copenhague :** il faut redescendre sur Århus ou Ebeltoft (voir les rubriques concernées).

➢ ***Hirtshals-Kristiansand** (Norvège) **:*** 2 départs/j. par la *Color Line (☎ 99-56-19-77 ; • colorline.dk •).* Durée : 2h30-4h30. À Hirtshals, on peut dormir à l'AJ, très calme, face à la mer, ou au camping à côté.

➢ ***Hirtshals-Stavanger-Bergen :*** 3-4 départs/sem avec *Color Line.*

➢ ***Hirtshals-Larvik** (Norvège) **:*** 2 bateaux/j. (3 sam en hte saison) par la *Color Line.* Durée : 6h15 de jour et 8h de nuit.

➢ ***Frederikshavn-Göteborg :*** 4 à 9 liaisons/j. selon saison avec la *Stena Line (☎ 96-20-02-00 ; • stenaline.dk •).* Durée : env 3h.

➢ ***Frederikshavn-Oslo :*** 1 bateau/j. avec la *Stena Line.* Durée : env 10h30.

➢ ***Du Jutland vers les fjords norvégiens :*** par la *Fjord Line (☎ 97-96-30-00 ; • fjordline.com •).* En été, 8 départs/sem entre Hanstholm et Egersund. Durée : 6h30. Entre Hanstholm et Stavanger-Bergen, 3 départs/sem. Durée : 16h30.

VERS LE NORD

LES QUESTIONS QU'ON SE POSE LE PLUS SOUVENT SUR LA SUÈDE

➤ Quand y aller ?
La haute saison touristique en Suède va de mi-juin à mi-août. C'est de loin la meilleure période pour y aller car tout est ouvert, il y fait plus chaud et le jour dure plus longtemps. Cela dit, une escapade à Stockholm mi-décembre, au moment de la Sainte-Lucie, dans l'ambiance des fêtes, ne manque pas de charme.

➤ La vie y est-elle aussi chère qu'on le dit ?
Justement, non ! Avec la baisse de la couronne, la Suède n'est plus un pays meurtrier pour le portefeuille. Certes, cela reste un peu plus cher que la France, mais vous serez surpris de constater comme il est possible de s'en tenir pour un budget raisonnable.

➤ Où loger ?
Alors là, pas d'hésitation : pour les campeurs, dans les campings, et pour les autres, dans l'équivalent de nos auberges de jeunesse. Vous trouverez ces établissements un peu partout et il n'y a jamais de limite d'âge, car en Suède, c'est LE mode d'hébergement par excellence.

➤ Comment se déplacer ?
Comme toujours, l'idéal est la voiture, d'autant que l'essence n'est pas véritablement plus chère qu'en France. Le train est un bon moyen de transport lui aussi, et le bus, moins cher mais plus lent que le train, permet de se rendre là où ce dernier ne va pas.

➤ Qu'y a-t-il à voir ?
Des lacs, beaucoup de lacs, des forêts de (sa)pins et des petites maisons en bois, l'ensemble offrant par endroits des scènes très romantiques... Il y a aussi les villes, jolies et pleines de couleurs. La plus belle, Stockholm, doit absolument figurer à votre programme. Enfin, ne passons pas sous silence le soleil de minuit... et les aurores boréales.

➤ Qu'y a-t-il à faire ?
Un tas d'activités en pleine nature, plus ou moins sportives. Les plus répandues sont la randonnée, à pied ou à vélo, les balades en bateau ou en canoë sur les lacs et les rivières, la pêche, ou tout simplement la vie en plein air. Nombreux musées aussi, dont les plus intéressants, encore une fois, se trouvent à Stockholm.

➤ Qu'est-ce qu'on y mange ?
Ce n'est pas ce que le pays a de mieux à offrir. Les 3 composantes essentielles (mais il y en a d'autres) de la cuisine suédoise sont le poisson, les pommes de terre et... l'aneth. On trouve aussi des fruits de mer et les principaux types de viande, souvent accompagnés de légumes. Au rang des spécialités suédoises, citons le hareng (splendide lorsqu'il est bien mariné) et le renne.

➤ Quel temps fait-il ?
Comme pour le coût de la vie, le climat n'est pas aussi rude qu'on pourrait l'imaginer... et ce grâce au Gulf Stream. En été, il peut même faire chaud et ensoleillé. Bien sûr, il neige presque partout en hiver, et les températures dans le Nord peuvent descendre jusqu'à - 30 °C.

➤ Libérale, la Suède ?
Ça dépend pour quoi... Sur la question de l'alcool, ce serait plutôt l'inverse. Par contre, sur celle de l'égalité des sexes, elle vient, avec les autres pays scandinaves, loin devant le reste de l'Europe.

➤ Et les Suédoises ?
Là, il faudrait peut-être mettre les pendules à l'heure. Plutôt libérées, sûrement. Jolies, souvent. Plus faciles que chez nous... c'est nettement moins certain ! Voilà, comme ça, vous savez au moins un peu à quoi vous en tenir. Pour les mecs, c'est à peu près pareil.

LES COUPS DE CŒUR DU ROUTARD EN SUÈDE

- À Malmö, se laisser surprendre par l'architecture novatrice de Västra Hammen dominé par la fascinante Turning Torso.

- Boire un petit coup sur ***l'avenyn,*** les Champs-Élysées de Göteborg.

- Déguster un poisson, frais pêché, dans une poissonnerie de la superbe côte du Bohuslän.

- À Ystad en Scanie, partir sur les traces du commissaire Wallander, le héros des polars de Henning Mankell.

- Visiter le château de Kalmar, la plus belle des réalisations de l'époque de la dynastie ***Vasa.***

- Franchir le plus grand pont d'Europe pour rejoindre l'île d'Öland, qualifiée de « Côte d'Azur suédoise ».

- Goûter à Stockholm aux charmes incontestables de la capitale suédoise posée sur 14 îles et admirer l'incroyable épave du *Vasa* enfouie pendant 350 ans dans la vase du port.

- Dormir dans la capitale dans une auberge de jeunesse aménagée sur un bateau (ou dans une prison) et vivre la fièvre du samedi soir avec les joyeux étudiants de la capitale.

- Admirer les sculptures en plein air de Nikki de Saint-Phalle à l'entrée du magnifique musée d'Art moderne de Stockholm.

- Partager la vie des étudiants d'Uppsala où se trouve une des plus vieilles universités d'Europe et visiter la maison du grand botaniste Carl von Linné.

- Dîner dans un petit resto posé sur un ponton au bord du lac Siljan et faire le tour des jolis villages de la Dalécarlie en n'oubliant pas de faire une plongée dans la mine de cuivre de Falun.

- Près de Luleå, revivre l'histoire de la Suède à Gammelstad, un ancien village-église aux centaines de maisonnettes en bois des XVIIIe et XIXe s.

- À Jokkmokk, s'initier aux subtilités de la culture sami et partir en randonnée sportive dans un des parcs naturels du Grand Nord suédois.

- En hiver, assister à la magie d'une aurore boréale à Abisko emmitouflé dans une épaisse couverture sur la terrasse de l'***Aurora Sky Station.***

SUÈDE UTILE

ABC DE LA SUÈDE

- ***Superficie :*** 449 964 km² (le 3e pays d'Europe par la taille).
- ***Capitale :*** Stockholm.
- ***Population :*** 9,180 millions d'habitants (urbanisée à 83 %).
- ***Densité :*** 20 hab./km².
- ***Monnaie :*** la couronne suédoise (Sk).
- ***Langue officielle :*** le suédois.
- ***Régime :*** monarchie parlementaire. Carl XVI Gustaf est roi depuis 1973.
- ***Chef du gouvernement :*** Fredrik Reinfeldt depuis octobre 2006.
- ***Religion :*** luthérienne à 85 %.
- ***PIB/hab. :*** 33 200 €.
- ***Espérance de vie :*** 78,4 ans pour les hommes et 82,8 ans pour les femmes.
- ***Taux de chômage :*** 5,6 %.

AVANT LE DÉPART

Adresses utiles

En France

■ ***Office suédois du tourisme et des voyages :*** • *visitsweden.com* • *Plus d'office du tourisme en France. On peut dorénavant obtenir des infos en composant le numéro (gratuit) suivant : ☎ 01-70-70-84-58 (sem 9h-17h). Il est également possible d'obtenir de la doc ou des rens par courrier électronique :* • *france@visitsweden.com* •

■ ***Ambassade de Suède :*** *17, rue Barbet-de-Jouy, 75007 Paris. ☎ 01-44-18-88-09 (14h-16h).* • *swedenabroad.com* • Ⓜ *Varenne ou Saint-François-Xavier. Lun-mer et ven 9h-12h. Fermé jeu.*

■ ***Consulats :*** *à Bordeaux, Lyon, Nantes, Nice, Marseille et Strasbourg.*

■ ***Centre culturel suédois :*** *11, rue Payenne, 75003 Paris. ☎ 01-44-78-80-20.* • *ccs.si.se* • Ⓜ *Saint-Paul. Bibliothèque ouv sur rdv.* Cours de suédois, soirées littéraires, expos, concerts gratuits, théâtre, ateliers pour enfants et centre de documentation et café suédois. Agréable jardin en été.

En Belgique

■ ***Ambassade de Suède et Maison de Suède :*** *rue du Luxembourg, 3, Bruxelles 1000. ☎ 02-289-57-60 (lun-ven 14h-16h).* • *swedenabroad.com* • *Lun-jeu 9h-12h.*

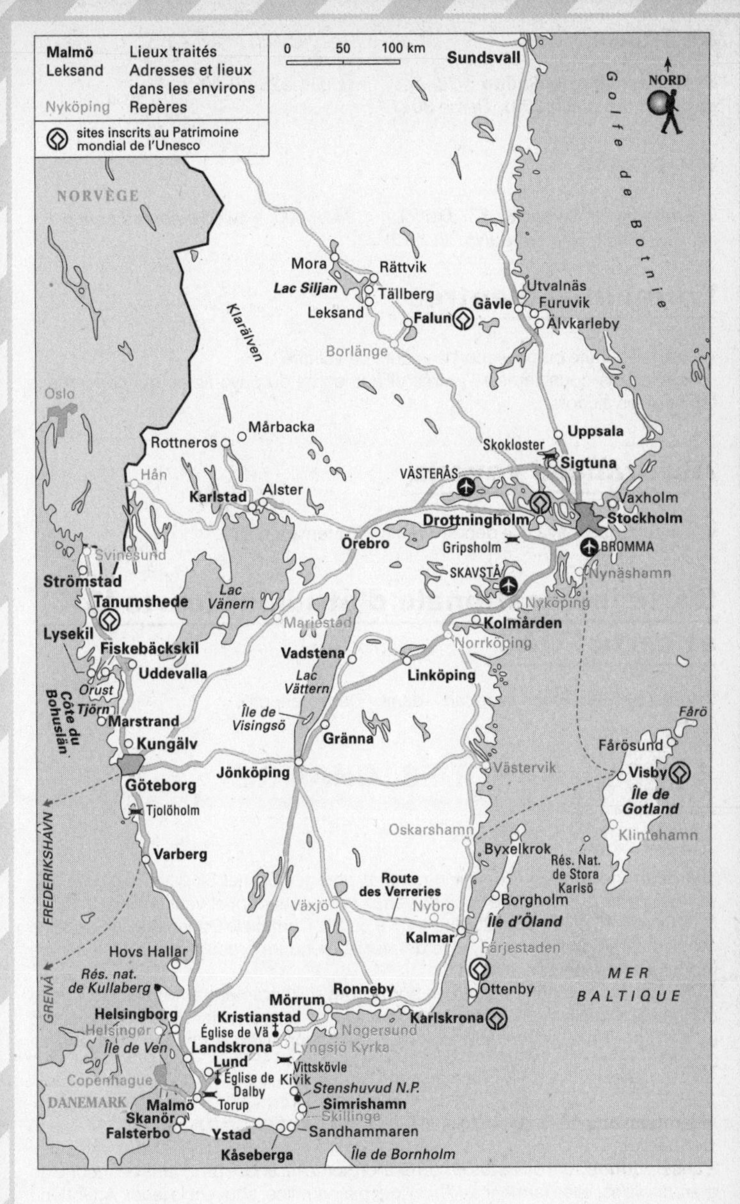

LA SUÈDE (PARTIE SUD)

SUÈDE UTILE

En Suisse

■ ***Ambassade de Suède :*** *Bundesgasse 26, Postfach 3001, Berne 3011.* ☎ *031-328-70-00.*

Au Canada

■ ***Embassy of Sweden :*** *377 Dalhousie St, Ottawa ON, K1N-9N8.* ☎ *(613) 244-8200.* ● *swedenabroad.com* ●

Formalités d'entrée

– Carte d'identité ou passeport en cours de validité.
– Restrictions douanières à l'entrée et à la sortie du pays en ce qui concerne le tabac et les alcools.

Assurances voyage

Voir la rubrique « Avant le départ » dans « Danemark utile ».

Carte internationale d'étudiant (carte ISIC) et carte FUAJ

Voir la rubrique « Avant le départ » dans « Danemark utile ».

ARGENT, BANQUES, CHANGE

La monnaie suédoise

L'***unité monétaire*** est la couronne *(krona),* abrégée Sek (et Sk dans ce guide). Elle est divisée en 100 öre (que vous ne verrez pas beaucoup) et vaut environ 0,105 €, 0,16 Fs et 0,15 $Ca (début 2008) ; 1 € = 9,50 Sk. Comme le Danemark, la Suède ne fait pas partie de l'Euroland, et le dernier référendum organisé en 2003 a encore repoussé cette perspective.
ATTENTION : nos conversions en euros sont délibérément arrondies pour vous donner essentiellement un ordre de grandeur et ne prétendent pas correspondre au cent près à la conversion exacte. La variation avec le change peut être de 0,50 €.

Horaires des banques et bureaux de change

– ***Les banques*** sont ouvertes en général en semaine 9h30-15h. Dans beaucoup de grandes villes, elles ferment à 17h un jour par semaine, souvent le jeudi. Attention : les banques suédoises ne prennent pas les chèques de voyage.
– ***Les bureaux de change Forex*** sont ceux qui pratiquent le taux de change le plus intéressant et acceptent les chèques de voyage. Ils sont ouverts au moins six jours sur sept, généralement de 9h à 18h ou 19h (15h ou 16h le samedi). Certains ouvrent aussi le dimanche.

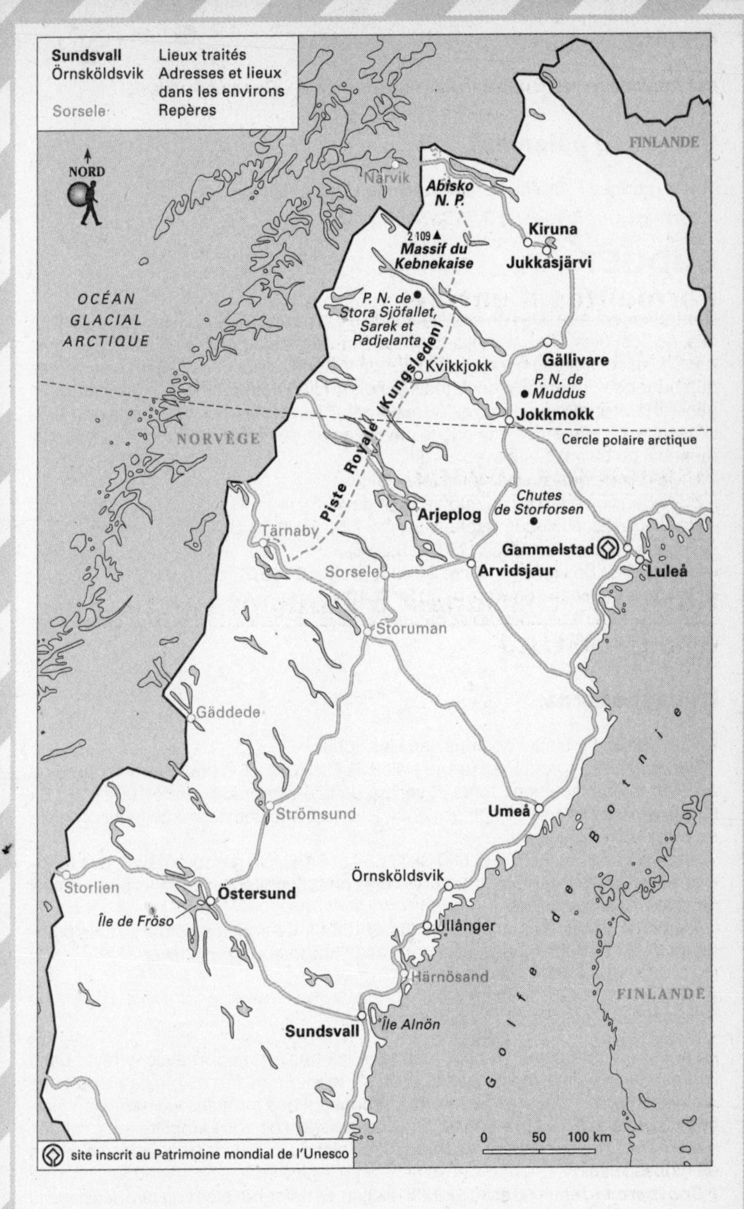
Sundsvall Lieux traités
Örnsköldsvik Adresses et lieux dans les environs
Sorsele Repères
NORD
FINLANDE
Narvik
Abisko N. P.
Kiruna
Jukkasjärvi
2 109
Massif du Kebnekaise
OCÉAN GLACIAL ARCTIQUE
P. N. de Stora Sjöfallet, Sarek et Padjelanta
Kvikkjokk
Gällivare
P. N. de Muddus
Jokkmokk
Cercle polaire arctique
NORVÈGE
Piste Royale (Kungsleden)
Chutes de Storforsen
Arjeplog
Tärnaby
Gammelstad
Luleå
Sorsele
Arvidsjaur
Storuman
Gäddede
Strömsund
Umeå
Golfe de Botnie
Örnsköldsvik
Storlien
Östersund
Île de Fröso
Ullånger
Härnösand
FINLANDE
Sundsvall
Île Alnön
0 50 100 km
site inscrit au Patrimoine mondial de l'Unesco

LA SUÈDE (PARTIE NORD)

Change

Voir la rubrique « Argent, banques, change » dans « Danemark utile ».

Cartes de paiement

Voir la rubrique « Argent, banque, change » dans « Danemark utile ».

BUDGET

Contrairement à ce que l'on croit, la Suède n'est pas un pays si cher que ça. En tout cas, ne l'est plus. Globalement, le coût de la vie y est à peine plus élevé que chez nous. C'est plutôt une bonne nouvelle, non ? Certaines choses restent plus chères qu'en France, comme l'alcool, mais si l'on prend l'hébergement, la nourriture en général (tant au supermarché qu'au restaurant), les musées, les transports ou même l'essence, on s'aperçoit vite que le pays n'a rien de l'affreux grignoteur de porte-monnaie qu'on imaginait avec effroi...
Voici le prix de quelques produits et services.
– Bière dans un resto ou un pub : autour de 40 Sk (4,20 €).
– Un litre de lait au supermarché : environ 7,50 Sk (0,80 €).
– Un pain : entre 20 et 30 Sk (2,10 et 3,20 €).
– Un ticket de bus en ville : entre 20 et 30 Sk (2,10 et 3,20 €).
– Un litre d'essence : environ 10,50 Sk (1,10 €).
Pour vous aider à élaborer votre budget, voici les échelles de prix que l'on retrouve dans nos rubriques :

Hébergement

Le petit déj est toujours compris dans les hôtels.
– ***Bon marché :*** compter entre 140 et 200 Sk (14,70 et 21 €) pour une nuit dans une AJ. Forfait emplacement, tente et voiture dans un camping : entre 100 et 160 Sk (10,50 et 16,80 €). Les campings sont également équipés de *stugor* (petits chalets de bois), voir plus loin.
– ***Prix moyens :*** entre 300 et 800 Sk (31,50 et 84 €). On retrouve dans cette rubrique les *stugor* des campings, les chambres chez l'habitant et certains petits hôtels dans les villes moyennes.
– ***Plus chic :*** entre 800 et 1 200 Sk (84 et 126 €). Ce sont les hôtels de luxe pratiquant l'été des tarifs bien plus bas que ceux proposés durant l'hiver.

Restos

La somme qu'on dépense pour manger n'est pas en rapport avec le resto dans lequel on va, mais le moment auquel on s'y rend. Entre 11h et 14h, la plupart des établissements, même les restos chic, proposent des formules vraiment bon marché *(dagens rätt).* Pour bien faire, on vous conseille de vous empiffrer au petit déj, d'attendre 14h pour profiter tardivement du plat du jour et de fréquenter les restos ethniques le soir.
– ***Bon marché :*** entre 60 et 80 Sk (6,30 et 8,40 €). Il s'agit le plus souvent des *dagens rätt,* qu'on peut traduire par menu du jour, proposés le midi dans les restos petits ou grands.
– ***Prix moyens :*** de 80 à 150 Sk (8,40 à 15,70 €). Ce sont la plupart du temps des restos étrangers qui proposent des formules peu onéreuses, même le soir.
– ***Plus chic :*** à partir de 200 Sk (21 €) le plat et à partir de 300 Sk (31,50 €) le repas.

Sites et musées

Quelques musées sont encore gratuits après quelques années d'essai d'une gratuité totale. Quand ils sont payants, compter entre 40 et 90 Sk (4,20 et 9,50 €) pour un adulte. Bien vérifier, certains sont gratuits jusqu'à 16 ou 18 ans et d'autres le sont un jour de la semaine ou à partir d'une certaine heure.

Pourboire

Au restaurant, il est inclus directement dans la note, bien qu'il soit de bon ton d'arrondir la somme. On donne 10 % aux chauffeurs de taxi et 10 Sk (1 €) par vêtement au préposé aux vestiaires.
Dans les discothèques et restaurants un peu plus chic, les vestiaires sont systématiquement payants et obligatoires (généralement 10 à 15 Sk, soit 1 à 1,50 €).

CLIMAT

La Suède, malgré sa latitude, jouit dans son ensemble d'un climat tempéré, grâce au Gulf Stream. Assez étonnamment, l'été n'est pas si différent que l'on soit au nord ou au sud, mais il est beaucoup plus court et arrive brutalement là-haut alors qu'il s'installe pépère en bas. De toute façon, même s'il n'est pas rare que les journées d'été soient magnifiques, agréablement chaudes et propices à la baignade... le contraire est aussi assez fréquent ! Les cieux suédois étant à peu près aussi lunatiques que leurs homologues bretons, prenez avec vous un bon coupe-vent, bien étanche, tout comme les chaussures (car, en plus, les terrains sont assez souvent spongieux), quelques vêtements chauds et votre maillot de bain. Si vous partez avec un petit bout : munissez-vous d'une protection efficace contre la pluie (notamment pour les poussettes).
Quant à l'hiver... eh bien... on se couvre ! Plus on monte vers le nord, plus les températures chutent sévèrement, surtout à l'intérieur des terres. Dans le Sud, la neige et la pluie se partagent le boulot. Plus vous descendrez, plus vous retrouverez un climat semblable à celui du Danemark.

Soleil de minuit

L'été, le soleil est visible 24h/24 au nord du cercle polaire. De mi-mai au 20 juillet pour les villes les plus septentrionales et de début juin à mi-juillet pour celles à proximité du cercle. Quant au Sud, les journées d'été y sont également très longues (18h au 1er juillet à Stockholm).
L'automne arrive tôt dans ce pays, surtout dans le Nord, et les journées se font de plus en plus courtes. Au nord du cercle polaire, en hiver, le soleil ne se lève plus (sur une période plus ou moins longue selon la latitude). Cependant, surtout dans ces régions polaires, les nuits de temps clair et sec, sortez le nez de votre cache-col : les aurores boréales, tels des rubans lumineux qu'une gymnaste invisible agiterait, dansent dans le ciel (voir plus loin).

Où voir le soleil de minuit ?

– À Abisko du 17 juin au 19 juillet.
– À Gällivare du 4 juin au 12 juillet.
– À Kiruna du 31 mai au 11 juillet.
– À Kebnekaise du 26 mai au 17 juillet.
– À Porjus du 8 juin au 3 juillet.
– À Riksgränsen du 27 mai au 15 juillet.
Dans ces mêmes contrées, le soleil ne se lève pas du tout pendant quelques jours en décembre et en janvier.

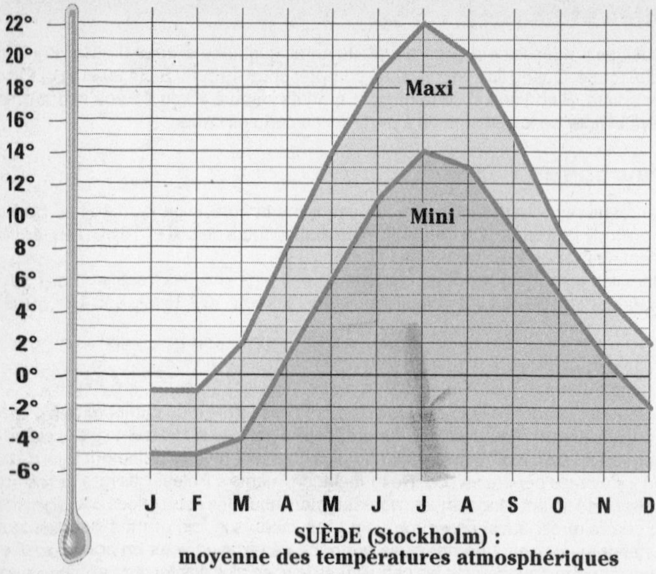

SUÈDE (Stockholm) :
moyenne des températures atmosphériques

SUÈDE (Stockholm) : nombre de jours de pluie

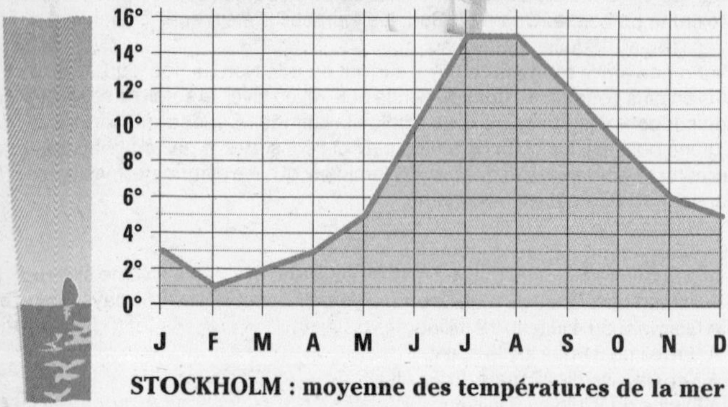

STOCKHOLM : moyenne des températures de la mer

DANGERS ET ENQUIQUINEMENTS

Le seul danger qui menace le visiteur est la rencontre inopinée avec un élan dans le rayon de ses phares. Prudence donc au volant surtout la nuit (qui est longue en hiver).

ÉLECTRICITÉ

Voltage standard à 220 V. Prises de courant aux normes européennes.

ENFANTS

On peut sans hésiter calquer le texte consacré aux enfants en Suède sur celui de la même rubrique au Danemark. On va donc en profiter pour faire un peu d'économies de papier... Ce ne sont pas les forêts suédoises qui vont s'en plaindre.

FÊTES ET JOURS FÉRIÉS

– ***Le 6 juin :*** Fête nationale ; ce jour n'est pas férié.
– ***La veille de la Walpurgis :*** le 29 avril au soir. Sans aucun doute la plus païenne des fêtes suédoises, qui date du temps où les Vikings se réunissaient autour d'un feu de joie pour célébrer le printemps. Leurs descendants se réunissent toujours autour de grands brasiers pour chanter... et boire ! Cette fête prend généralement une ampleur particulière dans les villes étudiantes et à Skansen (à Stockholm).
– ***La Saint-Jean ou Midsommar :*** le jour même est le samedi le plus proche du 24 juin, mais les festivités ont lieu la veille, le vendredi donc. Décoration des maisons et des voitures. La fête est particulièrement marquée dans les campagnes.
– ***La Sainte-Lucie :*** le 13 décembre. Cette fête marquait autrefois la nuit la plus longue de l'année. Aujourd'hui, cette date est l'occasion de se réunir dans les écoles et les entreprises. Une jeune fille est choisie, on l'habille de blanc et, accompagnée d'une suite de demoiselles d'honneur, Lucie distribue du café et des petits pains pendant que l'assemblée entonne des refrains traditionnels. Si vous êtes à Stockholm à cette date, consultez le *What's on* pour connaître les heures des messes. Belle atmosphère.
– ***Noël :*** la période de Noël commence traditionnellement dès le premier dimanche de l'Avent (même si elle tend à devenir de plus en plus précoce, comme dans beaucoup d'autres pays). Les fenêtres des maisons s'illuminent, décorées d'une étoile lumineuse et d'un chandelier dont on allume une nouvelle branche chaque dimanche. Tout le mois de décembre est prétexte à festivités : les entreprises organisent un repas de Noël pour leurs employés, on fête la Sainte-Lucie, les bières de Noël apparaissent un peu partout (elles sont un peu plus sombres que les bières traditionnelles), on confectionne des *pepparkakor* (des sablés très fins aux épices et au gingembre) que l'on engloutit autour d'un bon verre de *glögg*. Le *glögg* est une sorte de vin chaud épicé dans

LA NUIT LA PLUS COURTE

Dans chaque village, on dresse, à la Saint-Jean, un mât décoré de verdure et de fleurs autour duquel danses et jeux sont organisés. On partage ensuite un repas au menu traditionnellement composé de différentes sortes de harengs, accompagnés de patates à l'aneth et d'un genre de fromage blanc à la ciboulette. Pour le dessert, fraises et glaces. Le tout est, naturellement, bien arrosé. Et après, on danse toute la nuit (celle-ci étant très claire, voire absente dans certaines parties du pays). De quoi perdre la boule !

lequel on ajoute des raisins secs et des amandes (les épiceries des magasins Ikea vendent normalement ces produits dès novembre, pour ceux qui voudraient tester...).
La remise des cadeaux et le festin ont lieu dès le 24 décembre. Après le repas apparaît le *tomte,* ou Père Noël, supposé vivre sous les maisons et les étables pour veiller sur le bétail et les hommes. Le 25 au matin, les Suédois se rendent par tradition à l'église.

Jours fériés

– Le 1er janvier.
– Le 6 janvier : l'Épiphanie.
– Le 1er mai : le vendredi saint et le lundi de Pâques.
– Les vendredi et samedi les plus proches des 23-24 juin (Saint-Jean) : l'Ascension.
– Le lundi de Pentecôte.
– Le 1er novembre : la Toussaint.
– Les 25 et 26 décembre.

HÉBERGEMENT

Campings

Il est en Suède une coutume ancestrale qui nous va droit au cœur, à nous, toujours individualistes par inclination, c'est l'*allemansrätt,* qui signifie littéralement le « droit de chacun ». Dans la pratique, cette tradition permet de planter sa tente un peu partout, de faire de la voile ou de se baigner, de ramasser des baies ou des champignons, de puiser de l'eau dans n'importe quel puits, source ou lac, et de faire un feu de camp la nuit. Cette charte unique en son genre vous donne le droit et la faculté de jouir de la vie en plein air. Cela dit, les règles de courtoisie élémentaires sont toujours de mise. Vous ne pouvez rester plus de trois jours au même endroit. Il est aussi toujours bon de demander au propriétaire d'un champ, s'il se trouve à proximité, la permission de camper... Et puis les pancartes « Camping interdit » commencent à fleurir, surtout sur la côte ouest, tandis que les pancartes « Nature camping » signalent qu'il vous faudra payer un droit au propriétaire du champ. Il faut aussi préciser que l'*allemansrätt* ne s'applique pas aux terrains des *båtklub* (clubs de voile) généralement très suspicieux à l'égard de toute personne qui s'approcherait un peu trop de leur terrain.
À côté de ça, le pays compte plus de 600 terrains de camping, plus ou moins bien équipés mais toujours très bien tenus, principalement situés dans le Sud et sur les côtes. La liste complète se trouve dans le ***Guide du camping suédois,*** disponible gratuitement via l'office du tourisme à Paris, ou sur place dans les offices du tourisme locaux, ou encore sur le site • camping.se • Attention : la carte de camping internationale n'est pas acceptée. Il faut acheter la ***Camping Card Scandinavia*** : 125 Sk (13 €) ou la carte *SCR* (en vente dans tous les campings) : 100 Sk (10 €) ou sur Internet : • camping.se • En outre, elle offre des réductions et des facilités intéressantes et peut être utilisée dans les autres pays scandinaves.
Dans presque tous les campings, on peut aussi louer de petits chalets en bois *(stugor)* de deux à six lits, équipés pour la cuisine. Moins chers que les hôtels (et nettement), mais confort plus sommaire et nécessité d'apporter ses draps ou son sac à viande. Attention, ces petits bungalows sont très fréquentés en été. On trouve aussi de nombreux *stugor* privés, dans la campagne. Plus tranquille. Regardez bien les panneaux qui traînent aux abords des petites routes : ils vous mèneront peut-être dans un endroit bucolique, où les habitants vous accueilleront avec joie (enfin... une joie dissimulée, toute suédoise). Si vous êtes en voiture, c'est une solution idéale.

Dans tous les campings, vous trouverez, outre des sanitaires, une cuisine, une machine à laver, la plupart du temps une épicerie et... un minigolf (c'est fou comme ce sport marche bien en Suède). Beaucoup disposent aussi d'un bar-restaurant, tandis que d'autres louent des vélos et des canoës (voire des bateaux), possèdent une piscine, un terrain de tennis, une borne Internet, etc. Tous sont accessibles aux personnes handicapées. Les campings français pourraient en prendre de la graine. Enfin, des prix spéciaux sont parfois accordés aux cyclistes. N'hésitez pas à demander.

En haute saison (de mi-juin à mi-août), le forfait tout compris tourne entre 100 et 160 Sk (10 et 16 €) pour une tente, ce qui est raisonnable, vu qu'il peut être valable pour 4 ou 5 personnes. Pour un *stugor* (chalet), selon l'endroit et son équipement (avec ou sans douche ou cuisine), il faudra compter entre 300 et 800 Sk (31,50 et 84 €) pour 4 personnes. Ne pas hésiter à réserver par téléphone.

– ***Recharges de gaz :*** pour nos lecteurs en camping-car, c'est dans les magasins *Intersport* que l'on peut acheter des recharges *Butagaz.*

Auberges de jeunesse

La Suède compte plus de 450 établissements qui s'apparentent à nos AJ. On les appelle *vandrarhem* (retenez bien ce nom) : 300 d'entre eux sont gérés par la *STF (Svenska Turist Föreningen),* et constituent en quelque sorte les auberges « officielles », où une carte de membre (*Hostelling International,* par exemple) est exigée si l'on veut bénéficier des tarifs les plus bas. Si vous ne l'avez pas, rassurez-vous, vous pourrez loger quand même mais devrez vous acquitter d'un supplément de 45 Sk (4,50 €) par nuit.

On peut se procurer cette carte en France (ou en Belgique ou en Suisse) mais aussi sur place, dans n'importe quelle STF Vandrarhem, où elle revient à 175 Sk (18 €).

Par ailleurs, le pays compte aussi quelque 150 auberges privées, souvent un peu plus chères que les établissements STF, mais pour lesquelles aucune affiliation n'est requise, ce qui peut donc revenir au même pour le portefeuille de celui qui n'utilisera que quelques fois ce type d'hébergement au cours de son voyage...

La grande différence entre nos AJ traditionnelles et les *vandrarhem,* c'est que ceux-ci ne sont pas « de jeunesse » justement (ce qui ne nous empêchera pas de continuer à utiliser l'abréviation « AJ » !).

En clair, c'est un mode d'hébergement beaucoup plus répandu que chez nous, qui s'adresse vraiment à tout le monde, et pas qu'en théorie : on y croise autant de papis que de jeunes boutonneux, pas mal de familles et même parfois des businessmen ! Généralement, ce sont de sympathiques édifices en bois, bien équipés mais à la déco assez aseptisée. Dire que la propreté y est toute suédoise est évidemment un pléonasme. Chambres en général de deux à six lits. Quasiment pas de dortoirs. Elles disposent toujours d'au moins un salon, une cuisine équipée, une salle à manger et bien sûr des sanitaires, généralement en dehors de la chambre. Certaines sont équipées de machines à laver. Nécessité d'avoir des draps, faute de quoi vous devrez en louer (compter pour la location environ 40 Sk, soit 4,40 €).

Autre particularité : le petit déj, toujours en supplément (autour de 50 Sk, soit 5,30 €) mais toujours copieux, car il s'agit d'un buffet. Par ailleurs, vous devrez nettoyer la chambre avant de la quitter, puisque le ménage est aussi facturé en plus. Vous l'avez compris, si vous manquez d'organisation (en oubliant les draps, en ne prévoyant pas de temps pour nettoyer avant de partir), cet hébergement peut quand même vous revenir assez cher. Toutes les AJ affiliées au réseau international sont non-fumeurs. Certaines auberges sont ouvertes toute l'année, mais la plupart ne le sont que de mai à septembre.

Enfin, très important : la grande majorité des AJ ont des heures de réception assez restreintes : en général, de 8h à 10h et de 17h à 19h (souvent plus tard en pleine saison). Si vous arrivez avant ou après, il n'y aura personne. Pensez aussi à réserver ! D'une part, ça permet d'assurer votre place et, d'autre part, si vous devez arriver après 22h par exemple, on s'arrangera pour vous laisser les clés quelque part.

Compter de 140 à 200 Sk (15 à 21 €) par nuit, pour les membres. Ces prix varient selon la saison, le nombre de lits dans la chambre (une chambre de deux lits revient souvent plus cher) et, bien sûr, le niveau de confort de l'établissement.
– Vous trouverez gratuitement le catalogue de toutes les auberges *STF*, avec toutes les infos pratiques qui peuvent vous intéresser (notamment, très utile, un petit plan d'accès pour chaque établissement) dans la plupart des offices du tourisme du pays, ou encore dans certaines auberges. Il en existe aussi un pour les AJ privées (le *SVIF*), mais il est plus sommaire.
Enfin, sachez encore que vous pouvez réserver sur le site • hostelbooking.com •

Logement chez l'habitant

Beaucoup d'offices du tourisme (en particulier dans les villes) gèrent une liste de chambres privées chez l'habitant. Les prix sont un peu plus élevés que dans une AJ (et encore, pas toujours) mais bien moins chers que dans les hôtels. Un moyen privilégié d'aller à la rencontre du mode de vie suédois, pour un prix raisonnable. Il existe aussi une formule « vacances à la ferme », pour ceux qui voudraient redécouvrir les vertus de la campagne.
Compter entre 400 et 800 Sk (42 et 84 €) pour 2 personnes.

Location de chalets et villages de chalets

Partout en Suède, il existe des chalets à louer, même dans les endroits reculés. On les loue généralement à la semaine. Prévus pour deux à six personnes, ils possèdent la plupart du temps un équipement de bon niveau. Se renseigner sur les sites suivants : • sverigeturism.se/stugor • stugor.se •

Les hôtels

Chers en général, car toujours d'un bon niveau de confort. Les hôtels sont très standardisés et surtout destinés aux hommes (et femmes !) d'affaires, qui ne les fréquentent que pendant la semaine et en dehors de la saison estivale. Cela a un effet positif pour les touristes. Les hommes d'affaires ne fréquentant pas ces établissements ni le week-end ni l'été, c'est paradoxalement à ces périodes-là que les tarifs sont les moins élevés : entre 40 et 50 % moins chers que le reste du temps.
Compter alors entre 800 et 1 200 Sk (84 et 126 €), petit déj compris.
Voir le site de Hotellguiden : • stayinsweden.com • En anglais.

HORAIRES

La plupart des magasins ouvrent entre 9h30 et 18h et ferment le plus souvent le samedi entre 14h et 16h. Par contre, les supermarchés sont généralement ouverts tous les jours de 9h à 21h, voire 22h pour certains grands magasins. Il n'est pas rare non plus, dans les grandes villes, que ces grands magasins (genre NK et Åhléns) soient ouverts le dimanche entre 12h et 16h. Les musées ont souvent leur jour de fermeture le lundi. Quant aux banques, voir « Argent, banques, change », plus haut.
L'heure de Stockholm est la même que celle de Paris et l'heure d'été y a cours comme chez nous.

LANGUE

Prononciation : quelques éléments

ö se prononce « eu »	*Malmö* (Malmeu)
ä se prononce « è »	*Tändstift* (Tèndstift)
å se prononce « o »	*Två* (Tvo)
k se prononce « ch »	devant *e, i, y, ä, ö*

g se prononce « yeu »	devant *e, i, y, ä, ö*
y se prononce « u »	
o se prononce « o » ou « ou »	

Mots usuels et politesse

oui	*ja*
non	*nej*
excusez-moi	*ursäkta mig (uchekta mey)*
pardon	*förlåt*
s'il vous plaît	*var så god*
merci	*tack*
bonjour	*god morgon* (avant midi), *god dag* ou *hej* (plus courant)
bonsoir	*god afton*
au revoir	*hej då*
aujourd'hui	*i dag*
hier	*i går*
demain	*i morgon*
après-demain	*i övermorgon*

Expressions courantes

d'où venez-vous ?	*var kommer du från ?*
je suis français(e), belge, suisse	*jag är fransman (M)/ fransyska (F), belgare (M)/ belgiska (F), schweizare*
parlez-vous le français ?	*pratar du franska ?*
je ne comprends pas	*jag förstår inte*
je ne sais pas	*jag vet inte*
comment t'appelles-tu ?	*vad heter du ?*
comment dit-on ?	*hur säger man ?*
où ?	*var ?*
combien ?	*hur mycket ?/ hur många ?*
quand ?	*när ?*
à droite	*till höger*
à gauche	*till vänster*
attention !	*se upp !*
connaissez-vous ?	*känner ni till ?*
quelle heure est-il ?	*vad är klockan ?*
avec / sans	*med / utan*
plus / moins	*mer / mindre*

Vie pratique

ville	*stad*
rue	*gata*
pont	*bro*
maison	*hus*
tramway	*spårvagn*
poste	*postkontor*
lettre, enveloppe	*brev, kuvert*
timbre	*frimärke*
lac	*sjö*
hôtel de ville	*rådhus*
ouvert/fermé	*öppet/ stängt*
centre	*centrum*
office de tourisme	*turistbyrå*
un plan	*karta*
banque	*bank*
bureau de change	*växel kontor*
police	*polis*

téléphoner	*ringa*
entrée/sortie	*ingång/ utgång*
les toilettes	*toa(lett)*
hôpital	*sjukhus*
pharmacie	*apotek*
médecin	*läkare*

Transports

train	*tåg*
train rapide	*snälltåg*
gare des bus	*busstation*
billet, ticket	*biljett*
à quelle heure y a-t-il un bus pour... ?	*när åker bussen till... ?*
gare	*järnvägstation*
aller-retour	*tur och retur*
bagages	*väskor* (ou *resgods* sur les panneaux dans les aéroports)
arrivée	*ankomst*
départ	*avgång*
douane	*tull*
vol (d'avion)	*flyg*
quai	*perrong*
ferry	*färja*
navire	*fartyg*
aéroport	*flygplats*
voiture	*bil*
aller en voiture	*bila, åka bil*
faire du stop	*lifta*
frein	*bromspedal*
accélérateur	*gaspedal*
bougie	*tändstift*
accident	*bilolycka*
crevaison	*punktering*
huile	*olja*
garage	*bilverkstad*
pneu	*bildäck*
être en panne	*få stopp, stanna*
cassé	*sönder*
moteur	*motor*
est-ce la route de... ?	*är detta vägen till... ?*
station-service	*bensinstation*

Argent

change	*växel kontor*
argent	*pengar / kontanter*
billet, monnaie	*sedel, (små)mynt/ växel*
payer	*betala*
prix	*pris*
cher / bon marché	*dyr /billig*
une réduction	*prisnedsänkning*
prenez-vous la carte Visa ?	*får jag betala med Visa ?*
addition	*nota*

À l'hôtel

hôtel	*hotell*
camping	*camping(plats)*
tente	*tält*
chalet	*stuga*

AJ	*vandrarhem*
chambre avec	*rum med*
sur la rue	*mot gatan*
sur la cour	*mot gårdsplan*
lit	*säng*
sac de couchage	*sovsäck*
petit déjeuner	*frukost*
bain	*bad*

Au restaurant

restaurant	*restaurang*
manger	*äta*
petit déjeuner	*frukost*
déjeuner	*lunch*
dîner	*middag*
entrée, plat principal, dessert	*förrätt, huvudrätt, efterrätt*
pourboire	*drickspengar*
boire	*dricka*
plat du jour	*dagens rätt*
eau	*vatten*
eau gazeuse	*mineral vatten*
café	*kaffe*
thé	*te*
lait	*mjölk*
bière légère	*lättöl*
eau-de-vie	*brännvin*
viande hachée	*köttfärs*
lard fumé	*bacon*
jambon	*skinka*
fromage blanc	*keso*
beurre	*smör*
pain blanc	*franskbröd*
pâté de foie	*leverpastej*
agneau	*lamm(kött)*
poulet	*kyckling*
porc	*fläsk*
cabillaud	*torsk*
crevettes	*räckor*
hareng	*sill*
hareng fumé	*rökt strömming*
saumon	*lax*
saumon fumé	*rökt lax*
fromage	*ost*
œuf(s)	*ägg*
pommes de terre	*potatis*
pommes de terre fourrées et cuites dans l'aluminium	*bakpotatis*
fraises	*jordgubbar*

Jours de la semaine

lundi	*måndag*
mardi	*tisdag*
mercredi	*onsdag*
jeudi	*torsdag*
vendredi	*fredag*
samedi	*lördag*
dimanche	*söndag*
jours ouvrables (du lundi au vendredi)	*vardagar*
jours fériés	*helgdagar*

Nombres

1	*ett*	16	*sexton*
2	*två*	17	*sjutton*
3	*tre*	18	*arton*
4	*fyra*	19	*nitton*
5	*fem*	20	*tjugo*
6	*sex*	30	*trettio*
7	*sju*	40	*fyrtio*
8	*åtta (otta)*	50	*femtio*
9	*nio*	60	*sextio*
10	*tio*	70	*sjuttio*
11	*elva*	80	*åttio*
12	*tolv*	90	*nittio*
13	*tretton*	100	*hundra*
14	*fjorton*	200	*två hundra*
15	*femton*	1000	*tusen*

LIVRES DE ROUTE

– ***L'Oratorio de Noël*** (1986), de Göran Tunström ; éd. Actes Sud, coll. « Babel », n° 56. À la mort de l'auteur en 2000, la Suède a su qu'elle perdait un de ses plus grands conteurs. Dans *L'Oratorio de Noël,* il vous promène, vous et ses personnages, de sa province natale en Suède, le Värmland, à la Nouvelle-Zélande. Une écriture pleine de poésie, juste et si profondément humaine.
– ***Ennuis de noces*** (1949), de Stig Dagerman ; coll. 10/18, n° 2123, 1993 (épuisé, à consulter en bibliothèque). Banale histoire que celle de Hildur qui, enceinte d'un autre homme, épouse Westlund, le boucher du village. En 24h, nous assistons aux intrigues, aux tensions et aux préparatifs de la noce qui se change peu à peu en une bacchanale où plane l'ombre de la mort.
– ***La Saga des émigrants*** (1949-1959), de Vilhelm Moberg (1898-1973) ; éd. Gaïa ; ou Le Livre de Poche, 2003-2004. Très belle épopée humaine (en neuf tomes !) relatant l'émigration massive suédoise aux États-Unis à la fin du XIXe s. Chaque tome dépeint les différents stades de cette émigration : *Au pays* (le tome 1) introduit les personnages, originaires d'un village du Småland, qui, poussés par la famine et la pauvreté, quitteront leur patrie pour le Nouveau Monde. Roman considéré en Suède comme l'une des œuvres majeures du XXe s.
– Les enquêtes du ***Commissaire Kurt Wallander,*** de Henning Mankell ; éd. Seuil, coll. « Points Policiers ». Les investigations de ce commissaire en poste dans la petite ville d'Ystad sont imaginées par le gendre d'Ingmar Bergman. Succès mondial, traduit en 27 langues, pour cette radioscopie au scalpel de la Suède contemporaine.
Dans le domaine du polar, on peut également citer les enquêtes d'Erik Winter, jeune commissaire brillant et belle gueule dans la ville de Göteborg, de l'écrivain Åke Edwardson (*Danse avec l'ange,* coll. 10/18, 2004) ou celles d'Annika Bengtzon, jeune journaliste de Stockholm, ambitieuse, curieuse et culottée, de Liza Marklund (*Studio Sex,* Livre de Poche n° 17219, 2002).
– ***Le Médecin personnel du roi*** (2001), de Per Olov Enquist (l'auteur est suédois, mais l'intrigue est danoise !) ; Actes Sud, coll. Babel, 2002. Auteur majeur en Suède, nombreux sont ses livres traduits en français.
– ***Hanna et ses filles,*** de Marianne Fredriksson ; J'ai lu, 2001. C'est l'histoire de trois femmes, trois générations : Hanna, née en 1871, sa fille née en 1902 et sa petite-fille, enfant des années 1930. Au gré de leurs vies, leurs joies, leurs souffrances, on les suit aussi à travers l'histoire de leurs générations respectives. Une façon humaine et touchante d'en savoir un peu plus sur la place des femmes dans ce pays.

Et pour les juniors

La place particulière accordée à l'enfant dans ce pays se retrouve dans une littérature de jeunesse riche et qui traite le jeune citoyen en individu responsable et doué de raison. Dans la lignée d'Astrid Lindgren, de nombreux auteurs se sont employés à révolutionner un genre, longtemps moralisateur et lisse, osant les albums ou histoires impertinents et n'hésitant pas, assez tôt comparé à leurs homologues internationaux, à traiter des problèmes de société et tabous (le divorce, la mort, la vieillesse, la drogue, la maltraitance, la sexualité, etc.).
Donc, pour pimenter le voyage de junior, et le vôtre, car certains de ces livres vous feront autant rire que lui, n'hésitez pas à embarquer dans votre périple des albums illustrés ou des livres jeunesse. Parmi quelques classiques, citons :
– ***Le Merveilleux Voyage de Nils Holgersson à travers la Suède*** (1906), de Selma Lagerlöf (1858-1940) ; Livre de Poche, 2007. Une institution suédoise à lui seul, ce livre fut une commande de l'État suédois à l'auteur pour qu'elle écrive un manuel de géographie à l'intention des petits écoliers. Ainsi, grâce aux aventures de Nils, un garnement de 14 ans transformé en lutin par un lutin *(tomte)* dont il s'est moqué, on découvre le pays. Ce conte est aussi une méditation sur la place de l'homme dans la nature. Prenez garde, en France ce livre est souvent vendu en version abrégée, vérifiez donc qu'il porte bien la mention « texte intégral ».
– ***Fifi Brindacier*** (1945), d'Astrid Lindgren (1907-2002) ; Livre de Poche Jeunesse, 2007. Les aventures de cette fillette de 9 ans, aux tresses rousses, plus forte qu'un cheval et vivant sans papa ni maman dans la villa *Drôlederepos* avec le singe M. Nilsson et son cheval, firent souffler un petit vent libérateur sur un genre littéraire volontiers moralisateur. Le milieu s'horrifia de ces mauvaises idées que l'auteur donnait en modèle à des jeunes âmes en formation (la première traduction de *Fifi Brindacier* en français fut même en partie censurée par la traductrice !). Des histoires qui, soixante ans plus tard, n'ont pas pris une ride ! En 2007, Astrid Lindgren sera fêtée pour les 100 ans de sa naissance.
– ***Juju le bébé terrible*** (1985), de Barbro Lindgren, illustrations d'Eva Eriksson ; éd. Messidor, La Farandole (épuisé, à consulter en bibliothèque). Tout droit dans la lignée de Fifi Brindacier pour son insolence et sa vivacité, Juju le bébé terrible en fait voir de toutes les couleurs à sa maman (seule, le plus souvent mal fagotée et avec une coiffure en vrac, elle casse un peu l'image de la maman modèle !). En comparaison, le Petit Nicolas et Calvin (dans *Calvin et Hobbes*) passeraient presque pour des enfants de chœur...
– ***Pettson n'a pas la pêche*** (1987), de Sven Nordqvist ; éd. Autrement Jeunesse, 2007. Les histoires de Pettson et son chat Picpus valent surtout pour leur ton tendre et rigolo, leur cadre très suédois (le lac, la cabane) et de très belles illustrations où foisonnent les détails délirants.
– ***Lola et Léon*** (1996), d'Anna Höglund ; Seuil jeunesse. Ces petits albums portent plutôt à la réflexion. La série sur les oursons *Lola et Léon,* aux dessins très sobres, fera même sourire (un peu jaune parfois) les adultes, tellement ces histoires de couple sonnent juste...
– ***Tu sais siffler, Johanna*** (1992), d'Anna Höglund et Ulf Stark ; les albums Duculot, Casterman, 1997. Berra veut un grand-père, comme son copain Ulf. Un grand-père à aimer, qui l'emmènerait à la pêche, lui donnerait de l'argent de poche et mangerait des pieds de cochon. Coup de chance : Ulf sait où en trouver un... Album magnifique sur la vieillesse et la complicité entre un enfant et un vieillard.

Bande dessinée

– ***Lady S. Tome 3 ; 59° Latitude Nord :*** d'Aymond-Van Hamme ; Repérages Dupuis. Une passionnante aventure d'espionnage en plein hiver à Stockholm à l'époque de la remise des prix Nobel. La belle Suzan déjoue les projets de vilains terroristes qui veulent prendre les lauréats en otage.

MUSÉES

Malgré l'emploi fréquent de l'anglais dans la vie courante, excepté à Stockholm ou dans les lieux vraiment importants, nombreux sont les musées aux textes non ou peu traduits, que ce soit en anglais ou en allemand. Avouons que c'est un peu frustrant. Les horaires un peu courts (souvent 11h-17h) sont encore plus réduits hors saison touristique. Leur jour de fermeture est souvent le lundi. Après avoir testé la gratuité pendant quelques années, ils sont redevenus payants (à quelques exceptions près).
Pour bénéficier des réductions, les étudiants doivent posséder la carte ISIC (voir, au début du guide, la rubrique « Avant le départ » dans « Danemark utile »).

POSTE

Les bureaux de poste sont en train de disparaître en Suède, comme ils le seront un de ces quatre matins chez nous. Il en existe encore, et nous vous les indiquons (sous réserve naturellement), mais ils ont déjà disparu dans un certain nombre de villes, où le service postal est désormais assuré par un ou plusieurs supermarchés, voire un bar-tabac. L'avantage, c'est que les horaires d'ouverture sont plus étendus. Ceux qui subsistent ouvrent de 9h à 18h et le samedi de 10h à 13h. Quoi qu'il en soit, beaucoup d'offices du tourisme vendent des timbres, et on trouve des boîtes postales jaunes un peu partout. Aucune difficulté, donc, pour envoyer la traditionnelle petite carte. Affranchissement pour l'Europe à 11 Sk (1 €).

SAISON TOURISTIQUE

Tout dépend de ce que vous recherchez, mais sachez que c'est entre le 15 juin et le 15 août que vous aurez le plus de chances de tout trouver ouvert (campings, AJ, sites touristiques, cafés, etc.). Et puis, si vous voulez contempler le soleil de minuit, ne perdez pas de vue qu'au-delà de mi-juillet, il est déjà trop tard. C'est aussi à cette époque que vous avez le plus de chances d'avoir du beau temps. Néanmoins, certaines grandes villes telles que Stockholm, Göteborg et surtout les villes étudiantes (Lund et Uppsala) perdent un « petit quelque chose » de leur ambiance à ces époques estivales : les étudiants qui leur donnent toute leur vitalité partent en vacances, tout comme les locaux, vous laissant ainsi seul avec les autres touristes. Autre détail, la plupart des Suédois prennent leurs congés en juillet... autant vous dire que les campings sont un peu peuplés, dans le Sud notamment.

SANTÉ

Carte européenne d'assurance maladie

Pour un séjour temporaire en Suède, pensez à vous procurer la carte européenne d'assurance maladie. Il vous suffit d'appeler votre centre de Sécurité sociale (ou de vous connecter au site internet de votre centre, encore plus rapide !) qui vous l'enverra sous une quinzaine de jours. Cette carte fonctionne dans tous les pays membres de l'Union européenne (y compris les 12 petits derniers), ainsi qu'en Islande, au Lichtenstein, en Norvège et en Suisse. C'est une carte plastifiée bleue du même format que la carte vitale. Elle est valable un an, gratuite et personnelle (chaque membre de la famille doit avoir la sienne, y compris les enfants). Attention, la carte n'est pas valable pour les soins délivrés dans les établissements privés.

Les moustiques

Non, nous ne confondons pas Suède avec Casamance. C'est vrai, le moustique est une espèce des pays chauds et humides... Or, il peut faire jusqu'à 32 °C sur les lacs et dans les forêts suédoises (sans compter les marais). On ne veut pas faire retomber votre enthousiasme et vous dégoûter du pays, on veut seulement que vous partiez prévenu et équipé, vos vacances n'en seront que plus réussies. Alors, on y va !

– Les moustiques sévissent surtout du 20 juin à fin juillet, alors que le mois d'août peut être plus tranquille. En fait, ce sont différentes vagues de différentes espèces dont les éclosions se succèdent dans le temps. Mais ils n'ont que quelques semaines de vie, et donc leur activité frénétique redouble d'intensité pour perpétuer l'espèce. Et vous faites partie (avec les autres espèces à sang chaud) de leur plan survie. Ça vous tranquillisera peut-être de savoir que, sur quarante espèces présentes dans ces pays, une dizaine seulement s'intéresse aux humains...
– Plus vous montez vers le nord, plus ils sont nombreux et voraces.
– Préférez les crèmes locales, beaucoup plus efficaces, aux « moustimachins » vendus en France. En plus, si vous êtes chanceux et que les moustiques se tiennent au calme durant votre visite, vous aurez évité une dépense. Pour la nuit, l'idéal : la moustiquaire imprégnée d'insecticide.
– Les gadgets électroniques censés émettre la fréquence qui éloigne tous les moustiques de la création sont des attrape-gogos.
– En randonnée, portez un chapeau ou un foulard sur la tête. Fermez le bas de vos pantalons avec des pinces à vélo ou de simples élastiques, ou enfoncez-les dans vos chaussettes. Si vous êtes en short, ne soyez pas avare de produit. Avec votre spray, aspergez aussi T-shirt et pantalon.
– Soignez votre toilette. L'odeur de la sueur attire les moustiques en grand nombre. Dans un groupe, ils s'abattront en escadrilles sur le randonneur le plus stressé ou le plus négligé !
– En canoë ou en bateau, éloignez-vous de la berge : les moustiques ne vous suivront pas.
– Le soir, faites une flambée, le feu les éloigne. C'est autorisé dans certains campings, sur des emplacements ad hoc. Faute de feu, faites brûler du pyrèthre en spirale ou en barrette (en vente chez votre marchand de matériel de camping).
– Si vous le pouvez, installez-vous dans un endroit aéré (avant d'y planter la tente, consultez la météo !).
– En vous couchant, rendez hermétique votre tente ou votre camping-car, puis partez en chasse en fouillant de fond en comble : un seul moustique suffit à vous faire passer une mauvaise nuit.
– Si vous dormez sous la tente, le matin au réveil, tendez l'oreille. Ils sont des milliers à vous guetter. Une seule parade : votre crème ou votre spray. Après trois ou quatre jours un peu désagréables, vous n'y penserez plus et la lutte anti-moustiques fera partie de vos gestes quotidiens. De temps en temps, ils vous auront, mais la faible quantité de microbes et de bactéries à cette latitude fait que, sauf réaction allergique, les piqûres ne sont pas très douloureuses et toute trace disparaît vite.
– Enfin, pour ceux qui ont tout essayé, voici un antidémangeaisons inédit : coupez un oignon en deux et frottez les endroits exposés aux piqûres. C'est une recette des gardes forestiers norvégiens. Évidemment, eux, ils s'en moquent, ils ne vont pas en boîte le soir...

Les moucherons mordeurs

Comme dans beaucoup de pays du nord de l'Europe (Écosse, Norvège, Finlande) ou du Canada, vous risquez de temps à autre de tomber sur une bestiole éprouvante que les scientifiques rattachent à la famille des *Ceratopogonidae* et que les anglophones appellent *biting midge* ou *no-see-um,* déformation de « *no see them* ». En effet, ils sont gros comme le point à la fin de cette phrase.
C'est pour vous mordre sauvagement que ces horreurs ailées s'abattent sur vous par milliers ! Heureusement, le phénomène reste très localisé dans le temps comme

dans l'espace, et on peut en tirer parti : allons-y donc pour un cours de sciences nat'. Pour se reproduire, la bestiole élit volontiers domicile dans les mares boueuses. Ce n'est pas ce qui manque en Suède ! Question alimentation, c'est un monomaniaque shooté au sang frais, mais peu sélectif : il attaque reptiles, autres insectes et bien sûr mammifères. Certains rennes agressés par ces créatures du diable peuvent devenir très nerveux et se précipiter sous vos roues sans crier gare. En effet, chaque morsure gratouille un peu, alors imaginez, multipliée par cent ou plus !

En cas d'attaque, sautez sur votre antimoustiques local, qui devrait vous protéger. Mais les produits conçus pour l'Europe de l'Ouest sont notoirement peu efficaces. Ces bestioles sont notamment quasi insensibles au DEET. Par contre, vous pouvez vous munir d'essence de pouliot (*Hedeoma pulegioides,* vendu comme produit homéopathique) : il semble que quelques gouttes sur chaque membre et de-ci, de-là sur le visage aient un effet répulsif efficace.

Tous ces produits vous éviteront d'être mordu, mais pas d'avaler ou d'inhaler une partie du nuage qui vous entoure ! Courage, fuyez donc, en mettant à profit certaines spécificités de vos agresseurs : d'une part, ils ne s'éloignent guère de plus de 500 m de leur lieu de naissance et d'autre part, la plupart des espèces ne sortent que dans des conditions d'éclairement très spécifiques, correspondant à la tombée de la nuit ou à un ciel plombé. Voyez donc si vous pouvez changer d'emplacement : il est possible que vous soyez tombé sur la seule colonie de la zone ; dans certains grands terrains de camping, il peut y en avoir à une extrémité et pas à l'autre ! Sinon, si vous êtes attaqué au crépuscule, vous pouvez attendre la tombée de la nuit (conseil idiot si vous lisez ce guide en juin ou juillet au niveau du cercle polaire...).

Si vous avez été mordu, pas de panique, ça gratouille dur, mais une bonne douche vous soulagera, grâce à l'action antiseptique du savon. Chez certaines personnes sensibles, les marques peuvent persister plusieurs jours.

LES MOUCHES NOIRES

Ces bestioles ressemblent à des mouches, mais les entomologistes les rattachent aux moustiques. Au quotidien, on se moque bien des données scientifiques et on cherche surtout à éviter leur morsure ! Elles sévissent surtout par temps très chaud, autour des torrents et des eaux vives. Elles se glissent sous les vêtements, découpent un minuscule morceau de peau et sucent le sang qui s'en échappe... Leur morsure cause de sérieuses démangeaisons. Là aussi, les espèces éclosent les unes après les autres. Les premières peuvent apparaître en mai et, en cas de temps chaud et humide, on y a droit jusque tard dans la saison. Les produits locaux les empêchent de se poser sur vous, mais pas de vous tourner autour...

Tabagie et *snuss*

Cette petite rubrique pour signaler que les Suédois ont été les premiers au monde à atteindre un chiffre de moins de 20 % de la population consommant régulièrement du tabac. Cela mérite d'être souligné. En revanche, bon nombre de messieurs s'adonnent ostensiblement à la pratique du *snuss,* sorte de petite boulette de tabac que l'on place derrière la lèvre supérieure, sur les gencives. Ce n'est pas très seyant, mais c'est terriblement viril ! Si vous voyez un Suédois aux dents noires et à la lèvre rebondie, pas de doute, c'est un *snusseur* !

Depuis le *1er juin 2005,* il est interdit de fumer dans les lieux publics. La loi prévoit que les restos, bars et boîtes peuvent ouvrir une zone fumeurs séparée dans laquelle il est interdit de servir de l'alcool ou de la nourriture. La vente de tabac est interdite aux moins de 18 ans.

SITES INTERNET

• ***routard.com*** • Tout pour préparer votre périple. Des fiches pratiques sur plus de 180 destinations, de nombreuses informations et des services : photos, cartes, météo, dossiers, agenda, itinéraires, billets d'avion, réservation d'hôtels, location de voitures, visas... Et aussi un espace communautaire pour échanger ses bons plans, partager ses photos ou trouver son compagnon de voyage. Sans oublier *routard mag,* ses reportages, ses carnets de route et ses infos pour bien voyager. La boîte à outils indispensable du routard.
• ***visit-sweden.com*** • Pour tout renseignement touristique sur le pays. Il existe une version française, mais si vous lisez l'anglais, préférez cette version-là car elle est plus complète.
• ***sweden.se*** • Plate-forme d'informations générales sur le pays. Quelques pages en français.
• ***amb-suede.fr*** • C'est le site de l'ambassade (en français donc), qui contient des infos de toutes sortes (économie, éducation, culture, géographie...). Didactique et institutionnel.
• ***sfi.se*** • Le site (en anglais) de l'Institut suédois du film.
• ***regeringen.se*** • Le site gouvernemental suédois.

TÉLÉPHONE ET TÉLÉCOMMUNICATIONS

– ***Suède → France :*** 00 + 33 + numéro du correspondant (sans le 0 initial). Pour téléphoner en France en PCV, le numéro est le ☎ 00-18.
– ***France → Suède :*** 00 + 46 + indicatif de la ville (sans le 0) + numéro du correspondant.
– Pour téléphoner d'une région à l'autre de la Suède, il faut composer le 0 devant l'indicatif. Par contre, on ne forme pas l'indicatif pour appeler à l'intérieur d'une région. Que les réfractaires au téléphone portable se rassurent, on trouve encore pas mal de cabines à cartes (de 30, 60 ou 120 unités), même si presque tous les Suédois possèdent désormais un portable. À propos, si vous en avez un avec option internationale, sachez que la couverture du territoire est exceptionnelle, même au fin fond d'une crevasse en Laponie.
– Pour éviter de vous ruiner en communications internationales, vous pouvez acheter dans les kiosques des cartes téléphoniques type *Viking Telecard.* Pour 100 Sk (11 €), elle vous donne droit à 185 mn vers un fixe en Europe. Le plus rentable est d'appeler d'un fixe vers un autre fixe, car les appels de portable à portable réduisent sacrément les temps de communication. Elle fonctionne des téléphones privés (la communication est à votre charge, et non à celle de l'abonné) et des cabines (dans lesquelles il faut souvent commencer par introduire une carte normale pour être connecté). Il y a toute une série de codes et chiffres à taper, mais tout est expliqué au dos de la carte (soit dit en passant, ce type de cartes existe un peu partout en Europe désormais).
– ***Urgences :*** ☎ 112 (appel gratuit, même d'une cabine). Police, pompiers, ambulance.

Internet

Les foyers suédois sont très bien équipés et la population très gourmande d'Internet. Internet supplante peu à peu de nombreux services (les paiements bancaires se font souvent par cette voie, les offices du tourisme virtuels, etc.).
En plus des hôtels, des gares et des aéroports, largement pourvus en terminaux payants, les bibliothèques communales proposent, normalement, au moins 30 mn de connexion gratuite et autorisent le transfert des données, photos vers clé USB

par exemple. Par contre, l'impression est payante. Souvent gratuit dans les offices du tourisme. Il faut parfois réserver ou attendre assez longtemps pour qu'un ordinateur se libère. Les réseaux wi-fi sont également de plus en plus fréquents dans les hôtels et cafés.

TRANSPORTS INTÉRIEURS

Le stop

Vu la rareté des véhicules en dehors des grands axes, vous vous en doutez, le stop est difficile, surtout dans le Nord. Cependant, les routes suédoises, avec leurs voies pour véhicules lents, sont assez pratiques pour les auto-stoppeurs et, quand on vous prend, vous avez des chances de faire un grand bond en avant et de vous faire des amis.

La voiture

Le permis de conduire français est reconnu. Comme dans tous les pays scandinaves, les gens roulent plutôt cool. Si vous venez ici en voiture ou en camping-car, on vous supplie de perdre vos habitudes de doubler à la « ça passe ou ça casse ». Ce n'est pas parce qu'il y a des sapins partout qu'il faut s'aviser de revenir en France dans une boîte de ce matériau... Sachez à ce propos que la Suède est le pays au monde où il y a le moins d'accidents de la route par rapport au nombre de voitures. Les pays nordiques ont prouvé qu'il était possible d'éviter l'absurdité de la mort au volant en prenant des mesures impopulaires, notamment celle de limiter le ***taux d'alcoolémie à 0,2 g/l.*** Celui qui prend le volant ne boit pas (même pas une ou deux bières, pour lui c'est soda et bière sans alcool toute la soirée !). Enfin, question orientation, la signalisation est suffisante en dehors des villes mais laisse souvent à désirer à l'intérieur. Mieux vaut donc en général étudier son chemin avant d'appuyer sur l'accélérateur. De plus, la réglementation sur la signalisation et les panneaux d'affichage étant très stricte, les lieux (type châteaux, campings, hôtels) sont rarement indiqués clairement.
Au moment de faire le plein, il peut s'avérer utile de se procurer (gratuitement) la carte des stations-service, surtout si vous allez dans le Nord, où elles sont rares. Il en existe aussi une qui répertorie toutes les aires de repos (et de bivouac) aménagées. Intéressant pour les camping-caristes.

Location de voitures

■ ***Auto Escape :*** *n° gratuit : ☎ 0800-920-940. ☎ 04-90-09-28-28. • autoescape.com • Vous trouverez également les services d'Auto Escape sur • routard.com • Résa conseillée à l'avance. Réduc supplémentaire de 5 % sur présentation de ce guide sur l'ensemble des destinations.* L'agence *Auto Escape* réserve auprès des loueurs de gros volumes d'affaires, ce qui garantit des tarifs très compétitifs.

■ ***Avis :*** *• avis.se •*

■ ***Europcar :*** *• europcar.se •*

■ ***Hertz :*** *• hertz.se •*

Essence

Vous avez le choix entre deux taux d'octane : 95 et 98 (la 98 correspond à notre super). Il existe deux sortes de 98 : avec ou sans plomb. La 95 est toujours sans plomb *(blyfri)* et légèrement moins chère que la 98. Coût moyen du litre proche de ceux pratiqués en France (1 €). Le gazole, quant à lui, est pratiquement au même prix que le super en France. Peu de postes distribuent du GPL.

Conduite et vitesse

Limitations de vitesse : 50 km/h en ville, 70 ou 90 sur route, 110 sur autoroute. Pour les caravanes : 70 km/h. Surtout, respecter les limitations de vitesse : 50 km/h, c'est 50 km/h (et non pas 60 km/h !). Bonne nouvelle, les autoroutes sont gratuites. Mais ne vous attendez pas toujours à une *highway* fermée où l'on peut rouler comme sur des rails : hormis les tronçons Stockholm-Jönköping et Malmö-Göteborg, elles alternent souvent avec une simple route où surgissent sans crier gare feux tricolores et passages à niveau. Il est obligatoire de rouler en feux de croisement de jour comme de nuit. Si vous avez une voiture de location, vous n'aurez toutefois pas à vous soucier de les allumer, ils le font en principe d'eux-mêmes dès le démarrage.
Sur de nombreuses routes, celles qui sont équipées pour ça, ce n'est pas celui qui double qui doit se déporter, mais celui qui se fait doubler qui doit se pousser sur le bas-côté. Dès que vous manifestez votre intention de dépasser un autre véhicule, celui-ci serre aussitôt à droite sur une voie latérale pour vous laisser passer. Enfin ça, c'est la théorie, car bien des automobilistes et camionneurs oublient cette plaisante coutume, ou ne font tout simplement pas attention. En tout cas, si jamais un Suédois se hasarde à rouler plus vite que vous, n'oubliez pas de vous rabattre à droite vous aussi.
Les radars antivitesse pullulent, il arrive même qu'ils soient installés en batterie à peu de distance d'intervalle sur plusieurs kilomètres, n'ayez donc pas le mauvais réflexe d'accélérer après en avoir passé un sans encombre. Cela dit, ils sont signalés et le panneau indique la distance sur laquelle ils sont disposés.
Par ailleurs, vélos et piétons sont prioritaires. Faites donc très attention et, surtout, arrêtez-vous aux passages cloutés. Il n'est d'ailleurs pas rare que le piéton suédois ne se pose même pas la question : habitué à ce qu'on le laisse passer, il traverse (et pas toujours dans les clous), quelle que soit la circulation. Sachez également que « EJ » signifie « Ne pas... ». Aux passages à niveau, une lampe blanche clignote constamment. La lampe rouge signifie que le train arrive. Si la lampe blanche ne clignote pas, se méfier en traversant : il y a une panne. Système très intelligent. En France, il n'y a aucun repère pour les pannes.
Comme dans tous les pays nordiques, faites gaffe aux rennes. En Laponie, vous en verrez beaucoup sur le bord des routes. Ouvrez l'œil, car tous les ans de graves accidents ont lieu à cause de ces charmantes bestioles.

Le train

Pour les horaires et d'autres informations, consulter le site • sj.se •
Vous pouvez aussi retirer gratuitement dans les gares un livret reprenant, pour la saison en cours, les horaires de tous les trains du pays. Pratique. La tarification des trains suédois étant très compliquée, bien se renseigner aussi aux guichets des gares pour pouvoir profiter des différentes possibilités de réductions. Sachez cependant déjà que les billets réservés au moins sept jours à l'avance *(Förköp)* sont moins chers, que les moins de 26 ans bénéficient de tarifs réduits, que pour les étudiants de plus de 26 ans la carte ISIC permet aussi d'obtenir des tarifs réduits et qu'un adulte peut voyager avec deux enfants de moins de 16 ans en n'achetant qu'un seul billet ! Naturellement, il existe aussi plusieurs forfaits :
– ***Scanrail :*** renseignements en gare. Équivalent scandinave de l'Interrail. Valable au Danemark, en Suède, Norvège et Finlande. Permet la gratuité de certains transports (trains, ferry Helsinggør-Helsingborg...) et des réduc autour de 50 % sur autocars et ferries. Compter 156 € pour 15 j. (moins de 25 ans) ; 234 € pour les autres.
Dans le nord de la Suède, les trains ont parfois un peu de retard. Pour les coins non desservis par les chemins de fer SJ, des bus de la même compagnie assurent souvent le relais.

Distances entre les principales villes suédoises

	Göteborg	Haparanda	Helsingborg	Jönköping	Kalmar	Kiruna	Kristianstad	Luleå	Malmö	Stockholm	Uppsala
Göteborg		1 423	227	152	398	1 657	273	1 290	281	496	449
Haparanda	1 423		1 596	1 350	1 483	371	1 580	138	1 643	1 078	1 006
Helsingborg	227	1 596		244	300	1 835	105	1 468	64	580	627
Jönköping	152	1 350	244		233	1 595	227	1 242	292	336	381
Kalmar	398	1 483	300	233		1 696	196	1 334	284	424	502
Kiruna	1 657	371	1 835	1 595	1 696		1 814	340	1 877	1 312	1 240
Kristianstad	273	1 580	105	227	196	1 814		1 454	88	570	610
Luleå	1 290	138	1 468	1 242	1 334	340	1 454		1 515	989	878
Malmö	281	1 643	64	292	284	1 877	88	1 515		629	680
Stockholm	496	1 078	580	336	424	1 312	570	989	629		72
Uppsala	449	1 006	627	381	502	1 240	610	878	680	72	

L'avion

Le pays lui-même est très bien desservi par les compagnies *SAS* et *Skyways.* Sur les lignes intérieures (quinze aéroports régionaux), les moins de 26 ans peuvent voyager en *stand-by,* c'est-à-dire sans réservation. Sur les grandes destinations et le week-end, ce n'est pas toujours facile, mais autrement, si vous n'êtes pas trop à cheval sur un horaire, c'est vraiment une solution intéressante. Certains allers simples peuvent être très avantageux, notamment par rapport au train.

Se renseigner en appelant le ☎ 0770-727-727 (de Suède) ou ☎ (00-46) 8-797-40-00 (de l'étranger) ou de France : ☎ 0825-325-335 (0,15 €/mn, tlj 8h-20h) ou en cliquant sur les sites • scandinavian.net • skyways.se • Nombreuses promotions ponctuelles.

Malmö Aviation (• malmoaviation.se •) dessert Malmö, Göteborg et Umeå au départ de Stockholm-Bromma.

Par voie d'eau

Le Göta Kanal relie Stockholm à Göteborg à travers de beaux lacs et archipels. Insolite mais pas donné. Compter 3 ou 4 jours.

On peut aussi arriver en Suède en ferry, soit du Danemark (Helsingør-Helsingborg, par exemple), soit de la Pologne (Swinoujscie-Ystad ou Gdansk-Nynäshamn) avec la compagnie *Polferries AB (• polferries.se •).*

Randonnées

Le paradis pour les gros marcheurs, surtout dans le Nord. Toutefois, munissez-vous de cartes IGN, les cartes vendues en Suède s'avérant très décevantes. Et méfiez-vous de l'orientation des cartes suédoises qui, pour indiquer le nord, indiquent le nord magnétique et non le nord géographique, ce qui, sous ces latitudes, peut faire une belle différence. N'oubliez donc pas votre boussole.

SUÈDE : HOMMES, CULTURE ET ENVIRONNEMENT

Presque aussi grande que la France mais presque sept fois moins peuplée, la Suède ne manque pas de place, et le droit individuel a pu s'y développer sans heurts. Ce droit de chacun, le respect de l'autre, l'harmonie entre l'homme et la nature, les grands espaces, cette douceur de vivre qui flirte avec la monotonie, des paysages d'une quiétude absolue, voilà les images auxquelles vous ne pourrez échapper. Pour réveiller tout ça, quelques grandes villes dynamiques, le plus souvent pleines de charme, chargées d'histoire mais au top de la modernité, pour le meilleur et pour le pire.
Il ne faut pas regarder la Suède avec des yeux de Latin, avec un regard fort et manichéen, sous peine de ne rien comprendre du tout au pays et à ses habitants. Sens de la mesure, compromis, négociation, remise en question, douceur des tempéraments, puritanisme, voilà les maîtres mots qui font la Suède. C'est avec cet esprit qu'il faut la visiter. Même les paysages semblent avoir été dessinés pour ne heurter personne. D'immenses forêts et d'innombrables lacs sont là pour vous tout seul. Prenez le temps de vous y attarder et de profiter en douceur d'une nature qui s'offre à vous.

AURORES BORÉALES

Les Anciens leur prêtaient des pouvoirs surnaturels, leur apparition était interprétée comme le signe avant-coureur d'événements tragiques. D'autres légendes du Grand Nord mettent en scène le reflet de la lumière sur un gigantesque poisson ou sur le dos d'une baleine. Depuis l'avènement de la science, on est rassuré. C'est surtout dans le Grand Nord, la nuit, par temps clair et durant les mois d'hiver (quand il fait nuit, quoi), que l'on peut avoir l'occasion de contempler ce fascinant phénomène lumineux. Le phénomène est provoqué par des éruptions solaires très puissantes, pendant lesquelles de grandes quantités de particules s'échappent et forment le vent solaire. Le champ magnétique naturel de notre planète lui assure une protection mais celle-ci est affaiblie au niveau des deux pôles magnétiques. Cela a pour effet, sous certaines conditions de densité des particules, de générer ces stupéfiants embrasements. Ils se produisent à n'importe quel moment de l'année mais ne sont visibles que de nuit et, bien sûr, à condition que celle-ci soit sans nuage.
L'idéal pour les savourer pleinement : être loin de la ville (ou d'un village) et de ses lumières. La période la plus propice s'étend de février à avril, quand les nuits sont longues et le ciel souvent dégagé. Sachez que, si vous voyez le ciel s'embraser soudain, il ne faut surtout pas prendre le temps de courir chercher amis et appareil photo : l'aurore boréale présente d'abord une courte phase dynamique qu'il serait dommage de manquer. Une immense bande verte et orangée ne cesse de s'élargir en se colorant fugitivement de turquoise et de rouge sang. Ce n'est qu'après quelques minutes que l'embrasement s'installe et que vous pourrez aller tranquillement chercher votre appareil muni de son trépied, et de préférence d'un objectif grand angle ; mais le résultat risque de vous décevoir, comparé à la magie du moment.

Profitez donc de l'instant et, si vous attrapez le virus, vous serez peut-être à l'affût dès le lendemain, plongé dans l'obscurité glaciale à des heures indues...

BOISSONS

Alcooliques, les Suédois ?

Systembolaget, un des symboles de la vertu suédoise, est une entreprise d'État qui détient le monopole de la vente d'alcool dans les magasins de détail. Elle a défrayé la chronique fin 2003 avec la révélation d'une corruption à grande échelle dont auraient bénéficié certains de ses dirigeants. Une centaine de personnes ont été impliquées pour avoir profité de cadeaux, de voyages ou d'invitations de la part de grands producteurs européens, etc. Il est vrai que le marché est juteux.

La raison de cette réglementation serait que les Suédois auraient la fâcheuse réputation de boire comme des trous et qu'un contrôle de la vente d'alcool se justifierait pour des raisons évidentes de santé publique. Les statistiques tendent à prouver que le Suédois boit deux fois moins que le Français, mais le Nordique boit systématiquement pour s'enivrer et non pour accompagner un repas. C'est toute la différence. La consommation d'alcool y est un sujet de blague très fréquent. Pas étonnant dans un pays imbibé mais où les ligues de tempérance ont toujours pignon sur rue.

BLAGUE DE COMPTOIR

Dans un avion de la SAS, une hôtesse fait une annonce au micro : « Chers passagers, nous n'avons que quarante plateaux-repas et vous êtes cent. Il faut donc que soixante d'entre vous se sacrifient, mais dans ce cas vous aurez l'avantage de bénéficier de boissons gratuites durant tout le vol. » Une heure après, nouvelle annonce : « Chers passagers, si quelqu'un change d'avis, il nous reste trente-neuf plateaux-repas. »

Mœurs de bibine

Il faut dire que la réglementation sur l'alcool est digne de la reine Victoria. Dans les magasins d'alimentation, on ne trouve que de la bière à faible taux d'alcool. Il faut avoir 18 ans pour boire une bière et 20 ans pour en acheter.

Il y a plusieurs types de bières : la *Lättöl,* la plus faible (à peine 2,2 %), la *Folköl,* déjà un peu plus forte mais encore légère, la *Mellanöl,* qui se rapproche un peu des nôtres, et enfin la *Starköl,* la plus forte, la plus chère et la meilleure. Dans les bars, si vous voulez une bière faible, précisez-le car sinon, on vous servira d'office de la *Starköl,* au détriment de votre porte-monnaie. Bon à savoir pour les buveurs économes : les bouteilles sont généralement consignées. Les fauchés n'hésiteront pas à récolter les bouteilles abandonnées par les locaux le week-end...

Dans le commerce, la bière la plus forte *(Starköl),* le vin et les autres boissons alcoolisées sont vendus exclusivement dans les *Systembolaget.* Inutile de vous dire que c'est plus cher que chez nous. Ces magasins sont évidemment fermés le dimanche (jour du Seigneur oblige) ; les autres jours de 10h à 18h et le samedi à 13h (sauf à Stockholm), 15h. Il faut avoir 20 ans pour pouvoir acheter de l'alcool. Voilà pourquoi les Suédois font la queue le vendredi soir : il faut bien faire quelques provisions avant le week-end !

Si la boisson nationale reste l'eau-de-vie *(aquavit),* celle-ci se consomme modérément, comme pousse-café par exemple, et puis, comme on s'en doute, les jeunes lui préfèrent la bière.

Avant d'acheter de l'alcool, regardez bien l'étiquette et sachez que *alkoholfrit* signifie « sans alcool » !

Dernière recommandation : si vous allez le soir dans un pub ou en boîte, prenez vos papiers d'identité, on vous les demandera souvent.

– Ceux qui comptent acheter du lait se méfieront du *filmjölk,* dont les packs ressemblent à ceux du lait normal mais contiennent du lait caillé...

CUISINE

La *fika*

Les Suédois ne mangent pas comme nous. Ce constat très troublant s'applique à la fois au type d'aliments ingérés, à la fréquence et aux horaires des repas. Ainsi, au petit déj *(frukost),* le Suédois dévore volontiers quelques bonnes tartines de pâté de foie accompagnées de quelques tranches de fromage et de rondelles de concombre. De même, il n'avale qu'un rapide en-cas vers 12h mais dîne tôt – vers 18h en général. Le concept clé de la gastronomie suédoise urbaine contemporaine est la *fika* (« pause-repas »). Concrètement, un Suédois peut vous proposer de venir prendre une *fika* à n'importe quelle heure de la matinée ou de l'après-midi dans un des nombreux *mysig fik* (« petit café sympa »). On sert, dans ces cafés ouverts exclusivement dans la journée, toutes sortes de sandwichs ou salades à base de saumon, crevettes ou fromage, sans oublier diverses boissons chaudes ou froides et les incontournables *bullar* (viennoiseries). La *fika* est en quelque sorte un brunch étendu à l'après-midi et aux jours de la semaine et dont on ressort souvent ni complètement rassasié ni complètement affamé.

Sinon, que mange-t-on ?

Les restos étrangers (sauf les français et italiens !) sont souvent une bonne alternative pour changer les goûts et manger un bon repas à un coût raisonnable.
Bienvenue au *Patateland* ! La pomme de terre a nourri la Suède pendant des siècles et la nourrit encore ; vous la trouverez donc très régulièrement dans vos assiettes. L'autre plat incontournable est le morceau de poisson, en général du saumon *(lax),* accompagné des fameuses pommes de terre et d'une sauce à l'aneth. Pas mauvais en soi, mais on s'en fatigue vite. Il y a bien sûr aussi toutes sortes de viandes (bœuf, porc, poulet...), servies là encore en sauce avec un accompagnement de légumes. Beaucoup de restos proposent en plus une sélection de pâtes, voire de salades, et un ou deux plats végétariens. Parfois, la carte affiche également quelques spécialités traditionnelles (voir ci-dessous) mais, malheureusement, certaines d'entre elles se font de plus en plus rares. Et puis, la mondialisation aidant, on assiste à l'émergence d'une sorte de nouvelle cuisine suédoise, qui s'inspire des quatre coins du globe tout en conservant certaines de ses racines. Elle vous réserve quelques bonnes surprises (ce ne sont malheureusement pas les restos les moins chers).
Autre évolution, plus regrettable celle-là, de la restauration suédoise : la floraison des pizzerias, kebabs et autres tacos, au détriment des restaurants plus traditionnels. Un peu partout, beaucoup d'établissements ferment pour laisser la place à des sandwicheries, bon marché certes, et pratiques, oui sûrement, mais qui fichent un sacré coup à la culture culinaire du pays. Il arrive même, dans certaines petites villes, qu'on n'ait guère le choix qu'entre un grill beauf avec le bidon de ketchup suspendu au-dessus du comptoir et une pizzeria-kebab – autant faire les deux d'un coup ! – aux plats archi-banals. Dommage, car tout de même, la cuisine traditionnelle vaut mieux que ça.
– Le midi (sauf le week-end), presque tous les restos (y compris ceux des hôtels, même parfois les grands) proposent un *dagens rätt,* un menu bon marché généralement servi entre 11h et 14h, qui comprend le plus souvent une salade à volonté en entrée, un plat chaud honnête, le pain, le café, et parfois une boisson. N'hésitez pas à demander dans les grands hôtels le prix de ce plat du jour. Vous serez parfois étonné. Le soir, la même quantité (quoique pas nécessairement la même chose) vous coûtera le triple.
– Ne vous privez pas du délice estival que sont les fraises suédoises (*jordgubbe, jordgubbar* au pluriel). Elles ne sont pas particulièrement onéreuses, et qu'est-ce qu'elles sont bonnes ! Vous les trouvez en vente sur les marchés et un peu partout au bord des routes en saison.

– *Bakpotatis :* il s'agit des pommes de terre cuites dans l'aluminium et fourrées à diverses bonnes choses. C'est souvent une façon de bien caler une petite faim et à moindre coût.
– Les supermarchés ne sont pas véritablement plus chers que chez nous et proposent un choix de plus en plus étendu. Peu de marchés dans les villes, en revanche, ou alors très pauvres.

Quelques spécialités

– *Köttbullar :* ces boulettes de viande, généralement servies avec de la purée, constituent véritablement le plat de base de la famille suédoise.
– *Renstek (rôti de renne) :* il vous faudra y goûter au moins une fois, même s'il se fait rare dans les restos. C'est une viande assez dure, mais très bonne si elle est bien accommodée. Souvent servie en lamelles, avec une lichette de confiture d'airelles.
– *Älg grytta :* fricassée d'élan généralement servie avec des chanterelles. On n'en trouve pas dans tous les restaurants, mais cela vaut le détour.
– *Mårten gås :* littéralement « l'oie de Martin » est une spécialité du sud de la Suède où on déguste l'oie bien grasse le 10 novembre, lorsque toutes les récoltes sont rentrées et que les hommes se préparent à affronter l'hiver.

LE *SMÖRGÅS*

Jadis un véritable fait social en Suède, il tend à décliner au profit de la baguette. Il s'agit en fait d'une tranche de pain de mie sur laquelle sont placées diverses choses : crevette, saumon fumé, hareng, surmontées d'une tranche de poivron jaune ou de concombre. C'est bien joli, mais ça ne nourrit pas toujours son homme. À propos, sachez que le terme smörgåsbord, *que vous rencontrerez parfois, ne désigne pas un plateau de* smörgås *mais tout simplement un buffet, à la fois chaud et froid, que servent certains restaurants. Souvent très bon et d'un excellent rapport qualité-prix. N'hésitez pas à opter pour cette formule quand l'occasion se présente.*

– *Les poissons fumés :* si vous visitez des fumeries de poisson, faites le plein. Ça se conserve bien.
– *Les harengs :* vraiment excellents lorsqu'ils sont bien marinés. Moins intéressants lorsqu'ils sont cuits. On les accompagne généralement de pommes de terre. Choisissez-les *ingaysdill,* en petits bocaux de verre.
– *Surströmming :* hareng fermenté. L'odeur est assez dissuasive. Réservé aux plus courageux.
– *Janssons frestelse (la tentation de Jansson) :* gratin de pommes de terre et d'anchois coupés en très fines lamelles. Un délice !
– *Pytt i panna :* mélange de pommes de terre et de jambon accompagné de betterave et servi avec un œuf par-dessus.
– *Kanel Bulle :* viennoiserie à la cannelle en forme d'escargot. C'est « le » petit encas sucré suédois par excellence sur lequel on n'a pas le droit de faire l'impasse. Il existe une variante, le *Vanilj Bulle,* qui, comme son nom l'indique, est parfumé à la vanille.
– *Princess tårta (gâteau de la princesse) :* sorte de gros gâteau à la peau verte, fourré de crème chantilly. Un peu écœurant, mais il faut essayer au moins une fois.
– *Les fruits :* les myrtilles, les fraises des bois *(smultrons),* les *hjorrtons,* sortes de mûres jaunes qui poussent en Laponie. À manger avec de la crème fraîche.

ÉCONOMIE ET SOCIÉTÉ

Et le « modèle suédois » dans tout ça ?

Souvent cité en exemple, le « modèle suédois », associant une pression fiscale record et une politique sociale importante, a fait de la Suède l'une des démocraties les plus avancées du monde, en développant systématiquement un esprit de négociation, de recherche permanente de l'équilibre et de la mesure dans toutes décisions, remettant ensuite celles-ci régulièrement en cause (n'oublions pas que ce sont les Suédois qui ont inventé la fonction d'*ombudsman,* qui examine les abus de pouvoir reprochés à l'administration). Sur le plan économique, la Suède a connu une période de développement intense après 1945 et a traversé (jusqu'à récemment) une crise économique de manière plutôt sereine grâce à la paix sociale qui y règne. Cette fameuse paix sociale provient en fait de l'accord de Saltsjöbaden passé en 1938 entre le syndicat le plus puissant, *LO,* et la confédération patronale, *SAF,* qui oblige les partenaires à renégocier à date convenue les conventions collectives sans recourir à la grève. Malgré quelques entorses à ce principe, un réel désir d'aboutir pour le bien de tous a toujours mû les différentes parties en présence.

Un État-providence... revisité

Dans la pratique, ce système d'« État-providence », mis progressivement en place depuis les années 1930 par les sociaux-démocrates (parti au pouvoir, à quelques exceptions près, jusqu'à récemment), vise avant tout à assurer à chaque citoyen un confort matériel et un niveau de sécurité décents. Suite à la crise économique traversée par la Suède dans les années 1990, le système a néanmoins subi de sévères coupes, et quelques acquis n'ont pas manqué d'être remis en cause (système des retraites en partie privatisé, etc.). Le gouvernement du Premier ministre social-démocrate Göran Persson, à son entrée en fonction en 1996, a pris des mesures tendant vers une diminution des dépenses sociales, cela afin de réduire le déficit budgétaire.

Cette politique, dont l'objectif est de gommer au maximum les inégalités sociales ou physiques, protégeant les catégories les plus défavorisées et les plus faibles (personnes âgées, handicapées, enfants, etc.), a un prix. Le Suédois est ainsi l'un des contribuables les plus imposés au monde. Cette société lui offre, certes, un grand confort de vie général, mais il le paie, et pas uniquement au travers des impôts.

Quelques exemples parlants

Pour illustrer la générosité de cet État-providence, on cite souvent en exemple le congé parental : afin d'assurer l'égalité des sexes dans un couple, ce congé indemnisé est d'une durée totale d'au moins douze mois, dont soixante jours destinés à la mère et soixante autres au père (et les autres jours au choix). Si ces soixante jours ne sont pas pris par l'un des deux, ils sont perdus. Voilà une façon plutôt intelligente d'encourager les hommes à rester à la maison (ce qui explique le nombre important de papas pouponnant dans la rue ou les parcs), tout en favorisant la natalité sans décourager les femmes de travailler (ou le contraire). Néanmoins, quand on se penche un peu plus sur le système de l'assurance sociale, celui-ci se révèle moins généreux qu'on ne tend à le croire. Si, par exemple, le suivi des femmes enceintes et les soins médicaux et dentaires pour les moins de 20 ans sont gratuits, il en va tout autrement pour le reste de la population. Aussi l'usager doit-il mettre la main au portefeuille et payer un ticket modérateur (de 100 à 300 Sk, soit 10 à 31,50 €) pour toute consultation d'un service de santé.

On pourrait également citer le système des retraites et de l'assurance chômage, faisant désormais tous les deux appel à des cotisations volontaires et privées. En revanche, suite à l'explosion du travail féminin depuis les années 1970 et dans le souci de garantir l'égalité à tous (en permettant à chacun de travailler et s'intégrer socialement), une politique familiale de taille a été mise en place. Ainsi, depuis 1985, toute commune doit être en mesure de fournir à chacun de ses petits habitants de plus de 18 mois une place en crèche ou en école maternelle, et ce jusqu'à l'âge de sa scolarisation (vers 6 ou 7 ans). En revanche, cet accueil est payant (en fonction des revenus des parents et de la commune). Donc le Suédois est un citoyen pro-

tégé, très encadré, mais de moins en moins gâté avec les années : tout individu pouvant payer paie. Rappelons également que les enfants possèdent de véritables droits, que le consommateur est très défendu contre la publicité mensongère, que l'égalité des sexes n'est pas un vain mot et que la liberté de la presse y est totale. L'écologie y est loin d'être un vœu pieux : les farines animales y sont interdites depuis 1986, de même que l'emploi systématique des antibiotiques sur les animaux sains.
Poursuivre des études coûte beaucoup d'argent. Mais il existe un système de bourses et de prêts très développé. L'État prête à l'étudiant une somme d'argent pour la durée de ses études, que le futur diplômé devra rembourser dès qu'il aura trouvé un emploi. Le taux de remboursement étant fixé à 4 % du salaire, inutile de dire que l'argent prêté sera rarement remboursé en totalité.
N'en jetez plus ! Si le pays est globalement riche, la vie coûte tout de même assez cher en Suède, même pour les Suédois. Dans un jeune couple, aujourd'hui, il est nécessaire que les deux travaillent pour s'en sortir. Le nombre important de Suédois passant la frontière norvégienne pour trouver un travail (beaucoup mieux payé ; c'est pourquoi il y a tant d'infirmiers suédois en Norvège) en dit aussi beaucoup sur la situation économique du pays.
Il est également intéressant de constater que, si le modèle social porte le mot « solidarité » à sa plus haute expression, c'est l'individualisme qui régit les comportements particuliers. Les règles de la propriété privée doivent être strictement respectées, on ne doit pas empiéter sur l'espace personnel... Bref, la solidarité est une véritable doctrine d'État, mais on ne la retrouve pas nécessairement dans la rue.
Sur le plan strictement économique, la Suède a connu, ces dernières années, des résultats brillants : croissance soutenue (4,4 % en 2006), finances publiques assainies, inflation maîtrisée, balance commerciale positive excédentaire... La Suède opère désormais une transition vers une économie axée sur le savoir. Elle est en effet le pays qui investit le plus en matière de recherche et développement (autour de 4 % du PIB par an) et s'est engagée avec succès dans le développement des nouvelles technologies de l'informatique et de la communication, avec l'un des taux d'usage d'Internet les plus élevés d'Europe. L'État développe son soutien aux investissements, en s'appuyant sur les secteurs porteurs (biotechnologies, agroalimentaire) ainsi que sur les marchés en croissance rapide (pays baltes, Inde, Brésil...). avec une dynamique vers l'exportation : papier, matériel électrique et informatique, automobiles, machines-outils, produits chimiques et pharmaceutiques, acier, alimentation. Au final, le seul point noir reste l'emploi, sur lequel le gouvernement se mobilise, par la création d'emplois publics dans les services centraux, mais surtout dans les régions et les collectivités locales. Mais le taux de chômage reste élevé chez les jeunes (23,3 % chez les 20-24 ans) et les personnes en congé maladie ou qui bénéficient des politiques d'activation ne sont pas comptabilisées comme chômeurs. Le nouveau gouvernement a annoncé qu'il entendait inciter les Suédois à se tourner vers l'emploi et rendre la création d'entreprises attractive et facile. Le seul point noir : le transfert par General Motors de la production d'une partie de la gamme Saab vers l'Allemagne. Un symbole national a été touché par ce départ.

ENVIRONNEMENT

Du bon usage de l'alcool sur la pensée écologique

La Suède se classe au deuxième rang des pays les plus écologiques (France 12ᵉ, Suisse 16ᵉ, Belgique... 39ᵉ) selon l'Indice de performance environnementale (IPE). Elle a d'ailleurs, en 2006, dépassé ses objectifs fixés par le protocole de Kyoto, preuve pour tous les sceptiques qu'il est possible de concilier croissance et impératifs environnementaux. Si elle tire la majeure partie de son électricité de l'énergie hydroélectrique et nucléaire (pas prête à être abandonnée en 2010 comme cela

avait été évoqué à une époque), elle s'intéresse aussi aux transports. Les carburants alternatifs sont à l'ordre du jour et les automobilistes suédois pourraient bientôt faire leur plein avec de l'alcool de contrebande et des déchets d'animaux. C'est ce qui ressort d'un plan gouvernemental qui prévoit de faire de la Suède dans les quinze ans à venir le premier pays au monde à se passer de pétrole. Alcool de contrebande, nous direz-vous, comment est-ce possible ? Il suffisait d'y penser : en raison du prix élevé de l'alcool dans les magasins d'État suédois, il existe un va-et-vient permanent de touristes d'un jour entre la Suède et les pays voisins, pour faire provision de boissons alcoolisées bon marché. En 2005, les douanes ont saisi 55 000 l de spiritueux, 300 000 l de bière forte et 39 000 l de vin. Auparavant, la procédure normale était simplement de balancer dans l'évier le produit des saisies. Personne ne gagnant à jeter cet alcool ni du point de vue économique ni du point de vue de l'environnement, on s'est mis à penser plus écologiquement. L'alcool est traité dans des installations spécialisées pour générer du biogaz et des engrais écologiques. Les boissons sont séparées des récipients (recyclés, bien sûr) et mélangées avec de l'eau. Envoyé ensuite dans une usine de Linköping, à 200 km au sud de Stockholm, ce mélange (sans doute le plus imbuvable des cocktails qu'on puisse imaginer) est transformé en biocarburant pour faire rouler des bus de ville, taxis, bennes à ordures, voitures particulières – et même un train.
Svensk Biogas, qui produit et commercialise le biogaz destiné aux transports dans l'est de la Suède, reçoit chaque année 50 000 t d'une mixture nauséabonde, déchets d'abattoirs, ordures ménagères, pour en faire un biogaz qui brûle sans polluer.
Auparavant, ces déchets étaient simplement mis en décharge et y pourrissaient en produisant du méthane. On a donc décidé de récupérer utilement cette énergie. La transformation a lieu dans un « digesteur » anaérobie. Les matières organiques mettent trente jours à se décomposer et pendant ce processus, elles produisent du biogaz qui est purifié et vendu. Le carburant produit ne génère que 5 % de rejets comparé à l'essence. Avantages du biogaz : il est renouvelable, neutre du point de vue du dioxyde de carbone et il est produit sur place, ce qui crée des emplois et réduit les frais de transport.
Autres avantages à renoncer aux combustibles fossiles : en roulant au biogaz, les Suédois économisent jusqu'à 50 Sk (5,50 €) aux 100 km. Les conducteurs de voitures « vertes » ne paient pas le péage urbain à Stockholm et stationnent gratuitement dans beaucoup de villes suédoises, et ceux qui l'utilisent dans leur voiture de fonction paient moins de taxes. Résultat : ce ne sont pas les militants de Greenpeace qui font décoller le marché des voitures vertes en Suède, mais bien les usagers professionnels. Fin 2006, les voitures « vertes » représentaient environ 20 % des ventes de voitures neuves.
Grâce à une bonne dose d'inventivité, avec la détermination du gouvernement et les mesures incitatives vers le public, la Suède pourrait bien apporter la preuve qu'il y a une vie après le pétrole.

FAUNE

Les régions arctiques de Suède (et de Norvège par la même occasion) recèlent quelques espèces propres à ces latitudes, telles le glouton *(järv)*. Ce carnivore de la famille des blaireaux et des fouines est redoutable : il dévore tout ce qui bouge et, bien qu'assez petit (40 cm de haut sur 1 m de long), il s'attaque aussi bien aux rennes qu'aux élans. On le reconnaît à sa tête de fouine, sa fourrure épaisse et ses pattes d'ours (cela dit, vous avez beaucoup plus de chances de le croiser dans les musées d'Histoire naturelle que dans la nature : il est très sauvage). Sinon, les loups, qui frôlèrent l'extinction, reviennent désormais en force dans le Nord ; une présence envahissante nourrissant des conflits entre écolos et éleveurs (ça ne vous rappelle pas quelque chose ?).

Dans la catégorie des animaux « exotiques », mentionnons les nounours (bruns – les blancs sont cantonnés aux îles des Svalbard en Norvège) et les lynx. Et bien sûr, n'oublions pas ceux qui sont presque des emblèmes nationaux : les élans et les rennes. Les derniers, que vous ne manquerez pas de croiser si vous voyagez dans le Nord, apprécient particulièrement les herbages et les balades en bord de route. Méfiez-vous, leurs réactions sont imprévisibles : certains suicidaires n'hésitent pas à traverser la route quand vous arrivez juste à côté d'eux.

GÉOGRAPHIE

Troisième pays d'Europe en superficie, 450 000 km², la Suède est entourée par la Norvège à l'ouest et la Finlande à l'est. De ces pays, elle fait un condensé de paysages. Elle est en effet composée à 53 % de forêts, 17 % de montagnes, 9 % de lacs et rivières et 8 % de terres cultivées. Le Sud et le Nord, délimités par une ligne Göteborg-Stockholm, offrent des paysages assez différents. Le Sud, plutôt plat, est une alternance de douces collines, forêts et champs ; il se termine par les plaines fertiles et les plages de sable blanc de la Scanie. Plus on monte vers le nord, plus ces paysages se durcissent avec l'apparition de la chaîne de montagnes séparant la Suède de la Norvège, et dont les sommets varient entre 1 000 et 2 000 m (le point culminant étant le Kebnekaise à 2 111 m). Et puis, partout, des forêts et de l'eau, de l'eau et des forêts. À l'est, la côte parsemée d'îles et îlots longe le golfe de Botnie avant de rejoindre la mer Baltique plus au sud. Parcourir la Suède du nord au sud vous prendra quelque 1 574 km... prévoyez donc du temps pour en profiter ! La Suède compte quelque 28 parcs nationaux. Elle fut même le premier pays d'Europe à en créer (en 1910). • naturvardsverket.se • est le site de l'agence suédoise de protection de l'environnement.

HISTOIRE

Débutons avec les Svears qui écrasent les Goths et les Vendes, et font d'Uppsala la capitale vers les VIe et VIIe s. Les Vikings vont taquiner les Russes et dominer la Baltique. La plupart des pierres runiques sont gravées à cette époque, autour des XIe et XIIe s. Le pays s'évangélise, le commerce avec les marchands de la Hanse se développe.

UN ROI DE SUÈDE FRANÇAIS ET ANTIROYALISTE !

Une anecdote sur Bernadotte : il se baignait toujours habillé, ce qui, pour un roi, surprenait la cour. De même, aucun médecin n'a pu l'examiner le torse nu. Lors de sa toilette funèbre, on comprit : il avait un tatouage sur l'épaule avec l'inscription « Mort au roi », en souvenir de l'époque où il combattait pour la Révolution française.

L'union de Kalmar, traité signé en 1397, réunit les peuples scandinaves sous une même Couronne. Mais le Danemark mangeant progressivement tout le pouvoir et suite à des intérêts commerciaux divergents, les Suédois se sentent vite à l'étroit dans cette union, dont ils vont réussir à sortir (non sans mal ni violence), menés par Gustav Vasa. Ce membre de la haute noblesse suédoise est celui qui va unifier et consolider le royaume de Suède, instaurer la monarchie héréditaire dans le pays et introduire la Réforme (il avait besoin de sous : la sécularisation des biens de l'Église était donc fort bien venue !). Au XVIIe s, Gustave II Adolphe tente de nouveau de se soustraire à la pression qu'exercent ses voisins sur le pays. Il combat la Contre-Réforme catholique mais meurt sur le champ de bataille. Les règnes de la reine Christine, de Charles X Gustave, Charles XI et Charles XII sont une succession de conflits territoriaux, d'accaparement des terres par la noblesse, puis de repartage de ces mêmes terres.

Les règnes de la reine Christine et de Charles X Gustave voient la Suède intervenir militairement dans de nombreux conflits et acquérir la maîtrise de la Baltique, notamment par la possession de la Finlande, de la Poméranie (nord de l'actuelle Pologne) et de l'Ingrie (où se trouve aujourd'hui Saint-Pétersbourg). Puis Charles XI muselle une noblesse trop remuante et gouverne en souverain absolu d'un État dont la prospérité croît grâce à un commerce actif.

Les XVIIIe et XIXe s

En 1703, un jeune tsar aux dents longues conteste à la Suède la maîtrise de la Baltique : le futur Pierre le Grand. Charles XII commet l'erreur fatale d'envahir la Russie et de marcher sur Moscou. Son armée se fait laminer à Poltava en 1710. C'est le commencement de la fin : la Suède va perdre petit à petit son rang de grande puissance. En 1719, la noblesse impose un régime parlementaire connu sous le nom d'« Ère de la liberté », dans lequel deux partis, les Chapeaux et les Bonnets, se disputent le pouvoir. L'essor économique continue, les sciences et la culture sont dynamisées et la liberté de la presse est accordée. Mais les Chapeaux entraînent le pays dans un nouveau désastre militaire contre la Russie en 1742, à la suite de quoi le pays glisse lentement vers l'anarchie.

Le sursaut vient de Gustave III qui, soutenu par l'armée et le peuple, prend le pouvoir en 1771 par un coup d'État. Despote éclairé dans l'esprit des Lumières, protecteur des arts et des sciences, fondateur de l'Académie suédoise, il reste en butte à l'hostilité de la noblesse qui mijote son assassinat, lequel survient en 1792, lors d'un bal masqué.

Quand l'Europe est ébranlée par le bouillonnement des guerres napoléoniennes, la Russie, temporairement alliée à la France, s'engage à contraindre la Suède anglophile à se joindre au Blocus continental. Plutôt que de s'embarrasser de diplomatie, le tsar Alexandre Ier lance en 1809 une offensive militaire et conquiert la Finlande en quelques semaines, tant la Suède est minée par des décennies d'instabilité politique et de luttes d'influence. Le roi Gustave IV est alors renversé au profit de son oncle Charles XIII qui accepte une Constitution établissant la séparation des pouvoirs. Charles XIII n'a pas d'enfant. On choisit donc un brillant maréchal de Napoléon, Jean-Baptiste-Jules Bernadotte (ex-sous-off béarnais), qui est nommé prince héritier et devient Charles XIV Jean. Il obtient la Norvège dans le lot, qui se voit contrainte d'accepter ce troc pour que sa Constitution et son autonomie interne soient reconnues (drôle de manière d'obtenir son autonomie). Oscar Ier et Charles XV, fils et petit-fils de Bernadotte, entreprennent de nombreuses réformes qui libéralisent le pays, donnent un coup de fouet à l'économie et modernisent l'agriculture.

La fin du XIXe s et les premières décennies du XXe s seront marquées par une forte migration vers les États-Unis. La première vague (environ 100 000 personnes, soit 3 % de la population) part entre 1853 et 1873, fuyant un pays pauvre, où se succèdent mauvaises récoltes et famines. Cette émigration atteint son apogée vers 1880. Au total, entre 1851 et 1930, près de 1,5 million de Suédois (sur une population totale de 4 à 5 millions) ont quitté leur patrie pour le Nouveau Monde. En Europe occidentale, seules la Norvège et l'Irlande ont connu un exode plus important. Des États comme le Minnesota ou celui de Washington furent les principales destinations de ces émigrés, d'où cette abondance de Larson, Olson, etc. dans ces régions, encore aujourd'hui.

Les XXe et XXIe s

Rupture par la Norvège de l'union avec la Suède (1905), adoption du suffrage universel (1918-1921), neutralité pendant la Première Guerre mondiale, arrivée de la social-démocratie en 1932. En 1936, nouvelle neutralité et, pendant la Seconde Guerre mondiale, refus d'intervenir officiellement, malgré des combats menés en Norvège contre l'envahisseur.

Aujourd'hui, la Suède est une monarchie héréditaire et constitutionnelle à chambre unique, élue pour quatre ans. Les sociaux-démocrates, après 44 ans de pouvoir incontesté, ont dû céder par intermittence la place à une coalition centriste et aux partis bourgeois. En 1995, la Suède adhère à l'UE. Mais l'événement politique le plus marquant de ces vingt dernières années reste l'assassinat d'Olof Palme, le 28 février 1986, choc terrible pour ce pays dont la politique s'exprime plus par la négociation et le consensus que par les coups de gueule ou le terrorisme.

Longtemps adepte de la neutralité sur le plan international, la Suède a toutefois décidé de s'engager par pragmatisme dans le projet européen. Les problèmes économiques des années 1990 entrent pour une large part dans cette décision. Dès son entrée dans l'UE, la Suède a annoncé qu'elle n'adopterait pas immédiatement la monnaie unique, ce qui n'excluait pas qu'elle le fasse dans le futur. La classe politique s'est longtemps réfugiée dans le *nja,* ni oui ni non (sachant bien qu'elle risquait d'avoir du mal à convaincre le peuple suédois). Mais face à la pression de l'opinion publique, le Premier ministre Göran Persson a dû trancher. Il s'est prononcé pour le *ja.* En juillet 2000, un autre pas historique a été franchi : un pas de 16 km exactement, qui rattache la péninsule scandinave au continent européen. Il s'agit du pont-tunnel de l'Øresund, qui relie Malmö à Copenhague. Ce pont est aux Scandinaves ce que le tunnel sous la Manche est aux Britanniques. C'est l'aboutissement d'un long rêve de plus d'un siècle qui se réalise. C'est surtout un signe fort de l'ouverture du royaume vers l'Europe continentale et qui tend à montrer que la Suède admet enfin son identité européenne. En septembre 2003, patatras ! En pleine campagne sur le référendum d'adhésion à l'euro, la jeune ministre des Affaires étrangères, Anna Lindh, est assassinée en faisant ses courses. On pense à un meurtre avec des implications politiques. Les Suédois revivent le souvenir tourmenté de la disparition d'Olof Palme, mais il s'avère finalement que l'agression mortelle a été le fait d'un déséquilibré, qui sera rapidement jugé.

UN ASSASSINAT MYSTÉRIEUX

Leader du parti social-démocrate depuis 17 ans, Olof Palme est devenu à 42 ans le plus jeune Premier ministre européen en 1969. Palme était connu pour ses positions pacifiste et tiers-mondiste. Le 28 février 1986, à sa sortie d'un cinéma de Stockholm, un homme qui ne sera jamais identifié le tue d'une balle dans le dos. Sa femme Lisbet est à ses côtés. Des messages de sympathie ont afflué de tous les pays à la suite de cette mort tragique, restée inexpliquée faute de mobile clair. C'est un peu la fin de l'innocence suédoise. Un prix Olof Palme est attribué chaque année à une personnalité qui s'est dévouée à la cause de la paix dans le monde.

Finalement, l'affaire n'influence que peu la volonté d'une majorité de Suédois de barrer encore la route du passage de leur couronne à l'euro. Le verdict tombe en septembre 2003 : le non l'emporte par 57 % des voix. Les milieux d'affaires suédois s'arrachent les cheveux, mais les partisans de la monnaie européenne sont bien obligés de reconnaître que l'annonce de la quasi-récession économique de la France et de l'Allemagne ne les a pas beaucoup aidés à convaincre des électeurs assez conservateurs, qui ne voyaient pas pourquoi une couronne en bonne santé devait laisser sa place à un euro plutôt faiblard. Cela dit, selon une enquête, les Suédois seraient, avec les Britanniques, le peuple le plus nationaliste de l'UE.

En décembre 2004, la Suède paie un lourd tribut à la vague des vacances de Noël tropicales : 544 personnes sont répertoriées mortes ou disparues dans le tsunami qui ravage l'Asie du Sud-Est. C'est, pour ce pays de moins de dix millions d'habitants, la plus forte perte humaine depuis plus de deux siècles. Directement ou indirectement, chaque famille suédoise est touchée par ce drame où beaucoup d'enfants ont péri.

Dernières nouvelles de Suède

Sur le plan politique, malgré leurs bons résultats économiques, des signes de lassitude s'étaient fait jour dans l'électorat envers les sociaux-démocrates, qui étaient au pouvoir depuis 1994 et ont gouverné la Suède pendant six des sept dernières décennies. Résultat, aux élections législatives de septembre 2006, la coalition de centre-droit a obtenu 48,1 % des suffrages contre 46,2 % pour les sociaux-démocrates. L'alliance de centre-droit a recueilli 178 sièges au parlement, le bloc de gauche 171. L'alliance, dirigée par le nouveau Premier ministre Fredrik Reinfeldt, 41 ans, a formé le projet de rogner le système de l'État-providence sans le modifier radicalement, en allégeant les impôts et certaines prestations sociales. Il souhaite aussi mettre en œuvre un programme de privatisations mais n'envisage pas d'organiser un nouveau référendum sur l'adoption de l'euro.
Sa coalition est aussi favorable à une adhésion à l'OTAN.

À propos des prix Nobel

Il était une fois un chimiste suédois, Alfred Nobel, qui consacra sa vie à l'étude des explosifs. En 1866, il mit au point un mélange, la poudre dynamite, qui permettra le percement du tunnel du Saint-Gothard, la construction du canal de Panamà ou bien encore l'entaille profonde du canal de Corinthe. Ennemi de la transmission des biens par héritage, il fit don par testament de sa fortune pour la fondation de cinq prix annuels : physique, chimie, médecine, littérature et paix. Voilà, c'est tout. À noter que ce dernier prix est en fait une affaire norvégienne et non suédoise, Alfred Nobel ayant tenu à associer dans son testament de 1895 les deux États qui constituaient alors sa patrie. Lorsque l'union fut rompue en 1905, ce furent les Norvégiens qui remportèrent, heu... conservèrent le prix Nobel de la paix.
Les prix sont remis en grande pompe chaque année le 10 décembre, date anniversaire de la mort de leur fondateur. Jusqu'ici, trois lauréats l'ont refusé pour des raisons idéologiques : Boris Pasternak en 1958 (qui n'a pas reçu l'autorisation de se rendre à Stockholm), Jean-Paul Sartre en 1964 (littérature), et ensuite Lê Duc Tho, chef de la résistance vietnamienne, en 1973, qui ne voulait pas partager le prix Nobel de la paix avec Henry Kissinger.

MÉDIAS

Près de 90 % de la population adulte de la Suède lit au moins un quotidien, ce qui place le pays dans le peloton de tête mondial pour la consommation de médias de presse. On considère qu'ils consacrent 6h par jour de leur temps à la TV, la radio ou la presse.

Presse écrite

À la différence des pays où les quotidiens du matin sont vendus en kiosque, le marché suédois se distingue par un pourcentage élevé d'abonnements à des journaux diffusés par portage à domicile.
Les journaux du matin, notamment *Dagens Nyheter* et *Svenska Dagbladet,* bénéficient d'une importante diffusion à travers le pays. On note aussi les journaux régionaux comme *Göteborgs-Posten,* et *Sydsvenska Dagbladet,* publié à Malmö. *Dagens Industri* est le plus grand quotidien d'affaires du pays. Il existe en outre d'innombrables quotidiens du matin visant un lectorat local et qui ne sont publiés qu'en semaine. Les journaux du soir, comme *Aftonbladet,* le plus grand quotidien payant de Suède et *Expressen,* sont les seuls titres véritablement nationaux. Ces quotidiens présentent des actualités dans la tradition du journalisme tabloïd et de la presse à sensation, avec d'abondants articles sur le sport et les célébrités.

De nombreux journaux suédois appartiennent aux grands groupes de presse comme *Bonnier,* éditeur de livres et de magazines, et le norvégien *Schibsted.* Les journaux de tendance conservatrice sont plus nombreux que les quotidiens de gauche ou avec les vues des sociaux-démocrates au pouvoir car il n'y a pas en Suède de liens entre les tendances politiques de l'électorat et les propriétaires de journaux. Comme un peu partout à présent, il existe des versions en ligne des journaux suédois avec une maquette et un design similaires aux copies papier. Ces versions Internet sont très populaires auprès des lecteurs avides d'actualités mises à jour en permanence.

Une exception culturelle suédoise

Phénomène de presse lancé en 1995 et limité l'origine à Stockholm, le quotidien gratuit *Metro* a été exporté dans 17 pays avec 56 éditions quotidiennes dans le monde diffusées en 16 langues, et distribuées dans quelque 78 villes d'Europe, d'Asie et des Amériques. *Metro* est disponible en semaine dans des zones fréquentées par les usagers des transports en commun, comme les gares, arrêts de bus et stations de métro. *Metro* publie des articles volontairement courts afin que le journal soit lisible en une vingtaine de minutes. Il a réussi à attirer un lectorat jeune et actif dont la majorité a moins de 45 ans. Une aubaine pour des annonceurs désireux de s'adresser à cette cible et qui ont reporté leurs budgets de la presse traditionnelle vers la presse gratuite.
L'éditeur Bonnier a lancé un autre quotidien gratuit, *Stockholm City,* pour faire concurrence à *Metro* auprès des lecteurs et des annonceurs de Stockholm.

Radio

La radio publique, Sveriges Radio (SR), est la plus importante, tant par le chiffre d'affaires que par l'audience (65 % en tout pour SR). SR a quatre stations nationales (P1, P2, P3 et P4), 26 stations locales et un certain nombre de stations numériques sur Internet. P4 est la plus importante avec un taux d'audience quotidien de 35 % mais P3 subit durement la concurrence des radios commerciales. La radio locale privée obtient un taux d'audience de 30 %, avant tout dans la catégorie des 9/34 ans. SR, en revanche, atteint environ 80 % des auditeurs de 65 à 79 ans.

Télévision

Les chaînes publiques SVT1 et SVT2, investies d'une mission de service public, sont les plus regardées par les Suédois, avec les chaînes privéesTV3, TV4 et Kanal 5. Les cinq plus grandes chaînes (avec TV3, TV4 et Kanal 5) restent prédominantes mais leurs concurrentes (Eurosport, TV6, TV4 PLUS, Discovery et MTV) et toutes les chaînes thématiques (48 petites chaînes) gagnent du terrain. Ce sont surtout les chaînes commerciales pour les enfants qui ont progressé récemment. À l'automne 2005, à la suite d'une décision du Parlement, la Suède a entamé progressivement le passage à la télévision numérique sur le réseau terrestre. La diffusion analogique a cessé en février 2008, ce qui a provoqué une concurrence de plus en plus acharnée entre les distributeurs du satellite, du câble et du réseau terrestre.

PERSONNAGES

– ***Ingmar Bergman*** *(1918-2007)* **:** fils d'un pasteur luthérien des plus sévère (Bergman écrira le scénario de cette enfance dans *Les Meilleures Intentions,* réalisé par le Danois Bille August), metteur en scène de théâtre dès l'âge de 19 ans, grand connaisseur des femmes dont il expose la complexité dans presque tous ses films, Bergman est, on le sait, le monument du cinéma suédois, celui qui montra les Suédoises sous un nouveau jour et inspira même à Woody Allen un film très sérieux, *Intérieurs,* véritable film-hommage au cinéaste. On ne vous fera pas l'injure d'essayer de définir ce cinéma qui utilisa et introduisit la psychanalyse dans le septième art de façon magistrale. On vous rafraîchit juste la mémoire en vous rappelant l'essentiel de sa filmographie, dont vous avez forcément vu l'une des œuvres... *Le 7e Sceau* (1956) ; *Les Fraises sauvages* (1957) ; *La Source* (1959) ; *À travers le miroir* (1960) ; *Le Silence* (1962) ; *Persona* (1965) ; *Le Lien* (1971) ; *Cris et Chuchotements* (1972), considéré comme son chef-d'œuvre ; *L'Œuf du serpent* (1977), tourné en exil en Allemagne ; *Scènes de la vie conjugale* (1974) ; *Sonate d'automne* (1978) ; *Fanny et Alexandre* (1983) ; *Après la répétition* (1984) et *Sarabande,* son film-testament en 2003. Avec ses acteurs fétiches : Liv Ullmann, Ingrid Thulin, Bibi Andersson, Max von Sydow...

– ***Ingrid Bergman*** *(1915-1982)* **:** née à Stockholm, très tôt orpheline, la jolie Suédoise au visage poupin tourne d'abord en Suède et en Allemagne avant d'être repérée par le grand producteur hollywoodien David O'Selznick. Elle commence par des films populaires qui, grâce à elle, deviennent des classiques, comme *Pour qui sonne le glas* (avec Gary Cooper) et *Casablanca* (avec Humphrey Bogart), puis joue à trois reprises pour Hitchcock (notamment dans *Notorious*). Malgré son statut de star, elle demeure sincère et passionnée. Elle quitte Hollywood, son mari et ses enfants pour épouser l'avant-gardiste italien Rosselini, qui lui donnera en retour son plus beau rôle dans le gigantesque *Stromboli.* Elle quittera ce monstre génial qui la dévore pour tourner avec quelques grands réalisateurs comme Jean Renoir, Stanley Donen, Sydney Lumet et Minelli, puis pour la première fois avec son homonyme et compatriote Ingmar Bergman, en 1978, avant de mourir d'un cancer à Londres.

– ***Anders Celsius*** *(1701-1744)* **:** eh oui ! L'inventeur du thermomètre est suédois. Il accompagne l'expédition de Maupertuis en Laponie chargée de mesurer un degré de l'arc terrestre (1737).

– ***Lars Magnus Ericsson*** *(1846-1926)* **:** fondateur de l'entreprise qui travaille dur depuis la fin du XIXe s au développement des standards téléphoniques et de la téléphonie... il y en a bien un parmi vous, chers lecteurs, qui a dans sa poche une bestiole de cette maison ? !

– ***Greta Garbo*** *(1905-1990)* **:** née à Stockholm, la future « Divine » commence modestement comme vendeuse dans un grand magasin. Après avoir tourné des spots de pub, elle prend des cours d'art dramatique. C'est ainsi que le cinéaste Stiller la repère. Il lui trouve son pseudo, lui confie un premier grand rôle puis l'emmène à Hollywood. Elle y devient l'incarnation de la femme fatale à la beauté glaciale *(La Chair et le Diable, Anna Karénine, Grand Hôtel, La Reine Christine, Le Roman de Marguerite Gauthier)* et ne rira qu'une seule fois à l'écran : dans l'hilarant *Ninotchka* d'Ernst Lubitsch, où elle joue le rôle d'une apparatchik russe découvrant le champagne... L'échec de *La Femme aux deux visages* en 1941 la conduit à New York, où elle vit complètement recluse et décède. Après neuf ans de chamailleries entre les différentes nations qui se disputaient Greta Garbo, ses cendres ont enfin rejoint sa ville natale, Stockholm.

– ***Lasse Hallström*** *(1942)* **:** cinéaste, il réalise d'abord des films au pays, tel *Ma vie de chien* en 1985 (adapté du roman du même nom, traduit en français, de Reidar Jönsson) avant d'entamer une carrière américaine. Il est notamment le réalisateur du *Chocolat* (2000), avec Juliette Binoche et Johnny Depp.

– ***Dag Hammarskjöld*** *(1905-1961)* **:** Prix Nobel de la paix en 1961 (décerné à titre posthume) pour son œuvre diplomatique en tant que secrétaire général des Nations unies (1953 à 1961), ce Suédois a notamment dû gérer l'insurrection hongroise, la crise de Suez ou celle du Congo. Économiste et technicien de formation avant d'être politicien, il a également contribué à développer et consolider les procédures de coopération internationale et a su faire valoir les buts et missions des Nations unies dans le monde (notamment auprès des États-Unis). Il meurt dans un accident d'avion en Zambie au cours d'une mission.

– ***Victor Hasselblad*** *(1906-1978)* **:** créateur et fabricant des appareils photo fétiches des photographes professionnels. C'est notamment un de ces appareils que tenaient entre leurs mains Neil Armstrong et Edwin Aldrin lorsqu'ils firent leurs premiers pas sur la Lune.

– ***Carl Larsson*** *(1855-1919)* **:** illustrateur à ses débuts (notamment des contes de H. C. Andersen), il est surtout célèbre pour ses aquarelles où il prend pour modèles sa femme et leurs nombreux enfants dans le cadre idyllique de leur maison de Sundborn. Ses peintures, qui ressemblent parfois à des illustrations de livre pour enfants, sont baignées d'une lumière chaude qui transmet une impression de bonheur dans ces scènes d'un quotidien paisible, authentique et proche de la nature.

– ***Zarah Leander*** *(1907-1981)* **:** la diva du cinéma allemand était suédoise. Née à Karlstad, elle épouse un acteur à l'âge de 16 ans pour fuir son milieu familial protestant trop rigide. Comme ses compatriotes Ingrid Bergman et Greta Garbo, elle tourne d'abord dans son pays natal, puis dans les studios berlinois. La comparaison s'arrête là. Elle n'eut pas la chance, comme elles, de pouvoir continuer sa carrière à Hollywood, ayant signé un gros contrat avec les studios allemands UFA à la veille de l'Anschluss. Prisonnière de ses engagements, cette beauté romantique devient à son corps défendant la plus grande actrice de l'ère nazie. Certains verront en elle l'égérie du IIIe Reich, sans connaître sa véritable personnalité : elle évitait soigneusement les rendez-vous avec Goebbels, recevait chez elle les porteurs de l'étoile rose (à savoir les homosexuels) et refusa que son fils soit enrôlé dans l'armée allemande. La légende raconte qu'elle arriva à quitter Berlin après le bombardement de sa maison : elle jeta ses robes par la fenêtre pour les sauver de l'incendie, mais les passants se les arrachèrent ! Rentrée en Suède, elle se mit à élever poules et lapins avant de se lancer dans un tour de chant à base de jazz. Après guerre, elle tourna en Autriche et en Italie, et elle remonta sur les planches des théâtres trois ans avant sa mort à Stockholm, en 1981.

– ***Carl von Linné*** *(1707-1778)* **:** botaniste et médecin. C'est à lui que l'on doit la classification universelle (la systématique) des êtres vivants, donnant à chacun un nom latin par genre et par espèce (par exemple : *Homo sapiens*). Il est aussi l'inventeur de la culture de l'huître perlière. Linné était un végétarien convaincu, persuadé que les fruits et les plantes comestibles constituent la nourriture la plus appropriée pour l'homme qui n'a pas été physiologiquement préparé pour manger de la viande. En 2007, on a célébré le tricentenaire de sa naissance.

– ***La famille Myrdal :*** la femme, tout d'abord, Alva Myrdal (1902-1986), ministre et diplomate très engagée dans la politique sociale et les droits de la femme. Elle occupa diverses fonctions au sein des Nations unies et de l'Unesco et reçut le prix Nobel de la paix en 1982 pour son travail en faveur du désarmement. Son mari, Gunnar Myrdal, a, lui, reçu le prix Nobel de l'économie en 1974 pour son travail sur la théorie des fluctuations monétaires et sur l'interdépendance des phénomènes économiques, sociaux et institutionnels. Il occupa, lui aussi, diverses fonctions au sein du gouvernement suédois et des Nations unies. Tous les deux jouèrent un rôle important dans le développement de « l'État-providence » en Suède dans les années 1930. Pour découvrir une autre facette de ce couple brillant et apparemment bien sous tous rapports, on peut également lire les livres de leur fils rebelle (et tout aussi brillant) Jan Myrdal (*Enfance en Suède,* éd. Actes Sud). Le sale gamin réussit à détruire le mythe du couple parfait (et surtout des parents parfaits !).

– ***Alfred Nobel :*** voir son portrait à la fin de la rubrique « Histoire ».

UNE SOUSTRACTION PAR DÉPIT

Tiens, au fait, pourquoi n'y a-t-il pas de prix Nobel de mathématiques ? Une légende tenace (mais contestée) circule à ce sujet dans les milieux scientifiques : la maîtresse de Nobel aurait eu une liaison avec un mathématicien. Quoi qu'il en soit, pour remédier à cet « oubli », la médaille Fields a été créée en 1936. Récompense très prestigieuse elle aussi, mais moins bien cotée que les prix Nobel.

– ***August Strinberg*** *(1849-1912)* **:** figure emblématique de la littérature suédoise, on le connaît surtout en France pour son théâtre (*Mademoiselle Julie,* par exemple), mais il fut également un prosateur d'envergure aux écrits d'une grande profondeur psychologique, à la plume vive (voire assassine) et à la langue riche. Malgré ses multiples talents (de poète, dramaturge, romancier, mais aussi de peintre), cette sombre personnalité à laquelle on colle régulièrement les adjectifs « mystique, aliéné et misogyne » ne reçut jamais le prix Nobel de littérature (même si son œuvre le justifiait). Ses œuvres déclenchèrent sans doute trop de passions et controverses pour cela...

– ***Raoul Wallenberg*** *(1912- ?)* **:** diplomate suédois, membre de la plus grande dynastie financière de Suède, qui sauva de la déportation nazie des dizaines de milliers de juifs, alors qu'il était en poste à Budapest, en utilisant la possibilité de délivrer des passeports suédois temporaires déclarant que leurs possesseurs étaient des citoyens suédois en attente de rapatriement. Lorsque Budapest fut délivrée par l'Armée rouge, il restait 100 000 juifs qui avaient été préservés de la déportation grâce aux efforts de Wallenberg et de ses collègues des pays neutres. Enlevé par les Soviétiques en 1945, on n'a jamais su ce qu'il était devenu. En 1996, le mémorial Yad Vashem à Jérusalem l'a reconnu « Juste parmi les Nations ».

– ***Anders Zorn*** *(1860-1920)* **:** d'abord remarqué pour ses aquarelles, c'est ensuite au travers de ses portraits (à l'huile) aux traits énergiques d'où ressort le caractère de ses modèles qu'il devient, dans les années 1890, un artiste renommé, notamment à Paris où il vécut huit ans. Beaucoup de ses tableaux ont en commun le jeu sur l'ombre et la lumière. Zorn est aussi connu pour ses baigneuses nues (toujours avec ces jeux de lumière), à la fois très réalistes et empreintes de poésie, et ses tableaux représentant des scènes de son village de Mora en Dalécarlie (où il finit par s'installer définitivement).

– Sans oublier le tennisman ***Björn Borg*** et le groupe pop ***Abba,*** etc.

Ce qu'on doit aux Suédois

Déjà, qu'un pays aussi petit puisse s'enorgueillir d'avoir deux constructeurs automobiles (*Volvo* et *Saab*), c'est pas mal, mais, en plus, on constate avec surprise qu'on lui doit un certain nombre d'inventions, comme si les longs hivers sombres et ennuyeux favorisaient les illuminations. Pour n'en citer que quelques-unes : la dynamite et le thermomètre (mais on l'a déjà dit !), la clé à molette (inventée par un mécanicien qui en avait ras la casquette de toujours devoir se trimbaler toute une panoplie de clés de tailles différentes), le chlore, le roulement à billes, la turbine à vapeur, les emballages *Tetra Pak* et puis l'*Absolut Vodka,* hips !

Le design suédois

Si le mot « design » évoque pour bon nombre d'entre nous des objets froids, inconfortables, pas pratiques et plutôt inaccessibles, il prend une autre valeur dans ce pays, où il semble omniprésent : à l'aéroport de Stockholm quand on arrive, dans les cafés, les restaurants, les musées, etc. Les industries et les entreprises suédoises ont depuis longtemps accordé une place prépondérante à l'élégance, la forme et la ligne (que ce soit dans les domaines de la téléphonie ou de l'automobile, par exemple). Cet art acquit ses lettres de noblesse dès les années 1920, notamment avec l'apparition du concept « Swedish Grace » et, s'il connut une période creuse entre 1965 et 1985, il a repris de plus belle depuis avec des créateurs tel Jonas Bohlin. Malgré le temps qui passe, le concept reste le même : un design pour tous, simple, fonctionnel, ergonomique, mêlant volontiers le respect des matériaux, les teintes claires et une touche d'humour. Bref, des bâtiments et des objets de qualité, d'une sobre élégance, souvent ingénieux. D'ailleurs, si vous voulez rapporter des cadeaux sympas ou décorer votre intérieur, c'est le pays (sauf si vous êtes un adepte de l'armoire normande et de la comtoise, évidemment !). Dans les plus grandes villes, vous trouverez plein de petites choses sympas dans des boutiques comme *Granit* (prix très raisonnables) ou *Designtorget* (prix beaucoup moins raisonnables !). Et puis, dans le genre, comment ne pas citer les chaînes de magasin *Ikea* et *Hennes & Mauritz* ? Même pas la peine de faire le déplacement jusqu'en Suède pour les voir celles-là, puisqu'elles se sont implantées un peu partout en Europe. Fondées toutes les deux en Suède, et la même année (1947), elles partagent un même esprit : des meubles ou des vêtements sympas, modernes et pratiques et à la portée de toutes les bourses (bon, quant à la solidité ou à la qualité, là ils ont un peu dévié, mais on n'insistera pas !).

POPULATION

Sur place, vous ne manquerez pas de remarquer que le mythe du Suédois, grand blond aux yeux bleus, a pris un coup dans l'aile. En effet, si, jusqu'à la Seconde Guerre mondiale, la population suédoise est restée très homogène (l'émigration étant jusque dans les années 1930 beaucoup plus forte que l'immigration), elle a beaucoup évolué depuis. Tout d'abord, dans les années 1950 et 1960 avec une forte expansion économique et un besoin massif de main-d'œuvre qui va favoriser l'immigration, ralentie par la récession des années 1970, puis relancée dans les années 1990 par une importante arrivée de réfugiés politiques. En 2001, on comptait 476 000 ressortissants étrangers en Suède (soit un habitant sur vingt). On vous l'accorde, la majorité vient des pays voisins (au moins 21 % de Finlandais, 7 % de Norvégiens et 5,5 % de Danois), les nombreux accords passés entre ces quatre pays facilitant les déplacements de population. Mais Irakiens (7,5 %), populations de l'ex-Yougoslavie, Polonais et Allemands sont aussi bien représentés. La Suède compte également dans sa population, comme la Norvège, une communauté de langue finnoise (environ 30 000 personnes regroupées dans le Nord-Est, le long de la frontière) et environ 17 000 Samis.
La population, de plus en plus urbaine et de faible densité (20 hab./km^2), est très inégalement répartie et se concentre tout particulièrement dans le Sud, dans le triangle délimité par Stockholm, Göteborg et Malmö, les agglomérations les plus importantes du pays.

Habitants

Nous indiquons le nombre d'habitants pour les principales villes. Précision : ce chiffre concerne la population de la ville sans son agglomération. Certaines communes, en particulier dans le Nord, s'étendent sur des milliers de kilomètres carrés. La population de la commune administrative peut atteindre le double de celle de la ville seule.

Les Samis

Le nord de la Scandinavie est habité par une population tout à fait originale : les Samis (nom qu'eux-mêmes se donnent, jugeant péjoratif le terme « lapon » autrefois utilisé). Ils sont 17 000 samophones en Suède pour un total d'environ 100 000 répartis sur quatre pays. Premiers occupants, ils ont été repoussés sans ménagement par les tribus finnoises en expansion. Le même processus se produisant en Scandinavie où Norvégiens et Suédois se sentaient un peu à

PARLEZ-VOUS SAMI ?

Quelques termes de sami du Nord : čuozâšit *signifie « entrer dans le filet ici et maintenant et y rester coincé » ;* vædâtâk, *« endroit d'où la neige a été soufflée par le vent » et* boaššobužžât, *« un peu plus près de la partie centrale de la tente (ou de la hutte) » ! Amusant : la langue samie possède environ 400 mots pour désigner le renne ! Un mot sami est devenu célèbre dans le monde entier : la toundra.*

l'étroit, les pauvres Samis ont vu leur territoire se rétrécir comme une peau de chagrin. Nomades par vocation, domestiquant le renne pour tirer le traîneau en hiver et assurer leur subsistance (lait, viande, vêtements...), ils se sont installés dans cette contrée inhospitalière que les géographes appellent Laponie, au-delà du cercle polaire, à cheval sur la Norvège, la Suède, la Finlande et la Russie. Et comme partout ailleurs, là où passe le rouleau compresseur de la civilisation occidentale, les cultures autochtones trépassent.

Le Sami a été à deux doigts de tout perdre. L'industrialisation, le défrichement qui provoque la régression des zones de pâturage des rennes, les entraves au nomadisme traditionnel, les terribles ravages de la guerre en Laponie, l'alcoolisme, l'assimilation, l'abandon progressif de ses dialectes ont porté de rudes coups à l'identité de ce petit peuple, malgré la création en 1956 d'un Conseil sami nordique visant à défendre les intérêts des Samis « de manière compatible avec leurs devoirs envers leurs nations respectives » (sic !).

Cependant, le courant s'est inversé durant la dernière décennie du XXe s. La langue samie s'est vu attribuer un statut de langue officielle, ce qui permet aux Samis de poursuivre toute leur scolarité dans la langue de leurs ancêtres et, à 16 ans, de choisir celle-ci pour l'épreuve de langue maternelle au bac. Au fil des ans, la majorité des adultes a acquis une formation professionnelle adaptée au contexte de la vie samie. Les gardiens de troupeaux se déplacent à motoneige et ils communiquent par téléphone portable et par e-mail. Les traîneaux et les *joiks* sont toujours là, un peu pour la tradition et beaucoup pour satisfaire le touriste !

Si - 20 °C ne vous font pas peur, vous avez encore une chance de découvrir la dernière grande manifestation de culture samie en assistant à la fête de Pâques à Kautokeino (en Laponie norvégienne) ; c'est l'occasion pour tous les Samis de se retrouver, de rivaliser en joutes et en courses (de rennes, bien sûr !) et de célébrer les mariages de l'année. Un must hivernal.

En été, la majorité des Samis accompagne les troupeaux dans la toundra et vous n'en rencontrerez pas beaucoup. Éliminons ceux qui tiennent la boutique touristique au bord de la route, qui ne portent leur costume de fête qu'à l'intention de l'étranger réputé solvable que vous êtes. Dans les villages, vous verrez de temps à autre un ancien, jaune et ridé, coiffé d'un étrange chapeau, trop âgé pour suivre les rennes. Vous apercevrez peut-être un campement sami au bord de la route, reconnaissable aux tentes et aux huttes coniques traditionnelles. Si vous avez un problème, ses occupants vous accueilleront avec la plus grande gentillesse et se mettront en quatre pour vous aider.

Ils sont en général polyglottes... mais parlent quasi exclusivement les langues régionales ! Leurs dialectes sont proches les uns des autres. Le plus répandu, le sami du Nord, tient lieu de langue commune. Tout comme le finnois, ces dialectes appartiennent au groupe finno-ougrien dont ils constituent une branche. Ils se caractérisent par une grande richesse phonétique qui a donné bien du fil à retordre à leurs transcripteurs en caractères romains, et surtout par un vocabulaire limité aux situations de la vie quotidienne (la nature, les rennes, la chasse, la pêche, les saisons, l'habitat, la communauté) mais d'une hallucinante précision qui ramène nos langues occidentales à un babil de nourrisson.

Dans le domaine religieux, les Samis sont animistes, croyant que tout dans la nature, des animaux aux minéraux, possède une âme. Un dernier détail : si vous devez chercher de l'aide dans une maison, frappez et entrez sans attendre, c'est l'usage dans ces régions.

PROSTITUTION

Sur le plan des mœurs, pour éliminer le fléau de la prostitution (elle ne constitue pas une infraction ; le racolage non plus), les Suédois ont innové de façon très intéressante en décidant de poursuivre les clients des péripatéticiennes : depuis 1999, date de l'entrée en vigueur de la loi sur l'interdiction de l'achat de services sexuels,

ceux-ci sont passibles de six mois d'emprisonnement. La prostituée, elle, ne risque rien : une loi féministe, voulue comme telle dans le pays au Parlement le plus féminisé au monde. Les Suédois ont considéré que les prostitués – des femmes dans l'immense majorité – ne vendaient pas leur corps de bon gré, et donc que la « transaction » ne pouvait se conclure entre deux partenaires égaux. La loi suédoise considère que la prostitution est l'une des multiples expressions de la violence masculine à l'égard des femmes. D'où la décision de ne pas criminaliser l'acte de se prostituer pour ne pas punir une seconde fois la femme. Cela a le mérite de lancer le débat sur des bases inédites et de prévenir des risques encourus tout candidat à une galipette tarifée.
Après quelques années d'application, cette loi n'a généré aucune condamnation (à peine quelques amendes).

SITES INSCRITS AU PATRIMOINE MONDIAL DE L'UNESCO

En coopération avec
le centre du patrimoine mondial de l'UNESCO

Pour figurer sur la liste du Patrimoine mondial, les sites doivent avoir une valeur universelle exceptionnelle et satisfaire à au moins un des dix critères de sélection. La protection, la gestion, l'authenticité et l'intégrité des biens sont également des considérations importantes.
Le patrimoine est l'héritage du passé dont nous profitons aujourd'hui et que nous transmettons aux générations à venir. Nos patrimoines culturel et naturel sont deux sources irremplaçables de vie et d'inspiration. Ces sites appartiennent à tous les peuples du monde, sans tenir compte du territoire sur lequel ils sont situés. Pour plus d'informations : • http://whc.unesco.org •
Le domaine royal de Drottningholm (1191) ; Birka et Hovgården (1993) ; les forges d'Engelsberg (1993) ; les gravures rupestres de Tanum (1994) ; Skogskyrkogården (1994) ; la ville hanséatique de Visby (1995) ; le village-église de Gammelstad, Luleå (1996) ; la région de Laponie (1996) ; le port naval de Karlskrona (1998) ; la Haute Côte/archipel de Kvarken (2000, 2006) ; le paysage agricole du sud d'Öland (2000) ; la zone d'exploitation minière de la grande montagne de cuivre de Falun (2001) ; la station radio Varberg de Grimeton (2004) ; l'arc géodésique de Struve (2005).

LA SUÈDE

LA CÔTE DU SUD-OUEST

La Scanie est une région du sud de la Suède, très marquée par l'histoire et les guerres avec le Danemark, dont elle fut une province jusqu'en 1658, date à laquelle le traité de Roskilde rend à la Suède la Scanie, le Halland (la province juste au-dessus), le Blekinge (au sud de Kalmar) et le Bohuslän (la région côtière au nord de Göteborg). Des siècles ont passé, mais on sent toujours, dans cette partie sud du pays, une forte présence danoise dans l'architecture, l'atmosphère... N'oublions pas que Copenhague est beaucoup plus proche que Stockholm et c'est vers elle que se tournent les Scaniens en mal de grande ville.

MALMÖ

265 000 hab. IND. TÉL. : 040

Bien souvent la première étape du routard en Suède, surtout depuis l'achèvement des ponts de l'Öresund. Troisième ville de Suède, Malmö présente l'avantage d'être toute proche de Copenhague, et faire la navette entre les deux n'est désormais plus qu'un jeu d'enfant. Si Malmö n'a pas le charme de sa petite voisine Lund et ne séduit pas le touriste au premier coup d'œil, elle s'avère finalement attachante. Autrefois lourdement industrielle et morne, elle est devenue une grande cité à taille humaine. L'improbable tour Turning Torso qui la domine du haut de ses 190 m est le symbole de cette mutation.

UN PONT C'EST TOUT !

C'est en 2000 que le pont-tunnel franchissant l'Öresund a été mis en service. Certains y ont vu l'ancrage de la Suède à l'Union européenne. D'autres, plus retors, le rattachement de la Sealand (île de Copenhague) au continent scandinave. Symboliquement, ce trait d'union scelle définitivement la paix entre les deux rives de ce bras de mer jadis si âprement convoitées.

UN PEU D'HISTOIRE

Malmö est citée comme « ville » dès le XIVe s. Au XVIe s, elle est même la deuxième ville du royaume du... Danemark. Une fois aux mains des souverains suédois, la ville perd de son importance et sombre dans l'anonymat. Il lui faut attendre le XIXe s pour prospérer grâce à l'industrialisation montante. Un chantier naval s'y développe avec réussite puis périclite, entraînant une crise économique locale majeure. En 1997, l'université de Malmö ouvre ses portes. Les étudiants, le secteur de la recherche, l'ouverture du pont-tunnel de l'Öresund et le développement des collaborations avec la région de Copenhague contribuent peu à peu à insuffler une nouvelle dynamique à la ville.

Comment y aller ?

De Copenhague

Très facile, évidemment, depuis l'ouverture du pont-tunnel de l'Öresund. Plusieurs possibilités :

➢ ***En voiture :*** compter 36 € pour les véhicules inférieurs à 6 m. Le double au-delà. Euros acceptés. • *oeresundsbron.com* •

➢ ***En train :*** de la gare centrale. Départ ttes les 20 mn. Durée du trajet : 30 mn. Coût : 90 Sk (9,50 €). La meilleure solution pour une escapade entre la capitale danoise et Malmö.

Sachez également qu'il existe un billet bien intéressant pour voyager dans la région du détroit de l'Öresund : l'***Öresund Rundt (ou Around the Sound).*** Pour 199 ou 249 Sk (21 ou 26 €), selon la zone que vous visitez. Durant 2 jours il permet de voyager gratuitement en train dans la région de l'Öresund, aussi bien au Danemark (Copenhague inclus) qu'en Suède (de Helsingborg à Bromölia et Simrishamn). La seule condition : que vous n'utilisiez pas le même moyen de traversée entre la Suède et le Danemark à l'aller et au retour. Il faut donc utiliser le pont entre Malmö et Copenhague pour l'un et le ferry entre Helsingborg et Helsingør pour l'autre. Réduc de 50 % pour les moins de 16 ans et aussi, pour tous, réduc de 25 à 50 % dans plusieurs musées de la région. Attention, le forfait ne s'achète pas au Danemark. • *skanetrafiken.se* •

➢ ***En bus :*** avec la Linje 999, arrêt à Malmö face à la Konserthuset, à env 15 mn à pied au sud de la gare. Départ tlj sf dim. Compter 1h de trajet. Billet aller-retour 100 Sk (10,50 €). Moins fréquent et plus lent que le train. ☎ *070-37-01-999.*

En train, depuis les grandes villes suédoises

➢ ***De Helsingborg et Lund :*** env ttes les heures. Trajet de 45 mn (Helsingborg) et 15 mn (Lund).

➢ ***De Göteborg :*** train direct env ttes les 2h 6h30-19h30. Trajet : env 3h.

➢ ***De Stockholm :*** liaison directe et régulière ttes les heures 5h-23h. Trajet : env 4h30.

Arrivée à l'aéroport

– Aéroport de Malmö : principalement desservi par les vols intérieurs ou quelques compagnies *low-cost,* telle *Ryanair* (pas de liaison directe avec la France).

➢ ***Navettes de bus*** fréquentes entre l'aéroport, situé à 35 km au sud-est de la ville, et la gare centrale. Compter 40 mn de trajet et 90 Sk (10 €).

– Pour les vols internationaux, l'aéroport le plus proche est celui de Kastrup, à Copenhague.

➢ *Øresundstågen (train de l'Øresund) :* 20 mn de trajet entre l'aéroport de Copenhague et la gare centrale de Malmö. Ttes les 20 mn 6h-minuit et ttes les heures dans la nuit. Billet : 85 Sk (9,40 €).

Adresses utiles

🅸 ***Office du tourisme*** *(plan C1) : Centralstationen ; dans la gare.* ☎ *34-12-00.* • *malmo.se/turist* • *Juin-fin août, ouv en sem 9h-19h, w-e 10h-17h ; mai et sept, ouv en sem jusqu'à 18h et 15h w-e ; le reste de l'année, ouv en sem 9h-17h, sam 10h-14h.* Plan et infos en tout genre. Propose des visites de la ville en anglais tous les jours l'été. Peut vous réserver un hôtel moyennant une commission de 70 Sk (7,50 €). Vend la *Malmö Card* : 130 Sk (13,50 €) pour 24h, 160 Sk (17 €) pour 48h et 190 Sk (20 €) pour 72h. Cette carte permet de

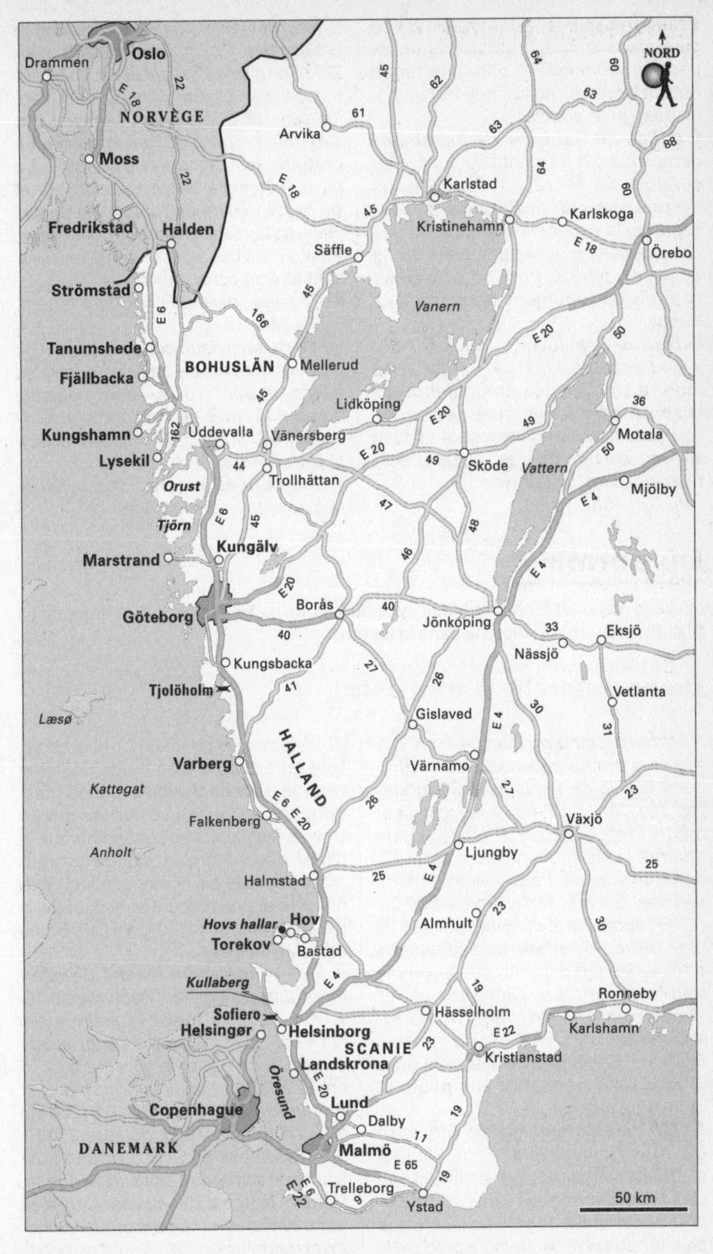

LE SUD-OUEST DE LA SUÈDE

visiter gratuitement les musées, de se garer dans la ville, d'utiliser les transports en commun et offre une réduc pour la traversée du pont de l'Öresund, en train ou en voiture.

Office du tourisme de Skånegården : *situé à la descente du pont, côté suédois.* ☎ *34-12-05.* Propose les mêmes services que l'office du tourisme de la gare centrale, ainsi qu'une documentation assez complète sur la Suède en général. Possibilité de réservations de logement pour toute la Suède.

■ ***Bed & Breakfast :*** ☎ *73-00-00.* • *bed-and-breakfast.se* • Pour vous aider à trouver des chambres chez l'habitant dans les environs de Malmö.

✉ ***Poste*** *(plan C1) : Skeppsbron 1. Ouv lun-ven 7h-19h.* Svensk Kassaservice, *Kalendegatan 28. Lun-ven 10h-17h30 ; sam 10h-13h.*

@ ***Internet*** *(plan C2) :* Zézé Café, *Engelbrektsgatan 13. En sem 11h (13h w-e)-22h. Compter 44 Sk/h (4,50 €).* La bibliothèque municipale, *Kung Oscars Väg, lun-sam 10h-20h (18h ven, 16h sam), dim 12h-16h, propose 30 mn de connexion gratuite, mais résa indispensable.* La bibliothèque elle-même, toute de verre et de pierre (œuvre de l'architecte danois Henning Larsen), mérite une petite visite. En plus, les quotidiens internationaux y sont en libre consultation.

■ ***Change :*** *bureau* Forex, *dans la gare. Tlj 7h-21h.*

Gare ferroviaire centrale *(plan C1) : pour les horaires de trains et le prix des billets,* ☎ *0771-75-75-75 (n° national) ou pour ts types de transports en Scanie :* ☎ *0771-77-77-77.* • *skanetrafiken.skane.se* • *sj.se* •

■ ***Journaux étrangers :*** Pressbyrån *de la gare bien approvisionné.*

Où dormir ?

On vous mentirait si on prétendait avoir eu le coup de foudre pour l'hébergement à Malmö. Rien de bon marché dans le centre.

De bon marché à très chic

Sibbarp Camping *(hors plan par A2,* ***11****) : à 5 km au sud-ouest du centre, dans la ville de Limhamn ; Strandgaten 101.* ☎ *15-51-65.* • *camping.se/m08* • *Prendre le bus n° 10 de la gare centrale, vers Sibbarp, puis le n° 12, après changement à Limhamn. Ouv tte l'année. En été, forfait tente 200 Sk (21 €) ; caravane et camping-car 230 Sk (24 €).* Au bord de l'eau, face au superbe et gigantesque pont qui pointe vers la capitale danoise. Camping assez bondé bien que très vaste. Nombreuses caravanes plantées là à l'année. Plages et pontons qui s'avancent dans la mer, pour permettre aux petits et grands de plonger.

STF Vandrarhem Malmö City *(plan C3,* ***12****) : Rönngatan 1.* ☎ *611-62-20.* • *stfturist.se/malmocity* • *Fermé 15 j. fin déc. Réception fermée 12h-13h. Chambres accessibles 16h-19h. Réserver le plus tôt possible. À 10 mn à pied de la gare ou bus n°s 2, 5, 7 ou 8. Lit 180 Sk/pers (19 €) ; doubles 440-490 Sk (46-51,50 €) selon confort. Compter 50 Sk (5,50 €) de plus pour les non-membres.* Une agréable AJ bien moderne, toute récente, un brin design et située presque dans le centre. Les dortoirs ont 4 à 6 lits et les sanitaires sont nombreux et nickel. Internet gratuit, casiers (on vous prête un cadenas contre caution), et si on ne veut pas prendre sont petit déj là *(50 Sk en sus, soit 5,50 €)*, le café *Bruno* est juste en face.

STF Vandrarhem Malmö Eriksfält *(hors plan par D3,* ***13****) : Backavägen 18.* ☎ *822-20.* • *stfturist.se/malmoeriksfalt* • *Par l'E6/E22, à env 3 km au sud du centre. Bus n° 21 de la gare (ou le n° 15 après 20h30), puis 2 mn de marche. Réception 8h-10h, 16h-20h (22h en été). Lit 150 Sk (16 €), doubles 350 Sk (37 €). Compter 50 Sk (5 €) de plus pour les non-membres ; petit déj en plus.* Dortoirs de 3 à 6 lits. AJ située juste en bordure d'autoroute dans un environnement pas folichon. On lui préfère tout de même sa jeune sœur du centre. Toutefois pratique si vous êtes véhiculé : parking réservé.

Hôtel Ibis *(hors plan par C3,* ***14****) : Stadiongatan 21. ☎ 672-85-70. • ibishotel.com • Un peu au sud de la ville. Ouv 24 juin-15 août et ts les w-e. Compter 550 Sk (58 €) la chambre ; hors de cette période, 825 Sk (87 €) ; gratuit pour les moins de 12 ans.* Pas originale cette grosse machine avec des groupes qui débarquent sans cesse, mais bon rapport qualité-prix pour la Suède.

Scandic Kramer *(plan C2,* ***10****) : Stortorget 7. ☎ 693-54-00. • scandic-hotels.se • Selon saison et durée du séjour, 1 500 Sk (157 €) pour deux.* En plein centre, directement sur Stortorget, très bel hôtel à l'ancienne. L'immeuble blanc à tourelles, avec sa façade style Renaissance italienne n'est pas tape-à-l'œil. Dedans, hall chaleureux, escalier un rien chic, bar avec comptoir monumental, sauna et chambres tout confort avec minibar, TV, table de repassage et tout le tralala. Le resto (de luxe) de l'hôtel est chic et cher. Les petits déj sont pantagruéliques. Une bonne adresse dont la qualité justifie le prix.

Où manger ?

– Nombreux ***restos*** et ***bars*** sur Lilla Torget.

De bon marché à prix moyens

Bageri Caféet *(plan C2,* ***20****) : dans le marché Saluhallen qui donne sur la pl. Lilla Torget. Lun-ven 8h-19h ; w-e 10h-17h.* Un snack qui sert quelques salades, toutes sortes de bons sandwichs et pâtisseries affriolantes qu'on peut consommer sur une petite terrasse à l'angle de la place.

Café Siesta *(plan C2,* ***21****) : Hjorttackegatan 1. ☎ 611-10-27. Lun-jeu 11h30-23h (0h30 ven-sam, 20h dim). Sandwichs chauds et smörrebröd le midi env 50 Sk (5 €) ; à la carte, 120-250 Sk (12,50-26 €) le plat.* Terrasse sur une petite rue pavée bien paisible. Cuisine fraîche et pas trop chère.

Krua Thai *(plan D3,* ***22****) : Möllevångstorget 12-14. ☎ 12-22-87. Dernières commandes à 21h. Fermé lun soir. Plats env 80 Sk (8,50 €).* Sur une place vivante autour de laquelle se rassemblent les communautés immigrées de la ville, cette cantine thaïe, très populaire, propose une cuisine raffinée, copieuse et à petits prix. Sans bière forte. Accueil prévenant et gentil. Thaï, quoi !

– *Sur cette même place se tient ts les mat (sf dim et lun) un marché de fruits et légumes.* En outre, moult restos et bars de toutes nationalités y ont un bon rapport qualité-prix.

Plus chic

Sankt-Markus *(plan C2,* ***23****) : Stadt Hamburgsgatan 2. ☎ 30-68-20. Ouv 17h-minuit (1h ven-sam). Fermé dim. Résa conseillée.* Luxus Buffet 288 Sk

Adresses utiles

- Office du tourisme
- Poste
- Gare ferroviaire centrale
- Gare routière
- Zézé Café

Où dormir ?

- **10** Scandic Kramer
- **11** Sibbarp Camping
- **12** STF Vandrarhem Malmö City
- **13** STF Vandrarhem Malmö Eriksfält
- **14** Hôtel Ibis

Où manger ?

- **20** Bageri Caféet
- **21** Café Siesta
- **22** Krua Thai
- **23** Sankt-Markus

Où boire un verre ? Où écouter de la musique ? Où danser ?

- **30** Paddy's Pub
- **31** Pickwick
- **32** Mattsons Musikpub
- **33** Slaghuset
- **34** Jeriko
- **35** Kulturbolaget (KB)

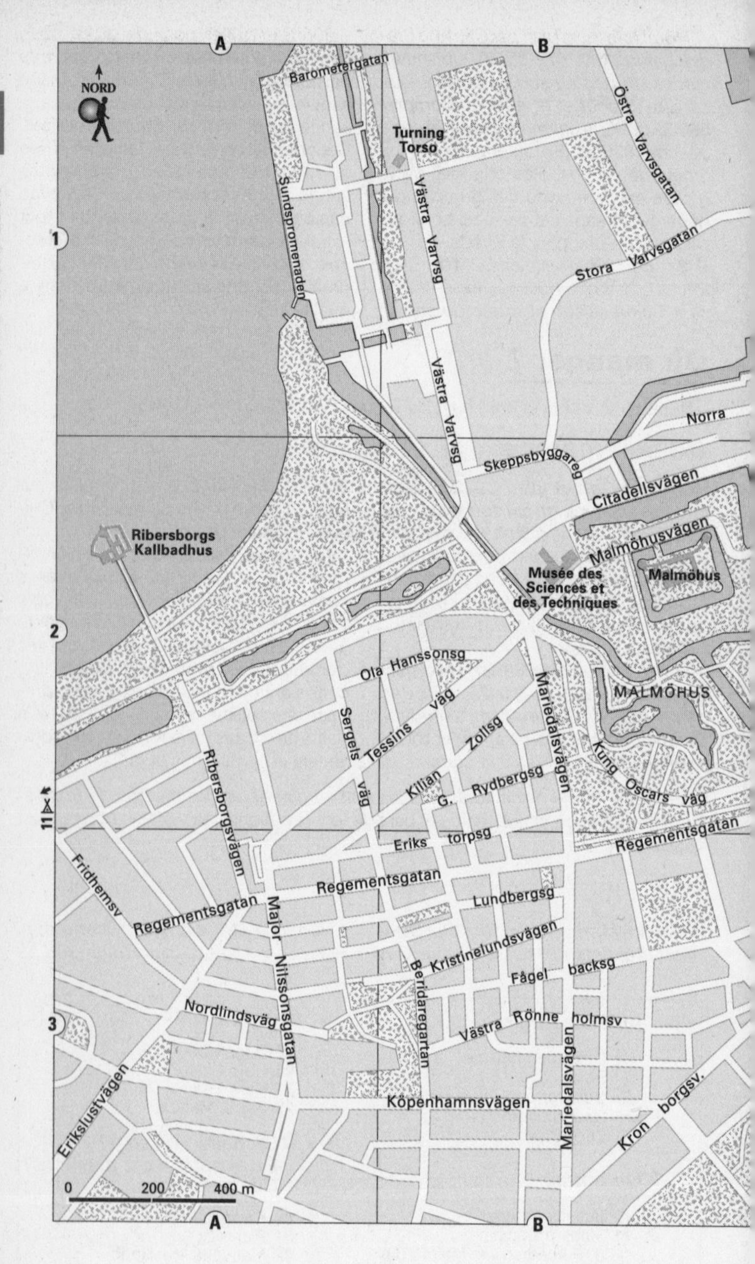
NORD
Barometergatan
Turning Torso
Östra Varvsgatan
Västra Varvsg
Sundspromenaden
Stora Varvsgatan
Norra
Skeppsbyggareg
Citadellsvägen
Malmöhusvägen
Ribersborgs Kallbadhus
Musée des Sciences et des Techniques
Malmöhus
MALMÖHUS
Ola Hanssonsg
Sergels väg
Tessins väg
Mariedalsvägen
Zollsg
Kilian G.
Rydbergsg
Kung Oscars väg
Ribersborgsvägen
Eriks torpsg
Regementsgatan
Fridhemsv
Lundbergsg
Major Nilssonsgatan
Kristinelundsvägen
Beridaregatan
Fågel backsg
Nordlindsväg
Västra Rönne holmsv
Erikslustvägen
Köpenhamnsvägen
Kron borgsv.
0
200
400 m
A
B
1
2
3
11

C
D
Grimsbygatan
Hans
Michelsensg
Jörgen
Kocksgatan
33
Carlsgatan
Nordenskiöldsg
Skeppsbron
SLUSSBRON
Neptunig
Norra
Vallgatan
Öster
gatan
Östra
Promenaden
Exercisgatan
Fiskehamnsg
Adelg
Sankt Petri
32
Katt
sundsg
10
Väster
gatan
Engelbrektsg
STOR TORGET
Gröne
gatan
Rundelsg
Stora
Kvarng
Langgardsgatan
Hyreg
20
30
Kalendeg
Djäkneg
21
Hjorttackeggatan
Söderg
Baltzars
gatan
O. Indiefarareg
Generalsgatan
GAMLA STADEN
Malmborgsgatan
Nygatan
Slottsgatan
Gryn
Bodg
Stora
Stadt
Hamburgsgatan
23
31
Södra
Promenaden
Drottninggatan
Kungsgatan
Stadsbibliotek
Kaptensgatan
Föreningsgatan
Storg
Davidshallsgatan
Södra Förstadsg
Fersens väg
Disponentg
INNER STADEN
Holmgatan
Rönngatan
12
Amiralsgatan
St. Knuts väg
Östra Rönne
holmsv
TRIANGELN
34
Spångatan
Malmö Konsthall
Spånehus vägen
35
Pildamms vägen
Rådmans gatan
Södra
Friis
gatan
Bergsgatan
Norra Parkg
Carl Gustafsväg.
Kristianstads
gatan
Pildammsparken
Smedjegatan
22
14
13
1
2
3

MALMÖ

(30 €) ; plats à la carte env 200 Sk (21 €). Également des menus, pour ceux qui en auraient les moyens. On s'installe dans une ancienne cave à charbon constituée d'un dédale de couloirs et de recoins, éclairée à la bougie, ponctuée d'arcades et ornée de tableaux religieux. Le buffet est spectaculaire ! Idéal pour une soirée intime mais... gare à la note !

Où boire un verre ? Où écouter de la musique ? Où danser ?

Paddy's Pub *(plan C2, **30**) : Kalendegatan 7. Ouv tlj sf dim jusqu'à minuit (2h w-e).* Grand pub avec plusieurs salles et, le samedi, des groupes de différents styles, soul, funk, ou même salsa. Belle terrasse dans l'arrière-cour. On y mange aussi.

Pickwick *(plan C2, **31**) : Malmborgsgatan 5. Ouv jusqu'à 1h ou 2h. Fermé dim. Âge min 23 ans.* Atmosphère et accueil très chaleureux dans ce pub au décor de vieux salon anglais avec douillets fauteuils de cuir clouté. *Happy hours* 16h-19h et *quiz night* chaque mercredi dès 20h30, avec à la clé un dîner pour deux chez le roi !

Mattsons Musikpub *(plan C2, **32**) : à deux pas de la grand-place*. Fréquenté les jeudi et vendredi par des couples d'âge mûr qui viennent danser au rythme des classiques suédois. Sous le regard de portraits de dignes ancêtres accrochés aux murs. Samedi, place aux plus jeunes pour des soirées animées par des groupes de rock ou consacrées aux *sixties* et aux *seventies*.

Slaghuset *(plan D1, **33**) : Jörgen Kocksgatan 7A. Ouv 23h-5h. Un resto également avec un buffet intéressant le midi (75 Sk, soit 8 €) : réservé aux clients des théâtres le soir.* Vaste espace logé dans d'anciennes usines tout en brique, abritant théâtres, bars et la plus grande boîte de Scandinavie ! Et la plus populaire de Malmö. Public jeune vendredi, plus âgé samedi.

Jeriko *(plan D3, **34**) : Spångatan 38.* Rendez-vous des mélomanes. Plusieurs concerts en semaine : jazz, *world music* et folk du monde entier. Se transforme en night-club le week-end.

Kulturbolaget (KB) *(plan D3, **35**) : Bergsgatan 18.* Le meilleur club de rock de la ville avec concerts de blues, rock et pop dans la semaine. Devient aussi club le week-end.

À voir

Stortorget *(plan C2) :* la place centrale de la ville, où se dresse la grande statue de Charles X. Les édifices qui la bordent présentent des styles architecturaux divers et ont été bien préservés malgré les remaniements au cours des siècles. À l'angle de Stortorget et Södergatan s'élève la plus vieille pharmacie de Suède, *Apoteket Lejonet,* fondée en 1662. L'édifice actuel, un bâtiment éclectique du milieu des années 1890, ne manque pas d'allure avec son pignon triangulaire et sa tourelle. Notez les réclames peintes qui couvrent le côté gauche. Belles boiseries à l'intérieur. Et puis l'élégant *hôtel de ville,* qui date de 1546, a été revu et corrigé au XIXe s : sa façade est désormais de style Renaissance hollandaise.

Du côté de ***Lilla Torget*** (petite place voisine de Stortorget), vieilles maisons à colombages typiques, boutiques de brocante et terrasses de cafés. Dans un coin, une belle cabine téléphonique aux sonneries d'antan. L'endroit le plus animé de Malmö.

Les fanatiques de vieille brique pourront se balader sur ***Västergatan*** où, aux nos 2 et 5, apparaissent deux jolies maisons Renaissance, dont l'une à fronton armorié.

L'église Sankt Petri *(plan C2) : à 2 mn de Stortorget.* Commencée au début du XIVe s, elle a subi maintes transformations, mais le style baltique gothique domine et le haut clocher aussi. Elle est surtout célèbre pour son admirable retable du XVIe s, qui trône au-dessus du maître-autel. Quatre tableaux représentant la Communion, la Crucifixion, l'Ascension et la Glorification.

Malmöhus *(plan B2) : Malmöhusvägen. ☎ 34-10-00. • malmo.se/konstmuseum • Tlj juin-août 10h-16h, sept-mai 12h-16h. Fermé 17-25 juin. Entrée : 40 Sk (4 €) ; réduc.* Une forteresse du XVIe s transformée en musée qui comprend plusieurs sections. Un peu fouillis, mais l'ensemble ne manque pas d'intérêt. La section sur l'évolution de la ville depuis la préhistoire présente des éléments de gravures rupestres, la reconstitution d'habitats vikings, etc. Dans la partie artistique, icônes russes et éléments d'arts décoratifs (mobilier, tapisserie, vaisselle). Également des toiles du peintre Alexander Roslin, membre de l'Académie royale de peinture et sculpture qui vécut à Paris au XVIIIe s. On verra encore une collection de peintures suédoises du XIXe s très représentatives, notamment des œuvres de Carl-Fredrik Hill qui travailla en France quelques années. Et, pour finir, un aquarium tropical (sic !), un vivarium plein de bestioles et une section d'histoire naturelle contenant des dioramas, un dinosaure et même une fausse grotte qui se met en branle lorsqu'on appuie sur un bouton ! Quand on vous disait qu'il y avait de tout...
*À l'intérieur, le **restaurant Wega,** ouv également les ven soir et sam soir pour des soirées de jazz ou années 1960, sert un plat du jour 58 Sk (6,40 €).*

Teknikens och Sjöfartens hus *(musée des Sciences et Techniques et Musée maritime ; plan B2) : Malmöhusvägen. ☎ 34-44-38. Mêmes horaires et même billet d'entrée que le précédent.* Dans le premier, histoire des moteurs, de l'aviation et de différentes technologies. Réservé surtout aux spécialistes... et à ceux qui comprennent le suédois. Le second présente l'histoire des ferries et un sous-marin que l'on peut visiter. Là aussi, seulement si vous avez du temps.

Malmö Konsthall *(musée d'Art contemporain ; plan C3) : Sankt Johannesgatan 7. ☎ 34-12-93. • konsthall.malmo.se • Tlj 11h-17h (21h mer). Visite guidée mer 14h et 18h30. Entrée gratuite.* Très beau centre d'art contemporain proposant des expos temporaires.

Västra Hamnen *(port ouest ; plan A1) :* nouveau quartier écologique de la ville, à environ 15 mn à pied du centre. Son architecture étonnante, ses belles promenades le long de la mer, ses tâches de verdure et sa belle vue sur l'Öresund en font un quartier intéressant. Et puis si vous êtes fan de skateboard, vous connaissez forcément la *Stapelbäddsparken* (arène extérieure) et la *Bryggeriet* (arène intérieure) : parmi les meilleures pistes en Europe paraît-il.

On trouve ici la ***Turning Torso*** *(plan B1),* construite pour remplacer la construction emblématique de la ville, une gigantesque grue de levage démolie en 2002. La *Turning Torso Gallery* (ouvert tous les jours de 11h à 18h), à côté de la tour, propose des restaurants, une salle d'expositions et une dizaine de magasins de design (principalement meubles et objets de décoration d'intérieur). Également un centre d'information et d'attractions interactives relatant l'histoire, la conception et la construction de la tour. *Film de présentation : 30 Sk (3,30 €).*

TURNING TORSO : L'ARCHI-TORDU !

Fascinante réalisation de l'architecte espagnol Santiago Calatrava Valls, cette tour de 190 m s'inspire de la forme d'un buste sculpté. Plus haut bâtiment de la ville, c'est le second immeuble résidentiel (147 appartements) le plus élevé d'Europe. Inauguré en 2005, l'édifice incroyable empile neuf cubes imbriqués de 5 étages tournant sur eux-mêmes en s'élevant. Conséquence, le sommet est décalé de 90° par rapport à la base.

Möllevången et le Folkets park *(parc du Peuple) :* quartier haut en couleur qui rassemble de nombreux magasins et restaurants internationaux. Marché de fruits et légumes sur la place Möllevångstorget presque tous les jours de la semaine.

Festival

– ***Malmö Festivalen*** *(festival de Malmö) : chaque année, sem du 15 août, 8 j. de festivités gratuites.* • *malmofestivalen.nu* • Musique, concerts, théâtre et activités pour les plus jeunes. Vive animation dans les rues.

Où se baigner ?

***La plage de Ribersborgs** : à env 25 mn à pied du centre en allant vers le pont de l'Öresund (mais bien avt celui-ci).* Ceux qui ont quelques heures devant eux avant de reprendre un train pourront aller se prélasser sur cette plage où sable et aires de verdure sont le rendez-vous des locaux le week-end.

– ***Ribersborgs Kallbadhus*** : grande bâtisse construite au bout de la jetée avec saunas, coins abrités pour prendre le soleil et vestiaires, datant de 1898, elle vaut la visite. Toute de bois vêtue et presque entièrement conservée en état d'origine, elle est un bel exemple de l'architecture suédoise de la fin du XIXe s. Toute l'année, possibilité de prendre un sauna (face à la mer, le spectacle est superbe) avant de plonger dans la mer pour un petit bain revigorant. Également un café sympa organisant des concerts et pièces de théâtre en été. • *ribban.com* •

➤ *DANS LES ENVIRONS DE MALMÖ*

Torups Slott *(château de Torup) : 17 km à l'est de Malmö (direction Klågerup, tourner à droite à Bara).* ☎ *34-12-93. Les courageux s'y rendront à vélo : belles pistes cyclables depuis Malmö ou Lund. Tours guidés (en suédois) mai-juin. Parc ouv et gratuit.* Élégant château de brique bien rouge, avec un joli parc, bien vert, et un petit étang, bien bleu. Datant du XIVe s (et remanié au XVIIe s), c'est un des mieux conservés du genre. Le parc partiellement peuplé de cervidés, fleuri et arboré, est romantique à souhait.

LUND

77 600 hab. IND. TÉL. : 046

Une jolie bourgade au cœur de l'histoire de la Scandinavie, siège d'une université réputée qui accueille environ 35 000 étudiants. La cité propose tout ce qui peut ravir le visiteur : rues pavées, maisons anciennes, belle cathédrale, riches musées, espaces verts, atmosphère jeune, cafés bruyants et, pour couronner le tout, une AJ originale, dans d'anciens wagons désaffectés. Lund ! tout le monde descend ! Cela dit, si vous en avez la possibilité, préférez les mois de mai, fin août ou septembre pour découvrir cette ville : l'été, les étudiants désertent et Lund s'assoupit paisiblement en attendant la rentrée.
On parcourt la ville (peu étendue) plutôt à pied : les rues ayant conservé leur tracé médiéval, la circulation en voiture ou en bus s'y avère très malaisée, voire interdite dans le centre.

UN PEU D'HISTOIRE

Lund est fondée vers 990 par un monarque danois qui tenait à asseoir son pouvoir en différents points du royaume. Elle devient au XIIe s un important centre politique, financier (la monnaie régionale était frappée à Lund) et surtout religieux avec l'établissement du premier archevêché de Scandinavie (imaginez, la ville compte alors 27 églises et 8 monastères). Cette importante activité religieuse entraîne l'éclosion d'une vie culturelle intense. Lund a été ainsi pendant une quarantaine d'années le seul endroit en Scandinavie où l'on pouvait étudier (la première grande école de Lund fut fondée en 1438, avant les universités d'Uppsala et même de Copenhague). Cependant, la Réforme en 1536 marque la fin de la grandeur de Lund. Églises et monastères sont détruits et l'ordre est donné de fermer l'université (qui accueillait principalement de jeunes gens destinés à devenir des ecclésiastiques et dont les enseignants appartenaient à l'Église). Il faut attendre 1668 pour l'ouverture de la nouvelle université, Lund est entre-temps devenue suédoise. Elle est aujourd'hui l'une des plus réputées du pays.

Après la fermeture de nombreuses usines traditionnelles autour de Lund dans les années 1970, la ville a développé une importante technopole (Ideon) pour promouvoir la coopération entre l'université et l'industrie, et favoriser ainsi le développement technologique et les applications industrielles de la recherche.

Ceux qui connaissent le Danemark seront surpris en se promenant dans cette ville où circulent des milliers de vélos dans les ruelles bordées d'anciennes maisons basses : on se croirait au pays d'Andersen. Copenhague est d'ailleurs toute proche et les relations et collaborations entre les deux régions voisines n'ont cessé de se multiplier depuis l'ouverture du pont entre la capitale danoise et Malmö.

POUR 100 BRICKS T'AS PLUS RIEN !

Fallait être un peu dingo pour oser conditionner du lait dans des berlingots en carton amélioré. Eh bien, en 1951, un certain Ruben Rausing créa à Lund cet objet un peu fou sous la marque Tetra-Pack. *FaLAIT oser.*

Comment y aller ?

En train

➢ ***De Malmö et Copenhague :*** très bonnes liaisons en train. Compter à peine 15 mn pour Malmö et guère plus de 1h pour Copenhague. Env 2 trains ttes les heures 5h-19h.

Adresses utiles

Office du tourisme *(plan B2)* **:** *Kyrkogatan 11.* ☎ *35-50-00.* • *lund.se* • *En face de la cathédrale. En été, ouv 10h-18h (14h w-e) ; le reste de l'année, en sem 10h-17h (14h sam en mai et sept slt).* Infos, plan de la ville, etc. Compétent. Résa de chambres chez l'habitant et même d'hôtels.

✉ ***Poste*** *(plan A2)* **:** *à 200 m de la gare (sur Gasverksgatan vers le Stadspark). Ouv en sem 10h-17h30 (13h sam). Sinon, services postaux de base à l'ICA (grande suface) face à la gare.*

■ ***Médecin :*** City Kliniken, *Clemenstorget, sur la place face à la gare. Ouv en sem 10h-17h. Ou à l'hôpital pour les urgences : Universitetssjukhuset, Getingvägen 4 (remonter la rue de l'office du tourisme en passant devant le bâtiment de l'université).* ☎ *17-10-00.*

Gares *(plan A2)* **:** *en centre-ville. Pour les horaires et prix des trains :* ☎ *0771-75-75-75 (n° national). Pour tt savoir sur les transports, en bus et en train, pour Lund et sa région :* ☎ *0771-77-77-77.* • *skanetrafiken.se* •

@ ***Internet*** *(plan A2)* **:** 7/Eleven, *Lilla Fiskaregatan 5. Tlj 7h-23h. 30 Sk les 90 mn (3,30 €) utilisable 3 j. dans tous les points Sidewalk Express.*

■ ***Presse étrangère :*** Pressbyran, *à droite en sortant de la gare : tlj 6h-22h (20h sam).* Press stop, *Klostergatan 8A. Ouv en sem 10h-18h (15h sam).*

■ ***Location de vélos*** *(plan A2,* **2***)* **:**

Godsmagasinet, *Bangaten.* ☎ *35-57-42. Ouv en sem 6h30-21h30.* Location bon marché de vélos.

■ ***Librairie française*** *(plan B3,* ***3****) : Lilla Tvärgatan 21. Ouv 9h30-18h (15h sam). Fermé dim.*

■ ***Change*** *(plan A2,* ***4****) : Bangatan. Ouv 8h-19h (16h w-e). Fermé lun.*

Spécial étudiants

La période scolaire se déroule de septembre à fin mai. Durant celle-ci, les étudiants visiteurs étrangers qui voudraient goûter à la vie estudiantine peuvent se procurer pour une semaine une carte d'invité qui leur permettra de fréquenter les clubs et les soirées des « nations », ces associations auxquelles tous les étudiants suédois s'affilient obligatoirement. À noter que l'entrée des « nations » est gratuite avant 18h, mais devient payante après.

Où dormir ?

De bon marché à prix moyens

⛺ ***Camping Källby Bad*** *(hors plan par A3,* ***10****) : 3 km au sud-ouest du centre.* ☎ *35-51-88. Suivre les directions de Malmö et Klostergården. Sortie 19 puis 1 km après le panneau d'entrée dans Lund. Sinon, bus nº 1 de Stortorget et demander à descendre au camping. Ouv de mi-juin à 3e sem d'août. Emplacement pour 2 pers 150 Sk (16,50 €).* Curieux camping, situé en fait sur un petit espace vert dépendant de la belle piscine municipale attenante (accès gratuit, y compris au sauna). Terrain pouvant contenir seulement une vingtaine de tentes et quelques camping-cars. Soyez vigilant : très mal indiqué si vous venez du centre-ville.

🏠 ***STF Vandrarhem Tåget*** *(plan A1,* ***11****) : Vävaregatan 22, Bjeredsparken.* ☎ *14-28-20. • trainhostel.com • Juste derrière la gare, emprunter le pont qui enjambe les voies. Réception 8h-10h, 17h-20h. Lit 140 Sk (14,50 €) pour les membres, 190 Sk (21 €) pour les autres. Douche chaude payante. Attention, CB refusées.* Une AJ bien originale puisqu'elle est constituée de 6 wagons de train sur une voie désaffectée, dans un coin calme et verdoyant. 108 couchettes en tout, réparties en compartiments de trois, comme dans un vrai train. Un des wagons est équipé de douches et de w-c, un autre est aménagé en wagon-restaurant pour le petit déj. Il y a même une table de ping-pong, une cuisine en accès libre et une terrasse. Très sympa, cette initiative (sauf pour les claustrophobes), pour se rejouer *Le train sifflera trois fois* ou... *Le Crime de l'Orient-Express.*

🏠 ***Chambres chez l'habitant :*** *résas à l'office du tourisme avec commission de 50 Sk (5 €). En B & B, double sans bains 225 Sk/pers (23,50 €) et 250 Sk (23,50 €) avec.* Pour ceux qui recherchent le contact avec les autochtones.

🏠 ***Hôtel Ibis*** *(hors plan par A2,* ***12****) : Förhandlingsvägen 4.* ☎ *46-31-36-30.*

■ **Adresses utiles**

- Office du tourisme
- Poste
- Gare ferroviaire centrale
- Gare routière
- Internet
- **2** Location de vélos
- **3** Librairie française
- **4** Change

⛺ 🏠 **Où dormir ?**

- **10** Camping Källby Bad
- **11** STF Vandrarhem Tåget
- **12** Hôtel Ibis
- **13** Hôtel Concordia

Où manger ? Où boire un verre ? Où sortir ?

- **20** VESPA
- **21** Café Gräddhyllan
- **22** Italia, il ristorante
- **23** Stortorget
- **24** Tegner's
- **25** Stadsparkscafeet

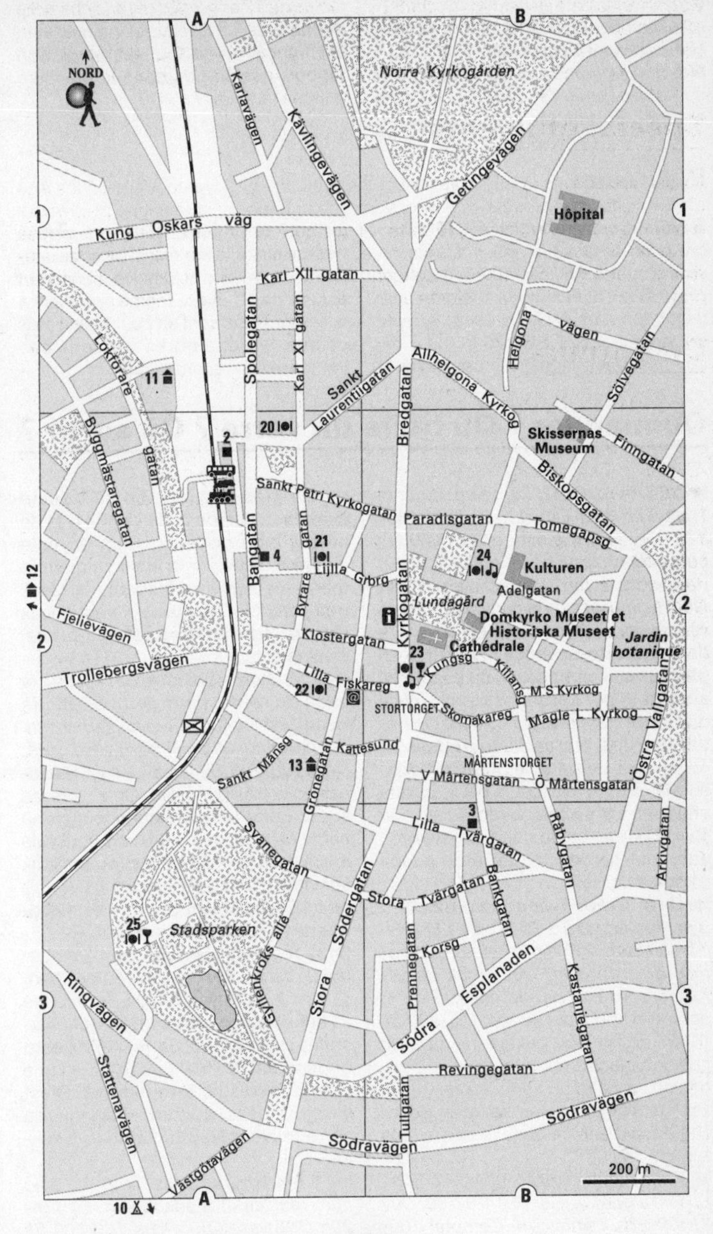
NORD
Norra Kyrkogården
Karlavägen
Kävlingevägen
Getingevägen
Hôpital
Kung Oskars väg
Karl XII gatan
Karl XI gatan
Spolegatan
Lokförare gatan
Helgona vägen
Allhelgona Kyrkog
Sankt Laurentiigatan
Sölvegatan
Bredgatan
Byggmästaregatan
Skissernas Museum
Finngatan
Biskopsgatan
Sankt Petri Kyrkogatan
Paradisgatan
Tomegapsg
Bangatan
Bytare gatan
Lilla Grbrg
Kulturen
Adelgatan
Kyrkogatan
Lundagård
Domkyrko Museet et Historiska Museet
Cathédrale
Jardin botanique
Fjelievägen
Klostergatan
Trollebergsvägen
Lilla Fiskareg
Kungsg
Kiliansg
M S Kyrkog
STORTORGET
Skomakareg
Magle L Kyrkog
Östra Vallgatan
Kattesund
Sankt Månsg
Grönegatan
MÅRTENSTORGET
V Mårtensgatan
Ö Mårtensgatan
Lilla Tvärgatan
Råbygatan
Arkivgatan
Svanegatan
Stora Södergatan
Stora Tvärgatan
Bankgatan
Stadsparken
Gyllenkroks allé
Prennegatan
Korsg
Södra Esplanaden
Kastanjegatan
Ringvägen
Stattenavägen
Revingegatan
Tullgatan
Södravägen
Västgötavägen
200 m
LUND

• ibishotel.com • À 2,5 km du centre-ville, direction Göteborg (prendre à gauche au niveau de la station Shell). Doubles 550 Sk (58 €) juin-oct et ts les w-e de l'année, sinon 735 Sk (77 €). Petit déj en sus. Gratuit pour les enfants de moins de 12 ans logés dans la chambre des parents. Le niveau est inférieur à un *Ibis* français, mais tout est nickel. Bon rapport qualité-prix dans la première gamme tarifaire.

Plus chic

Hôtel Concordia *(plan A2,* ***13****) : Stålbrogatan 1. ☎ 13-50-50. • concordia.se • Doubles 950 Sk (100 €) en été et 1 050 Sk (110 €) le w-e. Attention, prix beaucoup plus élevés en sem le reste du temps : 1 620 Sk (170 €), petit déj compris*. Des chambres impeccables et joliment arrangées, dans une grosse bâtisse historique mêlant harmonieusement le moderne et l'ancien. Confort et accueil de 1er choix, même si certaines salles de bains sont un peu décevantes et que les chambres ne sont pas immenses au regard du prix.

Où manger ? Où boire un verre ? Où sortir ?

VESPA *(plan A2,* ***20****) : Karl XI gatan 1. ☎ 127-127. Ouv 11h30-22h (13h-22h w-e). Formule midi 70 Sk (7,50 €) ; pâtes ou pizzas 110 Sk max (11,50 €).* Pas de doute, la *VESPA* est bien ce petit resto à deux pas de la gare avec dans la vitrine une... *Vespa*. Tout est à vendre dans ce resto-boutique : les pâtes en paquets sur les étagères, ou apprêtées avec goût dans votre assiette. L'huile d'olive des rayonnages ou celle qui frétille sur les pizzas savoureuses et copieuses. Le sel et le poivre en expo au mur ou qui relèvent la petite salade offerte en entrée. Les boudoirs dans leur carton ou ceux d'un bon tiramisu. Bref, pas pour garder une taille de guêpe (*Vespa* en italien).

Café Gräddhyllan *(plan A2,* ***21****) : Bytaregatan. ☎ 15-72-30. Ouv 8h-23h (1h ven-sam, 22h dim). Petite restauration au comptoir 50-70 Sk (5,50-7,70 €) ; au resto : le midi env 80 Sk (9 €) pour le plat du jour, le soir 175-200 Sk (19-22 €).* Agréable petite véranda, avec quelques tables sur le trottoir pour grignoter ou boire un verre. Le resto, lui, est installé dans une salle au décor anglais, ou encore dans le jardin. Très sympa.

Italia, il ristorante *(plan A2,* ***22****) : St. Fiskaregatan 6-8. ☎ 14-82-80. Ouv 11h30-23h, fermé dim. Compter 100-200 Sk (10,50-21 €) de la pizza aux plats les plus chers.* Dans un joli décor fait de murs en brique... et bouchons de vin (très original), on se délecte aussi bien des plats de viande que de pâtes, bien copieux. Pain et huile d'olive à dispo sur la table permettent de se régaler en attendant. Terrasse très agréable. Attention, il vaut mieux réserver car l'adresse est très prisée, localement.

Stortorget *(plan B2,* ***23****) : sur la place du même nom. ☎ 13-92-90. Tlj jusqu'à minuit (2h ven-sam), fermé dim. Formule midi 80 Sk (8,50 €) ; à la carte, plats 150-200 Sk (15,50-21 €).* Resto-bar-boîte très populaire. On s'y presse sur la vaste terrasse qui occupe une partie de la place... ou on s'y bouscule le soir venu (surtout du jeudi au samedi), au rythme du reggae, soul, funk, *R'n'B*, ou tout simplement des Stones. Clientèle de tous styles et de tous âges.

Tegner's *(plan B2,* ***24****) : Sandgatan 2, dans l'Akademiska Föreningen. ☎ 13-13-33. Attention, souvent fermé en été. Sinon, ouv en sem 9h-16h. Formules midi 50-65 Sk (5-7 €).* Resto dépendant de l'université, avec une grande terrasse. Bon marché. C'est aussi une très chouette discothèque où se retrouvent les étudiants le week-end.

Stadsparkscafeet *(plan A3,* ***25****) : parc municipal Stadsparken. Tlj 11h-20h (19h ven-dim). Plats 160-200 Sk (17-21 €) et bonne* bakpotatis *(pomme de terre en robe de chambre) 75 Sk (8 €).* Pour un café ou un petit repas en pleine verdure, au milieu des joueurs de pétanque, des joggeurs, des cyclistes et des poussettes. Ambiance champêtre et reposante pour apprécier de bons petits plats simples qui poussent un peu sur les prix. Dégustez avec componction votre verre d'eau plate : il n'est pas donné !

À voir

🎯🎯🎯 ***La cathédrale*** *(plan B2)* ***:*** *sem 8h-18h, w-e 9h30-17h (18h dim).*
La plus ancienne église épiscopale de Scandinavie et siège de l'archevêché au XIIe s fut bâtie vers 1085. Malheureusement, elle noircit avec le temps, mais pour redonner sa blancheur à la façade, il faudrait enlever la moitié de la pierre. À noter que de petites plantes poussent ici et là. Interdit de les toucher : c'est une espèce protégée que l'on trouve uniquement dans le sud de la Suède. De style général roman, l'architecture de la cathédrale trahit quelques influences italiennes. Seule l'abside orientale est d'origine. Le reste a cumulé des styles différents au cours des agrandissements : les deux grosses tours carrées sont du XIXe s, le très beau chevet du XIIe s est roman, la majestueuse chaire de la fin du XVIe s. Les voûtes, remaniées façon gothique, ne font pas illusion, elles sont récentes. Derrière l'autel, riche triptyque de la fin du XIVe s, d'origine allemande. Superbes stalles finement sculptées également. Mais le clou de la cathédrale est sans nul doute l'***horloge astronomique*** du XIVe s. Elle possède deux cadrans entre lesquels apparaissent les trois mages apportant leurs offrandes à l'Enfant Jésus, sur un air de cantique médiéval, *In dulci jubilo* (mieux que Sheila non ?). L'horloge fonctionne à 12h (13h le dimanche) et 15h (la meilleure heure, en principe, car la séance de midi draine souvent énormément de monde).
Quant à la crypte, elle est superbe par ses proportions (la plus grande du pays). Face à chaque escalier, de superbes piliers supposés représenter le personnage légendaire Finn le Géant et une femme avec un enfant (qui serait sa dulcinée). Les 26 autres piliers ont des chapiteaux tous sculptés de manière différente et originale. Le sol est jonché de pierres tombales d'importants personnages de la région. Soit dit en passant, en 1997, Lund fut la première ville de Suède à avoir une femme pour évêque.
Le *Lundagård* (parc entourant la cathédrale) fut clos jusque dans les années 1830. Son accès était réservé aux étudiants et aux ecclésiastiques jusqu'à ce que, jugeant cette règle trop exclusive et pas très égalitaire, on l'ouvre à tout le monde. Le parc est le cœur de la ville, où se rassemble la population lors des événements importants. Chaque année, le dernier vendredi de mai, on remet leur diplôme aux doctorants qui font procession entre la cathédrale et l'université (beau bâtiment classique du XIXe s, pompeux comme une procession d'étudiants diplômés). Avec robe, chapeau et tout le tralala, ils traversent le parc alors bondé de badauds ébahis.

🎯🎯 👨‍👧 ***Kulturen*** *(plan B2)* ***:*** *Tegnersplatsen, à l'angle de Stora Algatan.* ☎ *35-04-00.* ● *kulturen.com* ● *De mi-avr à fin sept, tlj 11h-17h ; le reste de l'année, mar-dim 12h-16h. Entrée : 50 Sk (5 €) ; réduc ; gratuit pour les étudiants et les moins de 18 ans.*
Ce musée, principalement en plein air, retrace les arts et traditions populaires comme seuls savent le faire les Nordiques. Il amusera les grands comme les petits, certaines parties leur étant consacrées (notamment des jeux anciens dans le jardin). La visite commence par quelques uniques pierres runiques dans le jardinet juste devant. Au rez-de-chaussée et au sous-sol, histoire de la région et fouilles archéologiques : objets militaires et armes, vieilles chaussures, poterie et pièces de monnaie. Au 1er étage, une riche collection de masques ethniques est superbement mise en valeur, ainsi qu'une partie consacrée à l'art moderne (installations, photos et collages). Enfin, au second, des objets quotidiens, des vêtements, des portraits évoquent le passé.
Quant au musée de plein air, il réunit au détour de chemins, dans la verdure, des maisons de tous siècles et toutes classes sociales, reconstituées ou reconstruites.

Un vrai petit concentré d'histoire ! Chacune possède son décor d'époque et se visite. On verra successivement le presbytère de Västra Vrams du XVIIIe s (avec ses peintures suédoises des XVIIIe et XIXe s), une belle église du XVIIe s, de nombreuses maisons bourgeoises du XVIIe au XIXe s, une ferme au toit touffu, un atelier et une maison de maître à visiter pour sa collection de vaisselle, céramiques orientales et porcelaine. Palpitant ! À la sortie, on colle son sticker de couleur sur le poteau : comme tout le monde !

Dans le ***quartier derrière la cathédrale,*** agréable balade au hasard des ruelles pavées grossièrement, bordées de petites maisons de brique, certaines avec colombages. À l'angle d'*Annegatan* et de *Tomegapsgatan,* une petite boutique ancienne a été reconstituée *:* ***E.H. Larsson*** *(ouv ven-dim 13h-17h).*

Domkyrko Museet et Historiska Museet *(musée de la Cathédrale et Musée historique ; plan B2) : dans le parc, juste derrière la cathédrale. • luhm.lu.se • Ouv mar-ven 11h-16h ; dim 12h-16h. Fermé sam. Entrée : 30 Sk (3 €).* Ce musée complète la visite de la cathédrale, avec ses collections d'objets d'art religieux et ses reliquaires. L'autre musée présente des médailles et monnaies...

L'ÉPOUSE DE L'ÉVÊQUE : UNE LOCATAIRE RÉCALCITRANTE

L'actuel bâtiment du Musée historique était destiné à l'évêque et à sa famille. Cependant, la femme du prélat opposa son veto : lieu bien trop humide et sombre. De plus, en arguant que la cathédrale était un lieu encombré et bruyant (les cloches et tous ces fidèles autour), elle obtint de convertir la bâtisse en musée et de loger avec l'évêque dans ce qui aurait justement dû devenir le Musée historique.

Skissernas Museum *(plan B2) : Finngatan 2. ☎ 222-72-83. • skissernasmuseum.se • Mar-dim 12h-17h (21h mer). Entrée : 50 Sk (5 €) ; réduc ; gratuit jusqu'à 16 ans.* Musée original, à ne pas manquer. Puisqu'il est très coûteux d'acquérir des œuvres de grands artistes, pourquoi ne pas se procurer leurs dessins, ébauches de sculptures, maquettes et projets ? C'est le credo de ce petit musée qui présente dans des locaux lumineux une collection unique en son genre. On voit, par exemple, des plâtres de Carl Milles, des dessins de Matisse, des projets d'artistes norvégiens et finlandais, des peintures de Robert Delaunay, Fernand Léger, une étude pour *La Fée Électricité* de Raoul Dufy, etc. Travaux d'artistes sud-américains et africains à l'étage et quelques sculptures dans le jardin.

Botaniska trädgården *(jardin botanique ; plan B2) : Östra Vallgatan 20 (angle de Pålsjövägen). Tlj de mi-mai à mi-sept 6h-21h30 (20h sinon). Serres ouv 12h-15h slt.* Créé dans les années 1860, ce jardin botanique abrite environ mille espèces de plantes différentes. Véritable havre de verdure et de paix, il se prête idéalement à un pique-nique ou à une petite sieste.

➤ DANS LES ENVIRONS DE LUND

L'église de Dalby : *15 km au sud-est de Lund (route 16). Ouv mai-août 9h-18h (16h sinon).* Ne pas confondre avec la cathédrale d'Albi ! Cette basilique est la plus ancienne église en service de Scandinavie. Il faut dire qu'elle fut créée en 1060 à la demande du roi Sven Estridsen. Extérieurement massive (c'est du roman), elle se pare d'une belle blancheur chaulée dont ressortent quelques colonnes en granit gris. Passé les portes cloutées (pas mal), on pénètre dans un édifice aux proportions harmonieuses qui abrite, entre autres, des fonts baptismaux de 1150. Maintes fois détruite puis rebâtie, elle présente des témoignages architecturaux romans mais aussi gothiques et un retable baroque (1758). À droite en entrant, noter une colonne enchâssée dans le pilier : réminiscence d'une colonne identique de la cathédrale d'Hildesheim (Allemagne). Dans la crypte, une forêt de piliers aux chapiteaux sculptés (comme dans la cathédrale de Lund) et un petit puits qui aurait servi aux rites ancestraux du baptême.

➢ En continuant 3 km en direction de Kalmar (route 16), noter un moulin typique qui trône sur sa colline. Pour y accéder, sortie Genarp, à droite sur 2 km jusqu'après le hameau de Lunnarp.

LANDSKRONA

38 700 hab. IND. TÉL. : 046

Petite ville tranquille plutôt typique de cette partie du pays. Port de pêche, hôtel de ville néogothique fait de brique, tour de l'hôpital, petites rues pavées, et aussi une très belle forteresse dont les canons sont orientés vers l'est... donc la Suède. C'est aussi le point de départ pour la mignonne île de Ven. Pour tous ces atouts, on conseille de faire étape ici plutôt que dans l'industrieuse Helsingborg (pas si loin).

Comment y aller ?

Pour ts types de transports en Scanie : ☎ *0771-77-77-77.* ● *skanetrafiken.se* ●

En train

➢ ***De Copenhague et Malmö :*** env ttes les heures 7h-19h30 ; compter env 30 mn de Malmö et 1h20 de Copenhague.

➢ ***De Helsingborg et Göteborg :*** env ttes les 2h le mat, ttes les heures l'ap-m 7h-22h ; compter 20 mn d'Helsingborg et 2h40 de Göteborg.

En bateau

➢ ***Ferry vers l'île de Ven :*** env ttes les 2h, tlj. *Prix : 80 Sk (8,50 €).*

En bus

➢ Bonnes liaisons en bus avec le reste de la Scanie.

Adresses utiles

ℹ ***Office du tourisme :*** *Storgatan 36, en plein centre.* ☎ *470-490.* ● *landskronaplus.se* ● *De mi-juin à mi-août, ouv en sem 9h-18h, sam 9h-16h (10h dim) ; le reste de l'année, en sem 10h-17h.* Bureau bien documenté.

■ ***Change :*** Handelsbanken Banque, *face à l'hôtel de ville, en sem 10h-15h.* Taux de change très correct.

🚆 🚌 ***Gare ferroviaire :*** *à 200 m du centre. Pour les prix et horaires de train :* ☎ *0771-75-75-75 (n° national).*

Où dormir ?

De bon marché à prix moyens

⛺ ***Borstahusens Camping :*** *campingvägen.* ☎ *108-37.* ● *borstahusenscamping.se* ● *À 3 km au nord de la ville, bien fléché. En bus, ligne 4 depuis la gare. Ouv de mi-avr à sept. Forfait tente 170 Sk (18 €) ; également quelques stugor (chalets) 480 Sk (50 €).* Agréable terrain tout au bord de l'Öresund avec vue imprenable sur l'île de Ven, juste en face. Bien équipé avec sauna (normal en Suède) et pétanque (pour rappeler les vacances en Provence). Aire pour camping-cars. Belle pelouse. Certes, très couru en été.

STF Vandrarhem Olovsgatan : *Olovsgatan 15. ☎ 120-63. • svenskaturistforeningen.se/landskrona • À 1 km du centre et à 800 m à pied de la gare ou bus n° 3 (arrêt « Lasarettet »). Ouv tte l'année sf déc. Enregistrement 15h-19h tlj (hors saison, téléphoner pour fixer un rdv). Lit 175 Sk (18,50 €) pour les membres. Ni drap ni couverture, prévoir son duvet.* C'est un peu l'AJ de papa, un poil vieillotte mais c'est pour ça qu'on l'aime. Chambres de 2 à 6 lits. Absolument au calme dans un des quartiers les plus anciens de la ville mais absolument pas animé. Un seul resto dans les parages : la pizzeria *San Marino (ouv tlj).*

B & B Slottsplatsen : *Parkgatan 10. ☎ 707-67-39-09. • slottsplatsen.blogspot.com • Face à l'entrée de la citadelle. Chambre 590 Sk (62 €). Sanitaires communs.* Carin est une hôtesse avenante, qui vous accueille (en anglais) dans une grande maison lumineuse aux larges baies vitrées, idéalement située à l'orée du parc de la citadelle. Juste au-dessus de sa petite boutique, quatre chambres se partagent deux étages. Petit intérieur gentiment cossu pour passer un moment au cœur d'une famille suédoise. S'il fait beau, le jardin est bien agréable. Sinon, il y a le salon pour se détendre. C'est un peu comme à la maison...

Hotel Chaplin : *Östergatan 108. ☎ 163-35. • hotelchaplin.se • À l'est du centre, à 800 m de la gare. Ouv tte l'année. Doubles 750-850 Sk (79-89 €) selon jours et 100 Sk (10,50 €) de plus pour une chambre avec salon. Petit déj inclus.* Si le bâtiment (un ancien silo à maïs) est austère, l'accueil ne l'est pas. La déco date un peu des temps modernes d'il y a trente ans. Faut pas être allergique aux grosses fleurs, mais tout est très bien tenu. Le sauna achève un scénario déjà bien réussi.

Où manger ?

Rhodos : *Nygatan 14. ☎ 131-50. Lun-ven 11h-22h, w-e ouv à 14h. Déjeuner 50 Sk (5 €) en sem avt 14h ; plats env 60 Sk (6,30 €).* Dans la rue piétonne perpendiculaire à l'hôtel de ville, sympathique resto-snack. Rien de gastro, mais pizzas, salades et kebabs n'altèreront pas trop votre budget. Intéressante formule le midi.

Speakers Corner : *Radhustorget 3, face à l'hôtel de ville. Lun-sam 11h-1h ; dim 12h-23h. Le midi, menu 69 Sk (7,20 €) ; le soir 120-170 Sk (12,50-18 €).* Dans le bâtiment de l'ancien Parlement (d'où le nom), un resto avec lustre en cristal, soubassements, papier rouge à grosses fleurs, vitraux aux fenêtres. L'ambiance y est affairée le midi (des employés des environs) et le service avenant. Voilà un coin à la fois simple et chaleureux.

À voir

Landskrona Citadell (citadelle) **:** *à 200 m à l'ouest du centre. Parc et extérieurs ouv tte l'année, musée en juil-août slt mar-dim 12h-16h.*

La citadelle et tout son système défensif furent bâtis par le roi danois Christian III afin de verrouiller le port de Landskrona. Un havre naturel en eau profonde plutôt rare sur cette côte. Prise et reprise, elle devint (après la fin des guerres dano-suédoises) un couvent de carmélites, puis une prison, et renferme désormais un musée dédié à l'histoire de la ville.

L'ensemble ne manque pas de charme avec son petit étang intérieur au centre duquel trône la place forte toute rouge formant une île. Et puis on notera que la seule batterie de canon occupe la tour d'où l'ennemi suédois était censé arriver : à l'est. Enfin, dans les douves extérieures accessibles, de nombreuses petites maisons résidentielles ont élu domicile au bord de l'eau des fossés. On y pêche, tenez-vous bien, du saumon !

Landskrona Museet *(musée) : Slottsgatan. ☎ 473-120 • landskronakultur.se • Presque en face de l'hôtel de ville. Tlj 12h-17h. Gratuite.* Dans un casernement du XVIIIe s, plusieurs étages dont on retient en particulier le département où sont exposés les trésors des fouilles de Tågerup. Des restes d'habitants qui vécurent ici entre 6 500 et 4 500 av. J.-C. L'histoire ne dit pas s'ils étaient danois ou suédois. Et puis, à ne pas rater non plus, une évocation de Selma Lagerlöf au travers de sa correspondance.

LES OIES DU SAVOIR

Sympathique petit personnage de conte, Niels Olgersson sillonne la Suède du sud au nord, sur le dos d'oies sauvages en migration. L'occasion de raconter à ses petits condisciples suédois leur pays, sa géographie, son histoire, ses légendes. Une méthode tout en douceur voulue par l'école suédoise et mise sur le papier par un des plus grands écrivains du pays, Selma Lagerlöf.

– ***Gamla Kyrkogatan*** *(qui se prend face à l'hôtel de ville)* et ***Norra Kyrkogränder*** *(derrière le musée)* sont deux petites rues mignonnes à l'ancienne, avec pavés, quelques (rares) maisons à colombages et parterres fleuris.

– ***Lasarettet*** *(tour du Lazaret) : à 800 m au nord est du centre. À côté de l'hôpital.* Ce château d'eau en forme de tour gothique mérite d'y jeter un œil. Devant, un parc avec un étang : un panneau met en garde les automobilistes contre les traversées de... vilains petits canards. Et dans le quartier tout proche, un vieux moulin (St Norregatan) et deux rues avec de vieilles maisons typiques (Vagnmansa et Bytareg).

➤ DANS LES ENVIRONS DE LANDSKRONA

Le musée du Golf : *Golfklubb. ☎ 44-62-60. • svenskagolfmuseet.se • À deux pas du camping, à 3 km au nord du centre. Bus no 4 depuis la gare ou no 1 depuis le centre. Tlj 8h-17h (14h w-e). Gratuit.* Le seul musée suédois sur ce sport largement pratiqué dans le pays... faut dire que les pelouses sont vertes ! Bien présenté, mais explications seulement en suédois. Pour nos lecteurs amateurs de *put* uniquement (on ne rigole pas !). Et pour passer de la théorie à la pratique, après la visite, le practice est justement tout proche.

L'île de Ven : vue du ciel, avec ses champs de colza jaune sur fond de mer bleue, Ven fait très drapeau suédois. Pourtant, sa réputation vient du temps où le roi danois Frederic II offrit l'île à l'astronome-alchimiste Tycho Brahé (vers 1590). Ce dernier y construisit un grand institut de recherche et un observatoire. Des générations de savants de l'époque convergeront vers ce centre. Et si Tycho croyait comme Copernic que la terre est ronde, il défendait en revanche qu'elle était le centre de l'univers. Son château fut malheureusement largement rasé au XVIe s, mais on peut voir son observatoire souterrain avec des reproductions grandeur réelle d'instruments *(ouv avr-sept 8h-16h, 18h de juil à mi-août ; entrée : 60 Sk, soit 6,60 €).*

HELSINGBORG

88 000 hab. IND. TÉL. : 042

Helsingborg en Suède et Helsingør au Danemark, de part et d'autre du détroit de l'Öresund, sont historiquement liées. Physiquement, elles sont pourtant si différentes : Helsingør, la charmante petite bourgeoise et Helsingborg, l'industrielle. La ville danoise a longtemps pu s'assurer une certaine aisance grâce aux droits de passage perçus pour franchir le détroit de l'Öresund. On retrouve cette opulence dans son aspect coquet, riche et soigné. Helsingborg, plus pauvre, a finalement su profiter de son port pour développer son activité industrielle. Ce qui explique la vue peu exaltante que l'on a de la ville en arri-

vant : de grosses cheminées, un port industriel pas très folichon. Un centre malheureusement coincé entre la colline et une quasi-autoroute urbaine qui balafre le front de mer industrieux. Mais, mais, mais... la ville, avec son agréable centre piéton et son hôtel de ville néogothique majestueux, cache quelques jolies pépites. Et, pour se rattraper, Helsingborg est bien vivante en été : des tentes se dressent dans les parcs pour accueillir les nombreuses festivités et les concerts.

UN PEU D'HISTOIRE

Si la Scanie est redevenue suédoise en 1658, Helsingborg doit attendre encore un peu : la guerre pour la conquête de la ville se poursuit jusqu'en 1710. C'est grâce à son port et avec l'arrivée du chemin de fer que la ville peut prospérer au XIXe s et devenir une ville industrielle dynamique. Jean-Baptiste Bernadotte posa ici le pied en terre suédoise, en 1810, pour devenir plus tard le roi du pays.

Comment y aller ?

Pour ts types de transports en Scanie : ☎ 0771-77-77-77. • skanetrafiken.se •

En train

➢ ***De Copenhague et Malmö :*** trains directs et fréquents ; compter env 45 mn de Malmö et 1h30 de Copenhague.
➢ ***De Göteborg :*** plusieurs trains directs/j. ; départ env ttes les 2h le mat, ttes les heures l'ap-m. Compter entre 1h30 et 2h de trajet.
➢ ***De Stockholm :*** rares trains directs, changer à Lund.

En bateau

➢ Plusieurs compagnies pour Helsingør au Danemark : *Scandlines,* la plus chère *(☎ 18-61-00. • scandlines.se •), HH, Ferries* la moins chère pour ceux en voiture *(☎ 19-80-00. • hhferries.se •), Acelink, hovercraft* slt pour les piétons *(☎ 38-58-80. • acelink.se •).*
➢ Départ de ferries env ttes les 10 à 20 mn, presque 24h/24. Trajet d'env 25 mn.

En bus

➢ Bonnes liaisons en bus avec le reste de la Scanie.

Adresses utiles

🅸 ***Office du tourisme :*** *dans l'hôtel de ville. ☎ 10-43-50. • helsingborg.se • De mi-juin à mi-août, ouv en sem 9h-20h, sam 9h-17h, dim 10h-15h ; le reste de l'année, en sem 10h-18h, sam 10h-14h.* Bureau bien documenté. Ils peuvent aussi réserver une chambre (commission pour les hébergements en dehors de la ville). Vente de timbres.

🅸 ***First Stop Sweden :*** *Bredgatan 2. ☎ 10-41-30. • firststopsweden.com •* Premier bureau d'information en arrivant à Helsingborg par bateau. Brochures, cartes et bureau de change.

✉ ***Poste :*** *Stortorget 17 (en haut de la pl. de la Mairie). Ouv en sem 8h-17h, sam 10h-13h.*

@ ***Internet :*** *à l'étage du supermarché* 7 Eleven, *Järnvägsgatan 13 (angle Möllegränden). Tlj 7h-2h. Compter 30 Sk (3 €) le forfait 1h30 utilisable 3 j. dans ts les points* Sidewalk Express.

■ ***Médecin :*** *☎ 46-771-11-77-00, numéro central qui vous dirige vers un médecin. Pour les urgences, aller à l'hôpital Helsingborgs Lasarett, Skåne-*

gatan. ☎ *42-10-00-00.*

Gare ferroviaire et gare routière : *presque face à la mairie, entre la voie express et le quai. Pour les prix et horaires de train :* ☎ *0771-75-75-75 (n° national).*

■ **Journaux étrangers :** Pressbyrån, *dans le centre commercial* Knutpunkten, *au rez-de-chaussée.*

■ **Location de vélos :** Cykelbollen, *Hävertgatan 21.* ☎ *14-73-68.*

Où dormir ?

Se loger à Helsingborg en juillet et août n'est pas toujours aisé. Nous recommandons vivement aux petits budgets de réserver bien à l'avance leur lit dans les AJ. Si les deux auberges citées ci-dessous sont pleines, sachez qu'il en existe encore quelques-unes aux alentours de la ville.

De bon marché à prix moyens

Råå Vallar Camping : *dans le village de Råå.* ☎ *10-76-80.* • *camping.se/m03* • *À 6 km du centre de Helsingborg. Suivre la direction de l'E6 vers le sud, puis celle de Råå. Ouv d'avr à mi-nov. Emplacement 170-250 Sk (18-26,50 €) selon saison.* Grand camping à deux pas de la plage. Vaste espace agréablement dispersé. On ne vous promet cependant pas la tranquillité et l'absence de proximité en pleine saison. Resto et piscine (payante) dans le camping. Location de *stugor* (chalets).

Villa Thalassa Vandrarhem : *Dag Hammarskjöldsväg 254.* ☎ *38-06-60.* • *villathalassa.com* • *À env 3 km au nord du centre-ville. Suivre la direction de Sofiero, puis le fléchage indiquant l'AJ. En bus, prendre le n° 219. Arrêt à 500 m de l'AJ. Env 1 bus/h. Fermé de mi-déc à mi-janv. Réception 8h-11h, 14h-17h. Résa indispensable. Compter 190 Sk/pers (20 €) en bungalow extérieur, ou chambre 460-550 Sk (48-58 €).* Hélas loin du centre mais le cadre... waouh ! On a peine à croire qu'il s'agisse d'une AJ, on pense plutôt arriver dans une demeure de luxe. Dès l'entrée, avec le hall et son piano à queue, l'envoûtement opère... comme si on avait créé par enchantement un nouveau concept d'AJ de charme. En plus, la très belle route qui y mène passe à travers des bois recelant de séduisantes villas. Notre coup de foudre de cette région de la Suède. N'hésitez pas !

Helsingborgs Vandrarhem : *Järnvägsgatan 39.* ☎ *14-58-50.* • *hbgturist.com* • *À deux pas du centre. Ouv tte l'année. Enregistrement à partir de 8h (on dispose de son lit à partir de 15h). Lit 185 Sk (19,50 €) ; doubles 395 Sk (41,50 €).* Dans un bâtiment sans charme (situé au bord de la route principale), le genre immeuble de bureaux où il faut sonner pour entrer. Des dortoirs de 4 à 6 personnes ou de petites chambres agréables et bien entretenues. Ambiance routarde et familiale. Sympathique salle commune au rez-de-chaussée avec billard. Pas de petit déj, mais cuisine à disposition. Certes pas le charme de la *Villa Thalassa* mais très bon accueil.

Où manger ?

Olsons Skafferi : *en plein centre, face à l'église Sankta Maria. Lun-sam 10h-23h. Le midi, plats env 90 Sk (9,50 €) ; le soir, env 90-200 Sk (19,50-21 €).* Olson ouvre son garde-manger *(skafferi)* dans un décor rustique campagnard (anachronique dans cette ville plutôt industrielle). Dans une succession de petites salles intimes, bougies sur les tables et lustres de cristal au plafond, on savoure une cuisine clairement typée italienne. Les plats sont raffinés mais se perdent désespérément dans de trop grandes assiettes... Dommage.

Harrys : *Järnvägsgatan 7.* ☎ *13-91-91. Ouv lun 11h30-minuit (1h mar-mer, 3h jeu-sam). Droit d'entrée pas donné au night-club jeu-sam après 23h :*

jusqu'à 100 Sk (10 €). Plats 140-240 Sk (15-26 €) ; à la carte du resto et menu pub env 120 Sk (12,50 €). Choix assez large de plats servis copieusement. Pub cosy revu par Hollywood, où les tables du resto entourent le vaste bar trônant au centre. Ambiance plutôt sympa et fréquentation de tous âges et de tous genres.

|●| ***Pålsjö Krog :** à env 4 km au nord du centre-ville, en suivant la côte vers Sofiero. ☎ 14-97-30. Résa conseillée. Menus le midi 80-170 Sk (8,50-18 €) ; le soir à la carte, plats 160-220 Sk (17-23 €).* Plats traditionnels – pâtes, viandes, poisson – servis dans un cadre des plus charmant : intérieur de bois chaleureux, classique, et délicieuse terrasse avec vue sur l'eau, les bains de Pålsjö et la côte danoise.

À voir

***Sankta Maria Kyrka** (église Sainte-Marie) **:** ouv en sem 8h-18h ; w-e 9h-18h. Entrée libre. Derrière la pl. de la Mairie.* Église en grès des XIVe et XVe s dont l'intérieur mérite un coup d'œil. Elle fut érigée à la place d'une autre église du XIIe s. Vous y verrez, entre autres choses, de beaux vitraux très modernes dans le déambulatoire, ainsi qu'un intéressant retable de 1450 et une chaire de 1615 d'un maître germanique. Et pour les marins dans l'âme, un bateau ex-voto flotte dans l'air depuis 1739 pour protéger les marins des ferries.

***Dunkers Kulturhus :** Kungsgatan 11. ☎ 42-10-74-00. • dunkerskulturhus.com • Grand bâtiment blanc au bord de l'eau à deux pas du centre. Mar-dim 10h-17h (20h jeu). Entrée : 70 Sk (7,50 €) ; réduc ; gratuit jusqu'à 17 ans.* Ce grand centre culturel d'architecture très moderne abrite des expositions temporaires d'envergure dédiées à l'art contemporain, ainsi qu'un théâtre et une salle de concerts. Au rez-de-chaussée, une grande expo permanente bien faite (mais uniquement traduite en anglais) retrace et explique l'histoire d'Helsingborg. Un très beau musée pour qui aime l'art contemporain.

***Kärnan** (donjon) **:** ouv avr-sept mar-ven 9h-16h, w-e 11h-16h (19h juil-août) ; oct-mars, mar-dim 11h-15. Entrée : 20 Sk (2 €) ; réduc.* Vous ne pouvez pas le rater : au bout de la place de la Mairie, sur la hauteur (monter l'escalier monumental de 1906). Il domine la ville sur laquelle il veille, depuis 600 ans, témoin des multiples guerres entre Suédois et Danois. Quand Helsingborg était danoise, une forteresse trônait sur les hauteurs de la ville. Quand cette dernière devient suédoise, la forteresse fut détruite. Le donjon de 34 m avec son escalier en est le seul vestige. D'en haut, vue panoramique sur l'Öresund et le château d'Hamlet (Helsingør au Danemark), à une bordée de canon.

***Le musée de plein air de Fredriksdal :** à 2 km au nord-est du centre-ville. Bus no 1 ou 7 de la gare. Ouv tlj mai-sept 10h-17h (19h juil-août) ; oct-avr jusqu'à 16h. Entrée : 50 Sk (5 €) ; gratuit jusqu'à 16 ans.* Grand musée de plein air. On flâne avec plaisir dans les jardins, tout en visitant de vieilles fermes (avec leur basse-cour !), un moulin, de vieilles boutiques d'une ville reconstituée (le coiffeur des années 1920, la pharmacie), différents musées (compris dans l'entrée) et autres expositions temporaires. Notamment celle du manoir (qui en lui-même n'a rien d'exceptionnel). On aime bien ce lieu dont la visite est agréable et intéressante, même si presque rien n'est traduit et si les explications manquent un peu.

RAMSÖLA, DE L'EAU DE LÀ

Incontournable sur la table suédoise, l'eau Ramsöla coule à flots dans le parc Brunn, au sud du centre-ville. On s'attendrait à la voir surgir de lacs de montagne et on s'étonne de la voir jaillir en zone aussi urbaine. Ayant eu la bonne idée de naître ici, si proche des eaux salées de l'Öresund, et donc du port, elle peut s'embarquer pour inonder les étals de son compatriote marchand de meubles.

➤ DANS LES ENVIRONS DE HELSINGBORG

Le château de Sofiero : *à env 5 km au nord du centre. Du centre-ville, suivre la direction de Sofiero (tt simplement). Château et parc ouv de mi-avr à mi-sept, 11h-17h (parc : 18h de mi-mai à août). Entrée : 70 Sk (7,50 €) ; gratuit pour les moins de 17 ans.* Construit en 1865 par le prince Oscar, qui l'offre en 1905 en cadeau de mariage à son petit-fils Gustav VI Adolf et son épouse Margarete (petite-fille de la reine d'Angleterre Victoria). Le roi et sa femme, tous deux amoureux des jardins et des fleurs, dessinent dans cette résidence d'été un magnifique parc, fameux notamment pour sa vallée de rhododendrons (10 000 en tout, de 500 espèces différentes), en fleur de fin mai à début juin. Atmosphère romantique et harmonieuse. Le grand parc, d'où s'évadent de merveilleuses odeurs, mérite vraiment qu'on vienne y flâner pour admirer la serre de la vigne royale et les framboises jaunes. Les petits pourront jouer à se perdre dans le labyrinthe (tant que ça reste un jeu...). Possibilité également de visiter quelques pièces du château, qui manquent malheureusement un peu d'explications.

La réserve naturelle de Kullaberg : *à 36 km au nord-ouest d'Helsingborg. Tlj 8h-18h. Entrée : 40 Sk (4 €).* Très beau parc naturel à la pointe d'une péninsule. Au programme, de somptueuses forêts, des accès à la côte déchiquetée de roches rouges. Un réseau de sentiers permet de parcourir la réserve. Les fainéants peuvent aller jusqu'à la pointe en voiture, des parkings intermédiaires donnant accès aux sites les plus caractéristiques.
Route d'accès spectaculaire depuis Helsingborg bordée de maisons traditionnelles avec leur toit de chaume. Nombreux accès aux plages, et multitude de campings côtiers. Le village portuaire de ***Mölle,*** juste avant la réserve, mérite également un coup d'œil avec ses petites maisons pimpantes.

DE HELSINGBORG À VARBERG

Autoroute E6, sortie 37 (venant du sud) puis direction Torekov ; ou 39 (venant du nord) direction Båstad puis Torekov.
Un petit écart hors de la monotone autoroute vaut le coup. D'abord la campagne est charmante avec ses vallonnements boisés, où nichent fermes et villages. Ensuite, le site de Hovs Hallar et toute la côte sont propices à de belles balades. Enfin, le village de Torekov et l'église de Hov se démarquent nettement.

Hovs Hallar : dans un paysage de landes, la côte se disloque en roches de granit rose sur fond de mer bleue. Paysage maritime de toute beauté qui ne laisse pas imaginer que cette côte résulte d'un bouillonnant magma, abrasé par 1,8 million d'années d'érosion par la mer et le vent. Hovs Hallar est une réserve naturelle où le bivouac sauvage est interdit (voir plus bas) mais la balade fortement recommandée !

Torekov : *à l'extrémité de la péninsule, 8 km au sud de Hovs Hallar.* Un petit village de pêcheurs qui ne laisse pas insensible. Sur le port, des filets sont étendus devant les petites baraques. D'agréables rues pavées sinuent entre de coquettes maisons de bois peint.
First Camp Torekov : *au bord de la plage sous une agréable pinède. Ouv avr-sept. Compter 155-200 Sk (16-21 €).*

Pour les courageux qui auront choisi de randonner sur le chemin côtier *skånelenden* (boucle de 50 km), l'office du tourisme de Torekov indique des emplacements autorisés au bivouac tous les 10 à 15 km (une nuit seulement par site).

L'église de Hov : *à 6 km de Torekov, sur la route de Båstad.* Très originale construction, avec un clocher au toit pointu et crénelé. Juste derrière (pousser le portillon), deux monolithes et trois tumuli de l'âge de bronze (1800 av. J.-C.) attestent de la très ancienne tradition religieuse du lieu.

VARBERG

25 000 hab. IND. TÉL. : 0340

Dans une jolie baie se love l'étrange petite ville de Varberg. Le mélange des styles y règne en maître et les yeux découvrent successivement un immense parking, une vilaine partie industrielle, les ferries de la *Stena Line* qui font la navette avec Grenå (au Danemark), une étonnante et jolie maison de bois sur pilotis, à l'allure mauresque (les bains) et, enfin, cernée de remparts, la très belle forteresse médiévale. Célèbre station thermale et balnéaire fréquenté par la bourgeoisie aisée dès le XIXe s, Varberg est encore aujourd'hui une cité prise d'assaut en été par des familles de la classe moyenne. Elles passent ici leur congé estival avant de délaisser le petit centre-ville et le laisser s'assoupir jusqu'à la saison suivante.

Pour info, à moins d'être un mordu de belles américaines, éviter le deuxième week-end de juillet pour visiter la ville alors envahie par un énooorme rassemblement d'anciennes voitures (et tout ce qui va avec...).

Comment y aller ?

En train

➢ ***De Göteborg :*** trains directs env ttes les 2h ; trajet : 45 mn env.

➢ ***De Copenhague, Malmö et Helsingborg :*** trains directs env ttes les heures ; env 2h30 de Malmö et 2h de Helsingborg.

Adresses utiles

■ ***Office du tourisme :*** *Brunnsparken.* ☎ *868-00.* ● *turist.varberg.se* ● *Ouv avr-sept lun-ven 10h-18h (19h juil-août), sam 10h-15h (19h juil-août), dim 13h-18h slt en juil-août ; oct-mar, lun-ven 10h-17h.* Outre les infos touristiques de base, on peut aussi réserver pour vous une chambre chez l'habitant, moyennant une petite commission de 30 Sk (3 €).

✉ ***Poste :*** *Kungsgata 9. En été, ouv en sem 8h-18h.*

■ ***Internet :*** *à la bibliothèque municipale, Engelbrektsgatan 7. Lun-jeu 10h-20h, jusqu'à 19h ven, 14h sam : 20 mn gratuites, payant au-delà. Également un poste avec connexion gratuite à l'office du tourisme, slt destiné aux consultations rapides. Sinon, café Internet à Norregatan 7.*

■ ***Médecin :*** *pdt l'été, centre médical à Västra Vallgatan 14.* ☎ *48-21-00. Ouv en sem, sf ven ap-m, 8h-11h30, 13h-16h30.*

■ ***Urgences :*** *hôpital, Träslövsvägen 64.* ☎ *48-10-00. Légèrement à l'extérieur du centre-ville, vers l'est.*

■ ***Gare ferroviaire centrale :*** *Västra Vallgatan, à quelques pas du centre.* ☎ *0771-75-75-75 (n° national).*

■ ***Ferries :*** Stena Line, ☎ *(0340) 69-09-00.* Compagnie maritime reliant Varberg à Grenå au Danemark ; 2 liaisons/j. tte l'année. Durée de la traversée : 4h.

■ ***Journaux étrangers :*** Pressbyrån, *point presse accolé à la gare.*

■ ***Location de vélos :*** Erlan Cykel & Sport, *Västra Vallgatan 41. Compter env 80 Sk/j. (8,50 €), forfaits pour 3 j.*

Où dormir ?

⅄ ***Apelvikens Camping :*** *à 1,5 km au sud du centre-ville, en direction d'Apelviken.* ☎ *64-13-00.* ● *apelviken.se* ● *Bus nos 5 ou 6 depuis la gare. Ouv tte l'année. Emplacements de 80 m² 130-280 Sk (13,50-29,50 €) selon période ; plus cher pour les plus grands.* Immense terrain se terminant presque au bord de l'eau, aux allées goudronnées bien parallèles... il semblerait que l'on ait oublié de planter des arbres ! Il y a bien des haies fleuries, mais en plein été elles disparaissent derrière les caravanes agglutinées. En bref : bien équipé (restos, cuisine, machines à laver, sauna et piscine payants) mais ni charme ni ombre. Dommage, car sa situation près de la plage, très appréciée des véliplanchistes, est agréable. D'ailleurs, leçon gratuite pour débutants si on reste plus de 5 nuits. Sympa aussi, on peut rejoindre le centre-ville par une jolie route côtière réservée aux vélos et aux piétons.

Fästningens Vandrarhem : *dans la forteresse, à l'entrée. ☎ 868-28. • turist.varberg.se • Ouv tte l'année sf vac de Noël. Réception 8h-10h, 16h-20h. Lit 205-310 Sk (21,50-32,50 €) ; doubles 410-475 Sk (45-52 €).* Pour les prix les plus bas : cellule individuelle. Oui, vous avez bien lu : une cellule. Un des bâtiments de l'AJ est une ancienne prison. La vue de cette enfilade de geôles sur 2 étages avec, au centre, une lignée de tables et de chaises ne laisse d'ailleurs aucun doute. Heureusement, on a assaini les lieux ! Bâtiment confortable, mais les dormeurs au sommeil léger souffriront : aucun rideau aux fenêtres et mauvaise isolation sonore. Seulement deux doubles dans cette partie carcérale, les autres, installées dans un ancien hôpital et une boulangerie, sont plus confortables. Bref, cette AJ nickel, au calme, bénéficie d'un environnement plein de cachet. Pas de petit déj mais cuisine à disposition. Attention, ménage à votre charge, ce n'est pas le bagne mais pas non plus l'hôtel...

Hotell Gästis : *Borgmästaregatan 1. ☎ 180-50. • hotellgastis.nu • En centre-ville (visible de la Västra Vallgatan, la grande rue qui passe devant la gare). En été et ven-sam tte l'année, doubles env 1 150 Sk (121 €) ; le reste du temps, 1 500 Sk (157,50 €), petit déj compris.* Une adresse pour qui voudrait faire une petite folie en Suède. Hôtel de charme (pas de luxe) merveilleusement personnalisé par son proprio. Le livre règne en maître ici, et il est partout : dans la multitude de pièces confortables et chaleureuses, dans les longs couloirs où s'étalent les bibliothèques, même dans les w-c... mais pas dans le sauna. Des affiches rapportées de musées du monde entier décorent les murs et les belles chambres, toutes différentes les unes des autres... Une atmosphère vraiment sympa, comme à la maison... et pas du tout comme à l'hôtel !

LA CÔTE DU SUD-OUEST

Où manger ?

Madali Bageri & Konditori : *Kungsgatan 9 (près de la poste). Ouv lun-ven 7h30-18h30, sam 9h-15h.* Dans une des grandes rues piétonnes du centre, bonne pâtisserie-salon de thé pour les pauses gourmandes, le petit déj ou combler votre creux du midi au moyen d'un sandwich ou de salades. Dans la famille des gâteaux, on redemande le « budapest », un délice bien crémeux et chocolaté. Sinon, il reste à manger son chapeau... le *Napoleonhatt* en chocolat.

Steackhouse Knopen : *Norrgatan 16. ☎ 102-02. Formule midi 80-130 Sk (8,50-13,50 €) ; plats 100-240 Sk (10,50-25 €).* Le prix varie selon que vous choisissiez des pâtes, de la viande ou du poisson (les 2 derniers étant évidemment les plus chers). Véritable institution dans la ville, ce resto est réputé pour ses viandes tendres et cuites à point. Les non-carnassiers trouveront, eux aussi, de quoi se sustenter. Cadre chaleureux dans un décor maritime tout de bois foncé. Les prix nous semblent cependant un poil surestimés.

Zorba restaurang : *Västra Vallgatan 37. ☎ 132-20. Ouv mer-ven à partir de 17h, 12h le w-e. Fermé lun-mar. Plats 80-180 Sk (8,50-19 €).* Comme d'habitude, le porte-monnaie des mangeurs de pâtes ou plats végétariens s'en sort beaucoup mieux que celui des carnivores ou piscivores. Resto grec servant des spécialités traditionnelles, notamment une moussaka fort honnête, et ce à des prix raisonnables. Déco sobre, colorée par des tables blanc et bleu (un resto grec, quoi !).

Café Krogstadt : *Kungstgatan 24-26. ☎ 69-01-13. Ouv tlj midi et soir. Menu midi 85 Sk (9 €). Plats 190-250 Sk*

(20-26 €). Resto gastronomique du *Varbergs Stadshotell*. Dehors, une terrasse classique, chauffée, donnant sur la grande place attenante à l'église. Dedans, chaises en cuir à hauts dossiers, lustres en cristal, photophores, pour donner une ambiance cossue et feutrée. Excellent plan le midi avec la formule à petit prix incluant salade, plat et café. Le soir, même décor, même prestation, mais la bourse risque d'en pâtir.

À voir. À faire

– ***Marché :*** *sur la grande place à côté de l'église, marché tte l'année mer et sam 8h-14h.* Étals plus ou moins nombreux selon le temps. En été, les locaux viennent vendre leurs fruits et légumes et les produits d'artisanat.

🚶🚶 ***La forteresse*** *(Fästningen)* ***:*** *bien fléchée... même si vous ne pouvez pas la rater à l'arrivée sur le port ! Audiotour possible :* Ipod *en anglais ou allemand disponible à l'accueil du Länsmuseet (40 Sk, soit 4,20 €).* Cette imposante forteresse, dont la partie la plus ancienne date du XIIIe s, est l'un des rares vestiges en Suède rescapé du Moyen Âge. C'est également un témoin de l'histoire des guerres entre la Suède et le Danemark qui ne cessèrent de se l'arracher. Elle a bien souvent tourné la veste, pour être définitivement suédoise en 1658 tout en perdant alors de son intérêt stratégique. Elle fut ensuite utilisée comme prison de 1848 à 1881 pour finir par abriter désormais des musées et même une AJ.

🚶 ***Länsmuseet*** *(Musée départemental)* ***:*** *dans la forteresse.* • *museum.varberg.se* • *En été, tlj 10h-17h ; dans l'année, en sem 10h-16h, w-e dès 12h. Entrée : 50 Sk en été (5,30 €) ; 30 Sk sinon (3,20 €) ; réduc (en été, billet valable pour le musée du Vélo). Brochure en français disponible.* Une partie du musée accueille des expos temporaires. L'autre raconte de façon didactique la vie d'antan dans la province de Halland. Le héros du musée est sans doute l'homme de Bocksten, retrouvé en 1936 dans des tourbières. La tourbe a bien conservé la vêture médiévale de cet individu, qui a apparemment vécu pendant la première moitié du XIVe s. C'est en Europe la seule de cette époque préservée dans sa quasi-intégralité.

🚶 ***Cykelmuseet*** *(musée du Vélo)* ***:*** *en été slt, tlj 10h-17h. Billet combiné avec le Länsmuseet : 50 Sk (5,30 €).* Musée consacré au vélo. La marque *Monark* s'est installée à Varberg dans les années 1910 et fut longtemps un des grands employeurs de la ville, avant d'être largement délocalisée.

➢ ***Balade :*** suivre la route goudronnée *Strandväg* (datant de 1912) jusqu'à Apelviken (environ 30 mn pour l'aller). Réservée aux piétons et aux cyclistes, elle part au pied de la forteresse et continue jusqu'à la plage face au grand centre de thalassothérapie près du phare. Cette route jouxte l'ancienne voie ferrée dont il reste juste un sentier parallèle entre les parois rocheuses.

– ***La piscine en plein air :*** *presque au pied de la forteresse en allant vers Apelviken. Ouv juin-août. Ouv en sem 9h-19h ; w-e 10h30-18h. Entrée : 47 Sk (5,20 €) ; 32 Sk (3,50 €) 5-16 ans.* Grande piscine d'eau de mer chauffée. Pour ceux qui ont le poil frileux et ne goûtent pas au plaisir des baignades avec les méduses (blanches, donc inoffensives), voilà une façon plutôt agréable de faire trempette.

Les plages : plusieurs petites plages de sable. L'une près du parking du port, l'autre face au grand centre de thalassothérapie près du phare et enfin la plage d'Apelviken, très prisée des véliplanchistes.
Peu après la forteresse, deux plages sont réservées aux nudistes : hommes et femmes ont chacun leur espace protégé des regards par une palissade de bois.

– ***Flâner dans les parcs de la ville.*** Admirer, dans le parc *Societetsparken*, à côté de la forteresse, le bâtiment appelé *Societén*. C'est là que se concentrait l'activité de la bonne société dans les années 1920 et, aujourd'hui encore, on y trouve un restaurant et une discothèque (en été seulement).

Radio Station Grimeton : de l'E6, prendre la sortie 54 et suivre la route 153 en direction de Värnamo. À Gödestad, prendre à droite en direction de Grimeton et continuer tt droit jusqu'au panneau indiquant « Radio Station » (visible de loin). ☎ 67-41-90. • grimetonradio.se • Ouv tlj juil-août 10h-16h, mai-juin et sept 11h-15h. Entrée : 40 Sk (4,20 €) ; visite guidée obligatoire. Un site inscrit au Patrimoine mondial de l'humanité par l'Unesco en tant que révolution technique (sans laquelle le portable, par exemple, n'existerait pas aujourd'hui). L'installation, datant de 1924, faisait partie d'un réseau international de stations de transmission longues ondes et fut équipée par l'ingénieur suédo-américain Ernst F. W. Alexanderson. Du réseau mondial des années 1920, seul Grimeton existe toujours et peut fonctionner (elle frétille une seule fois par an pour envoyer un télégraphe aux États-Unis, le 4 juillet). Le site de Grimeton fut choisi pour son environnement plat et sans obstacle jusqu'à New York (les ondes passent au nord du Danemark et de l'Écosse). Les six tours métalliques de 127 m de haut sont bien sûr assez inesthétiques dans le paysage, mais la visite ne manque pas d'intérêt.

DE VARBERG À GÖTEBORG

Autoroute E6, sortie 58 (60 km au nord de Varberg, 40 km au sud de Göteborg). Suivre ensuite les panneaux vers le château (6 km à l'ouest) ou les Fjärås Bräcka (4 km à l'est). Il faut être véhiculé !

***Tjolöholms Slott** (château de Tjolöholm) : ☎ (0300)-54-42-00. • tjoloholm.se • De mi-juin à août, tlj 11h-16h ; d'avr à mi-juin et sept-oct, le w-e slt 12h-16h. Entrée : 75 Sk (8 €). Parc d'accès libre.* Manoir de style élisabéthain à relents Tudor (vous suivez ?), très *British,* avec blocs de grès rouge, vitraux et vue imprenable sur la côte et la mer. À l'arrière, un élégant jardin en terrasse avec des cyprès taillés. L'intérieur est typique des demeures aristocratiques de la fin du XIXe s : on passe en revue tous les styles, chambre Renaissance tout en bois, salon mauresque avec stucs, salle à manger hybride mêlant du mobilier de plusieurs époques, salle de bains façon hydrothérapie mâtinée d'usine à gaz. Blanche Dickson (maîtresse des lieux à l'époque) ne manquait pas de goût. Attenant au château, un grand parc boisé avec un parcours de découverte de la nature.

***Fjärås Bäcka** : suivre les panneaux depuis la sortie d'autoroute.* Tout un programme que ce coin de nature. D'abord, on tombe sur le jardin d'Obélix. Un alignement d'une centaine de monolithes de 1,5 à 2 m de haut. Pas Carnac mais très bucolique dans un champ de bruyères dominant une jolie plaine. Ensuite, depuis un petit centre d'information qui fait resto-bar *(ouv tlj 11h-17h en mai, 11h-18h juin-août, et le w-e slt 11h-17h en sept),* on peut partir à la découverte d'une réserve naturelle bâtie sur les restes d'une ancienne morène. Le froid glacier s'est muté en agréable lac et les forêts environnantes incitent à la promenade.

GÖTEBORG

490 000 hab. IND. TÉL. : 031

Deuxième ville de Suède et premier port du pays, la cité a fait fortune depuis des siècles grâce au commerce maritime. Göteborg est considérée comme la ville la plus chaleureuse de Suède. Si ça ne saute pas aux yeux pendant la semaine (et encore, on vous parle de la belle saison), attendez le vendredi ou, mieux, le samedi soir ! Le centre-ville est alors littéralement pris d'assaut par une masse de jeunes (et moins jeunes) fêtards qui assurent à tout le périmètre une atmosphère presque digne des grandes villes du Bassin méditerranéen ! Petit côté « grande ville » que Göteborg est d'ailleurs pour ainsi dire seule à partager avec Stockholm. L'anarchie architecturale règne ici en maître, ce qui donne quelques catastrophes et des coins plutôt charmants. Mais ce qui

frappe, c'est le nombre et la grandeur des parcs, absolument superbes. Depuis 2006, le tunnel sous le port permet au quartier du port de ne faire plus qu'un avec le centre-ville. Sur le plan culturel, quelques musées intéressants. On passe ici un ou deux jours sans déplaisir.
En plus, la ville étant plutôt compacte, elle se parcourt très bien à pied ou à vélo (ensemble assez plat, excepté dans le coin des AJ, c'est pas de chance !). Heureusement, d'ailleurs, que la voiture n'y est pas indispensable, car Göteborg devient vite un vrai casse-tête pour l'automobiliste étranger ! Après examen du plan de la ville, on croit pouvoir se débrouiller, se rendre aisément d'un endroit à l'autre... douces illusions ! Très vite, la réalité s'impose au malheureux conducteur qui, sans appel, se voit détourné de sa trajectoire par... un sens unique, un panneau quelconque, un tracé au sol qu'il n'avait pas prévu... enfin, quelque chose. Il paraît que c'est fait pour favoriser l'usage des transports en commun (piétons et automobilistes ont toujours un regard inquiet sur un éventuel tram qui pourrait les écrabouiller !). Alors pour ne pas devenir dingo dans l'habitacle de votre véhicule, garez-le, marchez à pied ou prenez le tram le plus possible, cela vous évitera quelques tracas... et vous ferez un geste pour l'environnement.
Une dernière petite recommandation : Göteborg accueille toute l'année nombre de foires et autres événements. Vérifiez donc avant votre séjour que tous les hébergements ne sont pas saturés en raison de l'un d'entre eux.

GÖTA KANAL OU GOTHA-CANAL ?

Construit dans les années 1830, alors que le moral des Suédois était au plus bas, le canal reliant Göteborg à Stockholm fut rapidement un symbole de l'unité suédoise. Aujourd'hui, toujours trait d'union bleu du pays, il prend des aspects d'autoroute à plaisanciers dès les beaux jours. Il permet aussi à de luxueux bateaux de croisière baladant le gotha mondain de rallier en six jours la mer du Nord à la Baltique.

UN PEU D'HISTOIRE

Bien compliquée, la genèse de cette cité, pleine de déchirements, d'anecdotes, plus que de grands desseins. En deux mots, elle se développa au début du XVIIe s. C'est alors qu'il fallut assécher les marais sur lesquels la ville était édifiée. Elle devint rapidement un centre pour le commerce avant de se développer sur le plan industriel. Port et chantier naval florissant, les relations avec l'Extrême-Orient poussèrent à créer ici une Compagnie des Indes dont il subsiste un bâtiment et un musée. Göteborg reste le plus grand port de Scandinavie.

Arriver – Quitter

En train

➢ ***De et vers Stockholm :*** nombreux trains directs. Trajet : 3h à 4h45.
➢ ***De et vers Oslo (Norvège) :*** quelques trains directs. Un peu moins de 4h de trajet.
➢ ***De et vers Copenhague (Danemark), Malmö, Helsingborg et Varberg :*** trains directs et réguliers. Départs environ ttes les 2h. Compter entre 3h30 et 4h de trajet pour Copenhague.

Arrivée à l'aéroport

➢ ***Navette de bus*** entre l'aéroport ***Landvetter*** (25 km à l'est) et le centre-ville (gare et Kungsportsplatsen). 3 à 4 départs ttes les heures 5h-minuit. Prix : 75 Sk

(8,25 €). L'aéroport municipal (vols *low-cost*) est relié à la ville par des bus synchronisés aux avions arrivant et partant. Tenant même compte des retards éventuels (génial !). Prix : 50 Sk (5,30 €).

Adresses utiles

Offices du tourisme *(plan C2) : Kungsportsplatsen 2. ☎ 61-25-00. • goteborg.com • Bureau principal, lun-ven 9h30-18h, dim 10h-14h, de mi-juin à mi-août, tlj jusqu'à 20h. Un point info tt près de la gare se trouve dans l'énorme centre commercial* Nordstan *(plan C1). Lun-sam 10h-18h, dim 12h-17h.* Bon plan de la ville et du réseau des transports en commun. Font les résas d'hôtels, d'AJ et de chambres chez l'habitant (commission de 60 Sk, soit 6,30 €). Vous pouvez aussi y acheter le *Göteborg pass*, valable 1 ou 2 j., 160-225 Sk (17-23,50 €), qui permet d'entrer librement dans les principaux musées, faire le tour de la ville en bus touristique, prendre gratuitement les transports en commun, etc. Intéressant si l'on prévoit de nombreuses visites.

Poste : *dans le centre commercial* Nordstan *sur Köpmansgatan au sous-sol (plan C1). Sinon, services de base de la poste dans le magasin* Coop Konsum *sur Kungsports Avenyn (plan C2).* Achat de timbres, petits colis.

Internet : Sidewalk Express, *dans la gare (plan C1) et ts les* 7 Eleven *du pays.* *Compter 30 Sk (3,20 €) pour 1h30 (utilisable pdt 3 j.). Sinon, la bibliothèque, sur Götaplatsen (plan C-D2), donne accès gratuit à Internet (mieux vaut réserver).*

Change : *nombreux distributeurs de billets, banques et bureaux* Forex *à Göteborg (préférer ceux-ci), notamment à la gare ferroviaire (tlj 7h-21h) et sur Kungsportsplatsen (ouv en sem 9h-19h, sam 10h-16h), face à l'office du tourisme.*

Consulat de France : *Södra Larmgaton 11. ☎ 774-28-90.*

Consulat de Belgique : *Lilla Brommen 1. ☎ 771-21-08.*

Consulat de Suisse : *Wijkandersplatsen 1. ☎ 713-61-36.*

Médecins : Axess Akuten *(plan B2,* **1***), Södra Allégatan 6. ☎ 725-00-00. Tlj 24h/24.* City Akuten *dans le centre commercial* Nordstan *à Nordstanstorget 6, 6e étage (plan C1). ☎ 31-10-10-10. Ouv en sem 10h-19h (15h w-e).*

Gare ferroviaire centrale (plan C1) **:** *☎ 0771-75-75-75 (n° national).* Pour les horaires et prix de trains.

Adresses utiles

- Offices du tourisme
- Poste
- Gare ferroviaire centrale
- Gare routière
- **1** Médecins
- **3** Journaux français

Où dormir ?

- **10** STF Vandrarhem Stigbergsliden
- **11** Masthuggs Terrassens Vandrarhem
- **12** STF Vandrarhem Slottsskogens
- **13** Linné Vandrarhem
- **14** Hotel Flora
- **15** Göteborgs Mini-Hotel
- **16** Hotell Onyxen

Où manger ?

- **20** Junggrens Café
- **21** Sjömagasinet
- **22** The Dubliner
- **23** Kajskul 8
- **24** Fiskekrogen
- **25** Le Cyrano
- **26** Gyllene Prag
- **27** Manfred's
- **28** Saluhall Briggen
- **29** Café Kosmos
- **30** Ma Cuisine
- **31** Restaurant Gabriel
- **32** Simba
- **33** Hemma Hos

Où boire un verre ? Où sortir ?

- **22** The Dubliner
- **40** Gamle Port
- **43** Nivå
- **44** Excet
- **45** Henriksberg
- **46** Karlsons Garage
- **47** Hagabion
- **48** Nefertiti Jazz Club

GÖTEBORG

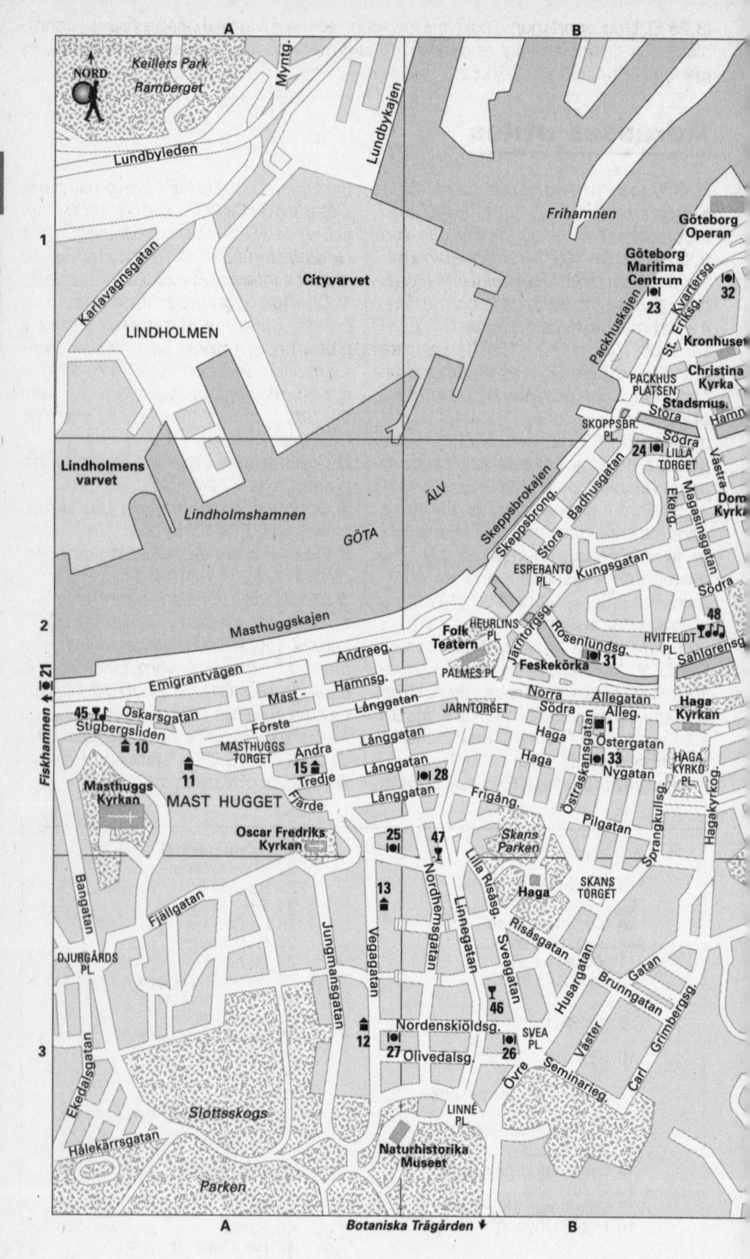
GÖTEBORG
A
B
NORD
Keillers Park
Ramberget
Myntg.
Lundbykajen
Lundbyleden
Frihamnen
Göteborg Operan
Göteborg Maritima Centrum
23
32
Karlavagnsgatan
Cityvarvet
LINDHOLMEN
Packhuskajen
Kvarterg.
St. Eriksg.
Kronhuset
Christina Kyrka
PACKHUS PLATSEN
Stadsmus.
Stora
Hamn
SKOPPSBR. PL.
Södra
24
LILLA TORGET
Västra
Lindholmens varvet
ÄLV
Lindholmshamnen
GÖTA
Skeppsbrokajen
Skeppsbrong.
Badhusgatan
Ekerg.
Magasinsgatan
Dom Kyrka
Stora
ESPERANTO PL.
Kungsgatan
Södra
Masthuggskajen
48
Folk Teatern
HEURLINS PL.
Järntorgsg.
Rosenlundsg.
HVITFELDT PL.
Sahlgrensg.
Andreeg.
31
Feskekörka
Emigrantvägen
PALMES PL.
Fiskhamnen
21
Hamnsg.
Norra
Allegatan
Mast-
Södra
Alleg.
Haga Kyrkan
45
Oskarsgatan
Långgatan
JÄRNTORGET
1
Stigbergsliden
Första
Haga
10
MASTHUGGS TORGET
Långgatan
Östergatan
Andra
Haga
33
HAGA KYRKO PL.
15
Långgatan
28
Nygatan
11
Tredje
Östraskansgatan
Masthuggs Kyrkan
MAST HUGGET
Fjärde
Långgatan
Frigång.
Sprangkullsg.
Hagakyrkog.
Pilgatan
Oscar Fredriks Kyrkan
25
47
Skans Parken
Lilla Risåsg.
Bangatan
13
Nordhemsgatan
Haga
SKANS TORGET
Fjällgatan
Linnegatan
Risåsgatan
Jungmansgatan
Vegagatan
Sveagatan
DJURGÅRDS PL.
Husargatan
Gatan
Brunngatan
46
Grimbergsg.
12
Nordenskiöldsg.
SVEA PL.
Väster
3
Ekedalsgatan
27
Olivedalsg.
26
Övre
Seminarieg.
Carl
Slottsskogs
LINNÉ PL.
Hålekärrsgatan
Naturhistorika Museet
Parken
Botaniska Trägården
2

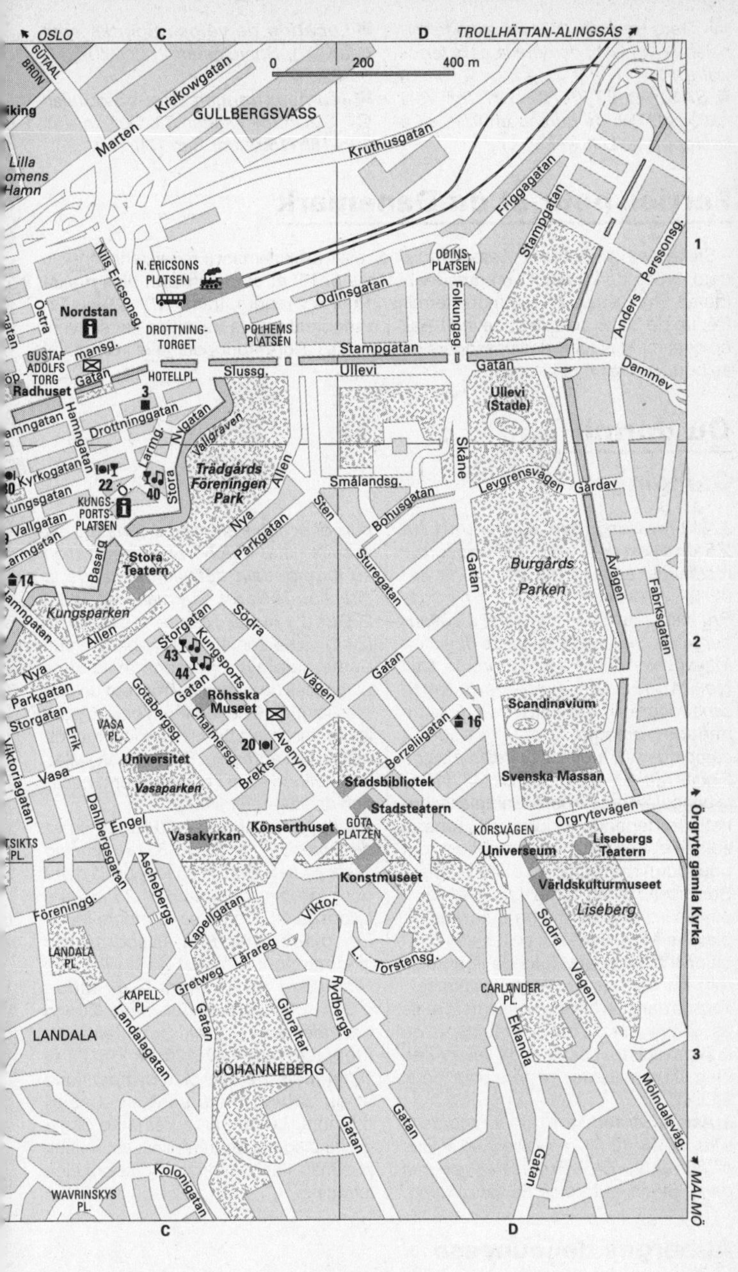
OSLO
TROLLHÄTTAN-ALINGSÅS
GULLBERGSVASS
Krakowgatan
Kruthusgatan
Nordstan
DROTTNING-TORGET
POLHEMS PLATSEN
Stampgatan
Ullevi
Ullevi (Stade)
Trädgårds Föreningen Park
Stora Teatern
Kungsparken
Röhsska Museet
Universitet
Vasaparken
Stadsbibliotek
Stadsteatern
Könserthuset
GÖTA PLATZEN
Konstmuseet
Vasakyrkan
Burgårds Parken
Scandinavium
Svenska Massan
KORSVÄGEN
Universeum
Lisebergs Teatern
Världskulturmuseet
Liseberg
LANDALA
JOHANNEBERG
Örgryte gamla Kyrka
MALMÖ
WAVRINSKYS PL.
CARLANDER PL.

GÖTEBORG

🚌 ***Gare routière*** *(Nils Ericsson terminalen ; plan C1)* **:** *derrière la gare ferroviaire.*

■ **SAS :** ☎ *0770-727-727 (n° Vert national). Pas de bureau en ville, slt à l'aéroport de Landvelter.*

■ ***Location de vélos :*** *Sportkällaren (plan D2), Bohusgatan 2.* ☎ *0707-27-56-82.*

■ ***Journaux français :*** Press Stop *(plan C1,* ***3****), Drottninggatan 58. Ouv en sem 10h-18h (16h sam), dim 12h-15h.*

Ferries pour et du Danemark

– *Stena Line* (☎ *704-00-00*) assure la liaison avec le Danemark (Frederikshavn) avec deux types de bateaux : un gros lent (durée 3h15) et un catamaran plus rapide (durée 2h). Départ au Danmarksterminal. Pour s'y rendre, trams n°s 3, 9 ou 11. Réduc de 50 % avec la carte *Inter-Rail*. Le vendredi soir, la traversée est souvent épique car la plupart des passagers ne font que l'aller-retour pour faire la fête... et se bou... boire un petit coup.

Où dormir ?

Campings

⛺ 🏠 ***Lisebergsbyn Kärralund :*** *à 2,5 km à l'est de la ville, dans un quartier résidentiel entouré de verdure.* ☎ *84-02-00.* • *liseberg.se* • *Tram n° 5 de Brunnsparken (face à la gare) à Welandergatan. Sinon, autoroute E6 direction Malmö, bien fléché dès l'autoroute. Ouv tte l'année. Emplacement tente sans voiture 170-250 Sk (18-26 €) selon période ; presque le double pour un camping-car ; réduc si on reste plus de 2 nuits. En AJ, 400-1 100 Sk (42-115 €) le bungalow pour 4 pers.* Complexe touristique dépendant du parc Liseberg, soigné et très organisé, proposant tout pour dormir, du camping à l'hôtel (cher). Bon niveau d'équipement pour les camping-cars tout de même entassés en pleine saison. Côté AJ, en fait des bungalows pour quatre (pas de lit en dortoir), qui partagent cuisine et sanitaires. Tout ça dans un bel environnement mais assez bruyant du fait des fêtards et de la promiscuité. Location de vélos. Très bien situé mais pas pépère pour deux sous.

⛺ ***Askim Strand :*** *à 10 km au sud de la ville.* ☎ *28-62-61.* • *liseberg.se* • *Bus n° 80 ou le « Blue Express » (face à la gare). Sinon, autoroute E6 vers Malmö, puis direction Hamnar. Le camping est ensuite – mal – fléché. Si la signalisation se fait soudain défaillante, suivre la direction de Näset. Ouv mai-août. Tente 200 Sk (21 €) max ; camping-car 230 Sk (24 €).* Situation sympa au bord d'une petite baie avec pontons mais sans plage (ces dernières se trouvent un peu plus loin). Pas beaucoup d'ombre pour les tentes, mais bon, ensemble tout de même fort agréable. Bien sûr, en juillet, la tendance est à l'entassement. Location de *stugor* (chalets).

⛺ ***Lilleby Havsbad :*** *à 20 km à l'ouest de Göteborg.* ☎ *56-50-66.* • *camping vastkust.se* • *Bus n° 25 (depuis la gare) pour Lillebyvägen, puis n° 23 jusqu'à Lillebybadet. Compter 40 mn de trajet. En voiture, prendre l'Älvsborgsbron (énorme pont à l'ouest de la ville) vers Hisingen ; suivre alors la direction d'Oslo, puis celle de Torslanda (20 mn de trajet en voiture). Ouv mai-août. Emplacement 170-220 Sk (18-23 €) selon mois.* Terrain bien sympathique et au calme, mais sans beaucoup d'ombre. Le littoral, agrémenté d'une petite plage et de tremplins, est à deux pas mais l'animation de Göteborg bien lointaine.

Auberges de jeunesse

🏠 ***STF Vandrarhem Stigbergsliden*** *(plan A2,* ***10****)* **:** *Stigbergsliden 10.* ☎ *24-16-20.* • *hostel-gothenburg.com* • *À 10 mn du centre et de la gare par les* *trams n°s 3, 9 et 11 ; arrêt « Stigbergstorget ». Réception 8h-12h, 16h-22h. Nuit 140 Sk (15 €) pour les membres, 190 Sk (20 €) pour les non-membres. Suppléments petit déj, draps, serviettes et nettoyage de la chambre 50 Sk (5,30 €) chaque.* Dans une belle maison de 1831, qui servait autrefois à la remise en forme et au repos des marins fatigués par de longues navigations. C'est dans la cour que se constituait une partie des équipages, les armateurs venant engager les matelots suffisamment retapés pour repartir en mer. À part ça, AJ impeccablement tenue. Chambres de 3 ou 6 lits. Deux cuisines et salles à manger avec TV. Machines à laver, location de vélos. Excellent accueil.

Masthuggs Terrassens Vandrarhem *(plan A2, **11**) : Masthuggsterrassen 8. ☎ 42-48-20. • mastenvandrarhem.com • Dans la rue Andra Långgatan, prendre l'escalier qui mène aux bâtiments au-dessus du parking souterrain (P-hus). Réception 8h-10h, 17h-20h. Doubles 440 Sk (46 €) ; lit en dortoirs 8 pers 170 Sk (18 €).* Sur l'esplanade, en retrait, dans un des immeubles modernes couleur un peu saumon (suivre le fléchage). Belle AJ privée, non-fumeurs, très calme, un rien aseptisée, il est vrai, mais nickel. Coin TV cosy avec petite bibliothèque et salle à manger égayée de belles photos de mer.

STF Vandrarhem Slottsskogens *(plan A3, **12**) : Vegagatan 21. ☎ 42-65-20. • sov.nu • Trams n°s 1 et 6 ; arrêt « Olivedalsgatan ». Réception 8h-12h, 14h-18h. Doubles 175 Sk (18,50 €) ; lit en dortoir 145 Sk (15 €). Supplément non-membres, petit déj, draps et serviettes.* Proche d'un quartier animé, avec beaucoup de bars et restos (sur Linnégatan notamment). Si l'AJ occupe un immeuble moderne plutôt moche, elle est très propre et confortable. Chambres de 2 à 5 lits, sans défaut (les doubles sont presque luxueuses avec TV !). Location de vélos. Internet, sauna et billard (payants). Bon accueil.

Göteborgs Mini-Hotel *(plan A2, **15**) : Tredje Långgatan 31. ☎ 24-10-23. • minihotel.se • Réception 9h-23h. Au 2e étage d'un immeuble moderne. Doubles 400 Sk (42 €), sdb à l'extérieur.* Ensemble un peu impersonnel mais irréprochablement tenu. Chambres agréables avec TV et frigo. Cuisine en libre-service et salle à manger, mais pas de petit déj servi.

Linné Vandrarhem *(plan A3, **13**) : Vegagatan 22. ☎ 12-10-60. • vandrarhemmet-linne.com • Réception 9h-12h, 15h-19h (18h dim). Doubles 400 Sk (42 €), draps et serviettes en plus.* Une auberge sans beaucoup d'âme, dans un quartier froid, un bâtiment froid, avec un accueil froid. Mais la situation est bonne et vous y trouverez un hébergement convenable.

STF Vandrarhem Torrekulla : *à 10 km au sud de la ville, à Kållered. ☎ 795-14-95. • stftorrekulla.com • Tram n° 4 de la gare à Mölndals Bro, puis bus n° 760 (env 45 mn de trajet et encore 10 mn de marche). En voiture, suivre l'E6 direction Malmö jusqu'à Kållered (sortie 65). Bien fléché. Réception 8h-10h. Enregistrement : 16h-18h. Lit 120-200 Sk/pers (12,50-21 €) ; 50 Sk de plus pour les non-membres.* Super AJ, un peu isolée dans un fort joli coin de nature. Agréable salle de petit déj et terrasse à l'arrière donnant sur un beau domaine. Cuisine en accès libre. Et puis, phénomène rarissime dans une AJ : vente de bières fortes et même de vin à la réception !

Partille Vandrarhem : *à 10 km à l'est de la ville. ☎ 44-65-01. • partillevandrarhem.com • Bus n° 513 (ou 503 en sem slt) de la gare jusqu'à l'arrêt « Åstebo » (env 40 mn). Sinon, autoroute E20 en direction de Stockholm (sortie « Partille ») puis env 4 km (accès fléché). Réception normalement ouv 8h-10h, 16h-20h. Doubles 320 Sk (34 €).* AJ privée composée de plusieurs immeubles bas dans une sorte de parc verdoyant. Si on entendait moins la route, on se croirait presque en pleine campagne... Chambres de 2 à 5 lits mais pas de dortoirs. Cuisine. Intérieur propre, mais pas des plus neuf.

Chez l'habitant

Chambres chez l'habitant : *l'office du tourisme gère des adresses de chambres privées non loin du centre-ville et se charge de la résa*

GÖTEBORG

(commission 60 Sk, soit 6,30 €). Doubles 175 Sk/pers (18,50 €), petit déj non compris. Très concurrentiel des AJ.

Plus chic

⌂ ***Hotel Flora*** *(plan C2,* ***14****) : Grönsakstorget 2. ☎ 13-86-16. • hotelflora.se • Ouv tte l'année. Doubles 850-1 200 Sk (89-126 €) selon jours et période ; petit déj compris*. Idéalement situé en plein centre, ce petit hôtel cosy propose des chambres confortables. Tout est relooké peu à peu avec un rien de design, ce qui fait augmenter les prix. Reste une bonne affaire dans sa catégorie en été et en fin de semaine lorsque les prix baissent. Accueil agréable.

⌂ ***Hotell Onyxen*** *(plan D2,* ***16****) : Sten Sturegatan 23. ☎ 81-08-45. • hotelonyxen.com • À 1,5 km de la gare. Ouv tte l'année. Doubles à partir de 990 Sk (104 €)*. Le plus cher de sa catégorie, ce petit hôtel se démarque de ses cousins des grandes chaînes. Accueil chaleureux. Les vastes chambres, harmonieusement décorées, sont abordables surtout en été et le week-end. Deux inconvénients : on est assez loin du centre et certaines salles de bains sont un peu petites.

Où manger ?

Dans et autour du centre touristique

Bon marché

|●| ***Ma Cuisine*** *(plan C2,* ***30****) : Kyrkogatan 32. Tlj 11h-22h. Le midi, formule 67 Sk (7,40 €). Le soir, plats env 160 Sk (17 €)*. Bonjour ! c'est ainsi qu'on vous accueille dans ce bistrot aux senteurs de France, pas dispendieux pour un sou, le poisson y est même moins cher que la viande. La bouillabaisse fait bon ménage avec les nappes provençales, les cadres au mur (affiches de Dubout, Bécassine...) accompagnent la sympathique palabre du patron breton. Le chef basque met à votre service savoir-faire et accent chantant. Truc original, on peut manger son bout dans la rue sur de petits bancs à tablettes enchâssés dans la vitrine. Une bonne adresse.

|●| ***Junggrens Café*** *(plan C2,* ***20****) : Avenyn 35. Tlj 8h-22h (9h w-e)*. Café populaire – et sympa – pour une petite pause-sandwich sous le regard d'un panthéon de célébrités locales (peinture murale). Terrasse sur le trottoir plutôt bruyante (Avenyn oblige).

|●| ***Café Kosmos*** *(plan C2,* ***29****) : Västra Hamngatan 20. Tlj sf dim jusqu'à 22h. Menu midi en sem 75 Sk (8 €)*. Grand et agréable café à la déco et à la fréquentation branchées ; dans une salle rouge tout en longueur, vous pourrez déguster de goûteux cafés, des sandwichs, de bons gâteaux pas légers, des salades ou des petits plats.

|●| ***Simba*** *(plan B1,* ***32****) : Sankt Eriksgatan 4. Tlj midi et soir sf dim. Le midi, formule 70 Sk (7,50 €) ; le soir, plats 150 Sk (16 €)*. Dans le béton du semi sous-sol de cet immeuble quelconque. Sous les briques... la plage. Un rayon de soleil des tropiques pour les jours de froid polaire. Déco de bambou, masques, chaises zébrées : l'Afrique ! Et le maquereau de la Baltique s'accommode fort bien de ces saveurs légèrement épicées. L'espace d'un agréable moment, le tam-tam répond aux cymbales de l'opéra juste en face.

De prix moyens à plus chic

|●| ***Restaurant Gabriel*** *(plan B2,* ***31****) : Feskekörka. ☎ 13-90-51. Mar-ven 9h-17h, sam 9h-14h. À la carte slt, 125-225 Sk (13-23,50 €) pour un plat*. Ce tout petit resto se situe dans le marché au poisson (*Feskekörka* signifie « église du poisson » en dialecte de Göteborg). Les quelques mètres qui le séparent des

étals du marché assurent la fraîcheur du *fesk* dans l'assiette. Bonne cuisine, plutôt fine et bien préparée. Ambiance sympathique où se mêlent les habitués et les touristes.

|●| ***The Dubliner*** *(plan C2,* ***22****)* **:** *Östra Hamngatan 50B.* ☎ *13-90-20. Tlj jusqu'à 23h ou minuit. 11h-15h30,* daily special *(avec salade et café) 80 Sk (8,50 €) ; le soir, plat 185-300 Sk (19,50-31,50 €).* Vous l'avez compris, vous êtes dans un pub. Box en bois au rez-de-chaussée et salle un peu plus spacieuse à l'étage, avec un grand bar. Aussi bien pour boire un verre – surtout le week-end, quand c'est bondé – que pour manger un morceau, d'autant que la cuisine y est franchement bonne ! Au menu : bœuf au gorgonzola, veau aux chanterelles, espadon grillé... Groupes tous les soirs, dans le style pop irlandais. Un des grands rendez-vous du centre-ville.

|●| ***Kajskul 8*** *(plan B1,* ***23****)* **:** *Packhuskajen.* ☎ *10-75-50. Sur le port, à côté du Musée maritime, au Maritimam. De fin juin à mi-août, tlj 12h-1h. Plats 70-170 Sk (7,50-18 €).* Dans un immense hangar aménagé en resto, sur le quai. Principalement du poisson et des fruits de mer. Ambiance conviviale, grâce notamment aux concerts qui ont lieu le soir. Également quelques tables dressées dehors, face aux bateaux.

|●| ***Hemma Hos*** *(plan B2,* ***33****)* **:** *Haga Nygatan 12 (angle Östraskansgatan). Tlj jusqu'à 23h (1h w-e). Plats 135-175 Sk (14-18,50 €).* Non, vous ne rêvez pas, ce n'est ni un grec, ni un italien, ni un français. Enfin un vrai resto suédois dans cet agréable quartier piéton. Au comptoir, dans la salle, en terrasse et même dans l'assiette, ça parle avec l'accent suédois. Pour débuter, œufs de poisson et betteraves se marient au miel. Après quoi le dos de saumon se grise d'une sauce au vin rouge. Accueil doux et prix itou.

Très chic

|●| ***Fiskekrogen*** *(plan B1-2,* ***24****)* **:** *Lilla Torget 1.* ☎ *10-10-05. Fermé quelques sem en juil. Ouv 11h30-23h (13h sam). Fermé dim. Formule du midi ou plat simple le soir env 300 Sk (31,50 €).* Un des meilleurs restaurants de Göteborg. Flétan à la crème de truffe, pot-au-feu à la bisque de coquillages, thon à la polenta de légumes... Naturellement très cher, mais on a l'assurance d'y faire un repas gastronomique dans une salle feutrée et chic, avec des relents de style Empire français.

À l'ouest et au sud-ouest du centre

Prix moyens

|●| ***Le Cyrano*** *(plan A2-3,* ***25****)* **:** *Prinsgatan 7.* ☎ *14-31-10. Tlj midi et soir jusqu'à 23h (21h dim). Plats à la carte moins de 150 Sk (16 €) ; pizzas env 70 Sk (7,50 €).* Sympathique bistrot français. N'y voyez là aucun chauvinisme aveugle, l'adresse vaut vraiment le détour. Un petit coin de Provence sous ces hautes latitudes scandinaves ! La convivialité est au rendez-vous, ainsi qu'une bonne cuisine au rapport qualité-prix plus que raisonnable. Il fait également venir des produits de France. Très bonnes pizzas cuites au feu de bois. Ici on ne réserve pas, on prend l'apéro au bar en cas d'attente. Bref, une bonne adresse !

|●| ***Gyllene Prag*** *(plan B3,* ***26****)* **:** *Sveagatan 25.* ☎ *13-62-62. Fermé quelques sem en juil. Ouv lun-jeu 16h-minuit, 14h-1h ven-sam (minuit dim). Plats moins de 160 Sk (17 €).* Resto tchèco-germanique avec à la carte : *cevapcici, pilsersnitzel, wienersnitzel...* Déco de cantine améliorée, mais bonne nourriture.

|●| ***Saluhall Briggen*** *(plan B2,* ***28****)* **:** *angle Nordhensgatan et Tredje Länggatan. Fermé soir et dim.* Ancienne caserne de pompiers aujourd'hui occupée par des petits commerces qui servent à manger et à boire au comptoir ou sur quelques tables installées à côté.

De plus chic à très chic

|●| ***Sjömagasinet*** *(hors plan par A2, **21**) : Klippan Kulturreservat. ☎ 775-59-20. Lire « Les quartiers intéressants » dans « À voir ». Ouv en sem 11h30-22h, sam dès 17h, dim 15h-20h. Résa conseillée. Formule midi 135 Sk (14 €) ; bien plus cher à la carte.* Dans un superbe bâtiment en bois, construit en 1775 par la Compagnie des Indes orientales. Il servait à stocker les marchandises (thé, épices, porcelaine...) que les navires rapportaient de leurs voyages lointains, le plus souvent de Canton en Chine. On y a conservé de nombreux éléments liés à cette ancienne activité, notamment les grosses poulies en bois. Cuisine de poisson et fruits de mer principalement, très fine, classée parmi les premières tables de Suède par plusieurs guides gastronomiques internationaux. À l'extérieur, belle terrasse sur l'eau. La formule du midi est un bon plan pour découvrir le lieu et en apprécier les saveurs à très peu cher.

|●| ***Manfred's*** *(plan A-B3, **27**) : Nordenskiöldsgatan 28. ☎ 14-45-53. Ouv en sem 11h-15h, 18h-23h, dès 17h sam et 13h-22h dim. Plat autour de 200 Sk (21 €).* Petite brasserie décorée avec goût, agrémentée d'une terrasse couverte donnant sur le trottoir. Cuisine un peu chère mais goûteuse, avec des saveurs d'outre-Rhin.

Où boire un verre ? Où sortir ?

🍸 ***The Dubliner*** *(plan C2, **22**) :* voir « Où manger ? ».

🍸 ♫ ***Gamle Port*** *(plan C2, **40**) : Östra Larmgatan 18. Pub (et resto) tlj jusqu'à 1h (4h w-e).* Accouplement de styles entre le pub anglais et la brasserie parisienne. Plein de boiseries et bruyant comme il faut. Jeu de fléchettes. Groupes jeudi et samedi. Boîte à l'étage (w-e seulement), dans une sorte de grand salon avec cheminée et des fauteuils posés un peu n'importe où. Entrée par le coin de la rue (payante et assez chère). On s'y défon... défoule jusqu'à 5h.

🍸 ♫ La ***Kungsports Avenyn*** *(plan C2)*, sorte de Champs-Élysées de Göteborg, plus communément appelée l'*Avenyn*, abrite plusieurs ***bars-boîtes*** où les jeunes se réunissent. C'est le centre de l'animation de la ville le soir. Et puis aussi des grands cafés au coude-à-coude dont la *Brasserie Lipp* (un peu hors de prix)... comme sur les *Champs* !

🍸 ♫ ***Nivå*** *(plan C2, **43**) : Kungsports Avenyn 9. Ven-sam jusqu'à 4h (3h mer). Entrée payante le w-e.* Bar-resto-boîte sur plusieurs étages. Au dernier, terrasse pour respirer. Intérieur immense, déco réussie et ambiance torride le week-end. Fréquenté plutôt par les 25-30 ans.

🍸 ♫ ***Excet*** *(plan C2, **44**) : Vasagatan 52. Tt près de l'Avenyn. Ven-sam jusqu'à 4h.* Bar un peu rétro au rez-de-chaussée, avec une petite piste de danse, un rien étouffante, au sous-sol. Heureusement, il y a aussi une terrasse en partie couverte. Bruyant et bondé le week-end d'une clientèle dans la vingtaine bien avancée, décontractée, typique du quartier.

🍸 ♩ ♫ ***Nefertiti Jazz Club*** *(plan B2, **48**) : Hvitfeldsplatsen 6. Entrée par l'arrière du bâtiment en brique. Mer-sam 21h-3h.* Tous les soirs, concerts avec une grande variation des genres (hip-hop, jazz, latino, électro, etc.) et, les vendredi et samedi, 1h-4h, la maison se transforme en discothèque. Possibilité de manger également, mais résa indispensable car l'endroit est très populaire.

🍸 ♩ ***Henriksberg*** *(plan A2, **45**) : Stigbergsliden 7. Mar-sam jusqu'à 2h ; dim-lun, slt en été.* Au rez-de-chaussée, un pub assez *roots*, avec *Guinness*, jeux de fléchettes et tout ce qu'il faut. Au 2ᵉ étage, un autre bar, une petite scène pour les concerts de rock, reggae, musique latino-américaine... qui ont lieu du mercredi au samedi, et une terrasse à la vue imprenable sur le port et une partie de la ville.

🍸 Nombreux ***bobo-bars*** sur Linnégatan *(plan B2-3)*, fréquentés par les jeunes et moins jeunes qui veulent échapper à l'ambiance bar-boîte du quartier snob de l'Avenyn.

🍸 ***Karlsons Garage*** *(plan B3,* ***46****)* **:** *Linnégatan 54. Tlj 16h-1h (13h w-e).* Un des grands bars avec terrasse de Linnégatan. Dedans, fauteuils moelleux, bibliothèque, collection de théières *(very british).* On y mange de bons petits plats variés et pas chers.

🍸 ***Hagabion*** *(plan B2-3,* ***47****)* **:** *Linnégatan, à l'angle de Prinsgatan.* ☎ *42-88-10. Ouv jusqu'à 23h.* Il s'agit du café du cinéma du peuple, où l'on passe tous les soirs des films alternatifs et d'auteur, parfois français (en v.o. et sous-titrés en suédois). Fait dans la cuisine végétarienne et la boisson sans alcool. Déco cinématographique, évidemment. Atmosphère jeune et décontractée avec ceux qui jouent aux échecs, refont le monde en suédois et feront la Suède demain. Plutôt sympa.

À voir

Les quartiers intéressants

La vieille ville et l'Avenyn *(plan B-C1-2)* **:** la « vieille ville » de Göteborg s'est entourée de remparts et de douves durant 200 ans (1621-1807) pour se protéger des envahisseurs (la cité fut quand même construite et détruite trois fois par les guerres). Quant à lui, le canal a été conçu par des architectes hollandais. De là à dire que ça ressemble à Amsterdam... En 1807, on renonce à ces protections et la ville s'étend. C'est alors que l'*Avenyn,* jusqu'ici un quartier de la banlieue chic, s'intègre à la cité. Les premières demeures sont bâties avec faste, un peu sur le modèle des Champs-Élysées. Toutes ont un jardinet devant (seule celle du n° 1 l'a conservé). Puis l'architecture fonctionnaliste des années 1930 passe par là, d'où un mélange aujourd'hui de beaux immeubles bourgeois traditionnels et de bâtiments carrés pas spécialement élégants.

Haga *(plan B2)* **:** délimité par Linnégatan, Södra Allegatan, Sprängkullsgatan et le Skansparken (colline couronnée d'une tour de défense), cet ancien quartier ouvrier a été très bien restauré, et même reconstruit par endroits. Les petites maisons dissimulent de charmantes arrière-cours, et les rues regorgent de cafés et petits restos assez cosy, de galeries, de boutiques de livres d'occasion, de fringues, d'antiquités, etc. Vous pouvez continuer la balade par Linnégatan et reposer vos petits pieds au bord des étangs du Slottsskogs Parken, le plus grand parc de Göteborg.

Victoria Passage *(plan C2)* **:** petite ruelle pleine de charme entre la Vallgatan (face au n° 22) et la Södra Larmgatan (au n° 14), où se cachent quelques boutiques et cafés pépères bien sympas. Également l'occasion de faire du shopping dans les magasins de design alentour.

Les marchés **:** *le plus grand d'entre eux, Saluhallen, se trouve face à l'office du tourisme (plan C2). Lun-sam 9h-18h (14h sam). Le second et le plus beau est le Feskekörka, situé au bord du canal, face à Haga (plan B2).* Intéressants à visiter, les marchés couverts sont aussi de bonnes solutions pour manger pas trop cher, grâce aux petits restaurants qui côtoient les boutiques.

Klippan Kulturreservat *(hors plan par A2)* **:** *un peu éloigné du centre, le long du port en allant vers la mer, juste avt le grand pont. Pour s'y rendre, le plus simple est d'utiliser la ligne de ferry qui part de Rosenlund et qui marque quelques arrêts sur chaque rive avt d'arriver à Klippan.* Petit quartier historique qui abrite les bâtiments du XVIIIe s de la Compagnie des Indes orientales (dont le restaurant *Sjömagasinet,* voir « Où manger ? »), et ceux d'un petit village industriel du XIXe s, des maisons d'ouvriers, une école et la chapelle Sankt Birgitta.

Les musées

Plusieurs musées à visiter, d'un intérêt inégal (petite brochure gratuite à l'office du tourisme). Avec le *Göteborg pass* (voir « Adresses utiles »), la plupart des musées sont gratuits.

Konstmuseet *(plan D2-3)* **:** *Götaplatsen. ☎ 61-10-00. • konstmuseum.goteborg.se • Tt en bas de l'Avenyn. Ouv mar et jeu 11h-18h ; 21h mer ; 17h ven-dim. Fermé lun. Entrée : 40 Sk (4,20 €) ; réduc ; gratuit jusqu'à 19 ans.* Un des plus beaux musées d'art du pays et le plus intéressant de la ville, à notre avis. Au programme : peinture suédoise (avec les *coloristes de Göteborg*), européenne et sculpture du XVIIe s à nos jours. Dans le grand hall à l'étage, entre autres sculptures, plusieurs œuvres de Carl Milles, le célèbre sculpteur suédois. Le 2e étage est consacré à la peinture scandinave surtout, mais aussi italienne et à l'école flamande entre le XVe et le XIXe s. Vous trouverez au 3e étage des œuvres des XIXe et XXe s, dont celles des coloristes de Göteborg et autres peintres scandinaves. Dans la salle 22, ne pas manquer deux toiles de Munch, le plus grand peintre expressionniste norvégien. Les salles 28 et 29 sont consacrées à la peinture française de la fin du XIXe s : Gauguin, Sisley, Renoir, Monet et plein d'autres. Puis les nabis et les fauves, quelques Picasso *(La Famille d'acrobates)* et deux Chagall. Avant de partir, à gauche du grand hall, des salles d'art moderne ont été superbement aménagées dans d'amples espaces où sont présentées des expos temporaires d'envergure.
– Sur la droite du musée, le ***Konsthall*** *(entrée gratuite)* accueille des expos temporaires d'artistes contemporains, ainsi que le centre de photographie Hasselblad, situé à gauche du guichet.

Röhsska Museet *(plan C2)* **:** *Vasagatan 37-39. ☎ 61-38-50. • designmuseum.se • Ouv mar-ven 12h-17h (20h mar) ; w-e 11h-17h. Entrée : 40 Sk (4,20 €).* Musée d'Art et d'Arts appliqués, initialement constitué par une donation, ce qui explique qu'on y trouve aussi bien de l'artisanat suédois et européen que d'importantes collections d'art japonais et chinois. Les deux lions à l'entrée en attestent. Section textile, avec des soies chinoises, tissus égyptiens, tapis nordiques. Livres anciens, dont des manuscrits médiévaux, argenterie (du Moyen Âge à nos jours) et mobilier, baroque, néoclassique mais surtout du XXe s. Également des vases antiques, de la céramique coréenne et de la faïence de Rörstrand et de Marieberg, ainsi qu'une collection de verres suédois des années 1920.

Göteborgs Stadsmuseum *(Musée municipal ; plan B1)* **:** *Norra Hamngatan 12. ☎ 61-27-70. • stadsmuseum.goteborg.se • Mai-août, tlj 10h-17h ; le reste de l'année, fermé lun mais ouv jusqu'à 20h mer. Entrée : 40 Sk (4,20 €) ; réduc.* Installé dans les nobles bâtiments de la Compagnie des Indes, le long du Stora Hamn Kanalen (le grand canal), autour duquel se sont construites les imposantes maisons des familles riches de 1750 à 1830. Les gros bateaux de retour des Indes s'arrêtaient dans le port et de petits bateaux (passant sous les ponts très bas) en acheminaient les marchandises jusqu'au grand canal, au cœur de la ville. Ce musée est consacré à l'histoire de la région de Göteborg depuis l'âge de pierre jusqu'à aujourd'hui. Les principales sections concernent les Vikings, la Compagnie des Indes (et les nombreux trésors rapportés par ses navires), la vie à Göteborg pendant l'industrialisation, etc.

Göteborg Maritima Centrum *(plan B1)* **:** *sur le port, à Lilla Bommenshamn. ☎ 10-59-50. • maritimam.se • Ouv mars-nov : tlj 10h-18h mai-août (16h mar-avr et sept-oct) ; slt ven-dim 10h-16h en nov. Entrée : 70 Sk (7,50 €) ; réduc.* Le plus grand musée maritime flottant au monde ! Vous aurez ainsi l'occasion de visiter plusieurs bateaux (militaires le plus souvent), y compris un sous-marin, ce qui est plutôt sympa et intéres-

ALLER-RETOUR OU ALLER SIMPLE ?

Dans les années sombres de la Suède (XIXe s), la plupart des candidats au Nouveau Monde sont partis du port de Göteborg. Les quais de la ville assistèrent à cette hémorragie de population fuyant misère et famine. Quelques décennies plus tard, de riches Nord-Américains en villégiature débarquèrent des plus beaux transatlantiques sur les mêmes quais. L'histoire ne dit pas si les premiers étaient aïeux des seconds, mais c'est probable.

sant, même si seuls les textes présentant les bateaux et leur histoire sont traduits en anglais et en allemand. Toutes les explications dans les bateaux sont en suédois (mais, le plus souvent, les yeux suffisent). La visite pourra passionner des enfants à partir de 6 ans, mais sera sans doute éprouvante avec des bambins plus jeunes qui ne goûteront peut-être pas les multiples descentes d'échelle quasiment à la verticale.

Trädgårdföreningen Park *(plan C1-2)* **:** *en plein centre. • parkochnatur.goteborg.se • Ouv 7h-20h (18h sept-avr). Entrée : 15 Sk (1,60 €) ; gratuit jusqu'à 17 ans.* Jardin botanique très riche, avec notamment de superbes serres, une magnifique roseraie, ainsi qu'une palmeraie *(entrée : 20 Sk, soit 2,20 €).* Orné de nombreuses sculptures et de petits pavillons, le parc est un lieu de promenade très agréable et très animé en été (des concerts y sont organisés). Vous y trouverez également un sympathique petit café près de la roseraie.

Botaniska Trädgården *(hors plan par B3)* **:** *tlj 10h-16h (17h mai-août). Tram n°s 1, 7, 8 et 13. Entrée : 20 Sk (2 €).* Plus grand jardin botanique du pays avec ses quelque 12 000 espèces de plantes, il s'est aussi vu décerner le prix du plus beau parc de Suède. Est-ce vraiment nécessaire d'en dire davantage ?

Kronhuset *(plan B1)* **:** *Kronhusgatan 1D.* Cette grosse bâtisse en brique (datant de 1640) est le plus ancien bâtiment non religieux de la ville. Elle servit de grenier à grains et d'arsenal (surprenante combinaison, non ?) pour finir, aujourd'hui en salle de concerts. Dans la petite cour pavée, reconstitution de magasins d'artisans du XVIIIe s (un orfèvre, un souffleur de verre, un horloger), ainsi qu'un petit café à la terrasse bien agréable pour prendre un verre.

Universeum *(plan D3)* **:** *Korsvägen. ☎ 335-64-50. • universeum.se • Ouv 10h-19h (18h sept-mai). Entrée : 135 Sk (14 €) ; gratuit jusqu'à 5 ans ; réduc.* Adossé au parc de Liseberg, voilà une belle réussite d'écosystèmes enchevêtrés. Sous une immense serre, on descend un sentier qui déroule une flore et une faune des plus variées. Des grenouilles et crapauds. Des *Östersjons* (caviar sur le toast). Une plongée dans le monde du silence, cerné d'aquariums géants où tournent requins et autres raies (derrière ces vitres limpides, qui observe qui ?). Un vivarium où s'entortille tout ce que l'univers des serpents compte de plus venimeux. Et enfin, sur le bas, une zone tropicale torride, humide, tapissée de plantes luxuriantes, parcourue par quelques oiseaux et papillons, chahutée par de petits singes en liberté. Ajoutez, avant la sortie, une immense salle de jeux-découverte (goal virtuel, expériences de démultiplication des forces, exercices d'équilibre, démos de crash-test et même une vraie voiture de police avec sirène...). Vous aurez compris qu'il faut prévoir un peu de temps pour faire plaisir aux petits. Et aux grands.

Världskulturmuseet *(plan D3)* **:** *Korsvägen. ☎ 63-27-30. • varldskulturmuseet.se • Ouv 12h-17h (21h mer-jeu). Fermé lun. Entrée : 40 Sk (4,20 €) ; gratuit jusqu'à 21 ans ; réduc.* Sorte de grand centre culturel qui propose une expo qui change tous les six mois environ, traitant de grands sujets de société mondiaux. Sans concession, de façon parfois crue, photos, œuvres diverses d'artistes, films, reportages témoignent du sida, de la traite des enfants... Pour ouvrir les yeux et l'esprit.

À faire

– Se reposer dans les superbes ***parcs.*** Ils sont tous beaux et bien aménagés. On y pique-nique, on y fait la sieste dans l'herbe.

➢ ***Balade sur les canaux :*** *à partir du terminal Paddan à Kungsportsplatsen, dans le centre. Rens : ☎ 60-96-70.* Env 4 départs/h (plus s'il y a beaucoup de monde). Une heure de promenade en bateau genre bateau-mouche sur les canaux et vers le port. Prix correct pour une balade sans surprise ni déception.

GÖTEBORG

Il existe plusieurs ***plages*** non loin de Göteborg. L'office du tourisme pourra vous les conseiller en fonction du temps que vous avez et de vos moyens de locomotion. Une adresse de ***piscine*** : ***Valhallabadet,*** *Valhallagatan. Au sud-est du centre, près du Scandinavium. Trams nos 4 ou 5, jusqu'à Korsvägen ou nos 14 et 13 jusqu'au Scandinavium, d'où il reste quelques centaines de mètres à parcourir. Bassins de 50 m et 25 m, sauna, etc. Prix : 45 Sk (5 €).* Sinon, les **Hagabadet** *(Södra Allégatan 3 au nord du quartier de Nygata)* proposent une prestation de luxe, prix à l'avenant *(accès : 360 Sk, soit 40 €)* dans un bâtiment historique. Voir la somptueuse grande piscine Art déco.

➢ ***Balades en bateau dans l'archipel :***
– ***Vers Bränno, Styrsö, Donsö*** *(au sud-ouest de Göteborg)* ***:*** *embarquement à Saltholmen (5 km à l'ouest de Göteborg ; tram n° 11 jusqu'au terminus, à 25 mn du centre de Göteborg).* Nombreux ferries dont certains omnibus qui permettent de découvrir les îles les unes après les autres. Le paysage est fait de roches affleurantes, d'îlots, de petites criques et de maisonnettes aux tons pastel suspendus au-dessus des flots. On fait son itinéraire selon l'envie et le temps qu'on veut y consacrer. La plupart des îles étant sans véhicules, les quais accueillent un fatras de brouettes pour transporter ce que le ferry débarque. ***Styrsö*** est peut être la plus intéressante, avec son habitat résidentiel au nord à Bratten, fait de jolies maisons de bois, distribuées par des rues débordant de jardinets. Au sud, c'est plus sauvage : rochers et lande. C'est là que Pia et Bo ont une pension agréable dans un bel environnement *(*Styrsö Skäret, ☎ *97-32-30. Ouv tte l'année. Résa conseillée. Doubles 1 300-1 500 Sk, soit 143-165 € selon vue).* Tout proche, un pont permet d'aller sur l'île de ***Donsö,*** qui possède un mignon petit port de pêcheurs.
– ***Vers Öckerö et Vinga*** *(au nord de Göteborg)* ***:*** *de Lilla Bommen, le port de plaisance.* ☎ *60-96-70.* De fin juin à mi-août, 1 départ ts les mat.

Fêtes et manifestations

– Durant une semaine en juillet, la ville grouille de jeunes footballeurs venant du monde entier et participant à la ***Gothia Cup*** (championnat de foot international junior). Attention, tous les hôtels sont envahis durant cette période.
– Si vous venez en août, ne ratez pas la grande ***fête populaire*** qui anime la ville chaque année pendant la 1re semaine. Concerts, bals en plein air, stands de cuisine, boissons dans les rues...
– Göteborg accueille un grand nombre de salons, foires ou événements sportifs et culturels importants (plus que Stockholm, en fait). Vous trouverez toutes les infos sur • goteborg.com •

LA CÔTE DU BOHUSLÄN

La côte au nord de Göteborg, qui mène à la frontière norvégienne, traverse l'une des régions les plus belles du pays. Ce sont des paysages accidentés où les blocs de granit alternent avec les étendues de bruyère. Dans toute cette région côtière, vous trouverez d'adorables petits ports où les Suédois possèdent leurs maisons de pêcheurs, quand ce n'est pas leur îlot particulier.
Prévoir deux ou trois jours pour remonter la côte en passant d'île en île. Trajet quasi impossible en transports (on se limitera à Marstrand). Et pour les pressés, il y a l'autoroute E6 avec étapes possibles dans l'axe à Kungälv, Uddevalla ou Strömstad.

Où dormir proche de l'autoroute ?

⛺ 🏠 ***STF Vandrarhem Kungälv :** Färjevägen 2. ☎ (0303) 189-00. ● kungalvsvandrarhem.se ● Bus « Grön Express » depuis Göteborg. Ouv mai-août. Réception 8h-10h, 17h-19h. Camping 130 Sk/pers (13,50 €) ; lit 150 Sk (16 €). Prévoir 60 Sk (6,60 €) de plus pour les non-membres.* Agréable bâtiment en bois de la fin du XIXe s situé juste en face de la citadelle. Terrasse avec bancs. Terrain de camping sommaire à l'arrière, au bord de l'eau et de la rue aussi. Lits en petits dortoirs ou en chambres. Également quelques bungalows.

🏠 🍽 ***STF Vandrarhem Gustafsberg :** 2 km au sud d'Uddevalla. ☎ (0522) 152-00. ● jan.gustafsberg@telia.com ● Fléché depuis la sortie Uddevalla. Ouv slt en été. Réception 8h-11h, 16h-21h. Nuit 170 Sk (18 €).* Restaurant populaire juste à côté. Posée au bord de l'eau, cette AJ est une maison agréable avec sa petite terrasse à l'arrière donnant sur la baie et quelques bateaux.

KUNGÄLV

IND. TÉL. : 0303

Ce village, à 15 km au nord de Göteborg, fut longtemps la frontière entre la Suède et le Danemark (qui possédait la Norvège et le Bohuslän). Cela explique que cette imposante citadelle qui domine un confluent stratégique : la *Bohus Fästening.* Bâtie en 1308 par Håkon V (roi de Norvège), elle est mille fois assiégée et jamais prise. Et c'est le traité de Roskilde, en 1658, qui l'offre aux Suédois sur un tapis vert. Un temps siège du gouvernement local, la place tombe en décadence lorsque canons et pouvoir sont déplacés à Göteborg (au XVIIIe s). Restaurée depuis les années 1920, elle ne manque pas de cachet avec ses solides murs de granit rose.

***Citadelle :** ouv en avr et en oct le w-e 11h-17h et mai-août tlj 11h-19h, 17h en sept. Entrée : 45 Sk (4,50 €).*

MARSTRAND

IND. TÉL. : 0303

Le village est coupé en deux par un isthme de 200 m de large. Rien à voir à l'entrée, on va directement dans la partie insulaire. Un bac (payant) fait la traversée en moins de 3 mn. Là, quelques rues (sans voitures), dominées par la forteresse de Carlsten, se tassent face à la côte, sur à peine un quart de la superficie de ce gros « caillou ». Autrefois réputée pour ses pêches aux harengs exceptionnelles, Marstrand est, depuis la fin du XIXe s, une destination touristique très prisée. Le roi Oscar II en fit lui-même, à l'époque, l'un de ses lieux de villégiature favoris. Aujourd'hui, c'est un des temples de la voile en Suède, de nombreuses régates y sont organisées chaque été.

LANGUE FRANÇAISE À LA SAUCE SUÉDOISE

La quantité de mots directement dérivés du français dans le suédois courant est étonnante ! Votre chaufför *vous laisse à l'entré du* restaurang. *Manteau posé à la* garderob, *les dames se repoudrent aux* toalet *et les messieurs au* pissoar. *Suit le choix des plats :* meny *ou* á la carte *(avec un drôle d'accent !) ? le* filé à l'affish *se taille un* succé *fou. Puis, Monsieur appelle l'*ateljé *et fait un* billjard *avec des amis. Madame prend ses* biljets *d'opéra (premier* balkong*) et passe au* salong *de coiffure. Quels* evenemeng *!*

En venant de Kungälv, prendre la route 168, c'est indiqué. Accès depuis la gare centrale de Göteborg par le bus n° 312. Le prix du ferry est inclus dans celui du bus.

Adresse utile

Office du tourisme : _☎ 600-87. • marstrand.nu • Kiosque mobile slt ouv de juin à mi-août, sem 9h30-18h, w-e 11h-17h._

Où dormir ? Où manger ?

Marstrands Varmbadhus Båtellet : _☎ 600-10. Prendre à droite en descendant du bac, à 5 mn en longeant le quai. Ouv tte l'année. Réception 8h-21h. Lit 245 Sk (25,50 €) en chambre de 3 à 6 lits et 190 Sk (20 €) en dortoir en été slt._ Décidément, même les AJ sont ruineuses à Marstrand ! Enfin, au moins, celle-ci est superbement située, à l'entrée du chenal et face au large. Grande maison jaune de 1858 ayant abrité d'anciens bains chauds. Intérieur bien agréable équipé d'une piscine, d'un sauna et d'une cuisine. Les chambres étant mansardées, elles peuvent être un peu chaudes l'été. Le dortoir n'est activé qu'en été. Restaurant à prix modérés.

Grand choix de **_restos_** et autres **_saladeries-sandwicheries_** sur le port.

À voir. À faire

La forteresse de Carlsten : _juin-août 11h-18h (visite guidée ttes les heures 12h-16h) et w-e 11h-16h le reste de l'année. Entrée : 70 Sk (7,50 €) ; réduc. Supplément pour monter en haut de la tour et profiter du superbe panorama._ Construite au XVIIe s pour défendre la province, la forteresse fut transformée en une sévère prison aux XVIIIe et XIXe s. Visite non indispensable.

➢ **_Le tour de l'île à pied :_** une chouette balade consiste à quitter la foule du port et gagner les chemins tracés sur cette belle côte aux doux reliefs ; 1h suffit pour faire le tour de l'île, à moins de s'arrêter pour pique-niquer sur la roche, par exemple (faites vos courses à Göteborg avant).

VERS LE NORD

En continuant la route vers le nord, on traverse les **_îles_** de **_Tjörn_** et **_Orust._** Elles offrent des paysages variés, avec des forêts, des champs où paissent de paisibles chevaux, des vallons, quelques vieux moulins à vent, une côte très déchiquetée et de petits ports bien abrités.

Tjörn est reliée au continent par un pont. Au nord-ouest, le port de **_Skärhamn_** semble tout juste sorti d'un tableau. Typique avec ses baraques de pêcheurs rouges, il accueille d'ailleurs un musée de l'Aquarelle (pour s'occuper si les superbes paysages marins ne vous comblent pas).

Orust est reliée à Tjörn par un pont (décidément). À l'extrême sud-ouest de l'île, le village de **_Möllesund_** mérite une visite pour la simple authenticité de son petit port. Joli petit fjord qui baigne le village de **_Nösund_** (tout proche) : des cygnes y font trempette dans l'eau de mer à deux pas de l'île de Lyr. Plus au nord, **_Stocken_** est de la même veine avec des maisons sur pilotis et un chouette port.

Camping Stocken : _à l'ouest d'Orust. À 5 km d'Ellös. ☎ (0304) 511-00. • stocken.nu • Ouv avr-sept. Forfait tente 190 Sk (20 €). Chalet pour 4 pers 700 Sk (73 €)._ Cadre très agréable au milieu de splendides blocs de granit. La plage est tout proche. Au calme. Cuisine équipée. Location de canoës et de vélos.

STF Vandrarhem Tofta Gård : *à l'ouest d'Orust. À 4 km d'Ellös, avt le village de Stocken. ☎ (0304) 503-80. • svenskaturistforeningen.se/toftagard orust • Ouv de mi-mars à mi-déc. Réception 8h-11h, 16h-19h. Nuit 190 Sk/pers (20 €) pour les membres.* Ne cherchez plus la petite maison dans la prairie, c'est ici. En fait un ensemble de bâtisses de bois rouge et blanc, coquettes au possible, où se répartissent les chambres et de petits dortoirs. Agréable chemin d'accès jouxtant un golf (pas un golfe) et des prairies à chevaux. Isolement assuré.

Plus au nord encore, l'île de ***Flatön.*** Là, faut se jeter à l'eau pour y aller ou prendre le ferry (gratuit, fréquent, rapide, seulement de jour) pour y entrer depuis Orust et en sortir vers le continent. Le spectacle vaut la peine. Tout plein de maisons croquignolettes, dont certaines accrochées à un bout de granit au creux d'une baie. Décidément un site plein de charme. Même par avis de tempête. Au village de Flatön, un bon petit resto.

Handelsman Flink : *au centre du village, face au port. ☎ (0304) 550-51. Plats env 150 Sk (16,50 €).* Restaurant résolument tourné vers la mer. À bâbord par sa déco de maquettes de bateaux et reproductions de maisons de pêcheurs. À tribord par sa belle terrasse donnant sur le port. À la poupe par sa gastronomie à base de produits de la mer. À la poupe par une ambiance musicale faite de chansons mi-marin mi-folklo, justement composées par Handelsman Flink (un poète qui passait ses vacances ici). Authentique et très agréable adresse.

FISKEBÄCKSKIL

IND. TÉL. : 0522

On nous l'avait dit, ce village avec ses maisons blanches et jaunes entourées de rosiers est charmant. Seul le cri d'une mouette déchire le silence de ses ruelles pavées. Certainement l'un des plus jolis petits villages de Suède. Et en plus, il borde le seul fjord du pays (selon la définition des géographes).

Où dormir ?

Pour se loger, rien, à part un hôtel de luxe, à Fiskebäckskil même. Heureusement, il y a une AJ pas trop loin.

STF Vandrarhem Rörbäck : *à env 12 km de Fiskebäckskil, vers Uddevalla. ☎ 65-01-90. • rorbackstrand.se • Au village de Bokenäs, prendre à droite : c'est à 3 km (nécessite d'être véhiculé). Ouv mai-sept. Réception 8h-10h, 16h-18h. Dortoirs 2-6 pers. Lits 140-215 Sk (15-22,50 €) selon saison et qu'on soit ou pas membre ; doubles 210-255 Sk (23-28 €).* Ensemble de maisonnettes rouge et blanc classiques blotti au fond d'une paisible baie. De grands espaces extérieurs.

LYSEKIL

IND. TÉL. : 0523

Petite ville bâtie dans une jolie baie, elle est malgré tout loin d'avoir un charme fou. D'un abord même un peu industriel. Cela dit, c'est le point de départ de nombreuses balades en bateau, notamment vers Fiskebäckskil, le premier centre de plongée en Suède et, en plus, sa réserve naturelle est un vrai paradis.

Adresse utile

Office du tourisme : *sur le port.* ☎ *130-50.* • *lysekil.se* • *En saison, lun-sam 9h-19h, dim 11h-15h ; sinon, en sem slt 10h-16h.* Réservation de chambres chez l'habitant et accès gratuit à Internet.

Où dormir ?

Gullmarsbadens Camping : *à 3 km à l'est de la ville, sur la route de Fiskebäckskil.* ☎ *61-15-90. Ouv de mi-mai à août. Forfait tente 190 Sk (20 €).* Camping en pente au bord de l'eau, dans un petit golfe rocheux. Accueil sympathique et bon rapport qualité-prix, mais sanitaires mal entretenus.

Siviks Camping : *à 4 km au nord de la ville.* ☎ *61-15-28.* • *camping.se/o54* • *Ouv mai-sept. Forfait tente 150-250 Sk (16-26 €) selon période.* Le cadre est super, entre mer et rochers, mais le site manque un peu d'ombre. Bien équipé. Location de *stugor.*

Hotell Strandflickorna (AJ) **:** *en plein centre, face au minigolf et à la mer.* ☎ *797-50.* • *strandflickorna.se* • *Réception 8h-10h30, 16h-20h. Lit env 250 Sk (26 €) ; doubles 870-1 020 Sk (91-107 €).* Chouette AJ de luxe, décorée avec goût, dans une vieille maison en bois toute blanche. Doubles (chères), avec TV et sanitaires privés et dortoirs de 8 personnes avec sanitaires partagés. Certaines ont vue sur la mer ou disposent d'un balcon.

Où manger ?

Restaurang Barracuda : *Rosviksgatan. Sur la petite place, à deux pas de l'office du tourisme. Tlj midi et soir. Fermé dim. Buffet midi 80 Sk (8 €) et soir 60 Sk (6 €) ; plats 110-190 Sk (11,50-20 €).* Très populaire chez les autochtones. Déco originale faite de brique et de tourets de câbles reconvertis en mobilier. Le poisson y est moins cher que la viande.

Plusieurs ***restos*** sur le port, même un chinois.

À voir

Havets Hus : *tlj 10h-16h. Entrée : 60 Sk (6,60 €) ; réduc.* Si vous croyez que la faune aquatique du coin manque de diversité, venez donc voir ce modeste aquarium, vous y découvrirez quelques incroyables petites créatures...

LA ROUTE CÔTIÈRE

En continuant la route côtière vers le nord, *Smögen, Hunnebostrand, Bovallstrand, Hamburgsund, Fjällbacka* et *Grebbestad* sont autant de paisibles petits havres à l'abri dans les échancrures de la côte. Dans tous ces ports, en saison, vous trouverez des *poissonneries* au bord de l'eau. Alors au lieu de chercher des restaurants, quoi de mieux qu'un régal de langoustines, saumons, maquereaux ou harengs grignotés sur le ponton ? Et puis les paysages ne manquent pas de charme : petits fjords, rochers affleurant dans la mer tels des dos de baleines, îlots boisés ou pelés, maisonnettes colorées.

Où dormir ?

Makrillvikens Vandrarhem : *Makrillgatan, à Smögen.* ☎ *(0523) 315-65.* • *makrillviken.se* • *Ouv tte l'année. Réception 8h-12h, 16h-19h30. Lit 250-300 Sk (26,50-31,50 €) selon saison. En été, il faut malheureusement louer tte la* *chambre (2-6 lits).* Situation exceptionnelle au cœur des rochers ronds et gris. Pas de plage mais un ponton avec échelles pour se mettre à l'eau. Sauna et cuisine. Tranquillité assurée.

Hunnebostrands Vandrarhem : *Gammelgården, à Hunnebostrand. ☎ (0523) 587-30. • hunnebostrand.nu/vandrarhem • Bien fléché. Ouv Pâques-nov. Réception 8h-10h, 16h-18h. Lit env 220 Sk (23 €).* Agréablement situées dans un bois, les quelques maisons de cette AJ ont hélas un look de casernement... les barbelés en moins et en plus gai ! À l'écart de la route, donc au calme et à peine à 800 m du port. Chambres 2-4 personnes.

Rörviks Camping : *à Hamburgsund. ☎ (0525) 335-73. • camping.se/o56 • Ouv mai-sept. Réception 8h-22h. Forfait 160-210 Sk (17-22 €) selon mois.* Terrain merveilleusement situé entre falaise et bord de mer face à quelques jetées où mouillent des bateaux. La route toute proche n'est pas une nuisance. Plein de charme mais peu d'ombre.

Badholmen Vandrarhem : *à Fjällbacka. ☎ (0525) 321-50. Ouv juin-août. Réception 9h-11h, 17h-19h. Lit 200 Sk (21 €).* Sympathique maison de poupée posée sur le quai, tout au bout du port, avec une cuisine et même un sauna.

À voir

Nordens Ark : *Uddevallavägen. ☎ 0523-795-90. • nordensark.se • Ouv 10h-17h avr-juin et sept, 19h juil-août, 16h oct-mars. Entrée : 140 Sk (15 €).* Grand parc qui accueille des animaux pas communs. Grandes ou petites, belles ou laides, des bébêtes bien chouchoutées pour que leurs espèces en voie d'extinction ne disparaissent pas. Une expérience qu'on applaudit des deux pattes !

L'église de Svenneby : une des plus vieille église romane du Bohuslän, remarquable par son clocher séparé qui trône au sommet de la falaise attenante.

Fjällbacka : un village très mignon. Blotti contre la falaise, protégé du large par un îlot, tout au fond d'une petite anse. Ingrid Bergman ne s'y était pas trompée : elle y a effectué de longs séjours. Son buste lui rend hommage sur la rue principale.

Après Grebbestad, un petit crochet vers ***Tanumshede*** permet de découvrir la plus forte concentration au monde de pétroglyphes, gravures rupestres de l'âge du bronze. En vedette : « les mariés » et « le lanceur de javelot ». Remarquablement conservées, elles ont été inscrites au Patrimoine mondial de l'humanité.
*– Les sites se répartissent autour du **musée Vitlycke** qui leur est consacré, à env 2 km de Tanumshede. ☎ 0525-209-50. Avr-oct, tlj 10h-18h ; nov-mars, slt jeu-dim. Film en français. Entrée : 60 Sk (6,30 €) ; gratuit pour les moins de 20 ans.*

STRÖMSTAD

IND. TÉL. : 0526

À quelques kilomètres de la Norvège, la côte du Bohuslän est ici toujours aussi belle. Blottie dans l'une de ses innombrables petites baies, Strömstad est une station balnéaire très réputée en Suède. Paradis des « voileux », elle attire de nombreux touristes et demeure une belle étape sur la route de la Norvège (Oslo n'est qu'à 150 km, Göteborg à 180 km). Bref, l'endroit mérite une halte, ne serait-ce que pour aller « crapahuter » sur les îles Koster, à quelques milles au large.

Arriver – Quitter

Liaisons maritimes avec la Norvège

➢ ***De et vers Sandefjord :*** avec *Color Line (☎ 620-00).* Tte l'année, 6 allers-retours/j. (durée 2h30). Passagers et véhicule.

➢ ***De et vers Fredrikstad :*** sur le *M/S Sagasund (☎ 0047-90-99-81-11, n° norvégien).* Un aller-retour/j. mais ne permet pas de revenir le jour même. Durée : 2h. Sans véhicule.

➢ ***De et vers Halden :*** sur le *M/S Sagasund.* Impossible de faire l'aller-retour dans la journée. Durée : 2h. Sans véhicule.

Adresse utile

Office du tourisme : *en plein centre. ☎ 623-30. • stromstad.se • En été, tlj 9h-20h.* Accueillant et compétent. Vente de timbres et accès (payant) à Internet.

Où dormir ?

De bon marché à prix moyens

Strömstads Camping : *Uddevallavägen. ☎ 611-21. • stromstadcamping.se • À env 900 m au sud du centre, par la route qui longe le port. Ouv début mai-fin sept. Forfait tente ou camping-car 150 Sk (16 €).* À flanc de colline, au bord de la route, mais les emplacements en hauteur sont franchement agréables et nettement moins bruyants.

Camping Dafto : *à env 5 km au sud de la ville, sur la route 176. ☎ 260-40. Ouv tte l'année. En hte saison, forfait tente 265 Sk (28 €) ; env 360 Sk (38 €) pour les camping-cars.* Cher, mais camping 5 étoiles, avec piscine, *adventure* minigolf, une aire de jeux avec bateaux pirates pour les mômes, des vélos et bateaux à louer, et de nombreuses activités sportives et musicales l'été.

STF Vandrarhem Crusellska : *Norra Kyrkogatan 12. ☎ 101-93 (8h30-12h30, 17h30-19h). • crusellska.com • Dans le centre, à 5 mn à pied du port. Réception 8h-10h, 17h-19h. Fermé janv-fév. Doubles 440 Sk (46 €) ; supplément 100 Sk (10,50 €) pour les non-membres et 20 Sk (2 €) en juil.* Dans une vieille maison blanche pleine de charme, coquettes chambres de 2 à 5 personnes impeccables. Grand salon commun à l'étage. Également un cabinet de massage et de soins corporels, administrés par les 2 sympathiques dames qui tiennent l'auberge.

Vandrarhem Roddaren : *Fredrikshaldsvägen 26. ☎ 602-01. De l'autre côté de la rivière (en venant du sud). En été slt. Réception 16h-18h. Lit à partir de 140 Sk (15 €).* Chambres très propres, avec sanitaires et TV, mais bâtiment un peu froid et situation excentrée. Installé dans un foyer pour étudiants. En second choix.

Plus chic

Laholmen Hotell : *sur la colline au-dessus du port. ☎ 452-30. • laholmen.se • Doubles 1 550 Sk (162 €), 1 390 Sk (146 €) le w-e hors été.* Bon, d'accord, perché sur sa presqu'île, c'est une construction moderne qui dénote un peu dans le paysage marin. Mais de l'intérieur, c'est un hôtel à la fois chic et tentaculaire, qui garde tout plein de recoins à dimension humaine. De très beaux points de vue sur la baie depuis pas mal de chambres et la salle de restaurant. Belle prestation, grand petit déj, sauna et tout et tout à des tarifs pas exubérants pour sa catégorie.

Où manger ?

Restaurang Bryggan : *Ångbåtskajen 6. ☎ 600-65. Sur le port. Tlj en été, sinon lun-jeu 11h-22h (minuit ven-sam). Plats moins de 200 Sk (21 €).* Quand les bourrasques polaires et les embruns vous poussent dans ce petit resto sur le port, son ambiance bien locale fait vite oublier une déco moderne un peu passée. La cuisine ouverte fait passer des plats de poisson (ou de viande, plus cher) d'une facture très honorable. On en sort repu, prêt à affronter bourrasques et embruns !

|●| ***Restaurang Trädgården :*** *Östra Klevgatan 4. ☎ 127-24. Dans le centre, pas loin du canal. Tlj 11h30-22h en été (15h lun-ven sinon). Formule midi 90 Sk (10 €) ; plats moins de 195 Sk (20 €).* Cadre simple mais chaleureux, service efficace et, surtout, bons petits plats sophistiqués (steak d'agneau à la ratatouille, sole à la coriandre, veau aux chanterelles...), qui changent un peu du traditionnel saumon-patates.

Où boire un verre ? Où danser ?

En été, bonne animation le soir sur le port. Pendant que les plaisanciers arrosent une belle journée de navigation sur leurs bateaux, la jeunesse s'agite dans les bars qui bordent le quai.

🍸 ♫ ***Skagerack :*** *bâtiment gris clair face au port. Discothèque tlj dès 22h (entrée payante).* C'est l'endroit phare de la ville pour danser. Le lundi, place aux chanteurs suédois. Clientèle plutôt dans la vingtaine. Également un « club » au sous-sol, pour les plus âgés, avec de la musique live tous les soirs. Petit pub intime à côté, pour converser plus tranquillement, et un restaurant.

LA SCANIE

À voir

L'archipel des ***îles Koster,*** *au large de Strömstad.* Interdites aux voitures (mais pas aux vélos...), ce sont les îles habitées les plus occidentales de Suède. Nombreux départs chaque jour, face à l'office du tourisme, vers ces petits paradis insulaires. Possibilité d'y camper.

LA SCANIE DE MALMÖ À KALMAR

Les paysages campagnards du sud de la Scanie sont doux et verdoyants, et surtout favorisés par un climat clément. Les villages se nichent au milieu des champs jaune vif des cutures de colza. Les nombreuses plages sont très prisées des Suédois, attirant des foules de vacanciers en été. Les fans d'architecture et de belles demeures sillonneront avec plaisir cette région, à la découverte de ses manoirs, ses châteaux et ses jolies villes.

FALSTERBO ET SKANÖR

Situé à la pointe sud-ouest de la Scanie, à une trentaine de kilomètres au sud de Malmö, *Falsterbo* est un village balnéaire tout gentillet, avec ses maisons basses et ses fleurs devant. À quelques centaines de mètres, merveilleuse plage de sable fin, immense et déserte comme on les aime. Petite église mignonne, gothique, du XVIe s, avec un beau retable.
Skanör, **le village voisin, possède également une plage plaisante mais moins belle qu'à Falsterbo. Chambres d'hôtes.**

Où dormir dans les environs ?

⛺ ***Ljungens Camping :*** *à Falsterbo, non loin de la plage (800 m). ☎ 47-11-32. • ljungenscamping@telia.com • Ouv de mi-avr à fin sept. Forfait tente 160 Sk*

(17 €). Très vaste camping, aéré et en grande partie ombragé. Espace joliment et bien aménagé (terrain de jeux pour les enfants, bons sanitaires). À côté, un terrain d'exercice militaire et une plaine très prisée des ornithologues en herbe.

De Skanör à Ystad, jolie route. Nombreux ***campings*** bien indiqués tout le long et une AJ :

STF Vandrarhem Smygehuk : *juste avt d'entrer dans le village de Smygehuk, à 13 km à l'est de Trelleborg. ☎ (0410) 245-83. • smygehukhostel.com • Réception 9h-10h, 17h-19h. Ouv aux individuels mars-fin nov. Pour les membres, nuit 135 Sk (14 €) ; doubles 270-360 Sk (28-38 €).* Dominant la mer, une jolie maison en bois entourée d'une pelouse avec un gros phare blanc au milieu. Une halte parfaite pour une nuit. Chambres de 2 à 6 lits, le tout nickel, évidemment.

YSTAD

17 000 hab. IND. TÉL. : 0411

Une autre adorable petite ville médiévale parmi les mieux conservées de Suède. Près de 300 maisons à colombages, que l'on découvre en musardant dans les étroites ruelles. La vieille cité s'étend autour de l'église Sainte-Marie *(Sankta Maria kyrka).* C'est grâce à la contrebande qu'Ystad assura son développement lors des guerres napoléoniennes. Mais le charme n'est pas tout ! Il y a aussi les plages de sable blanc, non loin de la ville. Autant de raisons pour faire d'Ystad une étape obligatoire. Pour la visite de la ville, l'office du tourisme distribue une petite brochure qui facilitera votre promenade à la recherche des vieilles maisons.

C'est dans cette ville que se situent les passionnantes enquêtes du commissaire Kurt Wallander imaginées par l'écrivain Henning Mankell (voir la rubrique « Livres de route » dans « Suède utile »).

Adresses utiles

Office du tourisme : *Sankt Knuts Torg. ☎ 57-76-81. • ystad.se • Non loin du centre, face à la gare, sur le parking de bus. En saison, ouv en sem 9h-20h, sam 10h-19h, dim 11h-18h ; hors saison, ouv en sem 9h-17h.* Vous y trouverez la brochure *Vad händer* qui vous informe en anglais sur tout ce qu'il se passe en ville et dans la région, les locations de vélos, les chambres chez l'habitant. Accès gratuit à Internet. Les fans du commissaire Wallander peuvent y obtenir une carte qui recense les lieux décrits dans les romans de Henning Mankell et, en été, les pompiers volontaires d'Ystad proposent une balade guidée à bord d'un de leurs véhicules de collection pour suivre les traces du flic le plus célèbre de Suède.

Gare ferroviaire : *à 5 grosses minutes de Stortorget, la place centrale, en se dirigeant vers le port.*

Gare routière : *à 200 m à gauche de la gare lorsqu'on lui fait face.*

Internet Café : *Jennygatan 3. Ouv 10h-minuit.*

Où dormir ?

Bon marché

Sandskogens Camping : *à env 2 km de la ville, en longeant la route côtière vers l'est. ☎ 192-70. • sandskogenscamping.se • Bus nos 322, 572 et 573. Ouv de début mai à mi-sept. Emplacement env 190 Sk (20 €) et stugor pour 4 pers* *env 500 Sk (52,50 €) selon confort.* Dans une pinède, pas très loin de la route... qui malheureusement s'entend. Pas génial donc et un peu usine, mais c'est le plus proche de la ville. Location de vélos.

⛺ ***Nybrostand Camping :*** *à l'entrée de Nybrostand, à 7 km à l'est d'Ystad.* ☎ *55-12-63. Ouv de mi-avr à mi-sept.* Camping lui aussi situé près de la route et au confort assez sommaire, mais juste à côté de la mer. Très sympa pour les tentes qui peuvent s'installer un peu n'importe où et jusque sur les dunes, préservant ainsi une certaine tranquillité et intimité.

⌂ ***STF Vandrarhem Kantarellen :*** *à env 2 km de la ville, en longeant la route côtière vers l'est.* ☎ *665-66. Bus nos 322, 572 et 573. Ouv tte l'année. En été, réception 9h-10h, 16h-20h. Pour les membres, lits 140 Sk (15 €) et doubles 280 Sk (29 €).* Très chouette AJ au milieu des arbres et à côté d'une longue plage de sable blanc. Agréable structure (très bleue, quand même !), bien équipée, avec un salon-véranda pour le petit déj et des chambres de 2 à 4 lits impeccables. Location de vélos.

⌂ ***Vandrarhem Stationen :*** *Järnvägsstationen (dans la gare, à l'étage).* ☎ *57-79-95. Réception 9h-10h, 17h-19h. Lits 185 Sk (19,50 €).* Petite AJ privée comptant une quarantaine de lits et qui présente l'avantage d'être très centrale. Que dire de plus ? Qu'elle est nickel et plutôt pratique ? Mais n'est-ce pas une évidence dans ce pays ?

⌂ ***Chambres d'hôtes :*** *l'office du tourisme s'occupe de réserver des chambres chez l'habitant (commission de 40 Sk, soit 4,20 €). À partir de 250 Sk/pers (26 €), petit déj compris.*

⌂ ***Jennyhills Bed and Breakfast :*** *à Malin, à 12 km d'Ystad, panneau sur la gauche de la route en venant d'Ystad.* ☎ *11-72-70. Ouv 6 juin-fin août. Doubles 500 Sk (52,50 €), petit déj compris.* Cinq chambres charmantes et lumineuses dans un superbe manoir entouré d'un très beau jardin. Salle de bains commune. Calme absolu. Et en plus, petit déj copieux.

Plus chic

⌂ ***Sekel Gården :*** *Långgatan 18.* ☎ *739-00. • sekelgarden.se • Doubles 895 Sk (94 €), petit déj compris.* Ensemble de charme avec un jardin intérieur entouré de façades à colombages. Une petite vingtaine de chambres, dans le même style que le reste. Demander toutefois à en voir plusieurs, car certaines sont mieux réussies que d'autres. Mignon petit salon pour le petit déj.

Où manger ? Où boire un verre ?

|●| ***Lottas :*** *sur Stortorget (la place principale).* ☎ *788-00. Lun-sam 17h-22h. Restauration légère env 90 Sk (9 €) ; pour un plat plus sophistiqué, compter 160 Sk (17 €).* Une adresse pour le soir. Agréable terrasse sur la place. S'il fait frisquet, l'intérieur n'est pas mal non plus. Il y a du filet de perche aux épinards, du saumon mariné aux herbes, du canard frit à la sauce au cognac, des écrevisses sauce homard... Bien aussi pour boire un verre le soir.

|●| ***Kabusa kök konsthall :*** *sur la route 9, à une dizaine de km à l'est d'Ystad (entre Nybrostrand et Glemmingebro).* ☎ *52-29-99. Fermé de mi-déc à mi-janv. Plats 105-175 Sk (11-18 €).* Ancienne fabrique d'amidon datant du XIXe s (devenue ensuite une usine de poulets) reconvertie en un très bel espace culturel organisant expos et concerts. Dans le même local, le café-restaurant propose une cuisine fine, inspirée, généreuse et à base de produits frais et locaux. La famille qui règne sur ces lieux (les parents et les deux fils) a mis 11 ans à restaurer cette bâtisse (la 1re année, la toiture a commencé par s'envoler !), quel boulot, mais pour un bien beau résultat : il règne là une atmosphère à la fois raffinée, élégante tout en étant simple et détendue.

|●| 🍸 ***Book Café :*** *Gåsegränd (petite rue perpendiculaire à Stora Östergatan*

qui débouche sur Stortorget, la place principale). ☎ *134-03. Mar-ven 8h-18h, sam 8h-16h.* Adorable petit salon de thé envahi par les livres que les clients peuvent consulter librement en buvant leur café ou en se régalant d'un très bon sandwich, de gâteaux ou de soupes maison (en hiver). Aux beaux jours, on peut également profiter d'une charmante cour intérieure.

🍸 ***Kaffebaren (KB) :*** *Hamngatan 3. Dans une rue débouchant sur Stortorget et juste à côté du* McDo. Petit bar proposant de bons cafés et d'excellentes glaces : vous ne pourrez choisir qu'entre 6 parfums, mais ils sont tous savoureux et certains plutôt inhabituels.

🍽 🍸 ***Store Thor :*** *sur Stortorget, en face du* Lottas. *Lun-ven 11h30-22h (minuit ven) ; sam 12h-minuit ; dim 17h-22h.* Terrasse agréable en été. La salle intérieure est belle mais rarement ouverte l'été. En tout cas, le lieu est très populaire. C'est en restaurant l'hôtel de ville que l'on a découvert ces caves datant du Moyen Âge, transformées depuis en un genre de brasserie sympathique où l'on vient boire un coup ou se remplir la panse. Bonnes grillades !

🍸 ***Bryggeriet :*** *Långgatan 20 (à 5 mn à pied de la place principale).* Brasserie locale qui fait sa bière depuis le XVIIIe s. Cette bonne vieille bâtisse avec son agréable cour intérieure ne vous donnera qu'une envie : vous y attarder. Possibilité également de manger, mais assez cher *(plats env 200 Sk, soit 22 €).*

LA SCANIE

À voir. À faire

L'église Sainte-Marie *(Sankta Maria kyrka) :* *sur la pl. Stortorget. Ouv 10h-16h (18h 1er juin-31 août).* Bel intérieur avec une jolie chaire du XVIIe s et un séduisant retable sculpté de style baroque. Peintures de la Cène et du baptême de Jésus. Dans la Cène, notez le nombre de convives, quatorze ! Le Christ, les douze apôtres... et le peintre lui-même, un peu mégalo, qui a dû s'inviter à la dernière minute. Mais l'église est avant tout célèbre grâce à son gardien qui, fidèle à la tradition médiévale, sonne à 21h15 et à 1h, avec son *lur,* pour dire que tout va bien. Étonnant !

Le monastère franciscain (Gråbrödraklostret) *: situé non loin de l'église Sainte-Marie. 1er juin-31 août, lun-ven 10h-18h, w-e 12h-16h ; le reste de l'année, ouv en sem 12h-16h, fermé w-e. Entrée gratuite.* Avec le monastère de Vadstena, c'est l'édifice du genre le mieux conservé de Suède, même si l'église ne présente guère d'éléments notables, à part ses voûtes. Le monastère attenant dispose d'un agréable jardin de roses et la place devant le monastère (où se trouve l'entrée du musée) est elle-même très fleurie et bien sympathique, avec son petit plan d'eau. Le musée propose des expositions temporaires, le plus souvent de qualité. Bel espace, même s'il n'y reste plus rien du mobilier d'origine.

– ***Musée :*** *ouv mar-ven 12h-17h (10h été) ; w-e 12h-16h. Entrée : 30 Sk (3 €) ; 50 Sk (5,20 €) pour un billet combiné avec le Konstmuseet) ; gratuit pour les moins de 16 ans.*

Konstmuseet : *à côté de l'office du tourisme. Mar-ven 12h (10h été)-17h ; w-e 12h-16h. Entrée : 30 Sk (3 €) ; gratuit jusqu'à 16 ans.* Agréable musée d'Art moderne, intelligemment agencé dans de beaux locaux. Collections permanentes de peintures du XIXe s d'artistes du sud de la Suède et danois, et quelques toiles plus contemporaines. Pas de véritables chefs-d'œuvre, mais une atmosphère cohérente. Salle de portraits, d'aquarelles, eaux-fortes, sculptures. Exposition de photos de la région, portraits et paysages. Une visite bien sympathique, même si elle n'est pas indispensable.

➢ ***Balade dans le centre :*** une charmante promenade consiste à se perdre dans les ruelles autour des deux églises. Pratiquement une maison sur deux présente des éléments décoratifs qui valent le coup d'œil : façades de brique, beaux colombages, ou les deux associés... Le plan de l'office du tourisme peut aider à les repérer.

➢ ***Sur les traces de l'inspecteur Wallander :*** les fans des polars de Henning Mankell ont plusieurs possibilités pour partir sur les traces de leur héros. En été, l'office du tourisme propose une visite des endroits clés des enquêtes (le commissariat, le café habituel de l'inspecteur), et ce installé dans le charmant vieux camion des pompiers volontaires (qui est découvert... alors couvrez-vous !). *Résa obligatoire auprès de l'office du tourisme. Env 4 départs mar et jeu 18h-20h30. Prix : 50 Sk/pers (5,30 €).* L'autre solution consiste à vous procurer la petite brochure de l'office du tourisme qui situe tous ces endroits cités. Voilà, quant à ceux qui n'ont pas encore lu les histoires de l'inspecteur Wallander, mais qu'attendent-ils ? Pour info, l'auteur lui-même partage sa vie entre Ystad et le Mozambique (où il est le plus souvent). Les royalties de ses bouquins sont d'ailleurs versées à des causes qui lui sont chères, telles que l'ouverture d'un théâtre pour conteurs au Mozambique ou la lutte contre le sida. Les aventures de l'inspecteur Wallander sont en cours d'adaptation pour la télévision. On a ouvert, pour leur réalisation, des studios de tournage à Ystad même.

➤ DANS LES ENVIRONS D'YSTAD

➢ **Excursion dans l'île danoise de Bornholm :** *du port d'Ystad. Rens : ☎ 55-87-00.* • *bornholmstrafikken.dk* • Compter 2h30 ou 1h20 de trajet, selon le bateau ; 2 à 6 départs/j. Petits villages superbes, très bien préservés. Réseau super de pistes cyclables jalonnant l'île. Possibilité de louer des vélos au port d'arrivée (voir également ce chapitre dans la partie consacrée au Danemark).

➢ ***Les manoirs autour d'Ystad :*** à l'intérieur des terres, un riche héritage culturel, datant parfois du tout début du Moyen Âge, s'offre à votre curiosité. La Scanie est en effet parsemée d'innombrables petits châteaux (*slott* ou *herrgård*) et de non moins nombreuses chapelles (*kyrka*, souvent abrégé *k : a*) dont beaucoup sont charmants, certains même méritent vraiment le détour. Pour vous aider à en repérer quelques-uns, l'office du tourisme d'Ystad propose une carte avec tous les manoirs ou châteaux autour de la ville et une toute petite note en anglais sur chacun d'entre eux. Contrairement à la grande majorité de nos demeures seigneuriales publiques ou privées, les jardins des châteaux suédois offrent l'immense avantage d'être largement accessibles au public. L'*allemansrätt* garantit presque toujours un accès libre et gratuit aux « parcs » de ces nobles demeures, que l'on peut admirer en toute tranquillité. En hiver, il n'est pas rare même de voir les enfants des villages alentour jouer au hockey sur les douves gelées !

LA RÉCOMPENSE DU *LANDSKNECHT*

Beaucoup de ces châteaux appartiennent encore aux descendants de mercenaires allemands auxquels les différents rois de Suède accordèrent terres et titres en échange de leurs bons et loyaux services durant les guerres suédoises sur le continent. Souvent inspirés de l'architecture « hanséatique » de la fin du XVIe s, les manoirs de Scanie ont néanmoins su développer un style propre à cette partie de la Scandinavie. Enfin, les demeures construites à partir de la fin du XVIIe s s'inspirent souvent de modèles français ou italiens.

Point de fol espoir cependant : quel que soit le « château » que vous visiterez (et la majorité ne se visite pas à l'intérieur), ce ne sera jamais ni Chambord ni Vaux-le-Vicomte ! Néanmoins, ces manoirs de province au style tantôt pompeux tantôt maladroit possèdent un indéniable charme et constituent un élément important et méconnu du patrimoine architectural scandinave.

On peut répartir ces constructions en trois catégories : Moyen Âge, Renaissance, classique. Les bâtiments de type moyenâgeux sont en général des fermes-forteresses améliorées constituées de gros blocs de pierre blanchis à la chaux. Les manoirs construits pendant la Renaissance sont sans doute les plus nombreux et souvent les plus pittoresques. Leurs murs de brique s'envolent pour former d'élégantes façades et de hautes tours aux toitures élaborées.

KÅSEBERGA

D'Ystad, prendre la petite route côtière. À une dizaine de kilomètres, prendre à droite la route de Kåseberga, à l'endroit où la côte s'élève en de petites falaises vertes. Ce minuscule port de pêche mérite une halte pour deux raisons très différentes : sa fumerie de poisson et ses mystérieuses pierres.

Où dormir dans les environs ?

■ ***Backåkra Vandrarhem :*** *entre Kåseberga et Sandhammaren. ☎ (0411) 260-80. Ouv de mi-mai à mi-sept. Réception 8h-10h, 17h-20h. Pour les membres, lits à partir de 100 Sk (10,50 €) ; doubles 310 Sk (32,50 €).* Plusieurs petits bâtiments disposés autour d'un jardin, petite salle rustique pour le petit déj. Bâtiments et équipements pas des plus récents ni des plus rutilants, mais l'ensemble est sympa et convivial.

À voir à Kåseberga et dans les environs

★ ***La fumerie de poisson :*** *sur le port.* Possibilité d'acheter de délicieux poissons pour des prix tout à fait raisonnables. Avantage important, le poisson fumé se conserve bien. Gargotes pour en déguster (et se régaler).

★★ ***Ales Stenar :*** *deux sentiers d'accès ; le premier part du parking à l'entrée du village et l'autre du port. Accès gratuit, mais possibilité de visite guidée pour 20 Sk/pers (2 €). Brochure payante très bien faite.* Dans son genre, un des plus beaux sites au monde. Le dernier sentier gravit une colline et mène sur un plateau où – oh, surprise – on découvre un étrange ensemble de 59 pierres plantées à la verticale, datant, pense-t-on, de l'âge du fer. Ces pierres, alignées comme pour dessiner un bateau viking (?), servaient de lieu de culte ou de monument funéraire. L'ensemble orienté vers le sud mesure 67 m x 19 m. Composition énigmatique et majestueuse, au milieu des champs et dominant la mer. Balade courte et superbe. Quelques brochures en français près des fumeries de poisson.

★ ***Dag Hammarskjöld's Backåkra :*** *à 2 km de la Backåkra Vandrarhem, située entre Kåseberga et Sandhammaren. Début juin-fin août, tlj 12h-17h.* Le secrétaire des Nations unies (1953-1961), Dag Hammarskjöld, avait acheté cette ancienne ferme typique de la région de Scanie pour s'y installer quand l'heure de la retraite sonnerait. Il n'en eut pas le temps, puisqu'il est mort en 1961 dans un accident d'avion (accident ou attentat ?) lors d'une mission en Zambie alors qu'il se rendait au Katanga. Sa ferme est devenue un musée exposant, entre autres, les meubles et objets de son bureau et appartement à New York ainsi que les cadeaux offerts par les chefs de gouvernement durant ses missions onusiennes. Dans son testament, il légua cette maison à l'association du tourisme suédois, exigeant qu'une partie de celle-ci soit destinée à accueillir les membres de l'Académie suédoise pour qu'ils puissent s'y ressourcer et y penser au calme. L'endroit se trouve au cœur d'une jolie réserve naturelle, toute verte et boisée.

Sandhammaren : réputée comme l'une des plus belles plages de Suède, ses dunes de sable blanc semblent s'étirer à l'infini.

L'ÖSTERLEN

Partie est de la Scanie, cette microrégion s'étend de Mälarhusen (un peu avant Borrbystrand) à Brösarp. Depuis longtemps patrie des peintres, venant ici pour la lumière si singulière, elle est aussi peu à peu devenue le repaire d'artistes en tout genre, ce qui explique les nombreuses galeries que vous croiserez en chemin. D'ailleurs, si vous êtes dans la région à cette époque, sachez qu'à Pâques et lors de la semaine suivante, les artistes ouvrent leurs portes aux visiteurs.
Le climat très clément de cette région champêtre où se cachent de jolies fermes scaniennes, ses paysages très doux et verdoyants où fleurissent de nombreux vergers, ses longues plages de sable blanc, ses manoirs et ses petits ports donnent envie d'y prolonger son séjour pour découvrir les lieux en douceur.

SIMRISHAMN

7 000 hab. IND. TÉL. : 0414

Principale ville de l'Österlen, ce petit port de pêche et de plaisance ne manque vraiment pas de charme. L'activité de son port, où l'on peut acheter directement du poisson aux pêcheurs, et ses jolies ruelles aux maisons traditionnelles et colorées incitent le promeneur à s'y attarder. C'est, en plus, l'endroit où vous trouverez toutes les infos pour partir à la découverte de l'Österlen.

Adresses utiles

Office du tourisme : *sur le port. ☎ 81-98-00. • info@turistbyro.simrishamn.se • En été, ouv en sem 9h-20h, dès 10h sam et 11h dim ; le reste de l'année, ouv en sem slt 9h-17h.* Office bien fourni en infos sur les diverses activités et centres d'intérêt proposés dans l'Österlen. On pourra également vous renseigner sur les chambres chez l'habitant.

Location de vélos : Österlens Cykel & Motor, *Godsmagasinet, à la gare. ☎ 177-44. Ouv en sem 9h-18h, sam 9h-12h. Env 50 Sk/j. (5,30 €) pour un 2-roues.*

Où dormir ? Où manger ?

Kamskog's Krog : *Storgatan 3. ☎ 143-48. • kamskogskrog.se • (slt en suédois). Situé au début de la Storgatan, en partant du port. Tlj en été ; en basse saison, mar-jeu 11h30-14h, ven 18h-21h30, sam 12h-15h, 18h-21h30, dim 17h-21h. Doubles 850 Sk (89 €) avec sdb et petit déj. Compter env 210 Sk (22 €) pour un plat et un dessert.* Resto familial à la façade fermée (un peu comme l'accueil de prime abord !) mais qui cache une salle chaleureuse et une charmante cour intérieure toute fleurie. Excellente cuisine, fraîche, fine et savoureuse, basée sur la tradition culinaire locale mais dans laquelle se mêlent des notes italiennes et françaises. La maison propose également quelques jolies chambres à la touche romantique.

Borje Olssons Skafferi : *Storgatan 11. ☎ 171-77. Ouv ts les midis sf dim.* Belle épicerie qui propose également un superbe buffet de crudités, salades, tartes salées maison, fromage et fruits à un prix plus que raisonnable. Les produits sont extra et tout est fait maison.

Où dormir ? Où manger dans les environs ?

⛺ ***Tobisviks Camping :*** *à 2 km de Simrishamn (en direction de Kristianstad). ☎ (0414) 41-27-78. • fritidosterlen.se • Ouv tte l'année. Forfait tente 175 Sk (18,30 €).* Grand camping tout près d'une belle plage. Calme et plutôt agréable, même si la tendance est à l'entassement en juillet. Animation musicale une fois par semaine l'été. Location de vélos, *stugor* et même quelques chambres-dortoirs de 4 lits.

⛺ ***Borrbystrand Camping :*** *à Borrbystrand. ☎ (0411) 52-12-60. • borrbystrandscamping.com • Ouv d'avr à mi-sept. Compter 190 Sk (20 €) l'emplacement en hte saison ; loc de jolis* stugor *en bois brut 490-790 Sk (51,50-83 €). Douche payante.* Vaste camping bien équipé, entouré d'une forêt, juste derrière la plage. Assez peu d'ombre, paradoxalement. Location de vélos, terrain de tennis (payant).

STF Vandrarhem Baskemölla : *à env 7 km au nord de Simrishamn. ☎ (0414) 261-73. • baskehem@swipnet.se • Réception 9h-10h, 17h-19h. Pour les membres, lits 160 Sk (17 €) et doubles 360 Sk (38 €).* Une agréable maison rouge tout en longueur, située au niveau du panneau d'entrée du village de Baskemölla, un joli petit port très paisible. Agréables chambres de 2 à 6 lits, grande salle à manger, belle cuisine et sanitaires impeccables.

En face, sur la colline qui sépare l'AJ de la mer, un sympathique resto, le **Tjörnedalakrog.** *Il est aussi ouv le soir avr-sept slt. Le midi, un plat du jour 80 Sk (8,50 €) ; à la carte, c'est plus cher bien sûr.* Installé dans une ancienne ferme.

L'ÖSTERLEN

➤ DANS LES ENVIRONS DE SIMRISHAMN

Glimmingehus : *à une poignée de km au nord-ouest de Skillinge. Ouv avr-fin sept. Compter 50 Sk (5,30 €).* On découvre ce gros manoir cinq fois centenaire perdu dans la plaine. On le reconnaît de loin à sa façade à pignons. Visite très intéressante grâce notamment aux explications fournies qui permettent de comprendre le système de défense très sophistiqué.

Stenshuvud National Park : *à 15 km au nord de Simrishamn, juste avt d'arriver à Kivik. • stenshuvud.se • Parking de l'entrée principale : 25 Sk (3 €).* Ce parc de 386 ha a été fondé en 1986. C'est un superbe petit coin de nature, qui descend lentement jusqu'à la Baltique. Vallonné, il offre des possibilités de promenades très agréables et une vue imprenable sur les alentours depuis son sommet qui s'élève à 97 m au-dessus de la mer. C'est aussi le paradis des plantes et des animaux, et une étape migratoire d'oiseaux marins au printemps et à l'automne. Jolie plage, donc prévoir les maillots.

Kivik : *dans le village, sur la droite, une route mène au site de Kungagraven. Ouv 10h-18h. Entrée : 20 Sk (2 €).* Tombe originale que l'on date de l'âge du bronze. Énorme monticule recouvert de milliers de pierres plates et sombres. Au cœur du monument, gravures rupestres de bateaux, chariots, roues solaires et motifs humains. Un chemin permet d'y accéder.

⛺ ***Kiviks familjecamping :*** *à la sortie de Kivik, sur la route 9. ☎ 709-30. • camping.se/L35 • Ouv avr-sept. Compter 170 Sk (18 €) en hte saison.* Non loin de la plage, très simple (un vaste champ entouré d'arbres) et agréable. Accueil charmant.

KRISTIANSTAD

IND. TÉL. : 044

Ville moyenne qui tire son nom de son fondateur, le roi Christian IV de Danemark. Pas grand-chose à voir, hormis quelques jolies façades au ton chaud

percées de petites fenêtres et l'*église de la Sainte-Trinité (Trefaldighetskyrkan)*, considérée comme la plus belle église Renaissance de Scandinavie. Et, en effet, elle accroche le regard, avec son clocheton et ses sept gables ouvragés. Jetez bien sûr un coup d'œil à l'intérieur, constitué de belles voûtes blanches soutenues par de minces piliers de granit et embelli d'un magnifique orgue du XVIIe s.

Où dormir dans les environs ?

Camping Vandrarhem Charlottsborg : *à Charlottsborg, à 3 km à l'ouest du centre de Kristianstad ; suivre la route 21 en direction de Vä.* ☎ *210-767.* • *charlottsborgsvandrarhem.se* • *Ouv tte l'année. Réception 8h-22h en été (fermé plus tôt hors saison). Nuit 130 Sk (13,50 €), que ce soit l'emplacement tente ou pour un lit dans l'AJ. Loc de petits stugor pour deux 260 Sk (27 €).* Grosse maison jaune, équipée de chambres proprettes. Petit parc autour qui fait office de camping. Convenable mais un peu bruyant.

➤ DANS LES ENVIRONS DE KRISTIANSTAD

Le château de Vittskövle : *à env 25 km au sud de Kristianstad, sur la route 19 de Degeberga.* Majestueux château-forteresse du XVIe s, il vaut le coup d'œil. Pas de visite cependant, car il est privé.

LA CÔTE DU BLEKINGELÄN

MÖRRUM

Petite ville industrielle, très célèbre pour la pêche au saumon qui ouvre le 1er avril. On peut acheter un permis de pêche valable à la journée, dans un bureau situé au bord de la rivière en contrebas du pont, dans la ville même. Location d'équipement possible mais chère. Entre nous, la ville n'est pas très attrayante.

RONNEBY

IND. TÉL. : 0457

Petite ville industrielle ni belle ni laide mais qui possède un beau petit quartier ancien au centre duquel se trouve l'église fortifiée de Sainte-Croix. Grand parc aménagé le long d'un canal, là où se trouve l'AJ.

Adresse utile

Office du tourisme : *Västra Torggatan 1 (en plein centre).* ☎ *180-90.* • *ronneby.se* • *Ouv en sem 9h-18h ; sam 10h-16h ; dim 12h-16h.*

Où dormir ? Où manger ?

STF Vandrarhem Ronneby : *Övre Brunnsvågen 54.* ☎ *263-00. À 1 bon km au sud du centre. Réception 8h-10h, 16h-18h (22h en été). Pour les mem-*

bres, nuit 150 Sk (16 €). Deux bâtiments tout en bois, dans un joli parc de verdure, en bordure d'une forêt. Dommage que l'intérieur de l'AJ ne soit pas aussi attrayant... Chambres toutefois classiques, de 2 à 4 personnes.

À côté de l'AJ, une ***cafétéria*** fait des sandwichs, des cappuccinos et de bons gâteaux.

À voir

L'église de Sainte-Croix *(Heliga Kors kyrka)* ***:*** *située dans le vieux quartier de la ville, sur un promontoire. Ouv en été 9h-20h ; le reste de l'année, 10h-16h.* Entourée d'une jolie pelouse, elle surplombe avec dédain le développement commercial du reste de la ville. Cette ancienne église fortifiée, avec sa grosse tour carrée, possède de jolies fresques du XVIe s, dont une danse macabre.

Le petit quartier tout autour présente de jolies maisons basses et fleuries, des siècles passés. Au pied du promontoire, un quartier commerçant.

KARLSKRONA

22 800 hab. IND. TÉL. : 0455

Ville de taille moyenne située sur une presqu'île et dont l'importante base navale et les chantiers sont inscrits au Patrimoine mondial de l'humanité par l'Unesco depuis 1998. Si le centre-ville lui-même ne laisse pas un souvenir impérissable, l'archipel mérite la visite, ainsi que le très beau musée de la Marine.

Adresses utiles

Office du tourisme *(plan C2)* ***:*** *Stortorget 2. ☎ 30-34-90. • karlskrona.se/turism • En été, tlj 9h-19h (16h w-e) ; le reste de l'année, ouv en sem 10h-17h, sam jusqu'à 13h.* Très accueillant. Organise pour 80 Sk (10,50 €) des visites de la ville et de ses sites, notamment du chantier naval et de la forteresse. En prime, possibilité de prendre une douche dans les mêmes locaux !

Service postal *(plan C1)* ***:*** *aux caisses du supermarché* Spar, *à l'angle de Ronnebygatan et de Smedjegatan. Ouv tlj 9h-21h.*

Gare ferroviaire *(plan C1)* ***:*** *à 5 mn du centre à pied.*

Où dormir ?

Bon marché

Dragsö Camping *(hors plan par A1,* ***3)*** ***:*** *sur l'une des presqu'îles de la ville, à env 3 km au nord-ouest du centre. ☎ 153-54. • info@dragsocamping.nu • Pour s'y rendre, bus n° 7 derrière la pl. Hoglands Park, face à la gare ferroviaire ; le bus vous laisse sur l'îlot de Saltö, à 300 m de l'île de Dragsö qui appartient entièrement au camping. Ouv début avr-fin oct. En hte saison, emplacements 150-190 Sk (16-20 €), selon endroit.* Entouré par la mer, dans un environnement calme et plein de verdure, seulement dérangé par le cri des mouettes et le rythme des vagues, ce camping possède bien des attraits. Quand on aura ajouté qu'on peut planter sa tente à l'ombre, louer des vélos ou des canoës et profiter de l'animation musicale et sportive organisée durant l'été, il ne nous restera plus qu'à préciser qu'il est également possible de séjourner dans les chambres d'un petit bâtiment annexe *(300 Sk, soit 31,50 €)* pour une double et qu'il y a également des *stugor* à louer. Petite plage de sable pour barboter.

STF Vandrarhem Karlskrona/ Trossö (plan C1, **2**) **:** *Drottningatan 39. ☎ 100-20. • trosso.vandrarhem@telia. com • Réception 8h-10h, 16h-20h. Pour les membres, nuit env 120 Sk (12,50 €) ; 170 Sk (18 €) pour les non-membres.* Auberge moderne et bien située. Chambres agréables de 2 à 6 lits. Belle et grande cuisine, jolie salle à manger et confortable coin TV. Qu'attendre de plus d'une AJ ?

STF Vandrarhem Karlskrona (plan C1, **1**) **:** *Bredgatan 16. ☎ 100-20. Réception à l'AJ précédente. Ouv slt 15 juin-15 août. Pour les membres, nuit de 2 à 4 lits 140 Sk (15 €).* Moderne, central et fonctionnel.

Chambres chez l'habitant : *résa à l'office du tourisme (petite commission de 25 Sk, soit 2,80 €). Pour une double, compter env 700 Sk (73 €) la nuit, petit déj inclus.*

Plus chic

Hotell Conrad (plan B1, **4**) **:** *V. Köpmansgatan 12. ☎ 36-32-00. • hotelconrad.se • Doubles 650 Sk (68 €), petit déj compris, le w-e et pdt l'été ; le reste du temps, doubles 1 095 Sk (115 €).* Jolies chambres bien équipées et bien finies, réparties dans un petit immeuble de brique rouge et 2 petites maisons traditionnelles en bois.

Où manger ?

Lisa's Sjökrog (plan B1, **10**) **:** *Fisktorget. ☎ 234-65. Tlj 11h30 (13h w-e)-21h (20h dim). Formule midi 70 Sk (7,50 €) ; à la carte, plats moins de 200 Sk (21 €).* Un bien agréable petit resto flottant où l'on s'installe sur une terrasse en bois donnant sur les jolies maisons du quartier de Björkholmen. Bonne cuisine soignée avec, bien sûr, pas mal de produits de la mer (notamment la *Lisa's fish & seafood casserole*), mais aussi de la viande.

Resto Monmartre (plan C1, **11**) **:** *Ronnebygatan 18. ☎ 31-18-33. Ouv en sem 16h-22h30 ; sam 13h-23h ; dim 13h-21h30. Pizza moins de 70 Sk (7,50 €) ; pour un plat plus sophistiqué, compter 140 Sk (15 €).* Légèrement à l'écart du centre, sur un coin. *Oxfilé* portugais, porc à la Monmartre, bœuf au roquefort, pâtes, poisson et 32 sortes de pizzas. Peut-être pas de la grande gastronomie, mais c'est bon et bien réalisé. Tout ça dans une atmosphère bon enfant, en terrasse ou à l'intérieur, dans une salle presque rustique.

Taverna Santorini (plan B1, **12**) **:** *Rådhusgatan 11. ☎ 30-02-02. Tlj 11h30-23h. Plats 100-190 Sk (11,50-20 €).* Oui, bon, c'est un restaurant grec, mais pas n'importe lequel : Cris, le chaleureux patron, fait vraiment de son établissement un lieu qui vit ; et puis sa cuisine, grecque bien sûr, est bonne, généreuse et joliment présentée.

– Sur Stortorget, ts les mat sf dim (mais le choix est plus important ven et sam), petit ***marché*** *de fruits et légumes.*

Où boire un verre ? Où écouter de la musique ? Où danser ?

Piraten (plan B1, **23**) **:** *Ronnebygatan 50.* Vieux classiques suédois le vendredi et clientèle plutôt de ces années-là, mais disco pour toutes et tous le samedi.

Nivå (plan C1, **21**) **:** *sur la grand-place. Fermé dim.* D'un côté, un *steakhouse* dans une salle style vieille auberge tout en bois et, de l'autre, un pub beaucoup plus moderne. Soirée DJ les mercredi, vendredi et samedi. Un endroit très en vogue.

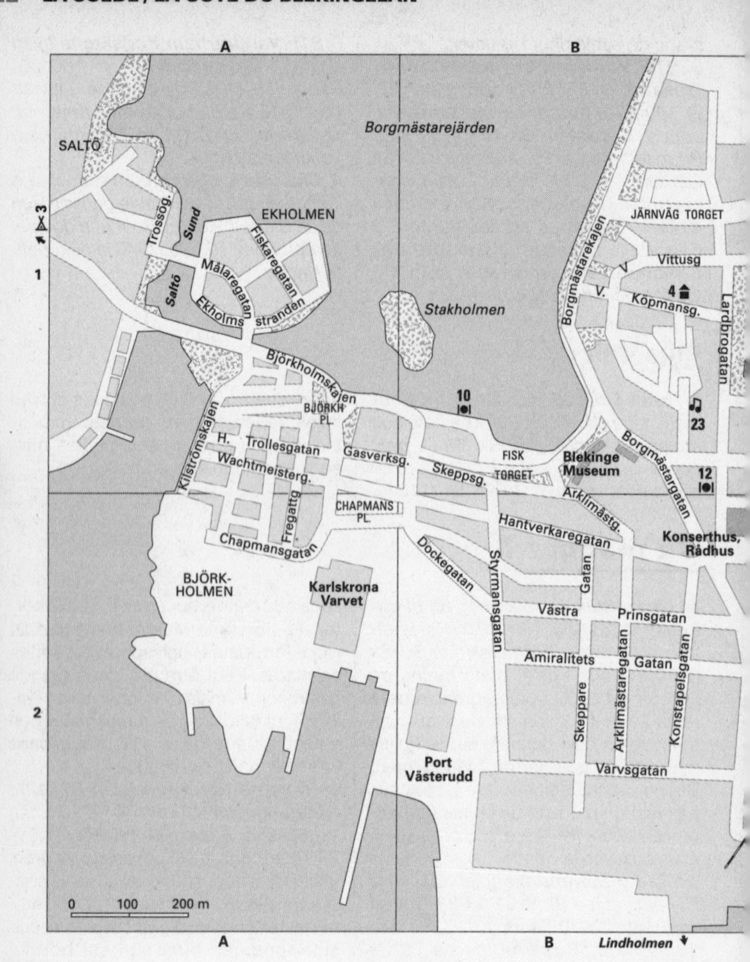

■ **Adresses utiles**

- Office du tourisme
- Service postal
- Gare ferroviaire
- Gare routière

Où dormir ?

1. STF Vandrarhem Karlskrona
2. STF Vandrarhem Karlskrona/ Trossö
3. Dragsö Camping

À voir

Karlskrona constitue un exemple exceptionnel de cité navale européenne planifiée caractéristique de la fin du XVIIe s. Le plan d'origine et de nombreux édifices sont parvenus intacts jusqu'à aujourd'hui, tout comme certaines installations témoignant de son développement ultérieur.

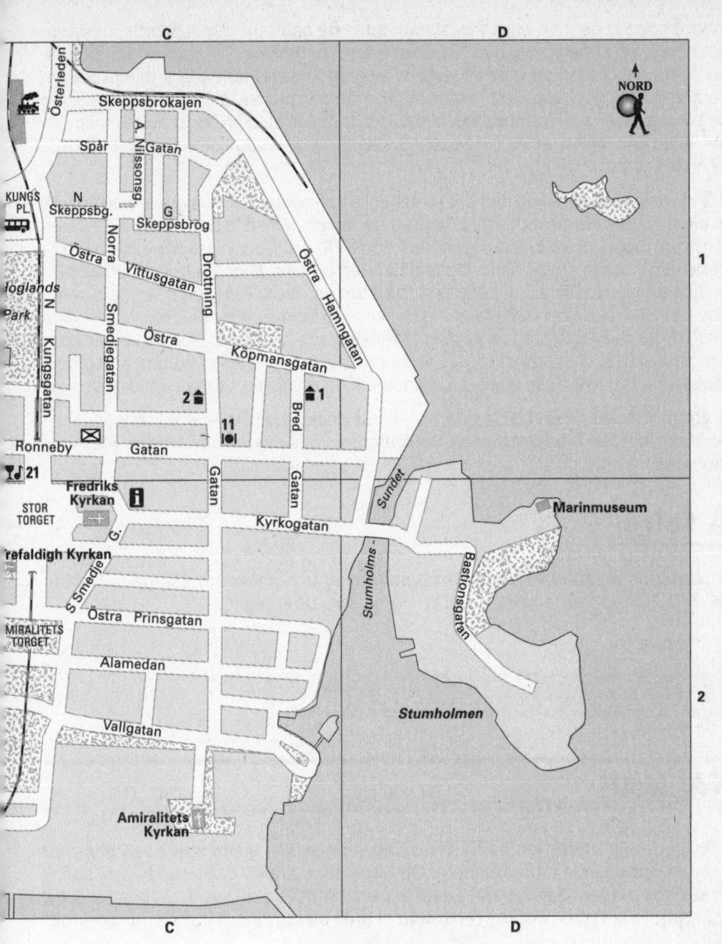

KARLSKRONA

4 Hotell Conrad	**Où boire un verre ? Où écouter de la musique ? Où danser ?**
Où manger ?	
10 Lisa's Sjökrog	**21** Nivå
11 Resto Monmartre	**23** Piraten
12 Taverna Santorini	

***Marinmuseum** (plan D2) **:** sur la petite île de **Stumholmen,** à 10 mn à pied de Stortorget. ☎ 539-00. • marinmuseum.se • Ouv 1er juin-31 août tlj 10h-18h ; le reste de l'année, mar-dim 11h-17h. Entrée : 50 Sk (5,30 €) ; réduc. Jolie brochure gratuite en anglais.* La principale attraction de la ville, et à juste titre : dans un grand et beau bâtiment construit symboliquement sur une jetée de la presqu'île, ce musée présente, de façon très complète et pédagogique, la marine suédoise depuis sa création jusqu'à nos jours. Toutes les explications sont traduites en anglais. À se mettre sous la dent : de superbes maquettes de bateaux, des tableaux, des scaphandres, des costumes, des bouches à feu, du mobilier de navire, etc. Intéressante reconstitution de cales à canons et grande salle renfermant d'impressionnantes figures de proue. Le 2e étage est surtout consacré à la marine militaire, avec des moteurs, des uniformes, des mines, des torpilles et, bien sûr, d'autres maquettes. À ne pas manquer. À l'extérieur du musée, on peut également visiter (jusqu'à 17h) des bateaux.

Amiralitets Kyrkan *(plan C2)* **:** cette église en bois est la plus grande de Suède, et c'est là que venaient prier les familles de marins. Elle a la particularité d'être en forme de croix grecque. Elle date de la fin du XVIIe s et fut conçue dans un style très dépouillé car elle devait servir de manière temporaire, avant la construction d'un édifice en pierre. Devant le bâtiment, la statue du vieux *Rosenbom,* en bois peint, que toute la Suède connaît grâce à la romancière Selma Lagerlöf. Il attend un geste des passants à l'intention des marins tombés dans la misère. Si vous voulez donner, soulevez le chapeau et glissez votre pièce dans la fente au sommet du crâne. Mais cette statue est une copie. L'originale est dans l'église, dans une pièce annexe.

Björkholmen *(plan A2)* **:** le quartier le plus ancien de la ville, avec de jolies maisons en bois, fort bien restaurées. Seulement si vous avez du temps et si vous êtes motorisé.

À faire

➢ ***Balades en bateau dans l'archipel :*** avec la compagnie *Skärgårdstrafiken (☎ 783-30).* Au moins 3 départs/j. en hte saison, de Fisktorget.

LA CÔTE DU KALMARLÄN

KALMAR

34 600 hab. IND. TÉL. : 0480

Ville agréable et station balnéaire sympathique. On visite son beau château qui en impose et le Länsmuseum. On flâne avec plaisir dans ses beaux parcs et sur ses plages. Kalmar est aussi la porte vers l'île d'Öland, un des lieux de villégiature les plus réputés de Suède et relié au continent par un pont gratuit.

UN PEU D'HISTOIRE

Kalmar est une des plus vieilles villes de Suède. C'est dans celle-ci qu'est célébrée en 1397 l'union qui réunit sous une même couronne le Danemark, la Suède (qui possède alors la Finlande) et la Norvège et qui finit par être dirigée par la reine Margrethe Ire de Danemark. Une union dont la Suède réussit enfin à « s'échapper » en 1523, sous le règne du roi Gustav Vasa.
Kalmar est aussi jusqu'en 1658 la porte d'entrée de la Suède, lorsque les provinces du sud du pays, la Scanie et le Blekinge, sont encore danoises. Le château sert donc de forteresse et protège le pays de l'envahisseur. La ville est ainsi maintes fois attaquée et brûlée.
Elle se trouvait à l'origine juste derrière le château (le quartier que l'on appelle aujourd'hui *Gamla Stan*). En 1647, suite à un gros incendie, on décide finalement de déplacer la cité médiévale sur l'île de Kvarnholmen, où est construite une ville Renaissance, avec un plan de ville aux rues qui se coupent à angle droit et s'articulant autour d'une importante place du marché (partie de la ville qui est encore

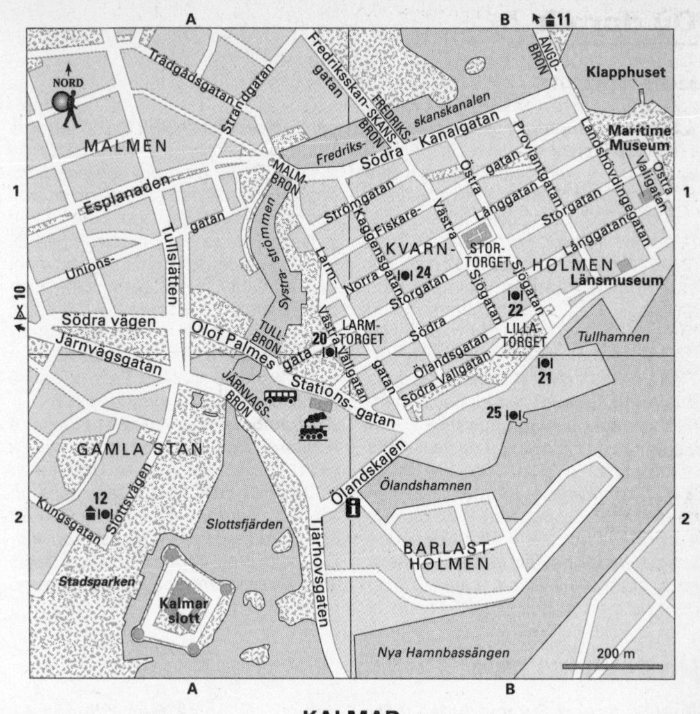

KALMAR

■ **Adresses utiles**

- Office du tourisme
- Gare ferroviaire
- Gare routière

Où dormir ?

- **10** Stensö Camping
- **11** STF Vandrarhem Kalmar
- **12** Söderport Sommarhotell

Où manger ?

- **20** Helén & Jörgens
- **21** Hamnkaféet
- **22** Rosenlundska Källaren
- **24** Kullzénska Caféet
- **25** Calmar Hamnkrog

aujourd'hui le centre-ville). La menace danoise étant à cette époque toujours présente, on fortifie la ville en l'entourant des remparts dont on voit encore quelques vestiges aujourd'hui.

Adresses utiles

Office du tourisme *(plan A-B2) : Ölandskajen 9 ; sur le port de plaisance. ☎ 41-77-00. • kalmar.se/turism • De fin juin à mi-août, ouv en sem 9h-21h, w-e 10h-17h ; juin et fin août, jusqu'à 19h en sem et 16h w-e ; le reste de l'année, jusqu'à 17h en sem, 13h sam.* Organisation de visites guidées de la ville, vente de timbres, résa de chambres chez l'habitant, accès à Internet (payant). Accueil pas terrible.

■ ***Presse étrangère :*** *au* Pressbyrån, *à la gare.*

■ ***Location de vélos :*** Team Sportia *(plan A1), Södravägen 2. ☎ 212-44. À env 500 m de la gare.*

Où dormir ?

Bon marché

⛺ ***Stensö Camping*** *(hors plan par A1,* ***10****) : à 3 km au sud-est du centre. ☎ 888-03. • stensocamping.se • Bus nº 3 de la gare routière. Suivre la direction de l'E22, puis suivre le fléchage. Début avr-fin sept. Forfait tente 170 Sk (22 €) ; moins cher hors saison.* Super camping très aéré et vraiment bien aménagé. Pas concentrationnaire du tout, dans une sorte de mini-forêt. Cadre naturel, bucolique à souhait. Plage à deux pas. Vraiment la bonne adresse. D'ailleurs, les joggeurs viennent ici pour courir. Grande salle agréable en cas de pluie. Location de canoës et de *stugor.*

🏠 ***STF Vandrarhem Kalmar*** *(hors plan par B1,* ***11****) : Rappegatan 1. ☎ 255-60. • hotellsvanen.se • Sur l'une des presqu'îles de Kalmar, en bordure de la route qui mène à Öland, à env 1 km au nord du centre. Bus nº 402 depuis la gare. Réception 7h30-21h (22h en été). Pour les membres, nuit à partir de 220 Sk (21 €), petit déj non compris ; également une partie hôtel proposant des doubles très soignées, avec TV, w-c et lavabo (douche à l'extérieur) 595 Sk (62 €), petit déj compris.* Long bâtiment bas, agréable, nickel, bien situé. Quelque 70 lits en chambres de 2 à 6 lits. Sauna payant. Une chouette promenade consiste à louer un canoë à l'AJ et à aller jusqu'au château. Faire du canoë en pleine ville, c'est sympa, non ?

🏠 ***Chambres chez l'habitant*** *: résas à l'office du tourisme ; commission 50 Sk (5,30 €) pour tte résa au guichet et 100 Sk (10,50 €) pour les résas en avance. Doubles à partir de 350 Sk (37 €). Sdb en commun le plus souvent.* Draps et petit déj non compris, mais vous aurez le plus souvent accès à une cuisine.

Un peu plus chic

🏠 🍽 ***Söderport Sommarhotell*** *(plan A2,* ***12****) : à 100 m du château de Kalmar, dans la grande allée qui y mène, sur la droite (c'est la maison blanche qui fait l'angle). ☎ 125-01. Ouv slt de mi-juin à mi-août. Doubles avec sdb 595 Sk (62 €), petit déj compris.* Hôtel un peu aseptisé mais pas cher et, surtout, très bien situé. Restauration à petits prix à la cafétéria et terrasse très agréable.

Où manger ? Où boire un verre ?

🍽 ***Kullzénska Caféet*** *(plan B1,* ***24****) : Kaggensgatan 26. ☎ 288-82.* Salon de thé installé à l'étage d'une maison du XVIIIᵉ s restée en l'état. Cadre vieillot et sympa, où vieux tapis, meubles anciens et gros lustres règnent en maîtres dans les petites pièces qui se succèdent. On peut y déguster de bons gâteaux et sandwichs à prix très raisonnables. Un bouquiniste et un antiquaire se partagent le rez-de-chaussée.

🍽 ***Hamnkaféet*** *(plan B2,* ***21****) : Skeppsbron 2. ☎ 106-67. Dans un cottage de 1914 sur le port. Ouv en sem 10h-18h30 ; sam jusqu'à 15h ; dim 12h-16h30.* Gros sandwichs frais, bons et pas chers. Petite terrasse ombragée.

🍽 ***Rosenlundska Källaren*** *(plan B1,* ***22****) : Östra Sjögatan 3. ☎ 869-35. Ouv en sem 11h-14h ; ven-sam 19h-1h. Fermé en été. Formule midi 70 Sk (7,50 €).* Dans une maison traditionnelle du XVIIᵉ s, une gentille dame sert de délicieux plats typiques. Belle atmosphère.

🍽 ***Helén & Jörgens*** *(plan A1-2,* ***20****) : Olof Palmesgatan 2 ; sur Larmtorget. ☎ 288-30. En été, lun-sam 18h-22h et également pour le déjeuner le reste de l'année. Fermé dim. Plats à partir de 70 Sk (7,50 €) ; plusieurs menus 255-440 Sk (26-48 €).* Sur la place la plus animée de la ville, un endroit qui se veut à la fois branché et décalé. Côté cuisine, c'est un peu pareil : on puise dans la gastronomie de différents pays en prenant soin de conserver quelques racines suédoises. Heureusement, le bilan est positif : on en repart repu et avec la sensation d'avoir bien mangé.

Calmar Hamnkrog *(plan B2, 25) : Skeppsbron 30. ☎ 41-10-20. Ouv midi et soir dans l'année et 17h-minuit en été. Plats 150-250 Sk (16-26,50 €).* Joli restaurant flottant, assez chic et réputé pour sa cuisine où se mêlent avec bonheur influences locales et étrangères. L'endroit est aussi très sympa pour boire un verre au bord de l'eau.

Le soir, l'animation se déroule sur *Larmtorget (plan A-B1)* et dans les rues adjacentes. Quelques endroits, comme ça, en vrac : ***Lilla Puben*** (avec ses murs garnis de bouteilles et de canettes), le bar-resto ***Krögers,*** plein de bruit et d'ambiance, ***O'Learys,*** qui propose 15 % de rabais sur la note de 16h à 18h (et dimanche toute la journée !), ou encore ***Molly Malones,*** un pub irlandais sur Larmgatan, une rue qui part de la place. Avec ça, en principe, vous avez déjà de quoi faire.

À voir

La cathédrale *(plan B1) : sur Stortorget.* D'un style baroque italien prononcé, elle possède d'imposantes proportions avec ses quatre tours aux clochers de bronze verdi. L'intérieur ne présente guère d'intérêt, à part un autel baroque, un retable du XVIIIe s et une chaire à baldaquin. Pas de quoi se mettre en croix.

Klapphuset *(plan B1) :* vieille maison rouge aux pieds dans l'eau et datant de 1857. Celle-ci était un lavoir (d'où le nom Klapphuset, « la maison où l'on tape ») où l'on venait laver les tapis dans l'eau de la Baltique dont le sel permettait de mieux conserver les couleurs. N'hésitez pas à aller y jeter un œil, elle est le plus souvent ouverte au public et l'entrée est gratuite.

Gamla Stan *(plan A2) :* juste derrière le château et le parc, la « vieille ville » (le cœur de Kalmar jusqu'en 1648, avant que la cité ne soit déplacée sur l'île de Kvarnholmen) invite à la flânerie dans le petit dédale de ses quelques ruelles pavées, bordées de maisons basses et colorées. La Vasagatan, notamment, a vraiment beaucoup de charme avec ses maisons minuscules à la végétation exubérante et fleurie.

Krusenstiernska Gården *(hors plan par A1) : St Dammgatan 11. Ouv mai-fin sept. Jardin (entrée gratuite) ouv en sem 10h-18h, w-e 12h-16h ; en sept, fermé w-e et dès 15h30 en sem. Visite guidée du musée (ouv début juin-fin août) en sem 13h, 14h, 15h et 16h, w-e 13h, 14h et 15h. Entrée : 25 Sk (2,60 €) pour les adultes.* Une fois dans la vieille ville, ne manquez pas de visiter cette maison bourgeoise du XIXe s. Elle a conservé tout son ameublement d'époque et possède un magnifique jardin. Vous trouverez également sur place un coquet café. L'été, concerts tous les mardis à 18h.

Le château et le musée de Kalmar *(plan A2) : ☎ 45-14-90. • kalmarslott.kalmar.se • En voiture, suivre les panneaux indiquant « Kalmar Slott ». Tlj début avr-fin sept : 10h-18h en juil, jusqu'à 17h en juin et août, jusqu'à 16h le reste de la saison. Visites guidées en anglais tlj : 11h30 et 14h30 en juil, 14h en juin et août (sous réserve). Entrée : 75 Sk (8 €) ; réduc.* Ancienne forteresse du début du XIIe s ; chaque guerre lui fut fatale, mais le château fut sans cesse rebâti, toujours plus grand, pour finalement garder ce beau style Renaissance. De grosses tours d'angle montent la garde au-dessus de profondes douves. Par un pont-levis, on accède à la cour intérieure qui a subi, sous prétexte de rénovation, un désastreux plâtrage. Seules subsistent la fontaine Renaissance et quelques portes. Un escalier mène à différentes salles, transformées en musée. On visite une série de grandes pièces très différentes, comme les *appartements de la reine,* recouverts en partie de fresques, la *salle des panneaux* avec de superbes lambris du XVIe s. La salle suivante possède un beau lit en bois sculpté et une armoire en marqueterie. À noter encore, la *salle dorée* où tous les murs sont également couverts de panneaux en bois de loupe d'un extraordinaire raffinement. Beaux plafonds à caissons. On visite ensuite la *chapelle* : voir les sièges du roi et de la reine. Suit une série de salles moins richement décorées et sans grand intérêt, mais dont l'une possède une collection d'objets ayant trait à la mer. À voir peut-être encore : le *quartier du gouverneur,* qui permet de visualiser à travers plusieurs pièces les différents usages que l'on a fait du château au cours des quatre derniers siècles (prison, distillerie, etc.).

Stadsparken *(plan A2)* **:** encore une magnifique oasis de verdure que ce parc municipal établi entre 1877 et 1880 par le riche industriel local Johan Jeansson. On notera le petit pont bleu qui rappelle étrangement quelques tableaux de Monet. L'espace assez ouvert au départ se densifie de plus en plus alors qu'on se rapproche du château. La maison qui trône au milieu de toute cette verdure accueille traditionnellement le jardinier du parc.

Länsmuseum *(plan B1)* **:** *Skeppsbrogatan 51. ☎ 45-13-00. • kalmarlansmuseum.se • De mi-juin à mi-août, tlj 10h-18h ; le reste de l'année, 10h-16h (11h w-e). Entrée : 50 Sk (5,30 €) ; réduc ; gratuit jusqu'à 18 ans. Feuillets explicatifs en anglais disponibles à l'accueil.* La visite de ce musée s'impose pour découvrir les vestiges provenant d'une épave sous-marine, le *Kronan,* bateau échoué au XVIIe s au large d'Öland, lors d'une bataille. Après les canons du rez-de-chaussée, monter directement au 3e étage. L'exposition, particulièrement soignée, permet de se faire une idée assez précise de l'aspect d'un bateau du XVIIe s et de la vie à bord. Reconstitution de la cale avec ses canons et ses hommes. Présentation de mousquetons, de sculptures en bois, d'instruments de musique et même de chaussures et de chapeaux. Petite salle au fond avec les pièces d'or retrouvées dans le navire. Aux 2e et 4e étages, section archéologique autour d'un des premiers villages de la région et partie consacrée à la Kalmar médiévale, avec bonshommes en papier mâché, commerces reconstitués et grande maquette de la cité. Également une exposition sur la vie du peintre Jenny Nyström, née à Kalmar. Au 4e étage, cafétéria sympa un peu rétro.

Maritime Museum *(plan B1)* **:** *Södra Långgatan 81. ☎ 158-75. Tt près du Länsmuseum. De mi-juin à mi-sept, tlj 11h (12h w-e)-16h ; le reste de l'année, slt dim 12h-16h. Entrée : 25 Sk (2,60 €).* Petit musée. Maquettes, peintures, nombreux objets. Un peu capharnaüm. Rien à voir avec celui de Karlskrona.

QUITTER KALMAR

Vers l'île d'Öland

➢ ***En bus :*** départ ttes les heures env de la gare routière *(plan A2),* située à l'extérieur de la gare ferroviaire. Les bus vont jusqu'à Färjestaden, petite ville juste de l'autre côté du pont qui relie Öland au continent, ou jusqu'à Borgholm, principale localité de l'île.

L'ÎLE D'ÖLAND

IND. TÉL. : 0485

Puisqu'il faut bien que chaque pays ait sa Côte d'Azur, on serait tentés de dire qu'Öland, dans l'esprit des Suédois, en fait figure. Île de villégiature où l'on vient en famille, elle tient une place un peu à part en Suède car elle possède quelques paysages qu'on ne trouve pas ailleurs, et près de 400 moulins. Sa flore est unique par sa variété. On y trouve même des plantes méditerranéennes, tellement le climat est singulier. Au sud de l'île, le paysage agricole fait désormais partie du Patrimoine mondial de l'humanité, et une réserve ornithologique a été créée à Ottenby, dans une région plate, belle et désolée. Mais

Öland, c'est aussi les plages immenses de sable blond ou blanc où les Suédois viennent se gorger de soleil avant d'affronter le rude hiver. L'île est dénudée, formée de calcaire, d'ardoise et de grès pour l'essentiel. À notre avis, deux jours suffisent pour en apprécier les charmes.

L'ÎLE AUX FLEURS

Le climat et le sol calcaire d'Öland ont permis à un certain nombre de plantes de s'y développer. Fleurs de Sibérie et plantes méditerranéennes cohabitent sur ces grands espaces dénudés : violettes, anémones bleues, trente sortes d'orchidées, ainsi que le panicaut (chardon bleu) et bien d'autres espèces...

Comment visiter l'île ? Comment se déplacer ?

Office du tourisme principal : *Träffpunkt Öland, à la sortie du pont, à droite.* ☎ *56-06-00.* • *olandturist.se* • *En saison, tlj 9h-20h ; le reste de l'année, horaires plus restreints.* Dans un bâtiment qui abrite aussi un petit musée sur le milieu physique et l'histoire d'Öland plutôt intéressant. L'office se charge des résas des pensions et hôtels. Les prestations sont à régler directement chez eux. Belle représentation en relief de l'île. Très bon accueil.

– Le plus pratique pour en voir le maximum sans perdre son temps est naturellement de louer une voiture pendant un jour ou deux. Si vous souhaitez séjourner plus longtemps, repérez un endroit qui vous plaît et louez des vélos. L'île se prête bien à cette forme de découverte. Les bus, quant à eux, sont rares et peu pratiques.

Hébergement

Près d'une trentaine de ***campings*** *(généralement ouv mai-sept)* et une dizaine d'***AJ*** se répartissent dans toute l'île. Le camping sauvage y est possible. Bien sûr, les campings à proximité des plages sont bondés en été et moins sympathiques que ceux implantés dans un coin moins fréquenté. Le sud de l'île est bien plus sauvage, mais c'est au nord que sont les plages les plus belles, dont la plus longue atteint 11 km. La principale agglomération est Borgholm.

À voir

Outre les richesses naturelles évoquées plus haut, ***Öland,*** avec ses 137 km de long et ses 4 à 16 km de large, possède un sol riche en traces du passé. La partie sud de l'île d'Öland, bordée par la Baltique, est dominée par un grand plateau calcaire. Les hommes y vivent depuis quelque cinq mille ans et ont adapté leur mode de vie aux contraintes de l'île. Le paysage est de ce fait unique et témoigne d'une occupation humaine continue depuis la préhistoire jusqu'à nos jours. Les témoignages de l'âge du bronze et de celui du fer abondent. De chaque côté de la route, les champs sont jonchés de pierres runiques et de tumuli. Immanquables aussi mais nettement plus proches de nous, les nombreux moulins à vent, devenus le symbole de l'île. Et puis, on trouve encore quelques églises d'origine romane (quoique sérieusement altérées) et une forteresse viking reconstituée, à *Eketorp,* avec figurants en costume. Côté géographie, les paysages de landes du Sud, le *Stora alvaret* (steppes sans arbres), cèdent la place à une gentille campagne au nord. Les plus belles plages se trouvent au nord-est, à Böda, et à Byrums Sandvik, au nord-ouest.

BORGHOLM

Petite station balnéaire et ville principale de l'île, néanmoins très modeste. Rues tirées au cordeau, quartier du centre piéton. Atmosphère de station de vacances, sans cohue mais assez animée. C'est ici que l'on trouve tout ce qu'il n'y a pas ailleurs : boutiques, restos...

Adresses utiles

Office du tourisme : *Standgatan 21. ☎ 890-00. Les horaires changent sans arrêt. En saison, tlj 9h-19h (18h w-e) ; le reste de l'année, horaires plus restreints, fermé w-e.* Résa de chambres chez l'habitant.

Poste : *à côté de l'office du tourisme. Ouv en sem 8h-18h.*

Location de vélos : Hallbergs Hojar, *Köpmannagat 19. ☎ 109-40.*

Où dormir ?

Bon marché

Camping Kapelludden : *derrière la gare routière. ☎ 56-07-70. En été, forfait tente 175 Sk (18 €).* Très grand espace assez sympa et bien équipé. On plante sa tente tout au bout du camping, à l'ombre des pins, près de l'eau. Possibilité de se baigner. Machine à laver, piscine, sauna et jacuzzi, mais payants. Également, location de *stugor.*

STF Vandrarhem Borgholm : *un peu à l'extérieur du village. ☎ 107-56. À droite de la route 136 en venant du sud (accès fléché) et à 10 mn du centre à pied. Si vous venez de Kalmar en bus, demandez au chauffeur de s'arrêter au carrefour avec des feux (vous ne risquez pas de vous tromper, il n'y en a qu'un sur l'île) ; l'AJ est à deux pas. Réception 8h-10h, 16h30-19h30. Nuit 110-160 Sk (11,50-17 €).* AJ extra, dans un parc avec tables et chaises. Plusieurs petits bâtiments dont le principal, une charmante maison en bois, est équipé d'une vaste salle à manger et de chambres à l'étage. Également 2 petites annexes aménagées en dortoirs mixtes (pratique pour faire des rencontres...), et 2 maisonnettes en pierre abritant chacune une cuisine. Un bel endroit, qu'on vous dit !

Un peu plus chic

Pensionat Villa Sol : *Slottsgatan 30 ; à l'angle de Kungsgatan. ☎ 56-25-52. • villasol.just.nu • Résa indispensable en été. Compter 600-700 Sk (63-73,50 €) pour deux.* Tout près du centre-ville, cette jolie maison offre un séjour de qualité : 6 belles chambres, agréables et soignées, un petit salon pour se détendre (avec TV grand écran et vidéo), une cuisine équipée pour les hôtes et même, à l'arrière, une roseraie, pour le plaisir des sens, celle-là. Salle de bains commune un peu petite.

Villa Verdi : *Verdadi grand 3 (au début de Storgatan, près du port). ☎ 69-67-61. • villaverdi.nu • Résa indispensable en été. Compter 150-300 Sk/pers (16-31,50 €) selon période.* Le proprio propose de nombreuses chambres ou mini-appartements idéaux pour une famille.

Chambres chez l'habitant : *résa à l'office du tourisme.* Mais vous pouvez aussi déambuler dans les petites rues derrière Storgatan. De nombreuses villas proposent des chambres bien moins chères (car elles ne versent pas de commission à l'office du tourisme).

LA CÔTE DU KALMARLÄN

Où manger ?

De bon marché à prix moyens

🍽 ***Pizzerian :*** *sur Köpmangatan (à 2 rues de la grand-place). Tlj 17h-23h. Pizzas env 80 Sk (8,50 €).* C'est la plus vieille pizzeria de Suède. Pour les réfractaires, il y a aussi des pâtes.

🍽 ***China :*** *Östra Kyrkogatan 23.* ☎ *108-55. Tlj jusqu'à 22h. Menus à partir de 100 Sk (10,50 €).* Pour changer, si on se faisait un chinois ? Copieux et pas cher.

🍽 ***Guntorps Herrgård :*** *Guntorpsgatan.* ☎ *130-00. À deux pas de l'AJ. Tlj dès 18h. Buffet d'entrées 175 Sk (18,50 €).* Dans une grande salle avec à la fois une piscine au centre et une cheminée active dans un coin, ce resto propose tous les soirs un buffet dont vous nous direz des nouvelles ! Assez superbe... Surtout la partie froide, qui offre un grand choix de poisson cru, notamment du hareng préparé de maintes façons, un délice ! Pour le reste, musique douce et ambiance plutôt calme. Qu'importe, quand on a faim, ce sont des détails qui ne comptent plus...

Chic

🍽 ***Restaurant de l'Hotell Borgholm :*** *Trädgårdsgatan 15.* ☎ *770-60. Mar-sam dès 18h. Compter min 400 Sk (42 €) pour un menu.* La *cheffe,* Karin Fransson, est réputée dans tout le pays, et pour cause : elle cuisine également derrière la caméra, pour le petit écran. Ceux qui en ont les moyens s'offriront le plaisir de manger dans ce délicieux restaurant, les autres se contenteront de plats plus simples, côté bar, moins chers mais également réalisés par la maîtresse des lieux. Beau cadre, moderne et élégant, et service souriant.

Où boire un verre ? Où manger une bonne glace ? Où danser ?

🍸 ***Pubben :*** *Storgatan. En venant du port, c'est juste après la place centrale sur la droite. Mar-sam jusqu'à 1h.* Petit pub bien arrangé par le jeune patron. Bonnes bières et très belle collection de whiskies malt.

🍦 ***Olandglass :*** *Storgatan 10. Ouv 9h-21h.* Pour les amateurs de glaces, une large sélection de parfums, tous naturels et certains très originaux.

♫ ***Strand Hotell :*** *ouv ts les soirs fin juin-début août ; slt en fin de sem le reste de l'année.* La boîte branchée du moment, qui attire le plus de monde. Une piste pour la techno et une autre pour les tubes de la saison. L'été toujours, l'hôtel accueille des groupes sur la terrasse arrière, en fin d'après-midi et dans la soirée.

♫ ***Znaps :*** *à l'angle de Södra Långgatan et Hantverkarengatan (à un jet de pierre de la grand-place). Comme l'hôtel* Strand, *ouv ts les soirs en été ; le reste du temps, slt le w-e.* L'autre boîte de Borgholm, mais la seule à organiser, certains jours 18h-21h, des soirées disco pour les enfants !

À voir. À faire

🚶 Le village, sympathique, respire les vacances, mais il n'y a pas grand-chose à voir, hormis peut-être les ***ruines du château*** *(ouv tt l'été ; entrée : 80 Sk, soit 8,50 €),* les plus importantes de Scandinavie. L'édifice date du XIIe s mais fut plusieurs fois remanié. Les amateurs de jardins uniquement iront se promener à Solliden Garden.

➢ En louant des vélos, on peut partir à la découverte de l'île. Borgholm est un bon point de départ pour ce genre de circuit.

CIRCUIT SUD, DE BORGHOLM À OTTENBY

Il s'agit de la côte sud-ouest de l'île, la plus intéressante. La route traverse de superbes paysages, écrasés de soleil l'été et battus par des vents puissants l'hiver. Pas énormément de choses à voir, mais une ambiance, une atmosphère reposante, qu'on apprécie. Il faut prendre son temps. Groupes de maisons, pierres runiques, moulins et, à la pointe sud, une réserve naturelle sauvage à l'extrême. Une excursion écologique pour les amoureux du silence. N'hésitez pas à emprunter les routes secondaires qui traversent Stora Alvaret. Vous y rencontrerez peu de gens, et c'est au cœur de la steppe que les paysages sont les plus frappants.

Möllstorps Camping : *situé un peu après l'office du tourisme principal, presque au pied du pont.* ☎ *393-88. En saison, forfait tente 130 Sk (13,50 €).* Suffisamment ombragé. Petite plage et bon équipement. *Stugor.* Le zoo d'Öland, avec parc d'attractions et parc aquatique, est accessible à pied.

STF Vandrarhem Ölands Skogsby : *à Skogsby, à 6 km au sud-est du pont, au bord de la route 136, sur la gauche.* ☎ *383-95. Bus n° 103 de Kalmar et Färjestaden. Ouv de mi-avr à fin sept. Réception 8h-10h, 17h-20h. Lit 130 Sk (13,50 €).* Ensemble de maisons en bois rouge, entouré d'un grand pré. Équipement suffisant et chambres impeccables et calmes. L'endroit idéal pour se reposer.

Eriksöre Camping : *prendre à droite env 2 km après l'AJ précédente (c'est fléché) et continuer sur 2 km.* ☎ *394-50. Forfait tente 170 Sk (18 €) ; moins cher hors saison.* Camping typique de bord de mer. Location de *stugor* et de mobile homes.

Karlevistenen : sur la plage, non loin de celle d'Eriksöre, nombreuses pierres runiques, dont une superbe, couverte d'inscriptions du Xe s en vers, ce qui la rend unique. Pour ceux qui auraient des problèmes avec ce langage, sachez que la pierre raconte la fin tragique d'un grand guerrier danois tué au cours d'une bataille dans l'île.

Haga Park Camping : *à 2 km au sud de Karlevistenen.* ☎ *360-30. Forfait tente 160 Sk (17 €) en été et 115 Sk (12 €) hors saison.* Très familial, classique, dans le même genre que les autres, à part que celui-ci est la mecque des véliplanchistes. Possibilité de louer du matériel sur la plage. Également un terrain de tennis.

Au sud de **Resmo** apparaît un type de paysage propre à l'île, à savoir ces grandes étendues de landes battues par les vents. Les âmes poétiques et sensibles seront touchées par cette nature forte.

Grönhögens Camping : *à env 30 km au sud du* Haga Park Camping. ☎ *66-59-95. Forfait tente en hte saison : 180 Sk (19 €).* Ce n'est pas le plus beau camping de l'île, mais le coin est réputé pour la pêche à l'écrevisse. Miam ! Beaucoup de sites intéressants et facilement accessibles à vélo, comme Eketorp, Ottenby, et bien sûr la steppe désertique environnante. Golf à côté.

Solgardens Gästherm : *à Segerstad, sur la route principale sur la côte est, entre Ottenby et Gardby.* ☎ *66-40-82. • solgarden.com • Compter 700 Sk (74 €) pour deux.* Notre adresse préférée sur l'île, quand on visite le Sud. Au fond d'un joli jardin, tout de jaune fleuri, une maison... jaune propose des chambres lumineuses, agrémentées de petites touches décoratives. Mignonnes salles de bains sur le palier. Le petit déj est servi à la grande table d'hôtes sous forme de buffet à base de produits essentiellement bio. Atmosphère chaleureuse et tout à fait scandinave. On se sent bien ici. C'est calme, c'est beau, c'est bon et en plus, la patronne baragouine quelques mots de français (en plus de l'anglais impeccable).

Ottenby : *sur la pointe sud de l'île. Ni un village ni un site archéologique, mais une réserve naturelle protégée. Un panneau de signalisation indique que l'on entre dans la réserve, traversée par une route étroite sur env 4 km. ☎ 66-12-00. Tlj 10h-19h en saison ; le reste de l'année, 11h-17h, 16h ou 15h, selon période. Entrée : 50 Sk (5,30 €).* Ici viennent faire halte de nombreuses espèces d'oiseaux : vanneau huppé, pluvier doré, mouette naine, grèbe, pie de mer, bécasse, guifette noire, sans oublier les grues et les busards. Balade possible dans la lande, sans but précis. Odeurs de marée et symphonie des chants d'oiseaux. Dans une maison, petite expo éducative sur la nature d'Öland. On peut grimper au sommet du petit phare en payant 20 Sk (2 €).

Café-restaurant à proximité. Après une balade dans les grands espaces, que c'est bon un café brûlant !

STF Vandrarhem Ottenby et camping : *à 2 km de l'entrée de la réserve, en continuant vers l'est, un peu avt le village de Näsby. ☎ 620-62. Réception 8h-10h, 17h-19h. Nuit 120 Sk (13,20 €).* Une des AJ les plus reculées de l'île. Maison traditionnelle, calme parfait. Rien à redire sur les chambres. Vraiment agréable pour qui recherche le repos. Camping possible et piscine.

REMONTÉE D'OTTENBY À BORGHOLM PAR LA CÔTE EST

Par une jolie petite route, on rejoint Borgholm, en traversant un paysage désolé, peu fréquenté des touristes. Arrêt obligatoire à Eketorp.

Le village fortifié d'Eketorp : *un peu au nord de Näsby (accès fléché). Tlj 10h-17h 1er mai-23 juin et 12-31 août ; 9h-18h 24 juin-11 août et slt w-e en sept. Fermé le reste de l'année. Visite guidée en anglais 13h. Entrée : 70 Sk (7,50 €) ; réduc.* Au milieu d'une lande étrangement désertique, les autorités locales trouvèrent dans les années 1960 d'importantes ruines d'une vaste cité fortifiée. Il semblerait que le site ait abrité plusieurs types d'habitations au cours des siècles. Ce serait aux alentours du IVe s que le village aurait été édifié, pour être tour à tour fortification et lieu d'habitation permanent pour les paysans, avec des fermes, des granges et des ateliers. Ensuite, une véritable activité commerciale, agricole et d'élevage s'y développa. La cité conserva toujours sa structure ronde et ses fortifications contre les attaques ennemies. Aujourd'hui, les gens du coin, avec l'aide d'archéologues, ont entièrement reconstitué le village, les huttes, et font vivre l'ensemble avec des animaux.

Camping Stenåsa : *à env 25 km d'Eketorp, en poursuivant la côte est vers le nord. ☎ 440-78. Emplacement 80 Sk (8,50 €).* Petit camping sur un joli front de mer, un peu paumé. Pas d'eau chaude pour la douche, mais il y en a dans les éviers. Sanitaires rudimentaires. Pour ceux qui aiment la dure solitude.

Näsby café Ekertorp 106 Nasby : *à quelques km d'Eketorp, sur la route principale. ☎ 39-77-691. Ouv mai-sept.* Dans un vieux corps de ferme, grande salle où l'on déguste de bonnes salades ou des pommes de terre farcies, à des prix très raisonnables. Expos d'artistes locaux. Propose également, dans un bâtiment tout neuf, plusieurs chambres simples et propres avec cuisine à dispo.

CIRCUIT NORD, DE BORGHOLM À BYXELKROK

C'est là que se concentrent les touristes. Belles plages et nombreux campings.

Äleklinta et Bruddesta : jolies plages de la côte ouest, à 10-15 km de Borgholm.

***L'église de Källa :** plus au nord, sur la route principale.* Église fortifiée du XIIe s.

***Le moulin de Sandvik :** ouv 10h-22h. Entrée : 20 Sk (2 €).* Édifié en 1856 et transporté en 1885 sur l'île, le moulin de Sandvik est le plus grand moulin de Scandinavie. Visite très intéressante au milieu de toutes ces meules en bois avec de nombreuses explications en anglais. Petit resto agréable.

– À quelques kilomètres au nord du village de ***Högby,*** plusieurs campings, malheureusement pas au bord de l'eau mais équipés, en revanche, de piscines.

***Sonjas Camping :** ☎ 232-12. Forfait tente 140 Sk (14,50 €).* À 400 m de la plage, camping familial bien équipé, dans une prairie plantée de feuillus. Piscine, aire de jeux et location de vélos. *Stugor.*

***Löttorps Camping :** à moins de 1 km du* Sonjas Camping. *☎ 232-70.* Dans le même genre. Piscine avec toboggan.

***Marsjöstruts à Marsjö :** indiqué par de larges panneaux sur la route principale. ☎ 0485-46-68. Doubles 440 Sk (46 €), petit déj et draps compris.* La famille élève des autruches et propose en même temps des chambres d'hôtes. C'est un peu rustique extérieurement mais les chambres sont grandes et claires. Le petit déj est servi dans une belle salle du corps de ferme et le jardin est agréable. Machine à laver à disposition des hôtes.

***Pensionat Lantgarden :** sur la petite route menant à Hagaby, quelques km avt Lottorp. ☎ 0485-201-55. • pensionatlantgarden.se • Compter 500 Sk (52 €) la chambre avec petit déj, plus 75 Sk (8 €) pour les draps.* Idéalement placé près des plages et de Lottorp où l'on trouve quelques adresses pour manger le soir. Cuisine à disposition. Très joli jardin. Pour bien finir la journée, la fille des proprios propose des massages !

Byrums Sandvik : très grande plage de sable blanc, absolument superbe, sur la côte ouest, à 7 km de Högby.

***Raukar :** à 1 petit km au nord de Byrums Sandvik.* le front de mer présente des formations géologiques stratifiées assez curieuses. Pas vraiment de quoi se rouler par terre, mais l'endroit est intéressant et la vue est belle. Agréable balade sur les rochers. Reprendre ensuite la route vers l'intérieur, en direction de Böda.

Böda : la région de Böda, située sur la côte est, à quelque 8 km au nord de Högby, possède la plus grande, la plus belle et... la plus fréquentée des plages de l'île. 11 km, pas moins, de sable blanc, protégés par une forêt de pins.

***Krono Camping Böda Sand :** ☎ 222-00. Forfait tente 115-195 Sk (12-20,50 €) selon période.* Le plus grand camping d'Öland. En plein été, il accueille jusqu'à 5 500 personnes ! Pas vraiment pour ceux qui recherchent un coin de nature sauvage, donc. Comme on peut s'y attendre, bon équipement (supermarché, vélos, terrain de golf et *stugor*), mais pas de piscine ; normal, il faut dire, quand on donne sur la plus longue plage de l'île... Les tentes sont reléguées tout au fond ; et ce n'est pas plus mal, on est à 200 m de la mer.

***Kyrketorps Camping :** un peu au sud du* Krono Camping. *☎ 222-23. Forfait tente 100-150 Sk (10,50-16 €).* Camping familial, plus simple que le précédent mais moins cher, et belle situation au bord de l'eau. Sauna.

***AJ :** un peu au sud de Böda, à Mellböda (accès fléché). ☎ 220-38. À 1 km de la plage. Ouv début mai-fin août. Réception 8h-10h, 17h-20h. Nuit 110-190 Sk (11,50-20 €).* Derrière une grosse maison jaune, quelques constructions indépendantes au bout d'une pelouse. Chambres de 1 à 4 lits seulement. Grande cuisine, salle à manger, salon et tables dans le jardin. Annexes de l'autre côté de la route aussi. Bon accueil.

***Byxelkrok :** au nord-ouest de l'île en poursuivant la route.* Pas vraiment de village. Petite plage de cailloux et deux campings.

Continuez jusqu'à Nabbelund et son phare, à la pointe nord d'Öland, au bord d'une grande anse sauvage et verdoyante. De là, poursuivez vers ***Grankullavik,*** hameau de quelques maisons situé au fond de la baie. Après le village, prenez la petite route à gauche en direction du ***Trollskogen's Naturum.*** C'est le point de départ de balades, d'itinéraires plus ou moins longs tracés dans une superbe forêt de pins. Vous y découvrez aussi, dans de petites cabanes rouges, des expositions sur le milieu d'Öland, le climat, la géologie, l'ornithologie, etc.

AJ : *dans le hameau de Grankullavik, sur la route principale. ☎ 240-40. Ouv début mai-fin sept. En saison, lit 175 Sk (18,50 €).* AJ privée située dans un site superbe. La moitié des chambres et la salle à manger ont vue sur la baie et la forêt de pins qui la limite à l'est. Belles chambres doubles ou familiales, claires et bien terminées. Deux petites cuisines, bar, resto et salon TV. Les proprios font leur pain eux-mêmes tous les jours. Très calme, sauf les mercredi et samedi soir de juillet, lorsque débarquent des « troubadours » (sic !) et que les gens se mettent à danser...

L'ÎLE DE GOTLAND

57 300 hab. IND. TÉL. : 498

Une île singulière de 170 km de long sur 50 km de large environ, et un centre de villégiature très apprécié des Suédois. Gotland possède en effet tout ce qui peut ravir les Nordiques en vacances : paysages sereins, plats et fleuris, jolies côtes déchiquetées, plateaux calcaires et leurs fameux *raukar* (rochers ciselés par la mer), moutons dans les prés et un Festival médiéval début août. Elle est également un petit paradis pour cyclistes (elle est à peu près plate, même si venteuse parfois) et la petite reine reste la meilleure façon de découvrir l'île. Les cinéphiles retrouveront nombre des décors naturels de Bergman.

UN PEU D'HISTOIRE

Habitée depuis l'âge de la pierre, l'île est aujourd'hui une mine pour les archéologues. Elle devient une plaque tournante du commerce de la Baltique dès 700. Au XIe s, les Gotlandais ont déjà poussé et établi des comptoirs de commerce jusqu'en Russie et à Byzance, et l'île connaît une grande prospérité. Celle-ci, bien sûr, attise les convoitises : les Allemands, tout d'abord, qui s'y installent dès le XIIe s, avant de faire de Visby un comptoir de la Ligue hanséatique. Par Gotland transitent alors inlassablement d'incroyables richesses. Visby est en fait la seule ville fortifiée de Scandinavie. Les remparts sont édifiés au début du XIIIe s et Gotland se pare d'églises. Puis les Danois, voulant eux aussi leur part du gâteau, décident de s'emparer de l'île. En 1361, boum badaboum ! le roi danois Valdemar Atterdag attaque et l'île passe aux mains des Danois. La fin du XIVe s marque la fin de la période de grandeur de Gotland, qui entre alors dans une longue et profonde période de déclin. Du glorieux passé de Gotland, il reste les très nombreuses églises médiévales qui parsèment l'île et qui, à Visby, ne sont plus aujourd'hui, excepté la cathédrale, que des ruines qui parent la ville d'un manteau mystérieux. L'île redevient suédoise en 1645 et au XVIIIe s, elle vit tranquillement de la mer et des forêts. Le traitement de la chaux se développe. Depuis les années 1950, l'île est de plus en plus à la mode, auprès des Nordiques bien sûr mais également des peuples du Sud. Qu'on se rassure, la longueur de ses plages permet d'accueillir encore bien du monde.

Comment y aller ?

En bateau

➢ ***De Nynäshamn et d'Oskarshamn :*** deux types de bateau assurent la liaison. L'un est un peu plus rapide que l'autre (il s'agit d'une vingtaine de minutes), mais aussi plus cher. *Rens et résas :* ☎ *0771-22-33-00.* • *destinationgotland.se* • Compter 304-496 Sk (32-52 €) par adulte, selon bateau et type de place et 306-424 Sk (32-44,50 €) pour la voiture. Il existe des prix spéciaux pour les billets pris au moins 21 j. avt le départ. Cela dit, en été, on recommande chaudement aux routards motorisés de réserver leur place longtemps à l'avance. En saison, env 5 départs/j. de Nynäshamn (traversée 2h50-3h10) et deux d'Oskarshamn (traversée env 3h).

En avion

➢ Liaisons au départ de ***Stockholm*** assez nombreuses, mais le plus souvent très chères, à moins de réussir à profiter des offres spéciales. ☎ *(0498) 22-22-22.* • *gotlandsflyg.se.se* • *Renseignez-vous également auprès de votre agence de voyages.* Il arrive que ces dernières proposent des billets beaucoup moins chers (mais ni modifiables, ni remboursables).

Hébergement

Une dizaine d'AJ et plusieurs campings (se renseigner auprès de l'office du tourisme). À noter que presque tous sont fermés de septembre ou octobre à mai (voire juin pour certains).

VISBY

Une bien jolie cité chargée d'histoire avec ses impressionnantes ruines, contre lesquelles des petites maisons colorées se blottissent, le tout ceint d'imposants remparts.
Ancien site viking, Visby fut, du XIIe au XIVe s, le principal centre de la Ligue hanséatique en mer Baltique. Ses remparts du XIIIe s, ainsi que plus de 200 entrepôts et maisons de marchands de la même époque, en font la ville fortifiée et commerciale la mieux préservée d'Europe du Nord.
On ne se contente pas de visiter Visby, on y séjourne. Au travers du dédale d'étroites chaussées au tracé moyenâgeux, on découvre sans cesse quelque chose de nouveau, une cour fleurie, une vue singulière, un petit café chaleureux. Elle possède même son université, ouverte en 1998, et compte quelque 3 500 étudiants. Cette ville mérite assurément une visite, même si celle-ci revient assez cher. Cependant, évitez le mois de juillet et les week-ends : Visby, le Saint-Tropez des années 1950, sans *B & B,* est un des lieux branchés où la jeunesse dorée stockholmoise aime venir et festoyer.

Adresses utiles

Tourist Information : *sur Hamngatan.* ☎ *20-17-00.* • *gotland.info* • *gotland.net* • *À 150 m du port. En saison, tlj 8h-19h ; le reste de l'année, horaires plus restreints.* Carte de l'île et plan de Visby gratuits. Service accueillant et compétent.

Gotlands Turistcenter : *Österväg 3A (à l'est du centre, juste à l'extérieur des remparts).* ☎ *20-33-00.* • *info@gotlandsturistservice.com* • *En saison, ouv en sem 9h30-18h ; sam 10h-14h.* Pour réserver une chambre, c'est à eux qu'il faut s'adresser. Résa des ferries également.

Internet : *grand bâtiment moderne situé dans le parc Almedalen (pas loin de l'office du tourisme). Ouv en sem 10h-19h ; sam 12h-16h. Connexion gratuite à la bibliothèque municipale.*

Location de vélos : les loueurs de vélos sont nombreux, en saison tout au moins. *Vous en trouverez notamment un, dès votre arrivée, face au terminal des ferries :* O'Hoj Cykeluthyring. *Compter à partir de 65 Sk/j. (7 €) pour un vélo.*

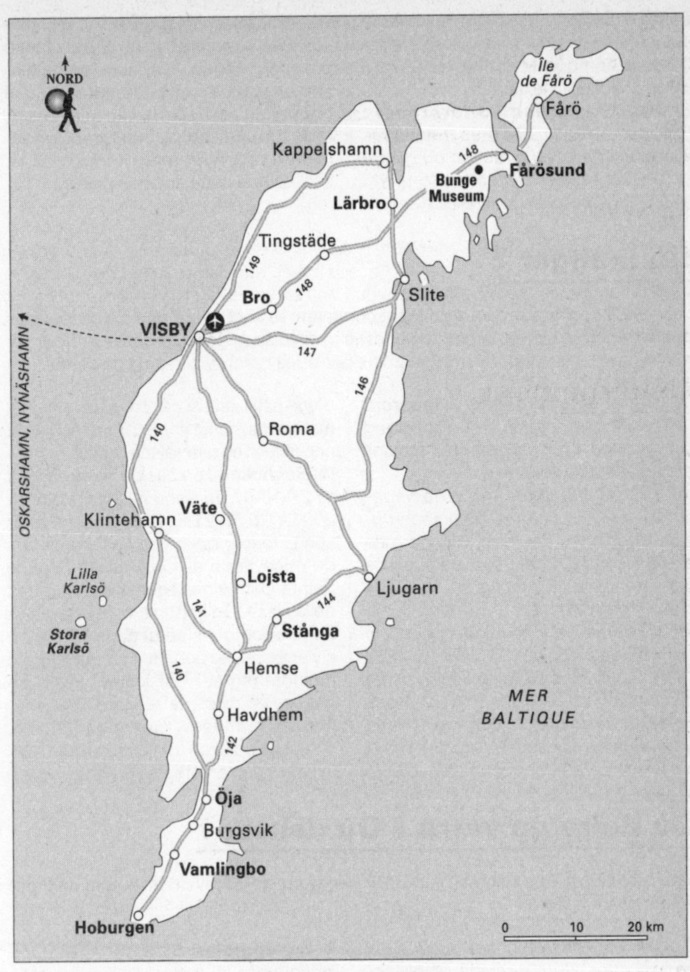

L'ÎLE DE GOTLAND

Où dormir ?

⛺ ***Camping :*** *à Norderstrand, à 800 m au nord de Visby.* ☎ *21-21-57.* • *norderstrandscamping.se* • *Ouv de fin avr à mi-sept. Forfait tente 175 Sk (18,50 €) ; presque moitié prix hors saison. Loc de stugor 650 Sk (68 €) en été.* Sous de grands arbres au bord de la Baltique, camping agréable, bien équipé mais très fréquenté en saison. Relié à Visby par une piste cyclable longeant la mer. Interdit aux moins de 18 ans non accompagnés.

Wisby Jernvägshotell : *Adelsgatan 9.* ☎ *27-17-07.* • *gtsab.se/jernvagshotellet* • *Dans la rue principale du centre, à deux pas de Södertorg. Ouv tte l'année. En hte saison, compter 200-275 Sk/pers (21-29 €) en chambre de 2 à 6 lits ; quelque 40 Sk (4,20 €) de moins hors saison.* Petite AJ privée de

24 lits à peine (mieux vaut réserver !), installée dans une jolie maisonnette. Cuisine équipée et petite terrasse à l'étage. Accueil inexistant.

Visby Fangelse Vandrarhem : *Skeppsbron 1. ☎ 20-60-50. Peu après le débarcadère, en direction du centre en longeant la mer. Réception 16h-19h. Nuit 300 Sk/pers (31,50 €) en été en cellule de 2 lits et 200 Sk (21 €) le reste de l'année.* AJ installée dans une ancienne prison dont elle a, d'ailleurs, gardé certains aspects : notamment l'accueil hostile et l'allure peu avenante. Néanmoins, la ville comptant peu d'hébergement à prix relativement raisonnable, sachez que cette solution existe...

Où manger ?

Les restos de Visby ont tous un point commun : ils sont plutôt chers. Les routards peu fortunés se contenteront de sandwichs et salades dans les cafés (surtout sur Kyrkogatan), les autres feront leur choix parmi les nombreux restos du centre.

Kök & Bageri : *dans Häsgatan.* Minuscule boulangerie, à côté du grand café *Apotek,* proposant de bons pains et gâteaux faits maison.

Café Vardklockan : *Adelsgatan 41. Ouv slt l'été, en principe 10h-22h.* Pour boire un verre, manger une glace ou une gaufre... sur une superbe petite terrasse face à l'église, avec vue sur les toits et la mer.

Skafferiet : *sur Adelsgatan, non loin du* Café Vardklockan. *Tlj 10h-17h (22h l'été). Sandwichs 50 Sk (5,30 €) ; petite restauration 70 Sk (7,50 €).* Café-snack au décor très rustique, avec cloisons en bois, plancher qui craque et petits rideaux à carreaux. Parfait pour un café assorti d'une pâtisserie sur le coup de 16h. Pas mal non plus pour engloutir un sandwich, une quiche ou une salade le midi.

Bakfickan : *en bas de Stora Torget. ☎ 27-18-07. Tlj jusqu'à 22h. Plats 100-200 Sk (10,50-21 €).* Plutôt discret avec son extérieur qui ne paie vraiment pas de mine, face aux ruines de l'église Sainte-Catherine, légèrement en retrait de la place. Qu'importe, la bonne odeur de poisson qui s'en dégage fait qu'on s'y arrête et, au bout du compte, sans le moindre regret ! Car il sait y faire, ce petit resto, dans le registre maritime. Moules gratinées, crevettes fumées, soupe de poisson à l'aïoli... de quoi ravir le palais des amateurs du genre.

Où boire un verre ? Où danser ?

Visby est bien animé en été et surtout le week-end, principalement autour de Stora Torget et sur le port.

Munk Källaren : *dans une rue qui part de Stora Torget.* Vaste établissement occupant tout le pâté de maisons et constitué de multiples parties aux heures d'ouverture variables... En gros : une boîte qui fait surtout dans la techno-house, un fort sympathique bar à vinyles, plusieurs pubs, dont un avec billards et fléchettes, et un restaurant. Inutile de dire qu'en saison, y'a du monde...

Hamnplan 5 : *c'est la maison jaune entre le port et l'office du tourisme.* Encore un endroit compliqué, un peu dans le même genre que le précédent. Pub au rez-de-chaussée avec à la fois du *R'n'B,* du hip-hop et du Top 50, et une discothèque à l'étage où l'on danse au rythme des vieux classiques. Également un resto, un *cocktail bar* et un casino.

À voir. À faire

Gotlands Fornsal : *Strandgatan 14. ☎ 29-27-00. • lansmuseetgotland.se • De mi-mai à mi-sept, tlj 10h-17h ; le reste de l'année, tlj sf lun 12h-16h. Entrée : 60 Sk (6,50 €) ; réduc ; gratuit jusqu'à 16 ans.* Grand musée retraçant l'histoire très riche et peu commune de Gotland depuis l'âge de la pierre à nos jours. À voir, entre autres : de nombreuses pierres gravées, une tombe préhistorique avec un squelette vieux de 8 000 ans, des dioramas, divers objets issus de fouilles, de l'art religieux (dont la Madone originale de la cathédrale de Visby) ou encore une partie des nombreux trésors retrouvés sur l'île. Également des maquettes de Visby et des reconstitutions d'intérieurs, notamment celui d'une boutique du début du siècle (époque à laquelle l'île comptait 234 boutiquiers !). L'histoire de Gotland est passionnante et le musée possède de très belles collections. On regrette seulement que les explications ne soient pas traduites de façon conséquente en anglais et qu'on ait parfois un peu de mal à se repérer dans le temps en évoluant dans le musée. Dans ce même musée, une salle appelée ***Gotlands Naturmuseum*** est consacrée à la géologie, la faune et la flore de l'île.

Kapitelhusgården : *Sankt Drottensgatan 8. ☎ 24-76-37. De mi-juin à mi-août, tlj 11h-17h.* Une « cour » médiévale en pleine ville, agrémentée d'un jardin de plantes aromatiques. Possibilité de participer à des activités moyenâgeuses.

La cathédrale *(Domkyrkan)* **:** à l'évidence, tous les styles sont présents et l'édifice illustre bien l'histoire de cette ville ayant subi moult influences. Portail sud gothique, un autre roman, tandis que l'intérieur est dominé par le baroque : chaire en noyer, retable du XVIIe s, mais fonts baptismaux du XIIIe s. Ayant échappé au pillage des Allemands de Lübeck, au XVIe s, c'est la seule église médiévale encore debout, et ses trois clochers en bois noir dominent toujours.

Les ruines de Sankt Nikolai Kyrkan : vestiges d'une église du XIIIe s. En été, on y organise de superbes concerts de chants religieux.

Bien agréable ***balade autour des remparts.*** On y découvre de plaisants petits coins méconnus, de charmantes maisons fleuries, ainsi que le jardin botanique qui mérite assurément une visite : orchidées, nénuphars, roses magnifiques, ainsi que des cèdres majestueux et des sycomores.

BALADE VERS LE SUD

*Réserve naturelle de l'**île de Stora Karlsö :** accès par bateau à partir du petit port de Klintehamn, sur la route 140.* Des excursions sont organisées début mai-fin août : 3 départs/j. de mi-mai à mi-août et 1 départ/j. (10h) le reste du temps. C'est le paradis des oiseaux (et par conséquent des ornithologues !) et la plus vieille réserve naturelle du pays. Vous y verrez, entre autres, des milliers de guillemots.
– Possibilité de loger sur l'île (notamment dans le phare). Rens et résas : ☎ 24-05-00.

➢ En prenant la route 142, on va vers Hoburgen, pointe sud de l'île. Cet itinéraire permet la visite de nombreuses églises médiévales qui, si elles n'ont pas toutes de grandes richesses à proposer, jalonnent agréablement cette promenade bucolique :

L'église de Väte : possède un portail gothique de tout premier ordre. Sur la façade sud, jolies pierres sculptées. Quelques vestiges de fresques subsistent.

L'église de Lojsta : c'est avant tout pour les vitraux de son chœur, pièces originales du XIIIe s, que l'on visite cette église. En face, un gros chêne qui serait de la même période.

L'église de Stånga : attirera les amateurs pour son très beau portail.

L'église d'Öja : l'une des plus réputées de l'île. Beau portail sculpté, avec de beaux chapiteaux. À l'intérieur, fresques murales et splendide crucifix de la fin du XIIIe s. L'île est à cet endroit très étroite.

La poursuite de la balade se fait à travers un paysage sauvage, plat, désolé et beau à la fois. Peu de touristes explorent cette partie de l'île, malgré le romantisme et la mélancolie qui s'en dégagent. À ***Vamlingbo,*** l'église possède de grandes fresques.

Hoburgen : il faut pousser jusqu'à ce point extrême, cette falaise qui tombe violemment dans la mer, point final d'un monde un peu irréel.

BALADE VERS LE NORD

En allant vers l'île de Fårö, on pourra s'arrêter à ***Bro*** pour sa belle église au portail sculpté, aux fresques intéressantes et son étonnant baptistère. À ***Lärbro,*** plus au nord, ne pas manquer la grosse tour octogonale de l'église gothique (en espérant que celle-ci soit ouverte lors de votre passage !).

Quelques km avant le bac pour Fårö, on trouve aussi le **Bunge Museum :** *ouv de mi-mai à fin août, tlj 10h-16h (18h en hte saison). Entrée : 70 Sk (7,50 €).* Évocation, en plein air, de l'habitat et de la vie traditionnelle de Gotland à différentes époques.

L'ÎLE DE FÅRÖ ★★★

À l'extrémité nord de l'île, ***Fårösund*** est le point de départ pour l'île de Fårö, où a habité, entre autres, le cinéaste Ingmar Bergman. Il y tourna également plusieurs de ses films. On comprend aisément l'attirance du réalisateur pour l'endroit, notamment quand celui-ci est baigné par cette lumière si particulière en fin d'après-midi.
Au nord-est de l'île, longue plage de Sudersand. À l'ouest (notre partie préférée), entre Gamlehamn et Langhammars, la route suit une côte pierreuse, très belle dans son dénuement, où se dressent les fameux *raukar,* aiguilles rocheuses hautes de plusieurs mètres, formées de calcaire corallien. Les plus célèbres s'appellent la Cafetière et le Chien. Si vous choisissez de loger sur cette île paisible, un excellent choix selon nous, approvisionnez-vous à Visby : Fårö ne compte que quelques rares petites boutiques ici et là.
➢ Un bac relie gratuitement Fårö à Gotland. Départ env ttes les 30 mn 4h-22h30. Traversée : 7 mn.

UN GÉNIE MODESTE ET FAROUCHE

En 1997, le Festival de Cannes, à l'occasion des 50 ans de la manifestation, décerne à Bergman la « Palme des Palmes », une récompense que le très secret Bergman n'est même pas venu chercher, lui qui déclara en 2001 : « Tout ce qui m'a jamais intéressé, c'est d'accomplir un vrai bon travail d'artisan. »

Où dormir ? Où manger ? Où boire un verre à Fårö ?

Camping Solagha Fårö : *à env 3 km après le bac. ☎ 22-41-43 ou 34-98-79. Forfait tente 100 Sk (10,50 €).* Au bord de la route mais, comme le trafic est assez réduit, ça reste calme. Petit camping sous les arbres où chacun plante sa tente où bon lui semble. Ambiance bucolique. Le patron est sympa, mais, à moins que vous ne connaissiez un peu le suédois, vous ne vous direz pas grand-chose. S'il est absent à votre arrivée, plantez votre tente et présentez-vous à la réception plus tard.

Sudersands Camping : *à Sudersand. ☎ 22-36-12. À env 17 km du bac et à 100 m d'une longue plage de sable blanc. Ouv 1er mai-début sept. Forfait 120 Sk (12,50 €).* Sympa, bien équipé (vélos, snack, petite boutique et Internet) et sous les arbres. Excellent accueil.

⌂ ***STF Vandrarhem Fårö :** un peu avt Sudersand (accès fléché). ☎ 22-36-39. Ouv de mi-mai à fin août. Réception 9h-11h, 17h-20h. Nuit 160 Sk (17 €). Également un dortoir pour 8 pers, 90 Sk (9,50 €) le lit.* Sympathique auberge, accueillante, très propre, claire et bien arrangée. Chambres de 2 à 6 lits. Loue des vélos pour pas cher. Pas de petit déj, mais une cuisine à disposition. *Resto à côté, ouv de mi-juin à mi-mai le midi jusqu'à 16h, et en juil 14h-22h.*

***Kutens Bensin :** au bord de la route, à env 7 km avt Sudersand. ☎ 22-42-20. Ouv 20 juin-30 août, tlj dès 11h. Possibilité de manger jusqu'à 20h. Tlj dès 20h, soirée dans l'ancienne grange, entièrement dédiée au rock, jusqu'à 5h !* Pour les amateurs de « vintage » ! Tomas, le proprio, est un fondu de ces années-là et ne se lasse pas d'en accumuler les reliques. Il est même parvenu à s'approprier une moto de James Dean, la caravane de Jimi Hendrix et une des voitures de Bonnie & Clyde. Groupes une fois par semaine ; le reste du temps, place aux vieux vinyles. Mais l'apothéose, c'est le 30 septembre, lorsque plusieurs centaines de personnes viennent commémorer – toujours dans la grange – la mort de James Dean...

Ceux que l'ambiance nostalgique laisse froids trouveront, juste à côté (en pratique, seul un champ les sépare, mais question atmosphère, ce serait plutôt un monde !), ***Friggars krog.*** *Ouv slt l'été mar-dim dès 17h.* Cette petite auberge d'apparence très simple avec sa terrasse entourée d'un muret de pierre, avec vue lointaine sur la mer, est très sympa pour aller boire un verre en fin d'après-midi. Vous pouvez aussi y manger une cuisine très fine et inventive, certes, mais votre portefeuille risque de vous en vouloir...

– Vous trouverez aussi un petit supermarché près de l'église de Fårö, à env 7 km du bac, ainsi que LA pompe à essence de l'île (24h/24, CB acceptées).

DE KALMAR À JÖNKÖPING : LA ROUTE DES VERRERIES

Entre Kalmar et Växjö, on trouve la région des verreries : Nybro, Orrefors, Boda, Kosta, Skruf et Bergdala sont autant d'étapes possibles pour visiter l'une de ces fabriques perdues dans les épaisses forêts. Les verreries sont apparues dans la région au XVIIIe s mais prospérèrent surtout à la fin du XIXe s. À cette époque, plus de la moitié des 77 verreries que comptait le pays se situaient par ici. Depuis, le verre suédois a acquis une réputation quasi mondiale.

Pour parcourir cette route, il est évidemment bien plus pratique d'être motorisé. Cela permet de visiter plusieurs verreries. Cela dit, certaines d'entre elles sont accessibles en bus au départ de Kalmar. C'est l'unique solution pour les possesseurs de la carte *Inter-Rail.* Si vous êtes en voiture, il est parfaitement possible, au départ de Kalmar, de combiner la visite d'une verrerie à celle de l'usine de papier de Lessebo, et même de pousser jusqu'à Växjö pour son musée (voir plus bas), puis de rentrer le soir à Kalmar. Pour faciliter l'organisation de votre périple, demandez le dépliant *Glasriket* à l'office du tourisme de Kalmar ou de Växjö, qui reprend très clairement les différentes verreries sur une carte de la région. Des quinze verreries qui subsistent en Småland (c'est le nom de la région), certaines se sont groupées et constituent désormais un label. Il s'agit des groupes Orrefors, Kosta Boda (qui inclut la verrerie d'Åfors) et Svenska Glassbruk (Bergdala, Skruf et Älghults). Les autres sont plus petites mais n'en méritent pas moins une visite, selon ce que vous cherchez, car chacune propose des produits que vous ne trouverez pas nécessairement ailleurs.

– La plupart des verreries sont ouv lun-ven 9h-18h, sam 10h-16h et dim 12h-16h. Pour voir les souffleurs au travail, il faut s'y rendre en sem, généralement 9h-15h.

La verrerie d'Orrefors : *à Orrefors. Bus de Kalmar (rens à l'office du tourisme). Visite guidée en anglais gratuite, à tte heure de la journée fin juin-début août, slt sur demande le reste de l'année.* Importante verrerie qui fonctionne avec des artistes verriers et qui produit pas mal de gros objets design, notamment des vases. Musée du Verre où sont présentées les collections. Un magasin propose également tous les modèles à la vente.

La verrerie de Kosta : *à Kosta. ☎ (0478) 345-00. Bus de Kalmar.* Fondée en 1742, c'est la plus ancienne de la région. Comme pour Orrefors, visite de l'usine, explications et démonstration du soufflage. Petit office du tourisme en face et grand magasin à côté. Vous y trouverez des objets fonctionnels ou simplement décoratifs.

Pour ceux qui raffolent des visites de verreries, voici deux petites adresses qui n'ont pas la notoriété des deux précédentes, mais dont le côté artisanal ne manque pas de cachet :

La verrerie de Bergdala : *dans le village du même nom. ☎ (0478) 316-50.* Produit les traditionnels pots et bols à bord bleu.

La verrerie de Skruf : *dans le village de Skruf. ☎ (0478) 201-33. Visite guidée sur demande.* Recommandée par les gens du coin. Leur spécialité ? Un baromètre à eau fabriqué dans le style du XVIIIe s.

La fabrique artisanale de papier (Handpappersbruk) **de Lessebo :** *dans le village de Lessebo. ☎ (0478) 476-91. Ouv tte l'année, en sem 7h-16h. Visites guidées payantes (35 Sk, soit 4,50 €) en anglais de juin à mi-août, 9h30, 10h30, 13h et 14h15.* Ici, on manufacture du papier depuis 1623. Et, en gros, le procédé est toujours le même. Visite guidée fort intéressante, avec explications des différentes étapes de la fabrication du papier.

Småland Museum : *Södra Järnvägsgatan 2, Växjö. ☎ (0470) 70-42-00. • smalandsmuseum.g.se • Mai-sept, tlj 10h-17h (11h w-e). Entrée : 40 Sk (4,20 €) ; réduc ; gratuit jusqu'à 19 ans.* Le plus vieux musée provincial de Suède, mais on le mentionne surtout pour son expo permanente « Cinq siècles de verre suédois » qui retrace l'histoire de ce matériau dans le pays et permet de voir quelques beaux exemples de ce qu'on peut en faire. Le reste, dédié à l'histoire et au développement de la région du mésolithique à nos jours, est, notamment à cause du manque d'explications en anglais, d'un intérêt plus limité. À noter cependant que le 2e étage abrite l'une des plus importantes collections de monnaies du pays.

Où dormir ?

STF Vandrarhem Nybro : *Vasagatan 22, à Nybro. ☎ (0481) 109-32. Ouv début mars-fin nov. Réception 8h-10h, 17h-20h. Nuit 130-170 Sk (13,50-18 €). Également une partie hôtel, naturellement plus chère que l'AJ.* Grosse bâtisse jaune dans une rue calme de Nybro. Belle grande cuisine, coin TV avec fauteuils, sauna, solarium et photos des... verreries dans les couloirs. Possibilité de louer des vélos.

STF Vandrarhem Växjö : Evedals Brunn, *à Växjö. ☎ (0470) 630-70. En été, réception 8h-10h, 17h-20h. Fermé 20 déc-7 janv. Nuit 130 Sk (12-13,50 €).* Située au bord d'un lac, à quelques kilomètres au nord du centre. Chambres de 2 à 8 lits. Pêche possible.

JÖNKÖPING

117 000 hab. IND. TÉL. : 036

L'exemple même de la ville suédoise moyenne, pas vraiment désagréable mais pas vraiment excitante. Sa situation au bord du lac Vättern la rendrait plutôt sympathique. Pas grand-chose à voir, hormis deux visites. Mieux vaut éviter d'y dormir si vous n'êtes pas motorisé, car les deux AJ ne se trouvent pas à Jönköping même.

Adresses utiles

Office du tourisme : *dans la gare, au rez-de-chaussée. ☎ 10-50-50. • visitsmaland.com • En saison, ouv lun-ven 9h-19h, sam 10h-15h, dim 10h-14h.* Résa de chambres chez l'habitant.

✉ **Poste :** *Barnarpsgatan 17B. Ouv en sem 7h-19h.*

Internet : *à la bibliothèque, sur Odengatan. À côté du Länsmuseet. Ouv en sem 10h-20h ; sam 10h-14h, dim 13h-17h. Gratuit, mais mieux vaut réserver son moment.*

Gare ferroviaire : *en plein centre.*

Où dormir ?

Bon marché

Camping Rosenlund : *à env 3 km du centre, au bord de la falaise qui donne sur le lac, en allant vers l'est. ☎ 12-28-63. Pour s'y rendre, bus n° 1 de la gare. Ouv tte l'année. Forfait tente 160 Sk (17 €).* Camping de ville, plein de caravanes, mais c'est le plus proche du centre et, surprise, on y bénéficie d'une vue saisissante sur le lac (baignade possible à 500 m de là). Café-resto, aire de jeux, bref, bien équipé. Location de *stugor.*

STF Vandrarhem Rosendala : *situé à Huskvarna, à quelques km à l'est de Jönköping. ☎ 14-88-70. Pour s'y rendre de Jönköping, prendre le bus n° 1 à la gare. Réception 8h-10h, 17h-19h (21h juil). Nuit 150 Sk (16 €).* Sûrement ce nom résonne-t-il à l'oreille des amateurs de moto-trial, puisque c'est ici la patrie de ces terribles engins. À part ça, il s'agit d'une AJ (pas mal) moderne et fonctionnelle, dans une rue calme et impersonnelle, pas loin du centre-ville d'Huskvarna. Cuisine et coin à manger à chaque étage et chambres de 1 à 4 lits sans particularité.

STF Vandrarhem Spånhult : *situé à Norrahammar, à env 7 km au sud de Jönköping. ☎ 610-75. Pour y aller, pas pratique du tt. Bus nos 25 et 28 de la gare. Propose 26 doubles avec ou sans sanitaires 120-150 Sk/pers (12,50-16 €) pdt l'été, nettement plus cher le reste de l'année...*

Chambres chez l'habitant : *résa à l'office du tourisme.*

Plus chic

Grand Hotel : *Hovrättstorget (la grand-place). ☎ 71-96-00. • grandhotel-jonkoping.se • En été ou w-e, doubles à partir de 550 Sk (61 €), petit déj-buffet compris.* Belles chambres, confortables et bien finies, avec parquet et couvre-lit assorti aux tentures. Vraiment une bonne affaire l'été ou en fin de semaine.

Comfort Home Hotel Victoria : *FE Elmgrensgatan 5. ☎ 71-28-00. • choicehotel.se • Le w-e ou en été, compter 775 Sk (81 €) pour deux.* Installé dans un élégant bâtiment de la fin du XIXe s, cet hôtel propose, comme on peut s'y attendre, des chambres assez standardisées, mais impeccables et tout confort. Un peu cher, mais buffet le soir et super petit déj compris, vraiment très complet.

Où manger ?

Mäster Gudmunds Källare : Kappelgatan 2 (tt près du musée des Allumettes). ☎ 10-06-40. Tlj sf dim 12h-22h. Fermé en juil. Formule le midi 60 Sk (6,50 €) ; à la carte, plats moins de 200 Sk (21 €). Une cave voûtée chaleureuse où il fait bon s'asseoir. Et des plats plantureux qui changent des pizzas, comme le poulet au gorgonzola ou le renne au porto. Également des poissons du Vättern. Très sympathique.

ENTRE : Borgmästaregränd 10. ☎ 16-14-40. Tlj sf dim 18h-1h. Plats 170-215 Sk (18-22,50 €). Dans le petit quartier piéton du centre. Sert une cuisine un peu chère mais sophistiquée et... fort bonne, dans un décor design.

Où boire un verre ? Où danser ?

***Saltkråkan :** au port.* Sur le seul bateau amarré en permanence dans la « rade » de Jönköping. Atmosphère intime avec boiseries sombres et gros fauteuils. Très agréable. À côté se trouve le resto du même nom, engageant mais cher.

***The Bishops Arms :** Östra Storgatan 1. En plein centre, au tt début de la rue piétonne. Tlj jusqu'à 1h ou 2h.* Vous l'avez deviné, il s'agit d'un pub, d'un gros, très animé le week-end, avec des clairons, des marmitons et des chopes suspendues au plafond. Environ 60 sortes de bières *(Leffe, Corona, India Export, Hobgoblin...)* et 100 sortes de whiskies.

***Huset & Hyde Park Corner :** Norra Strandgatan 6. Mer-sam dès 21h.* Deux étages au-dessus d'un restaurant, qui accueillent chacun deux bars et une piste de danse. Clientèle dans la vingtaine et musique techno pour l'un, public plus âgé et musique plutôt disco pour l'autre. Quoi qu'il en soit, un des endroits les plus populaires de la ville.

À voir

***Le musée des Allumettes :** à côté de la gare, à gauche quand on lui fait face. ☎ 10-55-43. • jonkoping.se/kultur/matchmuseum • En été, ouv 10h-17h (15h w-e) ; hors saison, slt mar-sam 11h-15h. Entrée : 30 Sk (3,20 €) ; gratuit jusqu'à 15 ans.* C'est à Jönköping qu'est née la renommée des allumettes suédoises. Tout débuta au milieu du XIXe s, avec un prix gagné à l'Exposition universelle de Paris pour les allumettes de sécurité. Vingt ans plus tard, il y avait 38 fabriques d'allumettes en Suède. L'entreprise de Jönköping a cessé toute activité en 1971, après 126 ans d'exploitation, mais le beau musée retrace parfaitement l'histoire de cette industrie, d'autant qu'un fascicule en français remis à l'entrée vous permettra de suivre normalement l'exposition (une fois n'est pas coutume !). Si vous comprenez l'anglais, demandez aussi à voir le diaporama, très bien fait. À l'étage, petite exposition d'étiquettes, véritables œuvres d'art décoratif. Enfin, avant de partir, on peut acheter quelques boîtes d'allumettes au design ancien, pour le plaisir.

***Länsmuseet :** Dag Hammarskjöldsplats 1. ☎ 30-18-00. • jkpglm.se • Mar-dim 11h-17h (20h mer). Fermé lun (et dim hors saison). Entrée : 30 Sk (3,20 €) ; gratuit pour les étudiants et les moins de 12 ans. Livret-guide en anglais disponible.* Musée sur l'art et l'histoire de Jönköping. La visite commence par une section historico-archéologique, où l'on peut voir, par exemple, un squelette du Xe s, une grande scie, des silex, un vieux gramophone, des arquebuses, des oripeaux centenaires, etc. Un peu plus loin, jetez un œil sur les travaux de John Bauer, artiste de Jönköping célèbre pour ses dessins représentant le grand méchant troll et la gentille petite princesse. Son œuvre est passée en revue au travers d'une riche collection d'esquisses, mais aussi d'illustrations agrandies dans un espace sombre recréant l'atmosphère de son univers. Au 1er étage, images, documents et autres objets nous content l'histoire de la ville. Le reste est consacré à la peinture, avec des toiles des XIXe et XXe s qui changent assez régulièrement. Également des expositions temporaires.

DE JÖNKÖPING À STOCKHOLM

GRÄNNA

IND. TÉL. : 0390

Gros bourg sur la côte est du lac Vättern, avec ses vieilles maisons en bois et ses boutiques de « Candy ». Vous êtes dans la capitale du « Polkagrisar », sucre d'orge aux mille parfums. Depuis 1859, date à laquelle Amalia Eriksson découvrit cette recette, les boutiques de bonbons se sont multipliées dans la rue principale de Gränna. Aujourd'hui, c'est l'attraction principale. C'est aussi la ville de M. Andrée, explorateur un peu loufoque qui partit en ballon vers le pôle Nord en 1897, pour ne jamais revenir. On ne passe qu'une paire d'heures à Gränna, l'une des villes les plus visitées du pays, puis on poursuit sa route.
– Bon à savoir : le stationnement est gratuit dans toute la ville sauf sur le port.

Adresse utile

Office du tourisme : *à l'intérieur du musée Andrée, dans la rue principale. ☎ 410-10. • turist.grm.se • Tlj 10h-19h en été, 10h-17h sept-oct, 12h-16h le reste de l'année.* Résa de chambres chez l'habitant. Peu communicatifs.

Où dormir ?

Camping Getingaryds : *à 9 km au nord, en direction de Hödeshög. ☎ 210-15. Bus n° 671 depuis Gränna. Forfait tente 120 Sk (12,50 €).* Entre forêt et lac, un chouette camping avec des poneys. Manque un petit peu d'ombre, mais bon, bucolique quand même. De plus, la patronne parle un peu le français. Location de vélos et de *stugor.*

Camping et AJ Grännastranden Familje : *situé au bord du lac, à 1 petit km du centre-ville. ☎ 107-06. Réception 7h-22h. Forfait tente 150 Sk (16 €). Pour l'auberge, en chambres de 2 à 4 lits, 140 Sk/pers (15 €).* Terrain vaste, plat, assez impersonnel et sans arbres. Lui préférer l'autre. Bien équipé cependant, et accès direct aux eaux du lac. Location de *stugor* également, pour 2 ou 4 personnes.

Gränna Vandrarhem : *dans la rue principale. Rens auprès de l'office du tourisme (ce sont eux qui ont la clé). Nuit 120 Sk (12,50 €) en chambre 1-3 lits.* Il s'agit en fait d'une maison d'étudiants qui fonctionne de mi-juin à début août comme AJ.

Nombreuses ***chambres chez l'habitant,*** *également gérées par l'office du tourisme.* Prix très modérés, comme toujours.

Où manger ?

Amalia : *dans la rue principale, au n° 47. ☎ 100-17. Tlj 11h-16h (22h w-e). Formule midi 90 Sk (9,50 €) ou plats 70-150 Sk (7,50-16 €) ; également des sandwichs.* Excellente cuisine, simple, saine et soignée... dans un cadre mignon, typique de ce village. S'il fait beau, installez-vous sur la terrasse à l'arrière, qui donne sur les petits toits rouges.

🍴 **Hjorten Restaurang :** *juste à côté du musée Andrée, dans la rue principale.* ☎ *106-36. Tlj jusqu'à 22h.* Le resto du rez-de-chaussée propose, en saison, de copieuses pizzas pas chères et bien faites, dans un cadre gentillet. Le resto du 1er étage est un peu plus chic, quoique tout à fait abordable le midi, avec sa formule à 65 Sk (7 €). Naturellement, on y sert aussi quelques plats à la carte, genre hamburgers maison, saumon poché, agneau, etc.

🍴 **Grännagården :** *Hamnvägen (en contrebas de la rue principale). Tlj jusqu'à 20h.* Des pizzas et des plats italiens à prix moyens servis sur une terrasse agréable.

À voir. À faire

Les boutiques de Polkagrisar : pas besoin d'adresses précises. Les boutiques rouge et blanc (couleurs du sucre d'orge) emplissent la rue principale. Dans le fond des boutiques, derrière une vitre, on voit les artisans mettre au point, battre puis mélanger les pâtes molles avant d'en faire ce délicieux bonbon qui vous donnera de bien jolies caries.

Le musée Andrée : *dans la rue principale, à côté de la place centrale. Mêmes horaires d'ouv que l'office du tourisme. Entrée : 40 Sk (4,20 €) ; réduc.* Salomon August Andrée, accompagné de deux amis, un ingénieur et un photographe, décida, en 1897, de partir en expédition en ballon vers le pôle Nord. Plutôt sympathique comme idée. Seulement voilà, ils ne revinrent jamais. En l'honneur de ces aérostiers courageux, on ouvrit un musée. Dans de mignonnes maisonnettes en bois sont disposés différents objets, cartes, photos et documents ayant trait à l'expédition. Assez intéressant. Tous les ans, Gränna est le point de rencontre de dizaines d'aérostiers qui viennent rendre hommage à Andrée.

UN VOL QUI FIT FLOP

Aéronaute et ingénieur suédois né à Gränna, S. A. Andrée est mort dans sa tentative de rejoindre le pôle Nord en ballon à hydrogène. Lancée en grande pompe en 1897, l'expédition partit de Danskoya, au-delà du cercle polaire, bardée de vivres et d'instruments scientifiques. Après plusieurs messages optimistes via un pigeon voyageur, tout contact avec l'expédition fut rompu pendant plus de 30 ans. En 1930, des pêcheurs de baleines norvégiens ont découvert ce qui restait de l'expédition. Les journaux et les pellicules retrouvés sur place indiquent que le ballon s'est écrasé sur la banquise trois jours après le décollage et que les membres se sont frayé un chemin à travers la glace avant de périr de froid.

➢ **Balade :** les amoureux de la marche pourront emprunter le sentier de randonnée qui longe le lac Vättern depuis Gränna, sous le nom *John Bauer.* Renseignements à l'office du tourisme. Superbes vues sur le lac et balades bien agréables. Possibilité de louer des vélos également. Carte des pistes cyclables en vente à l'office du tourisme.

➤ DANS LES ENVIRONS DE GRÄNNA

L'ÎLE DE VISINGSÖ *(ind. tél. : 0390)*

Visingsö, paradis des oiseaux et des... théosophes. Ces mystiques y établirent leur centre pour toute la Scandinavie. L'île, longue d'une quinzaine de kilomètres, grouille de chevaux, de vaches et d'oiseaux divers. Alors, pourquoi pas une escapade d'un jour ou deux sur cette terre verdoyante et calme ? Vestiges historiques, campagne superbe, envolées d'oies, le calme parfait...

Comment y aller ?

➢ ***En ferry du port de Gränna :*** départ ttes les heures. Possibilité de passer une voiture. La traversée prend env 30 mn. Prix : 50 Sk/pers (5,30 €) et 165 Sk (17,50 €) pour une voiture.

Comment se déplacer sur l'île ?

– ***Location de vélos :*** indéniablement le meilleur moyen de se déplacer sur l'île, qui possède des proportions parfaites pour une découverte en deux-roues. *L'office du tourisme (ouv 10h-19h en été), au débarcadère, en loue. Compter 70 Sk (7,50 €). On peut aussi en louer à Gränna et les mettre sur le bac.* Un autre moyen de locomotion très répandu sur l'île : les *remmalags,* chars à bancs tirés par des chevaux. Dès la descente du bac, ils proposent plusieurs circuits, mais c'est cher et arrêt à 16h. Bon moyen pour se rendre à l'AJ si vous ne louez pas de vélo.

Où dormir ?

Erstadvikens Camping : *à Erstad, à une petite dizaine de km au nord de l'île, dans une zone peu intéressante. ☎ 405-83. Ouv de mi-mai à mi-sept. Emplacement 120 Sk (12,50 €).* Entre champ et lac, face à Gränna, un minuscule camping tout simple. Location de *stugor* (comme partout dans l'île).

Visingsö Vandrarhem : *à env 2,5 km du port. ☎ 401-91. Ouv début mai-fin août. Réception 10h-12h, 16h-19h. La réception ne se trouvant pas sur place, il faut téléphoner. Nuit 140 Sk (14,50 €).* Très belle AJ qui donne vraiment envie d'y passer la nuit.

Nombreuses ***chambres chez l'habitant*** *: rens à l'office du tourisme.*

Où manger ?

Tous les petits ***cafés*** sont près du débarcadère, ne les cherchez pas ailleurs.

– ***Épicerie*** *à Kumlaby.* On peut prendre un petit déj à la boulangerie.

À voir

Garden Temple : *entre Erstad et Kumlaby.* Ce curieux temple fut édifié par Mme Tingley. Cette mécène (qui permit l'installation de l'électricité sur l'île) était la responsable des théosophes. Les petites maisons qui se trouvent dans le parc sont ornées de frontons aztèques, d'angelots et autres motifs très kitsch. Plutôt rigolo.

➢ Au cours de votre promenade à bicyclette, voici une proposition de quelques haltes sympas, même s'il n'y a pas forcément grand-chose à voir :

Le château de Visingsborg : *non loin du débarcadère.* Ce château, aujourd'hui ruiné, a appartenu à la famille Brahe, qui régna fort longtemps sur les environs de Gränna. Elle fit construire nombre d'édifices dans l'unique but de montrer sa puissance.

Le jardin botanique de Visingsborg : *à côté du château.* Pour les amoureux des plantes.

L'église de Kumlaby : *un peu au nord du village.* Quelques vestiges du XIIe s et des fresques du XVe s. Possibilité de grimper au sommet de la tour tronquée, d'où l'on embrasse un joli panorama.

Le château de Näs : à la pointe sud de l'île. Là encore, il s'agit de ruines d'une forteresse du XIIe s qui brûla. Peut faire l'objet d'une promenade à travers les adorables chemins de l'île.

VADSTENA

IND. TÉL. : 0143

Un de nos villages médiévaux préférés en Suède. Même si elle est très visitée, la bourgade n'a rien perdu de son charme. Avec un château entouré d'eau où les pêcheurs ramassent les écrevisses à la pelle, les mignons bateaux qui mouillent autour, une magnifique abbaye et une animation estivale sympathique, Vadstena a tout pour retenir le touriste un jour ou deux. La présence du lac se fait sentir, tout comme une grande douceur de vivre. C'est ici que prend corps l'histoire de sainte Brigitte et que vécurent les rois Vasa.

L'HISTOIRE DE SAINTE BRIGITTE

Birgitta Birgersdotter, veuve avec huit enfants, se rend à Vadstena, au milieu du XIVe s, où elle a des visions. Celles-ci ont des conséquences politiques importantes. Magnus Eriksson, le roi de l'époque, décide d'entreprendre une croisade contre Novgorod et de construire ici un monastère. Le pape lui donne alors l'autorisation de fonder son ordre religieux, les brigittines, et le monastère devient un lieu de pèlerinage important au XIVe s. Brigitte meurt à Rome et est canonisée peu après. Sa dépouille est alors rapportée à Vadstena. En 2003, on a célébré le jubilé des 700 ans de la naissance de sainte Brigitte.

Adresses utiles

Office du tourisme : *au château.* ☎ *315-70.* ● *vadstena.se* ● *En été, tlj 10h-18h (19h juil) ; le reste de l'année, horaires plus restreints.* Organise des visites guidées en anglais (payantes) des différents centres d'intérêt du bourg. L'office du tourisme vend aussi des timbres et peut se charger de réserver des chambres chez l'habitant.

Gare : *à Motala, ville à 16 km au nord-est de Vadstena, ou à Mjölby, à 22 km au sud-est. Pour se rendre ensuite à Vadstena, bus n° 661 de Motala, ou nos 610 ou 611 de Mjölby.*

Où dormir ?

Bon marché

Camping Vättervik : *à 3 km au nord du village, au bord du lac.* ☎ *127-30. Bus n° 610. Ouv de début mai à mi-sept. Forfait tente 165 Sk (17,50 €).* Espace dégagé et bien aménagé à la fois. Vue sur le lac (pas très propre). Toboggan aquatique et sauna payant. Emplacements pour tentes à 2 km de la réception, loin des sanitaires. Camping néanmoins bruyant à cause du trafic routier en bordure. Superbe coucher de soleil sur le lac.

STF Vandrarhem Vadstena : *Skänningegatan 20.* ☎ *103-02. Réception 8h-9h30, 17h-20h. Nuit 145 Sk (15 €).* Grand bâtiment récent, à environ 300 m du centre. Chambres de 2 à 4 lits, réalisées dans de jolis tons. Une agréable halte.

– Une adresse de chambres d'hôtes que nous vous recommandons tout particulièrement :

Rosengården : *Bakgatan 11.* ☎ *123-86. En plein centre, dans une rue qui part de Stora Torget. Doubles 450 Sk (47 €).* Une petite maison en bois couverte de rosiers, 3 tables dans le jardinet, 2 chambres et 3 *flats* qui respirent la chaleur suédoise, avec TV et coin cuisine. Vraiment super !

Plus chic

Pensionat Solgården : *Strogåtan 3. ☎ 143-50. Doubles avec ou sans sanitaires 700-900 Sk (74-95 €), petit déj compris.* Dans une belle maison jaune, 18 grandes chambres très raffinées. Selon votre goût, vous choisirez la bleue, la rose ou la jaune. Beaux meubles. Grand salon et charmante hôtesse aux cheveux aussi blonds que la maison. Prix relativement élevés, mais absolument justifiés pour cette adresse de charme.

Où manger ? Où danser ?

Pizzeria Venezia : *Klostergatan 2. Pas très loin du* Klosterhotell. *Sert jusqu'à 22h ou 23h le w-e.* Décor de self, mais bonnes pizzas pas chères du tout. Environ 50 sortes *(ciao-ciao, poker, babylon, Vadstena special...).* Bien pour les fauchés.

Restaurant Vadstena Valven : *sur Stora Torget. ☎ 123-40. Tlj. Formule midi 100 Sk (10,50 €) ; le soir, c'est plus cher.* Sur la place, sympathique terrasse délimitée par un petit enclos en bois. L'intérieur est d'une simplicité presque monacale. Au menu : saltimbanque de veau, flétan poché, sole rôtie aux queues d'écrevisse... Bon et soigné, mais portions parfois un peu légères.

♫ **Slotts Magasinet :** *disco ouv jeu et sam.* Le lundi en saison, accueille aussi le *Monday Club*, un groupe populaire auprès des jeunes.

À voir

Avant les monuments, il faut d'abord visiter la ville elle-même. Son aspect général est plaisant, les maisons sont basses, les rues pavées et le tout d'une propreté à la suédoise.

Le château : *mêmes horaires d'ouv, à peu de chose près, que l'office du tourisme, mais ne vous y pointez pas trop tard, on nous a signalé une fermeture à 16h en août. Entrée : 55 Sk (6 €) ; réduc.* Surveillant le lac, cette imposante bâtisse est l'un des plus beaux exemples de la Renaissance hollandaise. De belles douves communiquant directement avec le lac servent de port aux bateaux de plaisance. Au rez-de-chaussée, exposition permanente sur l'histoire du château. Au 1er étage, le volume des pièces est superbe. Peintures et meubles d'époque.

L'abbaye de Sainte-Brigitte : *tlj 9h-20h en juil, 19h en juin et août, 17h en mai et sept.* Vaste église à trois nefs qui frappe par son dépouillement. Elle date du XVe s. C'est sainte Brigitte elle-même qui souhaitait un épurement total des lignes, une extrême simplicité. L'édifice n'en possède pas moins quelques œuvres de grand intérêt. Au fond du chœur, magnifique triptyque du XVe s avec sainte Brigitte en son centre, qui présente ses visions, encadrée par des saints. Le panneau inférieur dépeint l'Enfer et le Purgatoire. À côté, la châsse de la sainte. Le maître-autel accueille un étonnant retable évoquant en son centre le couronnement de la Vierge. Au hasard des recherches, on découvre encore une belle Madone (à gauche du chœur) ainsi que d'autres belles sculptures du Moyen Âge. Sur deux colonnes, situées à droite et à gauche de la nef centrale, deux statues de la sainte, des XIVe et XVe s. À gauche en sortant, vous pouvez aller jeter un œil au vieux couvent, ouvert tous les jours de 11h à 16h.

En face de l'église, très mignon café, à prix peu élevés.

La maison de Martin le fourreur : *ouv tlj (se renseigner à l'office du tourisme pour les horaires).* Derrière l'abbaye, cette maison du XVIe s en brique rouge vaut le coup d'œil pour ses formes biscornues. Musée de l'Hôpital à l'intérieur.

Rådhus : construit au XVe s, c'est sans doute l'un des plus anciens palais de justice du pays. Il est reconnaissable à sa puissante tour carrée. Entrée libre lorsqu'il y a des expositions ; sinon, c'est fermé.

Manifestations et festivals

– Festivals musicaux, expos et manifestations théâtrales en été, notamment une pièce retraçant la vie de la sainte.

LINKÖPING

134 000 hab. IND. TÉL. : 013

Malgré la cathédrale et son centre piéton plutôt agréable, Linköping est une ville assez quelconque. On y passe quelques heures et on s'en va. Pour la petite histoire (religieuse), c'est ici qu'au XIIe s l'Église suédoise se rattacha à Rome avant de faire à nouveau cavalier seul suite à la Réforme. La ville subit au cours des temps des destructions successives. Aujourd'hui, Linköping vit au rythme de ses 20 000 étudiants, profite de ses jolis parcs et de la quasi-absence de voitures dans le centre-ville.

Adresses utiles

Office du tourisme : *Linköpings Kommun, Östgötagatan, 5. ☎ 20-66-70. • linkoping.se • Près du parc du château, dans le bâtiment de la bibliothèque municipale.*

Internet : Site Cybercafé, *Bantorget 1. Près de la gare. Tlj 10h-22h (12h w-e). Sinon, il y a toujours la bibliothèque, sur Hunnebergsgatan, à l'extrémité ouest du quartier piéton.*

Change : *bureau* Forex *sur Storgatan, dans le centre. Tlj sf dim 9h-19h (15h sam).*

Gares ferroviaire et routière : *à 1 petit km au nord du quartier piéton.*

Location de vélos : Bertil Anderssons, *Platensgatan 27. ☎ 31-46-46.* L'office du tourisme loue également quelques bicyclettes.

Où dormir ?

Bon marché

Camping Glyttinge : *à 4 km à l'ouest de la ville. ☎ 17-49-28. Bus no 201 de la gare (arrêt à 500 m du camping). En voiture, accès fléché de l'E4. Ouv fin avr-fin sept. Forfait tente 150 Sk (16 €).* Cadre verdoyant. Très bon équipement (billard, sauna, vélos...) et piscine au club d'à côté, mais pas pratique pour les non-motorisés.

STF Vandrarhem Linköping : *à l'angle de Klostergatan et de Drottningatan, en bordure du quartier piéton. ☎ 35-90-00. Réception 8h-10h, 17h-19h (mais souvent quelqu'un l'ap-m). Lit à partir de 180 Sk (19 €).* Fait aussi hôtel. Ensemble convivial, proposant des chambres claires et agréables, avec sanitaires privés, TV, téléphone, ventilo et kitchenette ! Plutôt que de chambres, on devrait parler d'appartements, tant on se sent chez soi. Petit déj dans une charmante petite pièce à côté de la réception. Accès (payant) à Internet. Un excellent rapport qualité-prix.

Vandrarhem Ådalavillan : *Hamngatan 23. ☎ 10-59-00. Presque en face de* *la piscine, à 5 mn à pied du centre. Réception 8h-12h. Lit 100-150 Sk (10,50-16 €).* Petite AJ privée dans une maison classée. Chambres de 2 à 7 lits. Pas de petit déj, mais cuisine à disposition.

Plus chic

Park Hotel : *Järnvägsgatan 6. ☎ 12-90-05. Doubles env 1 000 Sk (105 €) en sem, mais nettement plus abordables le w-e ou en été.* Dans une maison d'époque située en face de la gare, 36 chambres meublées et arrangées à l'ancienne, plutôt agréables et confortables.

Où manger ?

Ghingis : *au cœur du quartier piéton, à l'angle de Klostergatan et Tanneforsgatan. ☎ 13-52-70. Tlj jusqu'à 23h (21h dim). Le midi, plat du jour 60 Sk (6,50 €) ou buffet asiatique ; le soir, buffet mongol 165 Sk (17 €) ou plats chinois ou vietnamiens à la carte moins de 180 Sk (19 €).* Une cuisine asiatique donc, de bonne facture, goûteuse et servie copieusement. La salle, spacieuse et agréable, est située au 1er étage, avec vue sur un petit coin de la Storatorget. Une adresse qu'on vous recommande sans retenue.

Gula Huset : *à l'angle d'Ågatan et Klostergatan. ☎ 13-88-38. Tlj jusqu'à minuit (21h dim). Formule midi 65 Sk (7 €) ; à la carte, 80-200 Sk (8,50-21 €).* Grande terrasse dans une cour intérieure, fort agréable aux beaux jours, et honnête petite cuisine, assez variée : tourtes, salades, lasagnes, hamburgers, viande, poisson... et même des plats mexicains et végétariens.

À voir

La cathédrale : *à l'angle d'Ågatan et de Persgatan.* Avec sa flèche élancée et la pureté de sa ligne gothique tardive, influencée par le style allemand, c'est l'un des monuments religieux les plus importants du pays ; elle fut achevée au XIVe s et subit quelques modifications jusqu'au XIXe s. Possibilité de visite guidée. Intéressant portail latéral entouré de jolies sculptures retraçant la vie du Christ. Splendide chaire du XVIIIe s. Le clou de la visite est un « arbre de la vie » tout en argent, sur lequel ont poussé des fruits merveilleux : pommes et raisins en or, oranges et pêches en verre... Chaque fruit symbolise une vertu. Esthétiquement, c'est un beau travail.

– Pour ceux que l'histoire de cette cathédrale intéresse en détail, un tout nouveau musée se trouve juste à côté, dans le Linköping Castle.

Sankt Lars Kyrka : *au croisement de la Storgatan et de la Sankt Larsgatan. Lun-jeu 11h-16h ; 15h ven ; 13h sam.* Une église curieuse. On la croirait toute neuve, mais ne vous y trompez pas : cet édifice ripoliné, plutôt laid de l'extérieur et assez pauvre sur le plan de la décoration, date de 1802 et a, en plus, été bâti sur les restes d'une église du XIIe s. De celle-ci il reste la crypte, peuplée de quelques squelettes et autres trouvailles issues de fouilles. On peut descendre dans les fondations médiévales de l'édifice en demandant la clé à l'entrée.

Länsmuseet : *sur Gråbrödragatan, près du croisement avec Vasavägen, pas loin de la cathédrale. ☎ 23-03-00. Mar 10h-20h ; mer-ven 10h-17h ; w-e 11h-16h. Fermé lun. Entrée : 20 Sk (2 €) ; réduc ; gratuit jusqu'à 17 ans.* Section archéologique très bien faite mais qui intéressera uniquement les routards sachant lire le suédois... Les autres peuvent se rabattre sur la section peinture, qui nécessite moins d'explications. Ne pas manquer les très bonnes toiles contemporaines et autres œuvres plastiques d'artistes suédois. Une vraie recherche des textures et l'utilisation providentielle de matériaux de récupération en font des pièces très originales.

Passagen Art Gallery : *Storatorget 2. ☎ 20-57-32. Tlj sf lun 11h-16h.* Ce centre d'activités cherche à promouvoir l'art moderne. Expos d'artistes locaux ou nationaux, atelier pratique pour les enfants, pièces de théâtre, concerts, etc. Tout le monde peut entrer, c'est gratuit et c'est une bonne idée.

Gamla Linköping : *à quelques km du centre, en direction de Motala. ☎ 12-11-10. Accès permanent.* Reconstitution de la vieille ville avec environ 90 maisons et bâtiments. Des gens y vivent et y travaillent pour distraire les touristes. Rues pavées, maisons fleuries, boutiques ancestrales, cafés à l'ancienne... auxquels on a un peu de mal à croire, même si toutes les maisons sont authentiques ! Pendant la journée, quelques animations et un petit musée de la Poste, ateliers d'artisans, etc. Sympathique balade pour ceux qui ont du temps.

Flygvapenmuseum : *à 7 km du centre, en direction de Motala. ☎ 28-35-67. Bus nº 213 de la gare centrale. Ouv en été tlj 10h-17h ; le reste de l'année, mar-dim 12h-16h. Entrée : 40 Sk (4,20 €) ; gratuit jusqu'à 15 ans.* Une cinquantaine de modèles d'avions de l'armée suédoise, comme le Phönix 122, le Macchi M7, ou encore des appareils *Saab.* Pour les fans.

À faire

➢ Une agréable ***promenade le long du Kinda kanal,*** à pied ou à vélo, voire en bateau. Adressez-vous alors à *AB Kinda Kanal (Södra Stånggatan 1 ; ☎ 12-68-80).*

KOLMÅRDEN

Infos générales sur le parc : ☎ 011-249-000. • kolmarden.com • Il ne s'agit pas d'une autre ville mais d'un parc animalier, situé à env 35 km au nord-est de Norrköping. Une halte recommandée à ts les amoureux des animaux. Pour y aller, prendre l'autoroute E4 et se laisser guider par le fléchage. Également accessible en bus nºs 432 et 433 à partir de la gare centrale de Norrköping. Au moins 1 départ ttes les heures en sem. Compter 40 mn de trajet. Ouv début mai-fin sept : juin-août, tlj 9h-18h ; le reste de la saison, 10h-17h. Entrée : 195 Sk (20,50 €) pour le zoo et le delphinarium ; 80 Sk (8,50 €) pour le « parc safari » ; réduc pour les enfants. Il existe aussi un billet couplé, mais pas très avantageux.

– ***Le zoo :*** intelligemment aménagé. Ici, on privilégie la qualité de l'environnement des animaux plutôt que leur quantité, une conception qui renvoie notre zoo de Vincennes à l'âge de la pierre. Si vous avez les moyens, c'est une visite à ne pas louper, en accord parfait avec la mentalité écologique et le respect de la nature qui caractérisent les Suédois. Compter 1h pour en faire le tour, et encore, sans vous arrêter. Bien entendu, restos, boutiques de souvenirs, kiosques et w-c sont disséminés un peu partout dans le parc. Un petit téléphérique permet aussi de l'admirer d'en haut, mais bien sûr, il faut payer un supplément (assez important).

– ***Le delphinarium :*** 5 shows en haute saison, en principe dès 12h. *Entrée incluse dans le billet du zoo.* Au programme : acrobaties, sauts, pirouettes et gentils sourires de nos amis les dauphins.

– ***Le Safari Park :*** se fait en petit train (5 départs/j.) ou en voiture. Circuit de 3 km assez décevant. Les voitures se traînent pare-chocs contre pare-chocs dans les 65 ha du parc, ce qui devient vite agaçant. Un peu comparable à l'autoroute Lyon-Marseille un 15 août, sauf qu'il y a des bestioles curieuses au bord de la route. Si vous prenez le petit train, le commentaire qui y est diffusé est censé faciliter le repérage des animaux, mais comme celui-ci n'est qu'en suédois...

ÖREBRO

127 000 hab. IND. TÉL. : 019

Ville sans attraction majeure, mais qui mérite tout de même une visite de quelques heures si vous passez dans le coin. Le centre, tranquille, est traversé par le fleuve Svartån, que l'on peut longer vers l'est jusqu'à la vieille ville. En plein milieu d'Örebro trône un gros château élégant du XVIe s, le principal intérêt touristique. On viendra ici pour le voir, flâner dans les rues du centre, et – pourquoi pas ? – faire la fête, car Örebro, avec son important quota d'étudiants, a tendance à se déchaîner les mercredi, vendredi et samedi soir...

Adresses utiles

***Office du tourisme :** à l'intérieur du château. ☎ 21-21-21. • orebro.se/turism • En été, ouv en sem 10h-18h, w-e 10h-16h.* Bien documenté, comme toujours. Vente de timbres et accès (payant) à Internet. Propose aussi quelques chambres chez l'habitant.

***Change :** au bureau* Forex, *sur Drottningsgatan, à env 500 m au sud du château. Ouv 9h-19h (15h sam). Fermé dim.*

***Gare ferroviaire :** à un peu plus de 500 m au nord-ouest du château.*

Où dormir ?

Bon marché

***Camping Gustavsvik :** Sommarrovägen. ☎ 19-69-50. À env 2 km au sud du centre. Bus no 11 de la gare. Ouv fin avr-fin oct. En hte saison, forfait tente 225 Sk (23,50 €).* Vaste camping 5 étoiles installé à côté d'un grand parc aquatique. Dispose de tout ce qu'on peut trouver dans un camping : magasin, café, resto, *stugor,* vélos, ping-pong, Internet (payant), boîte aux lettres, *adventure* minigolf et même deux petits étangs où il est possible de pêcher... De plus, moitié prix pour le parc aquatique si vous résidez au camping.

***STF Vandrarhem Grenadjären :** Fanjunkarenvägen 5. ☎ 31-02-40. Belle AJ au milieu d'un parc, à env 1,5 km au nord-est du centre. On peut y aller en bus (no 16, de Järntorget, à deux pas du château), mais le trajet est faisable à pied. Réception 8h-10h, 17h-21h. Pour les membres, lit 130 Sk (14 €).* Chambres claires et spacieuses de 2 à 6 lits. Certaines, un peu plus chères, disposent de TV et de sanitaires privés. Location de vélos et de rollers.

Plus chic

***Hotell Göta :** Olaigatan 11. ☎ 611-53-63. À deux pas du château. Réception au 1er étage. Doubles 600 Sk (63 €) en été ou le w-e, petit déj compris.* Une bonne affaire que ce sympathique petit hôtel, qui plus est très central. Les chambres sont claires, confortables et bien arrangées, avec du mobilier glané à droite et à gauche. Ensemble plaisant et très bien tenu.

Où manger ? Où boire un verre ? Où sortir ?

***Svampen :** ☎ 611-37-35. À 1,5 km au nord du centre. Prendre le bus no 16 de Järntorget, tt près du château. En voiture, suivre l'Östra Bangatan vers le nord. Cafétéria ouv 10h-18h (été). Plat du jour 65 Sk (7 €).* C'est l'autre château de la ville... le château d'eau ! Avec sa forme de champignon et ses vilaines rayures, vous ne pourrez pas le rater. La montée est gratuite. En haut, jolie vue sur la ville, le lac et la région. Prix de la cafétaria corrects, et puis, c'est original de manger au-dessus de 9 000 m^3 d'eau.

🍽 ♫ ***Restaurant Babar :*** *sur Kungsgatan, à un jet de pierre du château. ☎ 10-19-00. Mer, ven-sam jusqu'à 2h. Plat du jour 65 Sk (7 €) ; à la carte, moins de 100 Sk (10,50 €).* Endroit sympathique où l'on se presse le midi pour profiter de l'excellent plat du jour. Pas trop cher non plus à la carte. Le soir, le lieu se métamorphose, comme beaucoup d'autres dans ce périmètre, en discothèque, et l'on s'y presse à nouveau, comme le midi, mais plus pour la même chose.

🍽 ***Restaurant Wobbler :*** *Kyrkogatan 2. ☎ 10-07-40. À côté de l'église Saint-Nicolas. Tlj 11h-minuit. Formule midi 65 Sk (7 €) ; sinon, plats 140-190 Sk (15-20 €).* Fait un peu cantine à l'intérieur, surtout le midi lorsque ça grouille de monde, mais ne vous y fiez pas : c'est un resto fort réputé à Örebro. Au menu : entrecôte suédoise, soupe de poisson maison à l'aïoli, lasagnes aux courgettes... Terrasse couverte sur le trottoir.

🍽 🍷 ♫ ***Harrys :*** *Hamnplan, derrière le Länsmuseet. Tlj 17h-23h.* Grosse bâtisse en brique rouge posée à côté de la rivière. Vaste terrasse, cadre agréable. Également un pub plein de boiseries à l'intérieur, pour boire un verre. Beaucoup de monde le soir, malgré une cuisine qui a ses hauts et ses bas... Boîte les vendredi et samedi.

🍽 🍷 ♫ ***Björnstugan :*** *Kungsgatan, en face du* Babar. Encore un resto-bar-boîte qui ne désemplit pas ! *Live band* le mercredi, *club music* le week-end et grand lieu de rendez-vous pour tous ceux qui travaillent dans la restauration le dimanche !

♩ ***Klaras :*** *Trädgårdsgatan 5, près du* Harrys. *Mer, ven-sam dès 21h.* Sur 3 étages, *R'n'B,* soul, rock, disco, techno... Toujours aussi couru depuis 45 ans !

À voir

★★ ***Le château :*** *joliment situé, sur un îlot au centre d'Örebro. Visite guidée en anglais 1 fois/j. Entrée : 60 Sk (6,50 €).* Sa construction fut commencée au XIIIe s et achevée au XVIIe s. Il a vu défiler de nombreux souverains... et prisonniers de guerre. En fait, hormis une exposition sur l'histoire du château dans une des tours, il n'y a quasiment rien à voir car l'intérieur a été complètement aménagé en salles de conférences, de mariages, et sert même de lieu de résidence au gouverneur de la région !

★ ***Wadköping :*** *le site est ouv tt le temps mais actif slt 11h-17h.* Vieille ville reconstituée, au bord du fleuve, à l'est du centre. Comme beaucoup de villes suédoises, Örebro a cru bon de bâtir des cabanes en bois « d'époque », où des artisans travaillent « comme à l'époque » pour contenter les touristes. Du toc. Enfin, ça fait une balade !

★ ***Länsmuseum/Konsthall :*** *Engelbrektsgatan 3. Tt près du château. Ouv 11h-17h (21h mer). Entrée gratuite.* Musée pas génial. Quelques infos sur l'histoire d'Örebro, peintures suédoises et, au sous-sol, un trésor, avec des médailles, de la vaisselle, deux ou trois oripeaux, des objets d'église et quelques armes... c'est tout. S'il pleut des cordes et que vous êtes fan d'art moderne, faites un tour au Konsthall, juste à côté, dans Olaigatan.

KARLSTAD

80 000 hab. IND. TÉL. : 054

Capitale de la province du Värmland, chère au cœur de Selma Lagerlöf, Karlstad, même si elle n'est pas désagréable, ne revêt pas d'intérêt particulier pour le touriste. C'est plutôt une ville de transit vers la Norvège ou vers le nord

de la Suède, quoique aussi un bon point de départ pour de belles balades dans la région, notamment sur les bords du lac Vänern.

Adresses utiles

Office du tourisme : *Drottninggatan 45. ☎ 14-80-49. • varmland.org • En saison, ouv en sem 9h-19h, sam 10h-18h, dim 11h-16h.*

Poste : *dans le centre commercial en face de la gare. Ouv en sem 9h-18h.*

Internet : *au vidéo-store* Bogart, *Östra Torggatan 6 (la rue principale). Tlj 10h-23h.*

Gare ferroviaire : *Hamngatan. Rens : ☎ 0771-75-75-75 (n° national). En plein centre.* Très bonne desserte des grandes villes suédoises et de la Norvège.

Gare routière : *à 100 m de la gare ferroviaire centrale. Rens : ☎ 020-22-50-80 (pour le trafic régional).* Dessert les grandes villes suédoises et la Norvège.

*Possibilité d'***emprunter des vélos** *à l'angle de Västra Torggatan et de Kungsgatan, en sem 7h30-19h, sam 10h-15h30.* En voilà une bonne idée !

Où dormir ?

Bon marché

Bomstad-Badens : *à 9 km à l'ouest de la ville, au bord du lac Vänern. ☎ 53-50-68. • bomstad-baden.se • Ouv début mai-fin sept. En saison, forfait tente 150 Sk (16 €).* Site très agréable, planté de pins, face aux eaux du plus grand lac d'Europe (occidentale). Petites plages. Animation musicale en été. Location de vélos.

Vandrarhem Karlstad : *Ullebergsvägen. ☎ 56-68-40. À 3 km à l'ouest du centre-ville. Réception 8h-10h, 17h-20h. Nuit 130 Sk (13,50 €).* Grande bâtisse jaune, un rien austère et vieillotte à l'intérieur, mais les chambres sont correctes. Environnement calme et pelouse agréable à l'avant.

Prix moyens

Hôtel Freden : *Fredsgatan 1A. ☎ 21-75-82. • fredenhotel.com • Doubles 400 Sk (42 €) en été et le w-e ; 560 Sk (59 €) le reste du temps. Petit déj payant.* Chambres simples mais propres et, surtout, adresse très centrale.

Plus chic

First hotel Plaza : *Västra Torggatan 2. ☎ 10-02-00. À deux pas de la gare. Cher pdt l'année mais très intéressant l'été, où les doubles partent pour à peine (si, si, à peine) 700 Sk (73,50 €), petit déj compris.* À ce prix-là, on fait une affaire, car les chambres, ici, c'est pas le matelas à ressort, le petit mobilier usé et les rideaux tachés...

Où manger ? Où boire un verre ? Où sortir ?

Le gros de l'animation se concentre sur les quelques rues autour de Storatorget, la place principale. Sur Västra Torggatan notamment, vous trouverez de nombreuses terrasses de bars et de restos. Le petit port, derrière la voie ferrée, est également assez vivant le soir.

Arena : *sur Storatorget. ☎ 21-95-95. Tlj jusqu'à minuit. Formule le midi 90 Sk (9,50 €) ; à la carte, plats 90-150 Sk (9,50-16 €).* Vaste terrasse couverte qui déborde largement sur la place. Cuisine d'inspiration américaine (burgers, *barbecue spare ribs...*), mais aussi des pâtes et des salades. Plat du jour honnête. Pas le meilleur resto de Suède, c'est entendu, mais l'un des endroits les plus populaires de Karlstad. Disco du jeudi au samedi dès 22h, avec de la musique live un soir par semaine. Plutôt pour les moins de 25 ans.

Hôtel Plaza *(voir plus haut)* **:** *ce n'est pas si cher : formule midi 70 Sk (7,50 €) et plats à la carte 100-200 Sk (9,50-21 €).* Fait également resto, pub et boîte. La disco, elle, fonctionne les mercredi et samedi d'été, dès 21h. Clientèle plus âgée qu'à l'*Arena*.

À voir

Värmland Museum **:** *Sandgrundsudden. ☎ 14-31-01. En plein été, tlj 10h-17h ; le reste de l'année, tlj sf lun, horaires plus restreints. Entrée : 40 Sk (4,40 €) ; réduc.* Musée consacré à l'histoire de la province, avec notamment une section intéressante sur les différents mouvements artistiques qui s'y sont développés. Salle dédiée au poète Gustaf Fröding (1860-1911).

➤ DANS LES ENVIRONS DE KARLSTAD

Le manoir d'Alster **:** *à 6 km à l'est de Karlstad par l'E18. Ouv mai-août 11h-18h. Entrée : 30 Sk (3,20 €).* Le manoir où naquit Gustaf Fröding est aujourd'hui transformé en un musée évoquant sa vie et son œuvre, ainsi que celles d'autres célébrités régionales.

Mårbacka **:** *à env 60 km au nord de Karlstad. ☎ (0565) 310-27. Prendre la direction de Sunne, Mårbacka est situé un peu avt. De mi-mai à fin août, tlj 10h-16h (17h juil). Entrée : 65 Sk (7 €) ; réduc. Tour guidé inclus.* C'est la maison natale et d'enfance de **Selma Lagerlöf** (1858-1940), grande conteuse suédoise et première femme à avoir obtenu le prix Nobel, en 1909. C'est aujourd'hui un petit musée consacré à la vie de son illustre occupante. Cette dernière est toujours restée fidèle à Mårbacka et à la région. Elle s'est d'ailleurs beaucoup nourrie de cet attachement pour l'écriture de ses romans, notamment *L'Histoire de Gösta Berling*. Le manoir d'Ekeby qu'elle y évoque n'est autre que le manoir de Rottneros, et le village de Broby ressemble fort à Sunne. Selma Lagerlöf doit aussi une bonne part de sa célébrité au *Merveilleux Voyage de Nils Holgersson à travers la Suède*. Ce livre a en fait été écrit à la suite d'une commande de la Direction générale des écoles en 1901, qui voulait faire connaître aux petits Suédois leur propre pays, et lutter contre la vague d'émigration vers les États-Unis.

Le manoir de Rottneros **:** *à env 65 km de Karlstad et 6 km au sud-est de Sunne. ☎ (0565) 602-95. Mai-sept, tlj 10h-17h. Fermé oct-avr. Entrée : 100 Sk (10,50 €) ; réduc ; gratuit jusqu'à 14 ans.* Ce n'est pas le manoir en lui-même qui est intéressant, puisqu'il ne se visite pas, mais plutôt son superbe parc de 40 ha, ses jardins magnifiques qui descendent vers le lac Fryken et les nombreuses sculptures qui les ponctuent : œuvres, notamment, de Carl Milles et de Carl Eldh.

Rackstadsmuseet **:** *à* ***Taserud*** *près d'Arvika, à env 75 km au nord-ouest de Karlstad. En été, tlj 11h-17h ; avr-mai et sept, fermé lun ; oct-mars, ouv slt jeu et w-e 11h-16h. Entrée : 60 Sk (6,50 €) ; réduc.* Vers la fin du XIXe s, une poignée d'artistes suédois de renom, tels Gustav et Maja Fjaestad, Björn Ahlgrensson, Fritz Lindström, Ture Ander et Bror Lindh, entre autres, choisirent de travailler autour du lac Racken. Dans ce musée sont exposées leurs peintures, ainsi que de l'artisanat de qualité. Café proposant de bonnes pâtisseries faites maison.

STOCKHOLM

762 800 hab. IND. TÉL. : 08

Bâtie sur un site superbe, répartie sur quatorze îles à l'embouchure du lac Mälaren, Stockholm collectionne les paradoxes : une vieille ville piétonne très belle, principalement du XVIIIe s, voisine avec un centre moderne particulièrement raté. Des parcs immenses et presque sauvages côtoient un infernal système d'autoroutes urbaines qui transforment parfois l'agglomération en un labyrinthe exaspérant pour le chauffeur néophyte. Au sud du centre-ville, Stockholm recèle quelques quartiers bohèmes, à l'atmosphère un peu décalée, que ceux qui ont un peu de temps ne négligeront pas d'explorer. Et puis il y a ce souci écologique permanent qui fait de Stockholm une des seules capitales au monde où l'on peut se baigner dans les bras de mer sans craindre d'être foudroyé par la typhoïde. Mode de vie décontracté, effervescence créative... la ville est devenue en quelques années une capitale branchée et cosmopolite dont la modernité et le dynamisme font la fierté de ses habitants et la joie des touristes. Aux oubliettes la légendaire réserve et la modération institutionnalisée, Ice-Borg, la grisaille et la nounoucratie soporifique. La glace a fondu : on y mixe à présent à peu près toutes les cuisines et toutes les musiques du monde, et la pop suédoise, la mode, les nouvelles technologies ont balancé les vieilles mentalités aux orties. Il n'y a qu'à voir l'animation des bars dès le jeudi soir. On la savait reine du design : la belle de la Baltique accède désormais au titre envié de métropole *trendy* et culturelle sur qui soufflent de nouvelles tendances urbaines. Une capitale qui bouge et qui peut désormais faire l'objet d'un mini-trip à elle toute seule, comme on va à Prague ou à Barcelone pour un week-end ! Qu'on se le dise...

UN PEU D'HISTOIRE

Les débuts de Stockholm

La première mention de la ville de Stockholm date de 1252. La ville se réduit alors à la petite île de Gamla Stan (vieille ville). Elle aurait été fondée par Birger Jarl, afin de protéger le pays des invasions par des flottes étrangères et de mettre fin aux pillages dont étaient victimes des villes comme Sigtuna sur le lac Mälaren. Le premier bâtiment construit est un fort qui contrôle le trafic maritime entre la mer Baltique et le lac. Sous l'influence de Magnus Ladulås, la ville prospère grâce à ses relations commerciales avec la Hanse, et particulièrement Lübeck. En 1289, elle devient la plus grande ville de Suède. La peste noire la ravage en 1349.

L'union de Kalmar

Stockholm est proclamée capitale de la Suède en 1419. Sa position stratégique ainsi que son poids économique en font une place importante dans les relations entre les rois danois de l'Union de Kalmar. Elle voit de nombreuses batailles se dérouler, comme celle de Brunkeberg gagnée en 1471 par Sten Sture le « Preux chevalier » contre le roi du Danemark, Christian 1er. Le mouvement de rébellion est cependant sévèrement réprimé par Christian II de Danemark qui entre dans Stockholm à la tête de son armée en 1520, exigeant des Suédois qu'ils le reconnaissent comme roi. Pour asseoir son autorité, il fait ensuite décapiter une petite centaine d'opposants (appartenant surtout à la noblesse). Le bain de sang de Stockholm met un terme à l'union de Kalmar.

Et voilà les Vasa

Cet acte fera naître un nouveau mouvement de révolte, mené par Gustav Vasa, qui, deux ans plus tard, libère Stockholm et la Suède de la domination danoise, devient

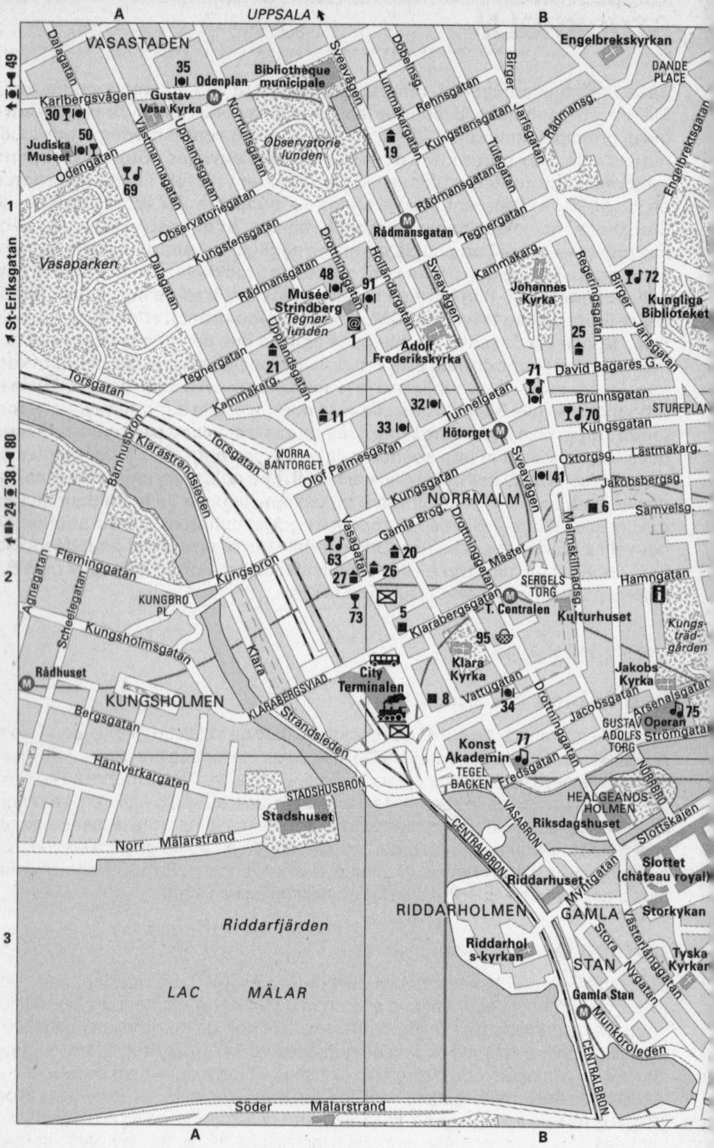

A
UPPSALA
B
VASASTADEN
Dalagatan
35
Odenplan
Bibliothèque municipale
Sveavägen
Döbelnsg.
Birger Jarlsgatan
Engelbrekskyrkan
DANDERYDS PLACE
Karlbergsvägen
Gustav Vasa Kyrka
30
50
Judiska Museet
Odengatan
Västmannagatan
Upplandsgatan
Norrtullsgatan
Observatorie lunden
Luntmakargatan
Rehnsgatan
19
Kungstensgatan
Tulegatan
Rådmansg.
Engelbrektsgatan
69
1
Observatoriegatan
Rådmansgatan
Tegnergatan
St-Eriksgatan
Vasaparken
Kungstensgatan
Drottninggatan
Holländargatan
Kammakarg.
Johannes Kyrka
Regeringsgatan
72
Kungliga Biblioteket
48
91
Musée Strindberg
Tegnerlunden
1
21
25
Adolf Frederikskyrka
Torsgatan
Kammakarg.
71
David Bagares G.
Brunnsgatan
STUREPLAN
32
Tunnelgatan
70
Kungsgatan
11
33
Hötorget
Klarastrandsleden
Barnhusbron
NORRA BANTORGET
Olof Palmesgatan
Oxtorgsg.
Lästmakarg.
41
Jakobsbergsg.
80
38
24
NORRMALM
6
Samvelsg.
Malmskillnadsg.
Gamla Brog.
Vasagatan
63
20
Flemingatan
2
Agnegatan
Scheelegatan
Kungsbron
27
26
Mäster Samuelsgatan
SERGELS TORG
Hamngatan
KUNGBRO PL.
73
5
Klarabergsgatan
T. Centralen
Kulturhuset
Kungsträdgården
Kungsholmsgatan
95
Klara
Klara Kyrka
Jakobs Kyrka
Rådhuset
City Terminalen
KLARABERGSVIAD.
KUNGSHOLMEN
8
Vattugatan
34
Jacobsgatan
Arsenalsgatan
75
Bergsgatan
Strandsleden
GUSTAV ADOLFS TORG
Operan
Strömgatan
Konst Akademin
77
Hantverkargatan
TEGEL BACKEN
Fredsgatan
NORRBRO
STADSHUSBRON
HELGEANDSHOLMEN
Stadshuset
VASABRON
Riksdagshuset
Slottskajen
Norr Mälarstrand
CENTRALBRON
Slottet (château royal)
Riddarhuset
Myntgatan
RIDDARHOLMEN
GAMLA STAN
Storkykan
Västerlånggatan
3
Riddarfjärden
Riddarholmskyrkan
Stora Nygatan
Tyska Kyrkan
LAC MÄLAR
Gamla Stan
Munkbroleden
CENTRALBRON
Söder Mälarstrand
A
B

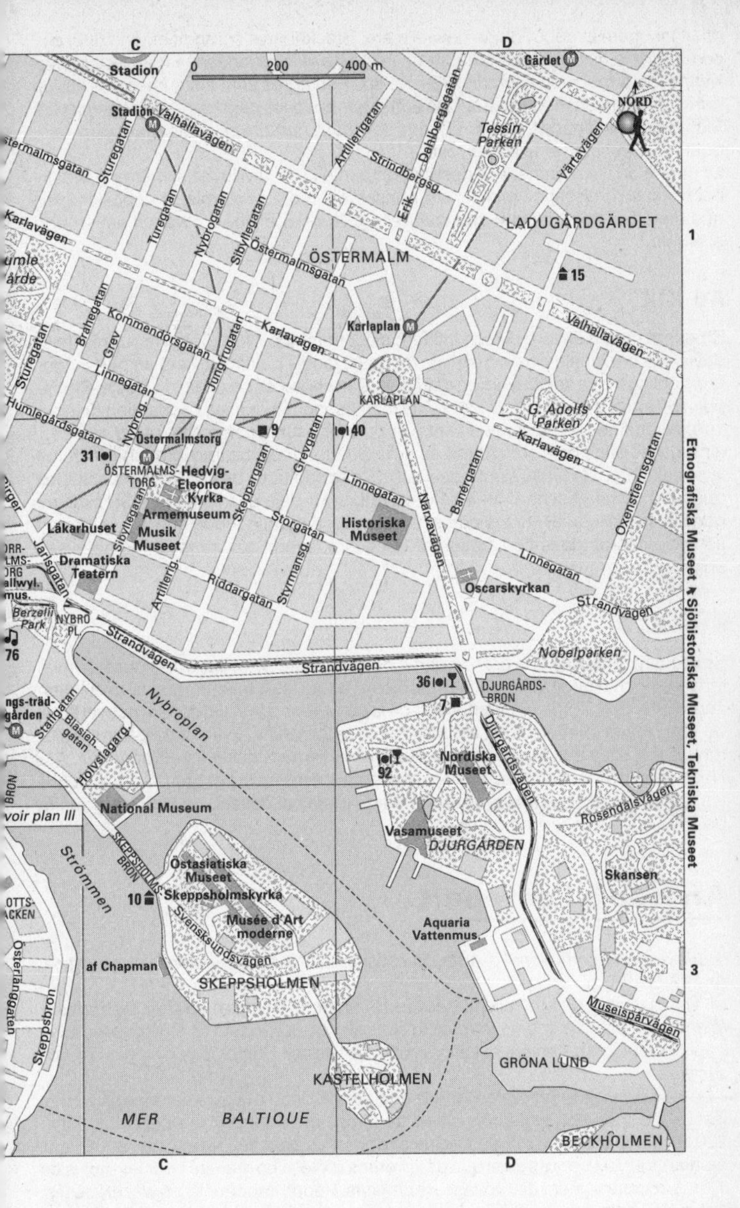

STOCKHOLM – NORD (PLAN I)

roi et inaugure le début d'une nouvelle ère. Stockholm s'agrandit et, en 1600, elle compte déjà dix mille habitants et devient une ville européenne d'envergure. Au XVIIe s, sa population est multipliée par six. Peu après sont instaurées des règles qui lui donnent un monopole sur les échanges entre les négociants étrangers et les territoires scandinaves. À cette époque sont bâtis nombre de châteaux et de palais, dont la *riddarhuset* et le Palais royal.
La guerre du Nord entraîne la destruction partielle de la ville mais, même si Stockholm voit sa croissance ralentir, elle conserve toutefois son rôle de capitale politique de la Suède et affirme sa supériorité culturelle. L'Opéra royal en est un bon exemple.

Au XIXe s

Stockholm perd encore de son influence économique. Norrköping la supplante et devient la principale cité industrielle du pays, tandis qu'elle devient un port incontournable grâce à son ouverture maritime. Dans la seconde partie du siècle, Stockholm retrouve son rôle de leader sur le plan économique avec l'apparition de nouvelles industries, et devient un centre important pour le commerce et les services, ainsi que la principale porte d'entrée de la Suède. Une forte immigration fait croître la population : à la fin du siècle, seuls 40 % des habitants de la ville y sont nés. Des quartiers commencent alors à se développer au-delà des limites de Stockholm, dans la campagne et sur les côtes. C'est aussi à cette époque que la ville accroît son rôle central dans l'éducation et la culture, avec l'ouverture de nombreuses universités.

Au XXe s

Stockholm réhabilite une grande partie de son centre-ville, alors composé de rues étroites enchevêtrées qui posent problème au fur et à mesure que la circulation augmente. En 1923, le gouvernement de la commune s'installe dans le nouvel hôtel de ville. Après 1945, la zone est rasée puis reconstruite, avec de larges rues piétonnes ainsi que des buildings. Dès 1950, le métro de Stockholm est construit. À la fin du siècle, Stockholm est une ville moderne, cosmopolite et très en avance dans les domaines technologiques ; le district de Kista est devenu un important centre pour les nouvelles technologies.

Arrivée à l'aéroport

✈ *L'aéroport international d'**Arlanda** est situé à env 40 km au nord de la capitale.* ☎ *797-60-00.*
➢ Des navettes de bus relient, ttes les 15 mn env, l'aéroport au ***City Terminalen*** *(plan I, B2)*, près de la gare ferroviaire centrale. Coût : 95 Sk (10 €) ; bonnes réduc pour les étudiants, seniors et juniors (jusqu'à 18 ans). Durée : env 40 mn. • *flygbussarna.se* •
– Le train *Arlanda Express* vous mène également jusqu'à la gare centrale en 20 mn. Il est aussi fréquent, met 2 fois moins de temps mais coûte 2 fois plus cher. Tarif : 220 Sk (23 €). Cependant, des réduc importantes sont accordées tte l'année aux étudiants et aux seniors ainsi que des promos d'été avec gratuité pour les moins de 17 ans accompagnant des voyageurs payants. Réduc importante les w-e et j. fériés. Achat des billets aux distributeurs disséminés un peu partout dans l'aéroport, au guichet de vente situé dans la salle d'arrivée ou bien sur le quai. Il coûte 50 Sk de plus s'il est acheté à bord.
– La solution taxi vous coûtera env 400 Sk (42 €).
– Les compagnies de loc de voitures sont ttes regroupées dans un bâtiment non loin de l'aéroport. Pour s'y rendre, prendre leur minibus gratuit à la sortie du terminal.

– Enfin, vous trouverez dans l'aéroport des distributeurs de billets acceptant les principales cartes, ainsi que plusieurs bureaux de change (qui, curieusement, pratiquent tous un taux un peu différent), dont ***Forex*** (le taux le plus intéressant).

Adresses utiles

- Office du tourisme *(plan I)*
- Poste *(plan I)*
- Gare ferroviaire centrale *(plan I)*
- City Terminalen *(plan I)*
- **1** Drottninggatan 81 *(plan I)*
- **2** Police *(plan II)*
- **4** Hôpital *(plan II)*
- **5** Pharmacie ouverte 24h/24 *(plan I)*
- **6** Akademibokhandeln *(plan I)*
- **7** Djurgårdsbrunns Sjöcafé *(plan I)*
- **8** Kartcentrum *(plan I)*
- **9** Librairie française *(plan I)*

Où dormir ?

- **10** STF Vandrarhem Af Chapman & Skeppsholmen *(plan I)*
- **11** City Back-Packers *(plan I)*
- **12** Youth Hostel Mälaren *(plan II)*
- **13** Gustaf af Klint *(plan II)*
- **14** Anno 1647 Hotell *(plan II)*
- **15** STF Backpackers Inn *(plan I)*
- **16** STF Vandrarhem Zinkensdamm *(plan II)*
- **17** Hotel Columbus *(plan II)*
- **18** Hotel Rival AB *(plan II)*
- **19** Hostel Bed & Breakfast *(plan I)*
- **20** City Lodge *(plan I)*
- **21** Hotel Bema *(plan I)*
- **22** Hotel Tre Små Rum *(plan II)*
- **23** Best Hostel Old Town *(plan III)*
- **24** STF Fridhemsplan *(hors plan I)*
- **25** Art Hotel *(plan I)*
- **26** Freys Hotel *(plan I)*
- **27** Nordic Light Hotel *(plan I)*

Où manger ?

- **18** Café Rival *(plan II)*
- **30** Creem *(plan I)*
- **31** Östermalmstorg *(plan I)*
- **32** Hubertus *(plan I)*
- **33** Bistro Boheme *(plan I)*
- **34** Pong Asian Buffet *(plan I)*
- **35** Tranan Café *(plan I)*
- **36** Strandbryggan *(plan I)*
- **37** Sundbergs Konditori *(plan III)*
- **38** Govindas *(hors plan I)*
- **39** Café Sten Sture *(plan III)*
- **40** Restaurante Vita Italiana *(plan I)*
- **41** Restaurangen *(plan I)*
- **42** Café Blå Lotus *(plan II)*
- **43** Café String *(plan II)*
- **44** Tre Indier *(plan II)*
- **45** Koh Phangan *(plan II)*
- **46** Kvarnen Restaurant *(plan II)*
- **47** Pelikan Restaurant *(plan II)*
- **48** Grill *(plan I)*
- **49** Kafé Kompott *(hors plan I)*
- **50** Ritorno *(plan I)*
- **51** Wayne's Coffee *(plan II)*
- **52** Blooms 2 *(plan II)*
- **53** Mat Kultur *(plan II)*
- **54** Primo *(plan II)*
- **55** Östgöta Källarn-OK *(plan II)*
- **56** Street *(hors plan II)*
- **57** Blooms 1 *(plan II)*
- **58** Zum Franziskaner *(plan III)*
- **59** Mårten Trotzig *(plan III)*
- **91** Rolfs Kök *(plan I)*
- **92** Josefina's *(plan I)*
- **93** Sonjasgreek *(plan II)*
- **94** Sáhára *(plan II)*

Où boire un verre ? Où écouter de la musique ? Où danser ?

- **46** Boîte du Kvarnen Restaurant *(plan II)*
- **60** Engelen *(plan III)*
- **61** Grågåsen *(plan III)*
- **62** Stampen *(plan III)*
- **63** Fasching *(plan I)*
- **64** Snaps *(plan II)*
- **65** Bar W.-C. *(plan II)*
- **66** Agueli *(plan II)*
- **67** Café Edenberg *(plan III)*
- **69** Musslan *(plan I)*
- **70** Glenn Miller Café *(plan I)*
- **71** KGB Bar *(plan I)*
- **72** Kjellson's *(plan I)*
- **73** Icebar *(plan I)*
- **74** Debaser *(plan III)*
- **75** Café Opera *(plan I)*
- **76** Berns *(plan I)*
- **77** F12 *(plan I)*
- **78** El Mundo *(plan II)*
- **79** Chokladfabriken *(plan II)*
- **80** AG 925 *(hors plan I)*
- **81** Mosebacke Terrasse *(plan II)*
- **82** Soldaten Svejk *(plan II)*

Faire du shopping... design

- **95** Lagerhaus *(plan I)*

À voir

- **100** Nobel Museet *(plan III)*

E F

Central Station
Jakobs Kyrka
KLARABERGSVIAD.
Vattugatan
Drottninggatan
Jacobsgatan
Arsenalsgata
Operan
GUSTAV ADOLFS TORG
Strömgata
Bergsgatan
Konst Akademin
Hantverkargatan
TEGEL BACKEN
Fredsgatan
NORRBRO
STADSHUSBRON
HEALGEANDS-HOLMEN
Stadshuset
VASABRON
Riksdagshuset
Slottskajen
CENTRALBRON
Norr Mälarstrand
Slottet (palais royal)
Riddarhuset
Myntgatan
RIDDARHOLMEN
GAMLA STAN
Storkyrkan
Riddarfjärden
Västerlånggatan
Stora Nygatan
Riddarholms-kyrkan
LAC MÄLAR
Gamla Stan
Tyska Kyrka
Munkbroleden
CENTRALBRON
Söder Mälarstrand
12
Skinnarviksparken
Bastugatan
Bellmansg.
Södertunneln
Södreleds-tunneln
Stadsmuseet
66
Timmermansgatan
Bleckstorngr.
52
Slussen
Hornsgatan
Maria Magdalena Kyrka
14
Torkel Knutssonsg.
18
MARIA TORGET
Lundagatan
Zinkensdamm
Brännkyrkagatan
Sankt Pauls
57
Paulsgatan
Repslagargatan
Götgatan
Sankt
Mariatorget
Krukmakarg.
Hornsgatan
2
Rosenlundsgatan
Swedenborgsg.
Björngårdsg.
51
Wollmar Yxkullsg.
56
64
Maria Prätsgårdsgata
MEDBORGARPLATSEN
16
Ringvägen
Högbergsgatan
22
Zinkens Väg
Medb.-huset
Forsgrenka badet
Fatbursgatan
SÖDERMALM
Kat. Domkyrka
TANTOLUNDEN
Magnus Ladulåsgatan
Åsögatan
44
Tantogatan
Tideliusgatan
Rosenlundsparken
Hallandsgatan
4
Blekingeg.
ÅRSTA HOLMAR
0 200 400 m
Ringvägen

4 5 6

STOCKHOLM

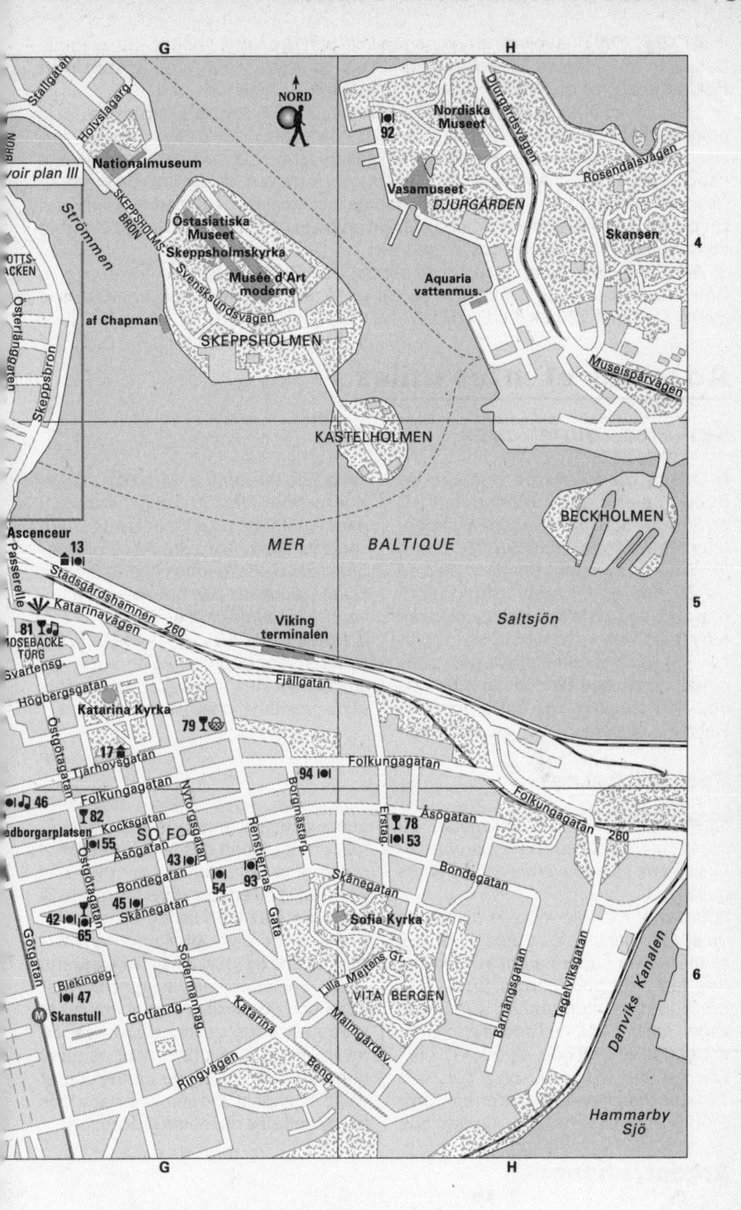

STOCKHOLM – SUD (PLAN II)

✈ ***ATTENTION :*** les vols de la compagnie *low-cost Ryanair* (2 liaisons/j. avec Paris-Beauvais et 1 depuis Bruxelles-Sud-Charleroi) atterrissent, eux, à l'***aéroport de Skavsta,*** près de Nyköping, à 100 km au sud de Stockholm.
➢ Liaisons en bus pour Stockholm *(aller-retour 250 Sk, soit 26 €)* assurées par la compagnie *Flygbussarna.* Un bus attend les passagers jusqu'à 30 mn après l'arrivée de chaque vol, et plus longtemps en cas de retard. La durée du trajet pour la capitale est de 1h20. Arrivée au City Terminalen. Au retour, les horaires de bus pour rejoindre l'aéroport de Skavska sont adaptés aux horaires de départ des vols.
On peut aussi rejoindre Stockholm en train en prenant un bus local jusqu'à la gare de Nyköping. Fréquence : ttes les heures.
✈ ***Aéroport de Broma :*** *à 10 km du centre, il accueille les vols de la compagnie* Brussels Airlines. Pour rejoindre le centre en 15 mn, prendre le bus n° 110 plus le métro. Compter 250 Sk (26 €) en taxi.

Adresses et infos utiles

Services touristiques

ℹ ***Office du tourisme*** *(maison de Suède ; plan I, B2)* ***:*** *Hamngatan 27.* ☎ *508-28-508.* Ⓜ *Kungsträdgården. Ouv tte l'année, sem 9h-19h, sam jusqu'à 17h, dim 10h-16h. Fermé 24-25 déc et 1er janv.* Infos, vente d'excursions et de la *Stockholmskortet* (voir plus bas « Comment se déplacer ? »), résa d'hôtels, liste des campings... bref, peu de risques pour que vous n'y trouviez pas votre bonheur. Retirez-y également leur excellent plan de la ville (payant), ainsi que le magazine mensuel *What's on* qui, comme son nom l'indique, vous révélera tout sur l'actualité culturelle à Stockholm. Attendez-vous à une longue file d'attente (le ticket ! n'oubliez pas de prendre le ticket !). Bureau de change *Forex.*
■ ***Hotelltjänst AB :*** ☎ *10-44-37 ou 57.* • *hotelltjanst.com* • Agence privée s'occupant des résas d'appartements et de chambres chez l'habitant.

Poste, Internet

✉ ***Poste*** *(plan I, B2)* ***:*** *Vasagatan. La poste centrale, à deux pas de la gare sur Vasagatan, sera rouverte en 2008 après travaux.*
@ ***Internet :*** la ville regorge d'endroits où surfer : bars, cafés dotés de la wi-fi et même les supermarchés *7 Eleven. Les fauchés pousseront jusqu'à la bibliothèque municipale, sur Sveavägen (plan I, A1), où l'accès à Internet est gratuit et pratique.* ☎ *508-31-060. Lun-jeu 9h-21h, ven jusqu'à 19h, w-e 12h-16h (horaires restreints en été : sem 9h-16h, sam 12h-16h).* Quant aux connexions payantes, vous les trouverez dans la plupart des AJ, à l'*Hotellcentralen,* à la *Kulturhuset* (voir plus bas « Loisirs ») ou encore dans les gares. Si vous préférez l'ambiance cybercafés, pourquoi ne pas opter pour le ***Drottninggatan 81*** *(plan I, A1,* ***1****)* ? Ce grand bar à l'ambiance jeune et branchée propose une connexion peu onéreuse et pratique : vous devrez débourser un minimum de 20 Sk (2 €) pour acquérir une carte offrant 1h de connexion et valable pendant une semaine dans tous les cybercafés du même réseau.

Argent, change

Les principales cartes de paiement permettent de retirer de l'argent liquide des distributeurs de billets, disséminés un peu partout en ville. Pour changer au comptoir, point de grandes différences entre les banques (ouvertes pour la plupart en semaine de 10h à 15h) et les bureaux de change. À signaler tout de même que les bureaux ***Forex*** proposent un taux un rien plus avantageux que celui des banques, et que la (petite) commission perçue y est vaguement inférieure aussi (mais bon,

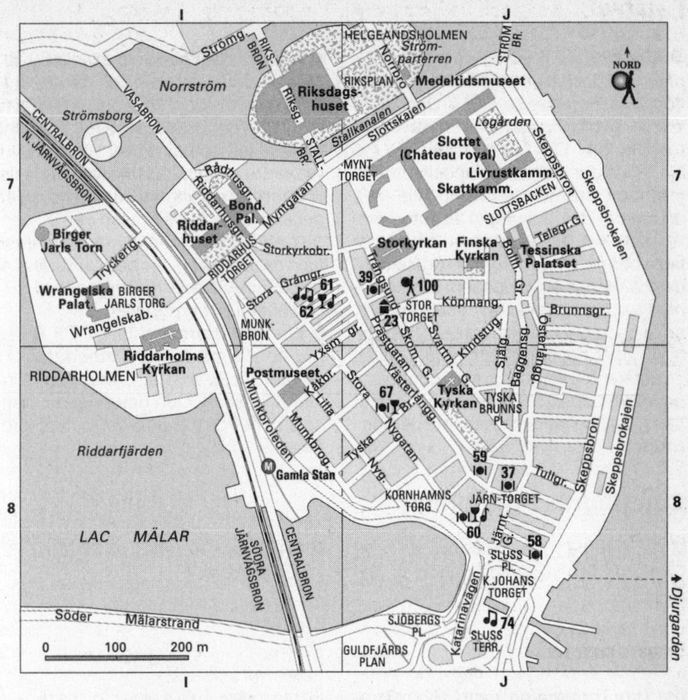

STOCKHOLM – LA VIEILLE VILLE (PLAN III)

pas la peine non plus de faire toute la ville pour vous y rendre, surtout si vous avez sous les yeux une banque qui vous tend les bras !). Vous trouverez un de ces bureaux à l'office du tourisme, à la gare ferroviaire centrale (*tlj 7h-21h)*, dans la rue qui longe la gare, sur Vasagatan 14, et au terminal 2 de l'aéroport d'Arlanda, pour ne citer que ceux-là.

Représentations diplomatiques

■ ***Ambassade de France :*** *Kommendörsgatan 13, 10243 Stockholm. ☎ 459-53-00. • ambafrance-se.org • Ouv lun-ven 9h30-12h.* Le consulat peut, en cas de pépins financiers, vous indiquer la meilleure solution pour que des proches vous fassent parvenir de l'argent, ou encore vous assister juridiquement en cas de problème.

■ ***Ambassade de Belgique :*** *Villagatan 13A. ☎ 53-48-02-00.*

■ ***Ambassade de Suisse :*** *Valhallavägen 64. ☎ 676-79-00. Ouv en sem 9h-12h.*

■ ***Ambassade du Canada :*** *Tegelbacken 4. ☎ 453-30-00.*

Urgences

■ ***Police :*** *commissariats ouv 24h/24 au Kungsholmsgatan 37 (non loin de la gare centrale ; plan I, A2) et au Torkel Knutssonsgatan 20, sur l'île de Södermalm (plan II, E5,* ***2****). ☎ 401-13-00.*

■ ***Urgences médicales :*** *☎ 112.*

■ ***Hôpital :*** *Södersjukhuset (plan II, E6,* ***4****), sur l'île de Södermalm. ☎ 616-10-00.*

■ ***Pharmacie ouverte 24h/24*** *(plan I, B2,* ***5****) : CW Schiele, Klarabergsgatan 64. ☎ 454-81-30. Au-dessus d'un escalier face à la gare.*

Loisirs

■ ***Kulturhuset*** *(maison de la Culture ; plan I, B2)* **:** *Sergels Torg.* ☎ *508-31-400.* • *kulturhuset.se* • Ⓜ *T-Centralen, sortie « Drottningsgatan ». En plein centre-ville. Ouv 11h-19h (17h w-e). Fermé lun.* Plein d'activités, d'expositions, les journaux du monde entier, des jeux d'échecs, des disques à écouter, etc. Au sous-sol, accès Internet (payant) et la boutique *Design Torget*. Également des cafétérias qui proposent des déjeuners à prix intéressants. Et puis encore, un espace pour les enfants au 4e étage avec jeux, peintures, ordinateur, livres en différentes langues... ainsi qu'un café panoramique au 5e étage, d'où l'on peut observer l'agitation incessante de Norrmalm.

■ ***Akademibokhandeln*** *(plan I, B2,* ***6****)* **:** *Mäster Samvelsgatan 28.* ☎ *402-11-01. Ouv sem 10h-19h, jusqu'à 17h sam, dim 12h-16h.* Grande librairie, très riche dans ts les domaines où vous trouverez, entre autres, des livres en français.

■ ***Journaux français :*** *à la gare et, en général, dans ts les* Pressbyrån *du centre (vérifier cependant que le journal soit bien celui du jour). On peut aussi les lire gratuitement à la* Kulturhuset *et à la bibliothèque municipale.*

■ ***Librairie française*** *(plan I, C2,* ***9****)* **:** *La Plume de ma tante, Linnegatan 41 (angle Skeppargatan). Mar-ven 10h-18h (17h sam).* Que des livres en français dont votre *Guide du routard* préféré.

Compagnies aériennes

■ ***Air France :*** *pas d'agence en ville. Comptoir à l'aéroport d'Arlanda.* ☎ *(08) 51-99-99-90.*

■ ***SAS :*** *rens et résas au* ☎ *0770-72-77-27 (n° Vert).*

Transports

🚌 ***City Terminalen*** *(plan I, B2)* **:** *Klarabergsviadukten 72. Terminal des bus juste à côté de la gare ; un escalator mène d'ailleurs de l'un à l'autre.* Infos et achat de billets au bureau *Busstop*, pour toutes les compagnies. C'est également d'ici que part le bus pour l'aéroport (voir « Arrivée à l'aéroport »). Le bus en Suède s'avère souvent plus confortable et pratique que le train et surtout moins cher.

🚉 ***Gare ferroviaire centrale*** *(plan I, B2)* **:** *Vasagatan. Pour ttes infos :* ☎ *0771-75-75-75 (n° national).* Ⓜ *T-Centralen. Vous y trouverez de tout : bureaux de change, connexions Internet à l'étage du hall central ; consignes automatiques (5h30-minuit), w-c et tables à langer (5 Sk, soit 0,60 €), douches (25 Sk, soit 2,60 €) au sous-sol...* En revanche, il n'y a plus d'office du tourisme. Également des supérettes ouvertes assez tard le soir et des bureaux de presse.

■ ***Location de vélos et de kayaks : Djurgårdsbrunns Sjöcafé*** *(plan I, D2,* ***7****), Galärvarvsvägen 2.* ☎ *661-44-88. Tlj en été 9h-21h. Compter env 250 Sk/j. (26 €) la loc d'un vélo et 500 Sk (52 €) pour un kayak. Le* ***Brunnsvikens Kanotcentral*** *(hors plan I par A1), Hagvägen 5, propose des tarifs beaucoup plus doux (200 Sk, soit 21 €/j.), mais il vous faudra marcher un peu plus pour le rejoindre.* ☎ *15-50-60. Pour y accéder, remonter la Sveavägen en direction de l'université. Le club est situé face au parc Haga, au bord du lac Brunnsviken.*

STOCKHOLM

Divers

■ ***Consignes :*** *dans la gare ferroviaire centrale, au sous-sol. Ouv 5h30-minuit.* Ou encore dans les terminaux des ferries (Värtan, Tegelvik...).

■ ***Objets trouvés :*** au bureau de police *(plan I, A2), Bergsgatan 39.* ☎ *401-10-*

00. Pour les biens perdus dans les trains ou dans la gare, s'adresser au sous-sol de la gare ferroviaire centrale (suivre les panneaux « Hittegods »). ☎ 600-10-00. Ouv en sem 12h-19h ; sam 12h-16h. Fermé dim.

■ **Kartcentrum** *(plan I, B2,* ***8****)* **:** *Vasagatan 16. • kartcentrum.se • Ouv en sem 9h30-18h ; sam 10h-16h.* Magasin où l'on trouve tous les plans et cartes que l'on veut.

Comment se déplacer ?

À notre avis, Stockholm étant une ville à la fois belle (si on passe outre les ratés du centre moderne) et peu étendue, rien ne vaut la marche à pied pour la découvrir en douceur, combinée avec le métro et le tram. Le vélo est aussi une agréable façon d'arpenter la ville et l'important réseau de pistes cyclables balisées, protégées et éclairées, est là pour mener la vie belle aux inconditionnels de la petite reine.

– ***La Stockholmskortet :*** si vous comptez passer quelques jours à Stockholm et mettre ce temps à profit pour voir un maximum de musées en utilisant beaucoup les transports en commun, alors vous pouvez éventuellement considérer l'achat de la *Stockholmskortet.* On insiste sur « éventuellement » ! Cette carte donne accès à tous les transports en commun (métro, bus, trains de banlieue) et permet de visiter librement quelque 75 musées et châteaux de Stockholm et sa région. Elle permet aussi de se garer gratuitement sur tous les emplacements à horodateurs (mais cette disposition pourrait être remise en cause prochainement, à vérifier). Elle inclut également la visite de Stockholm en bateau (sur certaines lignes) et offre des réductions sur le tour de la ville en bus touristique et les tours en bateau en ville. Facilement amortissable, mais n'oubliez pas que certains musées sont gratuits et que bon nombre de sites ne sont ouverts qu'entre 11h et 17h : vous ne pourrez donc, le plus souvent, visiter que deux ou trois musées ou châteaux dans la même journée. Par ailleurs, les étudiants et les seniors bénéficient fréquemment déjà, sans la carte, d'une réduction conséquente dans les musées... donc bien calculer son coup.

Bref, cette carte concerne peu de monde en réalité vu son prix : 290 Sk (30,50 €) pour 24h, 420 Sk (44 €) pour 48h et 540 Sk (57 €) pour 72h. Presque 3 fois moins cher pour les 7-17 ans (à condition d'être achetée avec une carte adulte et maximum deux cartes enfants par carte adulte). Elle est vendue à l'office du tourisme, à l'*Hotellcentralen* dans la gare et dans les AJ. Un petit guide en anglais sur toutes les possibilités de la carte vous sera remis.

– Concernant les transports en commun uniquement, sachez que le ticket à l'unité est cher (40 Sk, soit 4,20 €). Il est souvent plus intéressant d'avoir recours à des systèmes de carte.

– ***La Turistkort SL*** vous permet d'emprunter librement tous les transports en commun de la ville, ainsi que le ferry vers Djurgården. Prix : 60 Sk (6,50 €) pour 24h et 180 Sk (19 €) pour 3 j. Tarif surtout intéressant pour les mous du pied qui utiliseront beaucoup le métro dans la journée ! En plus, accès gratuit à la tour de Kaknäs et au parc d'attractions de Gröna Lund et ½ tarif à Skansen.

– ***Le billet de 10 ou 20 coupons*** non nominatif. Prix : 180 Sk (19 €) pour le billet à 20 coupons et 90 Sk (9,50 €) pour celui de 10. Pour ceux qui ne désirent utiliser les transports en commun qu'occasionnellement (lorsque leurs pieds crient grâce ou pour gagner un peu de temps). Attention, le nom est trompeur : le billet de 20 coupons ne donne en fait droit qu'à 10 trajets dans les limites du centre-ville (et moins si vos trajets sont plus longs). Leur utilisation : présenter le billet au chauffeur de bus ou à la personne au guichet des stations de métro en annonçant votre destination, pour que celui-ci tamponne en conséquence le nombre de coupons à utiliser.

– ***Carte mensuelle*** équivalente à la carte orange parisienne (*600 Sk, soit 63 € ; réduc).* Pour ceux qui séjournent plus longtemps.

Les moyens de transport

– ***Le vélo :*** nombreux loueurs. Dans le petit guide qui accompagne la *Stockholms-kortet,* une publicité propose une location pour 25 Sk/j. (3 €). Une vraie aubaine ! Bien se faire expliquer le système des bornes. • stockholmcitybikes.se •
– ***Le métro, le tram et le train :*** le réseau sur rail *(Spårtrafik)* compte une dizaine de lignes de métro, tram et train qui vont loin en banlieue. C'est le moyen le plus pratique pour circuler. Il fonctionne jusqu'à 2h, mais certaines lignes ferment à 1h. Le ticket est valable pendant 1h et le moins cher coûte 30 Sk (3,30 €) à l'unité. Bon pour les correspondances si l'on reste dans une même zone. Déambuler dans les couloirs du métro ressemble parfois à une promenade dans une galerie d'art, certaines stations ayant été décorées par des artistes.
– ***Le bus :*** réseau efficace mais compliqué. Ceux qui restent 2 ou 3 jours s'en tiendront au métro, d'usage plus facile.
– ***Le bateau :*** il y a deux lignes de bateaux à l'intérieur de la ville ; très agréable. La première part du quai proche du métro Slussen, la seconde de Nybroplan. Mais elles vont toutes deux à Djurgården, la seconde ne fonctionnant qu'en été. Même prix que le métro et gratuit avec la *Turistkort* pour la première ligne.
– ***La voiture :*** un véritable casse-tête ! Échangeurs, tunnels, ponts et ronds-points vous rendront fou. La ville étant répartie sur quantité d'îlots, on met un bout de temps avant de comprendre la complexité des connexions, sans compter l'enfer du parking. Trouver une place gratuite relève de la mission impossible. À part ça, le stationnement est extrêmement cher, et la prune salée pour les resquilleurs ! Les horodateurs acceptent les pièces de 1, 5 et 10 Sk. Les parkings souterrains sont nombreux et pratiques mais hors de prix (jusqu'à 50 Sk, soit 5,30 € l'heure !). *Ledigt* signifie qu'il reste des places. En conclusion, laissez votre voiture et utilisez le métro. En 2006, la mairie de Stockholm a mis sur pied l'organisation d'un péage pour les voitures qui pénètrent au centre-ville (l'équivalent de 1 à 2 € selon heures).

Topographie de la ville

Dur de bien savoir où l'on se trouve au début. La ville est un archipel composé d'îlots plus ou moins grands. Le centre administratif et commercial, ***Norrmalm,*** se trouve grosso modo au nord de la *Sergels Torg (plan I, B2),* place moderne entourée de vilains buildings. On se repère à la fontaine centrale, espèce d'obélisque illuminé le soir. C'est également là qu'on trouve le centre culturel (très vivant) de la ville. L'axe principal du quartier est ***Drottninggatan*** *(plan I, B2),* la rue piétonne la plus commerçante. Non loin, on trouve la place ***Kungsträdgården*** *(plan I, B2),* vaste esplanade avec terrasses, musiciens... Forte animation les soirs d'été. C'est le grand point de rencontre des jeunes. Dommage que les environs soient si laids. C'est à Norrmalm que l'on ressent le mieux le côté « capitale » de Stockholm : un cocktail de voitures folles, de commerces innombrables et de gens pressés.
En remontant la Drottninggatan vers le nord, vous arrivez dans les environs de l'université et du quartier de ***Vasastaden,*** pas très touristiques mais très fréquentés des locaux qui aiment y manger ou boire un verre. En allant vers le sud, on rencontre trois îles voisines, beaucoup plus calmes. Celle de gauche est le siège de la vieille ville, ***Gamla Stan*** *(plan III, I8 ; plan I, B3 ; plan II, F4),* très touristique avec ses ruelles et ses maisons à pignons. Toute proche, l'île de ***Skeppsholmen*** *(plan I, C3 ; plan II, G4),* où le bateau-AJ est ancré. C'est sur ce bout de terre verdoyant que l'on trouve le musée d'Art moderne et le musée d'Art d'Extrême-Orient.
Plus à l'est, l'île de ***Djurgården*** *(plan I, D2-3 ; plan II, H4)* accueille également de nombreux musées (Vasamuseet, Nordiska Museet, le parc de Skansen...). Au sud de Gamla Stan, l'île de ***Södermalm*** *(plan II)* abrite une vie de quartier bien agréable, populaire et bourgeoise à la fois, artiste et décontractée. On s'y sent bien. D'ailleurs, le coin est de plus en plus fréquenté le soir, surtout les Götgatan et Skånegatan, pleines de bars et restos qui, excepté en juillet, ne désemplissent pas du week-end.

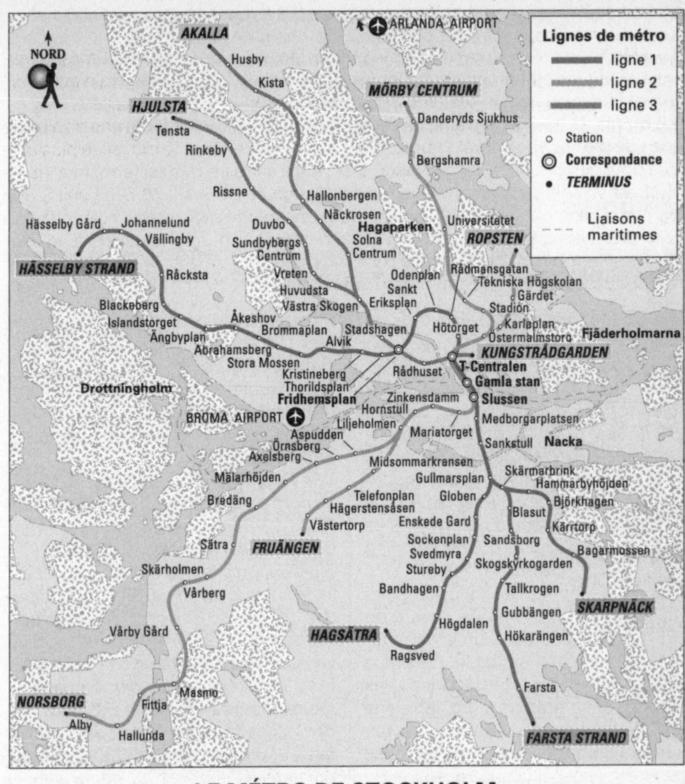

LE MÉTRO DE STOCKHOLM

Où dormir ?

Les Suédois font une distinction très nette entre *hotell* et *vandrarhem* (voir la rubrique « Hébergement » dans « Suède utile »). La grande majorité des « vrais » hôtels dans la ville n'étant guère abordables, préférez les *vandrarhem,* ce genre d'AJ ouverte à tous.

Sans réservation préalable, il n'est pas facile de se loger à Stockholm, notamment en été (et en particulier aux alentours du 15 août), car les hébergements pas chers sont généralement pleins et éparpillés dans toute la ville. C'est pourquoi on vous conseille, si vous débarquez sans crier gare, d'aller à l'*Hotellcentralen* (voir plus haut « Adresses et infos utiles. Services touristiques »). Ils effectuent des résas (moyennant une commission) de chambres d'hôtel et d'AJ. Un autre centre compétent (mais uniquement pour des chambres chez l'habitant ou des appartements) est l'*Hotelltjänst AB.*

On vous rappelle aussi que les hôtels sont généralement moins chers l'été – la basse saison se situe en juillet –, tout en précisant que certains font des offres spéciales l'hiver ! En clair, se renseigner sur d'éventuelles conditions particulières, car celles-ci peuvent varier d'un établissement à l'autre.

Et puis, on vous signale qu'il existe aussi différents forfaits appelés *Stockholm Package,* et qui peuvent s'avérer intéressants. Se renseigner à l'office du tourisme ou à l'*Hotellcentralen.*

Enfin, on peut loger chez l'habitant en formule *B & B* (petit déj inclus, *of course*). Le réseau *Guest Room* offre un bon choix de chambres dans tous les quartiers. • guestroom.se • Formule plutôt économique (même moins chère qu'en AJ). Mais attention, ce ne sont ni les *B & B* anglais (quasi-hôtels) ni les maisons d'hôtes à la française : les chambres proposées partagent en grande majorité les sanitaires du proprio, qui ne fait pas de la chambre d'hôtes un « métier » mais arrondit simplement ses fins de mois.

Campings

Les campings, à une exception près, sont tous relativement éloignés du centre, la plupart situés au sud de Stockholm, mais certains sont accessibles en métro.

Klubbensborg : *à 9 km au sud-ouest de la ville, Klubbensborgvägen 27. ☎ 646-38-46 ou 12-55. • klubbensborg.nu • À 10-15 mn à pied du métro Mälarhöjden. En voiture, prendre l'E4-E20 vers le sud et sortir à Mälarhöjden-Bredäng (suivre les panneaux blancs « Mälarhöjden »). Camping ouv théoriquement de mi-mai à mi-sept et AJ ouv tte l'année. Réception 8h-20h. Horaires de réception restreints pour le camping hors saison. Compter 80 Sk/pers (8,50 €).* Camping de taille humaine (mais restreinte) et installé près d'un port de plaisance dans un environnement vallonné très agréable. Cuisine à disposition et sanitaires sommaires mais douches gratuites. Sur le même site, vous trouverez le café *Uddvillan*, jouissant d'une belle vue sur le lac, dans lequel est aussi située la réception de l'AJ *(ouv en sem 8h-12h et 15h-18h ; w-e 15h-18h)*. Celle-ci propose des chambres de 1 à 8 lits *(200-300 Sk, soit 21-31,50 €)*.

Ängby Camping : *à Broma, à 10 km à l'ouest du centre. ☎ 37-04-20. • angbycamping.se • Ⓜ Angbyplan, puis 400 m par une route passant dans la forêt. En voiture, prendre la E4 et sortir en direction de Vällingby (la 275), puis suivre le fléchage vers Drottningholm. Le camping est ensuite indiqué (ouvrez bien les yeux, il s'agit d'un petit panneau représentant simplement une tente). Ouv tte l'année. Réception 8h-22h. Forfait tente et voiture 155 Sk (16 €). Jolis stugor 2-4 pers 550-700 Sk (58-73 €) selon taille et confort.* Camping de taille moyenne à proximité d'un lac aménagé. Les emplacements pour caravanes sont riquiqui et, qui plus est, près de la route ; en revanche, de mignons sous-bois accessibles seulement aux tentes donnent au site un petit côté pittoresque. Le cadre est vraiment sympa, ce qui compense l'équipement un brin rudimentaire. Sanitaires en nombre insuffisant et pas toujours nickel. Petites cuisines collectives. Tennis à proximité. Sauna.

Rösjöbaden Camping : *à 15 km au nord de Stockholm ; Lomvägen 100. ☎ 96-21-84. • rosjobaden.se • Prendre le métro jusqu'à Danderyds Sjukhus, puis le bus n° 607. L'arrêt est juste après le camping. En voiture, prendre l'E4 vers le nord, en direction d'Uppsala, et sortir à Sollentuna, d'où vous suivrez les indications pour Edsberg. Le camping est indiqué au dernier moment (env 2 km après Edsberg, ville dans laquelle vous n'entrez pas). Forfait tente et voiture 155 Sk (16 €) et douche payante. Chambres au décor simple pour deux 430 Sk (45 €).* Vaste camping au bord d'un lac (ce qui n'est pas vraiment un signe distinctif !) et entouré de bois, où les campeurs peuvent s'installer tranquillement. Les espaces réservés aux camping-cars ont moins de charme mais restent tout à fait corrects. Très bien équipé (cuisine, resto, location de canoës, piscine et sauna payant). Bref, un espace agréable et très aéré.

Flaten Camping : *☎ 773-01-00. • flatenbadetscamping.se • À 15 km au sud-est de Stockholm. En transport en commun, métro jusqu'à Slussen, puis bus n° 401 jusqu'à Flatenbadet, enfin 5 mn de marche dans la forêt. En voiture du centre de Stockholm, prendre l'E4, puis la 73 en direction de Nynäshamn ; sortir à Sköndal pour prendre la 229 en direction de Tyresö et enfin sortir à Flaten. Suivre les indications pour Flatenbadet ; la route de terre jusqu'au camping*

STOCKHOLM

part du parking devant ce lac. Forfait tente 140 Sk (15 €). Le camping est situé dans une clairière, à 500 m d'une plage de sable sur le lac Flaten, situation qui lui donne son principal intérêt. Dommage qu'on soit si à l'étroit dans ce petit espace. Sanitaires rudimentaires mais propres.

⛺ ***Bredäng Camping :*** *à 10 km au sud-ouest du centre de Stockholm. ☎ 97-70-71. • camping.se/a04 • Ⓜ Bredäng, puis 800 m à pied. En voiture, du centre, prendre l'E4-E20 vers le sud, et sortir à Bredäng ; suivre les panneaux bleus. Ouv début avr-fin oct. Couvre-feu 23h. Prix assez élevés : 210 Sk (22 €) pour une tente, 2 pers et les douches incluses.* Plage à 500 m, sur le lac Mälaren, et bateau à vapeur pour l'hôtel de ville ou le château de Drottningholm de l'embarcadère de Mälarhöjdsladet. Camping installé en zone urbaine, divisé en grandes sections carrées, avec vue sur une forêt d'un côté et sur de vilains immeubles de l'autre. Très peu d'ombre. Petit self proposant un plat du jour à un prix convenable. Tout confort, sanitaires nickel et proximité du métro appréciable. Sauna gratuit et mise à disposition de plaques chauffantes et de micro-ondes. Mais le cadre n'est absolument pas reposant. Souvent complet en été.

Dans le centre-ville

Assez bon marché

STF Vandrarhem Af Chapman & Skeppsholmen *(plan I, C3,* ***10****) : Flaggmansvägen 8. ☎ 463-22-66. • stfchapman.com • Compter 20 mn de marche depuis la gare. Réception 24h/24. Réserver le plus longtemps possible à l'avance, ou bien se présenter tôt le mat, dès 7h-8h, quand les places commencent à se libérer. Bien préciser où vous voulez résider, sur le bateau ou sur la terre ferme. Nuit 165-210 Sk (17-22 €) pour les membres selon taille des dortoirs ; doubles env 245 Sk/pers (26 €). En tt, 300 lits répartis en chambres (ou cabines) de 2 à 17 pers.* Le *Chapman*, c'est le superbe 3-mâts blanc amarré à l'île de Skeppsholmen, que l'on voit de loin, et qui fait partie intégrante du paysage de la ville. Ancien navire-école de la Marine suédoise, il fut construit en Angleterre en 1888, transformé en AJ en 1949 et relooké en 2007. L'AJ propose 2 types d'hébergements : sur le bateau ou dans l'édifice en dur sur le quai (même prix). Le bateau en lui-même est une vraie petite merveille et y loger ne manque pas d'originalité, même si le confort (hublots minuscules, coursives étroites...) est moindre que dans le bâtiment en dur, autant le savoir. Malgré tout, la centralité de cette adresse et son calme font qu'elle est très souvent complète. Les salles communes sur le quai possèdent un bon niveau de confort et un équipement complet (cuisine, consigne, machines à laver, épicerie, Internet, billard et café...). Bon accueil. Terrasse très agréable.

Best Hostel Old Town *(plan III, J7,* ***23****) : Trångsund 12. ☎ 440-00-04. • besthostel.se • Prenez vos réservations bien à temps. Nuit 200-250 Sk/pers (21-26 €) en dortoir 4-6 pers, et 300 Sk/pers (31,50 €) en double – une seule ! –, sanitaires à partager. Draps et serviettes en plus.* Mobilier agréable et déco claire. Toute neuve toute propre avec cuisine, Internet et salon TV, cette AJ indépendante ouverte en juillet 2007, ultra-centrale à côté de Stortorget, est idéalement placée. Mais 11 chambres pour 40 lits, c'est vite rempli.

City Lodge *(plan I, B2,* ***20****) : Klara Norra Kyrkogatan 15. ☎ 22-66-30. • citylodge.se • Réception 8h-12h, 14h-22h (9h-12h, 16h-19h le w-e). Nuit 180-350 Sk/pers (19-37 €) selon type de chambre.* AJ de poche mais de 85 lits tout de même, idéalement placée dans une petite rue tout près de la gare. Située au sous-sol, elle bénéficie heureusement d'une baie vitrée à l'étage qui laisse entrer la lumière naturelle dans la salle commune. Les chambres de 2 à 10 lits, un peu confinées, ne sont pas vraiment spacieuses, mais elles sont plutôt bien conçues et agréables avec leurs lits en pin (superposés pour la plupart). Petite cuisine, Internet gratuit, machines à laver. Accueil sympa.

Youth Hostel Mälaren *(den Röda Båten ; plan II, F5, **12**) : Söder Mälarstrand 6. ☎ 644-43-85. • theredboat.com • Ⓜ Slussen ou Gamla Stan (sortie vers le Centralbron et traverser le pont ; AJ plus facile à voir et à atteindre en descendant à cet arrêt). Bateau rouge en bois, amarré sur le quai nord-ouest de l'île de Södermalm, juste à gauche du Centralbron en regardant la vieille ville. Nuit 210-245 Sk (22-26 €). Petit déj 60 Sk (6,50 €).* Une belle adresse avec une chaleureuse salle à manger évoquant la mer. Cabines simples, doubles, pour trois, quatre ou plus (maximum 10 lits). Bien tenu. Draps inclus (c'est assez rare pour être signalé). Pas de couvre-feu. Cuisine interdite, petit déj-buffet copieux. Cafétéria à bord. Les proprios ont aussi des chambres doubles avec douche en commun à 315 Sk (33 €) et un bar-resto sympa sur le bateau voisin.

City Back-Packers *(plan I, A2, **11**) : Upplandsgatan 2. ☎ 20-69-20. • citybackpackers.se • Ⓜ Hötorget. Très bien situé, à 400 m au nord de la gare. Réception 8h-14h. À partir de 230 Sk (24 €) la nuit en chambre de 8 pers, double jusqu'à 295 Sk (31 €).* AJ logée dans un immeuble du XIXe s, composée de chambres de 2 à 8 lits, offrant au total environ 80 places. L'intérieur n'est pas des plus récent, mais les chambres sont grandes et nickel. À l'entresol, salle à manger, cuisine, salle TV, douches et sauna payant (excepté 16h-18h gratuit). Consignes, machines à laver, accès Internet. Accueil chaleureux. Une ambiance bien routarde. Au fait ! une fois la réception passée, n'oubliez pas de vous conformer aux coutumes locales : déchaussez-vous. Adresse non-fumeurs.

Hostel Bed & Breakfast *(plan I, B1, **19**) : Rehnsgatan 21. ☎ 15-28-38. • hostelbedandbreakfast.com • Ⓜ Rådmansgatan. Lit en dortoir (10 lits superposés) env 240 Sk (26,50 €), chambre de 4 pers 290 Sk (30,50 €) ou double 340 Sk (36 €), petit déj inclus.* Sorte de petite AJ privée bon marché (le petit déj est inclus mais pas les draps) située en sous-sol. Un ensemble plutôt agréable, même si l'espace n'est ni immense ni des plus lumineux. Rénovation complète à l'automne 2007. Ambiance familiale et accueil sympathique d'Helena. *Les proprios ont également une annexe ouv slt en été : 125 Sk (14 €) la nuit dans un grand dortoir, petit déj compris.*

Gustaf af Klint *(plan II, G5, **13**) : Stadsgårdskajen 153. ☎ 640-40-77 ou 78. • gustafafklint.se • Ⓜ Slussen. Ouv tte l'année. Nuit 130-180 Sk (13,50-19 €).* Encore dans un bateau mais d'un autre style que les précédents. Une partie AJ, un peu vieillie et étouffante, avec un dortoir et des petites cabines pour 2 ou 4 personnes, et une partie hôtel, plus coquette mais bien plus chère. Resto ouvert jusqu'à 23h. Service sur le pont en été.

STOCKHOLM

Chic

Hotel Bema *(plan I, A1, **21**) : Upplandsgatan 13. ☎ 23-26-75. • hotelbema.se • Deux types de doubles : la moins petite avec un grand lit 1 050 Sk (110 €) dans l'année (850 Sk, soit 89 € en été et le w-e) et encore plus petite avec 2 lits séparés 950 Sk (100 €) dans l'année (750 Sk, soit 79 € le w-e et été).* Chambres familiales pour 4 personnes. Sanitaires privés dans tous les cas, et petit déj compris (et servi dans les chambres). Chambres au calme, agréables, confortables bien que pas très larges, et surtout à des prix plutôt très raisonnables pour « Stockholm la chère ». Accueil tiède.

Anno 1647 Hotell *(plan II, F5, **14**) : Mariagränd 3. ☎ 442-16-80. • swedenhotels.se • Ⓜ Slussen. Dans une bâtisse située au fond d'une ruelle, entrée très discrète. Doubles « classe éco » 865-1 085 Sk (91-114 €).* Hôtel très bien tenu, avec une déco plutôt classe. Les autres chambres sont très chères, leur préférer donc les chambres économiques, bien sûr plus petites et moins confortables. Petit déj copieux.

Très chic

🏨 ***Hotel Rival AB*** *(plan II, F5, **18**) : Mariatorget 3. ☎ 545-789-00. • rival.se • Le prix de la double standard la moins chère débute en sem à 2 200 Sk (231 €) avec petit déj, mais tombe à 1 600 Sk (168 €) ven soir et sam soir, et encore un peu plus bas en été.* La déco s'inspire du cinéma et les chambres sont super-équipées en audiovisuel high-tech. Les chambres de luxe du 7e étage ont un balcon qui donne sur une adorable place arborée. Le complexe de loisirs qui regroupe resto, bar, cinéma, centre de conférences et même une boulangerie appartient entre autres à Benny Anderson, du groupe Abba. Un haut lieu de l'art de vivre à la suédoise, illustré par le design et les éclairages soignés. Le côté monumental de l'immense hall est cassé par la subdivision en plusieurs niveaux. Le cinéma est inspiré de l'architecture des années 1940.

🏨 ***Freys Hotel*** *(plan I, B2, **26**) : Bryggargatan 12. ☎ 506-21-300. • freyhotels.com • En plein centre, à 2 mn de la gare à pied, mais dans une ruelle au calme. L'été et les w-e d'hiver, env 1 300 Sk (136 €).* Chambres claires, avec des touches de couleurs chaudes de-ci, de-là, dotées d'un équipement moderne, le tout dégageant pas mal de charme. Petit bar à bières belges au rez-de-chaussée.

🏨 ***Nordic Light Hotel*** *(plan I, A2, **27**) : Vasaplan 7. ☎ 505-63-420. • nordiclighthotel.com • Hors de prix l'hiver, mais l'été les tarifs fluctuent énormément et peuvent tomber autour de 1 300 Sk (136 €) et même moins cher encore, tt dépend du niveau d'occupation aux périodes souhaitées et du biais de résa (moins cher sur Internet). Bien se renseigner. Sinon, compter plus du double.* Si on vous indique cet établissement, c'est parce que son décor correspond bien aux nouvelles tendances du design suédois. Une variation autour du noir et du blanc, qui s'impose aussi bien dans l'étrange hall que dans les chambres, dans lesquelles ces couleurs tranchées sont agrémentées de touches de lumières chaudes. Très réussi dans le genre. Serviettes noires ou blanches, jusqu'au papier w-c... noir. Au fond du hall, voir le *white hall* et le *black lounge*. Si ça, c'est pas du concept !

Un peu plus loin du centre

De bon marché à prix moyens

🏨 🍽 ***STF Vandrarhem Långholmens*** *: comme son nom l'indique, situé sur l'île de Långholmen, à l'ouest de Stockholm. ☎ 720-85-00. • langholmen.com • Ⓜ Hornstull. À la sortie, prendre Långholmengatan, ensuite tourner à gauche et prendre Högalidsgatan, puis traverser le petit pont Långholmsbron. En voiture : gagner l'île de Långholmen, passer le pont et prendre sur la gauche vers Kronohäktet. Ouv tte l'année. Réception 24h/24. Nuit 210-260 Sk (22-27,50 €) selon qu'on est membre ou non. Doubles également 520-620 Sk (54-65 €), sanitaires privés.* Décidément, les AJ de Stockholm ne manquent pas d'originalité : il s'agit ici d'une ancienne prison convertie avec beaucoup de goût et d'intelligence en hôtel et en AJ. Le résultat est superbe. Vous dormirez à l'ombre dans des cellules bien décorées, conçues pour 2, 4, 6 ou 8 personnes, avec douche et w-c extérieurs pour tous les dortoirs. Attention, en semaine l'hiver, seulement une trentaine de places (et douche et w-c à l'extérieur des cellules). Cuisine et lingerie (payante) à disposition. La partie hôtel est quant à elle hors de prix, mais, à certaines périodes, ce sont les chambres de l'hôtel qui servent pour l'AJ. Bon plan donc. Belle salle de resto et, aux beaux jours, cafétéria en plein air. Petite plage en face de la réception. Des conditions dans lesquelles la détention devient un réel plaisir... surtout avec sa propre clé. Également un petit musée (payant) pour ceux qui souhaiteraient en savoir plus sur le passé du bâtiment. Enfin, dernière précision, téléphoner impérativement avant d'y aller, car c'est surpeuplé en été et souvent réservé par des groupes. Internet payant, wi-fi, location de vélos *(150 €/j. soit 16 €)*, parking gratuit... Une adresse vraiment remarquable.

STF Vandrarhem Zinkensdamm *(plan II, E5-6, **16**) : Zinkens Väg 20. ☎ 616-81-00. • zinkensdamm.com • Ⓜ Zinkensdamm. Accès par le Ringvägen, d'où part le Zinkens Väg (c'est tt au bout de la rue, sur la droite). Ouv tte l'année. Réception 24h/24. À la fois une AJ et un hôtel. Pour l'AJ, doubles 520 Sk (55 €) pour les membres et lit 185 Sk (20 €) en chambre de quatre. L'hôtel est bien sûr beaucoup, beaucoup plus cher (doubles env 1 550 Sk, soit 163 €).* Située à côté d'un grand parc. Ensemble chaleureux, convivial et très bien équipé : Internet (payant), vélos, téléphones, distributeurs, sauna (payant), etc. Bar accueillant où descendre une bonne bière le soir et petites terrasses à l'avant et à l'arrière du bâtiment principal. En tout, plus de 200 lits, répartis en chambres de deux ou de quatre.

STF Backpackers Inn *(plan I, D1, **15**) : Banérgatan 56. ☎ 660-75-15. • backpackersinn.se • Ⓜ Karlaplan. Au nord-est du centre. École transformée en AJ de fin juin à mi-août. Réception 24h/24. Dortoirs d'env 15 lits 140 Sk/pers (15 €) pour les membres et 175 Sk (18,50 €) en chambre de quatre.* Douches collectives dans un bâtiment annexe, à 200 m du dortoir. Également des chambres pour 2 ou 4 personnes très bon marché. Salle commune avec TV. Pas de cuisine. Consigne à bagages, avec clé à la réception. Grand parking à proximité. Au moins, si ces vastes locaux manquent peut-être de charme, vous ne pourrez pas dire qu'on y manque de place. Une petite cour agréable pour se poser, même si elle n'est quasiment pas arborée. Ce n'est pas l'AJ qui a le plus de cachet, certes, mais elle présente l'avantage de ne pas être trop excentrée et de proposer des prix relativement doux.

STF Fridhemsplan *(hors plan I par A2, **24**) : Sankt Eriksgatan 20. ☎ 653-88-00. • fridhemsplan.se • Ⓜ Fridhemsplan. Nuit 195 Sk (20,50 €) pour les membres et doubles 585 Sk (61 €). Supplément de 50 Sk (5,30 €) pour les non-membres.* Très grande AJ légèrement excentrée. Endroit absolument impeccable... peut-être trop, d'où une ambiance légèrement anonyme et carcérale. Salle de petit déj. Laverie. Accueil pro.

Chic

Art Hotel *(plan I, B1, **25**) : Johannesgatan 12. ☎ 402-37-60. • arthotel.se • À env 15 mn à pied de la gare, entrée très discrète. Doubles 980-1 080 Sk (103-113 €) l'été et le w-e, petit déj compris. Également env 10 appartements pour 4 pers env 1 200 Sk (126 €) pour deux et 100 Sk (10,50 €) par pers supplémentaire ; l'hiver, env 1 200 Sk (126 €) pour les chambres.* Une affaire dans son genre. Dans un secteur hypertranquille du centre-ville, l'*Art Hotel* avec sa trentaine de chambres propose une atmosphère proche de la pension de famille. Chambres claires, impeccables et bien agréables. Mobilier de bois blanc. Les appartements sont équipés d'une cuisine et d'un grand salon avec TV. Courette pour prendre le petit déj quand il fait beau. L'hôtel héberge souvent les musiciens qui se produisent à l'opéra. Patronne accueillante. Machine à laver (payante). Une bonne adresse.

Hotel Tre Små Rum *(plan II, F5, **22**) : Högbergsgatan 81. ☎ 641-23-71. • tresmarum.se • Ⓜ Maria Torget. Résa indispensable. Petites doubles env 700 Sk (73 €), petit déj compris.* Concept très sympa pour ce qui est sans doute le plus petit hôtel de Stockholm : 7 chambres en tout et pour tout, et encore leur nombre a plus que doublé depuis l'ouverture de l'hôtel (d'où le nom qui signifie « 3 petites chambres ») ! Ambiance simple et comme à la maison dans un espace réduit mais décoré avec goût. Location de vélos *(150 Sk/j., soit 16,50 €).*

Hotel Columbus *(plan II, G5, **17**) : Tjärhovsgatan 11. ☎ 503-112-00. • columbus.se • Ⓜ Medborgarplatsen. Sur l'île de Södermalm, au cœur d'un quar-*

tier agréable. Sous les toits, doubles avec sanitaires dans le couloir 945 Sk (99 €) – celles avec sanitaires sont très chères : 1 250-1 550 Sk (131-163 €), petit déj compris. Dans un bâtiment construit au XVIIIe s qui abrita une brasserie, puis une caserne et un hospice. Très calme, les chambres donnant soit sur le parc de l'église adjacente, soit sur la grande cour intérieure. C'est le dernier étage (pas d'ascenseur), sous les toits, qui abrite les chambres « bon marché ». Ces dernières sont claires, jolies et agréables, même si le couloir vieillot laisse craindre le pire. Beaux sanitaires communs pour l'étage. Un vrai bon plan. Service attentionné. Bar au rez-de-chaussée. Charmante petite cour.

Où manger ?

Stockholm a, certes, quatre restos avec une étoile au *Michelin,* et pas mal de restos proposant une cuisine fine et inspirée, nous ne dirons donc pas que cette ville est un désert gastronomique. Seulement... seulement... les prix de ces fameux restos ne sont pas à portée de bourse de routard. Pour éviter que votre budget ne voie rouge, on vous conseille grandement de vous adapter aux coutumes locales : gardez vos somptueux dîners « entrée-plat-dessert » pour votre retour en France, et adoptez le déjeuner à plat unique qui s'étend souvent assez tard dans l'après-midi (vers 14h-15h) ou les nombreux petits restos uniquement ouverts en journée et fermant vers 18h. Les prix proposés sont alors tout à fait corrects. Sinon, pour un dîner tardif et conséquent, les restos étrangers (indiens, thaïs, pizzerias) proposent le plus souvent un rapport qualité-prix intéressant.

Dans la vieille ville (Gamla Stan ; plan III)

On s'en serait douté, les restos de la vieille ville sont généralement plus chers que les autres, surtout ceux proposant une bonne cuisine traditionnelle. En plus, la rue principale grouille de touristes et de restos qui leur sont tout destinés... On vous suggère plutôt de vous arrêter ici pour la pause-goûter, car on trouve là de sympathiques cafés qui raviront les becs sucrés.

STOCKHOLM

🍽 ***Sundbergs Konditori*** *(plan III, J8,* ***37****) : Västerlånggatan 83. ☎ 10-67-35. Dagens lunch 75 Sk (8 €).* Fondée en 1785, elle est la plus vieille pâtisserie de Stockholm encore en activité. Self-service. On dit que le roi Gustav III aimait y boire son café ou y goûter quelques sucreries. La décoration s'inspire d'ailleurs fortement du style gustavien. Jolie vue sur la petite place de Järntorget.

🍽 ***Café Sten Sture*** *(plan III, J7,* ***39****) : Trångsund 10. ☎ 20-06-50. Fermé vers 23h le w-e et 22h en sem.* Dagens lunch *65 Sk (7 €) et bons gâteaux.* Un des cafés les plus amusants de Stockholm : on peut y boire son chocolat chaud dans d'anciens cachots du Moyen Âge. Lorsqu'on est assis dans l'une de ces minuscules cellules, dans l'obscurité, à 5 m sous terre, on comprend vite que les prisonniers ne devaient pas faire de vieux os... La prison est restée en service jusqu'à la fin du XIXe s. Vu sa situation exceptionnelle au cœur de la ville, on n'y recevait que des prisonniers de marque, tel Johan Ankarström, assassin du roi Gustav III. Une adresse particulièrement appréciable en hiver ou les jours de pluie mais petite terrasse aux beaux jours.

🍽 ***Zum Franziskaner*** *(plan III, J8,* ***58****) : Skeppsbron 44. ☎ 411-83-30. Fermé dim. Plat du jour 65 Sk (7 €).* Le plus vieux troquet de la ville, paraît-il, même si le décor actuel date du XIXe s. Look allemand, boiseries sombres, paysages peints au mur, petits box et nappes très laides. Cuisine assez banale, mais on s'est tout de même régalés d'un trio de harengs marinés arrosés d'une *pils* bien fraîche pour un prix raisonnable, ce qui en fin de compte est tout à fait satisfaisant. Flippers anachroniques au fond.

Chic

Mårten Trotzig *(plan III, J8,* ***59****) : Västerlångatan 79. ☎ 442-25-30. Ouv en sem 17h-1h, w-e dès 12h. La cuisine ferme à 23h. Addition facilement autour de 380-480 Sk (40-50 €) le soir.* Ce resto classieux occupe la maison d'un Allemand qui avait réussi dans le commerce avec la cour suédoise de son époque (XVIe s). Il fut assassiné lors d'un voyage vers la mine de cuivre de Falun. Cadre sobre, déclinaison de gris et beiges pour servir d'écrin à une vraie cuisine de chef servie avec style. Produits de qualité, cuissons bien maîtrisées et présentation soignée. De quoi ravir les palais les plus exigeants. Les desserts ne sont pas à négliger non plus. Les plats sur la carte de bistrot sont un peu moins onéreux. Bon choix de vins dont plusieurs au verre, mais prix démoralisants.

Dans Norrmalm et Östermalm

Bon marché

Hubertus *(plan I, B2,* ***32****) : Holländargatan 9A. Au nord de la pl. Hötorget. Ouv en sem 9h-15h. Déjeuner 75 Sk (8 €), composé d'un plat et d'un petit buffet salade.* Sorte de self bon marché et pas vraiment attirant vu de l'extérieur. Prendre un plateau et choisir un plat sur le tableau affiché juste au-dessus du bar. Vous mangerez une cuisine sans prétention, mais généreuse et bonne. Si la grande salle est un peu austère, la petite terrasse à l'arrière, dans une sorte de cour d'immeuble verdoyante, est bien agréable aux beaux jours, d'autant plus qu'elle est au calme.

Strandbryggan *(plan I, D2,* ***36****) : Strandvägskajen 27. ☎ 660-37-14. Ouv slt aux beaux jours. Plat 80-130 Sk (8,50-13,50 €) si vous commandez au comptoir. Prix plus salés dans la partie resto.* Délicieux café construit sur l'eau où l'on peut aussi se contenter d'une petite mousse tout en goûtant la magnifique lumière du soir qui baigne Strandvägen et le port de plaisance tout proche. Possibilité de manger de très bonnes salades midi et soir ainsi que des plats simples, telles les pommes de terre au four fourrées. En été, la terrasse flottante est un pur moment de bonheur. On peut même louer des bateaux (mais mieux vaut le faire avant de boire la bière...).

Pong Asian Buffet *(plan I, B2,* ***34****) : Tvärgränd 5. ☎ 440-01-08. Ouv 11h-21h en sem et 12h-20h sam. Formule à partir de 65 Sk (7 €) le midi ; le soir, formule* all you can eat sushi *(ts les sushis que vous pouvez manger) 155 Sk (16 €).* Le midi, plats hyper-copieux et bien tournés, servis dans un cadre assez neutre, style cafétéria améliorée aux larges baies vitrées. Très fréquenté par les employés du quartier.

Restaurante Vita Italiana *(plan I, D2,* ***40****) : Styrmansgatan 57. ☎ 660-60-82. Menu le midi en sem 80 Sk (8,50 €) ; le soir, plats à partir de 130 Sk (13,50 €).* Même si l'on n'y vient pas exprès, voici une petite adresse à fréquenter si vous êtes dans le coin, surtout le midi pour profiter du petit menu pas cher. Salle chaleureuse, au plafond couvert de bouteilles vides. Une petite soupe, un plat de pâtes copieux et bien ficelé, une boisson et voilà, on est satisfait !

Prix moyens

Östermalmstorg *(plan I, C2,* ***31****) : cette place, en plein centre-ville, donne sur un* ***marché couvert*** *très coquet style Baltard. Ouv en sem 9h30-18h (18h30 ven), jusqu'à 16h sam.* Le bâtiment de brique rouge s'appelle *Saluhall.* Chic et agréable. On y trouve de tout. Les étals ont tous plus de cachet les uns que les autres. Bien sûr, ici on ne vend pas à la criée mais à la suédoise, c'est-à-dire tout en douceur et dans le calme. Dans le coin réservé au poisson, de petites tables sont dressées et on peut consommer des produits de la mer très frais, notamment des crevettes et des petites langoustes. On se souvient d'une salade de saumon aux champignons sauvages mémorable. Mais ce n'est pas donné, hélas. La meilleure table du marché est incontestablement celle de *Lisa Elmqvist*, plusieurs fois citée dans les bonnes tables gastronomiques de Stockholm.

|●| ***Bistro Boheme*** *(plan I, B2,* ***33****) : Drottninggatan 71A. ☎ 411-90-41. Ouv jusqu'à minuit lun-jeu, 1h ven-sam, 22h dim ; le midi, déj autour de 80 Sk (8,50 €) ; le soir, plats à partir de 160 Sk (17 €).* Resto assez cher donc, mais proposant des plats assez originaux d'origine Europe centrale. Atmosphère branchée, déco géométrique et colorée et terrasse aux chaises multicolores dans une petite cour arborée donnant sur la rue commerçante.

Plus chic

|●| ***Restaurangen*** *(plan I, B2,* ***41****) : Oxtorgsgatan 14, sous le pont. ☎ 22-09-52. Tlj jusqu'à très tard. Fermé en juil. Formules 3 à 7 plats 250-450 Sk (26-47 €).* Déco design de boiseries claires. Du bar, vue plongeante sur une cuisine nickel. Carte originale où chaque plat correspond à un numéro. Selon l'appétit et les saveurs, on en choisit de trois à sept, mais cinq est une bonne moyenne. Vins au verre. Cuisine inventive de très bonne qualité. À l'heure du déjeuner, essayez le plateau-repas déjà composé, comme dans les avions (ou du moins comme dans les avions autrefois !). Clientèle branchée plutôt chic.

|●| ***Grill*** *(plan I, A1,* ***48****) : Drottninggatan 89. ☎ 31-45-30. Tlj midi et soir (23h ven et sam). Menu midi en sem env 100 Sk (10,50 €) ; le soir, plats autour de 280 Sk (29 €), ce qui devient cher.* Moderne et baroque, voilà une adresse où il faut aller pour prendre la pleine mesure de la Stockholm branchée. Très « concept » chic, avec canapés dans le coin salon et ambiance plus studieuse dans la partie resto. Quant à la cuisine, on fait simple : des viandes grillées, toutes les viandes grillées, rien que des viandes grillées : porc, bœuf, volaille, agneau... Cuisine ouverte sur la salle. Clientèle dorée sur tranche, mais finalement décontractée. Super cocktails.

|●| ***Rolfs Kök*** *(plan I, A-B1,* ***91****) : Tegnérgatan 41. ☎ 10-16-98. Ouv 11h-1h ; fermé sam et dim midi.* Lunch menu *125 Sk (13 €) ; le soir, carte 300-500 Sk (31,50-52 €).* Resto-bar au décor minimaliste décalé et où le mobilier se retrouve un peu bousculé. Une adresse pour les fins becs qui ont les moyens. Cuisine suédoise moderne qui excelle dans la préparation du poisson. Carte des vins kilométrique. Ne pas manquer les w-c biplaces pour les couples inséparables.

Sur Djurgarden, où déjeuner sous les palmiers ?

|●| 🍷 ***Josefina's*** *(plan I, D2,* ***92****) : Galärvarvsvägen 10. ☎ 664-10-04. Mar-sam 11h30-1h ; dim 12h-17h.* Posé sur l'île-jardin de Djurgarden, faisant face à Skeppsholmen, *Josefina's* est un endroit incontournable de la bonne société stockholmoise, qui vient bruncher le dimanche dans une ambiance sophistiquée de garden-party. L'intérieur propose un somptueux bar blanc et une salle de restaurant immaculée avec un lustre de cristal. Mais on peut aussi se contenter de déjeuner dehors (mai-septembre) sous les parasols géants d'un copieux sandwich *(75 Sk, soit 8 €)*, d'une salade, d'une pomme de terre farcie ou simplement boire un verre. Vautré dans un confortable sofa sous les (faux) palmiers, on peut affirmer que, lorsque le soleil éclabousse les pelouses, c'est un petit moment de bonheur.

À Södermalm *(plan II)*

Un de nos quartiers préférés pour passer la soirée. C'est là que vous trouverez pas mal de restos servant assez tard et proposant des prix raisonnables. Notez que la Skånegatan *(plan II, G6)* est particulièrement animée et fréquentée (excepté en juillet quand les locaux désertent). Voici quelques adresses, mais il faut savoir que des grappes de nouveaux restos s'ouvrent chaque année dans ce coin-là.

Bon marché

lel 🍸 ***Café Rival*** *(plan II, F5, **18**) : Mariatorget 1C. Ouv en sem 8h-20h ; w-e dès 10h. Petits plats 60-80 Sk (6,50-8,50 €).* « Excroissance » du cinéma (et hôtel) du même nom, du coup, il y règne souvent une joyeuse agitation (toute suédoise) et les horaires d'ouverture poussent parfois jusqu'à 23h du lundi au samedi. Déco amusante de photos d'artistes. Terrasse vraiment sympa en été, avec vue sur le petit parc de Mariatorget et le gazouillis de la fontaine en fond sonore.

lel 🍸 ***Wayne's Coffee*** *(plan II, F5, **51**) : Götgatan 31. ☎ 644-45-90. Ouv en sem 8h-20h ; sam dès 9h et dim 11h-19h.* C'est LE café chic et *trendy* de Södermalm, où les Stockholmois se retrouvent lorsqu'ils vont faire leur shopping du samedi. Excellents *smoothies*. Grandes baies vitrées, fauteuils confortables, coloris agréables, large choix de cafés, thés et petits en-cas. Situé juste à côté d'une librairie internationale où vous pourrez acheter tous vos journaux et magazines préférés (mais à prix d'or...). Dans le même bâtiment, vous pourrez aussi goûter au charme du design scandinave en passant une tête chez *Design Torget*.

lel 🍸 ***Blooms 2*** *(plan II, F5, **52**) : Hornsgatan 56. Ouv en sem 8h-18h, sam 9h-17h, dim 10h-17h.* Cadre moderne mais qui sait rester simple, dans les locaux de la Croix-Rouge suédoise. On y sert de bons sandwichs et surtout de délicieuses viennoiseries (la maison mère ***Blooms 1*** *(plan II, F5, **57**)*, située à quelques mètres de là sur Sankt Paulsgatan, est une authentique boulangerie) avec quelques tables dehors pour un sandwich accompagné d'une soupe.

lel ***Café Blå Lotus*** *(plan II, G6, **42**) : Katarina Bengatan 19. ☎ 644-50-43. Ⓜ Medborgarplatsen ou Skanstull. Lun-jeu 9h-20h, jusqu'à 19h ven, w-e 10h-19h. Menu du jour 60 Sk (6,50 €), servi 11h-15h.* Petit café chaleureux et intimiste, à la décoration orientale (tapis, lampes, beaux miroirs) et colorée. Quelques tables sur le trottoir. On y sert des petits déj, des salades, des tartes, des sandwichs et de nombreuses variétés de thés et cafés, accompagnés de délicieux gâteaux. Service adorable et clientèle relax. Très fréquenté en hiver par les Stockholmois qui y trouvent un peu de chaleur.

lel ***Primo*** *(plan II, G6, **54**) : Bondegatan 44 (à l'angle de Nytorgsgatan). ☎ 640-01-10. Service en continu 10h30-21h30 (12h w-e). Pizzas (dont plusieurs végétariennes) et salades variées 50-100 Sk (5,30-10,50 €).* Très prisé par les gens du quartier. Attention, ne sert pas très tard. On fait la queue debout pour prendre la commande et on essaie de trouver une place pour s'asseoir. Ébauche de terrasse aux beaux jours.

lel ***Tre Indier*** *(plan II, F6, **44**) : Åsögatan 92 ; à l'angle de Möregatan. ☎ 641-03-55. Ⓜ Medborgarplatsen. Ouv lun-jeu 11h-22h ; 11h-23h ven ; 12h-23h sam et 12h-22h dim. En sem, formule midi env 60 Sk (6,50 €), servie jusqu'à 15h ; nombreux plats à la carte 100-150 Sk (10,50-16 €).* Resto indien un peu à l'écart, dans un quartier résidentiel. Intérieur dénudé et un peu tristounet, mais on ne vient par pour lui : c'est la cuisine de bonne facture et généreusement servie qui nous attire ici.

lel ***Café String*** *(plan II, G6, **43**) : Nytorsgatan 38. ☎ 714-85-14. Ⓜ Medborgarplatsen. Ouv 9h30-21h (18h w-e) ; hors saison, horaires un peu plus restreints. Snacks 40-65 Sk (4,20-7 €).* Ambiance très « dimanche » derrière les grandes baies vitrées de ce café de coin. Mobilier disparate et déco de récup' inspirée des années 1950 (voir la vieille moto en vitrine). Les fauteuils sont particulièrement douillets et colorés. Mais c'est aussi une brocante transformée en café, c'est pourquoi les sièges, luminaires et autres objets en vitrine sont en vente. On peut repartir avec un lampadaire ou le fauteuil sur lequel on est assis. Accompagnés d'une douce musique de fond, salades, sandwichs et gâteaux calmeront votre faim, et divers breuvages (non alcoolisés) étancheront votre soif. Staff charmant et clientèle branchée.

Östgöta Källarn-OK *(plan II, G6,* **55***) : Östgötagatan 41. ☎ 643-22-40. Tlj midi et soir, jusqu'à 1h (minuit pour la cuisine). En sem, menu midi 65 Sk (7 €) avec 3 plats différents chaque jour (ratatouille, goulasch, bourguignon...). Le soir, à la carte et donc bien plus cher.* Influences européennes au sens large pour cette adresse très fréquentée avec son petit balcon intérieur, son décor un peu vieillot et sa clientèle mélangée. Bon hamburger maison, mais ne vous attendez pas à des miracles culinaires. Service jeune et musique de fond groovy.

– Dans Skånegatan, mais aussi entre Götgatan et Renstiernasgatan, plusieurs endroits plaisants, cafés le jour et bars le soir, à la clientèle plus décontractée, moins « jeunesse dorée » que dans le centre.

Prix moyens

Koh Phangan *(plan II, G6,* **45***) : Skånegatan 57. ☎ 643-03-80. Ⓜ Medborgarplatsen. Lun-ven 11h-1h ; w-e 14h-1h. Cuisine jusqu'à 23h. Résa quasi indispensable le soir sous peine de poireauter 1h pour une table. Menu midi 70 Sk (7,50 €) ; le soir, env 200-250 à la carte (21-26 €).* Un de nos meilleurs souvenirs à Stockholm. Imaginez-vous attablé dans une carcasse de tuk-tuk au milieu d'une déco délirante de boui-boui thaï au bord de l'océan Indien, illuminé par des guirlandes rouges et baigné dans le bruitage de pluie tropicale et de crins-crins d'insectes, mais sans les piqûres. On s'y croirait ! Côté assiette, cuisine thaïe savoureuse, parfumée et bien pimentée : légumes sautés, porc, crevettes, poisson, sauce lait de coco... Que du bon, rien à redire. Cocktails tropicaux pour accompagner tout cela. On se retrouve en sortant dans une rue suédoise tout étonné de ne pas trouver de cocotiers.

Kvarnen Restaurant *(plan II, G6,* **46***) : Tjärhovsgatan 4, dans la partie sud de la ville. ☎ 643-03-80. Ⓜ Medborgarplatsen. Tlj 17h-23h. Menu midi 65 Sk (7 €), mais le resto n'est pas ouv le midi en été. Compter env 120 Sk (12,50 €) pour un plat.* Signalé par une enseigne représentant un moulin. Grande salle toute simple, haute de plafond, aux murs couverts de photos. Clientèle d'habitués qui vient consommer des plats chauds typiquement suédois ou tout simplement boire une bière au bar sous l'œil de Tage Erlander, Premier ministre socialiste dans les années 1950. Car ce resto est à la fois le lieu de rendez-vous d'ex-communistes, d'anarchistes et de supporters du club de foot Hammarby, dont le drapeau côtoie quelques souvenirs de la lutte syndicale. Chez nous, cela ferait un mélange détonant, mais ici, tout se passe dans la plus grande tolérance. C'est ça aussi, la Suède. Plats copieux et prix raisonnables. Au fond, changement d'ambiance. Le bar *H2O*, couvert de carrelage de métro, accueille une clientèle plus jeune. Petit détail déplaisant cependant : le vestiaire obligatoire *(15 Sk, soit 1,70 €)*. Au sous-sol, petite boîte qui fait le plein en fin de semaine (voir « Où boire un verre ? Où écouter de la musique ? Où danser ? »).

Pelikan Restaurant *(plan II, G6,* **47***) : Blekingegatan 40. Ⓜ Skanstull. Ouv 16h-1h. Âge min : 23 ans. Plats 85-195 Sk (9-20,50 €).* Encore un resto typiquement suédois, du même genre que le *Kvarnen* (en un peu moins animé). Grande salle avec des tableaux et des fresques. Quelques plats traditionnels pas donnés. Globalement sympa, d'autant que le service est attentif. Bruyant.

Street *(hors plan II par E5,* **56***) : Hornstulls Strand 4. ☎ 658-63-50. Situé à l'extrémité ouest de Södermalm, sur les quais. Tlj midi et soir. La cuisine ferme à 22h. Menu midi 95 Sk (10 €) ; à la carte, plats env 140 Sk (15 €).* Il faut venir ici plutôt le midi en fin de semaine, lorsque le petit marché couvert voisin est le plus animé. Dès les premiers rayons du soleil, la terrasse fait le plein. Sinon, l'intérieur donne tout de suite le niveau de branchitude : murs rose fushia, chaises marron en rangs d'oignons. Toiles géométriques au mur. Voici une adresse bien dans sa ville, bien dans sa peau, typique de la Stockholm qui bouge. Fréquentée par les bobos, à l'aise dans leur tête et leur porte-monnaie. Bonne cuisine moderne et légère. Après le repas, un petit tour au marché d'à côté, pour chiner quelques babioles.

|●| ***Sonjasgrek*** *(plan II, G6,* ***93****) : Bondegatan 54. ☎ 702-22-99. Lun-sam 10h30-14h30 et 16h-23h ; dim 15h-22h. Globalement prix moyens.* Dans SoFo, un resto d'inspiration grecque qui se cache sous un décor suédois : mobilier clair, lambris peints en vert. Carte résolument hellénique bien que présentée de manière un peu sophistiquée. *Mezze* pour deux tout à fait honorable ; salades, cannellonis, *souvlaki* et agneau grillé. On n'a pas testé les vins.

|●| ***Mat Kultur*** *(plan II, H6,* ***53****) : Erstagatan 21. ☎ 642-03-53. Tlj sf dim 17h-23h. Nombreux plats moins de 200 Sk (21 €).* À quartier mode, adresse mode ! Mais qui l'était bien avant que le secteur ne le devienne. Deux petites salles colorées pour une cuisine du monde, qui plaît à une clientèle de tous les âges. Et à nous aussi d'ailleurs. Des plats thaïs, chinois, mexicains ou... italiens.

Chic

|●| ***Sáhára*** *(plan II, G5,* ***94****) : Folkungagatan 126. ☎ 641-33-87. Tlj dès 17h jusqu'au dernier client, ven-dim dès 16h.* Mezze *libanais 195-315 Sk/pers (20,50-33 €) selon nombre de portions.* Déco orientalistante mais pas vulgaire, service prévenant. Bien évidemment, c'est le *mezze* généreux qui récolte les suffrages. On se pourlèche les babines à l'arrivée des plateaux : houmous, taboulé, foul, moussaka et autres *beltoum,* accompagnés de légumes grillés ou marinés et de pilons de poulet grillés. C'est plein de saveurs et d'épices délicates, et on a du mal à finir les plats. Thé à la cardamome ou café Sahara. Les desserts sont tentants, à condition d'avoir encore la place d'en caser un. Service attentionné.

Un peu plus excentré, à Kungsholmen

– Signalons que la *Scheelegatan (plan I, A2)* compte de nombreux restos et bars, mais ces derniers tendent à changer souvent de noms et de propriétaires. Par ailleurs, cette rue agréablement animée dans l'année est assez morte en juillet.

Bon marché

|●| ***Govindas*** *(hors plan I par A2,* ***38****) : Fridhemsgatan 22. ☎ 654-90-04.* Ⓜ *Fridhemsplan (juste à la sortie du métro). Situé sur l'île de l'hôtel de ville, en allant vers l'ouest. Ouv en continu 11h-19h. Fermé dim et 2 ou 3 sem en juil. Menus 70-80 Sk (7,50-8,50 €).* Self végétarien tenu par des adeptes de Krishna. Excellente nourriture indienne servie très copieusement (de toute façon on peut se resservir à volonté), à des prix défiant toute concurrence. Cadre agréable. Éviter le *lassi,* il n'a de *lassi* que le nom, par contre sorbets et yaourts convenables. En mezzanine, petits salons avec tables basses et coussins au sol. Au fond, petite boutique et un temple pour la prière.

Dans le quartier de Vasastaden (plan I, A1)

Si ce quartier nord de la ville n'est pas le plus touristique, il est en revanche apprécié des Stockholmois pour ses cafés et petits restos.

STOCKHOLM

Bon marché

|●| 🍸 ***Kafé Kompott*** *(hors plan I par A1, **49**) : Karlbergsvägen 52. ☎ 31-51-77. Sur un grand carrefour. Ouv 11h-18h.* Le charme de ce café tient à la luminosité de sa salle et à sa jolie petite terrasse. Un des rares cafés à la fois chaleureux et aérés. Particulièrement agréable pour le brunch.

|●| 🍸 ***Ritorno*** *(plan I, A1, **50**) : Odengatan 82. ☎ 32-01-06. Ouv en sem 7h-20h ; sam 8h-13h ; dim 10h-18h. Fermé en juil. Plats 40-60 Sk (4,20-6,50 €).* Une des boulangeries-cafés les plus anciennes (1934) et les plus sympas de la ville, avec sa grande terrasse ensoleillée donnant sur le parc de Vasaparken. La salle au fond est un peu moins riante mais confortable. On y est à l'aise pour discuter, boire toutes sortes de cafés et manger de très bons sandwichs. Le nom ne sonne pas très suédois mais *Ritorno,* on y revient !

|●| 🍸 ***Creem*** *(plan I, A1, **30**) : Karlbergsvägen 23. ☎ 32-52-65. Lun-jeu 8h-21h (18h ven) ; w-e 10h-18h.* Petit café à la fois chic et sympathique à deux pas de l'église de Gustav Vasa. Déco moderne un peu stylée très agréable. Plats italianisants avec large choix de cafés et *focaccia.* Petite terrasse en été, avec couvertures fournies pour les plus frileux.

Prix moyens

|●| ***Tranan Café*** *(plan I, A1, **35**) : Karlbergsvägen 14. ☎ 527-28-100. Tlj 17h-23h45. Pas de menu. Plats à partir de 100 Sk (11 €).* Petit resto façon bistrot à la française, avec ses nappes à carreaux, ses tables à touche-touche et ses affiches de films de Gabin. Question nourriture, c'est pas vraiment la France qui est à l'honneur. Une cuisine agréable et très correcte, suédoise sur le fond, mais qui déborde gentiment des frontières nationales. Parmi les plats encore démocratiques, les boulettes de viande et le hareng-purée.

Où boire un verre ? Où écouter de la musique ? Où danser ?

Les fauchés se consolent le soir à Stockholm : tout l'été, il y a des concerts pop, du théâtre... entièrement gratuits et en plein air. Renseignez-vous sur les programmes des endroits suivants (il y en a d'autres) : ***Kungsträdgården*** *(concerts fréquents 19h-21h)* ; ***Långholmen*** ; ***Vita Bergen. L'Opéra royal de Stockholm*** accueille souvent de grands artistes internationaux. Petite réduction pour les étudiants.

La ***Konserthuset*** propose aussi une belle programmation (les places les moins chères sont originalement situées derrière l'orchestre). Et le bon plan (septembre-juin), c'est d'aller écouter les élèves de l'*Académie royale de musique (Valhallavägen 105 ; plan I, C1) ;* Ⓜ *Stadion. ● kmh.se ●* : plusieurs concerts par semaine, gratuits, avec des œuvres et formations très variées. ***Rålamshov,*** un lieu où l'on peut même faire de la gym collective le soir en été.

Attention, l'âge minimum d'entrée dans les endroits où l'on peut consommer de l'alcool (boîtes, discos, etc.) varie entre 20 et 25 ans selon les soirs. Le principe étant que dans la semaine, on accepte les jeunes à partir de 20 ans, tandis qu'en fin de semaine on remonte l'autorisation d'entrée à 23 ou 25 ans (afin de faire une sélection par le porte-monnaie). Pas cool pour les plus jeunes ! Renseignez-vous avant et n'oubliez pas vos papiers d'identité, ils seront souvent exigés à l'entrée. Par ailleurs, afin d'éviter de vous voir refuser l'entrée de certains bars ou boîtes, reléguez donc vos tennis préférées au fond du sac et optez plutôt pour des chaussures plus citadines.

Voir aussi « Où manger ? », car beaucoup de restos ont également une partie bar.

Les quartiers les plus vivants le soir

– Le petit quartier autour de ***Stureplan*** *(plan I, B2-3)* est garni de terrasses où les 25-30 ans se retrouvent. Beaucoup de night-clubs autour de cette place et le long de la Kungsgatan. Très propre sur soi, voire un peu hautain, branché et souvent très cher.
– Sur l'***île de Södermalm*** *(plan II),* les bars de Götgatan et de la Medborgarplatsen drainent beaucoup de jeunes, surtout le week-end. D'autres rues, comme Skånegatan, sont aussi très animées. Plus sympa que Stureplan, car plus simple et plus convivial. Il mêle ambiance branchée et vie de quartier. Comme vous l'avez peut-être déjà compris, on préfère ce quartier au centre ou à la vieille ville pour manger et sortir.
– La place ***Kungsträdgården*** *(plan I, B2),* en plein centre, est aussi un des lieux très animés. Restos et bars malheureusement un peu chers. Beaucoup d'adolescent(e)s y traînent le soir. Ils profitent de la musique qui déborde des cafés à terrasse. On s'assoit sur les bancs de pierre, on « cruise » de long en large, on attend la nuit qui ne veut pas venir. Ambiance populaire et concerts gratuits de temps en temps.
– ***La vieille ville*** *(plan III),* bien sûr, qui accueille son flot de jeunes dans les bars. Sinon, on trouve beaucoup de bars qui ont des orchestres et où l'on peut danser. Dans ce cas-là, il faut payer une entrée plus une consommation (cher !). Le samedi, c'est plein dès 21h-22h : les Suédois font tout de bonne heure. Il faut souvent faire la queue sur le trottoir pour avoir une place.

Dans la vieille ville (Gamla Stan ; plan III)

🍸 🍽 ***Café Edenberg*** *(plan III, J8,* ***67****) : au coin de Nygatan et de Tyska. Ouv 10h-19h ; w-e 12h-17h.* Café rétro, look années 1930-1940 avec vieux canapés, mobilier dépareillé, petites appliques lumineuses et piano coiffé d'une tête de renne. Musique de crooners ringards, ambiance vintage. Un poste Internet et des bouquins à feuilleter. Petite restauration, pâtisseries, café et thé à prendre au comptoir.

🍸 ♩ ***Grågåsen*** *(plan III, I7,* ***61****) : Ignatiigränd. ☎ 24-71-44. Taverne médiévale cachée dans une cave, dans une ruelle reliant Västerlånggatan à Nygatan. Ouv 18h-minuit.* À l'entrée, une accueillante armure, des glaives et hallebardes aux murs, puis les 2 petites salles voûtées éclairées par de discrètes chandelles. Des hôtes vêtus à la mode moyenâgeuse vous servent plats et boissons de la même époque (renoncez donc dès maintenant au café et aux spaghettis). Allez-y de préférence le samedi car, en général, un groupe folklorique vient mettre de l'ambiance. Damoiselles, damoiseaux, enfilez vos hardes !

🍸 ♩ 🍽 ***Engelen*** *(plan III, J8,* ***60****) : Kornhamnstorg 59B. ☎ 20-10-92. Après 20h, droit d'entrée 50 Sk (5,30 €) dim-jeu et 80 Sk (8,50 €) ven-sam. Plat du jour le midi 75 Sk (8 €).* Happy hours *16h-20h.* Au rez-de-chaussée, un bar où se produisent jusqu'à minuit des groupes d'excellente qualité, rock et pop le plus souvent. Derrière, un resto *steakhouse* à plusieurs salles, où l'on mange bien mais pour un peu cher, jusqu'à 23h. Au sous-sol, une discothèque dans des caves voûtées commence à officier dès 22h et jusqu'à 3h. Entrée interdite aux moins de 23 ans. Tenue correcte exigée.

♩ ♫ ***Stampen*** *(plan III, I7,* ***62****) : Stora Gråmunkegränd 7. ☎ 20-57-93 • stampen.se • Ouv 20h-1h (2h ven-sam). Fermé dim. Entrée chère : 120 Sk (12,50 €) mais parfois gratuit. Sam,* open stage *14h-18h.* Boîte de jazz traditionnel, Dizzy Gilespie et Woody Allen y ont joué. Plein de monde. Super déco composée d'un tas de vieux objets et d'instruments de musique. Très sympa. On y danse également. Une salle est réservée aux groupes, l'autre fait club (sous-sol). Y aller vers 22h.

🍸 Dans la vieille ville, au cours de vos balades, vous rencontrerez quelques petits cafés sympas comme le ***Café Art*** (Västerlånggatan 60), une cave où l'on sert de bons gâteaux, ou le ***Café Gråmunken,*** même rue, n° 18.

Dans le centre et proche du centre

🍷 ♩ ***Glenn Miller Café*** *(plan I, B2,* ***70****)* **:** *Brunnsgatan 21A. Lun-jeu 17h-1h ; jusqu'à 2h ven-sam (en été, fermé mer-jeu et dim). Compter 20 Sk/pers (2 €) pour le concert plus une conso obligatoire.* Par semaine, 2 à 3 concerts de très bonne qualité dans ce bar minuscule et chaleureux où s'entassent les amateurs de jazz et de blues de vraiment tous les âges. Fait également resto.

🍷 ♩ ***Fasching*** *(plan I, A2,* ***63****)* **:** *Kungsgatan 63. Pour connaître le programme : ☎ 21-62-67. • fasching.se • Entrée assez chère, près de 120 Sk (12,50 €) pour certains groupes.* Un des meilleurs clubs de jazz de la ville proposant des concerts plusieurs soirs par semaine. Salle tout en longueur, aux pierres apparentes. Excellente réputation.

🍷 ♩ ***Kjellson's*** *(plan I, B1,* ***72****)* **:** *Birger Jarlsgatan 36.* Bar sans prétention mais très sympathique, avec ses 2 étages et son comptoir au milieu. Pendant le week-end, l'ambiance y est moins guindée qu'aux « majors » de Stureplan, tel le ***Spy Bar*** quelques mètres plus bas, et on s'y amuse autant, si ce n'est plus !

🍷 ***Icebar*** *(plan I, A2,* ***73****)* **:** *dans l'hôtel* Nordic Sea, *Vasaplan 4. ☎ 505-63-000. Ouv 16h30-minuit (1h sam, 22h dim). Sur résa slt, sf ven-sam soir dès 22h, où il suffit de faire la queue. Boisson alcoolisée 160 Sk (17 €) et sans alcool 105 Sk (11 €).* Issu du même concept que le bar de glace du *Ice Hotel* à Jukkasjärvi (en Laponie), les curieux et les fauchés pourront observer ce bar depuis le hall de l'hôtel... à travers la glace. Sinon, pour une somme non négligeable (ici, euphémisme), vous pouvez vous la jouer en enfilant une sorte de manteau gris et chaud, genre « Mister Spok s'en va au pôle Nord », qui vous permettra de supporter le froid du bar : - 5 °C pour boire une vodka dans un verre... en glace. Bon, les moins fortunés resteront également de glace devant cette plaisanterie hautement tarifée. C'est comme si on faisait payer 10 € le verre de sable chaud à un Africain. Quant aux Suédois, ils semblent heureux de venir se cailler ici avant l'hiver, le vrai. Chacun son truc après tout.

🍷 ♩ 🍽 ***KGB Bar*** *(plan I, B1-2,* ***71****)* **:** *Malmskillnadsgatan 45. ☎ 20-91-55. Ouv lun-sam 16h-2h. Fermé dim.* Une adresse pour frissonner rétrospectivement à l'évocation des geôles de la Loubianka et du goulag. La panoplie rétro complète des accessoires soviétoïdes, finalement assez réussie. Pour les petites faims on peut laper du bortsch, grignoter des blinis et siroter de la *Smirnoff*. Ex-cosmonautes, héros de l'URSS et hockeyeurs sur glace estampillés CCCP bienvenus ! Concerts certains soirs. *Davaï !*

♫ ***Debaser*** *(plan III, J8,* ***74****)* **:** *☎ 462-98-60.* Ⓜ *Slussen, juste sous la pl. Karl Johans Torget, entre Gamla Stan et Södermalm, sous l'écluse et la chaussée. Pour trouver, repérer la grande statue équestre de Karl XIV Johan et descendez les quelques marches, c'est sur la gauche, devant la vieille écluse. Ouv mar-sam. Entrée : 60-100 Sk (6,30-10,50 €) selon groupes. Âge d'entrée à la boîte : 20-25 ans selon soirs.* Grande terrasse. Une petite salle de concerts (rock, pop, country...) et une boîte branchée et simple à la fois. On aime.

♫ ***Café Opera*** *(plan I, B2,* ***75****)* **:** *Karl XII Torg. ☎ 676-58-07. Juste à l'arrière de l'Opéra, dans le resto. Ouv ts les soirs 23h-3h, sf lun en hiver. Entrée : 100 Sk (10,50 €), gratuite si vous dînez au resto. En sem à partir de 20 ans, w-e dès 23 ans.* Cet étonnant resto Art nouveau chic (et cher), situé dans l'enceinte de l'Opéra, devient, après le service, vers 23h, une boîte animée et très mode, où la jeune et blonde bourgeoisie stockholmoise se donne rendez-vous et se trémousse sur des rythmes modernes et sous de superbes lambris (noter le plafond et les suspensions !).

♫ ***Berns*** *(plan I, C2,* ***76****)* **:** *Näckströmsgatan 8. ☎ 566-32-200. Ouv mer-sam ; en hiver, jeu-sam slt. Entrée : 100 Sk (10,50 €).* Dans un des hôtels les plus in de la ville. Déco de Terence Conran. Tout ceux qui « sont » ou qui voudraient « être », mais aussi ceux qui connaissent quelqu'un qui « est » ou qui « croit être » viennent au *Berns* fréquenter la jeunesse bourgeoise. Ainsi décrivait ce lieu un journaliste suédois. On n'a rien à

…Marrant comme tout. Boîte et …unge agréable. Bistrot ser… …sion food plus chère avec …asse en annexe.

F12 (plan I, B2-3, 77) : *Fredsgatan 12. ☎ 24-80-52. Ouv slt mai-fin août, ts les soirs sf dim jusqu'à 3h. Entrée payante ven-sam : 60 Sk (6,50 €).* Pas vraiment une boîte puisqu'on est en fait sur 2 petites terrasses en balcon sur la rue, à l'étage du célèbre resto du même nom. Le grand plus, c'est que, puisqu'on est en extérieur, on peut fumer, et ça, ça vaut de l'or dans un pays comme la Suède ! Une aubaine donc pour les intoxiqués qui peuvent cloper un verre à la main. DJs de toutes sortes. On y danse un peu, quand on n'est pas trop les uns sur les autres.

À Södermalm *(plan II)*

Mosebacke Terrasse *(plan II, G5, **81**) : Ⓜ Slussen.* Depuis 1885, les Stockholmois viennent s'imprégner de la gaieté bon enfant du cabaret *Mosebacke Etablissement* et danser, les soirs d'été, sur la terrasse. Passez le portail en forme d'arc de triomphe de l'entrée et montez sur cette terrasse très *place-to-be* où vous pourrez, comme le narrateur des premières pages du roman de Strindberg, *Le Cabinet rouge,* admirer la vue sur la ville et le port, et siroter une mousse devant le buste de l'écrivain. Stands à saucisse et ambiance d'enfer.

Snaps *(plan II, F5, **64**) : Medborgarplatsen ; à l'angle nord de Götgatan. Ⓜ Medborgarplatsen. Lun-mar jusqu'à minuit, mer-sam jusqu'à 3h. Normalement fermé dim, mais avec quelques exceptions en été. Entrée gratuite en sem et payante ven-sam. Âge requis : 25 ans.* Un des endroits très à la mode à Södermalm. Sur 2 niveaux, un bar, un resto qui sert entre 16h et minuit et une boîte de nuit, tout cela entre murs de pierre et cave voûtée. Grande cour derrière, terrasse devant et boîte au sous-sol.

Bar W.-C. *(plan II, G6, **65**) : à l'angle de Ostgötagatan et Skånegatan. ☎ 644-19-81. Ⓜ Medborgarplatsen ou Skanstull. Ouv lun-ven 16h-1h ; le w-e, brunch dès 11h30.* Pourquoi *W.-C.* ? Des w-c exposés en vitrine, les tabourets du bar avec un grand trou au milieu, du carrelage sur les murs, etc. D'accord, le concept est un peu limite. N'empêche que le soir, le long comptoir ne désemplit pas d'une jeunesse à la mode, parlant fort pour couvrir la musique. Possibilité d'y manger. Les plats de viande ou de poisson sont abordables, et les moules-frites pas chères. Un détail : curieusement, les w-c de ce bar sont assez mal tenus. À part ça, bonne ambiance, détendue. Endroit assez couru des 20-25 ans.

Agueli *(plan II, F5, **66**) : Blecktorngränd 9. Ⓜ Mariatorget. Ouv 11h-17h.* Café-galerie au calme dans une ruelle en escalier qui donne sur Hornsgatan. Idéal pour une petite pause en terrasse, pendant une balade dans ce beau quartier. Café, thé, chocolat, cappuccino, bons gâteaux et quelques petits plats.

La boîte du Kvarnen Restaurant *(plan II, G6, **46**) : Tjärhovsgatan 4. ☎ 643-03-80. Ⓜ Medborgarplatsen. Ouv mer-sam jusqu'à 3h. Entrée gratuite mais vestiaire obligatoire.* Ce resto traditionnel abrite dans son sous-sol une boîte minuscule. Pour entrer, prévoir un chausse-pied.

Soldaten Svejk *(plan II, G6, **82**) : Östgötagatan 35. ☎ 641-33-66.* Une ambiance médiévale avec des écus aux murs qui sert de cadre à la dégustation des incomparables bières tchèques comme la *Staropramen.* À accompagner de fromage fumé. Quelques plats d'Europe centrale.

El Mundo *(plan II, H6, **78**) : Erstagatan 21. ☎ 743-03-53. Tlj sf dim 17h-minuit.* Petit troquet de quartier plein de guirlandes colorées, qui attire aussi bien les gens du coin que la clientèle du centre-ville. Canapés confortables et quelques petites tables dehors pour... les fumeurs.

Chokladfabriken *(plan II, G5, **79**) : Renstiernasgata 12 (angle avec Tjärhovsgatan). ☎ 640-05-68. Lun-ven 10h-18h30 (17h sam). Fermé dim.* Si vous êtes dans le secteur, une petite halte s'impose dans cette chocolaterie artisanale, moderne et délicieuse. On fait la queue au comptoir pour commander ses gourmandises et sa boisson. De la curieuse mezzanine en escalier, on observe la clientèle de jeunes mères de famille, de petites grappes de copines qui viennent ici prendre un thé et quelques fondants chocolats. Une adresse typique de SoFo.

– D'autres ***bars*** sympas dans Skånegatan et pas mal de ***pubs*** dans la partie nord de Götagatan.

À Vasastaden *(plan I, A1)*

🍸 ♪ ***Musslan** (plan I, A1, **69**) : Dalagatan 46. • musslan.se • Tlj sf dim dès 18h. Musique (DJ) ts les soirs dès 21h.* Bar très agréable à la déco *trendy*, en face du parc de Vasaparken. Bonne sélection de cocktails. Le bar est situé dans l'immeuble où Astrid Lindgrén, l'auteur très populaire du livre pour enfants *Fifi Brindacier*, vécut la majeure partie de sa vie.

À Kungsholmen *(hors plan I par A2)*

🍸 ***AG 925** (hors plan I par A2, **80**) : Kronobergsgatan 37, au 2e étage. ☎ 410-68-100. Mar-sam 17h-1h.* Le code chimique de l'argent, voici le nom de ce bar-resto situé dans une ancienne fabrique d'argent justement. Une sorte de grand hangar, sans aucune enseigne sur la rue, auquel on accède par un escalier. Sur les murs, toujours des expos décapantes et parfois déjantées. Une ambiance *lounge*, avec de vieux canapés pour s'affaler généreusement et profiter de la musique en attendant une place au resto. *Destroy* juste comme il faut, branché à la bonne mesure. Comme la cuisine est chère, on peut se contenter d'y prendre un verre, juste pour l'ambiance. Pour une petite grignote, on peut opter pour la carte du bar, moins chère que celle du resto.

Où se baigner ?

– Ceux qui ont la fesse sensible à l'eau un peu froide seront heureux de savoir qu'à Stockholm, il y a plein de piscines :

■ ***Piscine municipale Eriksdalsbadet :** Hammarby Slussväg 20. ☎ 508-40-258. Ⓜ Skanstull. Lun-jeu 6h30-21h ; ven 6h30-20h ; w-e 9h-17h (18h dim). Entrée : 65 Sk (7,20 €).* Bassin de 50 m.

■ ***Centralbadet :** Drottninggatan 88. ☎ 545-213-13. Entrée : 110 Sk (11,50 €) ; encore plus cher le w-e ; réduc étudiants.* Au fond d'un petit jardin agréable. Beaucoup plus cher, mais décor début du XXe s très classe. Sauna, bains à remous, etc. Plus pour se relaxer que pour nager, car les bassins sont petits.

⛱ Sachez qu'il existe une quinzaine de ***plages*** à Stockholm et dans les environs. Parmi elles :

*– **La petite île verdoyante de Långholmen :** Ⓜ Horsntull (puis 10 mn à pied jusqu'à Långohlmen).* Sans aucun doute l'un des endroits les plus sympas pour aller se baigner. La « plage » est à deux pas de l'ancienne prison transformée en hôtel et AJ et entourée de nombreuses « colonies » – petits lopins de terre fleuris et amoureusement entretenus par leurs propriétaires. La plage proprement dite est généralement réservée aux familles avec enfants en bas âge. Pontons et rochers dissimulés dans la verdure vous permettront certainement de trouver « votre » petit coin de paradis pour profiter des longues soirées d'été !

*– **Brunnsviksbadet :** Ⓜ Universitetet, puis 10 mn à pied ou en bus n° 540 jusqu'à Frescati.* Un endroit des plus idyllique puisque l'on est au cœur du parc national de

Haga et en bordure du jardin botanique de Bergianska. Tranquillité assurée, même si l'eau n'est pas toujours aussi transparente que dans le Mälaren.

– D'une façon générale, tous les lacs aux alentours de Stockholm sont très propres et propices à la baignade. Inutile de vous donner en spectacle sous les fenêtres du château royal, mais si un petit rocher vous tente un peu à l'écart du centre-ville, n'hésitez pas, jetez-vous à l'eau ! Par ailleurs, prenez garde aux nombreux bateaux qui sillonnent les mêmes lacs que vous : le soleil bas de l'après-midi leur rend la visibilité incertaine.

– Si vous venez à Stockholm en hiver, sachez que des patinoires sont normalement installées en centre-ville. Et par grand gel, on peut patiner sur le lac Malåren. Chaussez vos patins *(que vous pouvez louer sur place pour env 30 Sk, soit 3,20 €)* !

À voir

Stockholm n'est pas seulement une ville agréable qui ne devrait son charme qu'à la douce présence de l'eau où chacune de ses îles baigne de façon bien romantique, il y a aussi de superbes musées. Et puis *Gamla Stan,* la cité médiévale toute serrée sur son île, qui réserve d'agréables moments. Le mieux pour ne pas perdre de temps est de visiter les îlots méthodiquement, l'un après l'autre, plutôt que d'avoir à revenir sur celui-ci ou celui-là.
Vous trouverez un tas d'infos touristiques sur le site officiel de la ville de Stockholm : • stockholmtown.com •
– Pour ceux qui ont peu de temps, il peut être intéressant de faire le tour de ville en bus, d'une durée de 1h30, avec *City Sightseeing* (départ devant l'Opéra royal). Un peu cher *(200 Sk, soit 21 €)* mais donne une bonne vue d'ensemble de Stockholm en un minimum de temps. Écouteurs (parfois un peu grésillants) avec commentaires en français.
Sinon, il existe aussi la formule *hop-on, hop-off* (qui permet d'interrompre et de reprendre le tour à loisir) dans un bus à ciel ouvert. Un peu moins cher que *City Sightseeing,* mais itinéraire plus restreint.

LA VIEILLE VILLE (Gamla Stan ; plan III)

C'est la cité médiévale avec de paisibles placettes, des rues tortueuses, de vieilles maisons à pignons... et beaucoup de touristes. D'ailleurs, les rues sont pleines d'échoppes d'objets de pacotille, notamment l'axe principal, ***Västerlånggatan.*** Mais Gamla Stan abrite aussi de nombreux antiquaires et quelques galeries d'art. Les rues du centre sont interdites à la circulation. Vous y verrez le château royal (qui possède neuf musées), la cathédrale...
Une visite guidée en anglais est organisée chaque jour depuis l'obélisque à 19h30 *(50 Sk/pers, soit 5,30 €).* C'est là que Stockholm est née, voici plus de 700 ans. La petite cité ceinte de murailles s'agrandit petit à petit, combla du terrain et devint toujours plus majestueuse. La rue Köpmangatan, doyenne de la ville, était bordée de maisons construites en brique.
Au cours de votre visite, vous rencontrerez d'anciens palais aujourd'hui un peu masqués par le ciment. Vers la Prästgatan (au n° 78, maison de Carl Larsson), à côté du n° 80, commence la ruelle la plus étroite de la ville, ***Mårten Trotzigs Gränd,*** qui descend à pic avec ses petits escaliers. De-ci, de-là, on remarque des fenêtres très basses dont les volets se déployaient pour former de petits comptoirs, d'où l'expression « trier sur le volet » puisque c'est là qu'on disposait les meilleures marchandises. Il faut savoir que la vie était telle au XVIIe s, qu'on comptait près de 700 débits de boisson sur l'île. On donnait en effet aux veuves de guerre la permission d'ouvrir un bar. Les passants, pour se réchauffer, s'envoyaient une eau-de-vie. Sur ***Munkbron,*** on remarque quelques tympans de portes datant de l'époque médiévale.

La place la plus charmante de la vieille ville est sans doute ***Stortorget,*** où eut lieu en 1520 ce qu'on appela plus tard le « bain de sang de Stockholm ».

Tout autour de la place, plusieurs hautes maisons à pignons de belle facture, d'où ressort le style Renaissance des Pays-Bas. Jolie fontaine au centre. Au Moyen Âge, c'est là qu'on se rencontrait, qu'on faisait son marché. Les maisons de bois furent remplacées aux XVIIe et XVIIIe s par des structures plus solides. On détruisait donc les vieux édifices, ou on restylisait les façades. Sur Västerlånggatan, au n° 29, notez au 1er étage les briques qui apparaissent et qui sont du XIVe s.

EMPILEMENT DE CRÂNES

C'est sur le Stortorget que Christian II de Danemark fit décapiter plus de 82 nobles suédois déclarés hérétiques le jour de son sacre. Ces aristocrates étaient soupçonnés de soutenir le mouvement nationaliste mené par Sten Sture. Leurs têtes furent empilées en forme de pyramide au milieu de la place, comme on fait avec des boulets de canon. « On ne fait rien avec la douceur, les moyens les plus efficaces sont ceux avec lesquels on fait souffrir les corps », avait-il déclaré pour se justifier. Charmant bonhomme !

Le soir, la vieille ville reprend ses droits : les touristes la désertent et les jeunes viennent emplir les cafés et les restos. Au centre, de judicieux bancs permettent de profiter du décor tout en permettant un peu de repos.

Au mois de décembre, un joli petit marché de Noël s'installe sur la place, et l'on peut acheter des petits objets d'artisanat peints en bois et des décorations pour les fêtes.

Nobel Museet *(musée Nobel ; plan III, J7,* ***100****)* ***:*** *Stortorget 2. ☎ 534-818-00. De janv à mi-mai et de mi-sept à déc, mar 11h-20h, mer-dim 11h-17h ; de mi-mai à mi-sept, lun et mer-dim 10h-17h, mar 10h-20h. Entrée : 60 Sk (6,50 €) ; réduc.* Ce musée a ouvert ses portes en 2001 pour les 100 ans du prix Nobel, dans l'ancien bâtiment de la Bourse, là où est dévoilé chaque année le nom du lauréat du prix de littérature. Il présente sous forme originale (des panneaux défilant accrochés à un rail aérien) les lauréats du prix Nobel ainsi que leurs travaux, retraçant ainsi l'évolution de la science au cours de plus d'un siècle. Des vitrines sont régulièrement consacrées à des lauréats du passé. Pas palpitant, mais pas inintéressant non plus. Expos temporaires.

Le château royal *(plan III, J7)* ***:*** *sur Gamla Stan. ☎ 402-61-30. • royalcourt.se • La grande majorité des sites à visiter dans le château sont ouv tlj 10h-17h de fin juin à mi-août, jusqu'à 16h dès mi-mai et dans la 2de moitié d'août ; le reste de l'année, mar-dim 12h-15h. Fermé janv. Horaires différents pour l'armurerie royale. Le ticket combiné donne accès à ts les centres d'intérêt du château (trésor, appartements royaux, musée des Trois Couronnes, musée d'Antiquités de Gustave III...), excepté l'armurerie royale (dont l'entrée se règle à part). Ticket combiné : 130 Sk (14,30 €) ; réduc étudiants et seniors (65 Sk, soit 7 €). Sinon, l'entrée de chacune des parties du château est à 90 Sk (9,50 €) ; réduc 35 Sk (4 €). Brochure en français.*

Le château comporte en tout neuf points d'intérêt, mais seules les visites des appartements, du trésor et de l'armurerie royale valent vraiment le coup à notre avis. Le reste peut paraître un peu ennuyeux. À vous de voir.

Un peu d'histoire

Le château occupe la partie nord de la vieille ville (Gamla Stan) et se compose de plusieurs édifices formant un vaste quadrilatère. Cet ensemble de plus de 600 pièces fut plusieurs fois modifié au fil des siècles. Édifié au XIIIe s, il fut agrandi en permanence jusqu'au XVIIe s, période à laquelle les parties les plus anciennes partirent en fumée lors d'un grand incendie. Immédiatement, un nouveau plan fut élaboré, d'esprit très classique, lourd même, semblable à certains châteaux français. Les nouveaux édifices s'élevèrent petit à petit, et ce jusqu'au milieu du XVIIIe s, même si la construction fut maintes fois interrompue par les guerres. Le château fut la résidence de la reine Christine et de sa cour, et notre grand Descartes y séjourna quelques mois et y mourut (il ne supportait pas le froid). Il faut savoir que toute la cour était imprégnée de culture française. Aujourd'hui, la famille royale ne l'habite plus, lui préférant sans doute une résidence plus... confortable.

Visite

La relève de la garde a lieu à 12h15 (13h15 les dim et j. fériés). Attention, venir un peu en avance car il y a du monde en saison.

– ***Les appartements :*** une petite brochure en français est disponible pour ceux qui veulent en savoir plus sur la décoration de chaque pièce. En général, tour guidé en anglais toutes les heures en saison et seulement 14h hors saison. La visite consiste en une enfilade de salles toutes plus belles les unes que les autres.

– *Le 1er étage :* sur la gauche de l'escalier on trouve les ***appartements de Bernadotte.*** Tout le monde sait que ce maréchal de Napoléon fut choisi comme successeur par le roi de Suède, qui n'avait pas d'héritier. Il y vécut de 1818 à sa mort. Ces appartements présentent des collections de meubles, de tapisseries et d'objets de toutes les époques royales, du XVIe s à nos jours. Voir la grande galerie Bernadotte au décor rococo, orné de portraits de famille. Le maréchal apparaît avec sa femme Désirée et leur fils Oskar Ier. Portrait de la belle Joséphine, petite-fille de Joséphine de Beauharnais. Un minuscule tableau montre Bernadotte en chemise de nuit, dans son lit. Il faut dire qu'il en sortait rarement quand il faisait très froid. Parmi les différents salons, voir encore la *salle Don Quichotte,* aux remarquables tapisseries. Quelques plafonds sont époustouflants, celui de la *salle d'audience* par exemple. Voir encore le *cabinet de travail d'Oscar II,* très encombré de portraits et de meubles lourds, et encore la *salle du Jubilé de Carl XVI Gustav,* moderne mais qui fait clairement de l'œil à l'Art déco.

Sur la droite de l'escalier, les ***appartements des ordres de chevalerie*** : costumes, médailles... Tout au fond, le *hall of state,* où avait lieu une cérémonie annuelle. Noter le lourd trône d'argent du XVIIe s.

– *Le 2e étage :* sur la droite de l'escalier on trouve les appartements d'apparat, dessinés par l'architecte suédois Tessin avec l'aide d'artistes français à la fin du XVIIe s. Il ne reste aujourd'hui que la grande galerie de Charles XI : plafond peint évoquant la grandeur nationale. Vitrines de verreries (coupes incrustées de pierreries), d'ivoires, d'ambre orange, de miniatures et de porcelaine. Belles tapisseries. Nombreuses autres pièces à la décoration témoignant des différents styles en vogue au cours des XVIIIe et XIXe s : baroque, rococo, classique. Mobilier, galerie de portraits... il y en a pour tous les goûts. Voir par exemple la *chambre du conseil* ou la *salle des audiences* (plafond allégorique). Sur la gauche de l'escalier : les appartements des hôtes. Enfilade de salles aux styles très mélangés, avec toutefois une dominante rococo.

Au sous-sol des appartements, le ***Tree Kroner Museum*** (*musée des Trois Couronnes,* inclus dans le ticket combiné) présente quelques témoignages sur la vie du château. Franchement pas grand-chose à voir.

– ***Le trésor royal*** *(Skattkammaren)* **:** dans deux petites salles faiblement éclairées, on découvre une orfèvrerie rare et de superbes couronnes royales d'une incomparable richesse, ciselées entre le XVIe et le XVIIIe s. Sceptres, fonts baptismaux en argent, cape d'hermine. Belles épées également, dont les lames finement gravées narrent les épopées guerrières du XVIe s.

– ***L'armurerie royale :*** *à côté du trésor royal. Ouv juin-août, tlj 10h-17h ; le reste de l'année, mar-dim 11h-17h (20h jeu). Entrée : 50 Sk (5,30 €). Possibilité de louer un audioguide en français : 20 Sk (2 €). Vraiment indispensable pour bien comprendre les collections.* De loin la visite la plus intéressante du château royal. L'entrée se fait par l'extérieur du château, sur le côté (suivre les indications « Livrustkammaren »). Ce musée, installé dans de belles salles voûtées, est étonnant par sa richesse et la grande qualité de sa présentation (mise en place, éclairages, commentaires...). On traverse tout d'abord une belle galerie de costumes des XVIIe et XVIIIe s. Ceux des rois Gustave II (dont on peut admirer, dans l'une des vitrines, le cheval « Streiff » empaillé), Gustave III (assassiné lors d'un bal masqué en 1792) et Charles XII (tué au combat en 1718) sont, entre autres, remarquables par leur état de conservation

et aussi, pour les deux derniers, par les trous que les coups mortels y ont laissés. Armes, cottes de mailles, splendides collections d'armures ciselées comme de l'orfèvrerie dont on se demande franchement comment on pouvait les supporter. Armures de chevaux, d'hommes et d'enfants. Notez, au fil des commentaires, le nombre de rois assassinés dans ce pays ! Admirez le travail d'orfèvre de certaines armures, absolument remarquable. Vitrines de costumes royaux de toute beauté, appartenant aux différents rois. À l'étage, expos temporaires.
Au sous-sol, ne manquez pas l'exceptionnelle collection de carrosses des XVIIe et XVIIIe s. À l'entrée, sur la droite, un petit carrosse pour le prince. Plusieurs de ces chefs-d'œuvre furent fabriqués en France. On est frappé par la richesse et la finesse des décorations, motifs baroques ou classiques, hauts en couleur ou traditionnels. Carrosses de cérémonies, de mariages, de promenade (incroyables marqueteries). On remarque que ces musées ambulants sont tous pourvus d'amortisseurs à lanières de cuir. Un de nos préférés est peut-être celui du roi Gustave III, du milieu du XVIIIe s, réalisé pour son accession au trône. Ou, dans un autre genre, le traîneau que lui offrit Marie-Thérèse d'Autriche, complètement baroque. Au fond, harnachements de parades de toute beauté.

Storkyrkan *(cathédrale ; plan III, J7)* **:** *située sur la place, à côté du château royal. Ouv 10h (11h dim)-18h en été. Entrée gratuite, mais don de 25 Sk (2,50 €) suggéré. Feuillet explicatif en français (payant).* Si elle fut fondée en même temps que le château primitif au XIIIe s, la cathédrale connut de multiples transformations, notamment au XVe s (elle fut rebâtie après un incendie en gothique tardif), puis au XVIIIe s. Presque tous les rois y furent couronnés. Elle fut réformée au XVIe s. Si l'extérieur n'est pas particulièrement marquant (refait au XVIIIe s), l'intérieur est très richement décoré. Sur le plan architectural, c'est une cathédrale à trois nefs, aux épais piliers de briques et croisées d'ogives, qui possède une certaine élégance et de belles proportions. Décoration intéressante, à commencer par cette exceptionnelle sculpture médiévale (fin du XVe s) représentant saint Georges terrassant le dragon sous les yeux de la princesse Elya. Pas très fin, mais d'une grande importance symbolique pour les Suédois. Ce chef-d'œuvre d'un artiste de Lübeck fut offert à l'église par Sten Sture en 1489, après la victoire contre les Danois. Cet ensemble symbolise la volonté des Suédois de venir à bout de l'autorité danoise et d'accéder à l'indépendance. On notera encore, sur la gauche du chœur, le gigantesque tableau d'inspiration baroque figurant le Jugement dernier. Grande expressivité. Dans la nef principale, la chaire baroque et juste derrière, de part et d'autre de la nef, les sièges royaux, utilisés pour les grandes cérémonies. Voir encore le chandelier à sept branches monumental, âgé de plus de 600 ans et mesurant 3,70 m de haut, ainsi qu'un retable en argent et ébène, également du XVIIe s. L'été, l'église accueille en ses murs quelques concerts classiques gratuits.

PHÉNOMÈNE CÉLESTE

Juste à gauche de la petite porte de sortie de la cathédrale, un tableau de petite taille, mais qui a son importance : il s'agit des Parhélies, *toile de 1630 par Urban Malare, témoignant d'un phénomène optique constaté en 1535 au cours duquel six halos de lumière ont illuminé le ciel de Stockholm. Les religieux s'emparèrent de ce phénomène et firent peindre un tableau un peu menaçant pour tous les mécréants. L'intérêt sur le plan historique, c'est que ce tableau est la première représentation de la ville.*

Le musée de la Stockholm médiévale *(Medeltidsmuseet ; plan III, J7)* **:** *Strömparterren, Norrbro, sous le pont (prendre les escaliers). ☎ 50-83-17-90. • medeltidsmuseum.stockholm.se • Ⓜ Gamla Stan ou Kungsträdgården. Tlj 11h-16h (18h mer). Fermé lun en hiver. Entrée : 60 Sk (6,50 €) ; réduc ; gratuit jusqu'à 17 ans.* Raconte l'histoire de la ville par le biais des fouilles archéologiques et son développement tout au long du Moyen Âge. Restes d'un mur d'enceinte, vestiges de bateaux vikings, maquettes, reconstitutions de l'habitat, d'un bout de port.

Quelques armes également et une amusante vitrine de chaussures de cuir retrouvées intactes dans les fouilles. Bon, seulement si vous êtes passionné.

⚲⚲ ***Tyska Kirkan*** *(plan III, J8)* ***:*** *ouv 11h-17h.* Bâtie au XVe s à l'époque de la Hanse et dédiée à sainte Gertrude, patronne des voyageurs et des marchands, cette église allemande domine Gamla Stan de son imposante flèche. Belle chaire en ébène soutenue par un ange agenouillé. Splendide tribune royale couverte de dorures et peintures dans les caissons du plafond.

LE QUARTIER DE RIDDARHOLMEN (plan III, I7-8)

Riddarholmen, littéralement l'*îlot des chevaliers,* est une petite île paisible d'à peine 200 m entre Gamla Stan et Kungsholmen. Elle abrite l'ancien Parlement et de nombreux palais du XVIIe s construits par de grandes familles aristocratiques comme les Wrangel, les Sparre ou les Stenbock.
Le plus vieux nom connu de l'île est *Kidaskär*. Au XIIe s, un monastère franciscain y fut construit et le nom de l'île devint *Gråmunkeholmen*. À la Réforme, le monastère fut fermé et transformé en une église, et en 1638 l'île prit son nom actuel.

⚲⚲ ***Riddarholmskyrkan :*** *ouv 10h-17h (16h en hiver). Entrée : 20 Sk (2 €).* Cette austère église de brique à la flèche en fonte ajoutée au XIX ^e s a été bâtie en 1270 par les franciscains. C'est le lieu de sépulture des souverains suédois depuis le XVIe s. Une statue de Birger Jarl, considéré comme le fondateur de la ville, se trouve sur un des piliers nord. En plus des chapelles funéraires où se trouvent les sarcophages de Gustave-Adolphe et des Bernadotte, on peut détailler les blasons de toutes les personnalités qui ont été décorées de l'ordre des Séraphins, l'ordre de chevalerie le plus important de Suède. En cherchant un peu, vous y trouverez les souverains belges mais aussi le blason de François Mitterrand dont on ignorait qu'il ait été doté d'armoiries...

⚲⚲⚲ La côte ouest de l'île offre, depuis une vaste esplanade, une vue exceptionnelle sur la baie de Riddarfjärden et l'hôtel de ville, surtout au coucher du soleil. Vérifiez vos batteries d'appareil photo avant d'y aller.

STOCKHOLM

SUR L'ÎLE DE KUNGSHOLMEN (plan I, A2-3)

⚲ ***Stadhuset*** *(hôtel de ville ; plan I, A3)* ***:*** *Hantverkargatan 1. ☎ 508-290-58. Ⓜ Rådhuset ou T-Centralen. Visites guidées slt, début juin-fin août, ttes les heures 10h-15h l'été (sf 13h). Celle en français 12h. Moins de visites le reste de l'année. Achat des billets dans la cour, entre les colonnes au fond, sur la droite. Entrée : 60 Sk (6,50 €) ; petites réduc ; gratuit jusqu'à 11 ans.*
Célèbre œuvre architecturale de Ragnar Östberg, inaugurée en 1923. Édifice tout en brique, reconnaissable par sa grande tour carrée, haute de 106 m, plus haute que celle de Copenhague (l'ennemi historique), qui ne fait que 105 m. La cour intérieure est très agréable. On aime bien ces couleurs chaudes, ainsi que les arcades au bord de l'eau, joliment aménagées. L'intérieur abrite des salles de galas et de réunion dans un style néo-Renaissance épuré, ainsi que les locaux administratifs de la ville. C'est ici qu'ont lieu les réceptions et le bal pour les nobélisés, le 10 décembre. On rappelle que tous les prix Nobel sont attribués à Stockholm, sauf celui de la paix, qui est donné à Oslo.
On visite la *salle du Conseil,* où l'on apprend que, sur les 101 membres, 53 sont des femmes. La salle la plus intéressante est sans doute la *Golden room,* dont les murs sont recouverts de mosaïques d'or à 14,5 carats. Elle raconte l'histoire du pays, sa christianisation... Style assez naïf, yeux globuleux, corps massifs. Noter le personnage principal au fond, tenant la ville sur ses genoux : il s'agit de la *Reine du Lac,* personnage de légende. Sa laideur dans l'exécution fut très controversée lors de sa présentation officielle. À ses pieds, de chaque côté, l'Occident (à gauche), où

l'on distingue la tour Eiffel et des gratte-ciel des États-Unis. À droite, l'Orient (éléphants, mosquées...). Possibilité de monter tout en haut de la tour pour découvrir une vue magnifique sur Stockholm *(ouv début mai-fin sept 10h-16h15 ; entrée : 20 Sk, soit 2,20 €).*

LE QUARTIER DE NORRMALM (plan I, B2)

Norrmalm, c'est le centre-ville, mélange d'édifices du XIXe s et de prétentieuses réalisations en fer et verre des années 1970, dont le cœur commercial est la longue et piétonne *Drottninggatan,* qui démarre au sud, juste au niveau de la vieille ville. C'était le grand axe de sortie qui menait vers la douane au nord de la ville. Administrative dans sa partie sud, elle devient commerciale quand on la remonte vers le nord, avec de grandes enseignes comme *Åhlens* ou *Pub.* Perpendiculairement, la *Kungsgatan* fut la première grande artère monumentale, dessinée pour le trafic automobile. Sur Hörtorget, on trouve la Konserthuset, la salle philarmonique de Stockholm, où se déroule la cérémonie de remise des prix Nobel. Juste devant, magnifique ensemble de bronze *Orpheus,* de Carl Milles, superbe de pureté avec à ses pieds de jeunes éphèbes dont un des visages rappelle celui de Beethoven. Tous les matins, on y trouve le plus important marché de la ville (fruits, légumes et fleurs). Venir en fin de marché (vers 17h), pour profiter des prix qui baissent. Le dimanche, place au marché aux puces. Quelques trucs à dénicher.
Du côté de *Sergels Torg,* le modernisme des années 1960 et 1970 a produit tout ce qu'il y a de plus moche dans le genre. Disgracieux immeubles d'affaires et voies rapides qui ont littéralement défiguré le quartier.

Hallwylska Museet *(plan I, C2) : Hamngatan 4, à 150 m de l'office du tourisme. ☎ 51-95-55-99. • hallwylskamuseet.se • Ⓜ Östermalmstorg. Mar-dim 11h45-16h. Entrée : 60 Sk (6,50 €) ; réduc. Seule la visite guidée (en anglais en été slt) permet de voir ttes les collections. Plaquette en français disponible.* Une improbable collection d'œuvres et d'objets accumulés et méticuleusement répertoriés par la non moins improbable comtesse Wilhelmina von Hallwyl. Riche héritière de la fin du XIXe s, cette aristocrate fit bâtir son palais par l'architecte du *Nordiska Museet* avec un budget illimité (on ne vous dit que ça !). Depuis il renferme, outre un intérieur hyper-luxueux (tapisseries des Gobelins, piano Stenway marqueté de bois précieux, mobilier doré et tout et tout...), une des premières salles de bains suédoises. N'y cherchez pas de robinet, l'eau arrivait par le fond de la baignoire. Magnifiques collections de faïence, d'argenterie, de bijoux. La galerie où sont exposées les peintures de l'école flamande (XVIe et XVIIe s) a même dû squatter les combles tant le bâtiment regorgeait d'œuvres.

SÖDERMALM (plan II, F6)

« Perchée » sur sa colline, cette île très peuplée était, il n'y a pas si longtemps, réputée pauvre, presque insalubre par endroits. Depuis les écluses de Slussen, l'ascenseur de *Katarina* vous hisse pour 10 Sk sur une plate-forme perchée à une hauteur de 38 m. Reconstruit dans les années 1930, l'ascenseur a longtemps été une des sorties favorites des Stockholmois le dimanche. Une passerelle vous mène alors au pied de Mosebacke Torg, un lieu appécié des habitants qui y viennent pour boire une bière en contemplant de la terrasse le panorama de la ville, du port et de la Baltique. Le lieu est aussi connu pour abriter le ***Södra Teatern Mosebacke Torg,*** temple local des musiques du monde (derviches tourneurs, gitans du Rajasthan, chanteurs mongols et yéménites, etc.). Plusieurs scènes chaque soir. Également un café, une boîte et un bar de nuit sous la tour rouge. De là, on peut se laisser descendre par Östgötagatan vers le cœur de Söder et SoFo.
Un quartier branché.

Aujourd'hui, « Söder » (comme l'appellent les Suédois) est le quartier qui monte, même si peu de touristes s'y perdent, plutôt attirés par le centre et la vieille ville. D'anciens quartiers rénovés y voisinent avec des constructions contemporaines, dont l'*Arche* de Ricardo Bofill, un ensemble en arc de cercle, postmoderne, devant le *Fatbursparken,* et à sa population traditionnellement ouvrière et de classe moyenne se mêlent aujourd'hui de nombreux artistes et étudiants.

Pas de monument extraordinaire à visiter sur Södermalm, l'île est plutôt propice à la flânerie. C'est en baguenaudant au hasard des rues que l'on découvre « Söder », sa vie de quartier, ses petits cafés et ses commerces.

On peut diviser ce secteur en deux parties : celle à l'ouest de Götgatan et celle à l'est de cette artère. Autrefois populaire, la partie ouest de l'île s'est beaucoup développée dans les années 1980, autour des édifices bourgeois des XVIIIe et XIXe s. Peu à peu les bars, théâtres, restos et lieux de concerts ont ouvert. Puis, depuis la fin des années 1990, c'est la partie est de l'île qui a connu une évolution sociologique (et immobilière) rapide. Le quartier s'est d'abord donné un nom à la mode, faisant référence à New York : ***SoFo,*** contraction de SOuth of FOlkungagatan (comme SoHo – SOuth of HOuston). Les designers de meubles, d'objets et des artisans s'installèrent rapidement, attirés par les loyers encore abordables. Nouvelles boutiques un peu parallèles, coiffeurs tendance, bars décalés s'engouffrèrent dans cet appel d'air. Et voilà en quelques années un quartier qui monte, qui monte ; à fréquenter sans modération.

Les trekkeurs urbains pourront tout d'abord faire un tour dans la partie ouest, au nord-ouest plus exactement, dans le quartier délimité au nord par ***Söder Malarstrand*** et au sud par ***Hornsgatan*** *(plan II, E5).* Ce coin cache quelques belles ruelles pavées, certaines en escaliers. Les maisons et les vieux bâtiments récemment rénovés ne manquent ni de charme ni d'intérêt architectural. C'est un quartier d'artistes, de bobos tranquilles, et ***Hornsgatan*** regorge de boutiques d'antiquités, de galeries d'art et de design. À l'extrême ouest de l'île, on peut également, le week-end et surtout quand le soleil donne, faire un tour dans le secteur d'***Hornstull*** (Ⓜ Hornstull), un coin qui se développe et commence à attirer pas mal de monde. Là, le long des quais, sur *Hornstulls Strand,* une sorte de petit marché à tout et à rien s'est ouvert depuis 2005 (fringues, objets divers, vieux vinyles...). Bon prétexte à la flânerie dominicale. On y trouve le très branché resto *Street* (voir « Où manger ? »).

Côté SoFo, à l'est de Götgatan et au sud de Folkungagatan donc, faites un petit tour par exemple à ***Vita Bergen*** *(plan II, H6).* Ce petit parc, très calme, s'étend sur un tertre rocheux à l'est de l'île. En son sommet, *Sophia kyrka* et, un peu plus loin, un théâtre de plein air (se renseigner auprès de l'office du tourisme pour les représentations estivales). Les flancs sont occupés par quelques vieilles maisons en bois, de beaux jardins pentus au charme bucolique. Quelques petits cafés sympas juste à côté sur ***Skånegatan,*** face à un square. À deux pas, à l'angle de Bondegatan et de Södermannagatan, deux maisons en bois, curieusement rescapées des grandes destructions du début du XXe s (la mairie manquait de sous pour détruire les dernières maisons). Plus au nord *(plan II, G5),* les petites rues autour de ***Katarina kyrka*** et de son cimetière sont bordées de maisons anciennes, notamment la ***Mickaelsgatan*** et ses maisons des XVIIe et XVIIIe s. Au bout, très belle vue sur la ville que Södermalm surplombe de quelques dizaines de mètres.

Un peu partout, de nombreuses haltes pour prendre un verre, grignoter un morceau.

STOCKHOLM

SUR L'ÎLE DE SKEPPSHOLMEN *(plan I, C3)*

Pour les musées de cette île, parking payant, mais on trouve aisément de la place.

★★★ ***Moderna Museet*** *(musée d'Art moderne ; plan I, C3)* **:** ☎ *51-95-52-00.* • *modernamuseet.se* • Ⓜ *Kungsträdgården. Mar 10h-20h, mer-dim 10h-18h. Fermé lun. Entrée : 80 Sk (8,50 €) ; gratuit pour les moins de 18 ans ; 110 Sk (10,50 €) pour le ticket combiné avec le Musée d'architecture. Consignes payantes (pas de prises* *de vue autorisées).* Le musée d'Art moderne a ouvert ses portes en février 1998 et vaut vraiment le détour. Le nouvel espace du musée conçu par Rafael Moneo couvre 5 000 m² et abrite une remarquable collection : de Matisse, Léger, Duchamp, Dubuffet, Ernst, Magritte, Picasso, Nolde, Chagall, Dali au mouvement pop art et Warhol en passant par Niki de Saint-Phalle (à l'extérieur), Pollock, Klein et les vidéos et films les plus contemporains. Section photo avec Cartier-Bresson et Brandt notamment. Un ensemble de sculptures exécutées entre les années 1930 et nos jours est disposé sur l'île, tout autour du musée. Superbes expos temporaires (payantes pour certaines) et café très agréable avec une terrasse donnant sur l'eau. Dans le même bâtiment, vous trouverez le musée de l'Architecture (petit mais très dense). Vraiment un lieu remarquable.

Östasiatiska Museet *(musée d'Extrême-Orient ; plan I, C3)* **:** *Skeppsholmen. ☎ 51-95-57-50. • ostasiatiska.se • Mar-dim 11h-17h (20h mar). Fermé lun. Entrée gratuite.* Quelques collections d'antiquités chinoises, et tout particulièrement de peintures et de céramiques. Intéressants départements bouddhique et indien. Section de porcelaines chinoises. Expos temporaires dignes d'intérêt.
En sortant, arrêtez-vous un instant devant le musée pour profiter du panorama sur la vieille ville.

National Museum *(plan I, C3)* **:** *juste avt l'île de Skeppsholmen. ☎ 51-95-43-00. • nationalmuseum.se • Ⓜ Kungsträdgården. Ouv 11h-17h (20h mar et jeu). Fermé lun. Entrée : 80 Sk (8,50 €) ; réduc.*
Ce vaste édifice du milieu du XIXᵉ s, à l'architecture Renaissance de styles florentin et vénitien, accueille des sections de peinture, sculpture et arts décoratifs. Toutes les œuvres furent accumulées au cours des siècles par la famille royale. Ne négligez pas le petit plan disponible à l'entrée, il est bien utile pour se repérer. Hall d'entrée décoré de fresques de Carl Larsson.
– ***1ᵉʳ étage :*** cet étage est consacré aux arts décoratifs du XVIᵉ s à nos jours (nombreuses tapisseries, mobilier et vaisselle) et nous permet de suivre leurs différentes phases. Les textes des premières salles sont traduits en anglais puis, à partir de 1900, des fiches explicatives en français, disponibles à l'entrée de chaque salle, nous expliquent l'évolution du design suédois. Vraiment intéressant.
– ***2ᵉ étage :*** il renferme la section des peintures. Les salles sont consacrées à différentes écoles ou pays : la France, l'Italie et l'Espagne et l'école hollandaise du XVIIᵉ s (cette dernière présentant trois œuvres maîtresses de Rembrandt). On retrouve les impressionnistes dans la salle de la France au XIXᵉ s. Dans un couloir attenant, tableaux de Carl Larsson, dont de jolies aquarelles d'intérieurs suédois et un émouvant portrait de femme avec son enfant. Trois salles sont consacrées à la peinture suédoise et nordique du XIXᵉ s et du début du XXᵉ s ; avec la célèbre *Danse du printemps* d'Anders Zorn, quelques belles toiles du Danois Vilhelm Hammershøi et du Norvégien Edvard Munch.

SUR L'ÎLE DE DJURGÅRDEN (plan I, D2-3)

Cette île, accessible à pied depuis le centre, est avant tout un vaste parc très verdoyant. Dans sa partie ouest, deux musées dignes d'intérêt et des espaces verts superbement aménagés.

Vasamuseet *(plan I, D3)* **:** *Galärvarvet. ☎ 51-95-48-00. • vasamuseet.se • Juin-fin août, tlj 8h30-18h ; le reste de l'année, 10h-17h (20h mer). Entrée : 80 Sk (8,50 €) ; réduc (50 %) pour les étudiants ; gratuit jusqu'à 17 ans ; petite réduc mer soir. Projection tte l'année et ttes les heures d'un film sur le renflouage du Vasa avec sous-titres en anglais. En été, avec sous-titres en français 11h30, 13h30 et 16h30 (en hiver slt w-e 13h30). En été toujours, visite guidée du musée ttes les heures 10h30-18h30 (en français 14h30) ; le reste de l'année, plusieurs visites/j. en suédois et en anglais. Très intéressante. Durée : 30 mn. On peut réserver pour le film et la visite guidée (indispensable pour les groupes de plus de 15 pers) en sem*

9h-12h, 13h-16h. ☎ 51-95-48-70. Également, projection ttes les 15 mn du diaporama « Pourquoi le Vasa *a-t-il coulé ? », présentant les témoignages recueillis lors des interrogatoires qui ont suivi la catastrophe en 1628.*

L'histoire de ce fameux navire de guerre est exceptionnelle à plus d'un titre. Commandé en 1625 par Gustave II Adolphe pour être le fleuron de la flotte royale, prévu pour loger 445 hommes dont 300 soldats, le *Vasa* effectue sa première sortie dans le port de Stockholm le 10 août 1628... et coule corps et biens en 5 mn après n'avoir parcouru que 300 m, 20 mn après avoir quitté le quai ! Plus fort que le *Titanic.* Une centaine de membres de l'équipage sont à bord, accompagnés de leur famille invitée pour l'occasion. Seules trente à cinquante personnes coulent avec le *Vasa,* les autres passagers réussissant à se sauver à temps.

Le *Vasa* étant un bateau expérimental (plus de canons lourds que les autres navires de ce type, hauteur inhabituelle : cinq étages au lieu de quatre, le tout imposé par le roi). On pense aujourd'hui que l'insuffisance des connaissances théoriques de l'époque et l'impatience du roi sont responsables de la catastrophe. Immédiatement après, des tentatives de renflouage sont entreprises – une fortune gît en effet au fond de l'eau. Elles échouent. Ce n'est que dans les années 1660 que deux astucieux renfloueurs d'épaves réussissent à ramener à la surface une cinquantaine de canons, grâce à une cloche de plongeur dont on peut voir une reproduction au musée. Il faut ensuite attendre 1956 pour que le *Vasa* soit repéré dans le port de Stockholm, grâce à l'entêtement d'un spécialiste de l'histoire navale suédoise qui a sondé les fonds du port m^2 par m^2. Une autre aventure commence. Cinq années seront nécessaires aux scaphandriers pour préparer le renflouage du *Vasa,* grâce à un système de câbles passés sous sa coque pour pouvoir ramener le bateau à la surface. En 1961, soit 333 ans après son naufrage, le *Vasa,* vidé de sa vase et de son eau, revoit enfin la lumière du jour. Les archéologues peuvent alors entreprendre leur passionnant et minutieux travail de recherche et de classification afin de restaurer le vaisseau dans son authenticité et dans toute sa splendeur.

Mais encore fallait-il pouvoir conserver ce chef-d'œuvre à l'air libre et l'empêcher de pourrir. Le navire, installé dans un musée provisoire, va subir alors pendant 17 ans, 24h/24, les aspersions d'un mélange spécial devant se substituer à l'eau et prendre la consistance de la cire en se figeant. Depuis 1990, le *Vasa* repose dans la pénombre d'un bâtiment remarquablement conçu et dont on peut apprécier l'architecture originale en l'observant de loin. Les trois mâts qui émergent du toit sont la reconstitution en hauteur réelle (52 m) de ceux qui furent cassés lors de la sortie du bateau.

Aujourd'hui, le navire est à nouveau menacé. Une grande quantité de soufre incrusté dans le chêne fait apparaître des cristaux un peu partout dans le navire. Tout le bois du bateau menace de craquer. En outre, le fer provenant de la restauration rouille et accélère la transformation du soufre en acide sulfurique : on en a recensé 2 t dans la carcasse ! Un casse-tête pour les conservateurs du musée, obligés de mettre sur pied un traitement de neutralisation de l'acide par du bicarbonate de sodium. Mais cette solution est provisoire. Un groupe de sept chercheurs se penche sur la question en profondeur. Pourvu qu'ils ne fassent pas naufrage eux aussi !

En entrant dans le musée, on ne peut qu'être impressionné par la puissance qui se dégage du vaisseau, son état de conservation (presque tout est d'origine) et la richesse de sa décoration que l'on découvre au fur et à mesure. La visite s'organise sur plusieurs niveaux autour du vaisseau. Différentes expositions et plusieurs documents audiovisuels retracent la vie mouvementée du navire, de sa construction à sa seconde naissance au XXe s. Présentation très vivante et explications pédagogiques en différentes langues tout le long des deux balcons. Maquettes pour expliquer le renflouement du *Vasa,* reconstitution d'un chantier naval au XVIIe s, présentation de la vie à bord grâce aux objets trouvés sur le navire (on a même trouvé 18 squelettes), jeux vidéo permettant de simuler le naufrage du bateau... En dernier lieu, on pourra admirer les sculptures de bois qui garnissaient les flancs du château arrière et repeintes à partir des pigments retrouvés dans le bois. Le résultat est plutôt flashy. Bref, vous l'aurez compris, on a beaucoup apprécié cette plongée

dans l'univers maritime du XVIIe s et, si vous n'avez qu'un musée à voir à Stockholm, on vous conseille vivement de rendre visite à ce rescapé des eaux unique en son genre.
– *L'été, la visite peut être complétée par celles de deux bateaux-musées, situés à quai, juste derrière le bâtiment du* Vasa. *Ouv slt début juin-fin août, 12h-17h (19h de début juil à mi-août). Entrée gratuite avec le billet du Vasamuseet ; sinon, billet 40 Sk (4,20 €).* Il s'agit d'un bateau-phare de 1903 et d'un brise-glace de 1915. Ce dernier permettait de maintenir ouverts les chenaux de navigation de l'archipel de Stockholm en période hivernale.

Skansen *(plan I, D3) :* ☎ *442-80-00. • skansen.se • Parc ouv 10h-20h en mai, jusqu'à 22h juin-août, 17h en sept et 16h le reste de l'année ; bâtiments historiques ouv mai-sept, 11h-17h, jusqu'à 15h oct-avr. Entrée : 90 Sk (9,50 €) en hte saison ; moins cher l'hiver ; réduc. Possibilité de visite guidée payante. Sinon, pour vous aider à vous y retrouver, un petit plan du parc est donné à l'entrée. L'endroit est vaste, prévoir au moins 3h pour en profiter pleinement.*
Le plus vieux musée de plein air du monde, créé en 1891 par Arthur Hazelius, également fondateur du *Nordiska Museet*. Cet enseignant, spécialiste des langues nordiques, voulait préserver la culture populaire traditionnelle de son pays, menacée, selon lui, par l'industrialisation. Il s'agit d'un musée ethnographique vivant, exposant l'habitat suédois du XIVe s au début des années 1920. Environ 150 édifices de toutes sortes (église, maisons, fermes, manoirs, école, etc.), provenant de différentes régions de la Suède, ont été « remontés » ici. L'ensemble est animé par des « gardiens » en costume d'époque qui refont les gestes du passé. Attention, les maisons ne sont ouvertes que de 11h à 17h en été et certaines d'entre elles seulement de 11h à 15h le reste de l'année. Au village, les artisans travaillent selon les méthodes anciennes. On peut même acheter des gâteaux chez le boulanger. Reconstitution également d'un village sami. Balade agréable et intéressante, aussi bien pour les petits que pour les grands.
Le parc abrite également un zoo avec des animaux scandinaves (ours, rennes, loup, glouton, etc.) principalement, mais l'aquarium et le monde des singes abritent des espèces exotiques. Remarquez aussi les jardins d'agrément, le jardin des simples (près de la maison des gardes) et la roseraie (près de Sagaliden). Pour les enfants, en été, promenades à poney, guignol, petit train, un manège, un cirque et un mini-Skansen où vos petits peuvent se familiariser avec les petits des animaux. Attention, beaucoup de monde le dimanche, et évitez d'y aller après 17h car tout, ou presque, est fermé. Le soir en été, concerts et piste de danse en plein air. Très convivial. Également des représentations de danses folkloriques à 19h en semaine, à 14h30 et 16h le dimanche. Renseignez-vous à l'entrée. Si vous y allez avant Noël, ne manquez pas le marché de Noël, vous pourrez y acheter toutes vos décorations pour les fêtes. Tout cela est fait de façon artisanale et dans une atmosphère bon enfant.

Nordiska Museet *(Musée nordique ; plan I, D2-3) : Djurgårdsvägen 6-16.* ☎ *51-95-60-00. • nordiskamuseet.se • Ouv en sem 10h-16h, mer jusqu'à 20h, w-e jusqu'à 17h. Entrée : 60 Sk (6,30 €) ; gratuit mer soir. Demandez un audioguide en anglais ; utile, car beaucoup d'explications ne sont rédigées qu'en suédois...* Dans un immense et magnifique bâtiment rococo, ce musée du folklore scandinave a voulu donner une image de la vie quotidienne suédoise à travers les âges dans les différentes couches de la société. Attention, une bonne partie de ce musée un peu fourre-tout est consacrée à des expos temporaires aux sujets parfois étonnants (récemment, le groupe Abba, les sportifs légendaires...). Restent à demeure des collections de vaisselle, de jouets et de vêtements du XVIe s à nos jours, tout cela réparti sur quatre étages. Petite section consacrée à August Strindberg. À l'étage sous la réception, section samie imprécise (à l'image du musée en général). Dans le hall, impressionante statue géante de Gustave Vasa assis sculptée dans un bloc de chêne et peinte par Carl Milles en 1924. Bref, un musée dont l'extérieur mérite vraiment le coup d'œil... beaucoup plus que l'intérieur !

Gröna Lund *(plan I, D3)* **:** *fête foraine imitant le Tivoli de Copenhague et ses grands manèges. Ce parc se trouve près de Skansen, au bord de l'eau. Ouv slt début mai-début sept. Horaires complexes. Selon sens du vent, ouv 12h, 15h ou 17h, et fermé 22h, 23h ou minuit. Entrée : 60 Sk (6,30 €) ; gratuit jusqu'à 9 ans.* Les bals populaires ont une bonne ambiance. Ce parc d'attractions est plus petit que celui de Copenhague, mais aussi beaucoup moins cher. Il propose néanmoins une grande variété d'attractions. Et, en bonus, un beau point de vue sur la capitale.

DANS LE QUARTIER D'ÖSTERMALM *(plan I, C-D1-2)*

Historiska Museet *(musée d'Histoire ; plan I, D2)* **:** *Narvavägen 13-17 ; à l'angle de Linnégatan. ☎ 51-95-56-00. • historiska.se • Ⓜ Karlaplan. Mai-sept, tlj 10h-17h ; 11h le reste de l'année, fermé lun mais ouv jusqu'à 20h jeu. Entrée : 50 Sk (5,50 €) ; gratuit pour les moins de 19 ans.* Au rez-de-chaussée, collections de pierres taillées et d'outils concernant les âges du bronze et du fer (un peu ennuyeux). La partie la plus intéressante du musée est celle consacrée aux Vikings, qui passe en revue bijoux, outillage, armes, pierres tombales gravées, quelques maquettes de drakkars et la reconstitution d'un petit village. Des explications en anglais bien utiles, par *Odin* ! La *Goldroom* (au sous-sol) accueille une splendide collection de bijoux, monnaies et autres magnifiques objets en or. Certains du mésolithique, d'autres du Moyen Âge dont le reliquaire de sainte Elizabeth du XIIIe s (fondatrice du seul ordre catholique issu des pays scandinaves). À l'étage, section d'art religieux gothique, où sont rassemblés des sculptures, retables, triptyques des XVe et XVIe s et fonds baptismaux, dont un en bois du XIIe s de toute beauté. Voir le *Baroque Hall,* quelques sculptures... baroques ou encore la section textile (petite collection d'étoffes religieuses du XIIIe au XVe s).

Musik Museet *(musée de la Musique ; plan I, C2)* **:** *Sibyllegatan 2. ☎ 51-95-54-90. • musikmuseet.se • Ⓜ Östermalmstorg. Mar-dim 12h-17h. Fermé lun. Entrée : 40 Sk (4,20 €) ; gratuit pour les moins de 19 ans.* Dans une très ancienne boulangerie royale dont la batterie s'est tue, agréable petit musée qui a plus d'une corde à son violon. Très interactif, il permet de faire sonner des instruments traditionnels, de jouer du piano debout, de situer des sonorités folkloriques sur une mappemonde. Sans compter des reconstitutions de petits orchestres qui s'activent à votre passage, du quatuor Renaissance... au groupe Abba.

ABBA, LA ZIZIQUE !

Des concertos pour clarinette de Crussell (XIXe s) à celui pour Motorbike *de Sandström (XXe s), il aura fallu du temps à la musique suédoise pour franchir les frontières. Un groupe disco un peu flashy à groupies, Abba, sonne une première fois à l'Eurovision de la chanson.* Ring Ring *finit 3e en 1973, avant de réitérer en 1976, faisant de* Waterloo *une grande victoire.* Gimme Gimme *ou* Dancing Queen *les couronnent de...* Money Money Money... *normal, avec plus de 370 millions d'albums vendus.*

Signalons pour les fans du groupe le projet d'ouverture d'un musée qui leur sera consacré en juin 2009. On peut déjà réserver ses tickets d'entrée ! • abbamuseum.com •

À L'EST D'ÖSTERMALM *(hors plan I par D2)*

Les deux musées suivants sont situés l'un à côté de l'autre.

Etnografiska Museet *(musée d'Ethnographie ; hors plan I par D2)* **:** *Djurgårdsbrunnsvägen 34. ☎ 51-95-50-00. • etnografiska.se • Pour y aller, bus no 69 de Sergelstorg. Ouv tte l'année, tlj 10h (11h w-e)-17h (20h mer). Entrée : 60 Sk (6,50 €) ; gratuit pour les moins de 20 ans.* Belles collections des cinq continents à travers une muséographie bien réalisée mais qui manque par endroits d'explications en anglais. Grande section sur certaines ethnies africaines, ainsi que sur les Indiens d'Amérique (dont un étonnant certificat d'adoption du Consul de Suède par une tribu huronne... écrit en français, et contresigné par l'*Agent des sauvages*...). À voir également, au 1er étage, une jolie évocation de l'existence humaine dans trois types de déserts : Australie, Bassin amazonien et Arctique. Bruits de vents polaires, kayaks, harpons, c'est la partie la plus suédoise du musée. Enfin, petite expo sur le Bouthan, ce petit royaume himalayen tellement inaccessible au routard moyen qu'il faut l'apprécier au travers de vitrines. Le resto attenant au musée (11h-17h) propose d'agréables plats aux saveurs du monde.

Tekniska Museet *(musée des Technologies ; hors plan I par D2)* ***:*** *Museivägen 7. ☎ 450-56-00. • tekniskamuseet.se • À côté du musée d'Ethnographie. Bus n° 69 de Sergelstorg. Tlj 10h (11h w-e)-17h (20h mer). Entrée : 60 Sk (6,50 €) ; réduc ; gratuit jusqu'à 6 ans.* ***Cino4 :*** *se renseigner sur les horaires et durées des projections. Séance : 60 Sk (6,50 €) ; réduc. Accès au musée non obligatoire.* Fondé en 1924, ce grand musée tente de retracer les développements technologiques du siècle précédent. On pourra toujours aller voir la salle des machines (avec ses turbines, moteurs et autres voitures centenaires). La mine de charbon juste en dessous reste une belle reconstitution grandeur nature. Bon, seulement si vous avez beaucoup de temps et si vous visitez avec un prof de techno... suédois de préférence. À l'entrée, remise d'un plan en français, mais les explications (même en anglais) font défaut. Finalement, seul le tout nouveau ***Cino4,*** cinéma dynamique avec sièges qui remuent au rythme du film en 3D, est palpitant. Mais qu'en dire, attraction de foire ou musée ?

Sjöhistoriska Museet *(Musée maritime ; hors plan I par D2) et* ***Cino4 :*** *Museivägen 7. ☎ 519-54-900. À deux pas du musée d'Ethnographie. Bus n° 69 de Sergelstorg. Tlj 10h-17h fin mai-août, fermé lun le reste de l'année. Entrée : 50 Sk (5,30 €) ; réduc ; gratuit jusqu'à 18 ans.* Ça commence par la reconstitution taille réelle de la cabine de l'*Amphion* (yacht royal de Gustav III), très luxe, et ça finit par une impressionnante collection de maquettes de toutes tailles de navires plus ou moins anciens. À noter, cet épisode « galère » pour les Suédois, de 1719 à 1721, quand la marine russe utilisait (justement) des « Gallär », à voile ou à rames selon le vent, pour piller les îlots des archipels hors de portée de la marine suédoise moins maniable. Certaines expos temporaires au long cours (1 à 2 ans) sont très bien présentées et intéressantes (Tintin vu sous un angle maritime, les phares et balises...). Petit mais intéressant pour les passionnés de marine !

LE QUARTIER DE VASASTADEN *(plan I, A1)*

Judiska Museet *(musée de l'Histoire juive ; plan I, A1)* ***:*** *Hälsingegatan 2. ☎ 31-01-43. • judiska-museet.se • Ⓜ Odenplan. Ouv tte l'année, tlj 12h-16h sf sam. Entrée : 60 Sk (6,50 €) ; réduc ; gratuit lun et jusqu'à 12 ans.* Micro-musée (une seule salle) présentant la vie des juifs en Suède au cours des deux derniers siècles. Pays refuge, entre autres, durant la Seconde Guerre mondiale. Beaux objets liturgiques (Thoras, châles de prière) accompagnés d'explications sur les coutumes et pratiques religieuses juives. Petites expos temporaires d'intérêt variable.

Pour ceux qui ne seraient pas rassasiés, il existe encore quelques dizaines de musées à Stockholm et dans les environs : *musées d'Histoire naturelle, du Jouet, de la Danse...*

Faire du shopping... design

Bien sûr, le design suédois est incontournable. Les occasions de trouver des boutiques de tout poil, orientées petits objets délirants, vintage, *grunge,* bonnes occases, ne manquent pas. À des prix toutefois plutôt élevés.

Dans le quartier de Norrmalm (plan I, B2)

Design Torget : chaîne nationale de magasins dont le plus central se situe au sous-sol de la *Kultur Huset*. Bric-à-brac de petits objets d'intérieur, du rideau de douche « plan de métro » au tapis de souris fantaisie.

***Lagerhaus** (plan I, B2, **95**) : sur Drottninggatan (angle Brunkebergatan).* Encore des tas d'objets originaux, limites kitschisants, design quoi !

Åhlens : grand magasin (façon *Galeries Lafayette*) qui compte de tout, dont des objets design. Mais il faut chercher au gré de ses envies : habits ? Ustensiles astucieux de cuisine ? Luminaires ? Le plus fourni et central est sur *Drottninggatan*.

Dans le quartier de Södermalm (plan II, G6)

Petit coin chébran de la capitale où le design a son périmètre, dans un rectangle délimité par *Götgatan, Folkungatan, Renstiernasgata et Skånegatan.*
On y trouve les « grands classiques » comme **Granit** et **Design Torget** (tous deux Götgatan 31), à côté de plein de petites adresses sympas.

***Heart Store :** Götgatan 33.* On ne vous fait pas le coup « coup de cœur » pour cette expo surréaliste de babioles à faire rêver un cardiologue !

***Garage et Coctail :** sur Bondegatan.* Proposent respectivement du vintage *nineties* et *seventies*... bons millésimes.

***Coctail :** Skånegatan 71.* Propose des kitscheries indescriptibles (tendance bondieuseries centre-américaines et patchouli indien).

Quelques échoppes un peu *grunge* dans le même coin présentent des objets *second hand* (d'occasion en français). Doux mélange de brocante et dépôt-vente d'habits.

***Chimra :** sur Renstiernasgatan 22.* Mélange de design et de baroque.

Manifestations et festivals

– Pour la ***Midsommarafton,*** fête qui célèbre le début de l'été, les Stockholmois partent généralement à la campagne, en famille. Mais une bonne partie reste en ville, et c'est à Skansen que la fête bat son plein. Une bonne idée si vous êtes dans la capitale vers fin juin (voir la rubrique « Fêtes et jours fériés » dans « Suède utile »).
– Il y a aussi un paquet de festivals de jazz et de musique classique en été, en particulier le ***Stockholm Jazz Festival*** qui se déroule sur Skeppsholmen dans le courant du mois de juillet.
– *Plein de bons tuyaux dans la brochure gratuite* What's on. *Pour connaître le calendrier exact des manifestations, le site • stockholmtown.com • est également bien pratique.*

➤ *DANS LES ENVIRONS PROCHES DE STOCKHOLM*

***Millesgården :** situé à Lidingö, au nord-est de Stockholm. ☎ 446-75-90. • millesgarden.se • Ⓜ Ropsten, puis prendre le petit train en bout de quai et descendre au 1er arrêt (Torsvik) ; ensuite, 5 mn à pied ; ou bien prendre le bus jusqu'à Torsviks-torg. Juin-août, service de bateaux de Nybroplan. En voiture, à partir de Stureplan, remonter la Sturegatan vers le nord et continuer en prenant le Lindingövägen ; toujours tt droit. De mi-mai à fin sept, tlj 11h-17h ; d'oct à mi-mai, tlj sf lun 12h-17h. Entrée : 80 Sk (8,50 €) ; réduc ; gratuit jusqu'à 18 ans.* Carl Milles (1875-1955), un artiste injustement méconnu dans nos contrées, a réinventé l'équilibre en sculpture. On visite sa maison et ses jardins en terrasses qui surplombent la capitale, cadre exceptionnel dans lequel sont exposées ses œuvres. En fait, Milles et sa femme ne venaient ici qu'en été, résidant à partir de 1931 aux États-Unis, puis à Rome (d'un point de vue climatique, on peut le comprendre). Dans la maison, collection d'objets d'art réunis par le sculpteur, dont une importante collection d'antiquités. On visite également son atelier. Dans la salle de musique, toiles de Pissarro et d'Utrillo. Le clou de la visite : les jardins en terrasses, parsemés de fontaines et ornés des statues de Milles. On a bien aimé la *fontaine d'Aganippe* pour la légèreté de ses figurants qui semblent courir sur l'eau et ses belles proportions. Mais, à notre avis, l'attraction n° 1 de la balade reste la terrasse inférieure, avec ses statues placées sur des socles très élevés. Leurs silhouettes se détachent sur le ciel et semblent tenir en équilibre comme par miracle. Admirez la grâce aérienne d'œuvres telles que *La Main de Dieu* ou *L'Homme et Pégase,* prêt à s'envoler. Prenez votre temps, l'endroit est vraiment beau. Agréable cafétéria entourée de rosiers.

Drottningholm Slott : *sur l'île de Lovön, sur le lac Mälaren, à 11 km au nord-ouest de Stockholm. ☎ 402-62-80. • royalcourt.se • Ⓜ Brommaplan, puis bus pour Mälaröarna (n'importe quel numéro) ou bien, en été, bateau du Stadshusbron, en face de l'hôtel de ville.* C'est la résidence actuelle de la famille royale. Ensemble inscrit au Patrimoine mondial de l'humanité par l'Unesco.

– ***Le château :*** *tlj : 10h-16h30 mai-août ; 12h-15h30 sept ; oct-avr, slt w-e 12h-15h30. Entrée : 70 Sk (7,50 €) ; réduc ; gratuit jusqu'à 6 ans.* On regrette fortement l'absence totale d'explications nous laissant déambuler dans des pièces presque vides (mais certaines très belles) dont on ignore la fonction. Un livret explicatif, très bien fait, est cependant vendu à l'entrée *(50 Sk, soit 5,20 €).*

Un premier bâtiment fut construit en 1579 mais détruit par un incendie en 1660. L'actuel château, version miniature de Versailles, date de la fin du XVIIe s. Il s'est agrandi au siècle suivant grâce à la sœur de Frédéric de Prusse, Louisa Ulrika, à qui ce château d'été a été offert en cadeau de mariage. Elle aménage alors l'intérieur en style rococo. Grand parc inspiré par Le Nôtre, dans lequel on peut visiter le pavillon chinois édifié par Gustave III en 1769.

– ***Le théâtre :*** *mai-fin août 11h-16h30 (dernier tour) ; sept 12h-16h. Fermé oct-avr. Visite guidée slt en été 12h et 15h en français et ttes les heures en anglais ; en sept, aucune visite en français et 3 tours en anglais. Entrée : 60 Sk (6,50 €) ; gratuit jusqu'à 16 ans.* Construit en 1776, il a conservé ses décors amovibles. Il est ainsi le plus vieux du monde qui a conservé sa machinerie d'époque. Tout fonctionne encore et, en été, des représentations d'opéra sont données par des musiciens en costume et perruque. Comme la reine Louisa Ulrika, à l'initiative du bâtiment, n'avait pas assez d'argent pour terminer les travaux, c'est l'architecte du théâtre lui-même qui en paya une partie de sa poche. Étonnant ! Il eut droit en échange à une pièce dans le théâtre pour résider à Drottningholm en été. Ce problème de financement explique l'utilisation de matériaux peu coûteux pour la construction (principalement du bois), et que les décorations soient en fait des trompe-l'œil, imperceptibles en raison de l'éclairage à la chandelle. Mais après tout, le théâtre n'est-il pas qu'illusion ?

– La visite s'achève par le ***pavillon chinois*** (feuillet descriptif en français).

➤ DANS LES ENVIRONS DE STOCKHOLM

Le château de Gripsholm : *à env 60 km à l'ouest de Stockholm. Train jusqu'à Läggesta ; ensuite, bus pour le château. En voiture, accès par l'E20 en 45 mn. Situé sur une île minuscule du lac Mälaren, près du petit village de Mariefred. De mi-mai à mi-sept, tlj 10h-16h ; le reste de l'année, slt w-e 12h-15h. Entrée : 60 Sk (6,50 €) ; réduc.* Bien beau château dans un site admirable. Il fut construit à partir du XIVe s et habité, entre autres, par Gustav Vasa. Visite intéressante. N'oubliez pas de prendre un café et un gâteau à la cafétéria. Par ailleurs, Mariefred est un endroit charmant.

Le château de Skokloster : *à proximité de Sigtuna et d'Arlanda. En transports en commun, prendre le Pendeltåg de la gare centrale de Stockholm jusqu'à*

Bålsta, puis le bus n° 894 de la gare de Bålsta vers Skokloster. En voiture, prendre l'E18 en direction d'Enköping et sortir à « Bro ». Ensuite, suivre les panneaux « Skokloster Slott ». Tlj mai-fin août : 11h-16h de mi-juin à mi-août, 12h-15h autrement. Entrée : 50 Sk (5,30 €) ; réduc. Chef-d'œuvre de l'architecture suédoise du XVIIe s, c'est le « Versailles » imaginé avant l'heure par un mercenaire allemand devenu maréchal de Suède : Carl Gustaf Wrangel. Celui-ci, parvenu au faîte de sa gloire, entendait bâtir une demeure qui symboliserait aux yeux du monde sa toute nouvelle puissance. De fait, le brave Carl Gustaf ne passa en tout et pour tout que quelques semaines dans sa magnifique propriété, tout occupé qu'il était à porter le fer contre les ennemis du royaume. C'est donc sa femme qui – mourant d'ennui – se vengea en prenant en main la décoration. L'ensemble est plutôt réussi, avec notamment de superbes peintures murales et une quantité d'objets insolites qui ont disparu depuis belle lurette dans la plupart des châteaux français de la même époque. L'armurerie est particulièrement bien fournie. Le magnifique parc est bordé par le lac Mälaren et englobe un cloître médiéval du XIIIe s, duquel le château tire son nom.

L'ARCHIPEL

Quelle capitale est plus insulaire que Stockholm ? De la ville, elle-même bâtie sur quatorze îles, la navigation vers le large de la Baltique tient du labyrinthe maritime. Pas moins de 24 000 « cailloux » à contourner, îles, îlots ou simples récifs, qui forment certainement l'un des archipels les plus « peuplés » au monde. Pour le décrire rapidement, la plupart des grandes îles sont situées non loin de la côte et sont occupées par des forêts mêlant conifères et feuillus (aulnes et bouleaux notamment). Vers l'est, ces forêts disparaissent peu à peu, abandonnant complètement les îles les plus orientales, très dénudées mais aux paysages adoucis par la rondeur du relief. Seulement 150 de ces îles sont habitées à l'année, mais bon nombre de Stockholmois y ont leur paradis estival, une « cabane » en bois rouge, un ponton et un bateau. Vous l'aurez compris, une balade s'impose, aussi bien pour la beauté des lieux que pour comprendre la ville et son développement.

De nombreuses formules de visites sont proposées par la compagnie *Wåxholmbolaget,* dont le bureau d'information et l'embarcadère sont situés devant le *Grand Hôtel,* entre Kungsträdgården et le National Museum *(plan I, C3).* Plusieurs autres agences sont basées dans la petite anse de Nybroplan *(plan I, C2).* Belle excursion de quelques heures ou d'une journée, la visite de l'archipel est aussi une bonne idée de vacances plus longues. Dans ce cas, procurez-vous la *Båtluffarkortet,* carte valable 16 jours en été et coûtant 490 Sk (54 €), qui permet de faire autant de liaisons que vous le souhaitez sur les bateaux de la compagnie. Sachez qu'elle est amortie en deux trajets. Elle est disponible à l'embarcadère et à l'office du tourisme, et s'accompagne d'une petite brochure gratuite éditée par la *Wåxholmbolaget,* avec une description des principales îles et divers renseignements pratiques. Pour loger, seulement une dizaine d'AJ dans tout l'archipel et quelques campings. Sinon, le camping sauvage est souvent le plus agréable. Attention cependant, quelques îles sont interdites aux étrangers car elles sont zones militaires (se renseigner auprès de l'office du tourisme).

VAXHOLM

L'archipel regorge d'îles adorables : Utö, Sandhamn ou encore Vaxholm. Cette dernière est probablement la plus touristique d'entre toutes. De par sa position stratégique, cette île d'environ 3 km de long s'est développée assez tôt, vers le XVIe s. Aujourd'hui, sa forteresse, ses ruelles calmes et ses plages en font une destination privilégiée des vacanciers. La principale ville de l'île se trouve tout à l'est et s'appelle... Vaxholm. Ambiance de petit port de pêche, mais pris d'assaut par les touristes en été. C'est aussi un bon point de départ vers plusieurs autres centres d'intérêt de l'archipel.

Comment y aller ?

➢ ***En voiture :*** à env 35 km du centre de la capitale. Prendre l'E18 vers Norrtälje, puis la route 274 vers Vaxholm.
➢ ***En bus :*** bus n° 670 de la Tekniska Högskolan, au nord du centre-ville mais accessible en métro. Compter 45 mn de trajet.
➢ ***En bateau :*** balade de 1h au départ du quai de Blasieholmen, à côté du *National Museum.* • *vaxhombolaget.se* • Départ env ttes les 30 mn en été. Étant donné qu'il ne coûte pas trop cher (65 Sk, soit 7 €) et qu'il est direct, le trajet en bateau peut être un bon choix. Intéressant : la *Periodikortet* qui permet d'utiliser à volonté des bateaux de la *Wåxholmbolaget* pdt 5 j. Prix : 300 Sk (31,50 €). Idéal pour découvrir l'archipel.

Adresse utile

Office du tourisme : *dans l'hôtel de ville, au cœur du bourg.* ☎ *54-13-14-80.* • *vaxholm.se/turism* • *Ouv en été, en sem 10h-18h, jusqu'à 16h w-e ; sept-avr, ouv en sem 10h-17h, w-e 10h-14h.*

Où dormir ? Où manger ?

À part un camping, rien de bon marché pour se loger à Vaxholm même. L'AJ la plus proche se trouve sur une autre île, Bogesund, à 5 km à l'ouest de la ville de Vaxholm.

Waxholms Camping (Eriksö) : *situé dans un écrin charmant, entre l'eau et la forêt, à 2 km à l'ouest de la ville (25 mn de marche).* ☎ *54-13-01-01.* • *waxholmstrand.com* • *Le bus n° 670 (de Stockholm) s'y arrête. Ouv fin avr-fin sept. Forfait tente 120 Sk (12,50 €). Également des* stugor *pour 2, 4 ou 6 pers 385-695 Sk (40-77 €).* Camping très bien aménagé : superbe petite plage, jeux pour les enfants, sentiers de marche qui partent vers la forêt... Un coin vraiment agréable. Juste quelques bémols : il y a beaucoup de monde en juillet. Privilégier les emplacements sur herbe plutôt que sous les arbres. Sanitaires peu entretenus. Location de canoës et de vélos à prix raisonnables et cafétéria ouverte de 9h à 18h.

STF Vandrarhem Bogesund : ☎ *54-13-22-40.* • *bogesundsvandrarhem.se* • *Réception 8h-11h, 16h-20h. Nuit 165 Sk (17 €) pour les membres.* Quelque 50 lits en chambres de 2 à 4 personnes. Petite AJ sans prétention, mais dans un bel environnement calme et boisé, juste à côté du château de Bogesund.

Magasinet : *Fiskaregatan 1.* ☎ *54-13-06-64.* Resto face à la forteresse (et à la station-service *Preem*), un peu à l'écart de l'agitation du port, servant sur la terrasse de bons poissons et à des prix somme toute raisonnables.

Si vous voulez vous sustenter à moindres frais, faites des courses au ***Coop,*** toujours dans la rue principale.

STOCKHOLM

À voir. À faire

La forteresse : • *vaxholmfastning.se* • *Juin 12h-16h et juil-août 11h-17h. Entrée : 50 Sk (5,30 €) ; gratuit jusqu'à 16 ans. Navettes ttes les 15 mn du quai Södra Hamngatan. Prix élevé pour 200 m de parcours ! Compter 40 Sk (4,20 €)*

aller-retour. Sise sur un îlot à deux brasses du port de Vaxholm, elle fut construite au milieu du XVIe s sur ordre de Gustav Vasa, puis reconstruite au XIXe s. Elle fut attaquée deux fois, en 1612 par les Danois et en 1719 par les Russes. À l'intérieur, musée remis à neuf sur l'histoire de l'édifice. Atelier de verre, maison de pêcheurs.

➢ Le mieux à faire est de se balader dans les rues de Vaxholm, ses maisons en bois et autres ravissantes demeures, ses galeries d'art, sa petite mairie au style si particulier.

➢ Plusieurs îlots boisés sont accessibles à la nage, pour les plus courageux. On rigole, bien sûr. Renseignez-vous sur les départs en bateau.

➢ Un gros bac jaune gratuit relie, en été, Vaxholm à Rindö, elle-même reliée par un pont à Skarpö, île proposant de sympathiques balades à l'écart de l'agitation de Vaxholm.

QUITTER STOCKHOLM

En stop

➢ ***Vers le nord :*** descendre 2 arrêts plus bas que Wenner Green Center. Là, on est le long de la voie express. Si la police arrive, dire qu'on attend le bus qui met du temps à venir.
➢ ***Vers le sud :*** l'autoroute démarre en pleine ville au métro Liljeholmen. Panneau de direction dans la main quasi obligatoire.

En train

Gare ferroviaire centrale *(plan I, B2) : Vasagatan. Infos : ☎ 0771-75-75-75 (n° national).* Ⓜ *T-Centralen.* Très nombreuses liaisons chaque jour avec les grandes villes. Quelques exemples : pour ***Göteborg,*** une vingtaine de trains. Pour ***Malmö,*** une bonne quinzaine. Pour ***Uppsala,*** un train env ttes les heures. Pour ***Sundsvall,*** env 7 trains/j. Pour le ***lac Siljan*** (arrêt à Leksand), env 7 ou 8 trains/j.

En bateau pour la Finlande

Deux compagnies assurent quotidiennement les liaisons Stockholm-Turku et Stockholm-Helsinki. Arriver au moins 1h à l'avance. Ne pas jeter son billet une fois sur le bateau : il est souvent demandé à l'arrivée.

➢ ***Pour Helsinki***

La *Viking Line* et la *Silja Line* font le parcours en 17h env. Départ tlj autour de 17h pour les 2 compagnies. Comparez les prix, ils changent régulièrement. De plus, les tarifs varient en fonction des jours. Bon à savoir : c'est presque 2 fois moins cher lun-mer. Si vous êtes en voiture, *attention* : sur les 2 lignes, en été, longue attente (parfois jusqu'à 2 sem). Résa impérative. Réduc de 50 % pour les possesseurs des cartes *Inter-Rail* et *Scanrail.*

■ ***Viking Line*** *(plan II, G5) : départ sur la rive nord-est de l'île de Södermalm. Leur bureau (info et achat de billets) est situé à la gare centrale. Lun-sam 8h-19h ; dim 12h-19h. Réduc de 50 % pour les étudiants et les possesseurs de la carte* Inter-Rail, *mais slt pour le pont, pas pour le prix des cabines. Pour tt rens complémentaire, appeler n'importe quelle agence de voyages ou le ☎ 452-40-00.* • *vikingline.se* • *Pour se rendre à l'embarcadère, de la station* Slussen, *navette* Viking Line *jusqu'au terminal ou bus n° 45.*

■ ***Silja Line :*** *départ dans le port de commerce, au nord-est de la ville.* Ⓜ *Gärdet. Réduc de 50 % aussi pour les étudiants et les possesseurs de la carte* Inter-Rail *sur les cabines de 4 personnes. Disco gratuite mais sauna payant. Bureau sur Kungsgatan au n° 2, à l'angle de Stureplan. ☎ 22-21-40.* • *sil*

STOCKHOLM

ja.se • À Paris, tarifs et horaires sur simple demande à Scanditours *: 36, rue de Saint-Pétersbourg, 75008. ☎ 01-42-85-60-80. Fax : 01-42-85-62-70.* Ⓜ *Place-de-Clichy.*
Consignes plus grandes et moins chères qu'à la gare.

➢ ***Pour Turku***
Là encore, les 2 compagnies *Viking Line* et *Silja Line* assurent la liaison 2 fois/j. Départs pour les 2 compagnies à leurs terminaux respectifs (voir ci-dessus). Pour ceux qui souhaitent des couchettes, il est préférable de réserver. Repas à bord à prix raisonnables. Départ avec la *Viking Line* 7h45 et 20h10 (horaires à vérifier). Avec la *Silja Line,* départs 8h et 20h15 (à vérifier là encore).
Les 2 compagnies font 50 % de réduc pour les possesseurs des cartes *Inter-Rail* et *Scanrail.* Vérifiez tout de même, ce genre d'info c'est comme le reblochon, c'est-à-dire très périssable.
Liaisons également vers Tallinn en Estonie, Riga en Lettonie.

VERS LE NORD

SIGTUNA

7 000 hab. IND. TÉL. : 08

Joli village situé à une cinquantaine de kilomètres au nord de Stockholm, proche de l'aéroport d'Arlanda. Pour s'y rendre, prendre le *Pendeltåg* (le train qui relie Stockholm à Arlanda) jusqu'à Märsta, puis le bus n° 570 (ou, de l'aéroport, le bus n° 803). Sigtuna fut fondée vers la fin du Xe s : c'est la toute première capitale du royaume suédois. Cité païenne à l'origine, elle devint un pôle de la chrétienté avant d'être supplantée par Uppsala. Malheureusement, il ne subsiste pas grand-chose du village originel. Tous les bâtiments sont des reconstitutions et, dans cette ambiance de village touristique, Sigtuna a bien du mal à inspirer un sentiment d'authenticité. Cela reste néanmoins une belle balade à faire, sur les traces des pierres runiques ou bien le long de la rue principale, dont le tracé n'a pas changé depuis mille ans. Charmantes maisonnettes en bois et quelques ruines intéressantes. Le tout au bord d'une grande étendue d'eau, le Sigtunafjärden. Le genre d'endroit idéal pour passer une journée tranquille, si par exemple vous en avez assez de l'agitation de Stockholm. Une bonne idée aussi si vous venez juste de vous poser à Arlanda, pour vous dégourdir les pattes dans le calme et reprendre des forces avant d'attaquer la capitale.

Adresse utile

🅸 ***Office du tourisme :*** *sur Storagatan, la rue principale. ☎ 59-48-06-50. • http://sal.sigtuna.se/turism • En été, lun-sam 10h-18h, dim 11h-17h ; le reste de l'année, ouv en sem 10h-17h, sam 11h-16h, dim dès 12h.* L'office possède quelques adresses de chambres chez l'habitant et vend des timbres (entre autres services, bien sûr). Accueil sympathique.

Où dormir ? Où manger ?

Camping

⛺ ***Sigtuna Camping :*** *entre Sigtuna et Märsta. ☎ 59-25-27-00. Ouv juin-fin sept. Forfait tente 125 Sk (13 €).* Camping entouré de sapins au bord d'une réserve naturelle de 175 ha. Bel espace et joli cadre, mais la route se fait un peu entendre. Pas d'équipement particulier non plus et sanitaires minimalistes, mais comme c'est un endroit qui se veut décontracté et pépère, rien ne sert de se montrer trop dur...

Plus chic

Sigtuna Stiftelsen : *Manfred Björkquists Allé 2-4. ☎ 59-25-89-00. • sigtunastiftelsen.se • Pdt l'été, doubles 600 Sk (63 €), petit déj inclus ; 1 220 Sk (128 €) le reste de l'année.* Excellent rapport qualité-prix en été. Installé dans un bâtiment ocre aux allures de couvent, avec une cour intérieure bordée d'arcades où l'on se croirait en Toscane... De plus, il y a des pins (et presque parasol !) tout autour. Chambres de style moderne ou plus anciennes mais agréables et bien tenues. Dans le même bâtiment, bibliothèque de 140 000 ouvrages : l'hôtel était, à l'origine, une fondation chrétienne dont faisait jadis partie un lycée privé ayant vu passer entre ses murs le roi Carl XVI Gustav et le Premier ministre Olof Palme. L'hôtel accueille encore aujourd'hui des écrivains en résidence, et de nombreux grands auteurs suédois sont venus ici écrire leurs œuvres. Salles pour réception et mariages.

Båt Huset : *cabane en bois au bout du ponton, au bord du lac. ☎ 59-25-67-80. Mar-jeu 17h-23h (dernières commandes 22h). Plats 120-240 Sk (12,50-25 €).* Un poil cher, mais la vue sur le lac y est magnifique et la cuisine de saison particulièrement soignée. Endroit idéal pour un dîner romantique bercé par le clapotis de l'eau. La salle est petite, il est indispensable de réserver.

Pour un sandwich le midi ou une envie subite d'un petit gâteau ou d'une glace, faites un tour au café de ***Tante Brun*** *(10h-19h)*, presque à côté de l'office du tourisme. Cette petite maison datant de la fin du XVIIe s est la plus ancienne de Sigtuna. Sa cour verdoyante, où traînent de vieilles charrettes en bois, est vraiment sympa et reposante.

À voir

Mariakyrkan : belle église à l'entrée de la ville, qui fut le premier bâtiment en brique de Suède. Devant l'église se trouvait jadis un monastère dominicain, mais celui-ci fut rasé au XVIe s sur les ordres du roi Gustav Vasa, lorsque celui-ci introduisit la Réforme en Suède et sécularisa les biens de l'Église. L'édifice originel date du milieu du XIIIe s. L'intérieur vaut vraiment le coup d'œil, tant les œuvres sont hétéroclites : tombeau de la fin du XVIe s, tapis et canevas modernes assez horribles dans leur genre, fonts baptismaux du XIIe s (et provenant donc probablement d'une des autres églises plus anciennes mais aujourd'hui en ruine), chaire du XVIIe s, fresques du XIVe s... Certaines pièces sont fascinantes, mais mal conservées.

Faites un tour dans les ruines des églises ***St Per, St Lars*** et ***St Olof.*** Ces édifices datent probablement des XIe et XIIe s. Il n'en reste pas grand-chose : lors de la Réforme, le roi ordonna que la Mariakyrkan devienne l'unique église paroissiale, et les autres édifices religieux furent laissés à l'abandon.

Sigtuna Museum : *presque au bout de Storagatan, vers l'ouest. Juin-août, tlj 12h-16h ; sept-mai, fermé lun. Entrée : 20 Sk (2 €) ; réduc ; gratuit jusqu'à 19 ans.* Dans ce tout petit musée, rien de bien palpitant : des pièces de monnaie, outils et morceaux de poteries datant de l'ère viking et du Moyen Âge. Ce sont là les résultats des fouilles archéologiques en cours depuis le début du XXe s et qui se poursuivent – quoique erratiquement – à divers endroits de la ville (les personnes que vous verrez peut-être en train de creuser ne sont pas des ouvriers de la voirie, mais bien des archéologues).

L'hôtel de ville : du début du XVIIIe s. Enfin... c'est un bien grand nom pour cette maison de deux pièces située sur la grand-place et qui est, à ce jour, la plus petite mairie de Suède. Lors de sa construction, au XVIIIe s, Sigtuna est pauvre et ne compte qu'une vingtaine d'habitants. Le maire d'alors, Erik Kihlman, décide de détruire la mairie déjà existante et d'en reconstruire une nouvelle : il demande aux bourgeois de contribuer à hauteur d'un tronc d'arbre chacun et d'une petite somme d'argent, et il trace lui-même les plans. Pas grand-chose à voir à l'intérieur, c'est juste insolite de voir une salle du conseil municipal aussi petite.

Quelques ***pierres runiques*** disséminées dans le village, d'autres dans les alentours. Sigtuna se vante d'être la commune qui compte le plus de pierres runiques au monde.

Le château de Steninge : *à* ***Märsta,*** *ville voisine de Sigtuna. ☎ 59-25-95-00. • steningeslott.se • Tlj début juin-fin août ; début avr-fin déc, slt w-e et pour des visites guidées 13h, 14h et 15h. Entrée : 40 Sk, soit 4,20 € (ou 55 Sk, soit 5,70 € pour une visite guidée) ; gratuit jusqu'à 12 ans. Une petite fiche explicative en français est disponible à l'entrée.*
Datant du XVIIe s, ce château fut la propriété de Carl Gyllenstierna, chambellan de la reine Hedvig Eleonora et très proche de celle-ci... Grâce à elle, il réussit à engager l'architecte Nicodème Tessin le Jeune qui dessina ce somptueux palais baroque, joliment situé au bord de l'eau et entouré de magnifiques jardins. Le château fut aussi la propriété de la famille Fersen. Axel de Fersen, l'amant de Marie-Antoinette, aurait organisé la fuite infructueuse de Louis XVI et de son épouse qui se solda par l'arrestation à Varennes... on dit que les joyaux de la Couronne seraient encore dissimulés quelque part sur les terres du château. Une voyante consultée à ce propos aurait confirmé la présence de ce trésor quelque part à Steninge, mais aurait aussi ajouté que celui-ci porterait malheur à qui le découvrirait.
Les granges sont aujourd'hui transformées en un centre culturel ouvert de début avril à fin septembre. Bel édifice à l'étage duquel vous trouverez une galerie d'art (entrée un peu chère à notre goût), au rez-de-chaussée une boutique et une soufflerie de verre, où vous pourrez souffler votre propre verre pour une somme d'environ 300 Sk (31,50 €) ; prévoir une attente de 2h pour que le verre durcisse et refroidisse.

Le château de Skokloster : *voir « Dans les environs de Stockholm ».*

UPPSALA

136 500 hab. IND. TÉL. : 018

À environ 80 km de Stockholm (1h de train de la gare centrale). On aime bien cette ville où est né le grand cinéaste Ingmar Bergman. Pour sa chaleur, son animation et son côté décontracté. Nul doute que les milliers d'étudiants bruyants, à pied ou à bicyclette, y sont pour beaucoup. Mais il y a aussi l'aspect extérieur de la ville, tout à fait charmant le long du canal et autour de la cathédrale, la plus grande de Scandinavie. Uppsala, étape conseillée. Nos jeunes lecteurs étudiants pourront sans doute faire ici de belles rencontres. Cependant, comme toute bonne ville universitaire qui se respecte, celle-ci devient un peu morne et molle une fois ses quelque 40 000 étudiants partis en vacances, en juin et juillet.

UN PEU D'HISTOIRE

Uppsala se trouve à l'origine à l'endroit que l'on appelle désormais « Gamla Uppsala » (« le vieil Uppsala ») et ne devient Uppsala qu'avec la construction de la cathédrale. Que la ville soit l'archevêché de Suède favorise la création de l'université (datant de 1477, elle est la plus ancienne de Suède), puisque les premiers étu-

diants sont avant tout destinés aux carrières de l'Église. Après la Réforme, au XVIe s, l'université n'étant plus entre les mains de l'Église mais de l'État, elle ne reçoit presque plus d'argent et entre dans une phase de déclin. Il faut attendre Gustav II Adolf, au XVIIe s, qui, voulant asseoir et agrandir la puissance de son royaume, comprend la nécessité d'avoir des gens instruits. Il investit donc dans cette université : il donne de l'argent, des fermes en activité dans les environs d'Uppsala (afin que ces dernières continuent à générer de l'argent), des livres, et il fait construire le premier bâtiment de l'université (le Gustavanium aujourd'hui).
Au cours de ce XVIIe s, alors que l'université croît et accueille des étudiants venant de tout le pays, on crée les nations : il s'agit de maisons accueillant les étudiants des différentes régions (nation de Gotland, nation de Stockholm, etc.). Ces treize nations existent encore aujourd'hui, vous les verrez en déambulant dans le quartier de l'université. Elles ne sont ouvertes qu'aux étudiants et proposent diverses activités, des petits restos et cafés bon marché. La région d'origine des étudiants n'a désormais plus d'importance : on choisit la nation que l'on désire, selon sa popularité et les activités qu'elle propose. Un conseil, donc, aux étudiants qui souhaitent rencontrer du monde à Uppsala et s'immerger dans le monde estudiantin : allez donc au *Studenkår* pour vous procurer une carte qui vous ouvrira les portes de ces nations.

Adresses utiles

Office du tourisme : *Fyristorg 8. ☎ 727-48-00. • uppsalatourism.se • Le long du canal, en contrebas de la cathédrale. Juin-août, ouv en sem 10h-18h, sam 10h-15h, dim 12h-16h ; le reste de l'année, fermé dim.* Très bien documenté, il peut aussi vous aider à trouver un hébergement (au comptoir uniquement) ou une chambre chez l'habitant (celles ne figurant pas sur les catalogues des agences privées). Bon accueil.

Bed & Breakfast Agency : *☎ 42-10-30 ou 070-603-96-96. • bb.018421 030@telia.com •* Uniquement pour ceux qui s'y prennent un peu à l'avance et souhaitent réserver une chambre chez l'habitant.

Internet : Uppsala Nya Tidning, *Drottninggatan 3. À deux pas de l'office du tourisme. Ouv en sem 9h-18h ; sam jusqu'à 15h. Connexion gratuite à la bibliothèque municipale et à l'université.*

Change : *au bureau* Forex, *à côté de l'office du tourisme. Tlj sf dim 9h-19h (15h sam).*

Médecin : *appeler le central au ☎ 611-56-00.* Celui-ci vous rappellera pour vous orienter vers le médecin de garde.

Gare ferroviaire : *à env 500 m à l'est du centre.*

Presse étrangère : *au* Pressbyrån, *dans la Sankt Persgatan, juste à côté du* McDo.

Studentkår : *Övre Slottsgatan 7. ☎ 480-31-47. Tt au bout de Drottninggatan en venant du canal, puis à droite. Pdt l'année universitaire, ouv en sem 9h-17h (16h de début août à mi-août) ; fin juin-début août, ouv slt mar 11h-13h et jeu 17h-19h.* Les étudiants étrangers peuvent s'y procurer la *Gästleg*, carte qui permet d'entrer dans les *nations*, ces fameux restos, pubs et boîtes gérés par les étudiants. Elle revient à 50 Sk (5,30 €) et est valable 2 semaines. Comme justificatif, la carte d'étudiant de son pays suffit.

Location de vélos : Abba Cycle center, *Kungsgatan 45.*

Où dormir ?

Bon marché

Fyrishov Camping : *à 2 km au nord-ouest du centre ; sur l'E4, suivre la direction de Fyrishov. ☎ 727-49-50. • fyrishov.se • Bus n° 4 de Dragarbrunns-*

gatan. Accessible à pied en 20 mn en longeant la rivière. Ouv tte l'année. Forfait tente 165 Sk (17,50 €) en hte saison et 135 Sk (14 €) autrement (douche chaude incluse). À côté d'un complexe sportif, non loin des habitations. Un cadre vraiment pas idéal (pour ne pas dire laid et déprimant !), mais c'est le camping le plus proche du centre. Location de canoës, pour ceux qui voudraient « croiser » sur les rivières de la ville, et 50 % de réduc pour le complexe sportif. *Stugor* aussi, mais assez chers. Système de clé (une par tente) pour les services. Laverie et sèche-linge. Vraiment pour les routards non véhiculés qui n'ont pas la possibilité d'aller un peu plus loin, dans des endroits beaucoup plus sympas.

■ ***Uppsala City Hostel :*** *Sankt Persgatan 16. ☎ 10-00-08. • uppsalavandrarhem.se • En sortant de la gare, prendre à droite et remonter la Kungsgatan jusqu'à croiser la Sankt Persgatan. Ouv tte l'année. Réception 8h-10h, 16h-20h. Pour les membres, lit en dortoir 170 Sk (18 €) et doubles 250 Sk/pers (26 €). Ajouter 50 Sk (5,30 €) pour les non-membres.* Chambres de 1, 2 ou 4 lits. Une AJ... une AJ, quoi ! Propre et avec cuisine à disposition, mais sans grand charme. Adresse centrale. Parking gratuit.

Plus chic

■ ***Hotell Muttern :*** *Sankt Johannesgatan 31C. ☎ 51-04-14. • hotellmuttern.se • À 1 km à l'est du centre. Le w-e ou en été, doubles 670-870 Sk (70-91 €), petit déj compris ; 1 030-1 230Sk (108-129 €) le reste du temps.* Dans un petit bâtiment hexagonal moderne, 26 chambres claires et plutôt agréablement arrangées, pour ceux qui cherchent le confort sans trop se ruiner. Accueil charmant. Parking payant.

Où dormir dans les environs ?

⛺ ***Sunnersta Camping :*** *à Sunnersta. ☎ 27-60-84. D'Uppsala, suivre la direction de Sunnersta et Ulltuna, au sud-ouest de la ville. Camping indiqué en arrivant à Sunnersta. Mêmes bus que pour aller à l'AJ (voir ci-dessous), mais on descend plus loin. Bus assez rares le w-e. Ouv début mai-fin août (mais résa préférable jusqu'à mi-juin et dès mi-août). Forfait tente 150 Sk (16 €) ; stugor 2-4 pers 275-450 Sk (25-47 €).* Le camping est admirablement situé, au bord d'un petit lac et à proximité de la forêt. Équipement et confort suffisants et cadre vraiment charmant. Faites tout de même gaffe aux moustiques. Location de canoës et de planches à quelques centaines de mètres de là.

■ ***STF Vandrarhem Sunnersta*** *(Sunnersta Herregård)* ***:*** *à Sunnersta. ☎ 32-42-20. Suivre la même direction que le camping. Une fois arrivé, suivre le lit représenté sur un panneau. Du centre, bus n° 20 de Dragarbrunnsgatan ; en sem après 19h30 ou w-e, prendre le bus n° 50. Réception 7h30-10h, 17h-21h en été ; 7h-20h le reste de l'année. Nuit 190 Sk (20 €) pour les membres.* Grosse maison bourgeoise dans un grand espace vert avec, derrière, un petit lac. Petites chambres pour 2 ou 3 personnes, au grand calme, dans des constructions annexes. 68 lits en tout. Aux beaux jours, on prend le petit déj sur la terrasse. Location de vélos, pour les belles balades à faire dans le coin. Adorable.

Où manger ?

Bon marché

🍽 ***Hugo's :*** *Svartbäckgatan 21. ☎ 13-00-83. Tlj 10h-20h.* Maison du café qui sert aussi des pâtisseries. Comment décrire l'endroit ? Imaginez une gentille grand-mère experte dans l'art de faire du café et soucieuse de régaler ses clients d'un tas de bons gâteaux... et qui aurait oublié de rénover son intérieur et le mobilier depuis des générations. Voilà, c'est à peu près ça, à part que la mamie en question, c'est Ole et sa femme, mais bon... Ce qui est sûr, c'est qu'on vient y déguster du café fraîchement moulu accompagné de douceurs dans une déco royalement décalée, avec des fauteuils en velours, des chaises en bois et toutes sortes de bibelots loufoques et désuets (à vendre, pour les amateurs !). Tout cela sur un fond musical varié, éclectique, « *a happy crazy mix without boundaries* », comme le dit Ole.

Ofvandahls Hovkonditori : *Sysslomansgatan 5. ☎ 13-42-04. Ouv en sem 8h-18h ; sam dès 9h et 11h dim.* Salon de thé en plusieurs pièces proposant quelques sandwichs, un large choix de gâteaux ainsi qu'une belle sélection de thés et de cafés. Le tout est servi dans un décor bourgeois qui n'a guère dû subir de transformations depuis un siècle. Seul le temps y a laissé sa marque (moquettes et couleurs un peu défraîchies). Atmosphère décalée où se retrouvent les hommes d'affaires, des étudiants qui refont le monde, jouent aux cartes ou passent l'après-midi à bouquiner, ou encore les gourmands de tous âges qui viennent se faire plaisir. Pour un moment hors du temps.

Fröjas Sal : *Bäverns Gränd 24. ☎ 10-13-10. À deux pas de la gare. Ouv en sem 11h-15h ; sam 12h-16h. Plat du jour 70 Sk (7,70 €) ; sam (sf en été), buffet 80 Sk (8,50 €).* Resto végétarien. Les plats changent chaque jour : soupes, gratin provençal, pâtes orientales, *chili SIN carne,* lasagnes, etc. Déco toute simple et accueil avenant.

Alexander : *en bordure du canal, à l'angle d'Östra Ågatan et de Baverns Gränd. ☎ 13-50-52. Ouv en sem 16h-22h, ven 23h ; sam 12h-23h, dim jusqu'à 22h. Plats 115-165 Sk (12-17 €).* Resto grec avec des chaises en bambou, des statues romaines et des colonnes en plâtre. C'est kitsch, mais les portions sont copieuses et les prix honnêtes.

Prix moyens

Birger Jarl kök & bar : *sur Nedre Slottsgatan, à l'angle de Munkgatan. ☎ 12-54-24. Mar-sam 17h-2h ; cuisine fermée 22h (23h w-e). Plats 90-145 Sk (9,50-15 €).* Vieille maison en bois avec une véranda réaménagée et fort plaisante. On peut aussi dîner dans le jardin. À la carte, une cuisine internationale bien réalisée, en tout cas amplement à la hauteur de son coût. Et puis, petit plus, le rouge de la maison descend plutôt bien, ce qui, tout de même, n'est pas monnaie courante sous ces latitudes. Salon pour boire un verre, ouvert jusqu'à 2h, et disco du vendredi au samedi dès 22h30 et mercredi en été.

Flutstret : *entre* Birger Jarl *et* Alexander. *☎ 10-04-44. Tlj 11h-23h. Plat du jour le midi env 80 Sk (8,50 €) ; à la carte, 115-215 Sk (12-22,50 €).* C'est le gros pavillon jaune avec tourelles à toit vert. Salle dans le style « gustavien » et grande terrasse sympa avec des tables et des bancs en bois. Nourriture suédoise traditionnelle, qui change chaque saison. Sessions de jazz tous les dimanches. C'est aussi un endroit – et très populaire ! – où sortir et danser *(jeu 18h-1h, ven et sam 18h-3h)* au sous-sol pour la danse en couple et au 1er étage pour la disco. Clientèle dans la trentaine.

Où boire un verre ? Où danser ?

Flutstret : *voir « Où manger ? ».*

Birger Jarl : *voir « Où manger ? ».*

Fyren café & bar : *au bord du canal. À 50 m du resto* Alexander, *par la petite allée qui descend vers le quai.* C'est l'annexe du resto *Santorini.* On vous la recommande pour sa terrasse très tranquille juste au bord de l'eau. Sympa pour boire un verre ou grignoter une salade.

À voir

Avec 21 musées proposés aux visiteurs, il peut être intéressant, en cas de muséite aiguë, de se procurer la *Uppsalakortet* vendue à l'office du tourisme. Cette dernière coûte 100 Sk (10,50 €) pour une journée (valable pour un adulte et deux enfants de moins de 15 ans) et vous donne également un accès gratuit aux bus et aux parkings municipaux. Attention cependant, beaucoup de musées et sites sont fermés le lundi.
Tous les monuments importants d'Uppsala sont à proximité de la cathédrale.

¶¶¶ ***La cathédrale :*** *ouv 8h-18h. Visite guidée en anglais tlj en été, en principe 14h.* Inaugurée en 1435, c'est la plus grande église de Scandinavie : les tours culminent à 118 m et l'intérieur peut accueillir jusqu'à 2 000 personnes. Elle évoque étrangement les édifices gothiques français de la fin du XIIIe s. Enfin, pas si étrangement que ça, car l'un des premiers architectes en fut Estienne de Bonneuil, de la confrérie maçonnique de Notre-Dame de Paris. Incendiée à plusieurs reprises, elle fut reconstruite au XVIIIe s. Elle se compose de trois grandes nefs portées par de majestueuses colonnes. Les chapelles abritent de nombreux monuments funéraires. Au milieu, ne manquez pas la chaire en bois sculpté et richement décorée, de style baroque. Voir aussi les insignes royaux rappelant que les souverains de Suède étaient jadis couronnés en ce lieu. Avant parfois d'y revenir à leur mort... comme Gustav Vasa, dont le tombeau – œuvre d'une finesse inouïe – se trouve derrière le maître-autel, dans la chapelle de la Vierge. Notez qu'il est entouré de deux femmes : marié trois fois, la plus jeune de ses épouses est morte soixante ans après lui et, même si elle n'est pas représentée, elle est également enterrée dans le tombeau. Carl von Linné a, lui aussi, sa tombe dans la cathédrale. À part ça, la tour nord de la cathédrale abrite le trésor *(ouv tlj en été 10h-17h, 12h30 dim ; fermé lun hors saison. Entrée : 30 Sk, soit 3 € ; réduc).* Y sont exposés des textiles, dont une robe ayant appartenu à la reine Margrethe Ire de Danemark (elle fut dérobée par les Suédois dans la cathédrale de Roskilde, au Danemark, lors d'une guerre), les très belles couronnes royales des Vasa retrouvées dans le tombeau, des ornements sacerdotaux et des objets liturgiques sous vitrines. Fiche explicative en anglais distribuée à l'entrée (ainsi qu'une lampe de poche, car l'endroit est très sombre).

¶¶ ***Gustavianum :*** *Akademigatan 3 ; face à la cathédrale. ☎ 471-75-71. • gustavianum.uu.se • Tlj sf lun 10h-16h. Entrée : 40 Sk (4,20 €) ; réduc ; gratuit jusqu'à 12 ans.*
Ce palais du début du XVIIe s abrite le théâtre anatomique où le médecin Rudbeck effectuait ses dissections. Ce fut le premier bâtiment de l'université. Il fut construit dans les années 1620 lorsque celle-ci fut remise à l'honneur et largement financée par le roi Gustav II Adolf (le théâtre anatomique ne fut ajouté que plus tard). À l'origine, l'étage du bas accueillait les cuisines et les réfectoires. Une des conditions d'entrée à l'université était de pouvoir fournir à son arrivée de quoi se nourrir durant toute la durée de ses études (un énorme sac de farine, une vache, etc.). Les denrées restaient toujours fraîches, l'université accueillant chaque année toujours plus d'étudiants. Les étages supérieurs étaient les salles de cours et la bibliothèque. Sous les toits se trouvaient les dortoirs : les étudiants, selon leur richesse, louaient un lit, un demi-lit ou un tiers de lit !
Notez le superbe dôme avec un cadran solaire construit par le médecin Rudbeck. La partie la plus intéressante se trouve aujourd'hui aux 2e et 3e étages. Au 2e étage d'abord, où l'on peut admirer la seule « armoire scientifique » au monde encore dotée de tout son contenu : au total, un millier d'objets censés représenter les connaissances de l'époque (en l'occurrence le XVIIe s) dans tous les domaines. Voir aussi la série d'instruments et d'appareils scientifiques en usage aux XVIIIe et XIXe s puis monter au 3e étage, pour le théâtre anatomique. Construit en 1663, sa conception est très intéressante : le dôme, très haut, a été étudié pour laisser passer un maximum de lumière, et les pupitres, disposés tout autour, permettaient à

200 personnes d'assister aux dissections. Pas seulement des étudiants, d'ailleurs : cette « distraction » était à la mode dans les milieux bourgeois, et n'importe qui pouvait acheter un ticket et venir voir Rudbeck jouer du ciseau. On disséquait en général un criminel condamné à mort car, à l'époque, personne ne voulait donner son corps à la science. Le scientifique allait tout simplement « faire son marché » à la prison, histoire de repérer les prisonniers les plus convenables pour la table tournante. Charmant casting, n'est-ce pas ? Après la pendaison, on amenait le criminel dans le théâtre pour son dernier spectacle. Puis on lui offrait des funérailles décentes, juste retour des choses.
Cet endroit fut utilisé pendant un siècle seulement, et se détériora assez vite. Celui que vous visiterez est une reconstruction. D'ailleurs, ne vous attendez pas non plus à voir des taches de sang sur la table, celle-ci est aussi une réplique. Les 1er et 4e étages abritent une section d'archéologie grecque, égyptienne et nordique – magnifiques sarcophages avec momies –, mais on peut s'en passer. Au 3e étage, animaux naturalisés et collection de montres.

Carolina Rediviva : *Dag Hammarskjöldsväg 1 ; bibliothèque de l'université. Elle accueille une expo de manuscrits anciens. En été, ouv lun-jeu 9h-16h30, ven 9h-18h ; sam 10h-17h, dim 11h-16h ; le reste de l'année, ouv en sem jusqu'à 18h30, fermé dim. Entrée : 20 Sk (2 €).* La vedette de cette petite expo est le précieux *Codex argenteus* ou *Bible d'argent,* écrit avec de l'encre argent sur du parchemin pourpre (datée du VIe s). Seule une page originale est exposée, l'ouvrage lui-même n'est qu'un fac-similé. Carte du nord de l'Europe du XVIe s (où figurent des animaux assez étonnants pour la région !), partitions et almanachs.

Le château : édifice rouge imposant dominant la ville du haut d'une colline. L'extérieur est assez laid. Il fut construit au XVIe s sur ordre de Gustav Vasa. D'abord forteresse, puis résidence royale, ce château n'a cessé d'être agrandi par les fils de Gustav Vasa. Cependant, suite à un grand incendie du château de Stockholm, on décida en haut lieu d'utiliser les pierres du château d'Uppsala pour reconstruire celui de Stockholm, et aussi de transférer le mobilier d'Uppsala vers Stockholm. Une partie du château est aujourd'hui habitée par le préfet. L'intérieur ne se visite pas, excepté les ruines et les caves. Jetez-y un coup d'œil si vous avez la *Uppsalakortet,* sinon c'est assez cher (60 Sk, soit 6,60 €) pour la visite guidée (obligatoire) et l'entrée au petit musée d'Art moderne qui est à l'intérieur. Montez quand même sur la butte pour profiter du panorama sur la ville et notez les canons orientés droit sur la cathédrale : une façon pour Gustav Vasa de bien montrer qui, du roi ou de l'Église, avait le pouvoir.

Le jardin botanique : *face au château. Tlj 7h-21h (19h sept-fin avr). Entrée gratuite.* Plus de 10 000 espèces végétales en plates-bandes, bosquets ou sous serre. Agréable.
– *Serre tropicale : ouv en sem 9h30-15h30 ; w-e 12h-15h. Entrée : 20 Sk (2 €).*
Café ouv slt l'été 10h-17h.

Linnéträdgården : *Svartbacksgatan. • linnaeus.uu.se • Ouv début mai-sept, 11h-20h. Musée ouv slt fin mai-sept, tlj 11h-17h. Entrée : 50 Sk (5,30 €) pour les 2 ; réduc.* La maison et le jardin de Linné (qui n'est pas né à Uppsala mais y a étudié et enseigné) ont été restaurés comme lorsqu'il y habitait au XVIIIe s. La maison possède le mobilier typique de cette époque, avec une rigolote petite collection d'animaux figés dans le formol ; des étudiants venaient apprendre ici avec le savant. Quelques-uns vivaient même avec lui et lui servaient d'assistants. De nombreux rois et hommes de science du monde entier ont posé les pieds dans cette demeure, preuve de la notoriété de Linné. Comme vous le savez certainement, c'est le père de la classification des êtres vivants (par genre et espèce). C'est aussi lui qui a donné à l'homme l'appellation d'*Homo sapiens.* Cela dit, la visite de la maison n'est pas indispensable, même si l'on arrive à dénicher quelques anecdotes cocasses. Quant au jardin, il fut dessiné par Linné lui-même.

L'allée de droite accueille les plantes annuelles, tandis que celle de gauche reçoit les plantes vivaces. Devant l'orangerie, cafétéria pour boire un verre. Très frais et reposant.

Amis professeurs et étudiants, si la fac vous manque, allez faire un tour dans le bâtiment principal de l'***université*** *(en face du Gustavianum ; ouv en sem 8h-16h).* C'est la plus vieille université nordique, fondée en 1477.

➢ Pour aller voir le château de ***Skokloster,*** un bateau (le *Carl Gustaf*) part tous les jours sauf le lundi à 11h30 en face du *Fyren Café,* sur le canal. Retour le soir.

➢ Un autre bon moyen de découvrir Uppsala est de longer les berges du ***Fyrisån*** jusqu'au lac, à vélo ou à pied pour les courageux.

Gamla Uppsala : *il s'agit de « la vieille ville », située à 4 km au nord du centre. Bus n°s 2, 20, 24 et 54 de la Storatorget ; ils s'arrêtent tt à côté. En voiture, prendre l'E4 vers Gävle-Sundsvall ; ensuite c'est indiqué. De la cathédrale, on peut aussi y aller à vélo (ou à pied pour les plus courageux) en suivant le « chemin des pèlerins » (indiqué par un cercle jaune sur les panneaux) et pique-niquer sur place, car l'endroit est charmant (il est d'ailleurs très prisé par les locaux le w-e).* C'est là que se trouvait Uppsala à l'origine.
Uppsala était à l'origine un important centre politique et religieux, d'abord à l'époque païenne (on y aurait même perpétré des sacrifices humains), puis au XIIe s, lors de la christianisation.
En arrivant, vous verrez une colline sur la droite : le *Ting* (le Parlement et tribunal qui réglait et décidait des affaires de la communauté) se réunissait là. Les trois tumuli sur la gauche sont les tombes de grands chefs. La plus ancienne date du Ve s, et les deux autres du VIe s. Les plus récentes ont été fouillées, mais le résultat ne fut pas très fructueux : la tradition voulait, apparemment, que l'on brûle tout avant de mettre le défunt sous terre. Les autres petites collines abritent les corps de centaines de personnes de moindre importance. Lors de la christianisation, on construisit alors l'église, qui allait devenir le siège de l'archevêché, à l'endroit où se trouvait probablement le temple païen. Celle-ci est encore là aujourd'hui. Notez, quand vous entrerez dans le vestibule, le tronc de bois creusé et sévèrement cadenassé : il contenait les trésors de l'église et les clés de ses sept cadenas étaient confiées à sept personnes différentes, qu'il fallait donc réunir pour pouvoir l'ouvrir. Soit dit en passant, Celsius est enterré dans cette ex-cathédrale (son père fut pasteur ici), sa tombe se trouve sous le tapis qui sépare les bancs dans la nef (voir la plaque sur le mur de gauche).
L'édifice original était plus important, mais il fut endommagé par un incendie. C'est d'ailleurs l'excuse qui fut avancée pour en construire une nouvelle, plus grande et surtout dans un endroit devenu une importante place commerciale située sur les voies d'eau et nommée Östra Aros. Le pape accepta ce déplacement à condition que l'archevêché garde le même nom. Östra Aros devint ainsi Uppsala, et le lieu de l'ancienne cathédrale « le vieil Uppsala ». Il ne reste de ce dernier que les collines herbues et l'église, il est donc un peu difficile d'imaginer ce qui a pu se passer ici. Des bornes donnent des explications en suédois et en anglais.
– Sinon, les produits des fouilles sont exposés dans un petit musée, dans le bâtiment en bois, à l'entrée du site : début mai-fin août, tlj 11h-17h ; le reste de l'année, horaires très restreints. Entrée du musée : 50 Sk (5,30 €) ; réduc. Visite guidée (et explications) en anglais (incluse dans le prix du billet) 15h30. Musée très complet sur l'histoire des Vikings.

Restaurant et café Odinsborg : *c'est la grande maison noire entre le musée et l'église. ☎ 32-35-25. En été, tlj 10h-18h. Fermé oct-mars. Buffet 165 Sk (17 €).* Propose, dans la salle à l'étage, un super buffet. Au rez-de-chaussée, simple café où l'on peut prendre un sandwich ou un gâteau. Mais la grande spécialité, c'est l'hydromel, que l'on boit dans des cornes *(horn of mead)* ! Un peu cher pour ce que c'est, cela dit.

À 400 m de là, le ***Disagården*** offre une reconstitution de maisons rurales et de fermes de la seconde moitié du XIXe s.

Possibilité de se baigner à 1 km au nord de Gamla Uppsala, à ***Storvad,*** dans la rivière *Fyrisån*.

➤ DANS LES ENVIRONS D'UPPSALA

Le lac de Björklinge : lac aménagé à environ 20 km au nord d'Uppsala, avec périmètre pour les enfants, plage avec douche, w-c et vaste pelouse où les familles viennent passer la journée au soleil. Possibilité d'y aller en bus depuis Uppsala ou en voiture en suivant l'E4 vers le nord. En arrivant à Björklinge, tourner à droite avant l'église. Attention, il n'y a aucun panneau à l'intersection. C'est à environ 1 km. Propre et sympathique pour une journée de repos total. Location de patins à glace en hiver, pour se promener sur le lac gelé.

Vendel : église fortifiée datant de 1310, au nord d'Uppsala. Prendre l'E4 vers Gävle-Sundsvall ; vers le 30e km, tourner à droite ; suivre « Vendel Kyrka » ; il reste 9 km sur cette route. Un détour qui vaut la peine pour les passionnés d'églises. Avant la christianisation, Vendel fut un important foyer païen. On parle d'ailleurs de « l'époque de Vendel », entre 550 et 800 environ. Des sépultures ont été retrouvées, précisément à l'endroit où est bâtie l'église. Quatorze hommes étaient enterrés dans des barques, accompagnés de richesses et de denrées alimentaires, au cas où. Une de ces barques, dite « d'Ottar », gît à l'entrée de l'église. L'extérieur est prenant : un édifice de brique rouge, entouré d'un cimetière et d'un muret de pierre, trône au milieu de la campagne. L'intérieur est d'une authenticité saisissante : les voûtes défraîchies, les dessins naïfs à demi effacés, tout cela donne l'impression d'entrer dans un sanctuaire inchangé depuis des siècles.

LE LAC SILJAN

Un bien joli lac, comme il en existe des dizaines de milliers en Suède, à part que celui-ci est particulièrement prisé par les touristes locaux, et avec raison : le bleu de son eau, le rouge de ses chalets, son atmosphère vivifiante, ses beaux points de vue (superbes même, par endroits) et ses quelques plages en font vraiment un lieu qui mérite le déplacement. C'est aussi le cœur de la Dalécarlie *(Dalarna),* région encore considérée comme le foyer culturel de la Suède pour la diversité et la vivacité de ses traditions. Les petites villes et villages qui bordent le lac n'ont toutefois que peu d'intérêt, excepté Tällberg, le plus touristique d'entre eux mais aussi le plus joli. Long de 38 km et large de 11 à 25 km, on peut faire le tour du lac en une journée sans problème.

LEKSAND *(ind. tél. : 0247)*

La première ville où l'on passe en venant du sud. Pas grand-chose à y voir ni à faire, hormis, pour les aficionados, un parc aquatique et une propriété du début du siècle dernier *(Hildasholm)* restée en l'état. Important festival de musique aussi, début juillet.

Adresses utiles

Office du tourisme : *à la gare ferroviaire, à 5 mn à pied du centre.* ☎ 79-61-30. • *siljan.se* • *En été, ouv en sem 9h-19h, w-e 10h-17h.* Vente de timbres

et résa de chambres chez l'habitant.
Possibilité de surfer sur Internet à la bibliothèque, située sur Norsgatan, la rue qui longe le canal.

Où dormir ?

***Leksands Camping and Stugby :** à 2 km au nord de Leksand, sur les rives du lac.* ☎ *803-13. Bus (mais pas très fréquents) à côté de la gare pour y aller. En saison, forfait tente 100 Sk (10,50 €).* Grand camping populaire et familial à l'ombre des pins, avec une longue plage aménagée. Baignade dans le lac bien sûr possible. Finalement, l'eau n'est pas plus froide qu'en Bretagne ! Pour les frileux cependant, grande piscine découverte à côté et gratuite (pour les campeurs). Le grand toboggan en revanche est payant. Location de vélos, de canoës et de *stugor.*

***Camping Västanviks Badets :** à 4 km du centre de Leksand, en longeant la rive vers l'ouest.* ☎ *342-01. En été, forfait tente 125 Sk (13 €).* Plus petit que le précédent, mais charmant avec sa mini-plage au bord du lac. Location de vélos, de barques, de kayaks et de *stugor*.

*Un autre **camping,** mais tt simple celui-là, situé à Siljansnäs (12 km de Leksand), en continuant la route vers le nord-ouest.* Dans le village, musée sur la faune et la flore environnantes, très bien fait.

***STF Parkgårdens Vandrarhem :** à Källberget.* ☎ *152-50. À env 2 km au sud du centre de Leksand. Pour y aller, bus nº 58. Réception 8h-10h, 17h-20h. Résa conseillée. Nuit 110 Sk (11,50 €).* Quelques maisonnettes en bois rouge dispersées dans un environnement bucolique. Vraiment plaisant. Équipement standard et calme parfait. Attention cependant, le lac est très fréquenté en été et l'AJ est souvent complète. Location de vélos.

Où manger ? Où boire un verre ? Où danser ?

***Bygatan 16 :** en plein centre.* ☎ *155-05. Fermé lun soir, mar soir et dim. Formule midi 75 Sk (8 €) ; à la carte, plats 120-190 Sk (12,50-20 €).* Bonne cuisine dans un intérieur sympa, avec des petites tables en bois et des chaises couvertes de tissu bleu. Au menu : plie pochée, *barbecue ribs,* bœuf Greta... enfin, de quoi faire un bon petit repas.

***China City :** face au supermarché, dans la rue principale.* Resto chinois correct, sans plus. Fait aussi boîte le week-end.

***Leksands Baren :** sur Norsgatan, près du pont. Mer-sam jusqu'à 2h.* Le pub le plus animé du coin. Fléchettes, table de jeux, toutes sortes de vodkas et une piste de danse au 1er étage, qui accueille quelquefois des groupes de rock, blues et reggae.

À voir. À faire

***Hildasholm :** à env 1 km à l'ouest du centre, presque au bord du lac.* ☎ *100-62. De début juin à mi-sept, tlj 11h-18h (13h dim). Entrée : 60 Sk (6,50 €) ; réduc.* Il s'agit de la maison qu'Axel Munthe, le médecin attitré de la reine Viktoria (de Suède, pas l'autre), fit construire pour sa femme Hilda, en 1910. Tout est resté en place, du mobilier aux bibelots en passant par la vaisselle. À voir, notamment, une authentique maison de poupée vieille de 200 ans. On peut ensuite aller faire un petit tour au jardin. Pas désagréable comme visite, mais pas indispensable non plus.

***Äventyret Sommarland :** à côté du* Leksands Camping and Stugby *(voir « Où dormir ? »). De début juin à mi-août, tlj 10h-17h (18h juil). Entrée : 165 Sk (17 €).*

Parc aquatique où l'on peut aussi s'adonner à quelques activités terrestres (escalade, parcours d'obstacles...). Également une partie avec des engins à moteur pour les enfants.

➢ Sur le petit port de Leksand, un bateau fait la liaison avec différents points de l'île, notamment Rättvik et Mora.

TÄLLBERG *(ind. tél. : 0247)*

De loin le plus joli petit village du lac. Uniquement des petits chalets en bois rouge, dispersés sous les arbres. Tous les hôtels sont chers (et ici, pas de tarif week-end ni estival !). En revanche, il y a des chambres d'hôtes (s'informer à l'office du tourisme de Leksand), de très bons restos et un charmant camping.

Où dormir ? Où manger ?

⛺ ***Camping :** au bord du lac.* ☎ *503-01. Ferme dès mi-août, mais on peut s'y installer quand même.* Décor superbe, sur une aire plantée de pins, très tranquille. Baignade possible. Notre camping préféré dans la région.

🏠 ***Åkerblads Hotell :*** ☎ *508-00. Compter 1 300 Sk (136 €) pour deux, petit déj compris.* On vous cite celui-là, mais on aurait très bien pu en citer un autre, car, dans ce village, ils se ressemblent tous : ce sont des hôtels de charme dans de vieilles maisons rustiques typiquement dalécarliennes, et qui pratiquent des tarifs, disons... légèrement surévalués. Voilà, vous êtes prévenu.

🍽 ***Café Tällbergsgården :*** ☎ *508-50. Ouv midi et soir. Plats env 200 Sk (21 €).* C'est le resto de l'hôtel du même nom, tenu par la même famille qu'à l'*Åkerblads*. Très bonne cuisine, mais pas donnée. La carte change fréquemment, mais on y retrouve souvent du saumon (du lac !) et du renne.

RÄTTVIK *(ind. tél. : 0248)*

Village assez étendu, un peu perdu et sans grande personnalité. En revanche, AJ attractive.

Adresse utile

ℹ ***Office du tourisme :*** ☎ *702-00. Se trouve dans la gare. Ouv en sem 9h-20h ; w-e en saison 10h-19h.*

Où dormir ?

⛺ ***Camping :** à 1 km du centre.* ☎ *516-91. Ouv début mai-début oct. En été, forfait tente 135 Sk (15 €).* Au bord du lac, avec plage, mais moins de charme que ceux de Leksand et Tällberg. Calme cependant, verdoyant et ombragé. Location de *stugor* et, à proximité, de canoës.

🏠 ***STF Vandrarhem Rättvik :** dans le village, à 800 m du centre.* ☎ *105-66. Réception 8h-10h, 15h-20h (17h-18h hiver). En saison, nuit 140 Sk (15,40 €).* Trois beaux bâtiments en bois brun disposés en U. Vraiment très agréable, avec 104 lits en chambres de quatre. Excellent petit déj.

À voir

👁 ***L'église :** en bordure du lac, à 1 km du centre, vers le nord, à côté du camping.* Ce qui frappe surtout, ce sont ces dizaines de petites maisons en bois qui servaient à parquer les attelages des fidèles qui venaient de loin. L'intérieur n'est intéressant que pour sa chaire.

Concerts classiques

– *Juin-août*, de grands concerts classiques ont lieu dans une ancienne carrière à l'acoustique très fine. La scène est « posée » sur l'eau et la carrière subtilement éclairée. *Rens : ☎ 79-79-50. • dalhalla.se •*

MORA *(ind. tél. : 0250)*

Petite ville gentillette au nord du lac. Pour la petite histoire, il est intéressant de savoir que c'est ici que Gustav Vasa s'était caché, poursuivi par les troupes danoises. Les habitants de Mora furent les premiers à aider Gustav et créèrent ce qui deviendrait une armée de libération. La célèbre course de ski de fond *Vasaloppet* commémore cet événement depuis 1922. Elle part de Sälen et prend fin à Mora. Rappelons que la France organise également chaque hiver sa petite Vasaloppet, sous le patronyme de « Vasipaulette » !

Adresses utiles

Office du tourisme : *à la gare. ☎ 59-20-20. • siljan.se • De mi-juin à fin août, ouv en sem 9h-19h, w-e 10h-17h ; le reste de l'année, horaires plus restreints.* Vente de timbres et accès (payant) à Internet.

Location de vélos : Inter Sport, *Kyrkogatan 7 (au centre). ☎ 59-39-39.*

Où dormir ?

Mora Parken Camping : *à 500 m du centre. ☎ 276-00. En saison, forfait tente 120 Sk (12,50 €).* Très grand. À éviter pendant les vacances. Après, plutôt agréable. Épicerie, resto, location de vélos, de canoës et même un court de tennis.

STF Vandrarhem Målkull Ann's : *Vasagatan 19. ☎ 381-96. En face de la ligne d'arrivée de la Vasaloppet. En été, la réception se trouve au n° 6 de Fredsgatan, à 200 m de là. Ouv 9h-10h, 17h-19h. Nuit env 150 Sk (16 €). Également un B & B convenable 600 Sk (63 €) pour deux.* Dans deux bâtiments distincts (trois avec le *B & B*), AJ pas vraiment délirante, mais c'est encore la meilleure de Mora. Chambres de 2 à 6 lits, avec w-c et lavabo pour certaines. Le petit déj est servi dans la maison en bois où se trouvent le resto et, hors saison, la réception.

Kristineberg Vandrarhem : *presque en face de l'office du tourisme. ☎ 150-70. Doubles 340 Sk (36 €).* Il s'agit d'un hôtel qui fait également auberge dans une annexe... malheureusement aseptisée et sans âme. Bref, seulement si l'autre est complète.

Où manger ? Où boire un verre ? Où sortir ?

Claras Restaurant : *Vasagatan 38. ☎ 158-98. À côté du Zornmuseet. Tlj 12h-22h. Formule midi 75 Sk (8 €) ; à la carte, plats 100-190 Sk (10,50-20 €).* Intérieur soigné mais sans grande originalité, ce qui ne l'empêche pas d'être l'un des meilleurs restos de Mora ! Vous pouvez y aller les yeux fermés.

Verrazzano Ristorante : *visible de l'AJ. Tlj sf lun 17h-22h.* Pizzas honnêtes et variées (azteka, indiana, Atena, gorgonzola, Tahiti, végétarienne, etc.). Pour le reste, on repassera...

Jernet : *sur Vasagatan, tt près de l'AJ. Ouv ts les soirs sf dim. Entrée payante le w-e.* Bar-boîte pas hyper-excitant, mais c'est le seul endroit qui bouge un peu à Mora.

À voir. À faire

L'église : avec son beau clocher effilé et son toit de cuivre, elle attire le regard.

Zornmuseet : *Vasagatan 36. ☎ 165-60. • zorn.se • Presque à côté de l'église. Tlj 9h (11h dim)-17h. Entrée : 35 Sk (4 €).* Sur deux étages, une belle sélection d'œuvres du célèbre peintre suédois. Pour la petite histoire, un certain nombre de grands maîtres de sa collection personnelle, exposés au 2e étage, sont des faux. Zorn était incontestablement meilleur peintre que collectionneur ! Sinon, plusieurs salles présentent ses toiles et gravures (beaucoup d'eau, de visages et de nus), mais aussi d'autres peintres suédois comme Carl Larsson. À côté, on peut aussi visiter sa maison (entrée payante), où rien n'a bougé depuis la mort de sa femme.

Vasaloppsmuseet : *à côté de la ligne d'arrivée de la course (de Vasaloppet). ☎ 392-25. • vasaloppet.se • De mi-mai à fin août, tlj 10h-18h ; le reste de l'année, en sem 11h-17h. Entrée : 30 Sk (3,20 €) ; réduc.* Pour ceux qui désirent en savoir plus sur l'histoire de la compétition et son fonctionnement. Dégustation de soupe de myrtille chaude. Les concurrents de la course en bénéficient aussi.

➢ **Balades en bateau sur le lac :** à bord du *Gustaf Wasa* (seulement le lundi) ou du *Engelbrekt* (plutôt en fin de semaine). *Rens pour les destinations et horaires de ce dernier : ☎ (010) 264-92-68.*

➢ **Survol du lac en hydravion :** pas donné mais superbe. *Rens à l'office du tourisme.*

➢ **Balades à vélo :** à défaut de faire le tour du lac, partez à la découverte des petits villages paisibles et des douces rives de la presqu'île de Sollerön, à environ 10 km au sud de Mora.

➢ DANS LES ENVIRONS DU LAC SILJAN

La mine de cuivre de Falun : *à Falun, ville située à 50 km au sud-est de Rättvik. ☎ (023) 71-14-75. • kopparberget.com • Tlj 10h (11h l'hiver)-17h. Visites régulières de la mine mai-sept, slt sur résa le reste de l'année. Entrée : 40 Sk (4,20 €) pour le musée seul ; 80 Sk (8,50 €) avec la visite de la mine ; réduc. Prévoir un vêtement chaud (6 °C) et, à défaut de bottes, des chaussures fermées protégeant de l'humidité.*

L'immense excavation minière connue sous le nom de *Grande Fosse* constitue le trait le plus marquant d'un paysage qui illustre la production de cuivre dans cette région depuis le XIIIe s au moins. Aussi bien la ville planifiée de Falun, née au XVIIe s et dotée de plusieurs bâtiments historiques, que les vestiges industriels et domestiques des peuplements disséminés sur une grande partie de la Dalécarlie offrent une image vivante de ce que fut, pendant des siècles, l'une des plus importantes régions minières du monde. Cette mine est donc la plus célèbre du pays et un monument national : pilier de l'économie suédoise pendant des siècles, elle représenta à certaines périodes les deux tiers du marché mondial du cuivre. Tous les souverains suédois l'ont visitée, c'est dire ! Il paraît même que le cuivre recouvrant les toits de Versailles en provient...

La visite, d'une durée d'environ 1h (possible en français), est une véritable exploration, avec casque et cape de protection contre le froid ! On prend un ascenseur, on grimpe des escaliers, on parcourt des boyaux et on observe de nombreux puits et galeries (le site en compte près de 4 000 !). Le puits de Creutz, profond de plus de 208 m et creusé au XVIIe s, renferme la plus haute cloison en bois du monde. Chacun de ces puits a son histoire, son nom (parfois drôle : « le Cadeau de Noël », « la Paix générale »...) et ses anecdotes. Passionnant. La mine a cessé d'être exploitée dans les années 1990. Le musée, quant à lui, montre bien les techniques d'exploitation et les conditions de vie des mineurs.

GÄVLE

92 000 hab. IND. TÉL. : 026

La ville suédoise type. Moderne, un peu terne, avec ses rues tirées au cordeau, son centre piéton, son vieux quartier, ses centres commerciaux, ses soirées mortelles, sauf le week-end où tout s'anime. Gävle possède cependant deux beaux musées et une AJ située dans le centre, ce qui peut en faire une halte intéressante.

Adresses utiles

Office du tourisme : *Drottninggatan 9, à l'angle de Stortorget. ☎ 14-74-30. • gastrikland.com • Dans le centre commercial* Gallerian Nian. *Ouv en sem 10h-19h ; sam 10h-16h ; dim dès 12h. Accès gratuit à Internet.* Résa gratuite pour les AJ et les hôtels de la ville.

Service postal : *dans la* Gallerian Nian, *au rez-de-chaussée.*

Gare : *à 500 m à l'est du centre.*

Banque et change : *sur Nygatan, rue qui longe Stortorget.*

Presse internationale : Pressbyran, *Drottninggatan 17.*

Où dormir ?

De bon marché à prix moyens

STF Vandrarhem Gävle I : *Södra Rådmansgatan 1. ☎ 62-17-45. À moins de 10 mn de la gare à pied. Réception 8h-10h, 16h30-19h tte l'année. Nuit env 145 Sk (15 €). Doubles avec sanitaires extérieurs 175 Sk/pers (18 €).* Env 70 lits en chambres 2-6 pers. En lisière du vieux quartier, cette auberge calme, chaleureuse et bien tenue ne possède pas le cadre bucolique de certaines de ses collègues, mais on s'y sent bien. Courette arborée agréable et excellent accueil. Deux cuisines à disposition et salon agréable.

Järnägs Hotellet : *Centralplan 3. ☎ 12-09-90. • jarnvagshotellet.nu • Littéralement face à la gare et à 5 mn à pied de Stortorget. Réception 7h-13h, 15h-20h. Doubles 500 Sk (52 €) au cœur de l'été, ttes avec sanitaires dans le couloir. L'hiver, compter 625 Sk (69 €).* Petite structure familiale, au 2e étage de l'immeuble. Chambres impeccables, sans chichis, pas désagréables, au calme.

Où dormir dans les environs ?

Furuvik Camping : *à un peu plus de 10 km à l'est de la ville, sur la droite de la route. ☎ 17-73-16. Bus n° 838 de Kungsbron (le pont dans le centre-ville), à hauteur de la Rådhuset (bâtiment jaune). En voiture du centre, prendre Södra Kungsgatan, qui devient la route 76 vers Furuvik. Juste en face d'un grand parc d'attractions. Ouv mai-fin août. Forfait tente 100 Sk (10,50 €) ; stugor à partir de 500 Sk (52 €) pour quatre.* Grand camping, plein de familles, mais on s'y sent à l'aise car sous les arbres et agrémenté de petits points d'eau. Possibilité de se baigner pas loin.

Engesbergs Camping : *env 4 km plus loin que l'AJ ci-dessous, sur la même route. ☎ 990-25. Bus n° 95 de Rådhustorget mais peu pratique. Ouv début mai-début oct. En saison, forfait tente 130 Sk (13,50 €).* Assez simple, vaste, au calme, avec une petite plage et suffisamment d'ombre, mais accueil limité. Pas de laverie.

STF Vandrarhem Gävle II : *Bönavägen 118, à Engeltofta. ☎ 961-60. À 8 km au nord-est de Gävle, sur la route de Bönan. Bus n° 95 de Rådhustorget, mais peu fréquent. Ouv slt début juin-fin août. Réception 8h-10h, 17h-20h. Nuit*

150 Sk (16 €). Dans un grand parc bordant l'eau. Atmosphère reposante. Agréable bâtisse en bois blanc de 92 lits, répartis en chambres de 2 à 6 lits. Tenue générale impeccable. On conseille cette auberge uniquement à ceux qui sont motorisés. À côté, face au lac, édifice imposant du début du XXe s, avec cafétéria au rez-de-chaussée. Quelques tables dehors.

Où manger ? Où boire un verre ? Où sortir ?

🍽 *Dans le centre commercial* ***Gallerian Nian,*** *sur la place principale Stortorget (sur Drottninggatan), au rez-de-chaussée, plusieurs cafétérias qui, le midi, proposent différentes formules 60-70 Sk (6,60-7,70 €) :* pizza-pasta, woki-woki, kebab and kolgrill, sushi and coffee... Très populaire auprès des employés du centre-ville.

🍽 ***Majas Kaffe Stuga :*** *Övre Beersgatan 7. Ouv en été slt, en général mer-sam 11h-15h (ou 16h), mais les jours et les horaires sont très fluctuants.* Juste derrière l'AJ, des maisonnettes en bois rouge, des pots de confiture, des tables en bois et une dame charmante qui vend des épices et de l'artisanat suédois. Qu'il est doux, à l'ombre du pommier, d'y prendre un thé avec de bons gros gâteaux ! Parfait pour une petite halte au cours de votre balade dans le vieux quartier.

🍽 🍸 ***Brända Bocken :*** *sur Stortorget.* ☎ *12-45-45. Tlj jusqu'à 23h (1h w-e). Fermeture de la cuisine 1h avt. Formule midi vraiment intéressante 70 Sk (7,50 €) ; à la carte, plats 80-180 Sk (8,50-19 €).* Immanquable, c'est l'espèce de bloc de verre posé sur la place. Sur 2 étages, déco design et terrasses avec, sur les chaises, une petite laine à l'intention des clients, s'il fait frisquet. Côté cuisine, c'est plutôt bon, et on n'est sûrement pas les seuls à le penser. Mais on y vient aussi pour boire un verre et rigoler, en particulier le week-end.

🍽 ***Church Street Saloon :*** *Norra Slottsgatan 3, à 3 mn de Stortorget, à l'angle de Kyrkogatan.* ☎ *12-62-11. Lun-ven 17h-minuit ; sam 12h-1h. Fermé dim. Plats 100-230 Sk (10,50-24 €).* Bienvenue dans cette espèce de saloon à l'ambiance complètement western... Vraiment torride certains soirs, avec de la musique country, de sympathiques serveurs en chapeau de cow-boy, serveuses en boots et, de temps en temps, de petits shows sur la scène du bout. Grosses portions dans les assiettes, d'une cuisine plutôt tex mex. Pas mal de viande bien sûr, quoique la carte affiche aussi quelques plats végétariens, histoire que tout le monde puisse profiter de la fête !

🍽 🍸 ***Mac Gills :*** *à l'angle de Drottninggatan et Köpmangatan, entre la gare et Stortorget.* ☎ *10-06-06. Ouv jusqu'à minuit (1h w-e). Plats 70-100 Sk (7,50-10,50 €).* Vaste pub très populaire. On boit et mange en musique, d'autant que les plats sont très abordables et assez variés (pâtes, *ribs, fajitas...*).

🍽 🍸 ♫ ***Heartbreak Hotel :*** *Norrastrangatan 17-19.* ☎ *18-30-21. Formule buffet midi en sem 65 Sk (7 €).* Ambiance un peu tristoune. On vient surtout ici pour prendre un verre le soir ou danser du mercredi au dimanche jusqu'à 2h, au sous-sol. Parfois des groupes locaux à l'étage. Atmosphère années 1950 avec *Vespa* en vitrine. Calme en semaine.

À voir

Dans le centre

★ ***Le vieux quartier :*** *situé juste au sud du canal Gavleån qui sépare la ville en deux.* Ensemble de quelques ruelles pavées de gros galets ronds et bordées de maisons anciennes très bien conservées, joliment peintes, aux couleurs chaudes et toutes fleuries. Pas mal de charme, même s'il est dommage que le quartier manque cruellement d'animation, malgré le fait que toutes les maisons soient habitées. C'est toute la candeur et la paix suédoises qui s'en dégagent.

Länsmuseet : *Södra Strandgatan 20. ☎ 65-56-00. • lansmuseetgavleborg.se • Ouv 10h (12h w-e)-16h (21h mer). Fermé lun. Entrée : 40 Sk (4,20 €) ; gratuit jusqu'à 20 ans et pour les étudiants. Gratuit pour ts le mer.* Sur plusieurs étages, ce beau musée municipal se consacre aussi bien à la peinture suédoise du XVIe au XIXe s qu'aux œuvres plus contemporaines. Dans l'escalier, ensemble de peintures maritimes très cohérentes. Le rez-de-chaussée est dédié aux expos temporaires (vidéos, photos, accrochages). Au 1er étage, section archéologique et histoire de la ville par le biais de ses industries : porcelaine, textiles, fabrique de bonbons. Les 2e et 3e étages présentent des collections de peintures (un peu de sculptures également), combinant les siècles passés et les œuvres les plus modernes d'artistes suédois. Une confrontation intéressante des époques, souvent organisée par thème. Parmi les artistes, quelques toiles de Marcus Larsson. Également une salle consacrée au travail d'argenterie et de verrerie de Gunnar Cyrén, grand coloriste du verre, habitant Gävle.

À la périphérie de la ville

Sveriges Järnvägsmuseum *(musée du Chemin de fer)* **:** *au sud de la ville, en prenant la route de Stockholm. ☎ 14-46-15. • jarnvagsmuseum.se • Ouv du 20 juin jusqu'à mi-août, 10h-16h ; le reste de l'année, mêmes horaires mais fermé lun. Entrée : 40 Sk (4,20 €) ; gratuit jusqu'à 16 ans et ½ tarif pour les possesseurs de la carte* Inter-Rail *et les étudiants. Brochure disponible en français qui aide vraiment à la compréhension de l'évolution des techniques appliquées au rail.*
S'il n'y avait qu'une seule chose à voir à Gävle, ce serait ce musée. L'enfant qui sommeille en vous verra là redéfiler ses souvenirs de trains électriques, de départ sur le quai d'une gare et de sifflets de locomotives. De très nombreuses et belles maquettes de trains électriques, de ponts, etc. Puis on entre dans la gare de triage désaffectée où sont exposées une bonne douzaine de superbes locomotives toutes aussi étonnantes les unes que les autres. La plus ancienne date de 1855 et la plus récente des années 1960. Musée passionnant où la part du rêve est laissée toute grande. Modèles exceptionnellement bien conservés de la seconde partie du XIXe s : wagons postaux, wagons royaux, fourgons cellulaires, wagons populaires... il y en a pour tous les goûts.
On comprend bien le passage de la vapeur à l'électricité et les possibilités nouvelles que cela a apporté. Évocation d'une grande catastrophe ferroviaire. Deux impressionnantes locos du début du XXe s aussi, dont l'une en coupe (mais comment diantre ont-ils scié cette machine ?) permet de comprendre le fonctionnement des turbines qui entraînent les roues. On peut également passer sous une des grosses locos pour en observer les entrailles. Nombreuses maquettes de trains des années 1920 et 1930, superbement réalisées. On termine par la loco en coupe du TGV suédois (qui plafonne à 200 km/h, hououou !). Bon, on pense en avoir assez dit pour vous pousser à y aller.

Près de la rivière, dans le centre, quelques belles ***statues*** très aériennes de Carl Milles, *Les Cinq Anges musiciens*.

➤ DANS LES ENVIRONS DE GÄVLE

➢ Nombreux ***lacs*** où l'on peut louer un canoë. C'est une expérience inoubliable que de partir deux ou trois jours avec une tente et l'une de ces embarcations. Renseignements et itinéraires dans les offices du tourisme. Vente de cartes détaillées des lacs et adresses des loueurs de canoës.

Furuviksparken : *situé à un peu plus de 10 km au sud-est de la ville. Pour y aller depuis le centre de Gävle, prendre Södra Kungsgatan, puis la route 76 vers Furuvik. Entrée : 120 Sk (12,50 €) ; réduc.* Grand parc d'attractions. Cher et pas passionnant.

Wahlströms, Fiskeri et Rökeri : à ***Utvalnäs.*** *☎ 992-50. À 15 km au nord-est de la ville, après le village de Bönan. Ouv de mi-mai à mi-août, en sem 10h-18h, sam 10h-14h, dim 11h-15h.* Toute petite entreprise de fumage de poisson, artisanale et très sympa. Lavarets, truites, harengs et bien d'autres poissons sont proposés à la vente.

Älvkarleby : *à 27 km au sud-est de la ville, sur la route 76.* Très beau village situé à l'embouchure du Dalälven, et haut lieu de la pêche au saumon.

SUNDSVALL

95 000 hab. IND. TÉL. : 060

Cité industrielle, au bord d'une jolie baie. Située entre deux collines qui offrent un joli panorama sur le golfe de Botnie, elle présente un intérêt disons... limité. « Quelques heures suffisent pour avoir un bon aperçu de la ville », comme ils disent aux *Guides bleus.* La place centrale est le coin le plus animé. Le soir, ville morte, sauf le week-end.

Adresses utiles

Office du tourisme : *Storatorget. ☎ 61-04-50. • sundsvallturism.com • Ouv tte l'année, en sem 10h-18h, sam jusqu'à 14h. Fermé dim.*

Poste et banques : *autour de Storatorget. Plusieurs banques avec distributeurs.* Forex : *Köpmangatan 1. ☎ 15-12-20. Ouv en sem 10h-18h ; sam jusqu'à 14h.* Le meilleur taux de change en ville.

Journaux internationaux : Direkten, *Storgatan 20.*

Gare ferroviaire : *à 10 mn à pied du centre.* Pour Stockholm, env 8 fois/j. Durée : 4h. Pour Östersund, env 4 liaisons/j.

Ferry *vers Vaasa en Finlande : à 4 km du centre.* Une fois/sem slt, sam. Prend les voitures.

Où dormir ?

Bon marché

STF Vandrarhem Sundsvall : *sur la colline dominant la ville. ☎ 61-21-19. • gaffelbyn.se • Pour y aller de la gare, bus n*^{os} *72 ou 73 mais très peu fréquents. En fait, la plupart des gens marchent (compter env 20 mn de grimpette depuis la gare ferroviaire et une dizaine depuis celle des bus). Ouv tte l'année. Réception de mi-mai à fin août 8h-10h, 16h-20h. Lit en dortoir 155 Sk (16 €) 4 pers, avec sanitaires extérieurs. Plus cher avec sanitaires à l'intérieur. Doubles également, avec ou sans sanitaires.* AJ traditionnelle divisée en plusieurs petites maisons dans un cadre verdoyant, avec la forêt à proximité. Situation très calme mais éloignée du centre. Minigolf, cafétéria. Cuisine à disposition dans chaque maisonnette. Internet gratuit.

Camping Fläsians : *à 4 mn au sud de la ville en prenant l'E4, indiqué sur la gauche, env 1 km après les grandes cheminées de l'usine d'aluminium. Au bord de l'eau. ☎ 55-44-75. Fax : 56-96-01. Forfait tente env 100 Sk (10,50 €). Plusieurs types de stugor, de 2 à 6 pers, au confort variable, 250-650 Sk (26-68 €).* Emplacements étagés sur une colline, avec vue dégagée. L'E4 n'étant pas loin, choisir un emplacement proche de l'eau. Pas de charme. Pratique, c'est tout.

Chambres chez l'habitant : *résa à l'office du tourisme. Compter 500-600 Sk (52-63 €).* L'office propose quelques adresses situées dans des fermes des environs.

Plus chic

Grand Hotel : Nybrogatan 13. ☎ 64-65-60. • cc.sundsvall.se • L'été, doubles env 850 Sk (89 €), ainsi que les w-e d'hiver ; env 1 350 Sk (142 €) l'hiver. Bel hôtel à la façade de brique, tout rénové, aux chambres chic, modernes et confortables, aménagées avec beaucoup de goût. Prix finalement modérés pour la qualité des prestations.

Où manger ?

De bon marché à prix moyens

Cafétéria du magasin Ahlens : *Storgatan 30-32, en plein centre, à côté de la grande place. Le resto est au 1er étage, au fond. ☎ 15-83-28. Ouv ts les midis 10h-14h (17h pour le menu végétarien), w-e jusqu'à 15h. Menu très intéressant autour de 70 Sk (7,50 €) comprenant 4 ou 5 formules différentes.* Cadre de cafétéria améliorée, agréable en fait. Une belle affaire.

Pizza Playa : *Köpmangatan 29. ☎ 61-96-94. Tlj jusqu'à 23h (21h dim). Le midi en sem,* dagens lunch *env 70 Sk (7,50 €) avec pain, boisson, café, salade, et une trentaine de pizzas, pâtes...* Pas cher, même le soir.

Brandstation : *Köpmangatan 29. ☎ 12-39-36. Fermé sam midi et dim. Le midi, buffet env 90 Sk (9,50 €) : salades à volonté, plat et café ; le soir, à la carte (bien plus cher).* Juste à côté de *Pizza Playa* et ce sont les mêmes patrons. On est dans une ancienne station de pompiers, et la déco s'en ressent. Plats traditionnels honnêtes et bien servis.

Café Le Fil du Rasoir : *Nybrogatan 12. ☎ 608-00-08. Tlj midi et soir. Formule le midi env 90 Sk (9,50 €) avec café et boisson ; le soir, carte chère.* Cadre tout simplement superbe, celui d'un ancien hôtel du XIXe s, complètement rénové, aux plafonds décorés dans le style « grande brasserie à la française ». Si vous venez le soir, cherchez les *cocottes* dans le menu, à prix doux (moules, tajines...). Pas mal pour prendre un verre aussi, mais curieusement, assez peu de monde.

Où boire un verre ? Où danser ? Où jouer au billard ?

O'Learys Sundsvall : *Storgatan 5. ☎ 12-41-44. On y vient pour danser, au sous-sol, mer-sam. Entrée : env 40 Sk (4,20 €).* La grande chaîne de *Sports bar* qui a fait florès dans le pays propose ici les mêmes écrans géants, les mêmes affiches et photos et diffuse au kilomètre tous les événements sportifs. On y mange mais ce n'est pas formidable. Préférer venir y boire un verre et hurler de concert aux actions des *baseball players,* footballeurs ou basketteurs, histoire d'avoir l'air un peu dans le coup ! Ambiance chaude les soirs de match.

Oscar Matsal and Bar : *Bankagatan 1. ☎ 12-98-11. Juste derrière la fontaine de la grande place centrale. Entrée : 60 Sk (6,50 €).* Disco au fond du resto, où les vendredi soir (à partir de 20 ans) et samedi soir (à partir de 23 ans). On pousse les tables pour danser un peu. Pour les grands adolescents.

Down Town : *Esplanaden 15-17.* Une grande salle de billard en sous-sol, ouverte tard le soir. Ça peut dépanner en semaine, lorsqu'on s'ennuie.

À voir

La large place centrale, ***Storatorget,*** est entourée de quelques édifices Renaissance pas vilains et d'une jolie fontaine bien parisienne.

Kultur Magasinet : *Packhusgatan 4. ☎ 19-18-00. À 2 mn du centre. Lun-jeu 10h-19h ; ven 10h-18h ; sam 11h-16h. Fermé dim. Entrée payante de mi-juin à mi-août : 20 Sk (2 €) ; gratuit le reste de l'année.* Curieux musée installé dans quatre grands bâtiments à l'angle de deux rues qu'on a entièrement couvertes. L'ensemble architectural est très réussi. Le musée lui-même présente de manière permanente une sympathique évocation de la ville à travers son histoire (reconstitution d'habitat, photos, premiers peuplements...). Aux différents étages, expos d'œuvres du XIXe s mais aussi d'artistes contemporains locaux réalisant un travail vraiment intéressant. On passe d'un bâtiment à l'autre par de jolies passerelles. Programme culturel (concerts, expos, rencontres...).

Norra Stadsberget : *sur la colline au nord du centre-ville, à 200 m de l'AJ. Ouv en permanence.* Ensemble de maisons anciennes, façon musée en plein air gratuit, mais aucune ne se visite. Quelques-unes de ces bâtisses se sont transformées en boutiques, cafétéria ou musée. Petite balade sympathique entre ville et forêt, d'autant plus si on réside à l'AJ. Mais bon, on ne fait pas le déplacement depuis le centre exprès.

Hantverks Museum : *ouv tte l'année, tlj 11h-16h. ☎ 61-17-48. Entrée : 20 Sk (2 €) ; gratuit pour les étudiants.* Petit musée d'histoire de la ville au travers des métiers d'autrefois, à voir éventuellement. Notez cette vitrine qui présente un curieux animal, mélange d'un lièvre avec un coq de bruyère, étrange réalisation qu'on doit à un taxidermiste ayant tenté de donner vie à une légende locale. Sympathique cafétéria juste à côté, le ***Gullgården Café og Restaurang.*** Propose dans la journée des *baked potatoes,* cakes et diverses petites choses à grignoter.

➤ DANS LES ENVIRONS DE SUNDSVALL

L'île Alnön : belle petite île de l'autre côté de Sundsvall, où tous les habitants vont se baigner sur la *plage de Tranviken,* à l'extrême pointe sud. Un pont relie Alnön à Sundsvall. Pour y aller en voiture, prendre l'E4 vers le nord puis prendre la direction Alnön ; suivre la côte jusqu'au sud de l'île, puis il y a des panneaux. En tout, c'est à une vingtaine de kilomètres. Pour ceux qui sont à pied, pas vraiment de bus. D'ailleurs, beaucoup de jeunes font du stop.

Deux petites plages de sable, bondées en été. Tous les Suédois dévorent la moindre parcelle de soleil autant qu'ils le peuvent.

PLUS VERS LE NORD

Ullånger : *à une centaine de km au nord de Sundsvall, au fond d'un petit fjord.* 2 ou 3 ferries/j. (plus en été) pour la petite île d'Ülvon. Sur l'île, on trouve une AJ : Ulvö Vandrarhem. ☎ *(0660) 22-41-90 ou 25-10-51.*

ÖSTERSUND

38 000 hab. IND. TÉL. : 063

Au cœur du Jämtland, cette petite ville a su garder un petit charme tranquille et pas mal de vieilles maisons en bois. Mais surtout, elle se trouve dans une région où la Suède prend du relief. Des forêts vallonnées, de jolis lacs (bien sûr) et de petites montagnes. Cet environnement donne à la ville toute sa personnalité. Le tout mérite bien une petite halte, surtout si l'on ajoute qu'il existe une AJ, à quelques kilomètres du centre, située dans une maison datant de 1750.

Adresses utiles

Office du tourisme : *Rådhusgatan 44. ☎ 14-40-01. • turist.ostersund.se • En face de l'hôtel de ville. Ouv 9h-21h (19h dim).* Doc en français. Résa pour les hôtels et campings possible. Fait le change (commission). Pour ceux qui veulent tout voir en ville et comptent y séjourner quelques jours, il existe une carte *Östersundkortet* qui peut s'avérer intéressante. Personnel très pro et accueillant.

Change : *Rådhusgatan 44. En face de l'hôtel de ville.* La plupart des banques sont sur Prästgatan. Quand elles sont fermées, l'office du tourisme peut dépanner.

Gare routière : *à l'angle de Kyrkgatan et de Thoméegränd. ☎ 19-40-00.*

Gare ferroviaire : *sur Strandgatan, le long du lac. ☎ 19-40-00.* Deux trains pour Trondheim (Norvège) avec nombreux arrêts en route. Il existe par ailleurs un train touristique qui relie Mora à Östersund, jusqu'à Gällivare. Ce train s'arrête un peu partout. Le trajet dure environ 48h au départ de Mora. Renseignements dans les gares et les offices du tourisme de ces 3 villes.

Où dormir ?

Bon marché

Camping Östersunds : *Krondikesvägen 97C, à env 3 km du centre, à la périphérie sud de la ville. ☎ 14-46-15. • stuga.nu • Forfait tente env 150 Sk (16 €), chambres de 2 à 4 pers avec sanitaires, façon AJ (lits superposés), env 300 Sk (31,50 €) pour deux et nombreux* stugor *à ts les prix en fonction du confort.* Grand camping ombragé. Piscine et commerces à proximité. Pas vraiment bucolique mais fonctionnel.

Camping Frösö : *sur l'île de Frösö, à 7 km. ☎ 432-54. Bus n° 3. En voiture, prendre la bretelle à droite à la fin du pont, puis tt droit. Ouv de mi-juin à mi-août. Compter env 120 Sk (12,50 €) pour deux avec tente.* Très calme, en pleine nature, beaucoup d'espace et donc, vous l'avez compris, très agréable. En revanche, pas d'ombre. Quelques *stugor* également.

Vandrarhem Frösötornet : *Utsiktsvägen 10, sur la petite île en face de la ville, sur une colline. ☎ 51-57-67. • vandrarhem@froson.com • En voiture, suivre la direction Frösötornet. Bus n° 5, puis 300 m à pied (ça monte !). Compter env 140 Sk (14,50 €) le lit en dortoir.* Chambres de 2 à 8 lits. Voilà une AJ comme on les aime. Une partie se trouve dans une longue bâtisse en rondins datant de 1750, sur le toit de laquelle l'herbe a eu le temps de pousser. Il faut baisser la tête pour entrer dans les chambres. Pour les autres, logement dans des petites huttes dispersées sous les arbres, plus classiques. C'est pourquoi il nous semble intéressant de loger dans une des petites chambres, minuscules mais ô combien charmantes de la maison principale, équipées de 2 lits, une cheminée de poche, une tablounette et un bout de lavabo ! Petit café à côté, au pied de la tour. Depuis la terrasse, belle vue sur le lac et les montagnes enneigées au loin. Vraiment agréable.

Jamtli AJ : *dans l'enceinte du musée en plein air, à 10 mn de marche du centre-ville. ☎ 12-20-60. • jamtli.com • Réception 8h-10h, 16h-20h. Lit 140 Sk (14,50 €).* Chambres toutes simples de 2 ou 4 lits, avec lavabo. La maison en elle-même n'a pas un grand charme, mais environnement très agréable, au milieu de ces anciennes bâtisses des siècles passés. Calme total.

Un peu plus chic

Hotel Emma : *Prästgatan 31. ☎ 51-78-40. • hotelemma.com • L'été, compter moins de 700 Sk (73 €) pour deux, petit déj compris et généreux.* En plein centre, voici un petit hôtel plutôt convivial. Chambres calmes et spacieuses, très bien équipées (salle de bains, sèche-cheveux, câble...). Accueil souriant.

Hotell Jämteborg : *Storgatan 54. ☎ 51-01-01. • jamteborg.se • Dans le centre. L'été, doubles env 650 Sk (68 €).* Propose des chambres agréables, presque coquettes même. Bon buffet au petit déj, qui est compris. Juste en face, l'***Hotell Asken,*** sur Storgatan 53 (mêmes proprios), propose des chambres un peu plus simples et un peu moins chères. Cuisine à disposition. Ces 2 établissements présentent de bons rapports qualité-prix-centralité.

Où manger ? Où boire un verre ? Où danser ?

Brunkullans Krog med Bar : *Postgränd 5. ☎ 10-14-54. Dans le centre, dans une petite rue qui descend vers le port. Lun-sam 11h-14h, 17h-22h (pour la cuisine). Le bar reste ouv jusqu'à minuit le w-e. Fermé dim. Buffet 65 Sk (7 €).* Beau resto à l'intérieur rustique et décoré avec beaucoup de goût. Sympathique terrasse. Le plus intéressant ici est sans nul doute le buffet servi en semaine de 11h à 14h, comprenant un plat chaud, une boisson et un café. Beaucoup plus cher le soir. Nourriture très convenable, dans un registre international assez passe-partout. Ambiance bien agréable dès qu'apparaît le soleil. Bien le soir également pour prendre un verre. Notre adresse préférée à Östersund.

Restaurang Hov : *dans l'enceinte du musée en plein air Jamtli. ☎ 15-01-03. L'été, tlj 12h-16h ; plus mer-sam 17h-21h env. Buffet-lunch 95 Sk (10 €).* À volonté, chaud et froid, avec tout plein de spécialités revigorantes et goûteuses, servies comme il se doit dans une ancienne demeure du XIXe s. Pas de la cuisine raffinée, raffinée, mais dame, ça se laisse manger tout ça. Bien jolie terrasse.

News : *Samuel Permansgata 9. ☎ 10-11-31. Tlj 11h-22h (1h ven-sam, 17h dim).* Buffet-lunch *65 Sk (7 €) avec un choix assez large (kebab, hamburger, salade grecque...).* Déco moderne, musique d'ambiance, tables de bois clair. Fait aussi bar avec terrasse.

Le Marité : *sur Ostersunds Båthamm, au bord du lac et du petit port de plaisance. Ouv de mi-juin à fin août, mer-sam jusqu'à 2h. Entrée payante.* On y boit et on y danse. Bonne ambiance. C'est le club le plus populaire du secteur. C'est aussi un resto (très cher).

À voir. À faire

Le musée en plein air Jamtli : *à deux pas du centre-ville, bien fléché. Ouv grosso modo fin juin-fin août, 11h-17h. Entrée : 90 Sk (9,50 €), valable 2 j.*
Ce grand musée en plein air regroupe un ensemble de maisons édifiées entre 1785 et 1956. L'été, elles sont « animées » par des étudiants en costume qui en font revivre les traditions et le mode de vie : on y retrouve la place du village, des boutiques anciennes, des corps de ferme du XIXe s et même une pompe à essence *Shell* de 1956 ! Cadre champêtre.
Le bâtiment principal abrite dans son sous-sol un musée sur l'histoire de la région, à ne pas manquer (ouvert toute l'année, tous les jours de 10h à 16h). Notez en bas de l'escalier le piège conçu pour attraper le monstre qui est supposé habiter dans le lac, ainsi que les harpons ! Impressionnant. Sinon, section consacrée à la vie des Samis, celle des trappeurs, arts et traditions populaires, le tout fort sympathique et assez parlant malgré le manque de commentaires en anglais. Ne pas manquer le clou du musée, une longue tapisserie viking, la plus ancienne connue à ce jour (entre le IXe et le XIIe s ?) représentant une frise d'animaux et de personnages (peu éclairée pour d'évidentes questions de conservation).

➢ ***« S/S Thomée » :*** et pourquoi pas un petit tour du lac sur le plus vieux bateau à vapeur de Suède, construit en 1875 ?

Ce bateau fonctionne slt l'été. Tours différents en fonction des jours (sf lun), 1h, 2h et jusqu'à 5h. Achats de billets à l'office du tourisme. Point de départ : sur le port, au bord du lac, à 5 mn du centre. Pour 1h, compter 65 Sk (7 €). Vous pourrez ainsi vérifier si le fameux monstre du lac (que des baleiniers norvégiens vinrent chasser en 1894 pour la « Société anonyme pour la capture du monstre du Storjsön », fondée la même année) existe vraiment. Il fit un temps partie des espèces protégées, mais on l'a retiré car on ne savait pas dans quelle catégorie le placer avec certitude !

LE MYSTÈRE DU SORSJÖODJURET

La Suède s'enorgueillit de posséder un cousin de Nessie. Cinquième lac du pays par la taille avec 452 km² et profond de 74 m, le lac garde toujours le secret de cette créature monstrueuse qui aurait montré son affreux museau à 200 reprises depuis le XIXe s. Tous les moyens ont été épuisés pour le capturer et, depuis 1986, il bénéficie d'une immunité totale puisqu'une loi interdit de tuer ou d'attraper toute créature vivante dans les eaux du lac. Ce qui n'empêche pas d'essayer de capter son image. On vous souhaite patience et bonne chance.

L'ÎLE DE FRÖSO

Sommarhagen : *de fin juin à mi-août, tlj 11h-18h ; le reste de l'année, 11h-15h. Entrée : 50 Sk (5,30 €).* Si vous connaissez Peterson-Berger (1867-1942), sachez que la maison de ce compositeur se trouve sur l'île et qu'elle se visite. Il faut sans doute être un vrai fan de l'artiste pour goûter au mieux cette demeure de célibataire. Quelques pièces sobrement meublées, qu'on retrouve dans l'état exact dans lequel il les a laissées. L'ensemble est un peu tristounet. Il ne devait pas s'amuser tous les jours ! Bureau, salon, bibliothèque, et lit... à une place ! Jolie vue.

Frösökyrka : *sur Stockeväg.* Une minuscule église en bois, carrée, datant du XVIIIe s, surmontée d'un invraisemblable clocher recouvert d'écailles de bois. Vaut le coup d'œil si vous êtes dans les parages. La plupart du temps fermée, alors on l'admire de l'extérieur. À côté, une autre église, bien plus classique, du XIXe s, avec ses traditionnels bancs de bois peints et sa chaire baroque. Le compositeur Peterson-Berger est enterré dans le cimetière.

Frösötornet : *à côté de l'AJ.* Joli point de vue sur la région. Petite entrée pour monter au sommet de la tour. Ascenseur pour les paresseux (on l'a pris...).

Festival

– **Storsjöyran Music Festival :** *3 j. le dernier w-e de juil et tte la sem précédente. Dans le centre, au port et sur la grand-place Stortorget.* Rock, pop, jazz...

➤ DANS LES ENVIRONS D'ÖSTERSUND

Moose Garden : *à env 15 km du centre d'Östersund. ☎ 40-480. Pour s'y rendre, véhicule nécessaire. Passer le pont de Frösö puis le Vallsundsborn. Après le pont, prendre à droite vers le* Sandvinens Camping *et faire env 10 km. C'est indiqué sur la gauche. Ouv de mi-juin à mi-août. Tour guidé (en anglais et allemand) 11h, 13h et 15h. Durée : env 40 mn. Entrée : 80 Sk (8,50 €) ; réduc.* Ceux qui aiment les élans participeront avec plaisir à la visite de cette ferme qui en élève une quinzaine. Vous vous apercevrez que cet animal à la gueule particulière est doté d'une grande élégance, haut sur pattes (jusqu'à 2 m au garrot), qu'il peut vivre vingt ans et peser plus de 500 kg. Les mâles ont des cornes qu'ils perdent chaque année et qui repoussent plus grandes la saison d'après. Malheureusement, ils ont en commun avec les poules de traverser la route n'importe comment. Ainsi génèrent-ils près de 10 000 accidents de la circulation chaque année car plus de 200 000 de leurs congénères se baladent en liberté dans les forêts suédoises. Vous apprendrez encore des tas de trucs et vous pourrez même les toucher ! Caresser un élan, une vraie expérience !

UMEÅ

105 000 hab. IND. TÉL. : 090

Pas grand-chose à dire de cette ville moyenne, dont la topographie est semblable à bien d'autres. D'ailleurs elle fut, elle aussi, plusieurs fois envahie et ravagée. Seul élément vraiment notable, elle compte 25 000 étudiants (près du quart de la population). Malheureusement, l'été, quand les – rares – touristes sont là, les étudiants sont rentrés chez papa-maman ou sont partis en vacances dans des contrées plus chaudes.
Que dire d'autre sinon que la ville brûla entièrement l'été de 1888, que personne ne fut tué (quel sens de l'organisation !) et qu'elle fut reconstruite dans un style très haussmannien, mais dans une tendance néoflamande, en tout cas pour certains édifices officiels.

Adresses utiles

■ ***Office du tourisme :*** *Renmarkstorget, à l'angle de Kungsgatan.* ☎ *16-16-16.* • *visitumea.se* • *Ouv de mi-juin à mi-août, en sem 8h30-19h, sam 10h-16h, dim 12h-16h ; le reste de l'année, en sem 10h-17h.* Peut faire les résas pour les hôtels et campings.

■ ***Change et distributeurs :*** Forex, *sur Renmarkstorget.* C'est le seul point de change en ville. On trouve plusieurs distributeurs autour de Rädhusgatan et Kungsgatan.

■ ***Journaux internationaux :*** *sur Kungstgatan, à gauche du n° 52, dans la* Victoria Gallerian *(galerie marchande).* Demander la boutique *Press-stop.* Reçoit normalement *Le Monde* tous les jours.

■ ***Consigne :*** *à la station de bus et également à l'office du tourisme.*

Où dormir ?

Bon marché

▲ ***First Camp Umeå :*** *Nydala.* ☎ *70-26-00. Au bord du lac, dans le quartier de Nydala, à quelques km de la ville. Bus n°s 6, 9 ou 62 de Vasaplan. On vous dépose à côté. Sur un grand terrain très vert. Compter env 150 Sk (16 €) pour deux. Loc de stugor pour deux env 350 Sk (37 €).* Plein d'autres *stugor* de toutes tailles et tout type de confort. Un peu l'usine, pas d'ombre et environnement pas extra bien qu'assez vert.

■ ***STF Vandrarhem Umeå :*** *Våstra Esplanaden 10 (sur la portion de l'E4 qui traverse la ville).* ☎ *77-16-50.* • *umeavandrarhe.com* • *Juste après le pont, sur la droite quand on vient du sud. Ouv tte l'année. Réception 8h-10h, 17h-19h. Lit en dortoir 130 Sk (13,50 €) ; doubles 260 Sk (27 €).* Chambres impeccables et dortoirs jusqu'à 8 lits. Ensemble d'une fonctionnalité désarmante et d'une propreté qui frise l'ennui.

De prix moyens à plus chic

■ ***Hotel Dragonen :*** *Norrlandsgatan 5, près de l'angle avec l'E4 (Verstraesplanaden).* ☎ *12-58-00.* • *info@hotelldragonen.se* • *L'été, compter env 650 Sk (68 €).* Hôtel standard, pratique, propre et proposant des prix particulièrement raisonnables. Au rez-de-chaussée, *Club Habana.*

Scandic Plaza Hotel : *Storgatan 40. ☎ 205-63-00. • scandic-hotels.com • De mi-juin à fin août, doubles 900 Sk (95 €) avec petit déj de haute volée.* C'est le haut building qui domine le centre-ville. Pas très beau mais vue extra des étages supérieurs. Excellent confort.

Où manger ? Où boire un verre ? Où sortir ?

Le cœur de l'animation se concentre sur Kungsgatan, l'artère piétonne principale. Quelques kiosques à saucisses sur la place de l'Hôtel-de-Ville. Comme toujours, une poignée de bonnes adresses pour le midi.

Très bon marché

Queens Burger, Kabab and Pizza : *à l'angle de Skolgatan et Våsta Kyrkogatan. Ouv tard le soir (enfin, jusqu'à 22h !).* Kebabs et hamburgers. Pas la joie donc ! Vous qui êtes affamé le soir tard et qui n'avez pas un rond, voilà une solution de repli. Mais seulement si tout est fermé !

De bon marché à prix moyens

Teatercafet : *sur Skolgatan, entre Rädhusesplanaden et Vasagatan, juste à côté du théâtre. ☎ 15-63-21. Tlj sf dim. On y sert jusqu'à 22h, mais on y boit jusqu'à minuit ou 1h, c'est selon. Formule déj env 70 Sk (7,50 €) avec plat chaud, boisson, pain, salade et café compris.* Le soir, c'est 2 à 3 fois plus cher. Terrasse et intérieur modernes et sereins, qui accueille ce qui reste de jeunesse aux beaux jours.

Rex : *sur Storgatan, à l'angle de Radhusgatan. ☎ 12-60-50. Derrière l'ancien hôtel de ville (Old town hall), à l'architecture néoflamande. Le midi, en sem, un menu différent tlj 75 Sk (8 €) comprenant un plat chaud et une salade.* Fait aussi bar le soir jusqu'à 2h. Voici une bien jolie adresse dans les tons bruns, avec tableaux, banquettes et salons divers. Pas mal de classe et de charme. À fréquenter le midi pour son déjeuner alléchant et le soir pour boire un verre. Clientèle d'étudiants et de jeunes hommes d'affaires.

O' Learys Sport's bar : *Kungsgatan 50. ☎ 14-52-00. Plats env 100 Sk (10,50 €) et quelques solutions moins chères pour le midi.* Le grand et inévitable *Sports bar* à l'américaine avec sa flopée d'écrans géants, ses larges banquettes et ses serveurs diligents qui virevoltent entre les tables. Soupes, salades, *baked potatoes,* hamburgers, sandwichs et pâtes. Une affaire qui tourne, où se retrouvent dans une ambiance bon enfant toute la jeunesse de la ville les soirs de match. Plutôt satisfaisant dans l'ensemble.

La plupart de nos adresses pour manger sont aussi des bars où l'ambiance est différente selon la population. Ils restent ouverts en fin de semaine jusqu'à 1h ou 2h et sont tous situés dans le centre. Évidemment, seulement animés en fin de semaine. Le **Teatercafet** est sans doute le plus intello, normal ! Le **O 'Learys Sports bar** plus bruyant, plus convenu, où la bière déborde les soirs de match. Dans un genre un peu différent, avec plus de classe, le **Rex** est un rendez-vous de choix. Mentionnons encore dans le centre le **Mucky Duck** (sur Skolgatan, près de l'angle avec Radhusgatan), un grand pub très british avec boiseries et plus de trente bières. Et puis le **Bishop's Arms,** sur Renmarkstorget, à l'angle de Kungsgatan. Excellentes sélections de bières... hors de prix.

Pour danser, le **Club Habana** *(Norrlandsgatan 5)* qui surfe sur la vague cubaine. C'est au rez-de-chaussée de l'*Hotel Dragonen.* Pub et boîte très salsa. Il y a même une piscine sur le toit *(ouv l'été slt quand il fait beau).*

À voir

- ***Gammlia** : situé dans le quartier Gammlia, à 1 km du centre env.* ☎ *17-18-00. Tlj en été 10h-17h ; le reste de l'année, mar-ven 10h-16h, sam 12h-16h, dim jusqu'à 17h. Entrée gratuite et ça, c'est chouette !* Grand complexe en plein air, comprenant quelques maisons anciennes reconstituées et trois petits musées. Tout d'abord, le ***musée en plein air*** (ouvert de mi-juin à mi-août) regroupe comme d'habitude quelques groupes de maisons des temps jadis (milieu XVIIe-fin XIXe s). Quelques-unes sont animées par des personnages en costume (boulanger, menuisier...). À côté on trouve le ***Västerbottens Museum*** qui possède une section préhistorique et ethnographique. La partie la plus intéressante est consacrée au ski et à son évolution. Nombreuses paires présentées, depuis les antiques planches de bois jusqu'aux dernières trouvailles technologiques d'aujourd'hui. Le plus vieux ski trouvé aurait plus de 5 000 ans et a été découvert à 100 km de là en 1924. On n'a pas retrouvé le skieur ni son anorak. Également quelques vitrines d'objets et de vêtements d'autrefois. Un autre édifice juste à côté abrite un petit ***Musée maritime,*** qui retrace l'étroite relation de la région avec la mer. Bateaux de pêche, filets, maquettes. Évocation des chasseurs de phoques qui vivaient sur leurs bateaux. Gros chalutier destiné à tirer des wagons de troncs d'arbres flottés le long des côtes. Enfin le ***Bild Museet*** *(musée d'Art),* qui abrite d'intéressantes expos temporaires toujours assez décoiffantes (prévoir un peigne). Ouvert seulement mercredi et dimanche de 12h à 17h (en théorie).

- ***Skulptur Park** : à 4 km de la ville, sur l'E12 vers l'ouest. Panneau sur la gauche.* Dans un environnement verdoyant, tout autour de l'ancien hôpital psychiatrique, sur plusieurs hectares, une cinquantaine de sculptures modernes, plantées au milieu des arbres et des immeubles d'habitations. Des artistes du monde entier s'y expriment. Il est rare de voir l'art s'immiscer aussi intimement dans le cadre de vie. Les amoureux d'art moderne y trouveront assurément leur compte.

Manifestations

– ***Festival de musique de chambre** : 1 sem en juin.*
– Umeå possède également un ***opéra*** dont la programmation possède une excellente réputation.

➤ DANS LES ENVIRONS D'UMEÅ

- ***Klabböle Energicentrum** : en voiture, à env 10 km du centre par la Borlevågen ; au sud-ouest de la ville, en bordure de la rivière Umealven. Ouv slt de mi-juin au 20 août, 11h-17h. Entrée gratuite. Tour guidé ttes les heures en anglais à l'heure pile (le dernier 16h). Durée : 30 mn.*
Bon, en voiture, on peut y faire un saut si l'on a du temps. Sans véhicule, c'est tellement compliqué qu'il vaut mieux laisser tomber. Il existe aussi un parcours balisé appelé Umeleden pour y aller à vélo.
Une des premières centrales électriques du pays, mise au rancart en 1958 pour faire place à une plus puissante. Celle-ci fut transformée en musée pédagogique et intéressant. On visite la salle des machines, la pièce des turbines, l'atelier de réparations.
À côté, dans une maisonnette, sont exposés différents schémas expliquant la circulation de l'eau et la transformation en énergie. Juste à côté, voir la petite scierie du milieu du XIXe s qui utilisait la force de l'eau pour actionner les scies.
Petit café, terrasse et aire de jeux.

– En revenant vers la ville, depuis le *Klabböle Energicentrum*, prendre à droite au panneau *Laxhopper*. Un kilomètre plus loin, voir le ***barrage*** de la nouvelle centrale. Celui-ci libère jusqu'à 3 500 m^3 à la seconde ! Possibilité d'accéder sur le barrage, à pied, pour observer la puissance de l'eau. Toujours impressionnant. Sur le côté, voir l'***escalier à saumons*** *(laxhopper)* qui permet à plus de 5 000 saumons par an de remonter le courant sans se laisser piéger par le barrage. Tous les jours à 12h30, on récupère les saumons pour les baguer et les relâcher en amont.

QUITTER UMEÅ

Liaison entre Stockholm, Luleå et Narvik 1 fois/j. dans chaque direction.

En bateau vers la Finlande

➢ *En* ***ferry*** *au départ d'Umeå jusqu'à Vaasa en Finlande.* ☎ *18-52-00. Possibilité de réserver sur Internet • rgline.com • ou par téléphone. Pour aller au débarcadère qui se trouve à 18 km, prendre le bus RG Line à côté de l'office du tourisme sur Skolgatan, à côté de Renmarkstörget.* Départ de chaque bus 1h avant le départ du ferry. Pour y aller en voiture, prendre Blåvågen (E12) et suivre les flèches « Finland ». En principe, en été, 1 ou 2 départs de ferry/j. Mais ça peut changer. Vérifier les horaires à l'office du tourisme. Durée : 3h30-4h. Le ferry prend les voitures et les camping-cars.

LULEÅ

50 000 hab. IND. TÉL. : 0920

Grande ville maritime très étendue et aérée, qui tire son seul charme de la présence de la mer, puisque le centre de la cité est sur une presqu'île. Luleå est la plus grande ville de la province du Norrbotten. Son port, situé tout au fond du golfe de Botnie, exporte le fer et le bois en provenance de Laponie. Les rues sont tracées au cordeau, comme dans toutes les villes moyennes, et le centre est piéton. Tout ça ne vaut pas qu'on y passe plus d'une demi-journée. Heureusement, pas mal de jeunes dans les rues (sauf l'été !). C'est aussi un centre industriel important des usines *Ssab* (c'est une aciérie). Dans les proches environs, on trouve une des plus intéressantes villes-églises (Gammel Stad) de Suède.

Adresses utiles

ℹ ***Office du tourisme :*** *Storgatan 43B, dans la partie piétonne de la rue.* ☎ *29-35-00. • lulea.se • En été, ouv en sem 9h-19h ; w-e 10h-16h ; le reste de l'année, en sem 10h-18h, w-e 10h-14h.* Ne fait pas le change.

✉ ***Poste :*** *Storgatan 53.*

■ ***Change :*** Forex, *Storgatan 46.* ☎ *130-23. Ouv en sem 9h-19h ; sam jusqu'à 15h.*

🚌 ***Station de bus :*** *au bout de Storgatan, presque face à la gare.*

■ ***Consigne :*** *à la gare routière.*

■ ***Journaux internationaux :*** Pressbutiken Aurora, *Storgatan 34.* Distribue *Le Monde* et *Libération*.

Où dormir ?

Bon marché

⛺ ***Sundet Camping :*** *le plus proche de la ville, à 5 km.* ☎ *25-20-74. Pas pratique d'accès en transport en commun. En voiture, route E4, direction sud ;*

prendre à droite, Sundet. Ouv tt l'été. Planter sa tente coûte 100 Sk (11 €). Loc de stugor à prix très honnêtes à partir de 350 Sk (37 €) pour 2 à 4 lits ; également quelques doubles 330 Sk (35 €). Ce camping est tenu par l'EFS, une congrégation protestante. Grand pré ensoleillé, sympa, aéré et totalement au calme. Dans une grande maison jaune face à un bras de mer, on peut prendre son petit déj qu'il faut commander la veille au soir. Machine à laver, cuisine à disposition. Un chouette petit camping, mais l'alcool est interdit sur le terrain.

⛺ ***Arcus Camping :*** *à env 10 km au sud de la ville. Si vous venez de cette direction, prendre à droite le panneau « Arcus et Örvik ». ☎ 43-54-00. • camping@lulea.se • Pour une tente et 2 pers, env 100 Sk (10,50 €).* Plus loin que le premier et moins agréable. Très grand camping dans un environnement verdoyant (beaucoup de pins), mais peu d'ombre. Aire de jeux, minigolf... Piscine découverte à proximité.

🏠 ***Vandrarhem & Mini Hotell :*** *Sandviksgatan 26. ☎ 22-26-60. Réception au 1er étage. Lit en dortoir à partir de 150 Sk (16 €) ; doubles env 360 Sk (38 €).* L'adresse la plus centrale, c'est uniquement pour ça qu'on l'indique. Dans un bâtiment hideux, au bord de la route qui longe le sud de la presqu'île. Une trentaine de lits en tout. L'ensemble ne nous a pas emballés. Éviter à tout prix le dortoir qui donne directement sur la grande artère : nuit blanche assurée.

🏠 ***AJ Kronan :*** *à env 3 km au nord-est du centre. ☎ 43-40-50 ou 070-267-60-50. • vandrarhemmet@kronan.net • Pour s'y rendre, bus direct depuis Smedjegatan dans le centre. Pas très bien indiqué. C'est le bâtiment H7, à droite en entrant dans l'enceinte. Ouv tte l'année. Réception 8h-16h. Lit en dortoirs 3-7 pers 160 Sk (17 €) ; doubles 350 Sk (37 €) pour deux, sans petit déj.* Très au calme mais pas central. Dans une grande maison en bois jaune, à l'intérieur d'un ancien complexe militaire au milieu des sapins, transformé en bureaux, studios de tournage, ateliers d'artistes et habitations. Bien équipé, mais éviter les chambres en demi-sous-sol qui ressemblent plus à une cave qu'à une AJ, avec tuyauterie apparente et soupirail. Celles à l'étage sont très bien.

🏠 ***AJ et Örnvik Konferens Hotell :*** *à Örnvik. ☎ 25-23-25. • ornviken.se • À 9 km du centre. En voiture : du centre, prendre la direction « E4 Gäddvik » vers le sud, faire env 8 km puis prendre « Ornvik » et suivre le fléchage sur 1 km. C'est au bout de l'Örnvikvagen. Réception 8h-23h. Large gamme de dortoirs en chalets (jusqu'à 6 pers) à partir de 180 Sk (19 €) par lit ; doubles sans sanitaires à partir de 350 Sk (37 €). Compter presque le double pour de vraies chambres d'hôtel (mais la différence entre les deux n'est pas notable).* Eh oui ! c'est toujours un peu la galère pour aller dans les AJ en Suède. Si vous êtes à pied, on vous conseille de choisir un hébergement plus proche du centre. Il s'agit d'une AJ constituée de petits cottages un rien vieillots pour certains, disposés autour d'un hôtel. Plutôt bien tenue. Attention, route bruyante qui passe sur l'arrière. Choisir de préférence les cottages pour deux, plus éloignés de la route. Les sanitaires sont juste à côté. On peut y faire sa cuisine tranquille. Machine à laver. Accueil agréable. Resto sur place, mais cher. Location de vélos.

🏠 ***Chambres chez l'habitant :*** *résa à l'office du tourisme.*

Plus chic

🏠 ***Stadshotellet Elite :*** *Storgatan 15. ☎ 670-00. • elite.se/hotell/lulea/stadshotellet • Doubles 790 Sk (83 €) l'été.* Il est rare que l'on vous propose ce genre d'hôtels dans notre *play-list,* mais le plus chic des établissements de la ville propose l'été des prix défiant toute concurrence. On espère que ce sera toujours valable quand vous lirez ces lignes. Façade néo-Renaissance classieuse, hall grand style, chambres luxe et service impeccable. Du grand confort à prix presque dérisoire. C'est le moment ou jamais de se la jouer un peu !

Où manger ?

De bon marché à prix moyens

|●| **Brasseriet :** *sur le port, juste derrière le centre.* ☎ *22-02-01.* Sur la terrasse à l'arrière de cette boîte-resto, on vous propose le midi en semaine un menu à 70 Sk (7,50 €) comprenant un plat chaud au choix (poulet, viande, poisson ou pâtes) avec salade, pain, boisson et café. Vendredi et samedi soir, une autre formule un peu plus chère est proposée. *Brasseriet* est aussi LA boîte du coin (voir « Où boire un verre ? Où danser ? »).

|●| **Waldorf :** *le midi, on entre par la galerie marchande* Strand, *sur Storgatan 27. Le soir, par Skeppsbrogatan 28, la rue située derrière (car le centre commercial est fermé).* ☎ *22-26-16. Ouv jusqu'à 22h (23h ven-sam, 21h dim). Déjeuner 70 Sk (7,50 €) ; compter 200 Sk (21 €) le soir.* Resto chinois (d'où le nom à résonance allemande) en plein centre, qui sert un déjeuner de bonne facture. À la carte, justement, la facture grimpe vite, ainsi que le soir. Plats très variés, carte chinoise mais aussi japonaise. On a envie de goûter à tout. Déco chinoise, rien d'étonnant.

|●| **Il Lardo :** *Storgatan 40.* ☎ *22-29-99. Déjeuner 75 Sk (8 €).* Moderne et italien (dans les tons noir et blanc), au cœur de la rue piétonne, en terrasse, le déjeuner du midi en semaine devrait contenter tout le monde. Le soir, les *antipasti* et les pâtes (plus cher évidemment) font parfaitement leur travail de remplissage, sans exclure la notion de plaisir.

|●| **Corsica :** *Nygatan 14. Entre la cathédrale et la Storgatan.* ☎ *158-40. Le midi, formule 60 Sk (6,50 €) ; le soir, beaucoup plus cher (plats à partir de 120 Sk, soit 12,50 €).* Le cuisinier, il y a bien longtemps, venait de l'île de Beauté, d'où le nom. Mais point de *Figatelli* ni de civet de marcassin ici. De simples pâtes, quelques kebabs et autres plats typiquement suédois, dans une assiette somme toute très honnêtement garnie. Le soir, passez votre chemin, le prix ne vaut pas ce qu'on y mange.

À Gammelstad

|●| **Kyrkbyns Kök :** *à deux pas de l'église. Tlj mais slt midi lun-mar. Plats env 60 Sk (6,50 €) le midi ; env 100 Sk (21 €) le soir.* Ambiance petite auberge de village, plutôt relax, parfait pour la grignote du midi. Quelques plats internationaux (pâtes, préparations indiennes, cuisine au wok...). Le soir, la cuisine est nettement plus élaborée. Service sympa comme tout.

|●| **Margaretas Wärdshus :** *Lulevägen 2.* ☎ *25-42-90. Dans Gammelstad, à proximité de l'église. Déjeuner env 85 Sk (9 €).* Très belle auberge, décorée comme une vieille maison bourgeoise. L'adresse est huppée, mais le midi en semaine, entre 11h et 14h, on peut avoir un plat démocratique pas cher. Un endroit à la mode, paraît-il. Mais les plats le soir sont à des tarifs inabordables ! On peut également se contenter de thé et de petits gâteaux dans l'après-midi. Une adresse assez collet monté mais pas effrayante non plus.

VERS LE NORD

Où boire un verre ? Où danser ?

🍷 ♫ **Brasseriet :** *Södra Smedjegatan 2. Sur le port, derrière le centre.* ☎ *22-02-01. Ouv mer, ven et sam jusqu'à 3h. Entrée : 20-60 Sk (2-6,50 €) selon soirs et présence de groupes locaux.* La grande boîte du coin où les gars arrivent en pantalon en accordéon et CK apparent et les filles en string remonté jusqu'aux bretelles et jean taille basse. Du beau et du petit linge donc, qui se trémousse au rythme du robinet à musique dans une ambiance de gentille kermesse locale.

🍷 **BBB (Bistro Bar Brygga) :** *sur le quai nord, face à Kirkogatan.* ☎ *22-00-00.*

● *bbb.mu* ● *Ouv jusqu'à 2h ou 3h selon soirs. Fermé dim.* Sur un ancien ferry allemand ayant servi de transport de troupes, voici une adresse un peu plus chic, au charme déjà trentenaire, prolongée par des terrasses flottantes, qui joue habilement de sa situation de charme quand les soirées sont douces. Pour un verre devant la baie.

🍸 ***The Bishop Arms :*** *Storgatan 15.* Le traditionnel bar de la chaîne du même nom a encore réussi son coup. Déco façon bibliothèque chaleureuse de ma grand-tante qui a un château en Écosse. Les quadras qui prennent de la bedaine adorent. Dans ce cadre rassurant, ils tentent d'y tirer leurs dernières cartouches.

🍸 ***O'Learys :*** *Köpmangatan 31, à l'angle de Nygatan.* ☎ *166-16. Ouv dès 17h.* Pour une dernière bière avant de rentrer.

À voir. À faire

House of art-Konstenshus : *Smedjegatan 2, à l'angle de Varvsgatan.* ☎ *29-40-80. En plein centre. Mar-ven 11h-18h (20h mer) ; w-e 12h-16h. Fermé lun. Entrée gratuite.* Galerie d'art moderne où des artistes locaux et nationaux exposent le fruit de leur imagination. Sur l'ensemble, on trouve forcément quelques pièces intéressantes et/ou troublantes.

Teknikens Hus *(maison de la Technique) : au bord de l'E4, sur le campus. Bien indiqué.* ☎ *49-22-01. Fin juin-début août, ouv 10h-17h (16h le reste de l'année). Entrée : 50 Sk (5,30 €) ; réduc.* Une sorte de petite cité des sciences et de l'industrie de La Villette, version suédoise. Visite récréative mais pas très instructive quand on ne lit pas le suédois. Installations interactives : bras de pelleteuse à manier, bateau télécommandé, simulateur d'avion... Visite pas vraiment indispensable.

Norrbottens Museum : *Storgatan 2. À l'ouest de la presqu'île.* Pas grand-chose franchement. En revanche, le jardin public d'en face est bien agréable.

➢ Belle ***balade*** à faire le long des côtes de la presqu'île. Pinède, petites plages de sable.

➢ DANS LES ENVIRONS DE LULEÅ

Gammelstad : *à 10 km au nord-ouest de Luleå, par la route 97. Bus n° 9 de Smedjegatan (à n'importe quel niveau). Sur place, on trouve un petit office du tourisme ouv 9h-18h de mi-juin à mi-août.* ☎ *29-35-81.* ● *lulea.se/gammelstad* ● *Tour guidé du village ttes les heures à l'heure pile, 10h-16h, en anglais ou allemand (en français quand un des guides le parle). Si vous le pouvez, essayez de venir le dim, jour de la messe où le village est le plus animé. Sinon, en sem, c'est un peu mort.*

Le site est inscrit au Patrimoine mondial de l'humanité par l'Unesco depuis 1996. Au fond du golfe de Botnie, c'est l'exemple le mieux préservé d'un type de ville unique (on en compta jusqu'à 75) répandu dans le nord de la Scandinavie, la ville-église. Ses 424 maisons en bois, serrées autour

LA MESSE ÉTAIT OBLIGATOIRE

Quelque quarante ans après l'instauration de la Réforme, en 1593, l'Église suédoise imposa à la population de venir assister régulièrement au culte. La fréquentation était ainsi dictée en fonction de l'éloignement, et les fidèles habitant à plus de 10 km de l'église avaient le droit de construire une maisonnette sur la terre paroissiale pour passer la nuit sur place, en évitant ainsi un aller-retour dans la même journée. S'est donc développé ce village quasi fantôme, qui ne prenait vie que le dimanche matin avec comme point d'orgue la grande messe. Toute la semaine, les fermiers et les pêcheurs étaient à leurs affaires.

de l'église en pierre du début du XVe s n'y étaient utilisées, en effet, que les jours de culte et de fêtes religieuses par les fidèles venus des campagnes environnantes que l'éloignement et des conditions naturelles difficiles empêchaient de rentrer chez eux. Il a été entièrement préservé dans son apparence.
Nous vous invitons à suivre la visite guidée qui éclaire sur l'importance de ces villages-églises dans l'histoire suédoise. Il n'est en rien impressionnant ni particulièrement vivant, mais la visite permet de pénétrer à l'intérieur d'une des maisons et de replacer *Gammelstad* (littéralement « ville-église ») dans son contexte historique. L'église fut érigée au cours du XVe s sur un emplacement déjà utilisé depuis plusieurs siècles comme lieu de rencontre pour les commerçants, les pêcheurs et les Samis des environs.
L'endroit était donc stratégiquement intéressant. La construction de l'église était un moyen d'affirmer l'appartenance de la région à la couronne suédoise et ainsi montrer au dangereux voisin, l'empire de Novgorod, qui était le maître des lieux.
Catholique au départ, l'église fut inaugurée le jour de la Saint-Pierre, patron protecteur de la paroisse qui, comme la plupart des habitants d'ici, était pêcheur, car la mer venait jusque-là, avant de se retirer. C'est sa clé qui est aujourd'hui représentée sur le blason de la ville de Luleå.
C'est donc ainsi que la ville-église s'agrandit et atteint son nombre maximum de 480 maisonnettes aux XVIIIe et XIXe s. Aujourd'hui, 408 maisonnettes sont encore debout et, de la même façon qu'autrefois, ces demeures sont privées et utilisées uniquement en relation étroite avec les cultes et les fêtes religieuses. Il est donc interdit d'y habiter de façon permanente, mais également pour ses vacances ! Ne peut devenir propriétaire de l'une d'entre elles qu'un habitant de la commune de Luleå (mais pas de Gammelstad). Des règles strictes existent également quant à l'ameublement et à l'aspect extérieur, de manière à préserver le plus possible l'apparence du XIXe s. Même s'ils n'y sont plus contraints, les proprios d'aujourd'hui se font fort, afin de conserver l'unité historique, religieuse et culturelle de la ville-église, de venir assister à la grande messe du dimanche et de passer ce jour-là dans leur petite maison.
– ***L'église :*** extérieur d'un gros appareillage de quarante granits différents. Intérieur du XVe s, chaire baroque du XVIIIe s, retable flamand de style Renaissance du XVe s. Jolies fresques. Au Moyen Âge, l'église servit de forteresse. Aujourd'hui, beaucoup de couples viennent s'y marier.
– ***Les maisons :*** en suivant la visite guidée, on a l'occasion d'entrer dans l'une des maisons, qui étaient toutes constituées sur le même modèle : une entrée, une chambre et une réserve à bois. On s'aperçoit vite de l'exiguïté de ces minuscules cottages, dotés de lits-alcôves pour se protéger du froid. Plancher composé de demi-troncs d'arbres pour s'isoler du froid venant du sol. Pas de cuisine ! Normal, comme on ne venait que le dimanche, on apportait les repas tout préparés.
Non loin, à 200 m de là, un musée à ciel ouvert, ***Hägnan,*** regroupe une vingtaine de maisons des XVIIIe et XIXe s, rapportées ici des quatre coins du Norbotten, témoignage de l'habitat de la région : grange à moudre, grenier à foin, habitations bourgeoises. L'été, quelques animations.

Les îles de l'archipel de Luleå : *à env 30 mn au large, elles sont accessibles en bateau à partir du port.* En tout, 1 700 îlots le composent, la plupart inhabités. Cet archipel est prisé des ornithologues. Si vous voulez y faire un saut, le plus simple est de prendre un des trois tours quotidiens qu'organise la compagnie *Condor Shipping (📱 070-589-88-11).* Départ du port sud de la ville. Achats des tickets et infos à l'office du tourisme. Sorte de bus maritime qui fait le tour des îles les plus importantes de la baie. Le tour complet dure 4h. Possibilité de faire halte sur l'île *Hindersön,* où l'on peut même dormir dans une sorte de pension, la *Jopikgarden (☎ 600-12).* Une autre compagnie, la *Stella Marina,* propose des petites croisières, bien plus chères.

À faire dans les environs l'hiver

Randonnée en traîneau à chiens : si l'hiver lapon vous tente, contactez donc Rémi Bischoff, un musher (éleveur de chiens de traîneau) français, très sympa, installé entre Luleå et Arvidsjaur, qui a monté sa petite société. Il propose plusieurs sorties de durées différentes allant de 1h à une semaine complète à travers les immensités enneigées de la Suède sauvage ! *Vous pouvez le contacter sur son site internet : • connexion-boreale.com •*

QUITTER LULEÅ

Soit 2 trains vers le nord (Kiruna puis Narvik), soit 2 vers le sud (Stockholm).

ARVIDSJAUR

4 800 hab. IND. TÉL. : 0960

Déjà la Laponie ! En fait, il faut dire le pays sami. Pour en savoir plus sur les Samis, se reporter au chapitre qui leur est consacré dans « Suède : hommes, culture et environnement. Population ».
Village très étendu, entouré de petits lacs. La région est surtout active en hiver : ski de fond, traîneau, etc. Arvidsjaur ne possède pas vraiment de centre, ni de centre d'intérêt d'ailleurs. Une grande artère où toutes les boutiques et restos s'alignent, et le reste du village est disséminé sur des kilomètres carrés. Arvidsjaur est dans l'ensemble assez morose, et on a comme une impression de vide. Où est la ville ? Où sont les gens ?

TESTS AUTOMOBILES ULTRASECRETS !

Beaucoup savent que le système de freins ABS est né dans le nord de la Suède, mais qui sait que cette activité hors du commun est aujourd'hui encore le gagne-pain principal de plusieurs communes de la province du Norrbotten ?
Jokkmokk, Gällivare, Älvsbyn, Arjeplog, Luleå et bien évidemment Arvidsjaur abritent les principales pistes d'essais pour les pilotes automobiles professionnels qui viennent ici chaque hiver. La plupart viennent d'Allemagne, et cette industrie se veut tellement florissante que nos voisins d'outre-Rhin ont même lancé une liaison aérienne directe depuis leur pays jusqu'à Arvidsjaur !
Pourquoi en pays sami ? Pour ces pilotes hors du commun, c'est l'hiver qui est intéressant afin de tester les nouveaux modèles de voitures et de pneus dans des conditions extrêmes en ce qui concerne la résistance au froid et la conduite sur glace. Plusieurs tentatives de développer cette industrie naissante dans les Alpes ont échoué. Trop de neige, des températures trop variables, un manque de place évident et enfin, une quasi-impossibilité de tracer ses propres pistes d'essais.
Les pistes suédoises sont refaites chaque année sur des lacs gelés

ESPIONNAGE AUTOMOBILE

Au début des années 1960, deux habitants d'Arjeplog aidèrent les entreprises Saab *à tracer une piste d'essai sur un lac, afin de tester le nouveau modèle* Saab 99. *Le succès fut immédiat et* Opel *emboîta le pas dès 1967. Depuis, des entreprises mondialement connues sont actives dans le secteur :* Daimler-Benz, BMW, Porsche, VW, Audi, *mais aussi* Fiat *et* Chrysler. *Aujourd'hui, en plein hiver, autour des pistes gardées comme des camps militaires, quelques paparazzi tentent de saisir des images pour alimenter les magazines spécialisés. Ils ont intérêt à être très chaudement équipés lors de leurs planques. Brrr !*

(épaisseur moyenne de la glace : 1 m). Le but est de tester les systèmes de freins mais aussi les axes de directions, les pneus, les moteurs et leur résistance aux grands froids (les températures peuvent descendre jusqu'à - 40 °C en plein hiver !). Les voitures et prototypes utilisés sont alors équipés de capteurs spéciaux et ressemblent souvent à des véhicules de science-fiction. La période d'essais commence mi-novembre pour se terminer autour de fin mars.
Cette gigantesque industrie fait vivre environ 10 000 personnes et autant d'employés étrangers chaque hiver. Autre retombée moins évidente, le tourisme hivernal qui s'est développé : les hôtels bien sûr, mais aussi les activités annexes (sorties en traîneau à chiens, safaris à motoneige, ski de fond et de piste, golf sur neige, sorties sur bateau brise-glace, roulades à poil dans la neige... on exagère peut-être un peu...), etc.

Adresses utiles

Office du tourisme : *Östra Skolgatan 18C, un peu à l'arrière de l'artère principale Storgatan. ☎ 175-00. • arvidsjaur.se • De mi-juin à mi-août, tlj 9h30-18h ; le reste de l'année, horaires restreints.* Office du tourisme très dynamique, ce qui est presque un pléonasme en Suède. Plan de la ville et informations en français sur tout le pays sami, et même sur la Norvège. Accès à Internet. Enfin, ils peuvent vous donner des infos sur les excursions en rafting.

Poste : *sur Storgatan. Ouv jusqu'à 17h30.* Achat de timbres au supermarché.

Change : *à la* Forenings Sparbanken, *sur Storgatan (la rue principale), et également à la* Handelsbanken, *sur Storgatan*. L'hôtel *Laponia* peut aussi dépanner en cas de besoin.

Gare ferroviaire : *elle se trouve au sud de l'office du tourisme.* Seulement desservie par l'*Inlandbana*, une ligne touristique qui traverse lentement la Suède du nord au centre du pays. Un train dans chaque direction.

Piscine : *couverte ou découverte, avec toboggan et jacuzzi, sur Stationsgatan, près de l'angle avec Domängatan.*

Où dormir ?

Bon marché

Camping Gielas : *à 1 km de la gare, vers l'est. ☎ 556-00. • gielas.se • En voiture, c'est tt de suite à l'entrée du village, sur la gauche. Carte de camping internationale obligatoire. Prix pour une tente 140 Sk (15 €) ;* stugor *pour quatre 500 Sk (52 €) et d'autres plus équipés et plus chers.* Grand camping très équipé, en forêt et au bord d'un lac. Petite plage de sable aménagée au bord de l'eau. Possibilité d'acheter un permis de pêche, pour ceux qui veulent. Plusieurs endroits pour faire son feu. Cuisine, douche, machine à laver, tennis, salle de gym, billard... Bref, tout ce qu'il faut sur le plan de l'équipement, mais ça manque un peu de charme.

Renvallens Stugby and Camping : *à 4 km à l'ouest d'Arvidsjaur sur la route 95 et 45. ☎ 213-60. Fax : 127-56. Au bord d'un petit lac. Emplacement de tente 120 Sk (12,50 €) ; loc de chalets possible env 350 Sk (37 €) pour deux et à peine plus cher pour quatre.* Cuisine, salle TV, sanitaires, le tout très correct. Plus modeste que le précédent, mais on perd en équipement ce que l'on gagne en intimité et charme. Dans un grand pré très tranquille. Accueil sympa comme tout. Une adresse un rien bohème.

Lappuglan : *Västra Skolgatan 9. ☎ 124-13. Ouv tte l'année. Chambres mignonnes pour 2, 3 ou 4 pers, au prix d'une AJ : 150 Sk (16 €) par lit.* Dans une maison ocre, dans le centre, très au calme. Petit chalet sami et grande maison ocre à côté. Barbecue dans le jardin. Grande cuisine et machine à laver. Le propriétaire est un grand sculpteur sur bois. C'est lui qui a réalisé la famille d'élans, en face de la mairie. Cet adorable monsieur peut même vous emmener à la gare si vous le désirez. Une adresse chaleureuse et familiale qu'on aime bien.

Plus chic

Hotell Laponia : *Storgatan 45. ☎ 555-00. • hotell-laponia.se • L'été, doubles 780 Sk (82 €) avec petit déj (assez moyen).* Le grand hôtel de la ville avec près de 200 chambres. Bon confort général. Piscine intérieure, sauna... et solarium.

Où manger ? Où boire un verre ?

Bon marché

Restaurant Laponia : *Storgatan 45. ☎ 555-05. Formule le midi servie 11h30-14h, 70 Sk (7,50 €) ; plats à partir de 90 Sk (9,50 €).* La formule du midi de ce grand hôtel est très avantageuse : salade à volonté, plat chaud, boisson et café. Étonnant, pour cet hôtel classe, avec piscine et tout, de servir des repas si bon marché. Spécialité de poisson fumé du lac, pas mauvais du tout. L'été, on sert dans une sorte de vaste tipi en dur sans charme, mais au bord du lac. Terrasse quand le temps le permet.

Pizza Afrodite : *Storgatan 10. ☎ 173-00. Ouv midi et soir jusqu'à 22h. Des pizzas essentiellement, env 50 Sk (5,30 €) ; autres plats au-dessus de 100 Sk (10 €).* Une bonne adresse, car cette pizzeria ne se contente pas de servir des pizzas mais aussi des kebabs et quelques viandes. Plutôt agréable.

Stalo Krog : *Stationsgatan 18, à l'angle de Nygatan.* Bar avec terrasse où l'on se retrouve en fin de semaine.

La terrasse au bord du lac du resto du **Laponia,** s'il fait beau, peut constituer un point de chute pour une bière.

Tages Saloon : *dans le village de Råland, à env 15 km d'Arvidsjaur vers le sud-est (route 95). Normalement, chaque mer pdt l'été, 20h-minuit.* Ce café-resto propose des danses traditionnelles du nord de la Suède. À vérifier auprès de l'office du tourisme avant de vous y rendre.

À voir

Lappstaden : *petit village sami préservé, à 15 mn du centre à pied, à la sortie du village, vers l'ouest. Ouv en permanence, mais il est préférable de suivre une visite guidée pour mieux comprendre le mode de vie sami. Il y en a 1/j. en anglais. Horaires changeants, se renseigner à l'office du tourisme. Participation de 30 Sk (3,20 €) ; sinon, entrée gratuite (c'est ouv en permanence).* Groupes de maisons en bois typiques, seul témoignage vivant de la culture samie. Cette petite cité s'est développée au XVIIe s pour abriter les Samis qui venaient à date fixe pour le marché. On s'y retrouvait aussi pour les mariages et les enterrements. Puis ils devinrent sédentaires dans la région. Dans un pré, plusieurs dizaines de maisons à l'architecture typique. Certaines en forme de pyramides tronquées, élevées en rondins de bois. D'autres sont de simples maisonnettes de rondins toujours, dont la base est plus étroite afin de limiter la pénétration du froid par le sol. Certaines étaient habitées, d'autres servaient de magasins.

Gamla Prästgarden : *en poursuivant vers le nord, à 500 m après le village sami, sur la gauche. En juil-août, tlj 10h-18h. Entrée gratuite.* Petite maison du XIXe s, à l'intérieur aménagé avec le mobilier de l'époque. C'était la maison des prêtres d'Arvidsjaur jusqu'en 1960. Témoignage de la tentative de christianisation des Samis aux siècles passés. Bric-à-brac impressionnant d'objets rigolos.

En haut, on peut acheter des produits artisanaux. Rien d'inoubliable, mais si l'on a du temps, on peut se promener par là-bas.

L'église est mignonne et originale, avec sa couleur rose et son apparence de manoir bourgeois.

À faire

➢ ***Rafting :*** l'office du tourisme propose une descente de la rivière Piteälven de début juil à début août. Trois départs/j. en général. *073-810-77-66.* Assez cher.

Un train touristique ***Åk Ångtåg*** assure une liaison vers Slagnäs en juil ven-sam 18h (horaires à vérifier). Retour vers 22h. ☎ *175-00 ou 136-58.* Resto à bord, mais on peut aussi apporter son pique-nique.

➤ DANS LES ENVIRONS D'ARVIDSJAUR

Les chutes de Storforsen : *loin d'Arvidsjaur, à 90 km. Une halte à faire si vous allez à Luleå. Pour s'y rendre, prendre la route 94 vers Luleå et Boden, puis, dans le village de Vistträsk, tourner à gauche vers Vidsel ; les chutes sont fléchées (encore 20 km) en allant vers Jokkmokk (route 374). C'est quelques km plus loin encore, fléché sur la gauche.* Les plus grandes cataractes naturelles d'Europe ! Des passerelles permettent d'accéder aux larges et bruyants rapides, dans un paysage d'une grande beauté. Bien aménagé et très sécurisé mais néanmoins impressionnant. Tout est prévu pour y passer une journée de détente : tables et barbecue à disposition, y compris le bois et la hache !

Båtsoj-Samecultur *(présentation de la culture samie)* **:** *à 70 km d'Arvidsjaur, dans le village de Gasa, par la route 45. Aller jusqu'à Slagnäs, puis à droite vers Arjeplog sur 20 km, et enfin panneau sur la gauche Båtsoj-Samecultur. C'est à 2 km par le chemin.* ☎ *65-10-26.* Une famille samie, éleveuse de rennes, organise tous les jours l'été une visite guidée de son élevage, en évoquant les coutumes et traditions de sa minorité. Tour 1h30 *(200 Sk, soit 21 €)* ou à la demi-journée *(500 Sk, soit 52 €).* Sinon, également possibilité d'y passer la nuit (infos directement auprès d'eux ; demander Lotta). Les occasions de rentrer en contact avec les Samis et leur culture étant très réduites, voilà un bon moyen, commercial évidemment, de le faire. Mais bon, c'est super-cher !

ARJEPLOG

1 800 hab. (3 300 dans la région) IND. TÉL. : 0961

Enclos dans un paysage envoûtant, bâti sur des îlots du lac Hornavan, le village d'Arjeplog mérite une halte. Certes, il n'y a pas grand-chose à y faire à part pêcher, se balader et se sentir bien. Et puis si, il y a ce très intéressant musée de l'Argent *(Silvermuseet).* C'est déjà ça. Une nature royale, rien que pour vous, et une population accueillante et fière de son village. C'est l'impression que laisse Arjeplog. Un coin à l'écart du monde, et heureux de l'être. Conséquence imprévue du climat assez rude, c'est dans cette région que les constructeurs et équipementiers automobiles viennent tester leurs nouveaux modèles dans les dures conditions de l'hiver lapon, provoquant une source de revenus inespérée pour les habitants (voir également « Tests automobiles ultrasecrets ! » à Arvidsjaur, plus haut).

Comment y aller ?

➢ ***En bus :*** départ d'Arvidsjaur. C'est le passage obligé. En été, 3 bus/j. Compter 1h.
➢ ***En voiture :*** à 87 km à l'est d'Arvidsjaur par la route 95.

Adresses utiles

Office du tourisme : *sur la petite place centrale, à côté de l'église et du musée. ☎ 222-30. • arjeploglappland.se • Ouv l'été en sem 8h-19h (17h w-e).* Pas beaucoup de doc, mais un personnel qui se mettra en quatre pour vous renseigner.

Change : Föreningsparbanken, *sur Storgatan.*

Où dormir ?

Bon marché

Camping Kraja : *du centre, traverser le pont ; c'est à 1 km sur la droite. ☎ 315-00. Tente 110 Sk (12,10 €) ; stugor pour 2 à 6 pers 550-900 Sk (58-95 €) selon taille et confort, disposés en rang d'oignons.* Camping situé au bord d'un lac, avec quelques arbres. Aménagement assez banal et un côté vraiment usine. Coin caravanes sur un parking, vraiment pas top. Piscine, location de canoës, minigolf...

STF Hotell-Vandrarhem Lyktan : *en plein centre, dans le grand bâtiment bleu ciel au bord de la route principale. ☎ 612-10. • hotellyktann-arjeplog.se • Lit 150 Sk (16 €) en été.* Les chambres d'AJ sont en réalité des chambres d'hôtel, avec tout le confort que ce standing suppose : douche, w-c, téléphone, TV, auxquels il faut ajouter l'équipement collectif (sauna, billard, etc.). L'hiver, ne fait qu'hôtel ! Grande cuisine à disposition. Accueil super.

Où manger ?

Mathörnan : *pizzeria dans la Drottningsgatan, en face du* Konsum, *en plein centre. Ouv midi et soir jusqu'à 20h en sem, et en continu le w-e. Déjeuner pas cher servi 11h-14h.* Pas beaucoup de choix à la carte mais beaucoup de pizzas. Prix raisonnables. Rien d'extra, mais côté restos, c'est vraiment la dèche à Arjeplog...

VERS LE NORD

À voir. À faire

Le musée de l'Argent *(Silvermuseet) : sur la place principale. ☎ 612-90. • silvermuseet.arjeplog.se • L'été, tlj 9h-18h ; le reste de l'année, en sem 10h-12h, 13h-16h, sam 10h-14h, fermé dim. Entrée : 50 Sk (5 €).* Le plus intéressant musée qu'on ait vu sur la culture samie. On y expose les collections du docteur Einar Wallquist (1896-1985), surnommé « le docteur des Samis ». Au sous-sol, la salle de l'Argent présente de nombreux bijoux et tenues de parade. Le village d'Arjeplog est en effet situé sur la « route de l'Argent », qui va de la côte est de Suède à la côte norvégienne, vers Bodø. Également plusieurs objets usuels, panoplie classique des Samis nomades, fusils, outils, peaux, etc., et une série d'animaux empaillés : ours, lynx... Section de travail sur os, vannerie, boîtes en bois, traîneaux anciens... En haut, une mignonne salle d'école à l'ancienne rappelle que ce bâtiment a accueilli les écoliers jusqu'en 1940. Intéressante collection de pièges à animaux.

Enfin, petit film de 15 mn sur la vie à Arjeplog. Saison par saison, cette projection (disponible avec des commentaires en français) explique le mode de vie des Samis d'hier et des Suédois d'aujourd'hui. Techniques de pêche, fabrication des produits artisanaux, sports d'hiver, tourisme d'été...

***L'église** : sur la place, à deux pas du musée.* On ne peut la louper, elle est toute rose, gaie et originale. En bois et recouverte d'écailles. Elle date de la fin du XVIIIe s. Un siècle plus tard, elle fut agrandie, dotée d'une tour et peinte en rose, sa couleur actuelle. L'intérieur est très lumineux et coloré. Cinq coupoles peintes en bleu font office de plafond. Disposition des bancs originale et jolie chaire baroque. Décidément, les églises du pays sami sont moins grises que les nôtres.

– Sur la petite ***île de Skeppsholmen,*** groupe de huttes samies. On peut y aller en voiture.

– La station de ski de ***Galitspuoda,*** à 15 km en direction d'Arvidsjaur, offre le meilleur point de vue sur les environs, dans toutes les directions. Soleil de minuit observable du 10 juin au 3 juillet. Par temps clair, on voit jusqu'à la Norvège.

Manifestations

– L'été, les habitants organisent différentes ***animations*** : festival de musique de chambre, danses, fête foraine, concours de pêche, etc. L'un des moments forts de l'année est le concours du plus gros mangeur de *palt.* Il s'agit d'une boulette de pomme de terre, de sel et de farine, avec parfois de la viande. Un truc léger, quoi. Vous pouvez participer, mais faites attention à la concurrence : le maire d'Arjeplog se targue d'être le champion incontesté en la matière...
– En mars, grand marché d'artisanat sami.

JOKKMOKK

3 000 hab. (6 000 dans la région) IND. TÉL. : 0971

Village lapon de l'intérieur, très étendu, situé à 7 km au nord du cercle polaire (petite boutique matérialisant le passage de la ligne, sur la droite de la route). C'est un centre important pour les Samis, car on y trouve une « école nomade » pour les populations samies. Jokkmokk est un point d'arrêt agréable sur la route du cap Nord, surtout avec sa super AJ dans les bois. C'est également un point de départ pour de belles expéditions dans l'Ouest suédois.

Adresses utiles

***Office du tourisme** : sur Storgatan 4. ☎ 222-50. • turism.jokkmokk.se • Dans le centre. L'été, lun-ven 9h-19h, sam 10h-16h, dim 12h-18h.* Pas de change. On y vend une carte quotidienne de pêche, la *Turistfiskekort.* Tiens, une fois n'est pas coutume, nous y avons reçu un mauvais accueil ! C'est tellement rare que ça méritait d'être signalé. C'est ici que les randonneurs viennent pour se préparer, car on y trouve plein de cartes détaillées. Accès Internet. Vous pouvez également y acheter un *Polar Certificate (30 Sk, soit 3,30 €)* prouvant que vous avez passé le cercle polaire (marrant pour les mômes, mais on trouve ce bout de papier plutôt cher !).

***Poste** : sur Storgatan.*

***Magasin de sport** : sur la Storgatan, face au* Konsum. Tout ce qu'il faut pour le camping et la rando.

Où dormir ?

Bon marché

⛺ ***Skabram Stuby og Camping :*** *à 2 km à l'ouest du village.* ☎ *107-52.* • *skabram.com* • *Forfait tente pour deux 100 Sk (10,50 €). Nombreuses cabanes de 2 à 6 pers, ttes au même tarif : 500 Sk (52 €), avec sanitaires complets et kitchenette. Quelques cabanes également moins chères, sans sanitaires intérieurs.* Hanz, l'adorable proprio, parle très bien le français et fait fort bien son métier. Environnement et atmosphère bucoliques pour ce camping sympathique et très au calme qu'on aime bien. Location de canoës pour évoluer sur le lac juste à côté.

⛺ ***Jokkmokk Campingcenter :*** *à l'entrée est du village, à 2,5 km, sur la route 97.* ☎ *123-70.* • *jokkmokkcamping center.com* • *Tente 140 Sk (14,50 €) ;* stugor *de 2 à 6 pers 570-900 Sk (60-95 €), ts avec sanitaires, kitchenette et TV.* Au bord d'un lac. Très grand camping sous les pins, sans grande personnalité, qui ressemble un peu à tous les autres. Vaste piscine gratuite avec toboggan, puisque l'eau du lac est trop froide. Épicerie, cuisine, pizzeria, pub, sauna, laverie...

🏠 ***STF Vandrarhem Jokkmokk :*** *Åsgård, Asgatan 20.* ☎ *559-77.* • *jokk mokkhostel.com* • *Ouv tte l'année. Réception 8h-10h, 17h-20h30. Lit 120-160 Sk (12,50-17 €) selon taille de la chambre (3-6 lits).* Quelques chambres doubles également. AJ comme les autres, pas de surprise, au calme, dans une petite maison. Sanitaires extérieurs très propres.

🏠 Nombreuses ***maisonnettes*** de style trappeur à louer, ainsi qu'une tripotée de ***stugor*** chez l'habitant. Vous y serez bien mieux qu'au *Turistcenter*... Demander la liste à l'office du tourisme.

Plus chic

🏠 ***Hotel Jokkmokk :*** *Solgatan 45.* ☎ *777-00.* • *jokkmokk.se* • *L'été, les tarifs descendent autour de 870 Sk (91 €) pour une double avec petit déj ; compter le double en hiver.* Grand et bel établissement en bois rouge, au bord du lac et parfaitement au calme. Demandez de préférence des chambres avec vue, c'est plus sympa que sur l'arrière. Confortable et fonctionnel. Excellent niveau de prestations compte tenu du prix estival.

Où manger ?

🍽 ***Café Piano :*** *Poriusvägn 4, à 100 m de l'office du tourisme, de l'autre côté de la rue.* ☎ *104-00. Plats env 60 Sk (6,60 €).* Établissement modeste qui sert des plats simples et bons. Tenu par un Iranien sympa qui prépare kebabs, rosbif et sandwichs, mais aussi pizzas et pâtes. Salle cool avec un piano, bien entendu. Sympathique terrasse.

🍽 ***Cafétéria du Attje Museet :*** *voir plus bas. Déjeuner 65 Sk (7 €), servi lunven 11h-13h30, incluant plat chaud, salade, boisson et café.* On y sert souvent des plats à base de viande de renne.

🍽 ***Restaurang Opera :*** *Storgatan 36.* ☎ *105-05. Tlj 11h-22h pour les pizzas et les kebabs (env 80 Sk, soit 8,50 €), puis fait bar jusqu'à 1h ou 2h mer, ven-sam.* Pas cher, copieux et plutôt bien fait.

🍽 ***Supermarché Konsum :*** *dans le centre.*

À voir. À faire

🏛 ***Ajtte Museet :*** *sur Kyrkogatan, à l'angle de Storgatan. Tlj 9h-18h en été, 10h-16h le reste de l'année. Entrée : 50 Sk (5 €) ; gratuit pour les moins de 16 ans.* Pour ceux qui ont vraiment envie de comprendre le mode de vie des Samis. Si vous voulez faire une visite profitable, il faut prendre beaucoup de temps et lire consciencieusement le guide écrit en français mis à votre disposition à l'entrée et qui détaille les collections. Le musée est divisé par thèmes : la marche du temps, l'art de se débrouiller avec pas grand-chose, la vie des colons, le fleuve, les costumes, l'habitat. Muséographie de qualité (surtout pour un petit village comme celui-ci) où l'importance du rapport à la nature a bien été mise en valeur. À 12h, diffusion d'un film documentaire (en suédois) datant de 1945 et montrant tous les aspects de la vie des Samis. À 16h, autre film racontant la construction de l'*Inlandsbana,* un chemin de fer qui traverse la Suède presque du nord au sud. Également une salle réservée aux expositions temporaires.

Au bord du lac, quelques balades et petites visites : sur la droite de celui-ci, on trouve un petit ***Jokkmokk Stencenter*** qui présente une sélection de pierres de la région, puis le ***Hembygdsgården,*** modeste ensemble de maisons et corps de ferme reconstituant un bout du microvillage d'autrefois. Un peu plus loin, le sentier mène au ***Fjällträdgård,*** petit jardin botanique. *Ouv 10h-17h en été.* Sympathique jardin traversé par une rivière tumultueuse et agrémenté de jolis ponts de bois.

➢ ***Stornarbben :*** *même direction que pour Hembygdsgården, puis suivre les flèches.* Agréable promenade à pied d'environ 2 km qui mène au *Midnattssol Cafe,* petit café et jolie vue sur la région. Ouvert 19h-1h seulement, pour le soleil de minuit (quand il est visible évidemment). Prendre de la hauteur, ça change !

➤ *DANS LES ENVIRONS DE JOKKMOKK*

Spécial randonneurs

➢ De la station de bus de Jokkmokk, un bus mène deux fois par jour (infos sur les horaires à l'office du tourisme) à ***Kvikkjokk,*** petit village traversé par la *piste Royale,* où il est possible de louer des *stugor.* On peut aussi passer la nuit à la *Mountain Station,* sorte d'AJ de montagne. La piste Royale passe par ici. Les randonneurs du dimanche pourront donc se faire une petite journée de marche. Entre chaque journée de marche, une structure est là pour passer la nuit (voir, plus loin, le chapitre consacré à la piste Royale).
– Quelques kilomètres après Jokkmokk, sur la route de Porjus et Galliväre, sur la gauche, on voit un grand ***barrage*** décoré de fresques colorées.

Porjus : *sur la route 45, toujours vers Gällivare.* ☎ *777-20 ou 776-00. Des panneaux indiquent la centrale dès l'entrée en ville. Tlj l'été 10h-16h.* Visite guidée des ancienne et nouvelle centrales hydroélectriques *Porjus Kraft-Stationer* et expo sur la construction du barrage.

Le parc national de Muddus : la route passe à côté. Nombreux sentiers de randonnée, surtout fréquentés par les Suédois. Parking à l'entrée du parc puis balade à travers la forêt. Deux endroits sont aménagés pour camper.

Les parcs nationaux de Stora Sjöfallet, Sarek et Padjelanta : trois parcs à l'ouest de Gällivare. On y trouve, paraît-il, les plus gros élans de Suède. On n'a pas vérifié, mais ça doit être vrai. Accessibles par la Kungsleden à Kvikkjokk, plus au nord de Saltoluokta. À part la piste Royale, qui traverse Stora Sjöfallet et Sarek, il existe des sentiers pour randonneurs chevronnés. Nous insistons là-dessus : il faut être bien équipé car là-bas il n'y a aucune installation, et c'est vraiment sauvage !
– Rens à l'office du tourisme de Jokkmokk ou demander de la doc au Fjällförvaltningen, PO Box 105, 96232 Jokkmokk. ☎ *127-80.*

QUITTER JOKKMOKK

À Jokkmokk passe le train *Inlandsbana.* Un j. vers le sud et vers le nord.

GÄLLIVARE

20 000 hab. IND. TÉL. : 0970

À mi-chemin entre Jokkmokk et Kiruna, cette petite ville minière assez morne abrite une communauté samie relativement importante. Le seul intérêt de la ville réside dans la visite de ses mines de fer et de cuivre, les deux plus importantes d'Europe. Impressionnant et vraiment à ne pas manquer, même si on choisit de ne pas séjourner en ville. On touche là une réalité économique et sociale d'une grande importance pour la Suède. La ville de Gällivare a d'ailleurs été créée de toutes pièces au début du XXe s, par et pour sa mine de fer.

Adresses utiles

Office du tourisme : *Centralplan 3, dans le centre, face à la gare.* ☎ *166-60.* ● *visit.gallivare.se* ● *De mi-juin à mi-août, tlj 8h-22h ; le reste de l'année, en sem 8h-17h.* C'est là qu'on achète les billets pour la visite des mines.

Poste : *dans le centre.* Pour les timbres, allez au supermarché *ICA*, juste à côté.

Change : *Föreningssparbanken, Storgatan 21. Ouv en sem 10h-15h.* Distributeur.

Gare : c'est ici qu'il faut acheter les tickets pour l'*Inlandsbana,* train touristique qui relie la ville à Mora (1 fois/j. dans les 2 sens).

Station de bus : départs à côté de l'office du tourisme et à la gare.

Où dormir ?

Bon marché

Gällivare Camping : *tt près du centre, à peine à 10 mn à pied, à l'entrée sud de la ville, côté droit.* ☎ *100-10.* ● *info@gellivarecamping.com* ● *Emplacement 100 Sk (10,50 €) ; stugor pour deux env 300 Sk (31,50 €), pour 4-6 pers env 450-650 Sk (57-68 €), ce qui est correct.* Espace lové dans la courbe d'une rafraîchissante rivière, donc beaucoup de moustiques et pas vraiment de charme en fait. Pratique disons. Machine à laver payante. Douche et cuisine gratuites.

STF Vandrarhem Gällivare et Camping : *Barnhemsvägen 2.* ☎ *143-80.* 📱 *070-216-69-65. À l'entrée de la ville, sur la gauche en venant du sud. De la gare, c'est à 5 mn à pied par le petit pont qui passe au-dessus de la voie ferrée. Réception l'été 8h-10h, 18h-22h. Lit env 195 Sk (20,50 €) ; quelques doubles à prix très doux : 320 Sk (33,50 €) pour deux. On peut aussi planter sa tente dans le jardin de l'AJ pour 75 Sk (8 €).* Une centaine de lits en tout, répartis dans plusieurs petits cottages simples, abritant des chambres de 3 ou 4 personnes. Chacun d'entre eux est agencé de manière plutôt agréable. Mais quel dommage que l'imposante bâtisse principale, autrefois bel hôtel de luxe, fleuron de la ville, ait été condamnée ! Camping pas cher, et on peut utiliser les douches. Un endroit charmant, entretien pas très fréquent néanmoins.

Chambres chez l'habitant : liste des hébergements à l'office du tourisme. Pas beaucoup plus cher que l'AJ, en fait !

Plus chic

🏠 ***Grand Hotel Lapland :*** *Lasarettsgatan 1. ☎ 77-22-90. ● grandhotellapland.com ● Juste en face de la gare. L'été, chambres de très bon confort 950 Sk (105 €), petit déj compris.* L'unique grand hôtel de la ville propose des chambres à l'agréable déco ; très au calme et central. Au rez-de-chaussée, le pub est l'unique lieu où ça bouge en fin de semaine.

Où manger ?

Bon marché

🍽 ***Kilkenny Inn :*** *Per Högströmsgatan 9. ☎ 77-22-80. À 5 mn en face la gare. Fermé en été. Déj env 70 Sk (7,50 €) servi 11h30-14h.* Resto d'un grand hôtel, où l'on sert un déjeuner pas cher du tout. Sinon, cher le soir. Plat chaud simple, plusieurs sortes de pain, café. On mange dans l'intérieur de style pub, ou bien sur la terrasse couverte donnant sur la rue. Cet endroit fait plaisir, car on sait qu'on y mange pour son argent.

🍽 ***Grand Hotel Lapland :*** *en face de la gare. ☎ 77-22-90. Excellent buffet très bon marché 70 Sk (7,50 €), servi le midi dans un cadre de pub bien chaleureux ou en terrasse quand il fait beau.* Exemple typique du déjeuner démocratique à la suédoise. En revanche, prix élevés le soir, sauf pour les pizzas.

🍽 ***MD'S grill bar :*** *dans le centre, sur une placette. Menus hamburger-frites autour de 50 Sk (5 €).* Fast-food pas top mais pratique car c'est ouvert jusqu'à 21h. Et puis, le soir, les prix sont tellement élevés partout qu'on n'a guère le choix. Pour dépanner donc. Le midi, voir nos autres adresses.

– Si vous voulez manger typiquement suédois (!), deux adresses dans le centre, à deux pas l'une de l'autre. Pour les deux, terrasses aux beaux jours :

🍽 ***Restaurang Peking :*** *Storgatan 21. ☎ 176-85. Ouv tlj.* Carte longue comme un menu chinois (ça tombe bien), dans lequel s'immiscent quelques pizzas.

🍽 ***Restaurang og Pizzeria New Delhi :*** *Storgatan 19. ☎ 169-60. Le midi, menu-buffet autour de 65 Sk (7 €), ce qui constitue une bonne option. Plus cher le soir.* Un indien qui fait des pizzas suédoises. Ça doit être ça, l'Europe au sens large ! *Byriani, tikka* et tandoori. Fond musical de là-bas.

Où boire un verre ? Où danser ?

🍸 🎵 ***Le pub du Grand Hotel Lapland :*** *Lasarettsgatan 1. Au rez-de-chaussée de l'hôtel. Ouv jusqu'à 22h ou 23h mais ça décoiffe un peu plus les mer, ven et sam où le bar reste ouv jusqu'à 2h.* Ambiance pub, gros bras à l'entrée qui filtrent les clients déjà bien mûrs. Quelques pochtrons au comptoir qui ont réussi à l'infiltrer, comme dans tous les troquets du monde, et un bout de piste où ça dragouille gentiment sur des airs démodés. Une tranche de vie pathétique et touchante à la fois, en fait plutôt sympa et qui rappelle étrangement l'atmosphère d'antan des villes minières du nord de la France en fin de semaine.

À voir

👁👁👁 ***La mine de fer :*** *visite possible sur résa à l'office du tourisme. Slt de mi-juin jusqu'au 5 ou 10 août, ça dépend des années. Pas de résa. On vient directement à l'office du tourisme env 30 mn avt le départ, pour s'assurer d'avoir une place dans le bus (ce qui ne vous empêche pas de vérifier les horaires de départ qui peuvent* *changer). Une visite/j., normalement 9h30 et la visite dure 3h30. Entrée assez chère : 200 Sk (21 €). Précision : il faut avoir au moins 12 ans pour entrer (une simple histoire d'assurances).*

Visite d'un très grand intérêt à 1 050 m sous terre, puisqu'on touche du doigt les réalités techniques et sociales de la plus grande mine d'Europe, qui compte environ mille employés. Commentaires assez techniques en anglais, vraiment passionnants. Si vous ne pratiquez pas cette langue, vous risquez de passer malgré tout à côté de pas mal d'infos, même si un document en français, bien fait, récapitule le processus d'extraction. On découvre le véritable réseau autoroutier qui transforme la montagne en un vaste morceau d'emmental, et les monstrueuses machines qui percent les galeries. Ici le minerai est concentré sur une épaisseur d'1 km en profondeur. Le travail de la mine, à une échelle moindre évidemment, remonte au XVIIe s. À cette époque, le transport se faisait par rennes. Puis vint le train en 1888, qui permit de transporter le minerai jusqu'à Luleå d'un côté, et Narvik en Norvège de l'autre. Le minerai extrait ici se compose à 90 % de magnétite et 10 % d'hématite. Quatorze millions de tonnes de minerai sont extraits chaque année, qui vont donner quelque huit millions de tonnes de *pellet.* En effet, le minerai, broyé, trié et enrichi, est fourni au client dans le monde entier sous forme de boulettes de minerai qui seront ensuite humidifiées et mises en poudre pour faciliter sa réduction en haut-fourneau à 1 250 °C. Enfin, il est intéressant de savoir que seulement 25 % du personnel travaille sous terre. Le reste des hommes est employé au transport, à l'enrichissement du minerai... Amis syndicalistes, sachez que chaque employé travaille 10h d'affilée, sept jours de suite, puis dispose de sept jours de repos, avec six semaines de congés accordés. De l'avis des travailleurs interrogés, la paie est très honorable et un certain consensus social (à la suédoise) permet de régler les différends sans bobos.

Après la projection d'un petit film et les explications théoriques, on se rend au cœur de la mine. Changement de costume avant de descendre en bus équipé de bleu de travail, casque, bottes et torche. Plusieurs arrêts permettent de voir une machine à forer des trous, de visiter un entrepôt, l'atelier de réparation des engins, la station de pompage, un *crusher* (broyeur de minerai), etc. Enfin on remonte. Un peu d'air frais, ça fait du bien.

La mine de cuivre : *visite de fin juin jusqu'au 5 ou 10 août env, et mêmes prix que la mine de fer. Résa à l'office du tourisme. On peut coupler les 2 visites dans la même journée, puisque les départs ont lieu à 14h, ce qui laisse une petite heure pour déjeuner à l'air libre. La visite dure 2h30-3h. Moins connue que l'autre, cette visite complète habilement la première. Visite guidée en anglais.* Cette mine produit chaque année 65 t de cuivre, mais aussi 45 t d'argent et 2 t d'or. Il s'agit d'une mine à ciel ouvert, donc pas de galeries à visiter. On voit les ouvriers au travail avec leurs engins titanesques. Impression d'un chantier colossal dans un paysage lunaire, un trou de 330 m de profondeur béant au milieu de nulle part. Le bus de la visite descend jusqu'à mi-profondeur, là où les excavateurs rugissent, où les bennes alimentent le concasseur dans un ballet empoussiéré. Précisons qu'il vaut mieux maîtriser la langue de Shakespeare pour tout comprendre. Visite intéressante mais qui peut paraître un peu longue, surtout pour ceux qui se sont coltiné la mine de fer le matin !

Hembygdsmuseet : *sur Postgatan, au 1er étage d'un gros édifice de brique. ☎ 186-92. Tlj l'été 11h-15h30. Entrée gratuite.* Modeste musée où apparaissent quelques timides éléments de la culture samie. Reconstitution d'une hutte, outils, vêtements et animaux empaillés. Pas grand-chose dans l'ensemble, mais ça ne coûte rien d'y faire un tour.

Le soleil de minuit : *sur la colline de Dundret. L'office du tourisme a mis au point un système de bus pour que les personnes non motorisées puissent assister au spectacle. Départ de la gare 23h ou 22h selon moment de l'été, retour 0h30.*

Prix abusif pour quelques km en bus : 120 Sk (12,50 €). Si la municipalité souhaite retenir ses touristes, un tarif plus attractif serait le bienvenu (et pourquoi pas la gratuité ?). Bien sûr, si le ciel est plombé, évitez d'y aller. Si vous caillez, il y a un petit café ouvert de 21h à 1h. Pour ceux qui sont véhiculés, prenez la route 88, direction Jokkmokk et tournez à gauche à la pancarte « Toppstugan-Dundret » ; c'est à 6 km par une route qui grimpe. Ce sommet offre un point de vue idéal sur les environs. La route sinue doucement au milieu de cette terre désolée, où seule une petite végétation rase se permet de pousser. Lumière irréelle et, de-ci, de-là, quelques plaques de neige qui résistent. Parfois quelques deltaplanes s'aventurent, entre le jour et la nuit, entre aujourd'hui et demain, à virevolter dans la vallée. Dommage que le site soit un peu défiguré par trois grandes antennes. Le mieux pour observer l'astre-roi qui refuse de mourir est encore de se trouver un coin bien à soi, loin des bricolages humains.

Randonnées dans les environs

➢ Possibilité d'accès à la ***Kungsleden*** *(piste Royale)* en bus, au départ de la gare jusqu'à Saltoluokta. Deux départs/j. Infos à l'office du tourisme ou directement auprès de la compagnie de bus *Lanttrafiken Norbotteen.* ☎ *0771-100-110.* Voir, plus loin, le chapitre qui lui est consacré.

QUITTER GÄLLIVARE

En train : ☎ *130-35.* Mis à part le train touristique *Inlandsbana,* liaisons plusieurs fois/j. pour Luleå. Changement à Boden pour Stockholm. Le train de nuit évite ce changement. Également 3 trains/j. pour Kiruna et Narvik.

En bus : liaisons pour Kiruna 2 fois/j., Jokkmokk 5 fois/j. et Luleå 2 fois/j.

JUKKASJÄRVI

IND. TÉL. : 0980

Gentil petit village à une grosse quinzaine de kilomètres de Kiruna, sur la route de Gällivare, où se trouve un incroyable hôtel de glace (entre novembre et avril évidemment), bâti chaque année selon des plans différents par des architectes de la région. Jukkasjärvi est en été un grand centre de départ pour de chouettes journées de rafting. C'est aussi là qu'on vient se ressourcer en hiver, en participant à d'authentiques expéditions en traîneau à chiens jusqu'au Kebnekaise. Et puisque vous y êtes, une confidence : c'est dans ces grandes étendues plates et glacées que certaines marques automobiles viennent faire leurs essais concernant la résistance des véhicules au froid. Quelques journalistes, tels des espions de l'ex-KGB, déboulent ici, incognito, à la recherche d'un scoop. Il y a ici l'hiver une atmosphère jamesbondesque qu'on aime bien. Et puis l'été, le coin est vraiment charmant.

Où dormir ?

Ice Hotel – Art Center : *à l'entrée du village, sur la droite.* ☎ *668-00.* • *icehotel.com* • *Résa à Paris dans ttes les agences de voyages spécialisées sur la Suède. Doubles 2 900 Sk (304 €) ; stugor 2-4 pers 2 900 Sk (304 €) l'hiver, env 600 Sk (63 €) l'été pour deux, 150 Sk (15,50 €) par pers supplémentaire.* Le plus grand igloo du monde ! Reconstruit chaque année avec des milliers de tonnes de glace et de neige, cette éphémère merveille d'architecture s'étale sur 7 000 m², possède près de 70 chambres, un bar de glace, une chapelle pour célébrer des mariages et des lustres de glace éclairés par fibre optique... et dire que tout cela fond au printemps ! Bâti en octobre-novembre, on édifie une structure métallique selon les plans d'un grand architecte (ça change chaque année) puis l'on projette de la glace pour que la bâtisse prenne forme. Pour dormir sur les matelas de glace, on étale des peaux de renne et on s'emmitoufle dans un sac de couchage (fourni, et qui n'est pas en glace, lui). D'accord, il ne fait jamais que 5 °C dans les chambres, mais dites-vous que dehors, il en fait - 40 °C et quand on rentre, eh bien on a une quasi-sensation de chaleur ! Bon, cette expérience reste bien sûr réservée à ceux qui en ont les moyens, et il n'y a ni dortoir ni possibilité de sculpter un lit supplémentaire ! Par contre, ça peut faire l'objet d'une nuit de noces originale puisqu'on célèbre chaque année environ 150 mariages dans la chapelle attenante. On n'a pas pu vérifier si toutes les unions ont été consommées la nuit même ! Sinon, on vous rassure, les douches sont chaudes. Le centre propose aussi des *stugor* élégants et très bien aménagés, pour 4 personnes et au bord d'un beau lac. Certains sont dotés de larges parties vitrées pour observer les aurores boréales depuis son lit. Les *stugor* avec un toit normal coûtent 300 Sk (33 €) de moins. En revanche, l'été, comme toujours, tarifs très attractifs, ce qui en fait un vrai bon plan même si l'environnement sans la neige n'a pas un charme fou.

À voir. À faire

L'été

Ice Hotel – Art Center : on vous a fait envie en parlant de l'hôtel de glace, de ses sculptures, de ses lits de glace, de son bar de glace, etc. Mais c'est l'été et vous vous dites : « Nom d'une pipe en bois de renne, tout a fondu, je ne verrai jamais toutes ces merveilles, dommage... » Eh bien non ! À Jukkasjärvi, ils ont pensé aussi aux estivants. C'est pourquoi des œuvres d'art sont réunies et exposées dans un petit musée frigorifique que vous pourrez visiter, pour la somme un peu exagérée de 100 Sk (10,50 €). C'est cher, mais vous ne verrez pas ça souvent.

– Possibilité de participer à des journées de ***rafting*** sur les rivières alentour. • icehotel.com/summer • Il faut être six minimum. Poisson grillé sur barbecue au bord de la rivière le midi. Si ce n'est pas le Colorado, c'est tout de même une fantastique expérience bien que particulièrement onéreuse.

L'église de Jukkasjärvi : *à l'extrémité de l'unique petite route qui traverse le village.* Adorable, elle possède à l'intérieur un charmant triptyque en bas-relief, naïf et sur bois, très coloré, de facture récente (1958). Une sorte de travail à la Douanier Rousseau, où le Christ est encadré de deux scènes villageoises rappelant les saisons. Dans l'enclos paroissial, on garde à l'entrée les traces du passage de Maupertuis au XVIIIe s et de son expédition pour mesurer un degré de l'arc terrestre.

Rengärde Reindeer : *juste à gauche de l'église. Tlj l'été 10h-18h. Entrée hyperchère, dommage : 75 Sk (8 €).* Quelques cabanes et tentes samies abritant de modestes objets d'art. Quelques rennes également. On peut prendre un café ou manger un morceau au resto, sous la tente autour du feu de bois à l'entrée. En fait, on peut se contenter de cela sans visiter le site. Excellente viande de renne revenue à la poêle sur le feu.

L'hiver

– Pas mal d'activités. Normal, on ne peut pas vraiment se prélasser au lit toute la journée. Traîneaux à chiens, motos des neiges, balades à raquettes, courses de rennes... Étendues immenses, dans le silence parfait des blancheurs hivernales. Escapades sur les chemins forestiers ou sur les espaces dégagés des lacs gelés. Pour les budgets confortables, évidemment.

Ice Globe Theatre : voilà qui est original : une copie en glace du *Shakespeare Global Theatre* au bord de la Tamise à Londres. On nous y promet *Hamlet* en langue same. « *To be or not to be* », cela se dit comment chez eux ?

KIRUNA

18 000 hab. IND. TÉL. : 0980

Kiruna donne des frissons. De chaque mur, de chaque rue, de chaque parcelle d'air suinte au premier abord un sentiment de morne tristesse. Dur labeur, vie sévère, Kiruna, comme Gällivare, est une ville minière du nord de la Suède créée au début du XXe s à cause de la mine. Le massif gris, face à la cité, est le vaste champ de travail de la plupart des habitants. Et puis, l'impression de grisaille se modifie peu à peu sous le premier rayon de soleil, avec les maisons peintes de couleurs vives, les quelques immeubles modernes du centre et sa petite banlieue agrémentée d'espaces verts bien entretenus. On s'habitue à cette curieuse atmosphère, et même la mine creusée en terrasses face au centre-ville prend des allures de fête. On se laisse aller à une sorte de spleen langoureux et on se prend à aimer ça. Tout est une question de lumière, d'humeur, de moment.

Kiruna se targue d'être la deuxième ville la plus étendue du monde, avec ses 20 000 km². Sachez qu'elle va jusqu'à la frontière finlandaise d'un côté et jusqu'à la frontière norvégienne de l'autre. On y parle trois langues : le sami, le finnois et le suédois. Si la surface est grande, les habitations ne s'étendent pas tant que ça. Même s'il n'y a pas grand-chose à faire ici, Kiruna est un excellent point de départ vers l'Abisko Park ou d'autres excursions, estivales ou hivernales.

On ne peut qu'admirer la manière avec laquelle les Suédois savent réfléchir dès aujourd'hui aux problèmes de demain, en essayant de les gérer dans le temps et dans un esprit de consensus. Affaire à suivre...

COMMENT DÉPLACER UN CENTRE-VILLE ?

À force de pomper les richesses du sous-sol, il fallait bien que ça arrive ! Le sous-sol de Kiruna ressemble à un gruyère et les risques d'affaissement sont réels. Les spécialistes prévoient prochainement son déplacement par cercles concentriques, en commençant par les habitations les plus menacées. Début des opérations autour de 2010 avec la gare (normal, les trains c'est lourd !). Cinq ans plus tard, au tour des maisons. Le projet devrait s'étaler sur près de trente ans. La plupart des maisons en bois seront démontées, numérotées et remontées plus loin. Reste à choisir la position du nouveau centre-ville, toujours en discussion.

Comment y aller ?

➢ Liaison ferroviaire et en bus vers Narvik en Norvège. Très beaux paysages lapons : 3 liaisons/j. dans les 2 sens, que ce soit en train ou en bus.

➢ ***De Stockholm :*** un bon plan consiste, pour les moins de 26 ans, à acheter en *stand-by* les billets d'avion à l'aéroport : 1h30 de vol au lieu d'une nuit de train, à un prix tout à fait raisonnable. Un vol part en fin de matinée, et un autre en fin d'après-midi.

Adresses utiles

Office du tourisme : *sur Folket Hus, en plein centre, sur la grande place.* | ☎ *188-80.* • *lappland.se* • [illegible] *8h30-20h ; après mi-aoû*[illegible]

8h30-17h (14h sam). Très sympa, bien documenté. Peuvent vous fournir plein d'infos sur l'Abisko Park et sur la piste Royale. Peut appeler pour réserver une chambre d'hôtel ou un lit en AJ. Accès Internet juste à côté, dans la même enceinte.

✉ **Poste :** *Geologgatan, dans le centre.*

■ **Change et distributeurs :** *autour de la place centrale, plusieurs banques et distributeurs.*

■ **Consigne :** *à la gare (fermée la nuit).* L'office du tourisme peut aussi faire consigne aux heures d'ouverture (payant).

✈ **SAS :** *à l'aéroport.* ☎ *28-48-10.* Deux vols/j. pour Stockholm.

■ **Douches :** *au camping et aussi à la Kiruna Sinhall, près du centre, sur Adolf Hedinsplan.*

■ **Kiruna Guidetur :** *sur Vänortsgatan, tt près de la place centrale.* ☎ *811-10.* Propose des locations de vélos, des tours en bateau sur la rivière Torne et pas mal d'autres activités dans le secteur.

Où dormir ?

Bon marché

⛺ **Radhusbyn Ripan :** *camping et hôtel situé un peu au-dessus du centre, à 1,5 km env.* ☎ *630-00.* • *ripan.se* • *Pas de bus. Demandez une carte à l'office du tourisme pour vous repérer. Compter 100 Sk (10,50 €) pour une tente et 2 pers. Nombreux* stugor *avec sanitaires et kitchenette à prix corrects : pour 4-5 pers, compter 600-750 Sk (63-79 €). Propose aussi des doubles, avec petit déj et service hôtelier env 950 Sk (100 €).* Très grand espace dominant une petite vallée, à l'environnement bucolique d'un côté, plus citadin de l'autre. Très aéré (un peu trop quand il y a du vent) et pas mal de moustiques quand il fait chaud. Excellent resto également (pas donné). Et puis, une très grande piscine payante avec toboggan, petits ponts, vagues artificielles, etc. Terrain de beach-volley, assez comique à cette latitude. Camping très bien équipé, à défaut d'être intime et excellent niveau de prestations pour le prix.

🏠 **Yellow House :** *Hantverkaregatan 25.* ☎ *137-50.* • *yellowhouse.nu* • *AJ privée à deux pas du centre, bien plus agréable que la STF. Lit à partir de ...Sk (15,50 €) ; également des dou-...* Une grande maison plutôt chaleureuse, proposant quelques chambres et petits dortoirs. Barbecue dans le jardin, atmosphère agréable. Le tout assez familial. Bon accueil.

🏠 **Kiruna Rum Service :** *Hjalmar Lundbohmsvägen 53.* ☎ *195-60.* • *kirunarum.se* • *Dans la grande rue qui passe devant la mairie. Doubles 380 Sk (40 €) avec sanitaires. Certaines pour cinq 750 Sk (79 €).* Cuisine à disposition. Éviter les chambres dans l'entresol, moins agréables. Au sous-sol, sauna, machine à laver. Bon, environnement pas génial (pas un arbre, pas un bout de pelouse). Pratique en revanche. Accueil sympa.

🏠 **STF Vandrarhem og Hotell City :** *Bergmästeregatan 7. Pour l'AJ :* ☎ *171-95. Pour l'hôtel :* ☎ *666-55. En plein centre. Réception en sem 7h-12h, 16h-21h. Horaires un peu restreints le w-e. Dortoirs de quatre, très bien, 150 Sk (15,50 €) le lit et doubles dans la partie AJ 380 Sk (40 €) l'été, ce qui en fait une excellente affaire.* D'autres chambres avec sanitaires dans la partie hôtel, au double de prix, mais franchement, on ne voit pas la différence tellement l'ensemble est bien tenu à défaut d'être original. Fonctionnel et sans charme, cuisine décevante.

...*taregatan 14, à ... Hedinsvägen. ...pied, au sud-est ...on 10h-18h. Doubles 600 Sk (63 €).* Est-ce que cette curieuse maison bleu et marron est un musée, un magasin ou un hôtel ? Les trois à la fois ! Au sous-sol, petit musée sans grand intérêt. Au rez-de-chaussée, jolis objets samis (les moins ringards qu'on ait vus). Pas mal pour faire des cadeaux mais assez cher. Au 1er étage, quelques chambres doubles avec TV, w-c et douche à des prix honnêtes. Calme et proche du centre.

Chambres chez l'habitant : *l'office du tourisme possède une petite liste mais ne s'occupe pas des résas. Prix très compétitifs.*

Où manger ?

Bon marché

Laguna : *Bergmästaregatan 10. ☎ 13-000. Tlj 11h-22h (1h en fin de sem). Pizzas (45 sortes) mais aussi pâtes, lasagnes et kebabs 50-100 Sk (5,30-10,50 €).* *Planksteak* très honnête.

Nan King : *Mangigatan 26. Tlj jusqu'à 22h-23h. Déj 65 Sk (7 €) en sem 11h-14h. Sinon, plats chinois 100-150 Sk (10,50-15,50 €).* Sont-ils tombés amoureux du pays sami ? Les Chinois ont débarqué ! C'est pas le bout du monde, mais c'est quand même bien sympa. Déco chinoisante.

Ripan Restaurant : *dans le camping-hôtel du même nom (voir « Où dormir ? »). ☎ 630-00. Déjeuner 75 Sk (8 €).* Si vous logez là, allez donc profiter du déjeuner servi 11h-15h comprenant un plat chaud qui change chaque jour, salade, pain et café. Le soir, à la carte, les prix s'envolent littéralement. Bonnes spécialités suédoises et samies pour ceux qui peuvent se les payer : *rödingfié, oxfile* ou *reninnanlar,* mais bien trop chères pour nos poches. Cadre de bois clair et larges baies vitrées.

Restaurant Reenstierna : *au 1er étage de l'hôtel* Scandic, *à côté de l'office du tourisme. ☎ 39-86-25. Fin du service 22h30. Si on indique cet établissement cher, c'est comme toujours pour son buffet-déj à prix défiant toute concurrence : 70 Sk (7,50 €) en sem.* En revanche, le soir, le porte-monnaie risque l'hémorragie. Un resto très classe donc, avec la plus belle vue que l'on puisse avoir sur la mine. Le menu comprend un buffet d'entrées et un plat de viande ou de poisson. Service à la hauteur. On peut aussi fréquenter l'établissement pour un thé de fin d'après-midi. Pour le soir, on le répète, oubliez !

Prix moyens

Momma's Pub : *au rez-de-chaussée de l'hôtel* Scandic. *Plats 120-200 Sk (12,50-21 €).* Le soir, dans une ambiance un peu cow-boy, *baked potatoes* (le moins cher), *ribs* (corrects) ou entrecôte (ça douille).

Où boire un verre ? Où danser ?

Caffrey's Corner : *Föreninngsgatan 4, juste dans le centre.* Pub à l'anglaise, avec petite terrasse, qui reste ouvert jusqu'à minuit et 2h en fin de semaine. Propose un menu pas cher le midi.

Mommas Pub et boîte Ferrum : *les deux sont à l'intérieur de l'hôtel* Scandic, *à côté de l'office du tourisme. Pub ouv mer-sam jusqu'à 1h ou 2h, disco ouv slt sam !* Faut bien viser pour sortir le soir à Kiruna.

À voir. À faire

La mine : *visite de mi-juin à fin août, tlj. Normalement, 5 visites/j., dont 2 en anglais. Le reste de l'année, nombre de visites réduit. Résa, achat du ticket et départ de l'office du tourisme. Infos par téléphone : ☎ 188-80. Entrée chère : 220 Sk*

(23 €) ; 50 Sk (5,30 €) pour un enfant (âge min : 6 ans) ; réduc étudiants. Durée : 3h. Une excursion dans le ventre de la montagne, à 540 m de profondeur, tout à fait conseillée à ceux qui n'ont pas déjà visité la mine de Gällivare. Pas aussi complète que cette dernière, mais intéressante tout de même. L'excursion se fait en bus, puis on visionne un film de 15 mn. Ensuite, visite de la partie désaffectée de la mine proprement dite.

L'hôtel de ville *(Stadhus)* **:** *en plein centre.* Inauguré en 1963. Reconnaissable à sa belle horloge dont la taille et l'audace sont à la mesure de l'époque où elle fut construite, pendant l'âge d'or de la mine. Cette tour-horloge possède 23 cloches qui jouent quatorze mélodies différentes à 12h et à 18h. Le reste du bâtiment est une horreur. Il a été élu « plus beau bâtiment public de Suède » en 1964. Le jury avait probablement abusé de l'*aquavit.* L'intérieur, en revanche (ouvert du lundi au vendredi aux heures de bureau), s'avère plus chaleureux. Exposition de pièces d'artisanat et de peintures contemporaines. L'été, toujours de belles expos temporaires. Rien d'exceptionnel, mais la visite est gratuite et ne prend que 10 mn...

L'église : *à 10 mn à pied du centre, sur Grüvvägen.* Cette église en forme de tente samie, tout en bois, peinte en rouge et recouverte d'écailles de bois, est particulièrement remarquable pour son architecture et pour son élégance. Elle date de 1912 et fut donnée par le fondateur de la ville, un certain Hjalmar Lundbohm. Qu'il en soit ici remercié. Notez les statues dorées sur la corniche, qui rythment l'ensemble. L'intérieur, très dépouillé, frappe par ses amples proportions. Admirable charpente qui chante. Cette église possède un charme unique. Le seul élément, discret, qui évoque véritablement la religion est une petite croix sur l'autel. Le campanile, séparé de l'église, possède lui aussi son petit charme avec son clocher à bulbe.

La base spatiale Esrange : • *ssc.se* • *De mi-juin à fin août en sem 9h15-13h15. Billets à acheter la veille à l'office du tourisme et départ de là : 390 Sk (41 €). Durée de la visite, trajet compris : 4h.* Une quarantaine de kilomètres à faire. Dans cette station à but scientifique, on étudie les phénomènes climatiques, notamment ceux liés à la couche d'ozone. C'est de là que sont lancés les – rares – satellites suédois. Bon, le prix d'entrée est carrément dissuasif.

➢ La plupart des gens choisissent Kiruna comme point de départ pour des ***randonnées pédestres*** vers ***Abisko Park*** et des expéditions de ***rafting*** sur la ***Torne River.***

– Si vous avez la chance de venir à Kiruna en hiver (il paraît que c'est la meilleure saison ici), ne manquez pas le *Snöfestival,* fin janvier : concours de sculptures sur glace, courses de chiens de traîneau, courses de rennes...

LE MASSIF DU KEBNEKAISE

Nous ne vous apprendrons rien en vous disant que le Kebnekaise est le plus haut massif de Suède, culminant à 2 109 m. C'est un Français qui en déflora le sommet en 1883. Le massif est situé à environ 100 km à l'ouest de Kiruna. C'est depuis cette ville qu'il est le plus pratique de s'y rendre.

Comment y aller ?

➢ ***De Kiruna :*** bus ou voiture jusqu'à *Nikkaluokta,* à 66 km de Kiruna. Départ 2 fois/j. depuis la gare routière. Se renseigner sur les horaires. De Nikkaluokta, sentier facile de 19 km jusqu'au campement de base, *Kebnekaise Station.* Une autre solution pour raccourcir la balade est de marcher 5,5 km env jusqu'au lac *Ladtjo-*

jaure, qu'on traverse par le bac. Arrivé de l'autre côté, il reste encore 8 km de marche jusqu'à la station. Économie de 6 km env, mais le bac revient cher : 130 Sk (13,50 €) pour l'aller et 200 Sk (21 €) l'aller-retour. *Rens, pour les horaires et les chemins, service pour les bacs : ☎ 0980-550-35 ; pour les voyageurs : ☎ 0980-550-15.*

À la Kebnekaise Fjällstation, possibilité de dormir dans le très beau ***refuge*** de bois. Cher. ☎ *550-00.* Voir avec l'office du tourisme de Kiruna.

L'ascension vers le sommet

Deux voies d'accès sont possibles. Pour l'ascension, compter entre 5h et 10h selon le chemin emprunté. Au sommet, petit refuge d'une dizaine de places. Emportez de bonnes chaussures, une carte très précise et des provisions. De toute manière, renseignez-vous à la Kebnekaise Fjällstation *(☎ 550-00)* ou à l'office du tourisme de Kiruna qui vous donnera toutes les indications. Les quelques renseignements ci-dessous ne sont donnés qu'à titre indicatif et ne sont en rien exhaustifs. Il est évidemment nécessaire de vous adresser à des professionnels pour envisager de telles excursions.

➢ ***La voie est :*** durée : 8h environ. Un guide part théoriquement tous les matins pour l'ascension du sommet par cette voie. Impressionnant, car on traverse une arête neigeuse. Quelques passages difficiles, mais des cordes sont installées un peu partout. Y aller la veille au soir pour mettre au point l'excursion. Mais si cette rando comporte quelques difficultés, il ne s'agit pas d'escalade.

➢ ***La voie ouest :*** facile car pas d'escalade, mais longue (10h au moins) et assez éprouvante (éboulis).

Pour plus d'infos, voir avec l'office du tourisme de Kiruna qui possède de la documentation sur le sujet, ainsi qu'à la Kebnekaise Station.

■ *Par ailleurs, il est possible de se renseigner à Paris auprès de* ***Terres d'Aventures :*** *5, rue Saint-Victor, 75005. ☎ 01-43-29-94-50.* Ⓜ *Maubert-Mutualité.* Un organisme sérieux qui propose ce trekking.

ABISKO NATIONAL PARK

IND. TÉL. : 0980

Situé à une centaine de kilomètres au nord-ouest de Kiruna. Ce parc national de 7 500 ha est le plus visité de Suède. La route, qui ne fut ouverte qu'en 1984, traverse des paysages d'une étrange beauté. Avant cela, seul le train (depuis 1902) franchissait la frontière suédo-norvégienne. Un ciel le plus souvent plombé, gris-bleu, une nature d'une magnifique pureté, un peu triste mais qui s'illumine merveilleusement quand le soleil parvient à percer et que les brouillards dansants lèvent leurs voiles. Lacs, vallons, montagnettes, végétation courte, minimaliste. C'est rude, mais on

NIPPONS EN QUÊTE DE QI ÉLEVÉ

Abisko bénéficie d'un des climats les moins pluvieux de toute la Suède car les nuages sont arrêtés par les montagnes des îles Lofoten en Norvège. Dès mi-septembre, le ciel est particulièrement dégagé et le retour de l'obscurité permet d'observer les aurores boréales, phénomène si magique. Les Japonais en sont friands et y viennent à cette période par bus entiers. Selon certains, les enfants conçus le soir où elles sont présentes dans le ciel sont plus intelligents que la moyenne. Le marketing a décidément de beaux jours devant lui.

aime. L'Abisko Park est le rendez-vous de nombreux randonneurs (bottes indispensables). C'est ici que débute la *Kungsleden,* la piste Royale qui relie Abisko à Hemavan sur une distance de près de 450 km. Voir le chapitre qui lui est consacré plus loin. Si vous êtes fauché, Abisko Östra est l'endroit le moins cher. Björkliden offre le meilleur panorama.

Comment y aller ?

➢ ***En voiture :*** prendre l'E10 vers Narvik ; jolie route en parfait état. Pensez à faire le plein. La prochaine station-service est à Abisko Östra.
➢ ***En train :*** 3 trains/j. de Kiruna pour Narvik. Ils s'arrêtent tous aux 2 gares de l'Abisko Park qui se trouvent à quelques km les unes des autres : *Abisko Östra* puis *Abisko Turistation.* On y trouve la gare, quelques hébergements et pas grand-chose d'autre. Apporter sa nourriture et tout ce dont vous avez besoin.

ABISKO ÖSTRA

C'est la première station en arrivant de Kiruna. On y trouve de l'essence et un supermarché. Également de quoi dormir et manger pour pas cher.

Où dormir ? Où manger ?

■ ***Camp Abisko :*** *de la pompe à essence, prendre le chemin qui monte. En arrivant de la gare, traverser la voie ferrée et monter pdt 200 m.* ☎ *401-48. Lit env 180 Sk (19 €) ; réduc si l'on réserve suffisamment à l'avance.* Baraque adorable en bois rouge avec des chambres pour quatre. À l'arrière, plusieurs petits chalets agréables et de bonne taille. Très propre et convivial. Sauna gratuit. Accueil affable.

■ |●| *En bas, au bord de la voie ferrée, petite* vandrarhem *avec des lits en petits dortoirs 150 Sk (15,50 €) ; un peu moins agréable car confort plus rustique. C'est la maison rouge à deux pas du* Camp Abisko. ☎ *401-03.* Sauna artisanal et chenil de chiens de traîneau. Cuisine à dispo. Pizzeria-sandwicherie bon marché ouverte jusqu'à 21h.

|●| *Le resto du* Camp Abisko, *le* ***Kräftkallan,*** *propose midi et soir des menus pas chers : le menu sami permet de goûter une pleine assiette de renne autour de 80 Sk (8,50 €), salade et café compris.* Grande pièce en bois très agréable, au calme, et terrasse avec tables en demi-rondins.

ABISKO TURISTATION

À 2 km d'Abisko Östra, c'est le point de départ le plus développé. En fait, c'est ici que tout le monde s'arrête. Nous, on préfère Abisko Östra, plus sauvage.
– *Location de vélos :* à la réception de la Turistation.
– Petite *expo* sur la montagne dans le bâtiment « Naturum », juste à côté de la *Turistation.* Ouvert tous les jours. Explications sur la faune et la flore, le relief, l'histoire de la *Kungsleden...* Intéressant pour ne pas marcher idiot.
– La *Turistation* loue ou vend tout le matériel qui permet d'entreprendre la randonnée de la piste Royale. Pas donné, mais c'est du bon matos. On peut aussi y acheter de la nourriture déshydratée. Des guides professionnels fournissent également aux randonneurs toutes sortes d'infos à l'heure du petit déj et du dîner sur les différentes balades possibles dans le secteur.

Où dormir ? Où manger ?

Abisko Turistation – AJ et hôtel : *402-00.* • *abisko.nu* • *Réception 8h-20h. Lit 190 Sk (20 €) en chambre de quatre. Doubles avec sanitaires 720 Sk (76 €) en été sans petit déj.* Cet établissement, édifié depuis plus d'un siècle, agrandi et rénové régulièrement, est en fait une sorte de complexe hôtelier pour randonneurs. Une partie de l'hôtel fait AJ, à 2 mn de la réception, dans une maison en bois d'un excellent confort, enfouie dans les arbres, voisine d'une gorge profonde. Évidemment, les prix s'en ressentent. Plus cher qu'une AJ classique. Possède 2 grandes cuisines très bien équipées et sanitaires collectifs. Machine à laver. Sauna gratuit et salle chauffante pour les vêtements mouillés. Ils ont vraiment pensé à tout. Propre et agréable. Dans l'ensembles, ajoutons que la *Turistation* est très bien aménagée et gérée avec intelligence. La partie hôtel propose des chambres doubles. Et pour être parfaitement complet, ajoutons que la *Turistation* propose également de vastes cottages un peu à l'écart, de vraies petites maisons en fait, au grand confort, pour 6 personnes avec sanitaires, mezzanine, cuisine, salon... pour 1 000 Sk (105 €) la nuit. Une affaire pour les petits groupes de copains.

Camping : *aire pour planter sa tente derrière l'hôtel. Il faut le savoir, il peut faire très froid. Compter 50 Sk (5,30 €) pour une tente et 2 pers.* Terrain caillouteux.

Possibilité de se restaurer à la ***Turistation,*** *excellent resto qui propose tlj (même w-e) le midi un buffet 75 Sk (8,30 €) ; le soir, dîner servi 18h-19h30 ; là encore, et c'est rare le soir pour le souligner, buffet tt compris autour de 200 Sk (21 €) que nous vous conseillons ; sinon, à la carte, les prix s'envolent (300-400 Sk, soit 31,50-42 €).* Car, si d'ordinaire les restos suédois sont souvent à fuir le soir à cause de leurs prix déments, celui-ci propose une vraie solution acceptable. D'autant plus que la qualité de la nourriture est irréprochable. Il faut avouer que c'est excellent (pavé de renne grillé en sauce, poisson de lac au citron et herbes...).

Soleil de minuit et aurores boréales

Aurora Sky Station : *inauguré en fév 2007, et accessible en télésiège 21h-1h (mar, jeu et sam). Prix avec équipement contre le froid : 295 Sk (31 €) mais ne pas y aller en chemisette !*
Cet observatoire permet de s'imprégner de la magie des aurores boréales d'hiver (de septembre à mi-mars) et de comprendre ce phénomène extraordinaire. Depuis la terrasse *Aurora Porch* et bien emmitouflé dans une couverture, on peut se laisser porter par la féerie des éléments naturels, et même les entendre grâce à des amplificateurs sonores ! Petite expo scientifique en annexe pour se faire expliquer le phénomène.
Pour les mêmes raisons géographiques et climatiques, la station se transforme en observatoire idéal du soleil de minuit entre le 9 juin et le 14 juillet. *Le prix est alors de 190 Sk (20 €).*

Le Panorama Café, qui surplombe la chaîne de montagnes d'Abisko et le lac Torneträsk, permet de se restaurer et de se réchauffer un peu avant de reprendre le télésiège.

Petites balades dans le coin

Pour les différentes balades que nous suggérons, une vérification de leur faisabilité et des précisions sont à demander aux guides spécialisés de la *Turistation.* Nos infos ne sont qu'indicatives et ne doivent pas être prises pour un topoguide.

➢ De la *Turistation,* prendre la ***télécabine*** (voir ci-dessus « Soleil de minuit et aurores boréales »). Vue extra sur le lac, la *Turistation* et le *Lapporten* qui veut dire « porte pour le Lappland » et de nombreux lacs autour. De la télécabine, à l'arrière, deux sentiers partent vers la gauche (quand on regarde la montagne). Le plus à gauche se dirige vers *Kärkevagge* (une vallée), puis retour à la Turistation. Compter 3h en tout, mais ça ne fait que descendre. L'autre sentier se dirige vers *Björkliden* en 3 à 4h. Après environ 1 km, sur la droite, on voit le panneau pour le mont Njulla qui est encore 1 km plus loin. On y trouve un livre d'or dans une boîte. Si vous reprenez le chemin du *Björkliden,* où passent la route et la voie ferrée, on peut ensuite reprendre le bus ou le train pour revenir à la Turistation (compter 8 km). À pied : 1h30.

➢ Nombreuses balades de toutes durées et toutes difficultés sont proposées dans le parc, à faire tout seul ou en groupe. Là encore, toutes les infos disponibles à la *Turistation.* En voici quelques exemples : ***Abisko Jokk*** (20 mn à 2h), qui suit la rivière Abisko sur l'une de ces rives depuis la Turistation. La ***Ridonjira*** qui permet d'observer une belle flore. Il y a aussi le ***Njakajaure trail*** qui emprunte le début du *Kungsleden* sur 2 km jusqu'à un lac et retour.

➢ Deux excursions sont organisées par la Turistation car elles nécessitent d'être motorisé (on peut les faire seul si on a une voiture). Il s'agit du ***Kärkevagge*** qui mène à un lac glaciaire très clair à partir de la *Läktatjakko Station.* Traversée d'éboulis mais pas de difficultés. Une autre excursion très populaire est le ***Rombakksbotten,*** qui associe le train, la marche (11 km), le bateau puis à nouveau le train. Compter la journée, mais c'est pépère.

BJÖRKLIDEN

À 7 km après la *Turistation.* Dernier arrêt du train dans l'Abisko Park. Certainement l'endroit le plus agréable pour la belle vue sur la région. Pour des infos sur les excursions et activités qui y sont proposées, voir à l'hôtel *Fjället* : ☎ *64-100 ou* • *bjorkliden.com* •

Où dormir ? Où manger ?

Björkliden's Camping : *en montant vers l'*Hotel Fjället, *grand camping aménagé avec douches, cuisine, etc. Réception 8h-11h, 17h-21h30. Emplacement 125 Sk (13 €), ce qu'on trouve bien cher pour ce que c'est.* Ça ressemble à un parking. Comment faire aussi moche dans un tel environnement ? En dernier recours seulement.

Davvi Dallu Vandrarhem : *longue maison rouge bien visible.* ☎ *410-84. Réception 16h-22h. Dortoirs 4-6 pers 150 Sk (15,50 €) et quelques doubles env 400 Sk (42 €).* W-c et lavabo dans chaque chambre, douche dans le couloir. Propre et fonctionnel. Cuisine bien équipée à dispo. Terrasse sur le devant.

Hotel Fjället et stugor : *vous ne pouvez pas le rater. Il est tt en haut.* ☎ *641-00. Doubles de bon confort avec sanitaires env 1 000 Sk (105 €) l'été, avec petit déj ;* stugor *env 900 Sk (95 €) en été.* Cette adresse est un peu le pendant de la *Turistation* à Björkliden. Également de grands *stugor* à louer pour 5 personnes, juste en dessous de l'hôtel. Bien équipés : sanitaires, kitchenette, TV... Vue extraordinaire depuis le hall-salon aux larges baies vitrées. Idéal pour un thé au chaud en fin d'après-midi.

Restaurant de l'Hotel Fjället : *propose le midi un menu 80 Sk (8,50 €), servi 12h-14h. Cher à la carte. Dîner 18h-21h.* C'est la plus belle vue du coin. Une jolie balade part du parking de l'hôtel : suivre le chemin montant balisé avec des losanges rouges. Après 1h de marche parfois physique, vous aurez conquis un point de vue magnifique et bien mérité votre soleil de minuit. S'habiller chaudement. Au début du sentier, jetez un œil sur le golf, certainement l'un des plus au nord, à 250 km au-dessus du cercle polaire.

LA PISTE ROYALE *(KUNGSLEDEN)*

Il porte bien son nom, ce sentier de rando comparable aux GR en France. La randonnée totale couvre près de 450 km vers le sud et prend son départ à *Abisko Turistation* et se termine à Hemavan. Bien sûr, on n'est pas obligé de tout faire (voir les infos sur la rando classique plus loin). Pour les marteaux de la randonnée qui veulent s'avaler tout le trajet, compter au minimum trois semaines. Cette balade est parfaitement aménagée sur la partie nord, de Abisko à Kvikkjokk. La seconde partie l'est moins. Le chemin, sans difficulté, serpente au fond des vallées. La marche est parfois lassante du fait de l'aménagement du sentier garni de lattes de bois. On y découvre une végétation changeante, des sols différents et de beaux paysages qu'il faut découvrir en quittant le sentier pour prendre de la hauteur. Période idéale : de mi-juillet à mi-septembre.

Les différents points d'accès à la piste

➢ ***Abisko :*** c'est le début de la piste. Point d'accès tout près d'*Abisko Turistation,* en traversant la voie ferrée. C'est le point le plus facile pour démarrer la randonnée.
➢ ***De Kiruna :*** aller jusqu'à Abisko en train, au point de départ, ou aller à Nikkaluokta en bus (voir « Le massif du Kebnekaise »). On peut dormir à *Kebnekaise Fjällstation.* Puis encore 14 km pour rejoindre *Singistugorna,* point de rencontre avec la Kungsleden.
➢ ***De Gällivare :*** bus jusqu'à Saltoluokta ou Vakkotavare.
➢ ***De Jokkmokk :*** bus jusqu'à Kvikkjokk où passe la piste Royale.
➢ ***De Sorsele :*** bus jusqu'à Ammarnäs.

Où dormir sur la piste ?

Sur la majeure partie du parcours (d'Abisko à Kvikkjokk, et d'Ammarnäs à Hemavan), il existe des ***chalets-refuges*** pour passer la nuit. Les distances entre chacun de ces chalets sont de 8 à 24 km maximum. Ils sont tous très bien équipés avec cheminée, poêles pour faire du feu, lits, matelas, couvertures et ustensiles de cuisine. Bien sûr, il faut couper son bois, aller chercher l'eau, laver la vaisselle et laisser l'endroit impeccable. Mais pour cela, on vous fait confiance. Dans plusieurs des chalets sur le sentier, possibilité d'acheter de la nourriture déshydratée (petits gâteaux, pain suédois). En pleine saison, il y a toujours un gardien qui encaisse le prix de la nuit, équivalent à celui d'une AJ (compter 190 Sk, soit 20 €) avec la carte de la STF. Sur la partie centrale, de Kvikkjokk à Ammarnäs, ni chalet ni possibilité de ravitaillement.
Pour des rens sur le parcours et les hébergements, les dates d'ouv des refuges et les résas, contacter le central STF de Stockholm (Svenska Turistföreningen) : ☎ 08-463-21-00 ou consulter le site • svenskaturistforeningen.se •

La randonnée

➢ D'Abisko, la piste s'enfonce dans une forêt de bouleaux, puis on rencontre la montagne. Le sentier suit la vallée, puis de nouveau la forêt de bouleaux. Des ponts sont aménagés au-dessus de tous les gués. Pour traverser les lacs, des bacs sont toujours là (assez chers en général, mais ça dépend de la taille du lac). Il y a aussi des bateaux à rames, mais il faut toujours en laisser un sur chaque rive. Dernière info : les portables passent très mal sur le parcours. Ne pas compter dessus. Sinon, aucune difficulté particulière.

Cartes

Voici les différentes cartes qui incluent la piste Royale.
– ***Nya Fjällkartan :*** *échelle 1/100 000. BD 6, BD 8, BD10, BD 14, BD 16 et AC 2.* Celles-ci couvrent tout le parcours.

Préparation

– Nourriture déshydratée à acheter avant de partir, à la *Turistation* par exemple.
– Carte, bougies, bonnes chaussures et chaussettes, K-way, pull, produit antimoustique, allumettes, boussole, gourde (il y a des sources et des rivières partout où l'eau est potable). On rappelle que certains des refuges vendent des aliments déshydratés, mais pas tous.

Autre rando classique, sur une semaine

➢ Voici quelques indications sur une rando de base qui emprunte seulement une partie de la piste Royale et qui grimpe au *Kabnekaise*. Là encore, pour préparer cette rando, consultez le site internet et interrogez les guides sur place. Compter une semaine. Départ d'Abisko par le Kungsleden durant trois ou quatre jours, puis on quitte cette voie pour emprunter le sentier qui mène au *Kabnekaise* en une journée (on dort au *Mountain Lodge*). Puis, le lendemain, on fait la montée au sommet avec un guide, et l'on revient par *Nikkaluokta*. De là, bus pour Kiruna.

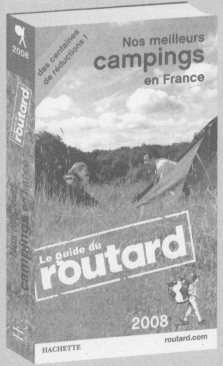

NOS NOUVEAUTÉS

PARIS, OUVERT LE DIMANCHE (mai 2008)

Que faire à Paris le dimanche ? On se creuse bien souvent les méninges pour trouver des activités dominicales qui ne viennent pas toujours spontanément à l'esprit ! Toutes générations confondues ! Voici de quoi vous prouver que la capitale ne s'endort pas sur ses lauriers le jour du Seigneur. Assister aux concerts du dimanche matin, au théâtre du Châtelet, pendant que les enfants sont pris par la main avec des activités annexes, fallait juste y penser ; remplir son couffin au marché bio Raspail et visiter gratuitement les grands musées parisiens, le 1er dimanche de chaque mois, reste une aubaine ! Des balades culturelles aux activités sportives et familiales en passant par des haltes romantiques, nous avons cherché à satisfaire la curiosité de tous en débusquant des trouvailles parfois insolites... Mais une journée de détente et de loisirs serait incomplète sans l'essentiel : une bonne table pour se restaurer quand les pieds ne vous portent plus. Le branché parisien y trouvera une sélection de brunchs. En outre, on indique, bien sûr, des restos de cuisine traditionnelle, toujours au meilleur rapport qualité-prix.

PARIS À VÉLO (mai 2008)

Le *Guide du routard* propose enfin de vous faire découvrir Paris du haut d'un vélo. À travers une dizaine d'itinéraires thématiques créés par des spécialistes de la petite reine, ce nouveau guide propose non seulement une visite architecturale des grands monuments et des plus beaux sites de la capitale, mais aussi la découverte d'un Paris secret, poétique et bien souvent verdoyant, que seul le vélo permet de parcourir. Toutes les balades sont accessibles à tous, débutants ou confirmés, et modulables à loisir grâce au système *Vélib'*. De nombreuses anecdotes permettent de découvrir « la petite histoire » des monuments et de mieux sentir la personnalité de chaque quartier. *Paris à vélo,* c'est aussi une mine d'infos pratiques, du choix de sa bicyclette aux tuyaux pour circuler en toute sécurité, en passant par toutes les astuces pour profiter vraiment de *Vélib'*. Alors, tous à vos biclounes et bonnes balades !

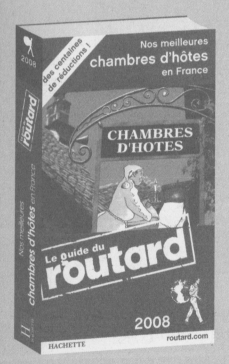

INDEX GÉNÉRAL

A

B

C

D

E

F

G

H

I-J-K

L

M

N

O

P

R

S

T

U